슬픈 열대

클로드 레비스트로스 지음 | 박옥줄 옮김

한길사

Tristes tropiques

by Claude Lévi-Strauss

Translated by Park Okjool

Published by Hangilsa Publishing Co., Ltd., Korea, 1998

클로드 레비스트로스.

아카데미 프랑세즈에서 강의하고 있는 레비스트로스.

1981년 10월 한국정신문화연구원 초청으로 방한한 레비스트로스가
안동 하회마을을 방문해 한국의 전통 가옥구조를 살펴보고 있다.

Claude Lévi-Strauss

after first seeing the Korean translation of Tristes Tropiques
with deep thanks to the publisher and with hope that
the Korean reader will still find some interest in this
old book.

▲ 방한한 레비스트로스가 기념사인을 하는 모습.
▼ 레비스트로스의 사인과 한국 독자들에게 주는 인사말.

카두베오족

파라나의 원시림.

▲ 판타날.
▼ 카두베오족의 수도 날리케.

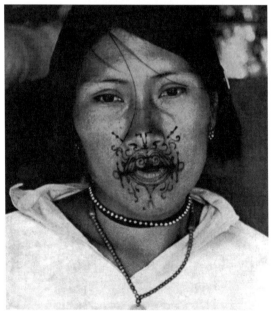

안면 도식(塗飾)을 한 카두베오족 여자들.

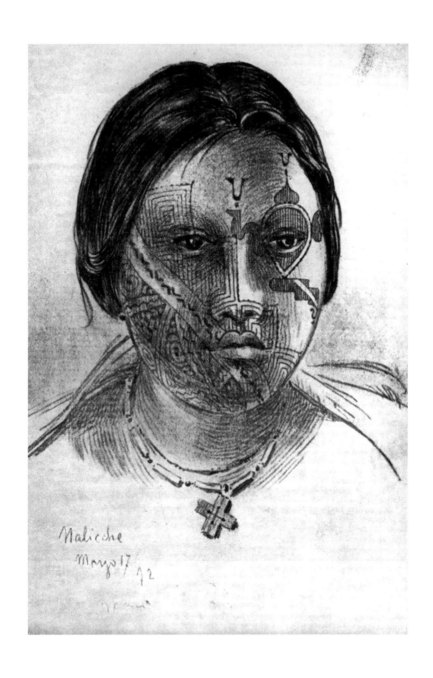

1895년 카두베오족의 한 미녀(보지아니가 제공한 자료).

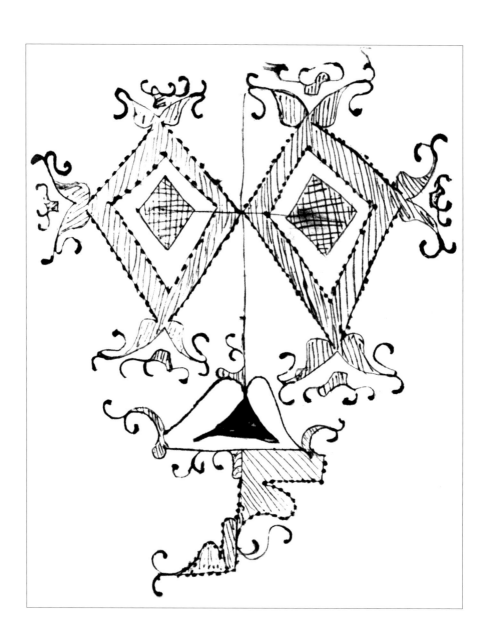

한 카두베오족 여자가 그린 안면 도식의 도안.

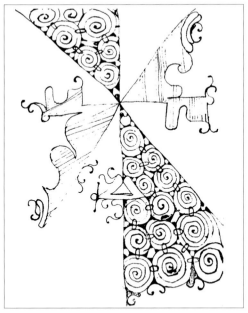

인디언이 그린 도안들.

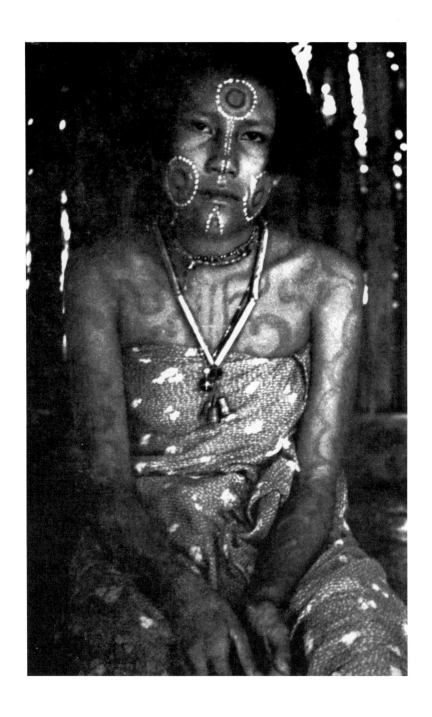

성녀식(成女式) 복장을 한 카두베오족 처녀.

보로로족

케자라의 보로로족 마을.
가운데가 '남자들의 집'이고,
그 뒤에 투가레 반족(半族)의 집 일부가 보인다.

보로로족 부부.

정장을 한 보로로족 남자.
저자에게 많은 자료를 제공해주었다.

'남자들의 집'에서의 식사.

마리두를 끄집어낸 모습.

르네 실츠가 촬영한 장례식 모습.

▲ 장례식의 춤.
▼ 파이웨(고슴도치) 씨족의 춤.

남비콰라족

▲ 이동 중인 남비콰라족.
▼ 이동 중 휴식을 취하는 남비콰라족.

▲ 남비콰라족의 두 남자. 팔에 차고 있는 팔찌에
잎사귀로 만 담배가 꽂혀 있는 것이 보인다.
▼ 사바네의 주술사.

◀ 나뭇잎으로 만든 건기(乾期) 때의 임시 집.

▶ 머리에 원숭이를 올려놓은 소녀.

▼ 우기(雨期) 때의 집 구조.

▲ 족장 와클레토수.
▼ 쿠라레(독화살) 만들기.

남비콰라족이 활을 쏠 때 오른손의 위치.
이것을 '제2의 위치'라고 한다.
뒤에 나오는 문데족 사수의 자세와 비교해볼 것.

◀ 장식 구슬을 고르고, 실뽑기를 하고, 베를 짜느라
골몰해 있는 남비콰라족의 야영지.
▶ 강물에서 건져온 조개껍데기에다가 귀고리를 만들기 위해
구멍을 뚫고 있는 남비콰라족 여자.
▼ 일부다처의 가족.

▲ 인디언 특유의 자세로 젖을 먹이는 여자.
▼ 단란한 가족의 모습.

시에스타.

부부간의 희롱.

▲ 사이좋게 뒹구는 모습.
▼ 장난스러운 몸싸움.

▲ 졸고 있는 임부(姙婦).
▼ 어린애 운반법.

▲ 서로 이를 잡아주는 모습.
▼ 원숭이를 머리에 올려놓은 처녀.

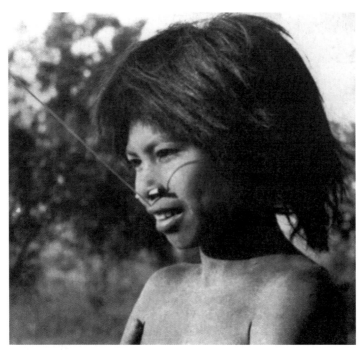

▲ 코걸이장식과 빳빳한 섬유로 입술장식을 한 남비콰라족 소년.
▼ 생각에 잠긴 여자.

▲ 실잣기를 하는 모습.
▼ 주술사의 두 젊은 아내끼리의 담소.

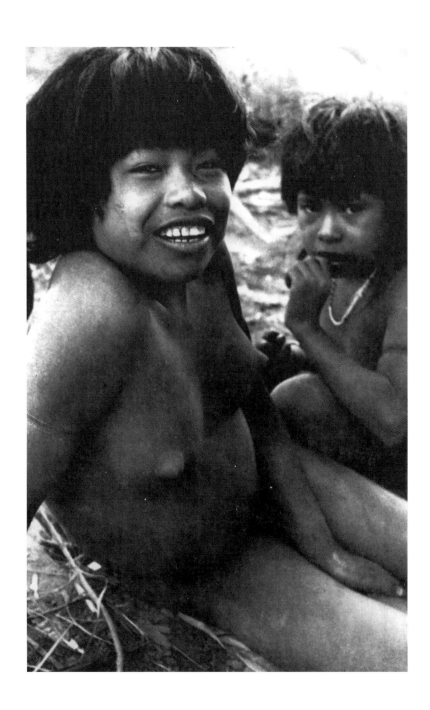

남비콰라족의 미소.

투피 카와이브족

▲ 피멘타 부에누강을 거슬러 오르다.
▼ 경작지 한가운데 있는 문데족 마을.

▲ 문데 마을의 마당.
▼ 송진을 딱딱하게 굳혀 만든 입술장식을 한 문데족 남자.

문데족이 사는 집의 둥근 천장 내부.

문데족의 사수.
'지줌해 혓'이라 불리는 오른손의 위치에 주의힐 짓.
이것은 아메리카에서 가장 흔한 형인 보로로족이나
남비콰라족에 공통되는 형과는 다르다.

문데족의 젊은 두 어머니.

문데족 여자와 그녀의 아이.
아이의 눈썹에는 탈모를 위해 밀랍이 발라져 있다.

루신다.

마샤두강변에서 투피 카와이브족과 공동 야영을 하다.

원숭이 가죽을 벗기고 있는 투피 카와이브족의 남자 포티엔.
최근에 선물받은 혁대, 그리고 음경주머니를 눈여겨볼 것.

투피 카와이브족의 족장 타페라이.

어린아이를 안고 있는 타페라이의 본처 쿠냐친.

▲ 타페라이의 아들 페레자.
▼ 두 형제의 아내인 페냐나.

마루아바이. 자기 딸 쿠냐친과 함께 족장 타페라이의 아내다.

지 파라나강의 급류를 건너기 위해 배를 이고 가다.

HANGIL GREAT BOOKS |
SPECIAL COLLECTION

슬픈 열대

클로드 레비스트로스 지음 | 박옥줄 옮김

한길사

슬픈 열대

차례

문명과 야만의 이분법적 사유에 대한 비판

• 레비스트로스의 사상과 '슬픈 열대'

박옥줄 서울대 명예교수·불문학

1. 레비스트로스와 구조주의

프랑스의 저명한 인류학자이며 사상가인 레비스트로스의 구조주의(構造主義)는 오늘날 전 세계의 사람들로부터 광범한 지적 관심을 불러일으키고 있다. 우리나라에서는 1968년에 『사상계』(7, 9, 10월호)에서 불어·불문학자들이 단편적이나마 처음으로 레비스트로스와 구조주의의 내용을 소개한 바 있다. 물론 이에 앞서 언어학자나 문법학자 또는 문학평론가들이 구조주의적 방법론에 대해 적지 않은 관심을 가지고 있었던 것도 사실이다. 그러다 1970년대에 접어들고부터 우리나라에서도 레비스트로스에 대한 관심은 문학이나 언어학의 영역에서 철학·사회학·인류학·역사학 등에 이르기까지 많은 논의의 대상이 되기 시작했다.

프랑스의 경우, 제2차 세계대전 이후에는 실존주의(existentialisme)가 사상계의 주류를 이루어왔으나, 1950년대 말 등장하기 시작한 구조주의에 의해서 새로운 인간관, 새로운 역사관, 또는 새로운 방법론의 모색이라는 신국면을 맞이했다. 일반적으로 구조주의의 창시자는 레비스트로스인 것으로 간주되지만, 구조주의에는 본질적으로 서로 다른 독립적 지위를 지닌 적어도 다른 네 인물——자크 라캉(Jacques Lacan), 루이 알튀세르(Louis Althusser), 롤랑 바르트(Roland Barthes), 미셸 푸코(Michel Foucault)——을 들 수 있다. 레비스트로스가 인류학에서 구조주의를 발견·응용하는 것처럼, 라캉은 프로이트류의 초현실주의로부터, 알튀세르는 마르크스주의로부터, 바르트는 문학비평으로부터, 푸코는 철학으로부터 각각 그들의 입장을 취하고 있다.

그러나 이 학파들을 구조주의라는 단일한 명칭 속에 포함시키는 것이 잘못된 것은 아니나 이들 각각의 내용과 방법, 그리고 강조에서는 놀랄 만한 차이점이 또한 존재한다. 예컨대 라캉은 프로이트의 이론과 언어학자 야콥슨(Roman Jacobson)의 구조주의 언어학 간의 상호 관련성을 확신하여 의식과 전의식(前意識), 또는 자아와 원초적 자아의 분석에 관심을 둔 반면에, 알튀세르는 구조의 개념이나 이론을 채용함이 없이 마르크스주의에 대한 반(反)인간주의적·반역사주의적 해석을 시도하면서, 특히 『자본론』 가운데 나타난 마르크스 이론에 대한 새로운 문제의식을 주장하고 있다. 구조주의자들의 이처럼 다양한 견해는 우리들로 하여금 레비스트로스의 인류학적 구조주의에서 구조주의의 참된 모습을 발견하도록 한다.

레비스트로스는 민족학자(民族學者)로서 남북아메리카 원주민들의 사회조직이나 행위를 연구할 때 그가 사용했던 방법을 구조주의라고 불렀다. 그러나 이 방법은 그가 결코 의도하지 않았던 분야에까지 무분별하게 적용되었으며, 구조주의는 민족학적 분석방법으로부터 하나의 철학적 주장에까지 확대되었다. 그리하여 레비스트로스는 구조주의의 유행에 당황하여 "오늘날 프랑스 지식인들이 이해하고 있는 의미에서라면, 나는 구조주의자가 아니다. ……나는 결코 어떤 지적 운동이나 주의를 주장하거나 이끌지 않았으며, 오직 민족학자의 집단에 둘러싸여 고립적 활동을 계속했을 뿐이다. ……어떤 철학자나 문학자들과 관련된 구조주의는 나의 방법과는 완전히 혼란된 것이다. 나는 푸코와 같은 사람의 지성과 재능에는 무한한 존경심을 지니고 있지만, 그가 행하는 작업과 내가 하는 일 사이에서 나는 극히 사소한 유사성도 발견하지 못한다"라고 입장을 명백히 밝혔다.

레비스트로스는 구조주의란 우리가 생각지 못한 조화(調和)에 대한 탐구이며, 어떤 대상들 가운데 내재하는 관계의 체계를 발견해내는 것이라고 생각한다. 그리고 그의 구조주의는 인간의 행위가 하나의 화학적 요소처럼 과학적으로 분류될 수 있다는 생각에 근거하므로, 구조주의적 관점에서 볼 때는 자연이나 사회현상에는 임의적인 것이 결코 존재하지 않게 된다.

바로 이와 같은 이유에서 그는 우리들 자신의 사회보다 비교적 정적(靜的)인 원주민 사회를 연구대상으로 선택하여 이 사회 내에서 신화·친족·결혼 따위의 법칙과 체계를 규명해내는 것이다. 미개사회를 연구할 때 인류학자의 목적은 하나의 인간성(humanité)을 탐구해내는 것이다. 그러나 미개사회에는 우리들 자신의 사회와는 너무나 동떨어진 신념이나 생활양식이 존재하므로 인간성의 한계에 존재하는 인간활동들을 통해서 인간을 이해하려는 노력이 발생하는 것이다. 이와 같은 과업을 적절히 수행하기 위해서 레비스트로스는 인간과학은 구조주의적 방법을 선택하거나 또는 전혀 다른 분석수단을 사용할 수도 있으리라고 믿는다.

단지 인류학자는 수많은 사회와 믿을 수 없을 만큼 다양한 사실에 직면하여 양자택일을 하지 않으면 안 된다. 그는 이 모든 현상의 다양성에 관한 목록을 작성하거나 또는 이 다양성의 배후에 무언가 좀더 심층적이고 보편적인 것이 존재한다는 것을 인정하는 것이다. 구조주의는 바로 이 다양한 표현을 이처럼 하나의 언어(또는 관계나 법칙의 체계)로 환원하는 작업이다. 다양한 현실의 배후에서 좀더 심층적이고 진실한 어떤 실체를 발견하려는 노력은 그것이 무엇이라고 불리든 간에 레비스트로스에게는 인간과학의 존속에 필요한 조건이다. 물리학자가 빛을 하나의 파동으로서 혹은 방사체(放射體)로서 연구하듯이, 인간현상은 역사적으로나 혹은 구조적으로 설명될 수 있는 것이다. 이 두 가지 방법은 모두 타당성을 지닐 수 있으나, 어느 하나가 더 우권적이거나 특권적인 위치를 점유하는 것은 아니다. 그러나 레비스트로스는 오직 후자의 구조주의적 방법에만 관심을 보인다.

결국 오늘날 우리들이 구조주의라고 부르는 것은, 적어도 그 방법론적 차원에서는 레비스트로스에 의해 가장 체계적으로 전개되는 것으로 간주해도 좋을 것이다. 물론 이미 구조주의는 인류학적 문제의 제한된 분야나 한 사회인류학자의 이론적 성과를 훨씬 넘어서서 하나의 세계관 또는 이데올로기로까지 확대되고 있다. 따라서 우리는 레비스트로스 사상의 핵심을 이루는 구조주의를 이해하기 위해서 먼저 그의 생애를 통한 학문적 전개 방향을 좀더 상세히 살펴보는 것이 좋을 것 같다.

2. 레비스트로스의 생애

레비스트로스는 1908년 벨기에의 브뤼셀에서 출생했는데, 그의 부친은 유대계 프랑스인이었다. 그는 생후 얼마 안 되어 베르사유로 옮겨가서 그곳에서 유년기를 보냈다. 그의 부친과 숙부는 모두 화가였으며, 그의 할아버지는 베르사유의 유대교 율법 선생으로서 교회를 관리했으므로 레비스트로스는 어려서부터 교회의 벽화나 성화(聖畵)들 혹은 다른 명화(名畵)를 접할 기회가 많았다. 또 그 자신도 일찍부터 그림·조각·골동품 따위를 수집함으로써 회화에 대한 높은 안목과 식견을 지닐 수 있었다. 이 같은 그의 재능은 『슬픈 열대』에서 카두베오족이나 보로로족의 신체장식이나 조각의 문양과 구도를 분석할 때 놀랄 만한 경지를 보여준다.

레비스트로스는 고등학교 시절부터 파리에서 거주했고 파리 대학에서 철학을 공부했으며, 특히 1931년에는 철학교수 자격시험에 최연소자(23세)로 합격하는 비상한 재능을 보였다.

대학을 졸업하고 나서는 리세(프랑스의 국립 중고등학교)에서 근무하다가 1935년에 선배인 셀레스탱 부글레(Célestin Bouglé)의 소개로 브라질의 상파울루 대학 사회학 교수로 취임하는데, 여기에서 그는 그의 학문적 진로에 하나의 주요한 전기를 맞이한다. 그는 브라질에 체류하는 동안 주말이나 방학을 이용하여 아마존강 유역의 원주민 사회를 답사하는 기회가 있었던 것이다. 이리하여 그는 원주민들을 직접 대면하면서 민족학적 조사를 실시하게 되었고, 1936년에 처음으로 인류학적 논문을 발표했다. 1938년에는 브라질 정부의 후원 아래 브라질 내륙지방의 원주민 사회 조사단의 일원으로 참가했고, 이때 조사한 네 원주민 부족에 관한 민족지(民族誌)가 바로 『슬픈 열대』의 주요 내용을 이루고 있다.

그러나 제2차 세계대전이 발발하자, 그는 영국과 프랑스 간의 통역장교로 근무했는데, 프랑스가 독일에 패배하자 유대계 프랑스인이었던 레비스트로스는 미국으로 탈출하여 동료학자들의 도움으로 뉴욕의 신사회조사연구원(New School for Social Research)에서 향후 8년간 연구생활을 하게 되었다. 이 기간에 그는 당시 미국의 유명한 인류학자들인 로위(Lowie), 보애스(Franz Boas), 크로버(Alfred Kroeber), 린튼(Rinton) 등과 친교를 맺어 그들로부터 많은 이론적 영향을 받았다. 특히 저명한 구조주의 언어학자였던 야콥슨과의 학문적 대화에서 구조언어학(構造言語學)의 방법론을 습득했으며, 그 성과로 1954년에는 야콥슨과 공동으로 「언어학과 인류학에서의 구조적 분석」(Structural Analysis in Linguistics and in Anthropology, 『신동아』 1973년 1월호에 번역되어 실렸음)이란 논문을 집필했다. 제2차 세계대전 이후인 1946년부터 2년간은 주미 프랑스 대사관의 문화고문 직책을 맡았으나 1948년에는 파리로 돌아와 인류학박물관의 부(副)관장직을 맡는다.

다음 해인 1949년에 레비스트로스는 『친족의 기본 구조』(Les Structures Élémentaires de la Parenté)라는 방대한 저서를 출간하여 구조주의 방법을 결혼 및 친족체계에 적용했는데, 이 저서로 그는 인류학자로서 명성과 지위를 확고하게 했다.

1950년에는 파리 대학 고등연구원(Paris École des Hautes Études)의 제6분과(원시종교)의 연구교수로 취임하여 단기간 아시아 지역(파키스탄·인도 등)을 여행한 것 외에는 직접 현지조사는 실시하지 않고 주로 연구와 저술활동을 했다. 이 기간에 나타난 그의 주요한 업적들로는 『인종과 역사』(Race et Histoire, 1952), 『슬픈 열대』(Tristes Tropiques, 1955), 『구조인류학』(Anthropologie Structurale, 1958) 등을 들 수 있다.

1959년에는 콜레주 드 프랑스(Collège de France)에 사회인류학 연구실이 특별히 레비스트로스를 위하여 개설되었는데, 그의 취임강연은 유명했다. 이곳에서 그는 사회인류학을 강의하면서 그의 구조주의 방법을 두 번째로 적용하기 위해 신화학(神話學) 연구에 몰두하기 시작했다. 특히 1962년에 출간된 『야생의 사고』(La Pensée Sauvage)는 그 난해성과 사르트르의 역사관에 대한 비판으로, 당시 사상계에 던진 충격과 파문이 굉장했다. 그러나 『야생의 사고』는 레비스트로스의 다음에 나타날 방대한 저서인 『신화학』(Mythologiques)의 사상적 기초에 해당하는 하나의 전주곡이었다.

1964년부터 1971년에 걸쳐 레비스트로스는 그의 명석한 지성과 화려한 천재성을 4권의 저서에 쏟아놓았다. 1964년에는 『신화학』 제1권 「날것과 익힌 것」(Le cru et le cuit)을, 1966년에는 「꿀로부터 재까지」(Du miel aux cendres)를, 1968년에는 「식사법의 기원」(L'origine des manières de tables)을, 그리고 1971년에는 「벌거벗은 인간」(L'homme nu)이 출간되어 신화학의 전 체계가 완성되었다. 물론 이 저서에 담긴 내용과 분석 방법에 대해 논란이 적지 않지만, 제1권 「날것과 익힌 것」에 주어진, 인류학자의 최고 명예라 할 수 있는 바이킹 재단상(Viking Fund medal) 수상을 고려하더라도 우리는 레비스트로스의 이 업적이 얼마나 큰 인류학적 가치를 지닌 것인지 충분히 짐작할 수 있다.

지금까지 매우 간략하게 열거한 그의 생애와 학문적 업적에서 우리는 그의 지칠 줄 모르는 연구활동과 현대 사상계나 학계에서 차지하는 위치와 비중을 어느 정도 가늠할 수 있다. 요컨대 레비스트로스의 수백 편의 논문과 많은 저서, 그리고 레비스트로스를 대상으로 쓰인 논문들에 관한 목록을 작성하려면 방대한 책이 한 권 출간되어야 할 형편이다.

3. 구조주의의 이론적 배경과 성과

흔히들 인류학을 인간의 신체적 특성을 연구하는 형질인류학(形質人類學, Physical Anthropology)과 인간과 문화 간의 상호관계를 연구하는 문화인류학(文化人類學, Cultural Anthropolosy)으로 분석하지만, 인류학의 본질적인 탐구대상은 인간에 관한 학문으로서 '인간이란 무엇이냐' 하는 주제로 요약될 수 있다. 따라서 인류학은 그것의 구체적 관심분야가 어떠한 것이든지 간에, 인간의 고유한 속성인 인간성이 어떻게 자연과 대립을 이루거나 혹은 조화하면서 하나의 문화 속에서 인간성의 특질을 표현하고 있는지를 탐구하는 것이다.

레비스트로스에게서도 그의 모든 인류학적 연구는 인간정신(esprit humain)을 보편적으로 입증하는 사실들을 추출해내려는 것이었다. 이 점에서 그는 프로이트로부터 인간이 의식뿐만 아니라 무의식도 가진 존재라는 이론을 확대하여 무의식적인 이드(Id)는 자연적인 것이며, 의식적인 에고(Ego)는 문화적인 것이라고 가정하게 되었다. 그리하여 레비스트로스는 이 무의식의 구조적 측면을 바탕으로 인간정신에 접근하려고 했는데, 그의 접근방식은 심리학을 통해서라기보다는 구조언어학을 통해서였다.

실제로 인류학에서의 주요한 가정이나 방법은 많은 역사적인 이론체계로부터 파생된 것이다. 레비스트로스를 적절히 이해하기 위해서도 그의 구조인류학이 영향받고 있는 루소, 뒤르켐(Emile Durkheim), 마르크스, 프로이트 같은 학자들의 이론에 대한 재인식이 필요하며, 나아가 구조언어학의 기본적 방법론의 특성을 파악해야만 할 것이다.

방법론의 수준에서, 레비스트로스는 이들 가운데서 특히 뒤르켐과 뒤르켐의 후계자인 모스(Marcel Mauss)의 연구로부터 많은 시사를 받았다. 아마도 뒤르켐이 처음으로 인간과학에 한정성을 부여할 필요를 느꼈으며, 그로부터 대부분의 인문과학, 특히 언어학의 혁신이 나타날 수 있었다고 하겠다. 뒤르켐은 모든 형태의 인간사고와 생활에서 우리가 현상을 결합하고 있는 관계들이 이 현상을 어느 정도 만족스럽게 설명해주는지를 알기 전이나, 혹은 이 현상들을 구별하여 분석해내기 전에는, 현상의 본질이나 기원에 관해서 의문을 제기할 수 없다고 생각했다. 뒤르켐은 이 같은 원칙을 적용하여 하나의 독립된 범주로서 '사회적인 것'(The social)을 이 현상들 가운데서 구성해 내려 했고, 또 이 새로운 범주를 '전체적인 사회적 사실'(total social fact)의 차원—여러 가지로 나누어졌으며, 서로 구별되면서도 하나의 관련된 차원을 지닌 전체성의 개념—가운데서 통합하려 했다.

모스는 뒤르켐의 이론을 더욱 전개해서 이 전체성은 경제적·종교적·정치적 혹은 미적인 현상들의 특수성을 억압하지 않고, 모든 차원 간의 기능적 상호관계의 체계 가운데서 존재한다고 느꼈다. 이처럼 모스의 경험적 태도는 인류학을, 딜타이(Dilthey)나 슈펭글러(Spengler)와 같은 사상가들이 구분한 자연과학의 해석과 인간과학의 해석 사이의 그릇된 대립관계로부터 해방시킬 수 있었다. 레비스트로스는 뒤르켐-모스의 방법론적 전제를 바탕으로 (뒤에서 설명하게 될) 친족체계 내의 혼인법칙을 호혜성(互惠性, reciprocity)에 의한 교환의 체계로 설명한다.

레비스트로스는 인류학 방법론에서는 말리노프스키(Malinowski)와 영국의 사회인류학파의 주장들에 대립되는 경향을 보여주기도 했다. 영국의 인류학자들은 사회적 관습의 다양성을 어떤 보편적인 사회적 목적을 산출하는 여러 가지 방식으로서 해석하는 기능론적 분석에 충실했다. 그러나 레비스트로스가 지향하는 인류학은 생물학적 기반, 심리학적 내용 혹은 제도와 관습의 사회적 기능에는 커다란 관심을 두지 않는다. 말리노프스키와 래드클리프-브라운(Radcliffe-Brown)은 생물학적 유대가 모든 친족관계의 기원이며 모델이라고 주장했지만, 레비스트로스와 같은 구조주의자들은 친족법칙의 인위성(人爲性)을 주장하는 것이다.

포괄적으로 말해서 프랑스 사회학파의 논리란 선택적이며 합리주의적 철학의 영향을 지닌 반면에, 영·미 인류학파의 논리는 대체로 경험철학의 전제로부터 출발한다는 것은 잘 알려진 사실이다. 따라서 이들 양 학파의 내적 상이성에도 불구하고, 각각은 상호 관련된 전제(前提)·방법·문제에 집착하고 있다. 프랑스의 사회학적 전통의 주창자들은 일반적으로 인간정신의 우위를 가정(假定)하여 그들의 연구는 형식적이고, 구조적인 경향을 따르며, 그들의 문제들을 공시적(共時的)–관계적(關係的)–연역적(演繹的)으로 취급한다. 한편 영·미 전통의 옹호자들은——가장 넓은 의미에서——행태적(行態的) 사실이나 활동의 우위를 가정하며, 그들의 방법은 본질적으로 양적이고 기술적이며 통시적(通時的)–인과적(因果的)–귀납적(歸納的)으로 전개된다.

이와 같은 관점에서 볼 때, 레비스트로스는 철학적으로는 합리주의자로 규정할 수 있다. 왜냐하면 그는 현실과 논리는 동일한 변증법적 과정을 따르며, 관념과 행위는 인간정신의 근본적 범주로부터 파생된다고 가정하기 때문이다.

이 보편적인 인간정신은 경험적 실체를 구성적 단위로 분화하고, 이 단위들은 상호관계의 체계로 조직되며, 이 체계들은 그것들의 가능한 조합(組合, combination)을 지배하는 어떤 법칙을 이루는 것이다. 나아가 그는 인간정신과 언어의 성격을 보편적일 뿐만 아니라 무의식적인 것으로 인식한다. 모든 사람은 상징을 만들어 사용하는 지적 능력을 지니고 있으며, 모든 언어는 대상에 관한 보편적 특징을 표현한다. 그리고 인간은 언어의 보편적 법칙을 인식하지 않음에도 인간이 사용하는 어떠한 특정언어에도 하나의 구체적인 일반성이 포함되어 있다. 인간정신의 구조가 무의식적이고 보편적이라는 가정은, 레비스트로스로 하여금 의식적이고 다양한 사회현상을 하나의 좀더 근본적인 무의식적 실체의 의식적 표현으로서 해석하게 한다. 따라서 정신과 언어의 세계는 그것의 내용이라는 면에서는 무한히 다양하지만, 그 법칙에서는 항시 제한되어 있다는 것이다.

사실 언어는 하나의 사회적 현상이다. 그리고 모든 사회현상 가운데서 언어는 과학적 연구가 가능한 두 개의 기본적 특성을 가장 잘 나타낸다. 첫째, 많은 언어행위는 무의식적인 사고의 수준에서 이루어진다. 우리는 보통 대화를 할 때 언어의 구문론적(構文論的)·형태론적 법칙을 의식하지 않는다. 둘째, 우리는 보통 상이한 의미를 전달하기 위하여 사용하는 음운(音韻) 혹은 음운론적 대립을 의식하지 않는다. 더욱이 이 같은 의식의 부재는 우리가 언어의 문법이나 음성학(音聲學)을 깨닫게 되었을 경우에도 마찬가지다. 그렇다면 우리는 언어에 관한 한 관찰과 현상에 관한 관찰자의 영향을 두려워할 필요가 없다. 왜냐하면 관찰자는 단지 그것을 의식한다고 해서 그 현상을 수정할 수는 없기 때문이다.

이 점에서 레비스트로스는 인간정신의 구조와 사회관계의 복합적 전체는 현대언어학의 방법론을 응용하여 가장 적절히 연구될 수 있다고 생각했다. 실제로 그는 현대의 구조주의 언어학, 특히 야콥슨의 이론에서 깊은 영향을 받았다. 그는 모든 문화현상은 하나의 언어라는 견해를 세련시켰다. 문화에 대한 그의 이미지는 하나의 구문(構文, syntax)으로 표현될 수 있는데, 이 구문의 이해로 우리는 특정한 의식·교환·신화 등의 인간행위를 음운(音韻, phonème)으로써 분석할 수 있다. 이 같은 분석은 서로 다른 종류의, 혹은 서로 모순적인 요소들의 진실한 상호관계를 나타내준다. 구조언어학의 경우처럼, 레비스트로스의 인류학은 사회현상의 각 요소는 오직 내재적인 체계의 수준에서만 의미를 지닐 수 있다고 간주한다. 따라서 그는 모든 문화를 하나의 의사전달부호(communication code)로 간주하고, 모든 사회과정을 하나의 문법으로 취급한다.

1) 구조의 개념

여기에서 우리는 레비스트로스의 구조주의와 프라그학파의 구조주의 언어학 간의 관계를 좀더 명확히 파악하기 위하여 그의 '구조'에 대한 개념을 살펴보자.

'구조'를 연구할 때 대부분 사회과학자들은 우리가 어떤 전체적 실체 혹은 전체 내 부분들의 상호관계를 탐구한다는 사실에 동의한다. 그리고 사회에 적용시킨 구조의 개념을 고찰한다면, 구조적 분석의 주요 과제로 취급되는 전체적 실체에 관해서는 아무런 논란이 없지만, 부분 자체의 성질에 관해서는 매우 상이한 견해들이 존재한다. 그러나 레비스트로스는 사회구조의 연구 목적은 모델의 도움으로써 사회관계를 이해하는 것이라고 생각하면서, 사회구조는 경험적 실체와는 아무런 관계도 없으며, 단지 경험적 실체를 따라 설립된 모델에 관계되는 것이라고 했다. 이 같은 주장은 그가 사회구조와 사회관계를 범주적으로 구분한 데서 나온 결과이다. 그에게 사회관계는 사회구조를 구성하는 모델이거나 혹은 모델들이 설립되는 사회적 경험의 원자료(原資料, raw material)이고, 반면에 사회구조는 이와는 다른 인식론적 범주에 속하기 때문에, 앞에서 언급한 대로 사회구조는 결코 주어진 사회에서 기술될 수 있는 사회관계의 전체로 환원될 수 없는 것이었다.

레비스트로스는 하나의 구조는 다음의 몇 가지 요건을 충족하는 모델로 이루어졌다고 한다. 첫째, 구조는 한 체계의 특성을 나타내며, 구조를 이루는 몇 가지 요소의 변화는 다른 모든 요소에 변화를 초래하게 한다. 둘째, 어떤 주어진 모델에는 일련의 변형을 동일한 형의 모델들의 한 집단으로 귀착되도록 정돈하는 가능성이 있어야만 한다. 셋째, 상기의 특성은 만약 모델의 요소들 가운데 하나 또는 그 이상이 수정(修正)을 받게 된다면, 그 모델이 어떻게 반응할 것인지를 예측할 수 있게 한다. 끝으로 모델은 모든 관찰된 사실들을 즉각적으로 유의미하게 만들 수 있도록 구성되어야만 한다. 따라서 모델 혹은 모델들의 집단은 이처럼 내적 일관성을 지녀야만 그것의 타당성에 기본적 입증을 제공할 수 있게 된다.

이와 같은 레비스트로스의 구조와 모델에 관한 개념은 프랑스 사회학파의 방법과 프라그 언어학파에 의해 발전된 양분법과 결합되어서 하나의 독특하고도 강력한 분석체계를 구성했고, 그의 구조주의적 방법을 통해 구체적인 문화현상을 연구하기 시작했다.

그러나 그의 연구과정은 최종적 체계화라기보다는 여러 가지 정신적 구속에 관한 목록작성, 임의성을 하나의 질서로 환원하려는 시도, 자유의 환상에 내재하는 어떤 필연성을 발견하려는 탐구로 간주하는 것이 좀더 바람직할 것이다. 그렇다면 다음에는 그의 주요한 작업들을 검토해보자.

2) 연구작업

레비스트로스의 첫 번째 작업인 『친족의 기본구조』는 미개인이 생물학적 충동으로 단순히 반응하는 '자연'으로부터 미개인이 그의 사회집단을 기능화하는 '문화'로 이행하는 과정에서 나타나는 몇 가지 특징을 탐구한 것이다. 그는 미개인이 비합리적이고 비논리적이라는 견해와는 반대로, 자연적 환경이 제공하는 것을 논리적이고 체계적으로 조직화한다는 사실을 밝혀준다. 그뿐만 아니라 그는 기존의 모든 사회집단에서 동등하게 실천하던 근친금혼(近親禁婚, incest taboo)의 본질을 가장 명확하게 설명하고 있다.

아버지와 딸의 결혼, 어머니와 아들의 결혼, 그리고 같은 부모로부터 출생한 남매나 가까운 친척끼리의 결혼을 금지하는 것이 근친금혼의 습속이다. 이 제도는 문명사회나 미개사회를 막론하고 인간사회에서는 어느 곳에서든지 보편적으로 나타나는 현상일 뿐만 아니라, 인간을 동물과 구별해주는(다시 말해서 자연과 문화의 경계가 되는) 경계선이다. 이와 같은 근친금혼의 원인에 대해서는 유전적인 악화를 방지하기 위한 것이라는 모건(John Pierpont Morgan)식의 생물학적 해석과 친족체계의 위계질서를 유지하기 위한 것이라는 웨스터마크(Edward A. Westermarck)식의 도덕적 혹은 심리학적 해석이 있었다.

그러나 레비스트로스는 이러한 견해와 달리, 친족체계의 기능은 남녀의 성적 결합이나 위계질서의 유지라는 면보다는 한 집단이 근친금혼으로 사회적(더 구체적으로 경제적) 이익을 얻을 수 있기 때문이라고 보았다. 이 사회적 이익이란 경제생활에서 재화와 용역의 순환과 유사한 '여자의 자유로운 순환'이 발생한다는 것이다. 집단들은 여자를 집단 간에 교환할 수 있는 기호(記號)로 간주하여, 이 기호들을 교환함으로써 서로가 공통적인 유대와 협력관계를 얻을 수 있다는 것이다. 레비스트로스는 이와 같이 근친금혼을 결혼제도에서 호혜성의 원칙(rule of reciprocity)이라는 교환구조로 설명한다(교환에 관한 그의 이론은 모스의 영향을 받았다).

이 호혜성은 자연적 질서의 모순을 합치고, 또 그것을 초월함으로써 자신의 인간성을 확신하는 인간의 수단이다. 레비스트로스는 자연의 영역과 문화의 수준 사이에 기본적인 대립을 부여함으로써 그의 작업을 시작한다. 원래 성욕이란 인간의 본능 가운데 가장 사회적인 성격을 지닌 것이지만(그것이 타자와 관계를 맺는다는 점에서), 그것의 구체적 표현은 닥치는 대로 혼교(混交)를 하든가, 또는 난혼과 근친상간이라는 모순적인 경향을 나타내기도 한다. 그러나 결혼에 의한 집단 간의 규칙적인 여자 교환은 이와 같은 자연과 문화의 대립관계를 해결하고, 여자에게 자연적 욕구의 충족이라는 기능과 문화적 가치의 이중적 지위를 부여함으로써 사회집단들의 상이성을 확립하여 사회집단을 서로 구별하고 또 결합하는 주요한 수단인 호혜성을 가능하게 한다. 즉 인간사회 내에서 '우리들과 그들'이라는 기본적 구별이 호혜성의 원칙과 연관되어 근친금혼으로 확립되는 것이다.

레비스트로스가 언어학에서 도입한 방법론을 가장 용이하게 파악할 수 있는 것은 「요리(料理)의 삼각형」(Le triangle culinaire)이라는 논문으로, 이것은 구조적 분석의 기초를 이루는 매우 흥미로운 것이다. 예컨대 야콥슨의 '음소(音素) 간의 유형'(표 1)은 레비스트로스의 '요리법의 유형'(표 2)으로 변모하고, 이것의 치환(置換)은 '친족의 기본구조'에도 적용할 수 있으며(표 3), 나아가 그의 모든 분석체계에서 — 예를 들면 야채와 육류, 바다와 육지, 동과 서, 정의와 정의의

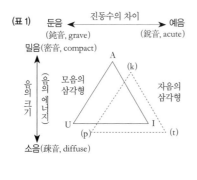

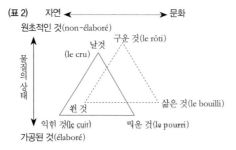

부재가 대립되는 식으로 지리적 차원과 음식물의 범주가 결합되기도 하는──고도로 복잡한 삼각형을 형성해나간다.

그러나 레비스트로스에게는 친족구조에 관한 이 첫 번째 실험으로는 불충분했다. 왜냐하면 친족관계에서는 정신적 구속성이 본래 순수하게 내재적인 것이 아니기 때문이다. 다시 말해 친족구조에 나타나는 결과들은 사회생활의 필요, 그리고 이 사회생활이 그 자체의 구속성을 사고의 실천에 강요하는 결과로도 나타날 수 있기 때문에, 이와 같은 결과들이 전적으로 인간정신의 구조에서 파생된 것인지가 확실하지 않다는 말이다. 이러한 곤란성을 제거하고 정신이 어떤 법칙에 따르는지를 확인하기 위하여, 레비스트로스는 정신이 가장 자유롭게 그 자체의 구조적 자발성을 발휘할 수 있음 직한 신화학의 영역으로 들어간다.

신화의 분석에서도 그의 궁극적 관심은 표면적인 현실의 무의식적 심층구조를 밝혀내어 모든 인간정신에 보편적으로 타당한 사고형성의 원칙들을 발견하려 한다. 만약 이와 같은 보편적 원칙들이 존재한다면, 그것들은 남아메리카 원주민의 두뇌 속에서 작용하는 것과 마찬가지로 현대인의 두뇌 속에서도 작용하는 것이다. 단지 현대인의 경우에는 고도로 발달된 산업사회의 생활에서 그들이 받아들인 문화적 훈련이 야성적 사고의 보편적 논리를 은폐할 뿐인 것이다.

따라서 레비스트로스에게서 신화란 우리들이 흔히 생각하는 것처럼 자연현상의 설명에 관련된 것이 아니고, 오히려 하나의 이론적 질서를 지닌 사실들을 설명하기 위해서 자연현상을 사용한 것이다. 다시 말해서 신화는 인간정신의 구조 속에 이미 존재하는 세계에 관한 하나의 영상(映像)이다. 이를테면 인간의 의식적인 경험으로는 부적당하지만, 신화는 한 집단이 갖는 꿈이나 그 집단의 심층에 존재하는 무의식적 경험이 일정한 사고형성의 법칙에 따라 표현되는 것이다

(여기에서는 그의 방대한 신화학적 내용을 소개하지 못한다).

　결국 레비스트로스는 언어학자가 음운과 언어체계를 관련시키듯이, 여러 가지 상이한 신화를 상호 관련시키는 결합관계를 탐구한다. 하나의 복합체계 내의 모든 요소는 서로 연관되어 있고, 그것들의 의미는 그 단위가 나머지 부분에서 차지하는 위치와 그들의 상호관계에 관한 분석으로부터 파생될 수 있다는 언어학적 과정에서 출발하여, 레비스트로스는 본질적으로 상이한 수백 가지 신화를 하나의 동일한 유형에 짜맞추었다. 그렇지만 레비스트로스는 신화학 연구에서 신화·전설·의식·축제 등의 자료를 무시함으로써 전통적인 방식에서 벗어난다. 이와 같은 그의 태도는 물론 가치 있는 것이기는 해도 자신의 고찰에 필요한 신화들을 어떻게 선택했는지를 우리들에게 전혀 제시해주지 않고, 오직 양극대립의 변증법으로 체계화할 뿐이다.

　그러므로 신화가 하나의 언어이며, 또 구조주의가 언어학에서 성공을 거두었다는 바로 그 사실만으로써 레비스트로스의 구조적 분석이 타당성을 지닌다고 가정할 수는 없다. 신화는 언어 자체도 아니며, 단지 언어와 비슷한 성격을 지녔을 뿐이다. 내용에 형식을 부여하는 정신의 활동은 근본적으로 고대나 현대에 걸쳐 모든 정신에 동일한 것이라고 주장하며, 현대의 과학적 사고와 선사 시대의 신화적 사고 간에 아무런 질적 차이를 두지 않는 그의 기본적 견해는 논란의 여지가 많다. 그렇지만 신화적 구조의 성격에 대한 그의 놀라운 분석은 분명히 오늘날 상징주의에 관한 인류학적 연구에 새로운 관점을 열어주고 있다.

4. 『슬픈 열대』의 내용

『슬픈 열대』는 레비스트로스가 브라질에 체류한 1937년에서 38년까지의 기간 중 브라질 내륙지방에 살던 네 원주민 부족인 카두베오족, 보로로족, 남비콰라족, 투피 카와이브족에 관한 민족지가 중심을 이루고 있다. 그러나 이 책은 단순한 민족지에서는 볼 수 없는 레비스트로스 자신의 사상적 편력과 청년기의 체험, 그리고 그가 왜 민족학자가 되었는가 하는 내용들이 일종의 지적 자서전의 형태로 기술되어 있다. 이 책을 집필한 것은 그가 브라질을 떠난 지 15년 뒤의 일이기 때문에 이 책에는 그 뒤에 유대계 프랑스인이었던 레비스트로스가 제2차 세계대전 중에 프랑스를 떠나 미국으로 망명하게 되는 과정이나 아시아 지역을 방문한 여행기도 여기저기에서 언급되고 있다.

우선 이 책의 내용을 간략히 소개하면 다음과 같다.

제1부에는 프랑스가 독일에 점령당하자 레비스트로스가 마르세유에서 밀선을 얻어 타고 뉴욕으로 밀항하기까지의 과정과 선상여행의 쓰라린 추억담이 회상형식으로 기술되어 있다.

제2부는 시간적으로는 앞의 내용에서 후퇴하여 1934년에 그가 브라질 상파울루 대학의 사회학 교수에 취임하게 되는 과정과 그가 어떻게 하여 민족학자가 되었는지를 설명하는 주요한 내용을 포함하고 있다. 특히 제7장의 '일몰'(日沒)에서는 브라질로 향하는 선상에서 수평선상의 대기와 구름의 변화에 대해 어떤 훌륭한 문장가 못지않을 만큼 섬세한 관찰력과 예리한 필치로 그 광경을 묘사하고 있다.

제3부에는 항해과정이 계속되어 적도 부근의 무풍대(無風帶)를 통과하면서 느끼는 신세계와 구세계 간의 희망과 몰락, 정열과 무기력을 표현하고, 그가 처음으로 도착하는 상파울루와 열대지방에 대한

인상을 기록했다.

제4부에는 브라질 생활과 앞으로 현지조사를 하기 위한 예비답사의 내용들이 언급되어 있다.

그리고 제5부·제6부·제7부 및 제8부에는 앞에서 지적한 네 부족을 조사하게 되는 과정과 각각의 원주민 사회의 문화가 소개·분석되어 있다.

마지막 제9부 귀로(歸路)에서는 인도·파키스탄 여행기를 추가하고, 지금까지의 모든 개인적 체험과 현지조사의 내용들을 종합·정리하면서 레비스트로스 자신이 인류학적 연구에서 직면했던 문제점과 모순을 해결하려고 시도한다.

1) 민족학 입문

다음에는 이 책의 내용 가운데서 주류를 이루는 레비스트로스의 민족학 입문과정, 원주민 사회의 조사로 표현된 세계관 내지 문명관, 그리고 민족학적 연구에서 발생하는 모순과 그 해결방향을 검토해보겠다.

이미 언급한 바와 같이 원래 레비스트로스는 철학을 전공했다. 그러나 그는 의식으로써 의식에 대한 일종의 심미적 명상에 몰두하는 그 당시의 철학적 연구 풍토에 회의를 느끼기 시작했다. 그가 소르본에서 배운 철학이란 지능을 훈련했을 뿐 정신을 건조한 상태로 방치하고, 사유(思惟)의 많은 가능한 형식과 변수(變數)를 간과함으로써 오직 어떤 특정한 불변적 도구를 탐구하게 하는 기본적 적응의 정신 훈련만을 강요하는 것이었다. 물론 레비스트로스가 전문적인 철학을 혐오하여 자신을 구원하려고 인류학으로 전향한 데는 개인적인 이유가 있었다. 그가 고등학교 교사로서 생활하면서 자기 인생의 나머지 세월도 계속 똑같은 강의를 하면서 보내야 할지도 모를 미래가

끔찍했던 것이다. 후일 그는 민족학의 주제인 문명들과 그 자신의 사고과정 사이의 어떤 구조적 유사성으로 민족학에 매력을 느끼게 된 것이 아닌가 하고 술회하기도 한다.

아무튼 그는 철학을 계속 공부하기 위해서 고등사범학교에 입학할 생각을 포기하고 법학부를 택했다. 그렇지만 그는 법학에서도 어떤 뚜렷한 학문적인 객관적 근거를 발견하지 못하고, 자신이 앞으로 택할 직업을 고민하게 된다. 그는 인간이란 한편으로는 직업이라는 안정을 구하고, 다른 한편으로는 모험이라는, 속박으로부터의 해방을 추구하면서 사명(使命)과 피난(避難) 사이에서 동요하고, 이들 양자를 취하면서도 어느 한쪽 편을 항상 뚜렷하게 선택해야 하는 이율배반에 직면한다고 생각했다.

그러나 레비스트로스의 생각으로는 가장 극단적인 형태로 두 번째 선택을 대표하는 민족학에 공감을 느낀다. 예컨대 민족학자는 결코 자신의 인간성을 포기하지는 않지만, 다른 인간들을 하나의 초연한 관점으로 평가하려고 함으로써 여러 문명의 우연성으로부터 그것들을 추상화할 수 있다. 또 민족학자의 생활이나 작업조건들은 그를 오랜 기간 그 자신의 사회나 집단에서 격리하기 때문에 그는 자신이 직면하는 환경적 변화로부터 어떤 만성적인 고립감을 얻게 된다. 그는 어떤 곳에서도 결코 '집에 있는' 것처럼 느낄 수 없는, 말하자면 심리학적으로 절단된 인간이다. 그리하여 레비스트로스는 민족학은 음악이나 수학과 함께 인간이 택할 수 있는 몇 안 되는 진정한 천직 가운데 하나라고 간주하게 된다.

이와 같이 레비스트로스는 학문과 자신의 직업에 대한 내면적 갈등과 변모 과정을 겪는 동안, 또한 지적인 차원에서 새로운 영감과 계시를 받게 되었다.

레비스트로스는 자신에게 새로운 시야를 제공해주었고, 그의 구조주의를 위한 착상을 일깨워준 세 가지 지적 특성을 이렇게 이야기한다.

첫 번째는 그가 17세 때 처음으로 마르크스의 사상을 접하게 된 사실이다. 그는 마르크스를 통해 칸트부터 헤겔에 이르는 철학의 조류를 처음으로 접촉하게 되었으며, 마르크스는 루소와 마찬가지로 사회과학은 물리학이 감관지각에 기반을 두지 않듯이 사건들에 기반을 두지 않는다는 점을 깨달았다. 그리하여 우리들의 목적이란 하나의 모델을 설정하여 그것의 속성과 그것이 실험실의 테스트에 반응하는 방식을 검토함으로써 우리의 관찰 결과를 경험적 사건들의 해석에 적용해야 한다고 그는 믿게 되었다.

두 번째로는 프로이트의 이론으로부터 우리들이 현실에서 직면하는 이율배반은 진정한 이율배반이 아니란 점을 명확하게 깨달았다. 왜냐하면 프로이트의 견해에 따르면, 현실에서 가장 감정적이라 할 수 있는 활동들이나, 가장 비논리적인 결과들이나 또는 이른바 전(前)논리적이라는 입증들이 실제로는 가장 최고의 의미를 지니기 때문이었다. 그리하여 레비스트로스는 인간과 사물은 그 형체를 손상하지 않고 본질 가운데서 이해될 수 있고, 그것의 기본적인 구조를 발견할 수 있다고 확신하게 되었다.

세 번째로는, 레비스트로스가 지질학(地質學) 연구에 관심을 가지게 되면서부터, 겉으로 보기에는 무질서한 풍경 가운데서도 그 풍경이 발달한 역사와 그 풍경을 구성하는 암석들의 내재적 구조가 존재함을 알게 되었다. 그리하여 그는 시간과 장소 간에는 서로 소통될 수 있는 하나의 공통언어를 통해 서로 융합될 수 있음을 인식했다.

결국 레비스트로스는 이 세 가지 학문이 모두 우리들의 '이해'라는 것은 한 형(型)의 현실을 다른 형의 현실로 환원하는 것이며, 진실한 현실이란 가장 명확하게 나타난 표면적 현실 속에 있는 것이 아니라 우리의 탐색을 회피하는 '표면의 심층'에 존재하는 것이라는 점을 가르쳐주었다고 한다. 따라서 그는 자신의 연구방법이 감성으로써 지각할 수 있는 것과 이성으로써 파악할 수 있는 것, 즉 감성과 이성의 관계에서 감성적인 것을 그 속성을 희생시킴이 없이 이성적인 추론에 통합하는 일종의 초이성주의(超理性主義, super-rationalisme)를 지향하는 것이라고 했다.

그리하여 그는 경험과 현실 간의 연속성을 가정하는 한에서 현상학을 받아들이지 않았다. 왜냐하면 그는 경험이 현실을 포괄하여 현실을 설명한다는 점은 기꺼이 동의해도, 우리가 현실에 접근하기 위해서는 먼저 경험을 포기해야만 한다고 생각했다. 또 레비스트로스는 실존주의가 주체성이라는 환상에 빠져들어 사적인 선입관들을 철학적 문제의 영역으로 확대하려는 위험성을 지니고 있다고 비판했다. 그는 철학자의 과업은 존재를 즉자(卽者)의 관계에서 이해하려는 것이지 대자(對者)의 관계에서 이해하려는 것이 아니라고 생각하며, 현상학과 실존주의는 형이상학을 없애지 않고, 형이상학을 위한 입증을 발견하려는 새로운 방식을 단지 이끌어낼 뿐이라고 했다.

요컨대 레비스트로스는 자신의 청년기 지적 갈등을 통하여 결국에는 인류학에서 지적 만족감을 발견한다. 왜냐하면 인류학은 세계의 역사와 그 자신의 역사를 재결합해주고, 세계와 그 자신의 공유된 동기를 동시에 해명해준다고 느꼈기 때문이다. 레비스트로스는 인간의 다양한 습관·태도·제도를 연구하는 인류학 가운데서 그 자신의 삶과 성격을 조화할 수 있다고 믿었다.

이리하여 레비스트로스는 브라질로 건너가 원주민 사회를 직접 대면하게 되고, 그의 민족지학적 조사가 시작된다. 이 부분에서는 오늘날 우리 문명인들이 상실해버린 원시적 행복과 결백성의 개념이 레비스트로스의 과학적 연구에 하나의 낭만적 대칭을 이루면서 전개된다.

레비스트로스는 서구문명이 과거로부터 현재에 걸쳐 원주민 사회를 파괴하는 침략성에 대해 명백한 분노를 나타내며, 그로 하여금 이제는 '하나의 사라져버린 실체'를 탐구하도록 만들고 있는 민족학자로서 그의 직업의 역설을 비통해한다. 현지조사에서 그는 눈앞에서 원주민 사회가 진보된 사회와의 접촉으로 변질되고 있음을 목격한다. 현대의 지식인들에게는 이와 같은 반성이 어떤 진실성을 밝혀줄 것도 같다. 현대사회에서도 기술적 근대화의 성취는 고통스러운 정신적 희생에서 얻어진 것이다. 따라서 레비스트로스가 오늘날의 사상계에 커다란 영향력을 미칠 수 있는 것은 정력적이고도 엄격하게 과학적인 작업을 수행하는 그의 능력과, 이와 아울러 이 작업을 철저히 반성하고 검토하여 거기에서 철학적 요소를 추출하여 루소와 동일한 방식으로 비관적이 되기도 하고, 때로는 인류의 친구로서 마르크스주의의 경제적 해방을 불교적 기원(祈願)의 정신적 자유로서 완결함으로써 동서세계를 조화하려는 이러한 그의 세계관에서 기인한다.

그리하여 그는 남비콰라족 가운데서 '오직 인간만이 남아 있는 사회'(A society in which nothing but human beings remained)를 발견했는데, 아마도 이것은 루소가 자연상태를 이야기했을 때 마음속에 지녔던 것과 같은 종류의 관점이 될 것이다.

레비스트로스는 현지조사가 전개되어감에 따라 루소에 대한 존경심이 더욱 커져갔다. 레비스트로스의 생각에 따르면, 루소는 우리들로 하여금 대부분의 인간사회에 공통적인 특성들을 구분해냄으로써 우리들의 미래 연구방향을 제시해줄 '어떤 (존재하지 않는) 사회상태'에 관한 모델을 설정하도록 가르쳐주었다. 그리고 루소나 레비스트로스는 이와 같은 모델에 가장 접근하는 사회는 이른바 '신석기 시대'라고 생각한다.

2) 원주민 사회의 비애감

『슬픈 열대』에는 저주받은 원주민 사회에서 느낀 비애감이 우울하게 표현되어 있다. 레비스트로스는 광대한 열대가 이미 황폐한 것임을 보여준다. 그곳의 자연은 풍요하지 못하고 원주민들은 생존의 한계에서 삶을 영위하고 있으며, 어떤 부족들은 아직까지도 도기(陶器) 제조나 직조(織造) 기술을 습득하지 못하고 있었다. 더욱 나쁜 것은 이들 원주민 사회는 선교사·대농장 지주·식민주의자·정부기관의 직원 등 여러 사람이 현대의 문명을 침투시켜 ─ 기술뿐만 아니라 질병이나 상업주의적 이해, 게다가 기타 정신적 해악까지도 ─ 이 사회들을 존속해왔던 미묘한 균형을 깨뜨리는 것이다.

레비스트로스는 서구사회가 세계의 다른 나머지 부분에 대해 그 자체의 기준을 부여하려는 오만하고도 잘못된 전통에 반대한다. 그는 이들 원주민 사회가 야만적이라거나 비합리적이라는 전통적 사고를 반박하며, 이른바 미개사회는 인간성에 관한 전체적 체험을 거의 완전하게 표현하며, 이 사회는 오직 우리들의 사회와는 다른 종류의 사회일 뿐이라고 주장한다. 이 세상에는 더 우월한 사회란 없다는 것이다. 현재의 서구사회가 기술적으로는 이들 원주민 미개사회보다 더 우월할지 모르나, 그것이 정신적인 면에서는 어떤 의미에서 우열의 척도가 될 수 없다는 것이다. 나무뿌리나 거미 또는 유충들을 먹기도 하고, 벌거벗은 채 생활하는 부족이라 할지라도 우리들 자신의 사회보다 훨씬 합리적으로, 그리고 만족스럽게 사회조직의 복잡한 문제들을 해결하기도 한다. 문화적 다양성을 인정하지 않으려는 서구사회의 폭군적 습관과 서구인들이 행동하는 것처럼 행동하지 않으려는 사회를 야만적이라고 경멸하는 것은, 서구사회 자체가 하나의 부족적인 편견 또는 '민족적 우월감의 사상'(ethnocentrisme)의 태도를 나타낼 뿐이다.

레비스트로스는 현재 서구인들의 사회처럼 진보적이며, 발명과 업적을 중요시하는 사회를 '과열된 혹은 동적 사회'(hot or mobile society)라고 부르며, 종합의 재능과 인간적 교환의 가능성이 반복적으로 지속되는 사회를 '냉각된 혹은 정적 사회'(cold or static society)라고 부른다.

냉각된 사회는 기술적 진보에서 하나의 척도가 되는 개인당 에너지의 양을 거의 증가시키지 않는다는 점에서 기계적(mechanical)이다. 이 사회는 원초적 상태를 여전히 유지하고 있고, 기록된 전통이나 (우리들이 사용하는 의미의) 역사를 가지고 있지 않다. 또 이 사회들은 매우 민주적이며, 거기에는 위계의 서열에 따른 인간적 파괴가 존재하지도 않는다.

한편 '과열된 사회'는 열역학적(熱力學的, Thermodynamic)이다. 왜냐하면 이 사회는 하나의 스팀엔진처럼 에너지를 산출하고 소비하면서 갈등을 통해 발전해왔고, 기술적 비약을 이룩해왔기 때문이다.

따라서 우리들이 진보라는 것을 개인당 가용(可用) 에너지의 양에 따라 측정한다면 서구사회가 훨씬 진보한 사회이겠지만, 만약 그 기준이 불리한 지리적 조건을 극복할 때의 성공에 주어진다면 에스키모족이 첫째일 수도 있고, 만약 진보라는 것이 가족 및 사회집단의 조화로운 유지에 있는 것이라면 오스트레일리아의 어떤 원주민 사회가 가장 으뜸이 될 수도 있다. 이처럼 현대의 서구사회가 다른 사회보다 더 낫거나 우월한 것이 아니고, 단지 이것은 좀더 유동적이기 때문에 더욱 축적적(蓄積的)일 뿐이다.

초창기의 인류학자들은 그 자신들 사회의 '문명의 영광'에 대한 입증을 다른 미개민족의 후진성에서 발견하려 했지만, 레비스트로스는 정반대 입장에서 탐구를 시작했다. '과열된 사회'에 사는 서구인들은 변화의 궤적이 거의 없는 미개사회로부터도 많은 교훈을 얻을 수 있다. 그의 분석의 초점은 여러 가지 다양한 문화유형과 생활형태 중에서 인간과 자연 사이에 어떤 균형과 조화가 유지될 수 있었던 시점으로 쏠리고 있다. 예컨대 그가 답사한 카두베오족의 신체장식은 자연과 인위적인 것을 구별하고 인간을 동물과 대칭적인 차원에서 표현하기 위하여 갖가지 형태의 문양을 사용하는 회화구도를 지녔다. 그래서 카두베오족의 예술에서 발견되는 이원(二元)주의는 남자의 조각과 여자의 채색활동이라는 실제적 기능을 통해서, 각(角)에 대한 곡선, 대칭에 대한 비대칭, 선에 대한 면 등으로 이루어져서 전체 구도는 양화(陽畵)와 음화(陰畵)의 조화 가운데서 완성되었다.

보로로족의 경우에는 계급적 위계라는 비대칭성이 반족(半族, moitié)이란 대칭성에 따라 균형을 이루며, 기타 주거지역·결혼법칙·무기나 도구의 장식·장례의식·종교생활 등에 이르기까지 이와 같은 이원주의가 적용되어 기능적 조화를 이룩한다. 그뿐만 아니라 남비콰라족의 경우에는 족장의 일부다처제와 그의 역할을 설명할 때 직무에 따른 책임과 의무에 대해서 심리적 위안과 격려를 제공하는 일부다처의 특권을 대칭적으로 설명하면서, 역할과 권력 사이의 균형관계란 루소가 의미했던 바의 '동의'나 '계약'을 기반으로 하여 집단이 족장에게 일부다처의 특권을 제공함으로써 그 집단은 일부일처제로 보증되는 개인적 안전의 요소들을 교환하고, 족장으로부터 집단적 안전을 받게 되는 것이라고 설명한다.

때로 레비스트로스는 이 같은 원주민 사회의 관습이나 생활원리를 연구하는 가운데서 우리들 문명사회의 관습들을 비판하기도 한다. 예컨대 우리가 흔히 미개사회에는 야만적인 식인풍습(食人風習, Cannibalisme)이 있다고 비난하지만, 대부분 그와 같은 식인풍습은 원주민들에게서는 영혼과 육신의 일체화나 중화, 또는 종교적 의식의 차원에서 거행될 뿐인데, 서구 문명사회에 역사적으로 존재했던 수많은 비인간적인 행위 ─ 유대인 학살이나 고문 따위 ─ 나 과학의 이름 아래서 '그리스도교의 영혼과 신체의 부활'을 부정하는 시체해부 따위의 모순적인 관습들을 밝히기도 한다. 결국 레비스트로스는 인류학적 연구로 우리들 자신의 사회와는 다른 사회에 대해 편견이 아닌 객관적 관점을 지니게 되고, 나아가 우리들의 사회가 지닌 관습들의 정당성이나 자연스러움을 당연한 것으로 여기지 않고 비판적으로 파악하는 관점을 얻을 수 있다고 생각한다.

심리학적으로 말해, 다면적이라고 할 수 있는 인류학자란 필연적으로 자신의 사회 내에서는 비판자가 되며, 자신의 사회 밖에서는 동조자가 되는 것이다. 왜냐하면 인류학자는 자신의 사회에 대해서는 이상한 반항을 느껴 다른 사회를 조사하며, 이 다른 사회가 자신의 사회에서는 결여되어 있는 무엇인가를 지녔는지를 발견하려는 것이다. 인류학자의 이와 같은 모순적 입장에는 더욱 회피하기 어려운 모순이 존재한다. 만약 인류학자가 자신의 사회의 개선에 공헌하려고 한다면, 그는 자기가 조사하는 다른 사회에서 그 자신의 사회에서 제거하려는 것들과 유사한 조건들은 경멸하지 않을 수 없기 때문에, 객관적이고 공정한 입장을 상실하게 된다. 만약 인류학자가 현실에서 초연하여 그가 연구하는 사회를 판단하는 것이 아니라 단지 알기 위한 것이라고 간주한다면, 그는 자신의 사회에 대해서 비난할 수 없을 뿐만 아니라, 자신의 사회에서 끊임없이 변화하고 있는 사실들에 관한 생각을 단념해야만 한다. 그러나 레비스트로스는 이 모순이 극복될 수 없는 것이라면 인류학자는 자기 직업의 숙명인 양자택일로 절단된 조건을 받아들이지 않을 수 없을 것이라고 한다.

레비스트로스는 현대 문명사회에 대하여 자기 세대의 다른 지적 동료들과는 다른 태도를 지니고 있다. 그의 기본적 입장은 진보에 대한 단순한 반대론자에서 벗어나서 불교의 영향을 받은 듯한 일종의 용인(容認)과 우주론적 체념을 지니고 있다. 그는 진보가 수반하는 문화적 기형(奇形)과 추악함을 경계하면서, 그의 세계관을 인간의 욕구나 고난이 감소되는 어떤 종류의 변화를 추구하게 한다. 레비스트로스는 진보의 절대성이 그 작용을 멈추고, 기계가 사회적 개선의 과제를 떠맡아 '과열된 사회'와 '냉각된 사회'의 특징들이 단계적으로 융합되어서 적어도 진보를 가능하게 하기 위해서는 인간을 노예화했던 구시대의 속박으로부터 인간성이 해방되는 먼 후일의 시대를 동경하는 것이다.

그렇다면 레비스트로스의 탐구의 목적은 무엇일까? 아마도 그 해답은 루소가 말한 다음과 같은 상태, 즉 '이미 존재하지 않고, 과거에도 결코 존재하지 않았을 것이며, 미래에도 결코 존재하지 않을 어떤 상태'를 정확히 파악하려고 하는 데 있었을 것이다. 이와 같은 상태에 있는 사회란—그가 조사한 몇몇 사회가 여기에 해당하는 것 같다—어떤 안정된 전체감을 인간에게 제공하며, 인간은 슬픔을 축제로 해결할 수 있고, 인간이 자기를 둘러싸고 있는 영혼의 지배력과 의사소통이 가능한 '황금 시대'를 의미하는 것이다.

이 점에서 레비스트로스는 루소로부터 가장 적절한 해결의 실마리를 얻고자 한다. 과연 루소는 현재의 인간들이 '황금 시대'나 원시인의 순수한 생활로 돌아갈 것을 주장했던가? 레비스트로스는 사람들이 루소가 자연상태를 그 자체로 미화한 것으로 잘못 오해하고 있다고 한다. 루소에게 자연인은 사회인과 분리된 것이 아니며, 사회란 인간에게 고유한 것이었다. 루소가 의문시했던 것은 단지 '사회의 악이 선천적인 것인가?'라는 문제에 대해서였다. 따라서 레비스트로스는 우리들의 과제란 이 사회적 상태에서 자연적 인간을 발견해내는 것이라 했다.

이상에서 살펴본 바와 같이 『슬픈 열대』의 주제는 여러 각도에서 복합적으로 전개되어, 문명의 고발과 함께 신세계의 붕괴, 이국적인 것에 대한 환멸, 그 자체를 정당화하지 못하는 경험의 무능력, 그리고 '아마도 결코 존재하지 않을 상태'에 대한 탐구 등의 많은 문제를 포함하고 있다. 그러나 레비스트로스는 이 모든 문제에 대해서 비관주의적 어조로 지적 초탈과 정신의 평정을 강조할 뿐이다. 그에게 악의 기원이란 육체나 욕망이 아니라 바로 우리들 문명의 역사로서, 신비스러운 조화의 구조를 지녔던 원시적 과거가 이제 우리의 눈앞에서 파괴되어 소멸하는 것이었다. 따라서 열대 원주민 사회는 슬픈 것이다.

5. 구조주의와 반역사적 성격

레비스트로스의 구조주의가 하나의 사상체계로서 면모를 지니게 되는 것은, 그의 『야생의 사고』(*La Pensée Sauvage*)에 나타난 초이성주의의 조합과 구조적 방법에 따른 새로운 역사의식에 기인한다. 특히 사르트르와의 논쟁은 레비스트로스의 입장을 좀더 철학적이고 사상적인 차원으로 고양하는 결과가 되었다. 물론 레비스트로스의 사상적 특징은 여러 방향으로 해석될 수 있는 복합성을 지녔을 뿐만 아니라, 그 자신이 어떤 통일된 체계를 주장하거나 사상적 입장을 집약하려고 시도하지는 않았다. 따라서 여기에는 논란의 여지가 많다. 그러므로 우리는 레비스트로스의 사상을 마르크스주의, 사르트르의 실존주의, 그리고 구조주의적 방법론이 함축하는 성격에 국한하여 검토해보는 것이 좋다.

우선 레비스트로스는 원시인(미개사회의 원주민)의 사고가 일반적으로 생각하는 것처럼 단순하거나 무질서한 것이 아니라고 여긴다. 원시인들도 고도의 복합적인 형식으로 사고하지만, 그들이 사용하는 논리란 단지 서구인들에게 익숙한 추상과학의 논리와는 다른 종류의 질서를 지녔을 뿐이다. 현대의 과학적 사고가 하나의 단일한 부호(code)를 추구하는 데 반하여, 야생의 사고는 그 자체를 계속하여 집단화하고, 많은 불연속적 요소를 단순화하지 않은 채로 경험세계의 자료들을 재정리하는 하나의 의미론적 체계이다. 예컨대 미개인의 사고세계에서 주술(呪術) 또한 그 자체의 논리를 지니고 있다. 주술은 추상적인 과학적 사고와 달리 하나의 '완전한 결정주의(決定主義)'를 가정하는 것이다. 이 결정주의적 원칙들은 전통적인 지식의 조각들을 근본적으로 동일한 구조적 유형의 무한한 변수로 확대하는 것이다.

아무튼 레비스트로스는 원시적 사고란 동식물의 세계를 민감하게 이해하고, 우주적 조화를 구축하려는 감각 속에서는 균형과 연속성을 추구하는 우리들의 과학적 논리와는 다른, 어떤 지식 획득의 방식일 뿐이라고 생각한다. 레비스트로스는 원시인도 우리들과 마찬가지로 세련된 논리를 사용하기 때문에 우리가 원시적 사고를 단순하고 유치하며 미신적이라고 규정하는 것은 전적으로 잘못된 것이라고 한다. 원시인이 사용하는 논리는 하나의 구체적이고 감지적이며, 심미적인 논법인 것이다. 결국 레비스트로스는 야생의 사고의 특징을 무시간성(無時間性)에서 발견한다. 왜냐하면 야생의 사고의 목적은 세계를 하나의 통시적(通時的)·공시적(共時的) 전체로 파악하려 하기 때문이다.

이 같은 레비스트로스의 관점은 그가 역사적 진보에 회의적이라는 비난을 불러일으켰다. 왜냐하면 레비스트로스식의 역사의식에 따른다면, 인류역사의 전 과정은 하나의 동일선상에서 유지되어온 의미나 지식의 축적이라기보다는 오히려 각 시대와 공간적 특성에 따라, 동일한 구조가 다양하게 변모했을 뿐인 것이다. 물론 그는 진보의 개념을 비난하려는 의도는 결코 지니지 않았다. 단지 그는 진보란 인간 발달의 차원에 대한 하나의 범주로서, 어떤 사회가 자기 인식의 단계에 도달하게 되면 언제든지 다른 차원으로 이전되어버리는 동일한 구조 내의 불연속적 다양화일 뿐이라고 간주한다.

이 점에서 레비스트로스는 일종의 절충주의를 택하고 있다. 그는 사실의 묘사에서는 실증주의자이지만, 구조적 분석을 시행하는 데서는 변증법을 사용한다. 그렇다면 레비스트로스는 구조주의적 분석방법에서 마르크스의 변증법적 철학에 기반을 두고 있다고 하겠다. 그러나 레비스트로스와 마르크스는 변증법적 과정의 정점에 서로 다른 통로로 도달한다. 일반적으로 마르크스주의 학자들은 그들의 작업과정에서 하나의 강력한 역사적 지향과 계급사회의 모순에 대한 강조를 주장한다. 반면에 레비스트로스는 역사 자체가 하나의 부분이 되고 있는 실체론에 더 관심을 둠으로써 역사를 상대적으로 경시한다. 마르크스의 이론체계가 역사에 의해 방향을 잡고 있다면 레비스트로스는 이성에 의해 인도되고 있는 것이다. 그리하여 마르크스주의자들은 레비스트로스의 반(反)역사적인 측면을 공격하고 그가 진보의 적이라고 비난한다.

이와 같은 레비스트로스의 역사관은 사르트르와의 논쟁으로 더욱 심화되는 것 같다. 레비스트로스는 그의 『야생의 사고』에서 인간들이 무의식적으로 만든 역사, 역사학자들이 의식적으로 만든 역사, 그리고 철학자들이 앞의 두 종류의 활동에 부여하는 해석 사이의 의미의 상이성을 제시하고 있다. 레비스트로스에 따르면 사르트르의 역사관은 대부분 세 번째 규정에만 얽매여서 우리들의 현재 역사와는 다른 모든 형태의 역사는 오직 우리들 자신의 역사와 비교될 때만 의미를 지닌다고 믿음으로써 지적 야만성을 드러낸다고 한다. 레비스트로스는 하나의 역사만이 존재하는 것이 아니라 여러 개 역사가 존재하고, 또 이들 각각의 역사는 철학자나 역사가가 부여하는 의미와는 상관없이 그들 자체의 의미와 가치를 지니는 것이라고 한다. 우리들 자신의 사회척도에서는 진실된 의미를 지닌다고 간주할 수 있는 사실도, 인간성의 척도라는 면에서는 진실한 것이 아닐 수도 있기 때문이다.

사르트르는 레비스트로스가 항상 회피하려고 노력했던 정치적 수준의 토의를 포함시켜, 구조주의는 마르크스주의에 대한 부르주아 사회의 최후 보루로서 변화를 무시하며, 질서가 특권적 위치를 점유하는 하나의 폐쇄적이고 무기력한 체제를 설립하려는 시도라고 반격한다. 이에 대해 레비스트로스도 "전후에 그처럼 유행한 실존주의에는 지금은 반드시 밝혀져야 할 어떤 역설적이고 모순된 점이 있다. 실존주의는 매우 진보적인 정치적 위치를 채택하는 반면에 또한 이념적으로는 하나의 보수주의적이고 반동적인 공헌을 하기도 했다. 실존주의는 과학적 사고의 위대한 전진 앞에서 철학을 구제하기 위하여, 아니 아직도 인간이 창조하고, 인간에게 귀속되는 어떤 특권적 영역이 존재한다고 말하는 일종의 침울한 후퇴, 예컨대 휴머니즘을 구제하기 위한 하나의 시도를 나타내었다. 그렇지만 구조주의의 본질은 한편으로는 과학주의의 성과를 솔직히 받아들이며, 다른 한편으로는 철학이란 이미 어떤 특권적 영역이 아니고 오직 과학적 사고와의 끊임없는 대화 형태로만 존재할 수 있다고 인정하는 것이다"라고 대답하고 있다. 레비스트로스는 초월적 휴머니즘의 마지막 피난처로서 결코 역사성을 사용하지는 않는다.

역사는 구조적 변형들을 수세기에 걸쳐서 통시적으로 기록하나 인류학은 그것들을 공간을 초월하여 공시적으로 기록한다. 통시적 변형의 명확성은 공시적 변형의 명확성보다 더 크지도 작지도 않으며, 인류학적 다양성의 공시성은 야생의 사고 자체의 특성과 일치하는 것이다. 야생의 사고는 어떤 진실을 하나의 전체 가운데서 중복되는 많은 부분적 영상을 총화함으로써 표현한다. 반면에 역사는 연속성에 대한 관심으로 인하여 전체성을 희생하게 되는 경향이 있다.

물론 레비스트로스도 결코 역사적 분석의 중요성을 배제하지 않고, 우리는 역사에 의해서 우연적인 현상들로부터 필연성을 상상할 수 있다고 생각한다. 다만 그는 역사적 지식이 최고의 특권적 지위를 지닌 것으로서, 다른 형태의 지식보다 우월한 것이라고는 간주하지 않을 뿐이다. 인류학자는 역사를 도외시하지 않는다. 다만 그는 역사에 특별한 가치를 부여하지 않고, 역사를 그 자신의 연구에 보조적인 연구로 생각하는 것이다. 역사는 인문사회의 범위를 시간상으로 전개하고, 인류학은 공간상으로 전개한다. 역사학자는 (사라진 과거의 사회가 현재의 사회와 관련되는 어떤 시점에 있는 것처럼) 사라진 사회의 모습을 재구성하려는 반면에, 인류학자는 시간적으로 이미 사라진 사회의 기존 형태보다도 선행했던 역사적 단계를 재구성하려고 최선을 다하는 것이다.

이처럼 마르크스는 레비스트로스나 사르트르에게 사고의 출발점이다. 그러나 레비스트로스가 마르크스주의자라기보다는 마르크스 지향적이라고 불리는 것은, 마르크스에게서 역사는 변증법적인 것이고 동시에 진보적·발전적인 것으로 해석되나, 레비스트로스에게서 역사는 인간사회를 더 좋은 상태로 인도하는 것도 아니며, 인간의 식의 양식을 기본적으로 변경시키지도 않는다는 것이다. 또 사르트르는 역사적 발전이라는 연속성을 가정하여 의식의 우월한 양식과 열등한 양식을 구별해 원시인들이 복합적·논리적 사고와 이해를 결여하고 있는 것으로 생각한다. 반면에 레비스트로스에게 역사는 시간상으로 펼쳐진 인간의식의 조합과정으로서 인간정신의 구조적 변형만을 보여줄 따름이다.

따라서 우리가 만약 구조주의를 마르크스 지향적이라고 부른다면, 그것은 인간이 과학적으로 탐구되어야만 한다는 마르크스의 주장을 레비스트로스가 받아들였고, 그의 구조적 분석이 변증법적 방법을 응용하고 있기 때문이다. 그렇지만 마르크스주의적 관점에서 볼 때, 구조주의의 이단적 성격은 비역사적·비실존적 정신으로서 인간을 추상적·이념적으로 파악하고, 인간의 목적과 원리들에서 현실성을 감소시키며, 또 역사가 이 같은 목적과 원칙을 위해 행동할 아무런 의무감도 느끼지 않는 기계론적 형식주의에 빠져 있다는 것이다. 실제로 구조주의는 어떠한 현실적인 요구도 주장함이 없이 오직 사실들을 해석하고, 분석하는 방식을 제공하려 할 뿐이다.

그러나 우리는 구조주의가 내포하고 있는 많은 불규칙성과 비일관성을 또한 발견할 수 있다. 구조주의는 생생한 현실을 거부하는 한편, 현실로부터의 해방을 열렬히 추구한다. 레비스트로스는 인간과 인간의 역사는 화학이나 물리학과 같은 기계적 요소로 환원될 수 있다고 생각함으로써 유물론자의 어조를 지니는가 하면, 인간과 인간의 역사는 정신의 일정한 구조에 지배된다고 주장함으로써 관념론자처럼 이야기한다. 또한 구조주의는 비정치적 태도를 취하려고 하지만, 기득권을 옹호하고 하나의 이데올로기를 표현하고 있다. 구조주의가 지닌 이 모든 비일관성은 구조주의가 감소하고 불신하려는 바로 이 회피할 수 없는 현실 가운데서 증명되고 있다.

6. 레비스트로스 사상의 쟁점과 전망

레비스트로스의 구조주의적 방법과 그것이 내포하는 사상적 특성에 대해서 지식인들 사이에 매우 격렬한 논의가 전개되고 있다. 몇 가지 중요한 쟁점을 소개하면서 그의 이론 및 사상체계에 관한 종합적인 평가와 전망을 부가해보기로 한다.

우선 민족학자로서 레비스트로스를 불신하려는 태도가 있다. 비평가들은 그가 매우 적은 현지조사 경험을 지녔을 뿐만 아니라 그의 이론에 적합하도록 자료들을 선택했기 때문에, 만약 다른 자료를 사용한다면 그의 주제가 붕괴될지도 모른다는 자료수집의 선택성을 지적한다. 그의 구조주의 방법이 성공적일 수 있었던 것은 그 방법이 쉽게 적용될 만한 지리적·문화적 영역(예컨대 고대의 토테미즘이나 신화적 환상의 영역)을 선택했기 때문이라는 것이다. 그 용이한 영역이란 바로 구성적 짜임새는 대단한 반면에, 내용은 매우 빈약하다는 사실로 특징지을 수 있다. 공시태(共時態)가 가장 잘 파악되기 쉽도록 되어 있는 체계 안에서는 통시태(通時態)는 대체로 교란된 상태로 나타날 뿐이다. 바로 이와 같은 구조와 내용의 뚜렷한 대비로 구조주의가 쉽사리 성공할 수 있었다고 이야기할 수도 있다.

어떤 비평가들은 레비스트로스가 모든 사회적 활동을 인간정신의 기계적 요소로 환원하려고 시도한다고 한다. 그들은 레비스트로스가 인간을 응결·압축해서 생활과 현실로부터 분리하며, 자신의 환경을 개선할 능력을 가진 개인으로 보는 대신에 레비스트로스의 인간은 하나의 형식적 체계의 창조물로, 그의 생활은 일정한 구조들에 지배받고 있다고 말한다. 나아가 앙리 르페브르(Henri Lefèvre)와 같은 비평가는 구조주의가 내포하는 역사적 발전에 대한 무관심은 기존의 정치적 지위에 대한 반혁명적 방어라는 점에서 하나의 자본주의적 이데올로기의 도구라고 비난한다. 물론 레비스트로스는 구조주의와 정치 체제 간의 어떤 연결도 상정하지 않는다.

사실 우리는 현재로서는 구조주의의 방법론에 좀더 철저한 관심과 검토를 가해야 하며, 구조주의 철학에 너무 성급히 초점을 맞추려고 해서는 안 될 것이다. 물론 레비스트로스도 그의 구조주의가 초월적 주제가 없는 칸트주의에 가깝다는 주장에 일종의 긍정을 시사하고는 있다. 그렇지만 그의 구조주의가 지닌 철학적 의미가 변증법적 철학의 변형으로 해석되든 모든 구조를 자연적이라고 간주하는 의미에서 유물론적 철학으로 해석되든, 구조주의는 아직까지 여러 가지 철학으로서 가능성을 지닌 것만은 사실이다. 레비스트로스 자신도 철학체계를 수립하려고 계획하는 것은 아니며, 단지 그의 작업의 어떤 면이 내포하는 철학적 암시를 이해하려고 노력했을 뿐이다.

따라서 우리는 레비스트로스의 작업이 의도하지 않았던 근거에서 그를 비난해서는 안 될 것이다. 우리는 사회적·과학적 검증에 관한 그의 가정들이 적절한 것인지를 의문시해도 좋다. 물론 그는 때때로 그의 입증 범위를 벗어나는 과도한 자유를 취하는 것 같기도 하며, 또 표현의 정확성을 수사(修辭)에 희생시키며, 그와 같은 과시가 끝났을 때 그의 웅장한 이론적 구성물에 남는 의미가 항상 명확한 것도 아니다.

레비스트로스의 제한된 질문영역에도 불구하고 구조주의에는 두 개의 야심이 함축되어 있다. 인간과학과, 인간의 행위는 정신과정의 구속에 지배되고 있다는 것이다. 그리하여 구조주의는 자연과학자가 수학적 논리로써 자연현상을 이해하듯이 구조적 논리로써 문화현상을 이해하려 한다. 사실 수학적 연구와 구조적 연구는 둘 다 기호논리라는 점에서는 구조적 논리를 일종의 수학적 논리라고 불러도 좋을 것이다. 그러나 수학적 논리에 사용되는 상징들은 감정적으로는 중립적인 반면에 구조적 연구에 사용되는 상징들은 사회적 가치에 의해 침투된 것이다. 이와 같은 사실을 고려하면, 레비스트로스의 측정(測定)이 그가 제시하려는 것보다는 훨씬 덜 정확할지도 모른다는 것이다. 예컨대 레비스트로스가 그의 이론적 출발점을 야콥슨식 언어이론에서 발견했기 때문에 그는 야생의 사고의 전체구조가 양분적이고 대립적인 것이라고 결론지을 수 있었다. 그러나 인간의 두뇌가 양분적·대립적으로 작용하려는 경향이 있다는 것은 사실이지만, 인간의 두뇌는 또한 다른 방식으로도 작용할 수 있는 것이다.

이미 설명한 것처럼 레비스트로스는 인간정신의 무의식의 구조적 측면을 통해서 인간정신에 도달하려고 하는데, 그의 접근방식은 언어학의 방법을 통한 것이었다. 그러나 레비스트로스가 채택하는 언어학적 모델은 오늘날 대부분 낡고 부적합한 것으로 비판받고 있다. 비록 우리들이 레비스트로스가 제시하는 구조들이 무의식적인 정신과정의 표현이라고 인정한다 하더라도, 그가 이 구조를 하나의 특정한 문화집단이나 특정한 개인의 속성으로서가 아니라, 모든 인간성에 공통되는 하나의 속성으로서 간주하는 데 오직 부분적으로만 동의할 수 있을 뿐이다.

만약 인간이 레비스트로스의 입장처럼 행위에 책임을 지는 자유로운 정신 대신에 구조라고 불리는 계획된 회로에 따르는 존재라고 한다면, 구조주의는 모든 전통적인 휴머니즘을 위협하는 것이 되고 말 것이다. "언어학과 구조주의적 연구들이 아마도 현대의 가장 완전하고도 엄격한 무신론(無神論)을 설립할지도 모른다"라는 장 라크루아(Jean Lacroix)의 표현처럼 과학적 구조주의를 극단으로까지 밀고 간다면, 인간사회의 여러 현상의 배후에는 그것을 지배하는 어떤 법칙이 존재할 것인즉, 인간의 자유의지는 부정되고 말 것이다.

레비스트로스는 구조주의의 적용을 사회인류학의 어떤 부분에만 국한하여 그 범위를 조심스럽게 넓혀오고 있지만, 라캉, 알튀세르, 푸코 등의 연구 결과가 발표됨에 따라 구조주의가 발산하는 일반적 분위기는 '인간이 죽어가고 있다'는 묵시적 시사를 던지고 있다. 실존주의가 주장하는 주체의 철학이 구조주의에 의해 그 주체를 상실하게 된 것이다. 그뿐만 아니라 구조주의는 역사란 오직 우리들 자신의 사회의 신화학일 뿐으로, 과학적 연구에 부적합한 집단적 환상으로 간주하는 반역사적 성격까지 띤다. 이와 같은 일련의 사상적 특성들은 새로운 시대의 사상적 사표(師表)가 교체되고 있음을 의미할 수도 있다. 이와 같은 면에서 구조주의는 수사적 철학이나 역사가의 시대에 대한 반발이며, 오늘날 인간에 관한 지식은 거대한 과학적 전진에서 분리될 수 없다는 하나의 각성이기도 하다.

결국 우리는 레비스트로스의 구조주의가 하나의 도덕적 선택이며, 사회적 완전을 추구하는 하나의 입장이라는 사실을 명심해야 한다. 그는 일종의 반역사주의자로서 —비록 그는 자신에 대한 이와 같은 평가를 거부하지만 —원시사회와 역사적 사회 간의 단절을 거부한다. 오직 역사적 진보라는 채찍으로 과열화되고 있는 사회와 정적이고 결정화되었으며 조화스러운 원시적 사회가 존재할 뿐이다. 레비스트로스에게서 인간사회의 유토피아란 역사적 온도를 훨씬 낮춘 곳에 존재할 뿐이다. 그는 인간이 진보를 위해 노예화되는 구속으로부터 해방될 수 있고, 인간성이 진정한 의미에서 최고도로 구현되는 어떤 자유의 시기와 조화의 사회를 상상한다. 바로 이와 같은 유토피아적 관점에서만이 사회인류학은 최고의 정당화를 발견할 수 있다고 그는 생각한다. 그리하여 사회인류학은 인간의 가장 암흑시기에서도 이러한 유토피아의 가능성을 탐구하는 임무를 계속하게 될 것이다.

이처럼 레비스트로스는 원시인들의 사회에 동경과 연민의 정을 느끼는 동시에, 비인간적인 발전이 가속화되는 현대문명에 명백한 분노와 깊은 우수를 나타내고 있다.

로랑을 위하여 ――
너와 마찬가지로, 지금까지 그런 세대는 멸망해왔고,
또 앞으로도 멸망해가리라.
• 루크레티우스, 『사물의 본성에 대하여』 Ⅲ, 969.

제1부
여행의 마감

1 출발

나는 여행이란 것을 싫어하며, 탐험가들도 싫어한다. 그러면서도 지금 나는 나의 여행기를 쓸 준비를 하고 있다. 내가 이 일을 결심하기까지는 꽤 오랜 시간이 걸려야 했다. 마지막으로 내가 브라질을 떠나온 지도 벌써 15년이나 지났으며, 그동안 내내 이 책을 써볼 생각을 수없이 해왔다. 그러나 그때마다 부끄러움과 혐오감이 앞서서 그만두고는 했다. 무엇 때문에 그 시시하고 무미건조한 사실이며 사건들을 상세히 서술해야 한단 말인가.

민족지학이란 직무에는 모험이라는 것이 끼어들 자리가 전혀 없다. 모험이란 그저 피치 못하게 따라붙는 부수적 사건에 불과하다. 그것은 민족지학의 일을 효율적으로 성취해나가는 데 방해가 되는, 일의 중도에 끼어들어 수주일, 때로는 심지어 수개월을 허비하게 만드는 큰 부담일 뿐이다. 정보 제공자가 갑자기 사라져버림으로써 하릴없이 시간을 허송해야 하는 일이라든가, 굶주림·피로, 때로는 질병에 시달리는 일이라든가, 그리고 결과적으로는 순수한 시간 낭비밖에 되지 않을뿐더러 처녀림 한가운데서 그런 일을 당할 때는 목숨마저 위태로워지는, 군대 생활에서나 제격인 저 고통스러운 갖가지

잡일들이라든가, 이런 것들이 그런 부담을 만드는 것이다.

이같이 우리의 연구대상에 도달하기까지에는 숱한 노력과 낭비가 요구된다는 사실은 우리들 직업의 단점이 될망정 결코 자랑거리가 되지는 못한다. 우리가 그토록 멀리에까지 찾아 나서는 진리는 그러한 겉껍데기들을 털어버렸을 때에만 비로소 가치를 지니게 된다. 물론 아직 알려지지 않은 신화, 새로운 결혼제도, 또는 어떤 씨족 명칭 등의 완전한 목록을 기록하기 위해서 일 자체는 불과 며칠, 아니 때로는 몇 시간밖에 걸리지 않는 일임에도 궁핍과 진저리나는 피로 속에서 여섯 달 간 여행을 감행해야 했을 때도 있기는 하다. 그러나 그러한 추억들의 찌꺼기, 예컨대 "오전 5시 30분, 우리는 눈에 설익은 과일을 팔기 위해 우리 배의 선복(船腹)을 따라서 작은 선대(船隊)를 이루어서 몰려드는 상인들을 보면서, 레시페항(Recife: 브라질 동부에 있는 작은 항구―옮긴이)에 정박하러 들어가고 있었다" 따위와 같은 보잘것없는 추억들은 과연 펜을 들어 기록해놓을 만한 가치가 있는 것일까?

그런데도 이런 종류의 책이 나로서는 이해할 수 없는 엄청난 인기를 끈다. 여행기, 탐험 보고서, 또는 사진첩의 형태로 된 아마존·티베트·아프리카 이야기들이 서점을 뒤덮고 있는데, 이 책들이 주로 인기만을 염두에 두고 쓰이고 또 편집되었기 때문에 독자는 그 속에 담긴 증언의 가치를 판단할 길이 없다. 독자의 비판력을 깨우쳐주기는커녕 오히려 같은 종류의 흥미 본위의 책들만 계속 찾게 만들어, 그 많은 분량을 씹지도 않고 통째로 삼키게 해버리는 것이다. 탐험이라는 것이 이제는 '따로 독립된' 하나의 직업이 되어버렸다. 그러나 흔히들 생각하듯이 그것이 여러 해에 걸친 각고 끝에 미지의 상태로 있던 사실들을 밝혀내는 직업이 아니라, 먼 거리를 답파하여 사진 또는 영화를 되도록이면 천연색으로 끌어모아다가 며칠을 두고 연달아 청중을 가득히 끌어모아 강연만 하면 되는 직업으로 화한 것이다. 청중들에게는 진부하고 평범한 사실들도, 그 연사가 (청중을 대신하여) 2만 킬로미터나 되는 현장을 주파하여 성화(聖化)해놓는 덕분에 매우 놀랄 만하게 새로운 사실로 변모되어 비칠 수 있기 때문이다.

그런 종류의 강연에서 무엇을 들을 수 있을 것이며, 그런 책들 속에서 무엇을 읽을 수 있겠는가? 고작해야 여행장비의 목록이나 선상(船上)에서 강아지들의 장난이라든가, 이미 반세기 동안이나 갖가지 여행기 속에서 전해오는 일화 속에 섞인 낡은 정보 나부랭이들뿐일 것이다. 그자들의 몰염치와 독자들의 무지와 순진성이 어우러져서 겁없이 '증언'이라고 소개를 하게 되며, 심지어는 '독창적인 발견'이라고까지 하는 것이다. 물론 예외는 있다. 시대마다 정직한 여행자는 늘 있어왔으며, 오늘날 대중의 인기를 끌고 있는 이들 가운데서도 나는 기꺼이 훌륭한 한두 사람의 이름은 들 수도 있다. 하지만 내 목표는 속임수를 고발하거나 또는 상을 주고자 하는 데 있는 것이 아니라 프랑스에, 바로 우리나라에 특유하게 최근에 나타난 도덕적·사회적 현상을 이해해보려는 데 있다.

20여 년 전(1930년대를 말함-옮긴이)만 해도 여행자는 극히 드물었고, 모험담을 이야기하는 사람을 맞아들이는 곳도 5회나 6회에 걸쳐 연속 만원이 되는 (지금의) 플레이엘 관(Pleyel: 파리의 음악 공연관-옮긴이) 같은 곳은 아니었다. (그 당시) 그런 발표를 할 수 있는 곳은 파리에서 단 한 곳, 바로 식물원 구석의 낡은 건물에 있는 어둡고 써늘하고 찌그러져가는 작은 계단교실뿐이었다. 그곳에서는 매주 박물관동우회가 주최하는――아마 지금도 여전히 거기서 열리고 있을 것이다――자연과학에 관한 강연이 있었다. 영사기에 비해 너무도 큰 스크린에다가 뚜렷하지도 못한 영상을 비추어주고 전등마저 매우 희미했기 때문에 벽 쪽으로 바싹 붙어 있는 연사조차 그 윤곽을 알아보기 힘들 지경이었고, 청중들은 벽을 얼룩지게 하는 곰팡이 자국과 화면을 거의 구별하지 못할 지경이었다.

시작 예정 시각이 15분이나 지나도, 여기저기 흩어져 자리를 메우고 있는 몇 안 되는 단골손님 이외에 더 와줄 청중이 있으려나 하고 조바심을 내게 마련이었다. 그러다가 낙심할 때쯤 되면 어머니나 하녀를 따라온 어린아이들로 반쯤 강당이 채워지고는 했다. 이들은 색다른 것을 공짜로 볼 수 있다는 데에 끌려서 들어오거나, 아니면 단순히 바깥의 소음과 먼지에 지쳐서 들어오는 것이었다. 강연자는 그토록 소중하게 꾸려온 보물 같은 추억들—그 추억은 희미한 빛 속에서 이야기해야 했던 당시의 그 싸늘한 분위기로 말미암아 얼어붙어버려, 흡사 우물 바닥에 떨어지는 조약돌처럼 하나씩 하나씩 우리로부터 멀어져가는 듯이 느껴졌다—을 좀먹은 것 같은 스크린과 한시도 가만히 있을 줄 모르는 아이들 앞에서 펼쳐놓았으며, 그것이 안타깝게도 숱한 노력과 고난에 찬 작업에 대한 최대의 보상이었다.

귀국보고회의 모습은 대체로 이러했다. 하지만 출발 때의 장엄한 모임도 그에 못지않게 딱했다. 그때에는 지금 프랭클린 루스벨트 가라고 불리는 거리의 어느 저택에서 불미협회(佛美協會)가 베풀어준 연회가 있었는데, 사람이 살지 않던 집이었기 때문에 음식 장만할 사람이 임시로 두 시간 전에 불려와서 불을 피우고 식탁을 차리고는 했으나, 빈집에 가득 찬 폐옥(廢屋)의 냄새는 갑작스러운 환기만으로는 어찌할 도리가 없었다.

이러한 친근감이 전혀 없는 장소의 특성이며, 또 그것이 발산하는 잿빛 권태 따위에 익숙해지지 못한 채, 우리들은 그 널찍한 방에 비해 너무 작은 느낌을 주는 식탁—시간 여유가 없어 식탁이 놓인 중앙 부분만을 겨우 청소해놓았다—의 둘레에 앉아 서로 초면의 인사를 나누었다.

프랑스의 시골 고등학교에서 처음으로 교단에 서게 된 젊은 풋내기 교사들이었던 우리는 조르주 뒤마(Georges Dumas, 1866~1946: 프랑스의 심리학자이자 의학자-옮긴이) 선생님의 약간 짓궂은 변덕기 덕분에 갑자기, 시골 마을의 그로그 주(酒)며 지하의 포도주 저장실이며, 타다 남은 포도나무 가지(포도나무 가지는 태우면 향기가 좋기 때문에 포도밭이 많은 남프랑스에서는 땔나무로 많이 쓴다-옮긴이) 등의 냄새가 뒤범벅이 되어 풍기는, 가구를 갖춘 하숙집의 눅눅한 겨울에서 해방되어서 열대의 해양, 호화스러운 기선, 기타 여러 신비스러운 체험——이런 체험이란 여행에는 으레 숙명적으로 따라다니는 것으로, 우리들이 진작부터 마음속에 품고 있었던 환상(결과적으로 언제나 빗나가게 마련인 환상)과 어떤 희미한 관계가 있기는 하다——을 향해 떠나게끔 예정돼 있었다.

나는 조르주 뒤마가 『심리학 개론』을 썼을 당시에 그의 제자였다. 목요일이었는지 아니면 일요일 아침이었는지 이젠 기억이 안 나지만(옛 교육제도하의 프랑스의 고교에서 목요일은 일요일처럼 휴일이었다-옮긴이) 아무튼 일주일에 한 번씩 그는 철학반(과거 프랑스의 국립고교에서 문과 최종 학급-옮긴이) 학생들을 모이게 했다. 창문과 마주 보는 벽이 온통 정신병자들의 재미있는 그림으로 덮인 생트 안 병원 안의 한 방에 모였는데, 그 방에 들어서기만 하면 벌써 독특한 이국적 분위기에 휩싸였다. 연단 위에는 바다 밑에 오래 잠겨 있어서 껍질이 벗겨지고 하얗게 변색한 굵은 나무뿌리처럼 보이는, 울퉁불퉁한 머리에 거칠고 투박스러워 보이는 몸매를 한 뒤마 선생이 그 강건한 몸을 버티고 서 있고는 했다. 아직 어린 잔뿌리가 비죽비죽 솟아 있는 그 식물성 잔해는, 흰 머리카락을 더 두드러져 보이게 하는 석탄같이 검은 시선 때문에 비로소 인간처럼 보이고는 하는 것이었고, 그런 흑백의 대립은 항상 테가 넓은 검은 모자, 나비 넥타이, 양복, 그리고 그것들과 대조를 이루는 하얀 와이셔츠, 빳빳이 풀을 먹여 접은 흰 칼라 사이에서도 이루어지고 있었다.

그는 강의에서 무슨 대단한 것을 가르치는 것은 아니었다. 그는 절대로 강의 준비를 해오는 법이 없었다. 끊임없이 입을 움직이는 데 따라서 모양이 변하는 입술의 그 풍부한 표정이나 듣기 좋은 그 쉰 듯한 목소리만으로도, 즉 그의 육체적 매력만으로도 청중을 매료할 수 있다는 사실을 스스로 의식하고 있었기 때문인 듯했다. 특히 그의 목소리는 무척이나 매혹적이어서 그 기묘한 억양은 그의 고향이 랑그도크(Languedoc: 프랑스 남부에 있는 지방 – 옮긴이)라는 사실을 연상시킬 뿐만 아니라 지방적 특성을 넘어서서, 구어체 프랑스어의 고풍스럽고 아름다운 하모니를 듣게 해주는 것이었다. 그래서 그의 표정과 목소리에서 투박하면서도 동시에 예민한 하나의 독특한 면모를 볼 수 있었으며, 의사나 철학자들이었던 16세기 휴머니스트들의 스타일을 마치 신체적·정신적으로 계승하고 있는 사람 같아 보였다.

둘째 시간에는(때로는 셋째 시간에도) 환자들과 직접 만나보도록 되어 있었고, 그때가 되면 교활해 보이는 의사와 여러 해 동안의 병원 생활에서 그런 종류의 훈련에는 길이 들어버린 환자 사이에서 전개되는 희한한 광경을 목격해야만 했다. 환자들은 우리가 자기들에게서 기대하는 것이 무엇인가를 너무나 잘 알고 있어서, 신호만 있으면 그에 따라 어떤 (병적) 증세를 보이기도 하고, 아니면 그들을 길들이고 있는 자에게 용기를 과시할 기회를 주느라고 짐짓 반항하는 모습을 보여주기도 했다. 그러면 우리 방청객들은 거기에 속아넘어가지는 않았어도, 그들의 뛰어난 묘기 연출에 흔연히 매료되고는 했다. 학생들 가운데 교수의 주목을 끈 사람에게는 개별적으로 환자와 대화를 나눌 기회가 허용되었다. 얼음 덩어리 속에 있는 한 마리의 썩은 청어에다 자신을 비유하며, 겉보기에는 안전해 보이지만 자신을 감싸고 있는 얼음이 녹아버리는 날에는 그대로 와해되어버릴 위협을 받고 있는 몸이라고 하던, 두툼한 스웨터를 걸치고 있던 한 늙은 부인과 함께 지낸 어느 날 아침은 내게는 너무도 무서웠다. 그것은 야만적인 인디언족들과의 어떤 접촉보다도 더 내게 겁을 주었다.

나로서는 좀 기대에 어긋나는 일이었지만 비평적 실증주의를 옹호할 목적으로 종합적 연구에 관한 일련의 저작을 추진하던 이 뒤마 선생은 약간 남을 기만하는 듯한 기질이 있긴 했으나 아무튼 굉장히 고상한 인격의 소유자이기도 했다. 후에 그런 사실을 내가 알게 된 것은 바로 휴전 직후, 그러니까 그가 죽기 얼마 전, 이미 시력을 거의 다상실하고 그의 고향 레디냥(프랑스 남부의 작은 마을 - 옮긴이)으로 은퇴해 있을 때, 내게 부쳐온 매우 세심하고 사려 깊게 쓰인 편지 한 통을 읽고 나서였다. 그 편지는 대전 초기에 희생을 당한 사람들에 대한 그의 연대의식을 입증하기 위한 것 이외에는 다른 목적이 없는 글처럼 내게는 느껴졌다.

아메리카 원정에 나섰던 에스파냐의 콘키스타도르(원래는 정복자라는 뜻으로 신대륙 개척을 위해 떠나는 15세기의 에스파냐 모험가를 일컫는다 - 옮긴이)처럼 갈색머리에 그을린 살갗, 19세기 심리학이 열어놓은 과학적 전망에 흥분하고 감동하여 신대륙의 정신적 정복을 향해 나서던 때의 뒤마 선생, 즉 한창 젊었을 때의 그를 알지 못한 것이 나는 항상 유감스러웠다. 그와 브라질 사회 사이에는 첫눈에 반해버리는 사랑 같은 것이 싹트려 하고 있었는데, 거기에는 분명히 어떤 신비로운 현상이 일어나고 있었던 것 같다. 한편으로는 남프랑스 신교도 가계(家系)에서, 또 다른 한편으로는 열대에서 느릿느릿 살아가고 있는 매우 세련되고 약간 퇴폐적이기도 한 중산계급에서, 그 특유한 생활 환경이 간직되고 있는 400년이나(400년 전에 브라질에 유럽문화가 처음으로 도입되었다 - 옮긴이) 된 늙은 유럽의 두 단편(斷片)

이 서로를 알아보고 재결합한 것 같았다.

한데 조르주 뒤마의 잘못은 바로 이러한 결합의 진실로 고고학적인 특성을 파악하지 못한 데 있다. 그가 자기 것으로 만들 수 있었던 유일한 브라질—잠깐 동안의 정권 장악이었음에도 그것이 진정한 브라질이라고 착각한 것이지만—은 점차 자기들의 자본을 외국 자본이 참여한 산업투자 쪽으로 옮기고 있던 지주들 중심의 브라질이었다. 지주들은 상류계급의 의회정치에 적합한 사상적 외장(外裝)을 찾고 있었다. 이민 온 지 얼마 안 되는 자들이나 혹은 토지에 매달려 살다가 세계 무역의 파동 때문에 망해버린 시골 지주 출신의 우리 학생들까지가 원한을 머금은 어조로 '그란 피누', 즉 '상류계급 놈들'이라고 부르던 것도 바로 이들 지주들을 두고 하는 말이었다.

기묘한 것은, 조르주 뒤마의 생애에서 커다란 사업이었던 상파울루 대학의 설립은 이 조촐한 계층의 사람들이 관료직으로 가는 면허장이라고 할 수 있는 졸업장을 취득함으로써 사회의 상층계급으로 올라가는 길을 터주었다는 사실이다. 따라서 브라질 대학으로 파견된 우리 사절들은 새로운 엘리트계층 형성에 공헌한 셈이었지만, 이들 엘리트는 우리들로부터 차츰 떨어져나가게 되어버렸다. 그 까닭은, 한편으로는 보증인으로서, 또 다른 한편으로는 기분전환 상대로서 우리를 이용하려고 브라질로 끌어들였던 것이 다름 아닌 당시 브라질의 봉건제였는데, 그 봉건제를 몰아내는 일에 이들 엘리트가 전념했는데도 그 엘리트들이 우리의 가장 소중한 창조물이라는 사실을 뒤마 자신과, 그리고 뒤따라서 프랑스 외무부까지도 인정하려 들지 않았기 때문이었다.

그러나 불미협회의 만찬이 있던 그날 저녁까지도 나와 내 동료들, 그리고 우리를 따라왔던 아내들 중 그 누구도 아직 우리가 브라질 사회의 발전 속에서 본의 아니게 치러야 할 역할을 짐작하지는 못하고 있었다. 우리는 서로를 살피면서 어쩌다 잘못하여 실수를 저지르는 일이 없도록 서로 경계하는 데에만 급급했다. 왜냐하면 떠나기 직전에 조르주 뒤마로부터 이제부터 새로운 주인으로서 부끄럽지 않은 생활을 하도록, 즉 자동차 클럽, 카지노, 그리고 경마장 같은 데를 자주 드나드는 사람이 되도록 하라는 당부 말을 듣고 있던 터였기 때문이다. 하지만 이 말은 그때까지 연봉 2만 6천 프랑을 받고 있던 이 젊은 교사들에게는 외국 근무를 지원하는 자가 너무 없어서 봉급을 3배로 올린 후였는데도, 터무니없이 (사치스럽게) 들리기만 했다.

뒤마 선생은 우리에게 "특히 옷을 아주 잘 차려입어야만 한다"라고 말했다. 그러고는 우리를 안심시키려고 매우 감동적이고 솔직한 어조로, 자기가 파리에서 젊은 의학도였던 시절에 늘 옷을 빌려 입던 곳이 있는데, 그곳은 파리 중앙시장에서 멀지 않은 '자네트의 십자가'(목걸이의 일종 - 옮긴이)라는 이름이 붙은 상점으로, 그곳에 가면 무척 싸게 옷 문제는 해결될 것이라고 덧붙여주었다.

2 선상에서

아무튼 우리는 그때부터 4, 5년 동안——극히 드문 예외적인 경우를 빼놓고는——우리 소그룹만이 프랑스와 남아메리카를 왕복하는 '해양운수회사' 소속 화물여객선 1등칸의 승객의 전부가 될 것이라고는 꿈에도 생각하지 못했다. 이 항로에 취항하던 단 한 척의 호화선을 탈 때는 2등 선실을, 그리고 소박하게 꾸며진 선박을 탈 경우에는 1등 선실을 택하도록 우리는 권유받고 있었다. 우리들 중 약간 영리하게 머리를 굴리는 자들은 모자라는 돈을 자기 호주머니에서 털어내면서까지 호화선 쪽을 택했는데, 그런 방법으로 대사급들과 사귀고 거기서 어떤 이익을 끌어내보고자 원했기 때문이다. 그렇지 못한 그 밖의 우리들은 6일이나 더 걸리는 화물여객선에 탔는데, 그곳에서는 우리가 주인 행세를 할 수도 있었고, 또 기항지가 많아서 좋기도 했다.

지금에 와서 나는 20년 전에 내게 제공되었던 그 호화로운 대접을 본전껏 즐길걸 그랬다는 생각이 든다. 그때 우리는 100명 내지 150명이 승선하도록 설계된 선박 위에서 10여 명이 1등실의 갑판·선실·끽연실, 그리고 1등 식당을 독점하는 엄청난 호사와 당당한 특권을 누릴 수 있었다. 바다 위에 있는 19일 동안, 다른 사람들이 아무도 없어서 거의 제약이 없어진 공간은 우리에게는 하나의 작은 왕국과 같았고, 우리의 영지(領地)는 우리가 움직이는 데 따라서 함께 움직이는 것이었다. 두세 번씩 같은 항로를 왕복하다 보니 우리는 우리가 탄 배와 선상에서의 생활에 완전히 익숙해져버렸다. 또한 승선도 하기 전에 우리는 마르세유 출신의 콧수염을 기르고 두꺼운 밑창을 댄 구두를 신은, 우리에게 매우 친절하게 대해주던 급사들의 이름을 모두 미리 알고 있는 형편이었다. 그들은 우리 접시에 매우 연한 영계나 가자미구이를 덜어줄 때도 강한 마늘 냄새를 풍기고는 했다. 식사는 마음대로 먹고도 남을 만큼 넉넉하게 준비되어 있었는데다가, 배 안의 음식을 다 먹어치우기에는 사람이 너무도 적었기 때문에 그만큼 더 우리는 푸짐한 음식을 즐길 수가 있었다.

하나의 문명이 종결되고 다른 새로운 문명이 시작되었구나, 우리의 이 세계는 그 속에서 사는 사람들에게 이제는 너무 협소하게 느껴지는구나 하는 사실을 내가 불현듯 실감하게 된 것은 숱한 숫자나 통계자료나 또는 혁명 등을 통해서가 아니라, 몇 주일 전에 내가 받은 전화 한 통 때문이었다. 그 전화를 받을 때까지만 해도 나는 이번에 다시 브라질을 방문하게 되어 15년 전의 내 청춘을 다시 발견할 수 있게 되었다는 즐거운 생각에 사로잡혀 있었다. 그 전화는 사정이야 어떻든 간에 배를 타려면 4개월 전에 예약을 해놓아야 한다는 것이었다.

나는 어리석게도 유럽과 남아메리카를 잇는 항공노선이 생긴 후로는 배를 타는 이는 극소수의 괴짜들뿐일 것이라고 생각해왔다. 사실, 한 가지 새로운 요소의 도입으로 기존의 요소는 무용지물이 되어버릴 것이라고 믿은 것은 나의 크나큰 착오였다. 사발(四發)의 콘스텔레이션 장거리 여객기가 출현했다고 해서 바다가 옛날의 고요함을 되찾지 못한다는 것은 마치 남프랑스의 코트 다쥐르 해안(지중해에 면한 프랑스의 남해안. 온난한 기후와 모래사장 덕분에 휴양지로 유명하다-옮긴이)에 소구획의 분양 단지가 많이 생겼다고 해서 파리 교외가 옛날의 아늑함을 되찾지 못하는 것과 같은 셈이다.

그런데 1935년 무렵의 그 굉장했던 선박여행과 내가 얼른 단념을 해버려야 했던 이번 도항(渡航)과의 중간쯤인 1941년에 한 번 건너간 적이 있었는데, 그때도 역시 그것이 다가오는 시대를 얼마나 상징적으로 나타내게 될 것인지에 대해서 당시 나는 전혀 예상을 못했다. 나는 휴전 직후 로버트 로위(Robert H. Lowie, 1883~1957: 미국의 인류학자-옮긴이)와 알프레드 메트로(A. Métraux, 1902~63: 프랑스의 인류학자-옮긴이)가 나의 민족학 연구에 보여준 우정어린 배려와 미국에 정착하고 있던 양친의 보살핌 덕분으로 뉴욕의 '신사회조사연구원'(New School for Social Research)의 초청을 받게 되었다. 그것은 독일군의 점령으로 위협을 받고 있던 유럽 학자들을 구출해내기 위해 록펠러 재단이 추진하던 계획의 일환으로 이루어진 것이었다.

꼭 뉴욕으로 떠나야만 하겠는데 어떤 방법으로 가는가가 문제였다. 내게 처음 떠오른 생각은 전전(戰前)에 하던 나의 연구를 계속하러 브라질로 가는 것으로 위장하는 것이었다. 그리하여 비자 갱신을 청원하러 갔을 때, 브라질 대사관이 자리 잡고 있던 '비시'정부의 그 작은 1층에서는 극히 짧은 동안의 일이기는 했으나 내게는 비극적인 장면이 벌어졌다. 루이스 데 소자 단타스 대사(大使)—나는 그를 잘 알고 있었지만 설사 모르는 사이였더라도 그는 아마 마찬가지로 행동했을 것이다—가 자기 도장을 갖고 여권에 막 날인을 하려는 찰나에 정중하면서도 쌀쌀맞은 한 참사관이 그를 가로막으며 방금 시달된 새로운 행정조치에 따라 날인권이 대사에게는 없어졌다는 사실에 대해 주의를 환기시켰다. 몇 초 동안 도장을 든 대사의 팔은 공중에 그대로 머물러 있었다. 대사는 안타까워하며 거의 애원하는 듯한 시선으로 부하를 보며, 도장이 밑으로 내려가는 동안 고개를 돌려주기를 바라고, 그렇게 함으로써 내가 비록 브라질에는 못 들어가도 프랑스만은 떠나게 허락해주기를 바랐다. 하지만 아무 소용이 없었다. 참사관의 시선은 그의 손에 못박힌 채 있었고, 그 손은 서류 옆으로 기계적으로 도로 내려왔다. 이렇게 되어 나는 비자를 받을 수 없게 되었고 그는 괴로운 모습으로 내게 여권을 되돌려주었다.

나는 세벤(Cévennes: 남프랑스에 있는 지방 - 옮긴이)에 있는 집으로 돌아가 있었는데, 퇴각전(退却戰)의 결과로 그곳에서 멀지 않은 몽펠리에서 나는 우연히 소집해제가 되어버렸다. 그래서 마르세유를 어슬렁거리며 돌아다니다가 항구에서 사람들이 이야기하는 것을 주워들었는데 어떤 배 한 척이 곧 마르티니크(Martinique: 카리브해의 소(小)앤틸리스 제도 가운데 한 섬 - 옮긴이)로 떠나게 되어 있다는 사실을 알아냈다. 이 부두에서 저 부두로, 또 사람들이 모이는 곳마다 이리저리 수소문한 결과, 마침내 문제의 배를 알아낼 수 있었다. 그것은 바로 예전에 프랑스의 대학사절이 브라질을 오가던 몇 해 동안, 충실하고도 독점적인 고객 노릇을 했던 '해양운수회사' 소속 선박이었다.

겨울의 매서운 북풍이 몰아치던 1941년 2월에 나는 4분의 3가량은 폐쇄되어 있고 불기운도 없는 사무실에서, 전에 회사를 대신해서 우리에게 인사하러 다니곤 하던 사무원과 만나게 되었다. 물론 배도 있고 또 분명히 출항할 것이지만, 나는 거기에 탈 수 없다는 것이었다. 무엇 때문에? 나는 납득할 수 없었고, 그는 내게 설명은 못하겠으나 도항 여행은 예전과 같지 않다는 것이었다. 어떻게 다를래요? 아, 너무도 지루하고 한없이 고통스럽답니다. 그는 차마 그런 배를 탄 내 모습을 상상도 할 수 없었던 것이었다.

그 가엾은 남자는 그때까지도 나를 프랑스 문화를 전달하는 작은 대사쯤으로 보았던 모양이었다. 하지만 나는 벌써부터 스스로를 강제수용소의 포로 정도로 생각하고 있었다. 더군다나 지나간 2년 동안을 처음에는 처녀림 한가운데서, 그다음엔 혼란스러운 후퇴 속에서 이 숙영지 저 숙영지로 떠돌아다닌 일을 겪은 뒤였다. 퇴각하는 동안 사르트, 코레즈, 아베이롱을 거쳐서 마지노선(제1차 세계대전 후에 독일과 접한 프랑스 동부 국경에 설치한 프랑스군의 방어 보루—옮긴이)에서 베지에로 갔을 때는 가축수송열차나 양 우리 안에서도 지낸 일이 있었을 정도였다. (그런 일로) 상대방이 주저하는 모습이 내게는 도리어 민망스러웠다. 나는 무턱대고 밀항선에 몸을 던져 선원들과 일도 함께 나누어 하고, 검소한 식사도 함께하고, 갑판 위에서 잠도 자고 하면서 끝없는 망망대해 위에서 떠도는 생활을 하는 나 자신을 생각해보고 있었다.

마침내 나는 폴 르메를르 대위호의 승선권을 얻어냈고, 배를 타게 된 그날에 가서야 겨우 앞으로 있을 여행이 예사롭지 않으리라는 것을 실감하기 시작했다. 출항 시간이 임박하자 헬멧을 쓰고 경기관총을 든 기동경찰들이 부두를 에워싸고, 전송하러 나온 가족이나 친지들과의 접촉을 막았으며, 주먹질과 욕설로 작별의 인사말을 가로막고 있었다. 그것은 내가 생각하던 고독한 모험이 아니라 차라리 죄수들의 출발과 같았다.

하지만 우리를 다루던 그와 같은 태도에 대한 놀라움은 내가 탑승자 수효를 알았을 때의 놀라움에 비하면 아무것도 아니었다. 모두 합쳐서 침대 7개와 선실이 두 개밖에 없는—내가 지체없이 확인해봤던 것인데—그 작은 증기선에다 무려 350명을 몰아넣었던 것이다. 선실 하나는 부인네 3명의 몫으로 돌아갔고, 나머지 하나를 나를 포함하여 네 남자가 쓰게 되었는데, 내게 그런 굉장한 호의를 보여준 B

씨는 — 지금 이 자리를 빌려 감사를 표하는 바이다 — 옛날 자기의 일급 승객들 가운데 하나였던 사람을 짐승처럼 취급할 수는 없다고 느꼈던 모양이다. 사실 나머지 승객은 남자·여자·아이 가릴 것 없이 조선공(造船工)이 짚을 깐 침대를 층층이 어설프게 만들어놓은, 어둡고 공기 탁한 배 밑창으로 전부 들어가야 했다.

특별대우를 누리게 된 이 네 남자 가운데 한 사람은 금속상을 하는 오스트리아인으로, 그는 그런 특권을 얻는 데 비용이 얼마나 드는지를 잘 알고 있는 사람 같았다. 또 한 사람은 젊은 '베케', 즉 식민지 태생의 부유한 백인으로서 전쟁 때문에 자기 고향인 마르티니크와 떨어졌던 사람이었는데, 그 배에서는 유대인이나 외국인 또는 무정부주의자로 추정되지 않는 유일한 사람이었기 때문에 그런 특별한 대우를 받을 만했다. 나머지 또 한 사람은 정체를 알 수 없는 북아프리카인으로 겨우 며칠 간만 머무르기 위해 뉴욕에 간다고 했는데(거기까지 도착하는 데에만 석 달이나 걸린다는 점을 생각할 때) 좀 엉뚱한 계획을 지닌 사람 같아 보였다. 그는 가방 속에 드가(Edgar Degas, 1834~1917: 프랑스의 인상파 화가 – 옮긴이)의 그림을 한 장 갖고 있었고, 나와 같은 유대인이면서도 모든 경찰·치안당국·헌병대, 그리고 식민지의 보호령 보안국이 인정하는 페르소나 그라타(persona grata: 외교 용어로 국가가 정식으로 그 신분을 인정하는 사람을 뜻하며 persona non grata에 반대되는 말 – 옮긴이)였다. 당시 상황으로는 정말 놀랍고 신비스러운 사실이었지만, 나는 끝내 그가 어떤 인물인지 알아낼 수가 없었다.

'천민'(賤民) — 헌병들의 표현을 빌리면 — 들 중에는 앙드레 브르통(André Breton, 1896~1965: 프랑스의 초현실주의 작가 – 옮긴이)과 빅토르 세르주(Victor Serge, 1890~1947: 러시아의 볼셰비키파 혁명가로 스탈린에게 유형당한 후 프랑스를 거쳐 후에 멕시코로 망명한 작가 겸 신문기자-옮긴이)도 섞여 있었다. 이 갤리선 안에서 몹시도 불편했던 앙드레 브르통은 갑판 위에 듬성듬성 난 빈자리를 왔다 갔다 하기도 했는데, 보풀이 선 털옷을 입은 그의 모습은 마치 한 마리 푸른 곰과 같았다. 우리 둘 사이에는 서신 교환으로 그 후에도 계속된 우정이 싹트고 있었다. 편지 교환은 그 끝없는 여행이 계속되는 동안 꽤 오래 계속되었는데, 그 편지들에서 우리가 나누었던 이야기는 심미적 아름다움과 절대적 독창성의 관계에 대한 것들이었다.

빅토르 세르주로 말할 것 같으면, 나는 우선 레닌의 동료였다는 그의 과거가 무서웠으며, 동시에 지조가 곧은 노처녀를 연상시키는 그의 용모를 볼 때에는 도무지 그런 사실을 믿기 어렵기도 했다. 조심스럽고 부자연스러운 태도에다가 수염 없는 얼굴, 섬세하게 생긴 이목구비, 그리고 낭랑한 목소리는 후에 내가 버마(미얀마) 국경지대의 불승(佛僧)들에게서 느꼈던 것과 같은 거의 남녀를 구별할 수 없는 성격을 나타냈는데, 그것은 프랑스에서 옛날부터 파괴적인 활동과 결부해보는 생명력의 충일(充溢)이나 남성적인 기질과는 아예 거리가 먼 것이었다. 이것은 어떤 문화유형은 매우 단순한 대응관계 속에서 형성되는 까닭에, 사회마다 매우 유사한 문화유형이 나올 수는 있으나, 그들의 사회적 기능은 집단에 따라 달라질 수 있다는 것을 보여주는 예이다.

세르주 같은 문화유형은 러시아에서는 혁명가로서의 경력 가운데서 형성된 것이지만, 다른 환경 속에서라면 과연 어떠했을까? 어떤 두 사회가 서로 닮은 유형의 인간을 다른 사회적 기능을 충족하기 위해 사용하는 그 사용방식을, (학교 같은 데서 객관식 채점용으로 사용하는) 격자창 같은 것을 이용해서 등가체계(等價體系)를 설정할 수만 있다면, 그 상호관계의 측정은 훨씬 쉬워질 수 있을 것이다. 그와 같은 일이 가능해진다면 아마도 오늘날과 같이 의사 대 의사, 실업가

대 실업가, 교수 대 교수 식의 대비뿐 아니라 한 개인과 그 역할 사이의 좀더 미묘한 대응관계가 존재한다는 사실을 깨닫게 될 것이다.

인간이라는 하물을 실은 이외에도, 무엇인지는 모르겠으나 아무튼 그 배는 밀수품도 싣고 가는 것이 분명해 보였다. 그래서 지중해와 아프리카 서해안에서는 영국 함대의 감시에서 벗어나기 위하여 이 항구 저 항구로 피신하느라고 많은 시간을 허비하기도 했다. 프랑스 여권을 소지한 사람들에게는 때때로 상륙이 허락되었으나, 그 나머지 사람들은 갑판 위에서 한 사람 몫이 겨우 수십 제곱센티미터밖에 안되는 공간 속에 갇혀 있어야만 했다. 더군다나 열대에 가까워짐에 따라서 더위가 차차 심해져 배 밑창에서는 도저히 견딜 수 없었기 때문에 갑판은 차츰 식당·침실·육아실·세탁장·일광욕장 등 모든 용도로 겸용되도록 변해가고 있었다.

그러나 가장 언짢았던 것은 군대 용어로 '청결 관리'라고 불리는 것이었다. 뱃전을 따라 좌우 대칭이 되게 좌현 쪽에는 남자용, 우현 쪽에는 여자용으로 선원들이 지어놓은 판잣집이 두 쌍 있었는데, 그곳에는 환기창도 없고 빛도 안 들어왔다. 한 군데에는 아침에만 물이 나오는 샤워 꼭지가 몇 개 달려 있었고, 또 한 군데에는 안쪽에 함석을 대충 입힌 긴 나무관이 곧장 바다로 통하게 설치되어 있었는데, 그것의 용도는 설명해야 할 필요가 없으리라고 본다. 많은 사람이 동시에 쭈그리고 앉아서 용변을 보는 것이 —이것도 배의 요동 때문에 자세가 불안정해지는 바람에 몹시 힘들었다— 싫으면, 새벽에 아주 일찌감치 잠을 깨는 수밖에 딴 도리가 없었다.

그래서 항해하는 동안 내내 성미가 까다로운 사람들 간에는 일종의 경쟁심리 같은 것이 생기게 되어, 마침내는 새벽 3시쯤이 아니면 비교적 마음 편하게 용변을 하지 못하게까지 되고 말았다. 그러다 보니 잠을 제대로 잘 수가 없었다. 2시간 후가 되면 샤워장에서도 마찬가지 경쟁이 벌어지고는 했는데, 이때는 앞서와 같이 부끄러움 때문이 아니라 그 안의 군중들 사이에서 자기 자리를 확보한다는 것이 문제가 되었기 때문이다. 출발 때부터 조금밖에 없던 (샤워용) 물은 많은 사람의 끈끈한 몸들이 서로 닿는 통에 증발이 되고 말았는지 피부를 적셔주지도 못했다. 사람들은 용변이고 샤워고 간에 되도록 빨리 끝마치고 밖으로 나오려고 했다. 왜냐하면 그 판잣집에는 환기구멍도 없었으며, 그것의 재료는 갓 벌채되어 채 마르지도 않은 전나무여서 진이 나오고 있는데다가 더러운 물과 오줌 그리고 바닷바람에 절어서 뜨뜻하고 들척지근하고 구역질나는 냄새를 풍기면서 햇빛을 받아 썩어가고 있었기 때문이다. 거기다가 다른 냄새들까지 섞여서 금세 견딜 수 없이 되었으며, 특히 파도가 넘실거릴 때는 더욱더 심했다.

한 달 간 항해한 후의 어느 한밤중에 포르 드 프랑스(Fort-de-France: 소앤틸리스 제도에 있는 프랑스령 마르티니크섬의 주도—옮긴이)의 등대가 눈에 띄었을 때, 승객들의 가슴을 부풀게 한 것은 먹을 만한 음식이나 시트를 갖춘 침대나 조용한 방, 이런 것들에 대한 희망이 아니었다. 배에 타기 전까지는 영국 사람들이 듣기 좋게 '문명의 쾌적함'이라고 부르는 것을 다 누리고 살던 이들에게 고통스러웠던 것은 굶주림·피로·수면부족·혼잡·모욕 등도 물론 있었지만 그 어느 것보다 훨씬 더 심하게 이들을 괴롭혔던 것은 강요된 불결함, 이들이 4주 동안 그 속에서 지나온 그 더위 때문에 한층 더 심해진 불결이었다.

배에는 젊고 예쁜 여자들도 있었다. 구애하는 장면, 연애하는 장면을 목격하기도 했다. 이들 여성에게는 헤어지기 전에 마침내 호감을 불러일으킬 수 있는 자기 모습을 보여줄 수 있게 된다는 것은 단순히 교태를 부린다는 것 이상의 의미가 있었다. 그것은 지불해야 하는 어음이요, 갚아야 할 빚 같은 것이었으며, 자기들이 진실로 남자들의 관심을 끌 가치가 있었다는 의심할 여지 없는 정당한 증명이었던 것이다. 그래서 항해 이야기에서 늘 나오듯이, "육지다! 육지다!" 하는 대신에 "목욕하게 됐다! 드디어 목욕이야! 내일은 목욕이다" 하는 외침이 일제히 터져나왔을 때, 거기엔 희극적인 면뿐만 아니라 어떤 비애감까지도 느끼게 하는 데가 있었다. 그리하여 모두들 이 중요한 기회를 위해 마지막 남은 비누 조각, 때묻지 않은 수건과 내의를 찾아내느라 법석이 났던 것이었다.

이런 '물 치료법'(목욕)에 대한 희망찬 꿈은 4세기에 걸친 식민지 통치에서 이루어놓은 문명화 사업에 대한 지나치게 낙관적인 기대(포르 드 프랑스에는 목욕탕이 거의 없었다)에서 비롯된 것이었지만, 선객들은 얼마 후 육지에 갔을 때 거기서 그들을 기다리던 그들에 대한 대접 ─ 배가 닻을 내리자마자 일종의 집단적 뇌 장애에 걸려 있다고밖에는 생각할 수 없는 한 떼의 병사들이 승객들에게 베푼 ─ 을 보고는 콩나물 시루 같은 더러운 선상 생활이 그래도 차라리 더 목가적인 편이라는 사실을 즉각 깨닫게 된다. 그 병사들이 보인 지적 장애는, 내가 그 난처한 상황을 모면하기 위해 모든 지적 능력을 동원하는 데만 신경 쓰지 않았던들 민족학자인 내 관심을 충분히 끌 만한 것이었다.

대부분의 프랑스인들은 '이상한' 전쟁을 경험한 바가 있었다. 마르티니크섬에 주둔하던 사관들이 겪은 전쟁도, 엄밀히 말해서 진정한 의미의 전쟁의 부류에 끼지는 못하는 것이었다. 그들의 유일한 임무라는 것이 프랑스 은행의 금을 지키는 일이었는데, 그 사명마저도 일종의 악몽 속에 사라지고 말았다. 그것은 펀치(럼주에 레몬즙·홍차·설탕·계피를 섞어 만든 음료-옮긴이)를 과음했기 때문만도 아니었다. 좀더 본질적이고 잠재적인 원인은 마르티니크가 섬이라는 특수한 상황, 본국에서 멀리 떨어져 있다는 점, 해적들의 추억으로 풍성한 전설이 전해 내려오는 곳이라는 점 등에 있었다고 할 수 있다. 그 전설 안에서 미합중국의 감시나 독일 잠수함대의 비밀 행동이, 황금 귀고리를 달고 애꾸눈에다가 목발을 짚고 있었다는 그런 전설 속 주인공의 자리를 쉽사리 대신하곤 했다.

이렇게 해서 '우리들은 포위당하고 있다'는 일종의 망상증에 사로잡힌 나머지, 직접 전투에 참가한 적도 물론 없고 적이 눈에 띈 적도 없었건만 거의 대부분의 사관(士官)들은 이 망상 때문에 정신상태가 이상하게 돼 있었다. 한편 섬 주민들은 또 그들대로, 좀더 산문적(散文的)인 방식이긴 하나 아무튼 똑같은 형태의 정신상태를 드러내고 있었다. "대구(생선)가 없어졌어. 이 섬은 이젠 끝난 거야" 하는 식의 이야기를 흔히 들을 수 있었고, 또 어떤 사람들은 히틀러가 다름 아닌 예수 그리스도로서 지나간 2천 년 동안에 백인들이 그의 가르침을 잘 따르지 않았던 것을 벌주려고 이 땅에 강림한 것이라고도 하는 판이었다.

(독일과 프랑스 간에) 휴전이 성립되자 사관들은 자유 프랑스에 가담하기는커녕 본국의 체제, 즉 '비시 정부'와 어울리고 싶어 했다. 그들은 계속 '국외자'로 남기를 원했다. 그들의 육체적·정신적 지구력이 벌써 수개월 동안 시달려온 나머지, 설령 전투를 해야 할 처지에 놓인다 할지라도 그들은 이미 도저히 전투를 치를 수 없게 되어 있었다. 그리고 그들의 병든 정신은 적을 바꾸어치기하는 데서 일종의 위안을 찾고 있었다. 너무 멀리 떨어져 있어서 보이지 않아 추상적이기만 했던 독일인이라는 실질상의 적을, 가까이 있어서 그 존재를 감지할 수 있는 미국인이라는 가상의 적으로 대치한 것이다. 하기는 이 당시 실제로 미국 군함 두 척이 항상 정박지 앞에 버티고 있었다. 프랑스군 총사령관의 요령 좋은 부관 하나는 매일 그쪽 배에 가서 식사

를 하는 판이었건만, 다른 한편에서는 그의 상관은 자기 부대원들로 하여금 앵글로색슨족에 대해 증오와 원한에 불타게 해놓으려고 기를 쓰고 있었다.

우리가 타고 온 배는 이 현지 주둔군에게 두 가지 점에서 아주 잘 선택된 표적이 되었다. 첫째로는 우리 배가 수개월 전부터 그들이 준비해오던 공격의 목표로서 적으로 간주되었다는 점이고, 둘째로는 자기들이 직접 참가하지 않았기 때문에 소외감을 느꼈던 전쟁이긴 했어도 또 다른 한편으로 생각해보면 막연하나마 자기들에게도 잘못은 있었다는 가책을 느끼고 — 그들은 조국의 희생에 적어도 일부의 책임은 져야 할 무관심·환상·권태감의 가장 완전한 견본이었으며 또한 가장 극단적인 형태로 몸소 그것을 실현해왔다 — 있던 그 전쟁에서 패전한 책임자로서 우리를 지목했다는 점이었다. 그것은 마치 비시 정부가 우리를 이 마르티니크행 선박에 승선하도록 허락함으로써 이 섬의 인사들에게 이들의 분노를 가라앉히기 위해 속죄양을 가득 실어 보낸 것이나 마찬가지 행동이었다.

반바지에 철모를 쓰고 총을 든 그 병사들은 사령부 건물에 자리 잡고 앉아서 우리들을 하나씩 따로 불러갔는데, 상륙을 시키기 위한 심문을 하는 것이라기보다는 욕설을 퍼붓는 데만 열중하는 것이었다. 우리는 별수없이 듣고만 있을 수밖에 없었다. 프랑스인이 아닌 사람들은 적으로 다루어졌고, 프랑스인에 대해서는 난폭한 어조로 너희들은 프랑스인이 아니야, 고국을 비열하게 버린 놈들이야 하고 소리치면서 고국을 떠나온 것을 힐난했다. 선전포고 이래로 먼로주의(미국 대통령 먼로가 주창한, 유럽 제국과 아메리카 대륙 제국 간의 상호 불간섭주의—옮긴이)의 보호 아래서 살아온 자들의 입에서 나오는 그러한 꾸지람은 모순된 것일 뿐만 아니라 매우 이상하기조차 했다…….

목욕이여, 안녕! 항구의 맞은편에 있는 '르 라자레'라고 불리는 수용소에 모두들 억류되도록 결정이 나버렸다. 우리들 중 오직 세 사람만이 상륙이 허용되었다. 그자들의 관심 밖의 인물이었던 '베케', 어떤 서류를 내보이자 곧 허가가 난 그 알 수 없는 튀니지 사람, 그리고 나, 이렇게 셋이었다. 나는 해군관리국의 사령관이 베풀어준 특별한 호의의 덕을 본 것이었는데, 우리는 무척 오랜만에 재회한 사이로, 그는 바로 전쟁이 나기 전에 내가 타고 다니던 배의 일등 항해사였다.

3 서인도 제도

시계가 오후 2시를 알렸을 때, 포르 드 프랑스는 마치 죽음의 도시 같았다. 야자수가 심어져 있고 잡초가 무성하게 자라는 그 긴 광장을 둘러싸고 있는 오막살이집들에는 아무도 살지 않는 것 같았다. 또한 후에 '보아르네' 부인으로 불리게 된 '조제핀 타셰 드 라 파주리' 부인(Joséphine Tascher de la Pagerie, 1763~1814: 나폴레옹 1세의 비였으나 아기를 낳지 못하여 폐비되고 나서부터는 조제핀 드 보아르네로 불리게 됨 - 옮긴이)의 녹청색 동상이 한가운데 잊힌 채 서 있는 광장은 빈터와 같았다. 한 삭막한 호텔에 자리를 잡자마자, 나와 그 튀니지인은 오전에 있었던 사건들로 머릿속이 혼란해진 것이 아직 가시지 않은 채 자동차를 빌려 곧장 르 라자레로 달려갔다. 같이 온 동료 승객들, 특히 젊은 독일인 부인들을 격려하러 가기 위해서였다. 그 부인네들은 항해 중에 몸만 깨끗이 씻을 수 있다면 자기 남편을 배신할 수도 있다는 그런 인상을 우리에게 주었던 여자들이었다. 이런 관점에서 보아도 르 라자레에 그들을 수용시킨 사건은 확실히 우리의 실망을 가중하는 일이었다.

낡은 포드 차가 울퉁불퉁한 길을 1단 기어로 올라갈 때, 나는 아마존 지방에서부터 낯익었던 숱한 식물군과 다시 만나는 즐거움을 맛보았다. 그러나 그 식물들은 여기에서는 새로운 이름을 지니고 있었다. 프루타 두 콘데(fruta do conde: 백작(伯爵)의 과일 – 옮긴이) 대신에 카이미트——배(梨) 맛에 약간 양엉겅퀴 맛이 섞인 것——, 그라비올라 대신에 코로솔, 마망 대신에 파파야, 만가베이라 대신에 사포티유로 불리고 있었다. 하지만 좀 전에 일어났던 괴로운 광경이 자꾸만 마음속에 되살아났기에, 그 일을 같은 형태의 다른 경험들과 결부하려고 애써야 했다. 왜냐하면 평온한 생활을 영위해오다가 현재와 같은 모험 속으로 내던져진 동료 승객들에게는 군인들의 우둔하고 악의에 찬 행동들이 듣도 보도 못했고 유례를 볼 수 없는 예외적 현상으로 받아들여졌을 것이며, 갇혀 있는 자신들과 간수들이 모두 역사상 아직껏 없었던 국제적 규모의 파국 속에 빠져 있는 것처럼 생각되었겠지만, 앞서 수년 간 세상의 많은 것을 경험해본 나로서는 그 사건도 전혀 생소하게 느껴지지는 않았던 까닭이다.

나는 천천히 그러나 꾸준하게, 마치 병든 육신이 고름을 축적해가듯 인류가 그러한 상황들을 야기해나가고 있다는 것을 알고 있었다. 인류는 이미 그 자체의 엄청난 수효와 또 거기에서 비롯되어 날이 갈수록 복잡해지는 문제에 싫증이 나 있었으며, 그것은 마치 커뮤니케이션의 밀도가 높아짐에 따라 증대되는 물적·지적 교류에서 생기는 마찰 때문에 인류의 피부가 염증을 일으킨 것만 같았다. 그런데 바로 문제의 이 프랑스령 땅에서의 전쟁과 패배가 이러한 세계적 과정의 진행을 촉진하고, 이러한 지속적인 전염병 같은 것이 뿌리를 내리기 쉽게 만드는 역할밖에는 안 한 셈이었으며, 그 전염병은 지구상에서 영원토록 완전히는 소멸되지 않을 것이며, 한 곳에서 사그라지면 다시 다른 곳으로 옮겨 되살아날 성질의 것이었다. 사회집단들 상호 간에 거리가 좁혀졌을 때, 그들이 고름처럼 분비해내는 이러한 모든 어리석고 증오스럽고 경망스러운 현상을 나는 그때 처음으로 겪은 것이 아니었다.

그러니까 선전포고(1939년 9월 제2차 세계대전 개전을 말함-옮긴이)가 있기 몇 달 전 프랑스로 돌아오는 도중 바이아(Bahia: 브라질 동부의 주-옮긴이)에서 있은 일이다. 그때 나는 교회가 365개 있다는 그 도시의 고지대에서 교회들 하나하나를 돌아보며 산책을 하고 있었다. 그곳 교회들은 계절과 매일매일의 기후에 따라 건물 외관과 내부장식이 각기 다르게 지어졌다는 것들이었다. 그래서 그 건물의 세부를 촬영하고 있었는데, 반라의 흑인 아이들 한 떼가 "사진 찍어주세요!" 하면서 나를 졸졸 따라다녔다. 몇 닢 동전을 얻기 위해서보다는 그곳의 어디서도 구하기 어려운 사진을 원하는 진정 어린 요청에 마음이 움직여서, 끝내는 그애들이 요구하는 대로 한 장을 찍기로 했다. 그런데 100미터도 채 못 가서 웬 손이 내 어깨를 쳤다. 산책을 시작할 때부터 한 발 한 발 미행해왔던 사복형사 두 명이 내가 방금 브라질에 대해 적대행위를 했다고 통고하는 것이었다. 그 사진이 유럽에 가면 피부가 검은 브라질 사람들이 있고, 또 바이아의 아이들은 맨발로 걸어다닌다는 풍문을 틀림없이 퍼뜨리게 될 거라고 했다. 그와 같이 되어 구류를 당하게 됐으나 배가 곧 떠나야 했기 때문에 다행히 쉽게 풀려 나올 수가 있었다.

그 배는 확실히 내게 불행을 실어다주었다. 바로 그 며칠 전에도 그와 유사한 일에 부딪혀야 했기 때문이다. 산투스항에서 승선할 때였으므로, 그때 역시 부둣가에서였다. 배에 오르자마자 정장을 한 해군 지휘관 한 명과 총검을 지닌 수병 두 명이 내 선실에 와서 나를 감금해버렸다. 네댓 시간이 지나서야 그 의아스러운 일의 내용이 밝혀졌다. 1년 동안 내가 이끌어오던 '프랑스·브라질 합동 탐험'에는 모든 채집품을 양국이 분배해야 한다는 규정이 들어 있었다. 그 분배는 리우데자네이루 국립박물관의 감독하에 이루어지게 되어 있었는데, 박물관 측에서는 그 나라의 모든 항구에 통보를 보내어, 만일 내가 음험한 계획을 세워 프랑스 몫으로 주어진 것 이상의 활과 화살 그리고 깃털모자 따위를 싣고 도망치려 하거든 반드시 체포해야 한다고 지시했던 것이다. 그런데 탐험이 끝날 무렵에 가서야 리우데자네이루 박물관은 태도를 바꾸어, 브라질 몫을 상파울루 과학연구소에 양도하기로 결정을 보았고 내게도 그 연락을 해주었다. 따라서 프랑스 몫의 반출은 리우데자네이루가 아니라 산투스에서 해야 했는데, 당국에서는 1년 전과 다른 내용의 규정이 새로 설정된 것은 잊어버리고 예전에 내린 지시에 의거해 나를 죄인으로 몰았다. 옛 규정을 세운 사람들은 잊어버렸는데, 그것을 집행하는 사람들은 그것을 잊지 않고 있었던 것이다.

그러나 다행히도 그 당시에는 브라질 관리들 마음속에는 무정부상태의 전통이 그대로 남아 있었고, 볼테르나 아나톨 프랑스(1844~1924: 프랑스의 소설가-옮긴이)의 글이 이런 전통에 힘을 불어넣어주었다. 이 때문에 볼테르나 아나톨 프랑스는 미개지 깊숙한 곳에서도 브라질 문화 속에 은연중에 힘을 가지고 있었다("아, 당신, 프랑스 사람이군요! 아, 프랑스! 아나톨, 아나톨!" 내륙지방의 어느 작은 촌락에서 만난 한 노인은 그때까지 나의 동족을 만난 적이 없던 터라 깜짝 놀라 이렇게 소리를 지르면서 나를 껴안은 적도 있다). 그래서 브라질 정부, 특히 해군당국에 대한 나의 경외감을 필요할 때마다 시간을 들여서라도 피력하는 데 익숙해 있었던 나는 어떻게 해서든 상대방의 공감을 불러일으키려고 애를 썼다. 내 노력은 헛되지 않았다. 몇 시간 동안 식은땀을 흘린 뒤에(나는 브라질을 아주 떠나는 중이었으므로 민족지학상의 수집품들을 나의 가재 도구와 장서 사이에다 함께 섞어 짐을 꾸려두었다. 그래서 배가 닻을 올리려는 순간, 부두에다가 내 짐을 다 털어서 늘어놓지 않으려나 하고 어느 정도 겁을 먹었다), 나 자신이 직접 나를 심문하던 사람에게 엄숙한 표현으로 된 보고서를 받아쓰게 할 수 있었다. 그 보고서에서 그 사람은 나와 내 짐이 떠나는 것을 허락해줌으로써 국제적 분쟁과 그에 따르는 모욕으로부터 자기 나라를 구했다는 영광을 자신에게 부여한 셈이었다.

하기야 나 때문에 남아메리카 경찰의 위엄을 앗아가버린 어떤 사건을 기억하고 있지 않았다면, 내가 그렇게 대담하게 행동하지는 않았을 것이다. 나는 그보다 두 달 전에 볼리비아 저지(低地)지방의 한 큰 마을에서 비행기를 바꿔 타야 했는데, 바꿔 탈 비행기가 아직 도착을 못해 동행인 벨라르 박사와 함께 며칠 동안 발이 묶여 기다려야 했다. 1938년 당시의 항공 사정은 오늘날과는 판이했다. 남아메리카 벽지에서 비행기가 뜬다는 것은 진보의 몇 단계를 껑충 뛰어넘은 것이었으며, 그것은 그 촌사람들에게는 일종의 수송수단인 승합마차 역할을 하게 되었다. 그때까지 제대로 난 길이 없었기 때문에 그들은 인근 마을의 장에 가는 데도 말을 타거나 걸으면서 며칠을 허비해야 했다. 그러나 이제 단 몇 분간의 비행(하지만 실상은 출발이 여러 날씩 지연되는 일이 많았다)으로 그들의 암탉이나 오리를 운반할 수 있게 되었다. 작은 비행기 안은 맨발의 농부, 가금(家禽), 삼림 속에 난 도로로 가기엔 너무 무겁거나 부피가 큰 상자, 이런 잡다한 혼합물로 혼잡을 이루었기 때문에 사람들은 그 틈에서 쪼그리고 여행해야 하는 경우가 흔했다.

우리는 기다리는 동안 산타크루스 데 라 시에라(볼리비아 동부의 도시―옮긴이) 거리에서 시간을 보내고 있었다. 우계(雨季) 때문에 거리에는 진흙탕물이 도랑을 이루어 흐르고 있었으므로, 마치 차가 다니지 못하도록 목책을 박아놓은 횡단보도처럼 일정한 간격을 두고 커다란 돌멩이가 놓인 위를 건너갈 때 지나던 순찰대가 우리의 낯선 얼굴을 발견하고는 체포했다. 그러고는 심문할 시간이 될 때까지 지방장관이 쓰던 옛 저택의 한 방에 감금했다. 그 방의 벽은 책장을 에워싸고 있는 세공한 나무들로 덮여 있었고, 유리를 끼운 책장 속에는 칸마다 호화롭게 장정이 된 두꺼운 책들이 가득 차 있었다. 역시 유리를 끼우고 테를 두른 게시판 하나가 책장 선반을 가로막고 있었는데, 거기에는 달필로 쓰인 괴상한 글이 있었다. 그 에스파냐어를 번역해보면 다음과 같다. "개인적 또는 위생적인 용도로(화장지용으로) 고문서를 파손하는 자는 준엄한 형벌을 받도록 엄격히 금지되어 있다. 이 금지령을 위반하는 자는 누구든지 벌을 받을 것이다."

사실 마르티니크섬에서 내 처지가 호전될 수 있었던 것은 어떤 고위 토목직 관리 덕분이었다. 그 관리는 약간 냉담하고 조심스러운 태도 이면에, 공적인 환경에서 갖는 감정과는 좀 거리가 먼 감정을 숨겨 지닌 사람이었다. 또한 내가 어떤 종교신문을 내는 곳에 드나든 것도 도움이 되었다. 그곳 사무실에는 신부들이(어떤 교단에 속한 분들이었는지 지금은 기억이 안 난다) 인디언 점령 시대 때부터의 고고학적 유물이 든 상자들을 쌓아두었기 때문에 그 유물의 목록을 작성하면서 내 여가를 보냈던 것이다.

어느 날 나는 개정(開廷) 중인 중죄(重罪)재판소의 법정에 들어가보았다. 그것이 내가 재판소에 가본 처음이자 마지막 기회였다. 싸움을 하다가 상대방 귀의 일부를 이로 물어뜯어놓은 한 농부를 재판하는 중이었다. 피고·원고 그리고 증인들은 크레올말(식민지, 특히 인도양 여러 섬의 원주민들이 유럽 무역상인을 상대로 쓰는 프랑스어·에스파냐어·영어 등이 뒤섞인 혼성어—옮긴이)로 수다스럽게 할 말을 늘어놓고들 있었는데, 크레올말의 그 차디차게 울리는 소리는 이런 장소에서는 무언가 초자연적인 것을 띠고 있는 것 같았다. 진술 내용은 다시 세 판사에게 통역되었다. 판사들은 무더위 속에서도, 공기

중의 습기 때문에 풀이 죽은 모피장식이 붙은 빨간 법복을 입은 채 힘겨워하고 있었다. 그 낡은 옷은 마치 피가 밴 붕대처럼 그들 몸을 감싸고 있었다. 정확히 5분 만에 성미 급한 흑인에게 징역 8년의 선고가 내려졌다.

재판이란 내 마음속에는 의아스러움과 불안함 그리고 존엄성이 얽힌 것으로 연상되었는데, 지금도 그 생각에는 변함이 없다. 그러나 그토록 간단히, 그렇게도 짧은 시간 안에 한 인간을 처리할 수 있다는 사실이 나를 아연케 했다. 내가 목격한 일이 실제로 일어난 사실인지 내 눈을 의심하지 않을 수가 없을 정도였다. 오늘날에 와서도 아무리 환상적이고 기괴한 꿈일지라도 내 마음속에 그와 같이 의심쩍은 감정이 스며드는 일은 없다.

그동안 나의 여행 동료들은 해군당국과 통상국 간의 견해 차이 때문에 구금이 해제되었다. 한편에서는 이들을 스파이와 반역자로 생각했고, 다른 쪽에서는 그들을 르 라자레에 수용해두다가는—유료(有料)로 가둬둔다 해도—이용을 할 수 없는 소득의 원천이라고 여겼기 때문이다. 결국 상인들(통상당국)의 생각이 이기게 되어 약 2주일 간에 걸쳐 모든 승객은 자유로이 최후의 프랑스 지폐를 사용해도 좋게 되었다. 그러나 경찰의 매우 삼엄한 감시 속에서 지내는 것이었고, 경찰들은 한 사람 한 사람, 특히 부인네들 주위에다 유혹과 도발 그리고 보복의 그물을 쳐놓고 있었다. 동시에 사람들은 도미니카 영사관에 비자를 교부해줄 것을 탄원하고 있었는데, 우리 모두를 데려갈 배가 올 것이라는 진위를 알 수 없는 풍문만 나돌곤 했다.

상황이 다시 한번 바뀌게 되었는데, 그 까닭은 시골 사람들이 도청 소재지에서만 이익을 보는 것을 시기하여 자기들도 이 피난자들에게 권리가 있다고 주장하고 나섰기 때문이다. 그래서 그다음 날로 해안에서 떨어진 촌락의 수용소로 모두 보내졌다. 이번에도 이 수용 조치에서 제외될 수 있었던 나는 '펠레'산 밑에 있는 새로운 수용소로 이동해간 아름다운 여자 친구들과 연락을 유지하기 위해 몇 번이나 참으로 잊을 수 없는 아름다운 산책을 할 수 있었는데, 따지고 보면 그것도 경찰들의 그 새로운 조치 덕분이었다. 그 섬은 남아메리카 대륙보다 훨씬 더 고전적인 이국정취를 지니고 있었다. 해안에는 나뭇가지 모양의 짙은 색 마노(瑪瑙)가 은박 깔린 검은 모래사장의 후광 속에 잠겨 있었고, 우윳빛 안개에 파묻힌 계곡에 들어서면 나무의 형체를 한 고사리 무리의 거대하고 깃털같이 부드러운 이끼를 볼 수 있었는데, 거기에 쉴새없이 물방울이 떨어지는 모양 때문에 보인다기보다 차라리 들려오고 있었다.

그때까지 나는 다른 동행들에 비하면 특혜를 받고 있었던 편이지만, 내게는 골치 아픈 한 가지 문제가 있었다. 그 문제에 관해 여기서 언급해두려고 한다. 왜냐하면 이 책을 쓸 수 있게 되고 안 되고도 그 문제의 해결에 달려 있었기 때문이다. 또한 그 문제의 해결도 이제 독자도 알게 되겠지만, 쉽게 얻어진 것이 아니었기 때문이다. 나는 유일한 재산인 브라질에서의 조사 자료 ─ 언어와 기술(技術)에 관한 서류철, 여행일지, 조사지에서 얻은 문서, 카드, 지도류, 네거 필름 등 수천의 종이쪽지와 색인 카드, 사진 원판 따위였다 ─ 가 가득 든 가방 하나를 가져가고 있었다. 그와 같은 수상한 보따리를 갖고 경계선을 가로지른다는 것부터가 벌써 상당한 위험을 안은 짓이었기 때문에, 마르티니크에 들어갈 때부터 세관과 경찰 그리고 해군성의 제2과에서 내 짐에 눈을 돌리지 못하게 막아야겠다고 생각했다. 서류 속의 토착어들이 그들 눈에는 틀림없이 정교한 암호체계로 비칠 것이며, 지도나 도표 그리고 사진은 전술상의 배치표나 침공 계획도쯤으로 보일 것이었기 때문이다. 그래서 나는 내 짐을 수송 중인 화물이라고 신고하기로 했다. 따라서 짐은 납 봉인이 되어 세관창고로 보내졌다.

그 후 내게 보내진 통고에 따르면 나는 어떤 외국 선박을 타고 마르티니크를 떠나야 하며, 내 짐은 곧장 그 배에 실릴 것이라는 것이었다(이런 타협을 받아들이게 하느라고 나는 무진 애를 썼다). 내가 만일 도말르호(그것은 어디를 보나 유령선 같아 보이는 배로, 내 동료는 한 달 간이나 그것을 기다리고 있었다. 어느 날 아침, 그것은 마치 전(前) 세기의 커다란 장난감 같은 모습으로 우리 앞에 모습을 나타냈다)를 타고 뉴욕으로 가겠다고 한다면, 내 짐은 우선 마르티니크에 들어왔다가 다시 또 나가야 할 판이었으므로 그럴 수는 없는 일이었다. 그리하여 나는 스웨덴 선적의 순백색 바나나 운반선을 타고 푸에르토리코를 향해 떠났다. 그 배에서 4일을 보내는 동안, 나는 마치 이제는 다 지나가버린 과거사를 돌이켜보듯이, 평온하면서도 거의 고독한 여행이라고 할 수 있었던 항해의 맛을 만끽할 수 있었다. 배에는 승객이 모두 8명밖에 없었기 때문이며, 나는 이 기회를 충분히 이용했다.

프랑스 경찰의 뒤를 이어 이번에는 아메리카의 경찰 차례였다. 푸에르토리코에 발을 들여놓자마자 두 가지 사실을 알 수 있었다. 마르세유항에서 출발한 이래 두 달이란 시간이 흘러서 그동안에 미국의 이민법이 바뀌었던 것이다. 따라서 내가 '신사회조사연구원'으로부터 받았던 서류들은 이미 새 법규에 맞지 않는 것들이었다. 두 번째는—이 점이 특히 더 중요했는데—나의 민족학 자료에 대해서 마르티니크 경찰들이 품었던 의혹(꽤나 정확한 판단을 내려서 그 의혹으로부터 벗어났던 것인데)을 미국 경찰 역시 오히려 더 심하게 품었다. 포르 드 프랑스에서는 미국인들에게 돈으로 고용된 유대인 쥐데오 마송(Judéo-maçon: 18세기 초엽 영국에서 비롯된 세계시민주의·자유주의를 내세우는 결사조직으로서 제1차 세계대전 이후 국제친선운동 따위를 했다. 저명한 자유주의적 지식인들이 많이 참가했다-옮긴이)으로 취급받기까지 한 터라, 미국의 입장에서 보면 내가 비시 정부나 독일인들의 첩자로 보일 수도 있겠구나 하고 당연한 듯 수긍을 하긴 했지만, 참으로 쓰라린 보상이었다.

신사회조사연구원에서 법이 요구하는 사항을 만족해주고(그곳에다 나는 지급전보를 쳤다) 또 특히 프랑스어를 읽을 줄 아는 FBI(미국 연방수사국-옮긴이)의 전문가가 푸에르토리코에 도착할 때를 기다리는 동안(내 서류의 4분의 3은 프랑스어로 쓰인 게 아니라 브라질 중앙부의 거의 알려지지 않은 토어로 되어 있었기 때문에, 그 토어를 읽을 줄 아는 전문가를 발견해내는 데 걸릴지도 모르는 시간을 생각해보았을 때, 나는 온몸에 소름이 끼쳤다) 출입국관리당국은 선박회사에 비용을 물게 하여 제대로 격식을 갖춘 어느 에스파냐식 호텔에다가 나를 감금했다. 내게는 삶은 쇠고기와 이집트콩이 식사로 나왔으며, 방문 앞에는 매우 더럽고 수염도 안 깎은 원주민 경찰 두 명이 밤낮을 교대로 지키고 있었다.

나와 같은 배를 타고 왔다가 그 후 원자력사무소의 소장이 된 베르트랑 골트슈미트가 어느 날 저녁에 내게 원자폭탄의 원리를 설명해주던 곳도 바로 그 호텔의 안뜰이었다고 기억된다. 그는 나에게(그때가 1941년 5월이었다) 지금 열강들은 일종의 과학 경쟁에 뛰어들고 있으며, 여기에서 1위를 하게 되는 나라는 승리를 보장받게 될 것이라고 가르쳐주기도 했다.

며칠이 지나자 여행 동료들 중에 마지막으로 남아 있던 이들도, 그들의 신원상 어려움을 해결하고 나서 다들 뉴욕으로 떠나가버렸다. 그래서 나만 혼자서 두 경관이 옆에 붙은 채 산 후안(San-Juan: 미국령 푸에르토리코의 수도이자 항만도시-옮긴이)에 남게 되었다. 그 경관들은 내가 가도 좋다는 허가를 받은 세 곳, 즉 프랑스 영사관, 은행,

그리고 출입국관리국에는 부탁할 때마다 데리고 가주었다. 그러나 그 이외의 곳으로 외출하고자 할 때는 특별한 청원을 해야만 가능했다. 어느 날 이 특별한 허락을 얻어 대학에 가게 되었는데, 마음씨가 상냥한 그 감시인은 대학 안으로 나와 함께 들어가지는 않았다. 나에게 모욕을 주게 될까봐 그는 교문 앞에서 나를 기다렸다. 그와 나머지 또 한 경관도 점차 진력이 났기 때문에 때로는 규칙을 어기고 그들 자신이 먼저 앞장을 서서 함께 영화를 보러 가게도 되었다.

석방이 되었을 때는 승선할 때까지 48시간 여유가 있어서 그때야 비로소 섬 구경을 할 수 있었다. 당시 총영사 크리스티앙 벨르가 고맙게도 안내를 해주었는데, 그도 나와 같은 아메리카 연구가라는 사실을 알고 경우가 경우였던 만큼 크게 놀랐다. 그는 남아메리카의 여러 연안지방을 범선으로 탐방한 모험담을 풍부하게 내게 들려주었다. 그 일이 있기 바로 얼마 전에는 아침 신문에서, 프랑스인 거류민들로 하여금 드골 장군을 지지하도록 하려고 서인도 제도(중앙아메리카의 동쪽 바다에 활 모양으로 흩어져 있는 열도. 앤틸리스 제도와 바하마 제도로 이루어져 있다. 서인도 제도의 중핵인 앤틸리스 제도는 대앤틸리스 제도와 소앤틸리스 제도로 나뉜다—옮긴이)를 순방하고 있는 자크 수스텔(프랑스의 인류학자. 드골 장군이 이끈 '자유 프랑스'의 지도자 가운데 한 사람—옮긴이)이 도착한다는 사실을 알았기 때문에 그를 만나보기 위해 또 한 번 특별 허가를 얻어야 했다.

이렇게 해서 나는 푸에르토리코에서 처음으로 미국과 첫 접촉을 해본 셈이었다. 처음으로 포근한 바니시 냄새와 윈터 그린(캐나다 차(茶)라는 이름으로도 불린다) 향기를 맡아보았다. 이 둘은 우리가 후각으로 감지할 수 있는 것들의 양극단으로, 이들 사이에 '미국식 안락'의 여러 단계—자동차에서부터 라디오·캔디·치약을 거쳐 화장실에 이르기까지—가 늘어서 있는 것이나. 나는 엷은 보라색 옷을 입은 적갈색 머리의 상점 점원 아가씨들이 화장으로 꾸민 그 얼굴 뒤에서 무슨 생각을 하고 있는지가 알고 싶었다. 그리고 '대(大)앤틸리스 제도'의 특수한 배경 속에서 아메리카 도시의 전형적 양상을 처음으로 느낀 곳도 바로 이곳 푸에르토리코였다. 어디를 가나 건물은 경쾌하고, 효과와 통행인의 관심만을 염두에 두고 있다는 점으로 볼 때, 그곳은 마치 만국박람회가 계속 열리는 곳 같았다. 다만 푸에르토리코는 그런 박람회장 중에서도 에스파냐 구역 안에 들어와 있다는 느낌을 주는 곳이었다.

여행에서 생기는 우연은 이런 종류의 사물의 양면성을 보여주는 때가 많다. 푸에르토리코에서의 처음 몇 주간을 미국 영내에서 지냈기 때문에, 앞으로 나는 에스파냐에서 아메리카의 모습을 발견하는 꼴이 되었다. 마찬가지로 그 후 꽤 여러 해가 지나고 난 후의 일이지만, 내가 처음으로 영국식 대학을 방문하게 된 것이 동부 벵골(지금의 방글라데시 ─ 옮긴이)의 다카에 신고딕 양식으로 지은 건물들이 늘어서 있는 캠퍼스에서였기 때문에, 지금도 나는 옥스퍼드 대학이 진흙과 곰팡이 그리고 식물이 넘쳐나는 것을 적절히 통제하는 데 성공한 인도와 같이 여겨질 때가 있다.

내가 산 후안에 상륙한 지 3주일째 되었을 때, FBI의 수사관이 당도했다. 나는 세관으로 달려가 내 트렁크를 열어 보였는데, 그 순간은 엄숙하기조차 했다. 예의바르게 보이는 한 젊은이가 다가와 손에 잡히는 대로 카드 한 장을 끄집어내어 보고는 눈이 험악해졌다. 그는 내게로 거칠게 돌아서며 말했다. "이거 독일어 아닙니까?" 실은 그것은 나도 조사를 간 적이 있는 중부 마투그로수 지방에 관해 나의 아득한 선배가 되는 저 유명한 폰 덴 슈타이넨의 고전적 저서인 『중부 브라질의 원주민 속에서』(베를린, 1894)에서 참조할 부분을 뽑아놓은 것이었다. 나의 그러한 설명에 금방 누그러져서 내가 그토록 오래

기다리고 있었던 이 전문가는 모든 일에 무관심해주었다. '네, 좋아요, 오케이!' 나는 드디어 아메리카 땅에 올라설 수 있게 허락을 받은 것이다. 나는 자유로워졌다.

이제 이만 해두어야겠다. 내 기억 속에 있는 이 자질구레한 모험들 하나하나가 또 다른 모험의 추억을 불러일으킨다. 방금 독자들이 읽고 난 것들은 전쟁과 결부된 것들이며, 그보다 앞서 이야기했던 것은 전쟁이 나기 전의 일들이었다. 최근의 수년 간을 거슬러 올라가 아시아 여행에서의 경험도 기술하려 했다면, 여기다가 좀더 생생한 이야기를 덧붙일 수도 있었을 것이다. 한데 그 친절했던 FBI 수사관도 오늘날 같았다면 그리 쉽게 넘어가주지 않았을 것이다. 그만큼 세계 도처의 공기는 무거워져가고 있다.

4 힘의 탐구

이상스러운 냄새, 한층 더 심각한 동요를 예고하듯 빙빙 도는 바람이 외견상으로는 별것 아닌 것 같은 어떤 사건의 첫 징후를 내게 제공했고, 아직도 내 기억 속에 예언처럼 남아 있다. 브라질 내륙에서 장기간에 걸친 현지조사를 해보기 위해 상파울루 대학과의 계약갱신을 거절한 나는 동료들보다 몇 주일 앞질러 브라질로 가는 배에 몸을 실었다. 그때까지의 4년간을 통틀어 처음으로 나는 그 배에서 유일한 대학 교원이었다. 또 그렇게 승객이 많은 일도 처음이었는데, 외국의 사업가들도 있었으나 정원의 거의 대부분이 군사파견단으로 파라과이에 가는 자들이었다.

내게 익숙했던 항해 광경, 그리고 예전에 그리도 평온했던 정기여객선의 분위기는 그들의 출현으로 알아볼 수 없을 만큼 변해 있었다. 장교들과 그들 부인들은 이 대서양 횡단 항해를 식민지 획득을 위한 원정으로 착각한 것 같았으며, 겨우 규모가 작은 한 군대의 교관으로 부임하러 가는 것임에도 마치 정복된 나라를 점령하러 가는 듯 생각하고 있었다. 그래서 그 점령에 앞서 정신적 예행연습을 연병장으로 모습을 바꾸어놓은 갑판에서 행하고 일반 승객들을 원주민 역할을 하게 했다. 일반 승객들은 갑판 위까지를 불쾌하게 만들고 있는 그 소란스럽고도 무례한 행동을 피하기 위해 어디로 가야 할지 몰랐다.

그러나 이 파견부대 대장의 태도만은 그 부하들의 태도와 매우 대조적이었다. 대장과 그의 부인은 사려 깊고 친절한 사람들이었다. 어느 날 내가 그 소동에서 피하기 위해 사람들이 찾지 않는 구석으로 가 있었는데, 그 대장 부부가 다가오더니 말을 걸었다. 내가 전에 했던 일이라든가 또 지금 하러 가는 조사여행의 목적에 대해서 물어보았는데, 나는 그들의 이야기를 듣고, 그의 파견 임무가 단순히 무력한 증인으로서 사태를 파악해놓는 데 그칠 뿐이라는 것을 알 수 있었다. 대장과 대원 간의 대조가 너무 두드러져서 배후에 무슨 수수께끼가 감추어져 있는 것 같았다. 그로부터 3, 4년 후 신문에서 우연히 그 대장의 이름을 보게 되어 그때의 기억이 되살아났지만, 신문에 게재된 그의 처지라는 것이 실제로는 좀 이해하기 곤란한 것이었다.

세계의 다른 지역에서도 그와 마찬가지로 인간정신을 타락시키는 상황이 있음을 내게 결정적으로 가르쳐준 것을, 처음으로 내가 깨닫게 된 것이 바로 이때가 아니던가? 여행이여, 꿈같은 약속이 가득히 든 마법의 상자여, 그대는 이제부터 그대의 보배를 있는 그대로 내주지 못하리라. 다산적인데다 몹시 신경이 예민해진 한 문명에 의해 깨뜨려진 바다의 정적은 앞으로 영원히 돌이킬 수 없을 것이다. 열대의 향기와 생명의 신선함은 이상한 악취의 발산으로 부패해가고, 그 부패는 우리의 욕구를 괴롭히며, 이미 반쯤은 썩어버린 추억들을 걷어모으게 한다.

시멘트에 묻힌 폴리네시아 섬들은 남쪽 바다 깊이 닻을 내린 항공모함으로 그 모습을 바꾸고, 아시아 전체가 병든 지대의 모습을 띠게 되고, 판잣집 거리가 아프리카를 침식해 들어가고, 아메리카·멜라네시아의 천진난만한 숲들은 그 처녀성을 짓밟히기도 전에 공중을 나는 상업용·군사용 비행기로 하늘로부터 오염당하는 오늘날, 여행을 통한 도피라는 것도 우리 존재의 역사상 가장 불행한 모습과 우리를 대면하게 만들기밖에 더하겠는가? 이 거대한 서구문명이 지금 우리들이 누리는 기적을 낳기는 했으나, 부작용이 안 생기도록 만드는 데는 분명히 성공하지 못했다. 알려지지 않았던 복잡한 구조로 만들어낸 서양문명 최대의 고명한 작품인 원자로의 경우처럼, 서구의 질서와 조화는 이 지구를 오염시키는 막대한 양의 해로운 부산물의 제거를 필요로 하고 있다. 여행이여, 이제 그대가 우리에게 맨 먼저 보여주는 것은 바로 인류의 면전에 내던져진 우리 자신의 오물이다.

그렇기 때문에 나는 여행담에 대한 사람들의 정열·광기, 그리고 기만을 이해할 수 있을 것 같다. 여행담이란, 지금은 없어져 존재하지는 않지만 마땅히 계속 존재해주기를 우리가 바라는 그런 것의 환영을 우리에게 갖다주는 것이니까. 그리고 또한 그것은 이미 실연(實演)된, 우리가 어찌할 수도 없는 2만 년의 엄연한 사실(史實)에서부터 우리를 도피하게 해주기도 한다. 이제는 더 이상 별도리가 없게 되었다. 문명이라는 것은 이제 토종이 풍부한 지역의 잘 보호된 구석에서, 사람이 노력하여 가꾼 저 약하디약한 꽃이 아니다. 토종은 그 왕성한 활력 때문에 위협적이긴 해도, 그 반면에 변화무쌍한 강한 모종을 새로 만들어낼 능력도 갖고 있다. 인류는 이제 단일재배를 개시하려 하고 있다. 인류는 마치 사탕무를 재배해내듯 문명을 대량생산해낼 준비를 하고 있다. 그러므로 앞으로 인류의 식탁에는 오직 그 요리뿐이리라.

옛날 사람들은 오늘날 우리가 보기에는 별로 보잘것없는 물건들을 보물처럼 여겨 그것들을 가져오느라고 인도나 남북 아메리카 대륙에서 생명의 위험을 무릅썼다. 브라질 삼나무(브라질에 이 나무가 많았기 때문에 브라질의 국명이 여기에서 비롯됐음)나 붉은색 염료 또는 후추를 그렇게 소중히 여겼던 것인데, 특히 후추를 앙리 4세 (1589~1610년까지 재위한 프랑스 국왕 – 옮긴이) 시대에는 궁정 사람들이 한없이 아껴서 무척 예쁜 사탕과자 그릇에다가 넣어둘 정도였다. 시각과 후각에 미치는 자극, 눈이 누릴 수 있는 저 뜨거운 즐거움, 혀를 녹이는 듯한 맛 등은 그 자신 무미건조하다고 여겨본 적이 없던 한 문명의 감각중추의 건반에다가 새로운 음역(音域)을 하나 넓혀주었다. 그렇다면 상황을 바꾸어 현대의 마르코 폴로들도 동일한 땅에 가서, 이번에는 사진이나 책 또는 이야기의 형태를 빌려서, (우리의 사회가 권태 속으로 빠져들고 있다는 걸 자각하기 때문에 더욱 절실하게 느껴지는) 정신적 양념을 갖고 올 수 있다고 하겠는가?

하나의 또 다른 병행적 관계가 내게는 더욱 의미심장하게 느껴진다. 현대의 조미료는 사람들이 원하건 원하지 않건 모조리 모조품이라는 사실 때문이다. 현대 조미료의 성격이 순수하게 심리적인 것이기 때문에 그런 것은 아니고, 아무리 이야기를 해주는 사람이 정직하다 할지라도 그것을 본래 상태 그대로 갖고 돌아올 수가 없어졌기 때문이다. 그러므로 우리가 그러한 사실을 받아들이는 데 주의하려면, 가장 성실한 사람들에게서도 다만 의식하지 못할 뿐인 어떤 과정을 거쳐 기억을 추려내고 걸러서, 실제로 체험한 것을 평범한 이야기로 바꾸어야 할 필요가 있는 것이다. 나도 그런 유의 탐험가들 이야기를 펼쳐볼 때가 있다. 어떤 부족 이야기가 등장하는 것을 보았는데, 저자는 그 부족이 야만적이고 현재까지도 어느 원시인류의 것인지 알수 없는 습속을 보존해오고 있다고, 가벼운 필치로 희화화해놓았다.

그런데 바로 그 부족에 관한 연구를 해놓은 서적들 — 학자들이 50년 전에 연구해놓은 것도 있었고, 또 쓴 지 얼마 안 된 것도 있었는데, 아무튼 그 부족이 백인들과의 접촉과 거기에 따른 전염병 때문에 고향을 잃어 소수의 무리로 줄어들기 이전의 저작이었다 — 에 대해 학생 시절에 내가 몇 주에 걸쳐 주석을 단 적이 있었다. 이 남은 무리를, 한 젊은 여행자가 48시간 동안의 연구를 거쳐 최초로 — 저자의 표현을 빌리면 — 발견해냈다는 것이다. 그러나 그들 무리는 자기들의 영토를 벗어나 이동하는 중에, 어떤 임시 숙영지에서 여행자 눈에 흘끗 띄었던 것인데(이 점을 소홀히해서는 안 된다), 그는 고지식하게도 그곳을 정착해 사는 부락으로 간주했던 것이다. 그래 놓고 저자는 20년 전부터 원주민들과 계속적인 접촉을 꾀해온 선교사들의 기지(基地)에 도달하는 길과 가장 깊숙한 오지로 통하는 증기선의 작은 수로에 관해서는 살짝 덮어버렸던 것이다. 하지만 훈련된 눈으로는 사진의 미세한 부분에서 그들이 백인과 접촉이 있었음을 금방 알아차릴 수 있는데, 그것은 화면구성에서 그 순수하다는 부족이 취사 시에 사용하는 녹슨 양철통을 제거하는 데 성공하지 못했기 때문이었다.

그러한 허세와 또 어리석게도 그것을 받아들이고 부추겨주기조차 하는 고지식함, 그리고 쓸데없는 숱한 노력을 뒷받침해주는 재능(그 노력이 애써 감추고자 하는 원주민 생활의 훼손을 더 확대하는 데 쓰인다면 오히려 무익하지 않을는지 모른다), 이 모든 것이 다 강한 심리적인 동기를 품고 있는 것이며, 배우 격인 탐험가나 관객 격인 그 탐험가들의 편에서나 마찬가지인 것이다. 따라서 원주민 사회의 몇몇 제도에 관한 연구가 이러한 심리적 동기를 해명하는 데 도움을 주어야 한다. 민족지학은 민족지학을 해치는 모든 보조물을 자기 쪽으로 끌어모으는 한 유행을 이해시키는 데 조력해야 할 의무를 느끼기 때문이다.

북아메리카의 많은 부족 사이에서는 각 개인의 사회적 지위가 사춘기에 달했을 때 겪어야 하는 시련의 상황에 따라 결정된다. 어떤 사람들은 먹을 것도 안 가진 채 홀로 뗏목을 타고 흘러가고, 또 어떤 이들은 맹수와 추위, 그리고 빗속에 몸을 드러낸 채 고립되어 산속으로 들어가기도 한다. 며칠, 몇 주일, 경우에 따라서는 몇 달씩을 그들은 음식물을 끊는다. 단지 야생의 것들이나 약간 삼키거나, 아니면 아예 장기간에 걸쳐 단식을 하면서 구토제를 사용하여 그들의 생리적 쇠진을 가중하기까지 한다. 그 모두가 현실을 뛰어넘은 세계를 환기하는 방편이라는 것이다. 얼음같이 차가운 물에서 오랫동안 목욕을 한다든가, 스스로 손가락을 한 개 또는 여러 개 절단한다든가, 또는 등 근육 밑에다가 무거운 짐을 매단 끈을 꿴 뾰족한 쐐기를 집어넣고, 그 짐을 끌고 가게 함으로써 건막(腱膜)을 찢어놓기조차 한다. 모든 것이 다 이처럼 극단적인 데까지는 미치지 않는다 하더라도 심신이 지칠 때까지 보상 없는 작업을 계속하는데, 자기 몸의 털을 하나하나 뽑아내기도 하고, 잎 하나 없는 벌거숭이가 될 때까지 전나무 잎을 다 뜯어내기도 하고, 바위에다 구멍을 뚫기도 한다.

이러한 시련이 젊은이들을 마비와 쇠약, 착란상태로까지 빠지게 해놓으면, 그 속에서 그들은 초자연 세계와의 대화 속으로 들어가길 원하는 것이다. 그들의 고통과 기도가 절정에 달해서 마음이 사로잡히면 어떤 마법의 동물이 그들 앞에 모습을 드러낸다. 이 환각 속에서 앞으로의 그들의 수호신이 나타나고, 동시에 이름(그 이름으로 그들은 알려진다)과 특수한 힘이 부여되는데, 수호신을 닮은 그 힘이 사회집단 내에서 그들의 특권과 서열을 결정지어준다.

이 원주민들에게는 사회로부터 기대할 것이 아무것도 없단 말인가? 제도와 관습이라는 것이 이들에게서는 단조로운 기능 때문에 우연이라든가 행운 또는 재능 같은 것이 움직일 여지가 허용되지 않는 기계장치와 다를 바 없다. 이러한 운명을 극복하는 유일한 길은 사회규범이 의미를 갖지 못하게 되며 동시에 그가 속한 집단의 보증과 요구가 소멸되는 위험한 변경으로 뛰어들어보는 방법일 것이다. 즉 좋은 풍속의 지배를 받는 영역의 끝까지, 생리적 저항 또는 육체적·정신적 고통의 극한까지 가보는 방법뿐이다. 왜냐하면 그 불안정한 변경 위에서 다시는 못 돌아올 곳으로 떨어져버릴 위험도 있지만, 반면에 정돈이 잘된 사회를 둘러싸고 있는 미개척 상태인 거대한 힘의 대양(大洋)에서 개인적으로 비축할 수 있는 힘을 손에 넣을 수도 있고, 그 힘 덕분에 달리 변할 수 없는 어떤 사회질서가, 이 대담한 자를 위하여 폐지될 수 있을 곳이 또한 바로 그 변경이기 때문이다.

그러나 이것은 피상적인 해석임을 면치 못할 것이다. 북아메리카의 대평원지대나 또는 고원지대에서 사는 그 부족들에게서는 집단적인 교리에 대립되는 개인적인 신조가 문제되는 것은 아니기 때문이다. 완전한 변증법은 관습과 집단의 철학에서 비롯되는 것이다. 또 개인이 가르침을 받는 것도 바로 집단으로부터이다. 수호신에 대한 믿음도 집단에서 만들어놓은 일이고, 또 사회질서에 둘러싸여 있을 때 거기서부터 벗어날 수 있는 기회는 터무니없고 절망적인 시도를 대가로 치러야만 얻어진다고 그 구성원들에게 가르치는 것도 바로 사회 전체이다.

그런데 이런 '힘의 탐구'라는 습관이 바로 현대 프랑스 사회에서 대중과 '그들이' 아끼는 탐험가 사이의 관계라는 소박한 형태를 띠고 유행 중이지 않은가? 역시 사춘기에 이르자마자 우리 프랑스의 젊은이들도, 사회의 모든 것이 그들에게 어렸을 때부터 복종하게 하는 자극에 따르고, 또 어떤 방법으로 그들 문명의 덧없는 지배력을 극복할 면허를 얻어두는 것이다. 그 어떤 방법이라는 것이 위로 향하려는 것이면 어느 산으로 등산 가는 길을 통할 수도 있고, 깊이를 향한 것이면 해저로 내려가는 수도 있고, 만일 멀리 떨어져 있는 나라 한가운데까지 나아가는 방법을 택한다면, 그것은 수평방향으로 나아가려는 것일 게다. 또한 추구의 대상으로서 '풍습의 질서를 벗어난 일'은 정신적인 것일 수도 있는데, 즉 어떤 자들은 현재의 지식으로는 살아남을 모든 가능성을 거부하는 듯한 무척 곤란한 상황 속에 고의로 몸을 던지기도 한다.

그러한 모험들의 합리적이라고 하고 싶은 결과에 대해서 사회는 전면적인 무관심을 표방한다. 문제가 되는 것은 과학상의 발견도 아니고, 시적·문학적 장식도 아니다. 모험의 증거라는 것들이 대개의 경우 눈에 거슬리게 빈약하기 때문이다. 중요한 것은 모험을 시도했다는 사실 자체이지, 그 모험의 목적은 아니다.

앞에서 본 원주민들의 예에서와 마찬가지로, 극단적인 상황에 처하기 위해(신념과 성실성을 지닌 경우도 있고, 때로는 그와 반대로 용의주도한 술책에서 그와 같이 행동하는 일도 있으나 원주민 사회에서도 역시 그와 같은 미묘한 차이는 존재한다) 몇 주 또는 몇 달 간 집단으로부터 격리되었던 젊은이는 어떤 힘을 마련해가지고 돌아온다. 그러면 그 힘이 우리 사회에서는 신문 기사, 베스트 셀러 그리고 만원이 된 강연회 등으로 표현된다. 그러나 그 힘의 마법적 특성은 모든 경우에 현상을 설명하는 집단, 그 스스로의 자기 기만 과정을 거쳐 증명된다. 탐험가가 성자가 되어 오는 길에 한몫 끼려면 찾아가볼 만한 미개인들, 얼어붙은 산봉우리, 깊은 동굴과 숲들, 고귀하고도 유익한 계시를 주는 사원(寺院)들, 이런 것들은 여러 가지 이유로 보아 문명사회의 적인 까닭이다. 문명사회는 그러한 것들을 제압하게 된 순간에 가서는 작위를 주다시피 추켜올리는 우스꽝스러운 짓을 자아내지만, 그것들이 진정한 적대자로서 존재할 때는 공포와 혐오감만을 느낀다.

기계문명이라는 덫에 걸려든 불쌍한 노획물인 아마존 삼림 속의 야만인들이여, 부드러우면서 무력한 희생자들이여. 나는 그대들을 사라지게 한 운명을 이해하는 것까지도 참을 수 있다. 하지만 탐욕스

러운 대중 앞에서 사라진 그대들의 모습을 대신하는 총천연색 사진
첩을 자랑스레 흔들어대는 요술, 당신들에 비해 보잘것없는 요술을
부리는 자들의 속임수에 넘어간다는 것은 도저히 견딜 수 없다. 대중
은 사진첩이라는 매개체를 통하여 그대들의 매력을 가로챌 수 있다
고 믿는 것일까? 아직도 만족하지 못하고 그대들을 파괴했다는 사실
을 의식조차 하지 못한 채 대중은 마치 신들린 것같이, 이미 일찍이
그대들이 굴복당한 일까지 있는 역사 속에서 향수 어린 식인(食人)풍
습을 추구하고, 그 충동을 그대들의 환영으로 만족시키지 못하고는
배기지 못한다.

　미개지를 뛰어다니는 자들 중에서 백발이 다 된 선배인 나는 재밖
에는 아무것도 손에 잡은 게 없는 유일한 사람으로 남아 있지 아니한
가? 내 목소리만이 탈출에 실패한 것을 인정하는 증언을 할 것인가?
신화 속의 인디언처럼 나는 대지가 허용하는 한도까지 멀리 가서 세
계의 끝에 다다랐을 때, 생명과 물체를 향해 질문을 던져보고는 신화
속의 인디언 소년이 느꼈던 환멸을 알았던 것이다. "소년은 눈물에
젖은 채 거기 있었다. 기도를 하면서 괴로워하며. 그러나 신비스러운
소리라고는 들리지 않았고 마법의 동물이 있는 신전으로 데려다주
는 잠에도 빠지지 않았다. 소년은 이제 더 이상 의심할 필요도 없게
되었다. 그 누구로부터도 아무런 힘도 그에게는 와주지 않았다……"

　옛날 선교사들이 '야만인들의 신'이라 부르던 꿈, 그것은 마치 섬
세한 수은처럼 내 손가락 사이에서 항상 미끄러져 내려가버리고는
했다. 꿈은 반짝이는 조각 몇 개를 어디에다 나를 위해 남겨놓았던
가? 옛날에는 땅에서 금덩어리를 내어주던 쿠이아바(Cuiaba: 브라
질 마투그로수주의 수도-옮긴이)에? 지금은 폐허가 된 항구이지만,
200년 전에는 보물선(페루나 멕시코에서 에스파냐로 금은보화를 나르
던 큰 범선-옮긴이)에 짐을 싣던 우바투바(Ubatuba: 브라질 바이아주

의 대서양 연안 쪽에 있는 지명 – 옮긴이)에? 진주모(眞珠母) 전복처럼 장밋빛과 녹색이 감도는 아라비아사막 상공을 날아가면서 남겨놓았는가? 아메리카 대륙 혹은 아시아 대륙에? 아니면 뉴펀들랜드의 갯벌이나 볼리비아의 고원지대, 또는 미얀마 국경지대의 언덕에다가? 나는 아무렇게나 어느 지명 하나, 전설을 통해서 아직도 불가사의한 매력에 젖어 있는 곳, 라호르(Lahore: 파키스탄 북동부 펀자브 지방의 중심도시. 16, 7세기 때는 무굴 제국의 수도였다 – 옮긴이)를 고른다.

어느 교외에 자리 잡은 비행장, 나무가 심어져 있고 양쪽으로 별장들이 쭉 늘어서 있는 기나긴 거리, 노르망디의 종마 사육장을 연상하게 하는 울타리 안에는 어느 저택이 똑같이 생긴 건물 몇 채를 줄지어 거느리고 있다. 작은 마구간들처럼 수평으로 나란히 놓인 그 건물들의 출입구를 거쳐 전면에는 거실, 후면에는 화장실, 한가운데에는 침실 순으로 똑같이 생긴 집들로 들어가게 된다. 그 거리를 따라서 1킬로를 가면 군청 소재지에 이르게 되고, 거기서부터 약국·사진관·서점·시계점이 드문드문 있는 다른 길들이 시작된다.

이 의미없는 광막한 공간 속에 갇힌 내게는 목적이란 것이 이미 내 힘이 닿지 않는 곳에 있는 듯 느껴진다. 그리운 곳, 실제의 라호르, 그것은 어디에 있는가? 서툴게 세워져 벌써 황폐해진 이 교외 끝, 그곳에 이르려면 시장에서부터 1킬로를 더 달려가야 한다. 시장에는 화장품·약품 그리고 수입해온 플라스틱 제품을 파는 가게들과 함께 값싼 보석 세공품을 파는 상점이 있어 금을 기계톱으로 양철 두께만큼 되게 갈고 있는 광경을 본다.

이 어두운 골목길, 푸른빛과 장밋빛이 도는 털을 가진 양떼나 한 마리의 몸집이 암소 세 마리를 합친 것만 같아 사람을 부드럽게 밀쳐버리는 물소들, 또 더 흔히는 화물자동차들한테 자리를 비켜주느라 벽을 따라 비켜서 가야 하는 이 어두운 골목길에서 내가 그리던 것을 마침내 붙잡아볼 것인가? 긴 세월에 걸쳐 썩어들어 쓰러져가는 이 목조건물들 앞에서? 건물에 가까이 다가갈 수 있었더라면, 그 섬세한 모양의 조각술을 식별하는 게 가능했을 것이다. 그러나 날림으로 가설해놓았던 전깃줄이 이 벽에서 저 벽으로, 이 낡은 도시 전체에 걸쳐 금속성의 거미집을 쳐놓는 바람에 나는 건물 옆에 갈 수가 없었다. 게다가 또 때때로 수 초 간격으로 몇 미터 사이를 두고 누적된 세월 밑바닥에서부터 떠오르는 어떤 영상과 메아리가 있어, 금은세공사의 거리에서는 천 개의 손을 지닌 요정이 방심한 채 두드려대는 실로폰이 평온하고 밝은 종음악(鐘音樂) 연주를 하는 듯했다.

그곳에서 빠져나오니 500년 묵은 집들의 잔해(최근에 일어났던 폭동으로 생긴)를 난폭하게 가로질러 가는 넓게 뚫린 길로 통했다. 그 집들은 자주 파괴되고 다시 또 보수가 되고는 한 것들이라 시간적인 개념을 초월한 것처럼 보였다. 이리하여 나는 나 자신이 작은 쪼가리와 잔해들의 도움을 받아 이국정서를 복원해보려고 헛되이 애쓰는 여행자요, 공간의 고고학자라는 사실을 인식하게 되었다.

그러자 교활하게도 환상이 그 덫을 짜기 시작한다. 나는 여행자 앞에 아직 망가지거나 오염되거나 저주받지 않은 장관이 펼쳐지던 때인 '진정한' 여행의 시대에 살았더라면 싶어졌다. 그랬더라면 내가 지금 본 것 같은 라호르가 아니라 베르니에(François Bernier, 1620~88: 프랑스의 여행가. 동양 연구의 선구자-옮긴이), 타베르니에(J-B. Tavernier, 1605~89: 프랑스의 여행가. 인도 무역의 개척자-옮긴이), 마누치(Manucci: 18세기 이탈리아의 여행가로 인도·페르시아 여행기를 남겼다-옮긴이)…… 같은 이들 앞에 나타났던 대로의 모습을 보았을 것이 아닌가.

일단 시작이 되면 상상의 유희는 끝이 없는 법이다. 인도는 언제쯤 보아야 했을까? 또 브라질의 야만인에 대한 연구는 언제쯤 이루어졌어야 가장 순수한 만족을 가져올 수 있었으며, 가장 덜 변질된 상태에서 그들 모습을 소개할 수 있었으려나? 리우데자네이루에는 18세기에 부갱빌(Bougainville, 1729~1811: 프랑스 최초의 세계 일주 항해가-옮긴이)과 함께 도착하는 것이 나았을까. 아니면 16세기에 레리(Jean de Léry, 1534~1613: 프랑스의 신교 목사로 브라질 여행기를 남겼다-옮긴이)하고 트베(André Thevet, 1504~92: 프랑스의 수도사이며 여행가. 레리와 브라질에 동행함-옮긴이)와 함께 가는 편이 더 나았을까? 5년씩만 빨리 가보아도 그 빨라지는 데 따라 하나의 풍습을 보존할 수 있고, 축제를 하나 더 기록해놓을 수 있고 부수적인 신앙 하나를 또 원주민과 나눠 가질 수 있는 것이다.

그러나 한 세기를 벗겨냄으로써 내 사상을 풍부하게 해주는 데 적합한 호기심과 정보를 동시에 포기하는 결과를 초래하게 된다는 사실을, 나는 문헌자료에서 얻은 지식으로 너무도 잘 알고 있다. 내 앞에는 뛰어넘을 수 없는 하나의 원이 존재하는 셈이며, 인류의 문화가 상호 교섭할 수 있는 힘이 생겨 그들의 접촉으로 서로를 부식하는 일이 드물수록, 각기 다른 문화에 파견된 사자(使者)는 그 문화의 다양성의 풍부함과 의의를 파악할 가능성이 그만큼 줄어든다.

결국 나는 양자택일을 해야 하는 처지에 묶여 있는 몸인 것이다. 과거를 여행하는 자가 되어 내게는 거의 전부가 이해도 안 될뿐더러 비웃음과 혐오감밖에는 못 일으킬 어마어마한 광경을 접하든가, 아니면 현대의 여행자가 되어 사라져버린 현실의 흔적을 뒤쫓아다니든가 해야 하는 것이다. 그 어느 경우에서나 나는 패자가 된다. 겉으로 보이는 것보다 더 심하게 말이다. 왜냐하면 환영을 앞에 두고서도 신음하는 나로서는 지금 이 순간에 형성되고 있는 참광경을 불가피하게 놓쳐버리고 말며, 또 그 광경을 관찰하기에는 아직 나의 인간적 위치로 볼 때, 필요한 지각기능을 갖추지 못한 형편이기 때문이다.

수백 년이 지난 후, 바로 이 자리에서 나만큼이나 실의에 빠진 어느 여행자는 내가 볼 수 있었으나 놓쳐버리고 만 광경이 그때는 사라져 버린 것을 슬퍼하리라. 나는 이중의 불구를 지닌 희생자이므로 내 눈에 띄는 모든 것은 내 가슴에 상처를 입히고, 또 나 스스로 충분히 바라보지 못했음을 항상 뉘우쳐야 하니 말이다.

오랫동안 나는 이러한 딜레마로 마비된 채 지냈기 때문에 액체로 된 고민의 찌꺼기가 가라앉기 시작한 것처럼 느껴진다. 점차 소멸되어가던 형태가 분명히 드러나고, 혼란은 천천히 걷혀가고 있다. 세월이 흘러가버린 것 이외에 도대체 무슨 일이 일어났던가? 망각은 나의 추억들을 그 흐름 속에 넣고 굴림으로써 그것들을 단순히 마멸해 묻어버리는 것으로 그치지 않았다. 내 추억의 단편들을 가지고 망각이 쌓아놓은 깊은 체계는 내 발걸음이 좀더 견고한 평형을 유지하도록 해주며, 또 나의 시야에다 좀더 밝은 계획을 제시해주었다. 하나의 질서가 다른 질서와 대체된 것이다.

지금은 거리를 두고 떨어져 있는 나의 시선과 그 대상이라는 이 두 낭떠러지 사이에다가, 그것들을 파괴시킨 세월이 그 잔해를 끌어모으기 시작했다. 산마루는 작아지고 벽은 무너지고 있다. 시간과 장소는 늙어버린 지각의 떨림으로 흩어져버린 앙금처럼, 서로 부딪치다가 나란히 놓이기도 하다가 또는 서로 뒤바뀌기도 한다. 맨 밑바닥에 있던 오래된 작은 일이, 뾰족한 산봉우리처럼 솟아오르는 일이 있는가 하면, 한편으로는 내 과거에 누적된 모든 것이 자취도 남기지 않고 가라앉아버리는 일도 있다. 잡다한 시대와 지역에서 온 것이며 겉보기에는 아무 상관이 없어 보이는 사건들이 서로 가볍게 스쳐지나가다가, 내 이야기를 따를 게 아니라 어느 현명한 건축가의 설계에 따라 지어진 듯한 작은 성의 모습으로 갑자기 굳어버리기도 한다.

샤토브리앙(Chateaubriand, 1768~1848: 프랑스의 낭만주의 문학가-

옮긴이)이 그의 저서『이탈리아 기행』에서 "사람들은 각기 그가 보고 사랑했던 모든 것으로 구성된 하나의 세계를 자기 안에 지니고 있으며, 이질적인 세계 속에서 돌아다니는 듯 보일 때조차도 항상 자기 세계로 돌아오고 있다"라고 말했듯이 앞으로도 옮겨다니는 것은 가능하다. 생각지도 않았던 일인데, 시간은 인생과 나 사이에다 지협(地峽)을 길게 끌어다놓았다. 그 옛날의 경험과 마주보게 되기까지는 20년이란 세월이 필요했다. 지난날 나는 의미도 모르는 채 지구 끝까지 그 경험을 추구하러 넋을 잃고 다녔던 것이다.

제2부
여로에서

5 회고

나의 이러한 인생 행로는 1934년 가을의 어느 일요일 아침 9시에 걸려온 전화 한 통을 받으면서 막을 올리게 되었다. 전화는 당시 프랑스의 국립고등사범학교(École normale supérieure) 교장이었던 셀레스탱 부글레(Célestin Bouglé, 1870~1940: 프랑스의 사회학자로 뒤르켐파에 속하며 독자적인 입장에서 가치사회학을 주장했다-옮긴이)로부터 걸려온 것이었다. 그는 몇 년 전부터 내게 호의를 보여왔으나, 약간의 거리감을 둔 채 말을 터놓고 지내지는 않았다. 그 이유는 첫째로 내가 고등사범학교 출신이 아니었기 때문이며, 그다음으로 더 중요한 것은 내가 설사 그 학교를 나왔더라도 그가 특별한 관심을 쏟고 있는 집단에 들어가지는 않았을 것이기 때문이다. 틀림없이 그는 더 나은 사람을 골라내기가 힘들어서 마지막 수단으로 내게 전화를 걸었던 것이리라. "자네 여전히 인류학을 하고 싶은가?" 그는 느닷없이 그런 질문을 해왔다. "물론이지요!" "그렇다면 상파울루 대학의 사회학 교수직에 원서를 제출해보도록 하게나. 상파울루 근교에는 인디언들이 잔뜩 살고 있으니까 주말이면 그들을 연구하며 지낼 수 있을 걸세. 그런데 오늘 정오 이전에 조르주 뒤마에게 확답을 해주어야만 하네."

브라질과 남아메리카는 그 당시 내게 별로 대수롭게 느껴지지 않았던 곳이다. 그러나 그 예기치 않았던 제의가 즉각적으로 일깨웠던 영상들은 아직도 내 머릿속에 명료하게 떠오른다. 미지의 이국이란 내게는 우리나라와 반대되는 것으로만 여겨졌으며, 대척지(對蹠地: 지구의 반대쪽)라는 말은 내 마음속에서 글자가 품고 있는 내용 이상의 더 풍부하고 더욱 소박한 의미를 지닌 채 자리 잡고 있었다. 동물이나 식물의 어느 한 종류가 지구의 양 끝에서 똑같은 모습을 하고 있다는 이야기를 들었더라면 나는 깜짝 놀랐을 것이다. 동물 하나하나, 나무 하나하나, 풀 한 포기까지 근본적으로 다르고 틀림없이 한눈에 열대산이라는 사실이 드러나리라고 믿었던 것이다.

브라질은 내 상상력 속에서는 기묘한 건축물들을 가리고 있는 비틀린 종려나무 다발로 그려져 있었다. 또 브라질 전체가 향로 냄새에 젖어 있을 것이라고 생각하고 있었는데, 그러한 후각적인 상상은 '브라질'과 '그레지예'(grésiller: '(불이) 지글거리며 타다'란 뜻의 불어-옮긴이)라는 두 단어 사이에서 나도 모르는 사이에 음(音)의 유사함을 느낀 데서 비롯된 것 같으며, 그 후에 얻은 숱한 경험보다도 그 이유 때문에 오늘날까지도 나는 브라질 하면 우선 불붙는 향기를 연상하는가 보다.

돌이켜 생각해보면 그러한 영상들이 이제는 그렇게 터무니없는 것으로 보이지가 않는다. 나는 어떤 상황에 담긴 진실이 나날의 관찰 속에서 발견되는 것이 아니라 꾸준한 분류를 통한 증류 속에서 얻어진다는 사실을 배웠다. 그 증류는 향기와 관련된 연상이 우연한 말장난의 형태를 띠고, 당시 내가 명확히 표현할 수 없었던 상징적 교훈의 매개체로 나에게 실행에 옮기도록 전했던 것이었다. 탐험이라는 것은 널리 걸어다니면서 구경한다는 것이라기보다 어떤 지점을 발굴하는 것이다. 우연히 빼놓고 보지 못한 어떤 경지, 대수롭지 않은 사소한 장면, 비행 중에 생각한 일 —이런 것들만이 거친 원시적 상태 그대로의 견문을 이해하고 해석하게 해줄 수 있는 유일한 것이었다.

그때 인디언들에 관한 부글레의 엉뚱한 약속은 내게 다른 문제들을 제기했다. 그는 도대체 어떤 근거로 상파울루나 적어도 그 교외에는 원주민들이 있다고 믿었을까? 아마도 멕시코시티나 테구시갈파(온두라스의 수도-옮긴이)와 혼동했던 것 같다. 전에 인도의 '카스트 제도'에 관한 저서를 낼 때, 우선 현지에 가보는 것이 이롭다는 사실에 대해 한순간도 의심해보지 않았을 이 철학자가("사건들의 흐름 속에서 떠올라오는 것이 바로 제도이다." 그는 1927년에 나온 책 서문에서 이같이 거만스럽게 주장했다) 민족지학 조사에서 원주민들의 상태가 심각한 영향을 미친다는 사실은 생각하지 못했던 것이다. 그러나 관료 사회학자들 중에서 그러한 무관심을 나타내는 이가 그이 하나만은 아니었으며, 그러한 사람들은 아직도 우리 눈앞에 존재하고 있다.

그것은 어쨌든 간에 나 자신이 너무도 무지했기 때문에 내 계획에 알맞은 환상들을 품고 있었던 것이다. 또 조르주 뒤마 역시 그 문제에서는 불확실한 지식을 갖고 있었다. 그는 원주민에 대한 살육이 극에 달하기 이전의 남부 브라질을 알고 있었던 것이다. 특히 독재자·대지주·문예학술 옹호자들의 사회 속에서 즐기던 그에게는 그 문제에 관해서는 아무런 지식도 공급되지 않았던 것이다.

그러므로 빅토르 마르그리트(Victor Margueritte, 1866~1942: 프랑스의 소설가이자 여성해방론자-옮긴이)가 나를 데리고 갔던 어느 오찬회 석상에서, 파리 주재 브라질 대사의 다음과 같은 공식 견해를 직접 그의 입에서 들었을 때 나는 너무도 놀랐다. "인디언 말씀입니까? 아아! 선생, 이미 오래전에 다들 사라졌지요. 우리 조국에 정말 슬프고 부끄러운 역사의 한 페이지입니다. 16세기 포르투갈의 식민지 통치자들은 탐욕스럽고도 난폭한 친구들이었지요. 하지만 그때 누가 그들의 거친 소행을 비난할 수 있었겠습니까? 그들은 인디언들을 붙잡아다가 포구(砲口)에 결박을 지어놓고, 산 채로 그냥 포탄을 쏴버리곤 했답니다. 최후의 한 사람까지 다 그런 식으로 없애버렸던 거지요. 사회학자로서 당신에게는 브라질이 많은 감격적인 사실들을 발견하게 해줄 것입니다. 하지만 인디언에 대해서는 아예 기대를 마십시오. 단 한 사람도 볼 수 없을 테니까요⋯⋯."

오늘에 와서 그때 그 담화를 돌이켜 생각해보면, 1934년 당시의 '멋을 좋아하는 자들' 입에서 그런 말이 나왔다는 것이 믿어지지가 않는다. 당시의 브라질 엘리트들(다행히 그 후에 바뀌었지만)은 원주민들에 관한 암시나 더욱이 대체로 화제가 오지의 미개한 상태 등에 미치는 것을 두려워했던 걸로 기억된다. 그들의 선조가 처음에는 알아보기 힘들 정도의 이국적인 용모를 지녀왔다는 사실이나 인정—그것조차 암시에 그치기도 했다—했지, 몇 방울 혹은 몇 리터가 섞였는지 흑인의 피에 관해서는 (제정 시대의 그들 선조와 반대로) 잊어버리게 하려고 애들을 썼다.

그러나 프랑스 주재 브라질 대사 루이스 데 소자 단타스가 인디언 혈통을 지녔다는 것은 의심할 여지가 없었으며, 그는 마음 편히 그 사실을 영광으로 여길 수 있는 사람이었다. 청년 시절부터 프랑스에 적응해온 수출된 브라질인이었던 그는 자기 고국의 현실에 대한 올바른 인식마저 이미 잃어버린 사람이었고 그의 머릿속에는 일종의 공식적이며 품위 있는 상투어들이 대신 자리를 잡고 있었다. 몇 가지 기억이 그에게 잊히지 않고 남아 있었기 때문에 그는—내가 상상하는 바로는—그의 부모 세대와 또 그 자신의 청년기까지도 즐기던 '심심풀이로부터' 사람들의 주의를 돌리기 위해 16세기 브라질 사람들을 비난하는 편을 택하는 듯했다. 그 '심심풀이'라는 것이 천연두에 희생된 자들의 병균이 묻은 옷을 병원에서 모아다가, 원주민들이 아직도 자주 다니고 있던 오솔길을 따라가며 다른 선물들과 함께 걸어놓으러 가는 일이었으니 말이다.

그런 짓 덕택으로 그들은 찬란한 결과를 획득했으니, 1918년에 나온 지도에 3분의 2가 '인디언만 거주하고 있는 미개발의 토지'라고 표시되어 있던 상파울루주—프랑스만큼 크다—에 1935년에 내가 도착했을 때는—해안에 갇힌 채 일요일마다 산투스 바닷가로 이른바 골동품이라는 것을 팔러 나오던 몇 가족 집단을 제외하고는—단 한 사람의 인디언도 남지 않게 되었다. 그러나 다행스럽게도 상파울루 근교 대신에 3천 킬로미터 떨어진 내륙 속에 아직 인디언은 남아 있었다.

이 시기를 생각하면, 나는 하나의 다른 세계에 대해 우정 어린 눈길을 멈추지 않고는 지나칠 수가 없다. 그 세계란 내가 (나를 브라질 대사관에 데려가주었던) 빅토르 마르그리트 덕분에 들여다본 것이었다. 학생 시절 마지막 몇 해 동안 나는 그의 비서로 잠시 일을 했는데, 그 후로도 그는 계속해서 나에 대한 우정을 잃지 않았다. 내 역할은 그의 저서 가운데 하나인 『인간의 조국』 발간을 돕는 것으로서, 100여 명의 파리 명사를 찾아다니며 이 대가(大家)—그는 이렇게 부르는 것을 좋아했다—가 그들에게 증정한 견본을 선사하는 일이었다. 또 나는 그 책을 소개하는 글도 써야 했으며, 적절한 보충자료를 비평가에게 암시해주는 이른바 가십이라는 것도 써야 했다.

빅토르 마르그리트가 내 기억 속에 그대로 남아 있는 것은 그가 내게 상냥한 태도를 보여주었기 때문만이 아니라, 그라는 인물과 저서 사이의 모순(내게 무엇보다도 오랫동안 강한 인상을 남겨준 것이었다) 탓이기도 하다. 너그러운 인품에 반해서 저작품이 단순하고 거칠어

보이는 만큼 그 사람의 기억은 존속될 가치가 있는 것인가 보다. 그의 얼굴은 고딕 양식의 천사처럼 약간 여성적인 우아함과 섬세함을 지니고 있었다. 또 그의 태도는 너무도 자연스럽게 고귀한 느낌을 주었기 때문에, 그의 결점—강한 허영심도 그중 하나였다—들이 남의 마음을 거슬리게 하거나 화나게 하지는 못했으므로, 그러한 태도가 혈통이나 정신의 탁월함을 나타내는 보조적인 지표로 보이기까지 했다.

그는 17구(파리 17구는 16구와 더불어 호화 주택지구이다-옮긴이)에 있는 구식이긴 하나 호사스러운 커다란 아파트에 살고 있었는데, 그때 이미 시력을 거의 상실하고 있던 터라 부인의 적극적인 정성에 둘러싸여 지내고 있었다. 부인의 나이(오직 젊은 여성들에게서만 가능한 육체적·정신적 특징 간의 혼동을 거부하는 나이였다)는 예전에는 틀림없이 '찌르는 듯한 느낌을 준다'고 칭찬받았을 모습을 못생김과 활력으로 분해해놓고 있었다.

그는 손님을 맞아들이는 일이 거의 없었는데, 그 자신이 젊은 세대에 잘 알려져 있지 않고 또 관계(官界)에서도 그를 배척하고 있다고 스스로 판단했기 때문에서만이 아니라, 특히 그가 너무도 높은 곳에 자리를 잡고 있어 함께 이야기를 나눌 상대자를 찾기가 힘들기 때문이기도 했다. 우연히 이루어진 것인지 아니면 심사숙고 끝에 나온 결과인지 나는 끝내 알 수 없었지만, 아무튼 그는 다른 몇 사람과 함께 초인(超人)들의 국제결사를 설립하는 데 협력을 했다. 대여섯 명이 그 조직에 속해 있었는데, 그 자신과 카이저링(Keyserling, 1880~1946: 독일의 사상가-옮긴이), 레이몬트(W.S. Reymont, 1867~1925: 「농민」이란 작품으로 노벨 문학상을 받은 폴란드의 소설가-옮긴이), 로맹 롤랑(Romain Rolland, 1886~1944: 프랑스 현대 작가로 노벨 문학상을 받았다-옮긴이) 등이었고, 내가 알기로 한때는 아인 슈타인도 회원이었다. 이 조직의 기초적 활동은 회원 중 누구 하나가 저서를 발간하면, 세계 각지에 흩어져 있는 다른 회원들은 천재적 인간의 지고한 이념의 표현 가운데 하나라면서 서둘러 경의를 표하는 것이었다.

그러나 빅토르 마르그리트가 특히 감동을 준 것은, 그 자신이 프랑스 문학사 전체를 걸머지려 한 그 우직함이었다. 문학적 환경 속에서 태어난 만큼 그 일이 그에게는 꽤 용이한 편이기는 했다. 그의 어머니는 말라르메와 사촌간이었으므로, 그와 관련된 일화나 추억이 그의 겉치레를 떠받들어주었다. 또한 그의 집에서는 졸라, 공쿠르 형제, 발자크, 위고에 대해 말할 때, 마치 유산 관리를 맡겨준 아저씨들이나 조부모같이 허물없이 이야기하고는 했다. 그래서 때로 그가 참지 못해 "나더러 독자적인 문체도 없이 쓴다고들 하다니! 아니 그럼, 발자크는 자기 문체가 있었나?" 하며 외칠 때 보면, 조상으로부터 물려받은 강직한 기질로 자기의 분별 없는 언행을 설명하는 귀족(왕손) 앞에 있는 듯 느껴졌다. 그 유명한 기질을 일반 대중은 개인적인 특징으로 보지 않고 공적으로 알려져 있는 현대사에서의 커다란 동란에 대한 설명으로 상기하는 것이며, 그 기질이 살아 있는 인간에게서 다시 구현되는 것을 발견하고는 기쁨 때문에 전율을 느낀다. 다른 저술들도 더 많은 재능을 지니고 있었다. 하지만 그토록 우아함을 지니고 저술가라는 직업에 그와 같이 귀족적인 개념을 스스로 부여할 수 있는 사람은 거의 없었으리라고 믿는다.

6 나는 어떻게 하여 민족학자가 되었는가

나는 철학교수 자격시험을 준비하고 있었는데, 철학에 대한 어떤 진정한 소명감을 느꼈기 때문이 아니라 그때까지 손대어보았던 다른 공부들과의 접촉에서 생긴 혐오감 때문이었다. 고교의 철학반(프랑스 국립고교의 문과 최종 학년 – 옮긴이)에 올랐을 때 나는 막연하나마 합리주의적 일원론에 젖어 있었으며, 그것을 정당화하고 보강해 보려는 준비를 하고 있었다. 그래서 나는 가장 '진보적'이라는 평판을 듣는 교수의 반에 들어가기 위해 전력을 다했다.

귀스타브 로드리그가 S.F.I.O.(당시 프랑스 사회당의 공식 명칭. 국제노동조합 프랑스지부의 약어 – 옮긴이)의 투사인 것은 사실이었으나, 철학적인 면에서 그가 제기한 이론은 베르그송주의(프랑스의 철학자 베르그송의 사상체계. 기계론적 세계관을 배척하고 삶을 자유의지에 의한 창조적인 '생의 약진'으로 정의함 – 옮긴이)와 신칸트주의를 혼합한 것이었으며, 그것은 내 기대를 가혹하게도 저버리는 것이었다. 독단적이고 무미건조한 사람이었지만 첫 강의부터 마지막 강의까지 정열적인 몸짓을 하면서 굉장히 성의 있게 그의 견해를 전개해 나갔다. 나는 그처럼 소박한 확신과 그보다 한층 더 빈약한 사고의 결합을 일찍이 본 적이 없다. 그는 1940년, 독일군이 파리에 입성했을 때 자살해버렸다.

그 무렵에 나는 중대한 것이든 사소한 것이든 간에 모든 문제는 항상 동일한 어느 방법을 적용함으로써 처리될 수 있다는 것을 알기 시작했다. 그 방법이란 우선 어떤 문제에 관한 두 가지 전통적인 견해를 대치해놓는 것이다. 그러고는 상식으로 정당화한 첫 번째 견해를 도입한 뒤, 두 번째 견해로써 둘 다 파괴시키는 것이다. 다음에는 마지막으로 제3의 견해를 사용하여 앞서의 두 견해가 서로 등을 돌리게 해보면, 양자가 똑같이 부분적이라는 것이 드러나게 된다. 즉 첫째와 둘째의 견해는 용어상의 기교를 바탕으로 동일 실재(實在)의 상호 보충하는 두 측면으로 환원할 수가 있기 때문이다. 예컨대 형식(forme)과 내용(fond), 용기(容器, contenant)와 내용물(contenu), 존재(être)와 외견(外見, paraître), 연속(continu)과 불연속(discontinu), 본질(essence)과 실존(existence) 등의 방식으로 말이다. 이러한 수련은 사고 대신에 말장난을 하는 일이며, 따라서 결국은 말에서의 문제로 그쳐버리고 만다. 그것은 용어 상호 간의 유음(類音)·동음(同音)·다의(多義)와 같은 것으로 차차 순전히 관념적인 보기를 만들어내는 데밖에는 도움이 되지 않으며, 훌륭한 철학 연구란 그것을 교묘히 이용하는 것이라는 결론이 내려지는 것이었다.

소르본에서 5년간은 결국 이러한 훈련을 습득하는 데 보낸 셈이었다. 그런데 그 훈련의 위험성이란 것이 너무도 명백한 것이다. 우선 이러한 관념상의 재구성 방법이 너무도 간단해서 이 방법과 충돌할 문제는 없었기 때문이다. 교수 자격시험에서 최고의 시련인 구술시험(몇 시간 동안 준비를 한 후에 한 문제를 제비뽑아 논하는 것이다)을 준비하느라고 내 친구들과 나는 매우 기상천외한 주제를 내보고는 했다. 그래서 나는 준비할 시간을 10분간만 주면, 버스와 전차의 각각의 우월성에 대해 견고한 변증법으로써 한 시간 동안 강연할 수 있다고 자부하고는 했다. 그 방법은 만능 열쇠와 같은 역할을 할 뿐만 아니라, 풍부한 사고의 주제 가운데서 유사하면서도 독특한 형식— 기본적인 수정만 가한다면—을 알아보게 북돋워주기도 했다. 그것은 마치 '솔'이라는 음조로도 읽힐 수 있고 때로는 '파'라는 음조로도 읽힐 수 있다는 것만 이해되면, 단일 음조로 환원될 수 있는 악보와도 약간 유사한 것이었다. 이러한 관점에서 보면, 내가 받은 철학 교육은 지능을 연마함과 동시에 정신을 고갈하는 것이었다.

나는 인식의 진보와 정신구조의 복잡성이 증대되는 것을 혼동하는 데서 오는 심각한 위험을 알고 있다. 우리들은 가장 적합하지 못한 이론을 출발점으로 삼아 가장 정묘한 데까지 우리를 끌어올리기 위해 역동적인 종합을 행하도록 권유받았다. 그와 동시에(우리 선생님들 모두를 사로잡고 있던 역사적 배려로) 어떻게 가장 정묘한 이론이 가장 적합하지 못한 이론에서 점차 생겨날 수 있었는가도 설명해야만 했다. 결국 문제는 진실과 허위를 발견하는 것보다는 어떻게 인간들이 점차로 모순들을 극복해갔는가를 이해하는 데 있었다.

철학은 학문의 시녀(*ancilla scientiarum*), 즉 과학적 탐색의 시녀나 보조자가 아니었으며, 의식 자체에 대한 일종의 심미적 관조였다. 우리는 철학이 수세기에 걸쳐서 점점 경쾌하고 대담한 구성을 다듬어가고, 균형과 능력의 문제를 풀어가며 논리적 세련화를 창안해가는 것을 보아왔는데, 그 모든 것은 기교상의 완성이나 내부적인 논리의 일관성이 뛰어날수록 더욱 가치가 있는 것이었다. 따라서 철학 교육은, 고딕 양식은 필연적으로 로마네스크 양식보다 나으며, 고딕 양식에서는 플랑부아양 양식(고딕 후기에 나타나는 건축양식으로, 이글거리는 불길 모양의 장식 무늬가 자주 쓰였다-옮긴이)이 프리미티프 양식(고딕 초기의 건축양식-옮긴이)보다 완벽한 것이라고 가르치되, 무엇이 아름다운 것이며 무엇이 그렇지 않은 것인지에 대해서는 아무도 자문하지 못하게 가르치는 마치 미술사 교육과 비슷한 것이었다. 시니피앙(signifiant, 記標, 能記: 구조주의 언어학의 용어로, 기호 자체를 가리킨다. 언어에서는 단어의 발음 내지 문자를 가리킴 - 옮긴이)은 시니피에(signifié, 記意, 所記: 구조주의 언어학의 용어로, 기호가 갖고 있는 의미를 가리킨다 - 옮긴이)와 아무런 관계가 없었고 따라서 지시대상(référent: 구조주의 언어학의 용어로, 기호가 가리키는 대상물을 말함 - 옮긴이)도 없었다. 지적 기교가 진리에 대한 애호를 대신했다.

나는 그러한 훈련을 수년 간 받고 난 이후, 15세 때 얻은 것과 별로 다를 바 없는 어떤 소박한 확신과 마주하고 있다. 어쩌면 나는 이러한 도구들의 불충분함을 잘 알게 된 것이다. 어쨌든 그 도구들은 내가 그들에게서 구하고자 하는 쓸모에 적합하게 만드는 도구로서 가치를 지닌 것이다. 이제 나는 그 도구들 내부의 분규에 속거나, 그들의 놀랄 만한 구성을 바라다보는 데 빠져서 그것들의 실제적 용도를 망각하거나 망각할 위험에는 처해 있지 않다.

그러나 나는 쉽사리 철학으로부터 나를 멀어지게 하고, 마치 구원의 길처럼 민족학에 매달리도록 만든 그 혐오감이 좀더 개인적인 이유에서 온 것임을 알고 있다. 몽드마르상(Mont-de-Marsan: 프랑스 남서부의 도시 - 옮긴이) 고등학교에서 가르치기도 하고 강의 준비도 해야 했던 즐거운 1년을 보내고 난 뒤, 새 임지인 랑(Laon: 프랑스 중북부의 도시. 중세의 성곽·성문을 비롯하여 고딕 양식의 대성당이 있다 - 옮긴이)에서 새 학기를 맞자마자 곧 나의 남은 인생이 이렇게 반복되다가 끝날 것인가를 생각하니 소름이 끼치는 것 같았다. 그래서 나는 내 정신이 틀림없이 결점이라 해야 옳을 특수성을 지니고 있음을 알았는데, 즉 동일한 주제에 두 번씩 집중하는 것이 내게는 힘들다는 것이다.

보통 교수 자격시험의 경쟁은 비인간적인 시련으로 간주되나, 만일 바라기만 하면 그것으로 일생 동안의 휴식을 결정적으로 얻을 수도 있다. 하지만 내게서는 그와 반대였다. 첫번 시험에서 동기생 가운데 최연소자로 합격한 나는 지칠 줄 모르고 주의(主義)·이론·가설을 통과하며 그 경쟁에서 승리했다. 내 고통이 시작된 건 바로 그 다음부터였다. 해마다 새로운 강의를 하나 완성하려고 힘쓰지 않으면, 수업을 할 때 말이 나온다는 게 내게는 불가능하기 때문이다. 그러한 무능력은 시험관 처지에 서게 되면 더욱 거추장스러운 것임이 드러나고는 했다. 왜냐하면 예정된 시험문제를 무턱대고 뽑으면서 수험생들이 내게 어떤 답을 해내야 할지조차 알 수 없었기 때문이다. 가장 우둔한 학생일지라도 필요한 말을 다 하는 듯이 보였다. 그것은 마치, 단지 한때 내가 사고를 적용해본 적이 있다는 사실 때문에 그 주제들이 내 앞에서 녹아버리는 듯했다.

오늘날 나는 가끔 모르는 일이긴 하지만, 민족지학의 연구대상인 문화의 구조와 나 자신의 사고구조의 유사성 때문에 내가 민족지학에 마음을 두게 된 것이 아니었나 생각해본다. 해마다 수확을 거둘 일정한 토지를 온순하게 경작하고 있을 자질이 내게는 결여되어 있다. 내 지능은 신석기 시대의 인간 지능과 같다고 해야 할 것이다. 미개척지 숲속에서 경작지를 만들려고 내는 불처럼, 내 지능은 때로 개간되지 않은 토지에다 불을 지른다. 아마도 그 땅에서 급히 수확을 얻어내려고 비옥하게 하는 것일 텐데, 다시 황폐해진 토지를 뒤에 남겨놓고는 가버리는 것이다. 그러나 그때는 이렇게 깊이 내재하는 동기들에 관해서는 의식을 못했다. 나는 민족지학에 관해서는 도무지 아는 것이 없었으며, 강의를 들은 적이 한 번도 없었다. 그래서 제임스 프레이저(J.G. Frazer, 1854~1941: 영국의 인류학자로『황금 가지』의 저자이다—옮긴이)가 마지막으로 소르본 대학을 방문하여 기념강연을 했을 때—1928년이었다고 기억된다—도 나는 그 사실을 알면서 거기 참석할 생각은 전혀 해보지도 않았다.

물론 나는 유년 시절부터 이국적이고 진기한 물건들을 수집하는데 열중하기는 했다. 하지만 그것은 어디까지나 내가 살 수 있는 범위 안에서 고물(古物)을 수집하는 데 지나지 않았다. 청년기에 도달했을 때도 나는 아직 방향을 잡지 못한 채로 있었다. 그러한 나에게 최초로 진단을 내려주신 분이 앙드레 크르송이라는 나의 고교 고사(高師)학급(프랑스 국립고교인 리세의 제1학급(우리나라의 고교 3학년에 해당)인 고등사범학교 입학 준비반–옮긴이)의 철학 선생님이었는데, 그는 내 기질에 가장 맞는 것은 법률공부라고 말해주었다. 그래서 나는 그 선생님을 생각할 때마다, 그의 잘못된 견해가 내포하던 반쪽의 진실 때문에 깊은 감사를 느낀다.

나는 그래서 고등사범학교를 포기하고 법학부에 등록했는데, 동시에 철학학위도 준비했다. 이유는 단순히 그것이 쉬워서였다. 어떤 기묘한 숙명이 법률교육을 따라다니고 있다. 신학—그 당시에는 법학의 정신이 신학과 가까웠다—과 저널리즘—최근의 개혁은 법학을 저널리즘 쪽으로 기울게 만들고 있다—사이에 끼어 있기 때문에 법학으로서는 확고하며 동시에 객관성을 지닌 기반 위에 자리 잡기가 불가능한 것같이 보인다. 법학이 확고함과 객관성, 둘 중에서 하나를 정복하거나 붙들어두려 애쓰다 보면 다른 하나를 잃기 때문이다. 내게는 진지한 연구를 하려고 스스로 연구대상이 되는 법학자가 동물학자를 향해 신기한 발광체(發光體)를 보여주려고 하는 어떤 동물을 연상시킨다. 다행히도 그 당시에는 요점을 간추려놓은 책 몇 권을 외어놓기만 하면, 2주간의 공부로 법학시험 같은 것은 끝낼 수 있었다. 법학이 불모의 상태에 있다는 점보다도, 법학의 고객이 더 나를 기분 나쁘게 했다. 이러한 구분이 여전히 타당한 것일지는 장담할 수가 없다. 그러나 1928년 무렵에는 여러 학과의 1학년 학생들을 통틀어 두 종류로 나눠 볼 수 있었는데, 별개의 두 인종이라고 불러도 과언은 아니었으니, 한쪽은 법과와 의과의 학생, 다른 한쪽은 문학과 자연과학을 전공하는 학생이었다.

'외향적' 그리고 '내향적'이라는 용어가 마음에 드는 것은 아니지만, 위의 대조를 표현하는 데는 틀림없이 가장 적합한 말일 것이다. 한쪽은 떠들썩하고 공격적이며, 어떤 비열한 수단을 써서라도 자신을 드러나게 하려고 애쓰며, 정치적으로는 극우(그 당시의)를 지향하는 '젊은이'(전통적인 민속학에서 이 용어를 성년층을 지칭하기 위하여 쓸 때의 의미로서), 다른 한쪽은 너무도 일찍 늙었고, 신중하며, 틀어박혀 있고, 일반적으로 좌파이며 그들이 되려고 노력하는 성인 중에 끼어들려고 애쓰는 '청년'들이다.

이러한 차이에 대한 설명은 매우 간단하다. 직무를 수행하기 위해 준비하고 있는 전자의 경우, 학교생활이 끝나고 사회의 기능 체계 속에 이미 확정돼 있는 지위를 확보한다는 사실은, 그들의 언행에서 그 기쁨이 나타난다. 고등학교 학생으로서 미분화 상태와 그들 자신을 바칠 예정인 전문화된 활동의 중간 상황에 놓인 그들은 스스로를 여백상태에 있다고 느끼며, 학생과 전문인 그 어느 쪽에도 적합하지 않은 그들에게만 허용된 독자적 특권을 요구한다.

한편 문학도와 자연과학도들의 일반적 진출로인 교직이나 연구생활, 그리고 몇몇 애매한 직업은 전혀 다른 성격의 것이다. 이 분야를 택한 학생들은 어린 시절을 향해 작별인사를 하지 않는다. 그들은 오히려 그 세계 속에 머무르고 싶어 한다. 교직이야말로 성인에게 주어진, 학교에 머무르게 해주는 유일한 방도가 아니겠는가? 문학 또는 자연과학을 하는 학생들은 그들 집단의 요구에 대항하는 일종의 거부로 특징이 지어진다. 그들은 거의 수도승처럼 일시적 또는 지속적으로 지나가버리는 시간에 구애받지 않는 어떤 유산의 연구와 보존 그리고 전달에 몰두한다. 미래의 학자에게 그 목적은 우주의 긴 지속 기간과 동일한 척도로 잴 수 있을 만한 것이다. 그러므로 그들에게, 그들이 사회에 참가하고 있다고 말하는 것 이상으로 거짓된 일은 없을 것이다. 설사 자기들이 참가한다고 믿을 때라도, 그 참가는 하나의 주어진 역할을 받아들여 자신을 그 기능의 일부로 동화하며, 거기서 생기는 행운이나 개인적 위험을 부담하는 참가가 아니고, 그들 자신은 그 구성원이 아닌 것처럼 바깥에서 바라보며 판단하는 참가이다. 결국 그들의 참가는 책임을 벗어놓은 상태에서 머무르려는 특수한 하나의 방법일 뿐이다. 이런 관점에서 볼 때, 교육과 연구는 직업을 위한 수련과 혼동되지 않는 것이다. 때로는 은둔, 때로는 사명일 수 있다는 게 바로 교육과 연구의 영광이요, 또한 오욕이다.

한편에는 직업, 다른 한편에는 사명과 은둔, 이 사이에서 망설이는 모호한 기도(企圖)──항상 어느 한쪽을 더 인식하면서도 양자의 요소를 지녀야 하는──가 놓인 이율배반 속에서 민족학은 확실히 특별석을 차지하고 있는 셈이다. 그것은 두 번째 항목의 가장 극단적 형태이다. 그 자신이 인간적이기를 바라면서 민족학자는 인간을 충분히 높고 먼 관점에서 알고 판단하고자 노력하는데, 어떤 사회와 어떤 문명의 독특한 우연성으로부터 떼어놓고 보기 위해서이다. 민족학자의 생활과 작업의 제반 조건은 그를 그가 속한 집단으로부터 오랫동안 물리적으로 떨어져 있게 만든다. 따라서 그는 그가 직면하는 환경의 야만적인 변화 때문에 만성적 고향상실증을 얻게 된다. 그는 어디를 가든 아무데서도 자기 집에 있는 듯이 느끼지 못하게 되며, 심리적으로 불구의 신세로 남아 있게 된다. 수학이나 음악처럼 인류학은 매우 드문 순수한 천직 가운데 하나이다. 그리고 누가 가르쳐주지 않더라도 민족학자 스스로 자기 속에서 발견할 수 있는 것이다.

개인적인 특수한 사정과 사회적인 정세에다가 순수하게 지적인 성질의 동기도 덧붙여야만 하겠다. 1920년에서 1930년까지는 프랑스에 정신분석에 관한 이론이 전파된 시기였다. 그 이론으로 나는 정태적 이율배반—그것을 중심으로 하여 우리의 철학 논문, 또 뒤에는 우리의 강의(합리적인 것과 비합리적인 것, 지적인 것과 정서적인 것, 논리적인 것과 전(前)논리적인 것)를 작성하도록 권고받았던 이율배반—이 결국은 무의미한 장난 이상의 아무것도 아님을 알게 되었다. 우선 합리적인 것을 넘어서 좀더 중요하고, 좀더 유효 범위가 넓은 한 범주가 존재하는 것을 알았다. 그것은 '시니피앙'의 범주로서, '합리적인 것'의 가장 고도의 존재양식이다. 그러나 우리의 대가(大家) 선생님들은(아마 스위스의 언어학자인 소쉬르의 『일반 언어학 강의』보다는 베르그송의 『의식의 직접적인 여건에 관한 시론』을 읽는 데더 몰두했기 때문이었을 것이다) 거기에 관해서는 그 이름조차 입밖에 내지를 않았다.

그다음 프로이트의 이론은 내게 그 대립이 진실한 대립이 아니라는 것을 알려주었다. 왜냐하면 겉으로 보기에 가장 감정적인 듯한 행동, 즉 합리적인 것과는 거리가 가장 먼 활동과 전논리적이라고 말해지는 표현들이 사실상, 정확히 말해서 가장 의미 있는 것들이기도 한 때문이다. 나는 베르그송 철학—존재와 사물의, 말로는 이루 다 할 수 없는 특성을 좀더 잘 두드러지게 하려고 그것들을 갈기갈기 찢어진 상태로 만들어놓는—의 신조나 부당전제(不當前提) 대신에 존재와 사물이 그 윤곽—존재와 사물 상호 간에 경계를 명확히 구분해서 정해주며, 그 각각에게 이해하기 쉬운 하나의 구조를 주는—의 선명함을 잃지 않은 채 그 고유의 가치를 보존할 수 있다고 확신했다.

인식은 포기나 물물교환에 근거를 두는 것이 아니라 '참된' 양상,

다시 말해서 내 사유의 속성과 부합하는 양상의 선택에 있다. 그것은 신칸트파 철학자들이 주장하듯, 나의 사고가 사물들에 대해서 어떤 불가피한 제약을 미치기 때문에서가 아니라, 오히려 나의 사고 자체가 하나의 목적이기 때문이다. '이 세계에 속하는 것'이면서 나의 사고는 '이 세계'와 동일한 성질을 띠는 것이다.

그러나 나와 같은 세대의 다른 사람들과 함께 받아들였던 그 지적 발달은 어릴 때부터 나를 지질학 쪽으로 밀었던 강한 호기심 때문에 독특한 뉘앙스를 지니고 있었다. 지금도 내게 소중한 기억 가운데 하나는 브라질 중부, 그 전인미답 지대에서의 무모했던 행동보다는 랑그도크의 석회질 고원의 산허리에서 두 지층 사이의 접선을 탐구하던 일이다. 그것은 산책이나 또는·어느 일정한 구역에 대한 단순한 탐험하고는 완전히 문제가 다르다. 예비지식이 없는 관찰자에게 일관성 없는 것으로 보일 그 조사가, 내 눈에는 바로 인식과 또 그것이 마주치게 하는 곤란, 그리고 그것에서 기대할 수 있는 기쁨의 영상을 보여주는 것이다.

어떤 풍경도 첫눈에 볼 때는, 우리 마음대로 무슨 의미를 붙여도 좋을 하나의 광대한 무질서처럼 보이는 법이다. 그러나 농학상의 고찰이나 지리학상의 문제로 생긴 사건, 그리고 역사 시대와 선사 시대의 파란곡절 따위를 초월해서 존재하는 모든 의미 중에서도 가장 엄숙한 의미는 다른 의미에 선행할 뿐만 아니라 그것들의 관건이 되고 또한 그것들을 광범위하게 설명해주는 것일까? 그 연하고 흐릿한 선과 바위 쪽의 형태와 밀도 속에서 감지하기가 어려운 차이는 오늘 내가 보고 있는 이 불모의 땅에 예전에는 두 대양이 잇달아 있었음을 증명해주고 있다. 과거의 흔적을 따라 절벽·낙반·가시덤불·경작지 같은 장애물을 뛰어넘어 울타리건 오솔길이건 개의치 않고 수천 년에 걸친 정체(停滯)의 증거를 좇아 전진해나갈 때, 사람들은 시간과 반대방향으로 움직이는 듯이 보인다. 그런데 이 반항은 하나의 지배적인 의미 ─ 물론 막연하기는 하나 다른 의미들은 각각 이 지배적인 의미를 부분적으로, 또는 변형을 시켜서 옮겨놓은 것이다 ─ 를 도로 찾아보려는 것이 그 유일한 목적이다.

때로는 기적이 일어나는 수도 있다. 은밀하게 갈라진 틈 양쪽에서 각기 알맞은 토양을 택한 이상한 종류의 두 녹색 식물이 가지런히 솟아나고 있다. 또한 그 퇴화가 고르지 않게 복잡했던 암몬조개 두 개가 제나름대로 수만 년간의 거리를 증언하면서 그 바위 속에서 동시에 드러나는 것이다. 갑자기 공간과 시간이 뒤섞여버린다. 지금 이 순간의 생생한 다양성이 세월을 나란히 놓아 길이 전하게 해놓는 것이다. 사고와 감수성은 새로운 차원에 이르고, 땀 한 방울 한 방울, 근육의 굽힘 하나하나, 그리고 가쁘게 들이마신 한숨들이 한 역사의 상징으로 화하는 것이며, 내 육체는 그 역사의 고유한 움직임을 재생하고 동시에 내 사고는 그 역사의 의미를 포착하는 것이다. 나는 밀도 짙은 이해 속에 감싸인 듯 느끼며, 그 이해의 한복판에서 시대와 장소가 어울리며 마침내 하나의 공통언어로 이야기를 나누는 것이다.

내가 처음으로 프로이트의 이론들을 접했을 때, 그 이론들이 마치 지질학이 그 규범을 나타냈던 방법을 개개의 인간에게 적용한 것 같다는 생각이 매우 자연스럽게 떠올랐다. 그 두 경우에서 연구자는 외견상 침투할 수 없어 보이는 현상 앞에 단숨에 자리를 잡게 된다. 또 두 경우 다 연구자는 복잡한 한 상황에 담긴 요소들의 목록을 작성하고 또 평가하기 위해서 그가 지니고 있는 섬세한 특성, 즉 감수성·직감, 그리고 감식력을 활용해야만 하게 되어 있다. 그런데 현상의 총체 속에서 야기되는 질서가 첫눈에는 지리멸렬해 보이지만, 우발적인 것도 아니며 독단적인 것도 아니다. 역사가가 다루는 역사와 달리, 정신분석학자가 보는 역사처럼 지질학자의 대상이 되는 역사는 시간 속에서 물리적 또는 심리적 세계의 몇몇 근본적인 속성을 활인화(活人畵: 배경을 꾸미고 분장을 한 사람이 그림 속 인물처럼 정지해 있는 상태를 구경거리로 보여주는 것-옮긴이) 비슷하게 투영하고자 애쓴다.

방금 나는 활인화 이야기를 꺼냈다. 사실상 '움직이는 격언'의 역할이란, 하나하나의 동작을 시간을 초월한 '진실'의 시간의 흐름 속 전개로 해석하려는, 어떤 시도의 소박한 영상을 보여주는 것이다. 격언들은 그러한 진실의 구체적인 면모를 도덕적인 면에서 나타내 보이려고 애쓰지만, 다른 분야에서는 그 진실들이 법칙이라고 불리고 있다. 이 모든 경우에서 심미적 호기심의 독촉은 인식에 도달하는 것을 문제없이 가능하게 해준다.

나는 열일곱 살 때, 휴가 중 알게 된 한 젊은 벨기에인 사회주의자—그는 지금 벨기에의 대사가 되어 외국에 주재하고 있다—를 통해 처음으로 마르크스주의와 접하게 되었다. 마르크스의 책을 읽는 것이 내 마음을 무척이나 사로잡았기에, 나는 그 위대한 사상을 통해 칸트부터 헤겔에 이르는 철학의 조류에 처음으로 접촉하게 되었다. 하나의 새로운 세계가 내 앞에 그 모습을 온통 드러내었다. 그때 이래로 내 열정은 식을 줄 몰랐으며, 『루이 보나파르트의 브뤼메르 18일』('브뤼메르'는 프랑스 革命曆의 제2월로 '霧月'이라는 뜻. 1799년 11월 9일, 나폴레옹이 총재 정부를 넘어뜨리고 통령 정부를 세운 군사 쿠데타가 있던 날을 일컫는다-옮긴이)이나 『정치경제학 비판』의 한두 페이지를 먼저 다시 읽음으로써 내 사고에 활기를 부여받고 나서야 사회학이나 인류학의 문제를 해결하려 들고는 한다.

내게는 마르크스가 어떠어떠한 역사적 발전을 바로 예견했는지 못했는지를 아는 것은 문제가 안 된다. 루소에 이어 결정적으로 보이는 형태로 마르크스가 내게 가르쳐준 것은 물리학이 감각의 여건에서 출발하여 체계를 세운 것이 아닌 것처럼 사회과학도 사건들을 기반으로 하여 성립된 것은 아니라는 사실이었다. 사회과학의 목적은 하나의 모델을 설정하여 그것의 특성과 그것이 실험실에서의 테스트에 반응하는 갖가지 방식을 검토한 후, 이어서 그 관찰 결과를 경험적 차원에서 일어나는 문제의 해석—예견했던 바와는 아주 거리가 먼 것이 나타날 수도 있지만—에 적용하는 것이다.

실재의 한 다른 차원에서, 마르크스주의는 지질학 및 정신분석학(창시자가 부여한 의미에 정통한)과 동일한 방식으로 움직이는 것같이 내게는 보였다. 그 세 가지를 다 이해한다는 것은 실재의 한 형태를 다른 한 형태로 환원하는 것이며, 진정한 실재란 것이 결코 가장 명료한 것은 아니며, 진실의 본성은 이미 그것이 우리의 탐색을 회피하려는 배려 속에 드러나고 있다는 것을 보여주는 것이다. 그 모든 경우에서, 즉 감성의 영역과 이성의 영역 간의 관계에서 동일한 문제가 제기되며 그 추구하는 목표 또한 동일한데, 그것은 바로 감성과 이성에서 전자의 특성 가운데 아무것도 상실함이 없이 후자에 통합하려고 노리는 일종의 '초이성론'(超理性論)인 것이다.

그리하여 나는 그 당시 윤곽을 잡기 시작하던 형이상학적 사고의 새로운 경향에 반대하는 입장을 취하게 되었다. 나는 현상학(現象學)이 체험과 실재 사이의 연속성을 찾는 한에서는 그것을 받아들일 수 없었다. 후자가 전자를 포괄하며 설명한다는 것을 인정하는 점에는 동의할 수 있었으나, 나의 세 스승인 이들 지질학·정신분석학·마르크스주의로부터 그 두 영역 간의 통로는 불연속인 것이며, 실재에 도달하기 위해서는 모든 감상적인 것에서 벗어난 객관적인 총합 속에서 후에 되찾을 각오를 하고, 우선 체험을 거부해야만 한다고 배웠기 때문이다. 실존주의 속에서 꽃피려던 사상의 동향으로 말하면, 그것이 주관성의 환영에 대해 나타내는 호의적인 태도 때문에 내게는 정당한 사고와는 반대되는 것으로 보였다.

개인적인 선입관들을 철학적 문제의 영역으로 승격하려는 것은 양장점 여점원을 위한 일종의 형이상학으로 되어버릴 큰 위험을 안고 있는 것이므로, 즉 교육상 필요한 수단이라는 명목으로는 용인될 수 있다 하더라도 과학이 철학의 뒤를 이을 만큼 강력해질 때까지 철학에 부과된 사명 ─존재를 나와의 관계가 아닌 존재 자신과의 관계에서 이해하려는─을 저버리는 것이 허락된다면 대단히 위험한 것이다. 형이상학을 폐지하는 대신에, 현상학과 실존주의는 형이상학의 알리바이를 보여줄 두 가지 방법을 도입했다.

사회적이면서도 또 한편으로는 개인적인 시야를 지닌 인문과학에 속하는 마르크스주의와 정신분석학, 그리고 자연과학이면서도 그 방법이나 대상에서 역사학의 생모이며 유모라 할 수 있는 지질학, 이들 틈에서 민족학은 스스로 그 독자적인 세계를 구축하여 자리를 잡는 것이다. 왜냐하면 우리가 공간의 제약 이외에 다른 제약은 없다고 생각하는 이 인류가, 지질학적인 역사가 남겨놓은 지구의 변천에 하나의 새로운 의미를 덧붙이기 때문이다. 그와 같이 해서 만들어진 역사는 특정적 개인의 이름이 새겨져 있지 않은 사회가 만들어놓은 것들인 지구의 갖가지 힘이며, 개인의 사상 ─그것은 심리학자의 관심에다가 그 개인의 수효만큼의 특수한 사례를 제공하는 것이다─속에서 수천 년에 걸쳐 이어져온 용해되지 않는 작업이다.

민족지학은 나에게 지적 만족을 가져다준다. 세계의 역사와 나의 역사라는 양극을 결합해 인류와 나 사이에 공통되는 근거를 동시에 드러내 보이는 것이다. 민족지학은 나로 하여금 인간을 연구하도록 함으로써 나의 회의를 덜어주었다. 어떤 한 문명에만 적합해서 만일 그 문명 바깥으로 나가게 되면 자기 붕괴를 일으키고 말 사람들을 제외한, 모든 인간에게 관련되는 변화와 차이를 민족지학이 다루기 때문이다. 어쨌든 민족지학은 풍속과 습관과 제도의 다양성을 갖춘, 실질적으로 무한한 자료를 나의 사고에 확보해주면서 앞에서 말한 나의 불안과 파괴적인 갈망을 가라앉혀준다. 민족지학은 나의 성격과 생활을 융화해주는 것이다.

그래서 철학반에 오르고 난 후의 일이긴 해도, 프랑스 사회학파 거장들의 저서가 내게 하는 손짓에 내가 그렇게 오랫동안 반응이 없었다는 사실은 어떻게 보면 이상하게 생각될 수도 있다. 사실 1933년인가 34년경에 우연히 내가 그 당시 이미 낡은 것이 된 로버트 로위의 『미개사회』를 읽게 되었을 때 비로소 그 같은 계시가 나를 찾아왔다. 그러나 내가 그 책에서 맞부딪쳐야 했던 것은 책에서 읽는 즉시 철학적 개념으로 바꾸어놓을 수 있는 '지식'이 아니라, 관찰자의 직업적인 참여가 있어야만 그 의미를 보존할 수 있는 원주민 사회에서 실제로 겪어야 하는 '체험'이었다. 나의 사고는 철학의 사고훈련이 몰아넣는 폐쇄된 항아리에서의 발한(發汗)상태에서 벗어났다. 밖으로 이끌려 나온 나의 사고는 신선한 바람을 쐬어 생기를 얻은 느낌이었다. 산 위에 올라 느슨한 마음이 된 한 도회인처럼 내 감탄어린 눈은 앞에 펼쳐진 대상의 풍요함과 참됨을 재어보면서 공간에 도취되어 있었다.

이리하여 영·미 민족학과 나 사이의 오랜 사귐이 시작되었다. 그 친교는 독서를 통해 먼 거리를 이어나갔으며, 뒤에 가서는 개인적인 접촉—이것이 굉장히 중대한 오해를 빚어내는 계기를 제공했음에 틀림없다—으로 지탱되어갔다. 우선 브라질에서는 대학교수단이 내게 뒤르켐 사회학 강좌를 맡아주기를 바랐다. 남아메리카에서는 강력한 실증주의적 전통과 개인의 권력에 대한 과두정치의 상투적인 사상상의 무기인 온건파 자유주의에 철학적 기반을 마련해주고자 하는 배려가 대학교수들을 뒤르켐 사회학 쪽으로 몰고 갔기 때문이다. 그러나 나는 뒤르켐과 사회학을 형이상학적인 목적에 사용하려는 어떠한 시도에도 공공연히 반대하는 의견을 내세운 채 그곳에 부임했다.

내가 낡은 성벽을 복구하는 일을 도우려 했던 때가, 물론 내 전력을 다해 시야를 넓히려고 애쓰던 그 순간은 아니었다. 하지만 그때 이후로, 나는 앵글로색슨 사상에 예속되어 있다는 비난을 숱하게 받아야만 했다. 그 무슨 어리석은 말들인가! 나는 현재 그 누구보다도 뒤르켐 전통에 충실할 뿐만 아니라 ─외국에서는 이 점을 오해하지 않고 있다─내가 학문적 은혜를 입었음을 단언하고 싶은 로위, 크로버, 보애스 같은 인류학자들도 이미 오래전부터 케케묵은 것으로 통하는 제임스(James)나 듀이(Dewey)류─오늘날에 와서는 이른바 논리적 실증주의라고 하는─의 아메리카 철학과는 더할 수 없이 거리가 먼 것으로 생각된다.

근원이 유럽인이며 그들 자신 유럽에서 또는 유럽인 선생의 지도 아래서 길러진 이 학자들은 매우 독자적인 것을 드러내 보이고 있다. 4세기나 앞서서 콜럼버스가 그 객관적인 기회를 제공했던 하나의 총합을 지식이라는 평면상에서 반영하는─이번에는 엄밀한 학문 연구의 방법과 신세계에서 제공된 독특한 실험 장소 사이에서─총합이다. 또 당시에는 이미 최고 설비를 갖춘 도서관을 이용하면서 우리가 바스크(에스파냐 북부에 있는 지방─옮긴이)나 코트 다쥐르 해안에 가듯 쉽게 대학을 떠나 원주민 지역 한가운데로 갈 수 있었다.

내가 경의를 표하는 것은 하나의 역사적 전통이지 어떤 지적 전통이 아니다. 한 번도 진지한 의도를 지닌 조사의 손이 미치지 않았기에 충분하게 보존이 잘되어 있던 민족에게, 그들에 대한 파괴가 시도된 지 얼마 안 되었던 덕택에 접근할 수 있었던 특권을 생각해보아야 한다. 다음과 같은 일화가 그 사실을 잘 이해하게 해주리라. 그것은 아직도 야생 상태로 살고 있던 캘리포니아 인디언들을 몰살했을 때, 기적적으로 살아남았던 한 인디언 남자의 이야기다. 그는 여러 해 동안은 대도시 주변에서 남의 눈에 띄지 않은 채, 돌로 만든 화살촉을 갈아 사냥을 해가며 살았다. 하지만 사냥감은 차차 사라져갔고 벌거벗은 몸으로 굶주림에 지쳐 죽어가던 그 인디언은 어느 날 도시 변두리의 한 마을 입구에서 발견되었다. 그리하여 그는 캘리포니아 대학의 수위로 그의 여생을 평화로이 마쳤다.

7 일몰

산투스로 나를 실어다줄 배를 타기 위해 마르세유에 도착했던 1935년 2월의 어느 아침으로 거슬러 올라가면, 매우 길고도 쓸데없는 숱한 생각이 떠오른다. 어디로 떠난 적도 여러 번이었기에 내 추억 속에는 모두 뒤범벅이 되어 있으나, 몇몇 영상만은 그대로 간직되어 있다. 우선 겨울철 남부 프랑스 특유의 그 즐거움이 기억된다. 평상시보다도 더욱 맑고 푸른 하늘 아래 살을 에는 듯 차가운 대기는, 몹시 목이 말랐다가 급히 마셔버린 차게 식힌 소다수처럼 견디기 힘든 기쁨을 안겨주었다.

이와는 대조적으로 정박하여 뜨겁게 덥혀진 우리 배의 복도에는 바다 냄새, 식당 냄새, 새로 칠한 페인트 냄새가 뒤섞여 심한 악취가 감돌았다. 그리고 한밤중에 나지막이 들려오던 기계의 진동 소리와 선체에 부딪히던 파도 소리가 자아내던, 그 평온한 행복이라고도 할 수 있을 성싶은 만족과 마음의 평정 또한 생각이 난다. 그 바닷물 철썩이던 소리는 고정상태보다도 더 완벽하게 어떤 본질을 일종의 영속상태로 이르게 하는 것만 같았고, 반대로 기계의 진동 소리는 밤의 기항지에 즈음해서는 잠든 사람들을 갑작스레 깨우면서 불안하고 불편한 느낌, 그리고 사물의 자연스러운 흐름이 갑자기 위태로워지는 초조감을 불러일으켰다.

우리 배는 여러 곳에 기항했다. 실상 우리들 항해의 첫 주는 거의다 해안에서 지나갔는데, 화물을 싣고 내리고 하느라고 그랬으며, 밤이 되어서야 떠나고는 했다. 그래서 아침에 깨어나 보면 다른 항구에 닿아 있고는 했다. 바르셀로나, 타라고나, 발렌시아, 알리칸테, 말라가, 때로는 카디스, 또한 알제, 오랑, 지브롤터 그러고는 가장 긴 간격을 두고 항해하여 카사블랑카를 거쳤고, 마침내는 다카르에 도착했다. 그때 가서야 비로소 직접 리우데자네이루와 산투스까지 가든가아니면 드물기는 하나 브라질 해안을 따라 레시페, 바이아, 비토리아에 기항하면서 다시 연안 항해를 되풀이하며 천천히 목표를 향해 가든가 해야 하는 대항해가 시작된 것이다. 날씨는 점차 더워져갔고, 에스파냐의 산맥은 수평선 위로 부드럽게 이어져 있었으며, 모래 언덕과 절벽 모습의 신기루는 너무 낮고 늪이 많아 직접 볼 수 없는 아프리카 해안을 따라 며칠 동안 고스란히 그 경치를 길게 끌어주었다. 그것은 여행이라는 것과는 어긋나는 것이었다. 그 배는 수송수단이라기보다는 매일 새로운 장식을 그 문 앞에 갖다놓는 하나의 거주지요 집인 듯 느끼게 해주었다.

아직도 나는 풋내기 민족학자였으므로 그 같은 기회를 이용할 생각도 못하고 있었다. 그 이후로 나는 어떤 도시나 지역 또는 문화를 이렇게 짤막하게 보는 것도 얼마나 유익하게 주의력을 집중하는 훈련인가를 알게 되었다. 때로는 우리가 이용할 수 있는 그 짧은 순간에 필요해지는 강도 높은 집중력 때문에, 다른 상황에서라면 오랫동안 숨겨진 채로 있을 어떤 대상의 특성을 식별할 수 있다는 것도 또한 배웠다.

그러나 그때 내게는 다른 경치들이 더욱 매력이 있어 보였다. 그래서 초심자의 순진한 태도를 지닌 채 텅 빈 갑판에 서서, 내가 그때까지 바라다보았던 그 어느 것보다도 더 광대한 수평선 네 귀퉁이를 가로질러, 출현과 전개 그리고 종결이 나타나는 초자연적 대변동을 매일매일의 일출과 일몰 속에서 지켜보았다. 만약에 내가 그 변덕스러우면서 다루기 힘든 모습을 기술해놓을 적절한 말을 찾아낼 수 있다면, 그리고 남들에게 두 번 다시 똑같이 일어나지 않을 그 독특한 광경의 변화과정과 시시각각의 모습을 전해줄 수만 있다면, 대번에 내 직업의 비밀 속으로 침투해 들어갈 수 있을 테고, 민족학자로서 내가 겪을 경험이 아무리 괴이하고 특이한 것들일지라도 어느 날엔가는 모든 각도에서 그 의미를 파악할 수 있을 것같이 느껴지기도 했다.

이제 여러 해가 흘러갔는데, 그때 그 은총받은 상태로 다시 돌아갈 수 있을까? 손에 수첩을 든 채 소멸하여 항상 새롭게 되는 그 모습들을 붙잡아줄 수 있을 표현을 즉각즉각 적어가던 그 열광의 순간을 다시 되살릴 수 있을 것인가? 그것은 아직도 나를 황홀하게 만드는 도박이며, 지금도 그 위험에 다시 손대보고 싶은 생각이 자주 든다.

* * *

선상 노트

학자들에게는 여명과 황혼이 동일한 현상으로 여겨지는 것이며 그리스인들도 그와 마찬가지로 생각했는데, 그 두 가지를 아침에 관계된 것인가 아니면 저녁에 관계된 것인가에 따라 달리 규정지으면서도 한마디의 같은 단어로 가리켰던 것이다. 이러한 혼동은 이론을 우선으로 하고, 사물의 구체적인 면을 이상하게도 무시하는 우리의 경향을 잘 드러내 보인다. 햇빛이 나타나 비추는 지역과 빛이 사라지거나 되돌아가는 지역 사이의 구분할 수 없는 움직임으로 지구상의 어느 한 점이 이동한다는 것은 충분히 가능한 일이다. 그러나 현실적으로 보아 아침과 저녁보다 더 상이한 것은 있을 수가 없다. 태양이 떠오르는 것은 하나의 전주이며, 그 태양이 지는 것은 여느 오페라에서처럼 시작할 때 나타나는 대신에 마지막에 가서 나오는 하나의 서곡이라 할 수 있다.

태양의 모습은 뒤따라올 순간들을 예고해주는 것인데, 아침나절 이른 시간에 비가 올 것 같으면 어둡고 검푸른 모습을, 밝은 햇살이 반짝일 것 같으면 이끼 낀 듯한 가벼운 장밋빛을 띠게 된다. 그러나 이른 아침나절 그 이후에 대해서는 새벽은 속단을 내리는 법이 없다. 다만 어떤 기상학적인 거동을 끌어들여 '비가 오려고 한다, 날씨가 맑으려 한다' 식으로 이야기할 뿐이다. 하지만 해가 지는 경우에는 좀 다르다. 시작과 중간과 끝이 완전하게 재현되는 것이며, 그 광경은 열두 시간 동안 전투와 승리, 그리고 패배가 연이었던 것을 축소한 일종의 그림을 명백하면서도 느릿느릿한 방법으로 보여주는 것이다. 그러므로 새벽은 하루의 시작에 지나지 않지만, 황혼은 하루의 반복이다.

사람들이 떠오르는 태양보다 지는 태양에 더 많은 관심을 기울이는 이유는 다음과 같다. 여명은 사람들에게 온도계나 기압계, 그리고—개화가 덜 된 사람들에게는—달의 모습이나 새들의 비상, 조류의 간만이 이미 가르쳐준데다가 좀 보탬이 되는 지시를 제공해줄 뿐이다. 그러나 일몰은 그 신비스러운 모습 속에 바람·추위 그리고 더위나 비의 전변(轉變)—그 속에서 인간의 육체적 존재가 뒤흔들리는—을 키우고 결합하는 것이다. 이 솜털 같은 성좌(星座) 속에서는 양심의 유희도 읽어지는 것이다. 하늘이 석양빛으로 밝아지기 시작할 때면 (마치 어떤 극장에서 연극의 시작을 알리기 위해 전통적인 방법으로 세 번을 두드리는 것이 아니라, 갑작스러운 조명을 비추는 것처럼) 농부는 밭갈기를 멈추고, 어부는 배를 붙잡아매며, 미개인은 빛이 사그라져가는 불가에 앉아 눈을 깜박이는 것이다.

지나간 일을 회상한다는 것은 인간에게 크나큰 즐거움이지만, 그 기억이 글자 그대로 나타나는 한은 그렇지 못하다. 회상을 해보는 것은 좋아하더라도, 그 고된 일들과 괴로움을 다시 겪어보고자 하는 이는 드물 것이기 때문이다. 추억은 인생 자체이기는 하나, 다른 성질을 지닌 것이다. 그러기에 짧은 환각 속에서, 사람들이 불투명한 힘인 안개와 번개―하루 종일 마음속에서 막연하게 그 모호한 갈등을 파악하던―가 드러남을 찾아볼 수 있는 것도 바로 태양이 천국에 사는 어느 수전노의 작은 동전처럼, 고요한 물의 반짝이는 표면을 향해 내려올 때나, 또는 그 태양의 둥근 표면이 딱딱하고 톱날처럼 생긴 나뭇잎 같은 산봉우리의 윤곽을 두드러지게 할 때인 것이다.

그래서 정말로 불길한 싸움이 영혼 속에서 벌어짐이 틀림없었다. 외부적인 사건의 무의미함은 어떠한 대기상의 혼란도 정당화해주지 않기 때문이었다. 오후 4시경―하루 중 태양이 반쯤 운행하여 이미 그 선명한 모습은 잃었으나 아직도 그 광채는 간직한 채, 어떤 채비를 하는 것을 감추기 위해 쌓인 것 같아 보이는, 짙은 황금색 빛줄기 속에 섞여 있는 바로 그 순간―에 멘도자호는 진로를 바꾸었다. 가벼운 파도로 배가 흔들릴 때마다 사람들은 더욱 심하게 열기를 느끼기 시작했다. 그러나 그 커브가 거의 느끼지 못할 정도였으므로, 진로가 바뀌는 것을 다만 배의 요동이 좀 심해진 것 정도로 오인하고 있었다. 그리고 아무도 거기에 관심을 기울이지 않았는데, 기하학적인 이동이라기보다는 거친 바다에서의 항해였기 때문이다. 그곳에는 어떤 위도를 따라 천천히 옮겨가고 있는 것이나 등온선과 우량계의 곡선을 뛰어넘는 것을 포착하게 할 만한 풍경이라고는 도무지 없었다. 육로로는 50킬로미터만 가도 유성(流星)이 바뀌는 것 같은 느낌이 들지만, 넓은 바다에서는 5천 킬로미터를 가도 익숙지 못한 눈에는 오직 변함없는 모습일 따름이다.

선객들은 배의 여정·방향, 그리고 보이지는 않으나 수평선 저 너머에 있는 땅에 대해서도 전혀 신경을 쓰지 않았다. 그들에게는 미리 정해진 대로 그렇게 여러 날 동안을 제한된 칸막이 벽 속에 갇혀 지내야 하는 이유가, 극복해나가야 할 어떤 일정한 거리가 있어서라기보다는 자기들이 노력을 제공하지 않으면서 지구의 한 끝에서 다른 끝으로 옮겨져가는 특권에 대한 값을 치러야 하기 때문인 것으로 느껴졌다. 그리하여 아침이면 실컷 늦잠을 자고, 식사는 게으름을 피우며 먹음으로써 머리가 멍청해진 상태로들 지내고 있었다. 이미 오래 전부터 식사 시간이 감각적인 즐거움을 가져다주던 것도 끝이 나버리긴 했으나, 매끼의 식사는 나날의 공허를 메우기 위해 예측하고서 기다리는 기분전환거리(만약에 그 심심풀이를 엄청나게 길게 끌어가기만 한다면)로 변모되어 있었다.

게다가 배 위의 어디든지 간에 어떤 노력을 하려는 기미는 보이지가 않았다. 그 커다란 통 같은 배 밑바닥 어디엔가 기계들과 또 그 기계를 움직이게 하는 사람들이 사방에 흩어져 있으리라는 것을 잘 알고들 있었다. 하지만 그들은 서로 찾아보려 들지도 않았는데, 승객들도 그러했고 승무원들 또한 마찬가지였다. 단지 배의 뼈대 둘레나 맴돌면서 통풍관의 페인트칠에 손을 보고 있는 한 수부가 일하는 것이나 1등 선실 복도에서 축축한 독풀을 긁어내고 있는 푸른 제복을 입은 승무원의 몸짓을 보는 것이 고작이었으며, 그러한 광경들만이 유일하게도 지금 배가 정상적으로 수천 킬로미터를 미끄러져가고 있다—녹슨 선체 밑바닥에 찰랑거리는 물 소리가 희미하게 들리기는 했지만—는 사실을 증명해주었다.

오후 5시 40분. 서쪽 하늘 끝이 어느 복잡한 건축물로 막혀버린 듯이 보였다. 그것은 바다를 닮아 밑은 완벽한 수평이었고, 수평선 위의 어떤 알 수 없는 융기(隆起)로 또는 그 둘 사이의 두껍고 보이지 않는 수정층의 중개로 떨어져 나온 듯이 보였다. 그 꼭대기에는 어떤 뒤집힌 무게의 효과로 천정점(天頂點)을 향해 불안정한 비계, 부풀어오른 피라미드, 그리고 구름이 되려다가 쇠시리 모양으로 굳어버린 증기들——조각하여 금박을 입힌 나무의 광택과 환조(丸彫)를 생각나게 하는 한에서는 구름과 흡사하기도 했다——이 걸려 매달린 채 있었다. 태양을 가리고 있는 그 뒤죽박죽의 더미는 불꽃들이 날아오르던 꼭대기 쪽을 제외하고는 드문드문 비치는 빛줄기와 함께 어두운 빛깔로 떨어져 나가고 있었다.

하늘 더 높은 곳에서는 비물질적이면서도 순수하게 반짝이는 직물 같은 황금빛 다채로운 무늬가 맥없는 굴곡을 이루며 풀어져가고 있었다.

북녘을 향해 수평선을 따라가보면, 그 주요한 모티프는 점점이 이어진 구름 속에서 엷어지며 사라져가고 있음이 보였다. 구름 뒤의 아주 먼 곳에는 높은 줄무늬가 꼭대기에서 솟아올라 생겨나고 있었고, 아직도 보이지 않는 태양의 가장 가까운 쪽에서는 빛이 그 줄무늬의 힘찬 가장자리의 두드러진 부분을 에워싸고 있었다. 또 더 북쪽으로 보면 그 돋을새김 같은 것은 사라져가고, 흐릿해지고 얄팍해진 줄무늬만 남아 바닷속으로 지워져가고 있었다.

남쪽에도 똑같은 줄무늬가 다시 나타나고 있었는데, 이번에는 버팀대 꼭대기에 놓인 우주론적인 고인돌처럼 놓인 거대한 구름 덩어리가 그 위에 올라와 있었다.

태양에 완전히 등을 돌리고 동쪽을 주시해보면, 마침내 구름이 포개져 있는 두 덩어리를 볼 수 있었는데, 그것은 세로로 늘어져 있고, 흉부와 복부가 불룩한 무슨 성채——하늘에 둥실 떠 있으면서 진주모

같이 분홍·보라·은빛의 반사광을 발하는 것 같은 성채——의 외진 곳에 비친 태양광선으로 말미암아 역광을 받은 것처럼 고립되어 있었다.

그동안에 서쪽 시야를 가로막고 있던 천상(天上)의 암초들 뒤에서 태양이 서서히 그 모습을 바꾸어가고 있었다. 태양이 조금씩 밑으로 내려감에 따라 광선들은, 저녁놀을 분산하거나 또는 빛이 솟아나는 순간에 각기 그 크기와 밝기의 강도가 다른 둥그런 부채꼴이 쌓인 장애물을 두드러져 보이게 하고 있었다. 때로 빛은 오므라드는 주먹처럼 살그머니 사라져갔고, 그 흐릿한 토시는 빳빳하고 번득이는 손가락이 고작해야 한두 개나 들어갈 수 있게 해놓고 있었다. 그렇지 않으면 열광한 문어 한 마리가, 새로운 반응에 앞서서 안개 낀 동굴 밖으로 튀어나오는 것 같았다.

해가 떨어지는 모습 속에는 명확한 두 단계가 있다. 처음에는 태양이 건축가 역할을 하며, 그다음에 가서는(햇빛이 직접적이지 못하고, 단지 반사광을 보내게 되는 무렵에는) 화가로 변모하는 것이다. 태양이 수평선 뒤로 사라지자마자, 햇빛은 약해지며 순간순간 점점 복잡해져가는 도면들이 나타나게 만든다. 가득히 넘치는 햇빛은 투시도를 그리는 데 방해가 될 따름이지만, 낮과 밤 사이에는 일시적인 만큼이나 환상적인 자리가 건축가에게 남겨져 있다. 그리하여 어둠이 깃들이면 기막히게 채색된 일본 장난감처럼 모든 것은 다시 굽실거린다.

정확히 오후 5시 45분. 첫 번째 단계가 그 윤곽을 드러냈다. 태양은 아직 수평선에 닿지는 않았지만 이미 낮게 내려와 있었다. 태양이 구름으로 지어진 건축물 아래에서 나타나는 순간, 달걀노른자위처럼 터져서 그때까지 태양을 매달고 있던 형체를 햇빛으로 더럽히는 듯했다가, 그 밝은 빛의 출현은 다른 퇴거의 원인이 되었다. 주위는 모든 광휘를 상실했으며, 바다의 위쪽 한계선과 구름의 아래쪽 한계선 사이에 거리를 두고 유지되어오던 공간 속으로는, 조금 전까지만 해도 너무나 눈부셔서 분간조차 할 수 없다가 지금은 뾰족하고 침침해진 안개의 산맥을 볼 수 있었다. 이와 동시에 처음에 평평하던 곳은 불룩해져 있었다. 검고 단단한 이 작은 물체들(안개)의 산책은 색채 세계의 개막을 의미했다. 그것은 널따랗고 불그스름한 금속판을 가로질러 느릿느릿 수평선에서 하늘을 향해 올라가는 한가로운 이동이었다.

차츰차츰 저녁의 심오한 건축물이 분해되어갔다. 온종일 서쪽 하늘을 차지하고 있던 그 덩어리는 얄따란 금속판처럼 납작해진 것 같았고, 불길이 뒤쪽에서 처음에는 황금빛, 그다음에는 주홍빛, 그리고 연분홍빛으로 비추어주었다. 이미 그 불은 점차로 사라져가는 비틀어진 구름들을 작은 입자들의 회오리 속에서 녹게 하고 해체하며 휘몰아 치워버리고 있었다.

흐릿한 그물들이 수없이 하늘에 솟아오른다. 그것들은 수평 방향으로, 비스듬히, 수직 방향으로, 그리고 나선형으로, 이렇게 사방으로 잡아당겨지는 듯이 보였다. 햇빛은 그 기울기(활시위를 당겨 굽히거나 또는 편 활처럼)에 따라 각각 배타적이고 자의적인 속성을 지닌 것 같은 색계(色階) 속에서, 하나 그리고 또 다른 하나를 계속해서 빛나게 만들고 있었다. 그것이 나타난 순간 그 각각의 그물은 선명함과 정확성, 그리고 실유리잔 같은 부서지기 쉬운 뻣뻣함을 보여주었다. 그러나 그것은 마치 그 재료가 불꽃으로 가득한 하늘에 노출됨으로써 과열이 된 듯이 차차 용해되어갔다. 그리하여 빛깔은 짙어지고 개성을 잃은 채 널따란 층을 이루며 펼쳐졌고, 그 층은 더욱더 얄팍하게 되어 끝내는 갓 쳐진 새로운 그물을 드러내 보이면서 무대에서 사라져갔다. 마침내 서로 뒤섞여 확실치 않은 빛깔들만 남게 되고 말았다. 이와 같이 한 술잔 속에서 처음에는 개별성을 유지하고 있는 듯이 겹쳐져 있던 빛깔과 밀도가, 각기 다른 액체들이 그들의 외견상의 안정성에도 불구하고 천천히 뒤섞이기 시작하는 것이다.

그 이후로는 하늘 저 먼 곳에서 몇 분, 때로는 몇 초 간격을 두고 반복되는 성싶은 광경을 지켜보기가 매우 힘들어졌다. 태양의 둥근 표면이 맞은편 수평선에 들어서기 시작하자마자, 동쪽 하늘 높이 엷은 자줏빛 색조 속에서 이제까지 볼 수 없던 구름들이 그 모습을 단번에 드러내는 것이 보였다. 그 출현은 급속히 진전되었다가, 마치 헝겊 조각으로 천천히 깨끗하게 닦아내는 것처럼 오른쪽에서부터 왼쪽으로 지워져 사라지기 시작했다. 몇 초가 지나자 흐릿한 성채 위로 깨끗이 닦인 하늘의 슬레이트밖에는 남은 것이 없었다. 그러나 성채는 희거나 잿빛이 되어가는 반면에 하늘은 장밋빛으로 물들어가는 것이다.

태양 옆에는 형태도 잃고 흐릿해져버린 앞서의 줄무늬 뒤쪽으로 새로운 줄무늬 하나가 높아지고 있었다. 이번에는 그 새로운 줄무늬가 불타오를 차례이다. 그 붉은빛 방사(放射)가 수그러지자, 그때까지 아직 제구실을 못해보았던 천정의 다채로운 무늬가 느릿느릿 부피를 늘려갔다. 아래쪽 표면은 금빛으로 물들었다가 빛을 번득였으며, 조금 전에 반짝이던 꼭대기 부분은 밤빛깔이 되었다가 다시 보랏빛으로 변했다. 동시에 그 조직은 현미경 밑에서 보이는 것만 같았으니, 즉 그것은 마치 목질(木質) 섬유처럼 수천 개의 작고 가는 섬유가 그 통통한 형태를 유지시키면서 조직을 이루고 있음을 발견할 수 있었던 것이다.

이제 태양의 직사광선은 완전히 사라져버렸다. 하늘은 작은 새우·연어·아마포·밀짚 등의 분홍빛과 노란빛을 나타낼 뿐이었고, 그 조용한 색채의 풍요함마저 사라지려는 것같이 느껴졌다. 천공(天空)의 풍경이 하양·파랑 그리고 초록의 색계 속에서 되살아나고 있었다. 하지만 수평선의 몇몇 귀퉁이는 아직도 순간적인 독자적 삶을 누리고 있었다. 왼쪽에서는 신비스럽게 혼합된 초록색들이 장난을 치듯 예기치 못했던 너울이 갑작스레 나타났다. 이들 초록색은 점차로 붉게 되어갔는데, 처음에는 강렬한 빨강, 다음에는 어두운 빨강, 그다음에는 보랏빛 빨강, 그러고는 석탄빛처럼 되었다가 마지막에는 깔깔한 종이 위를 스쳐가는 목탄 막대기처럼 고르지 않은 흔적을 남겼다. 뒤로는 하늘이 알프스 같은 황록색이었으며, 줄무늬가 뚜렷한 윤곽을 지닌 채 불투명하게 남아 있었다. 서쪽 하늘에서는 가로로 황금빛 작은 줄무늬들이 아직도 한순간 빛났으나, 북쪽 하늘에는 거의 어둠이 깔려 있었고, 젖꼭지 모양 돌기가 있는 성채는 잿빛 하늘 아래 희끄무레한 볼록꼴(凸形)들만을 보여주고 있었다.

밤이 낮을 잇는 방법, 항상 동일하지만 결코 예측할 수 없는 그 방법들의 앙상블보다 더 신비스러운 것은 없다. 그 징후는 의혹과 초조감을 동반한 채 하늘 속에 홀연히 나타난다. 그 밤의 융기가 이번에는 어떤 형태를 채택할지는 누구도 예측할 수 없다. 알 수 없는 연금술에 의해 각각의 색채가 보색으로 탈바꿈하기에 이르는 것은, 똑같은 결과를 얻기 위해서는 팔레트 위에다가 다른 튜브를 반드시 열어야 한다는 것을 잘 알고 있을 때이다. 그러나 밤에서는 한 거짓된 광경이 시작됨을 고하는 것이기 때문에 그 혼합에는 한계가 없다. 하늘이 장밋빛에서 초록으로 바뀐다. 이것은 어떤 구름들이 선명한 빨강으로 변함에 따라, 하늘을 대조적으로 초록색처럼 보이게 만든다는 사실을 내가 깨닫지 못했기 때문이다. 실제로 하늘은 장밋빛이었으나 너무도 연한 빛이었기 때문에 새로운 색채의 그 높은 색감에는 대항해낼 수가 없었던 것이며, 장밋빛에서 초록색으로 이행하는 것보다는 놀라움을 덜 안겨주는 황금빛에서 붉은빛으로 변화하는 것은 눈치채지 못했던 것이다. 그래서 밤은 술책을 쓰며 침입해 들어오는 것이다.

이와 같이 밤은 황금빛과 자줏빛 경치를, 따뜻한 빛깔들이 흰빛으로 대체된 그의 네거필름으로 바꾸기 시작했다. 밤의 무대는 태양 위로 천천히 바다 풍경을 드러내 보였다. 그 풍경은 유사한 작은 반도들로 이루어진 대양 같은 하늘 앞에서 풀어져가는 구름의 거대한 스크린이요, 바다 쪽으로 날개를 뻗으며 물에 닿을 듯 낮게 날아가는 비행기에서 보이는 평평한 모래톱 같은 것이었다. 환영은 낮의 마지막 미광(微光)을 통해 증가되어 있었다. 그 마지막 희미한 빛줄기들은 이 흐릿한 갑(岬)들을 아주 비스듬히 쬐어주면서 단단한 바위 — 다른 때는 바위들조차 그림자와 햇빛으로 조각된다 — 를 연상시키는 울퉁불퉁한 외모를 부여하는데, 마치 태양이 그 번쩍이는 끝을 반암(斑岩)과 화강석에다가 더 이상 쓸 수가 없고 오직 가볍고 나약한 물질에나 쓰면서 떨어져 내려갈 때, 똑같은 모습을 간직하는 것 같은 것이다.

하늘이 맑아짐에 따라 어떤 해안 풍경을 닮은 이 구름을 배경으로 해서, 모랫둑이며 숱한 작은 섬이며 간척지며 모래톱들이 나타나는 게 보였다. 무기력한 하늘 바다가 모랫둑을 침식하여 조금씩 해체되어가는 모래 평원을 후미와 늪으로 수놓는 것이었다. 이들 구름의 그 흐릿한 화살 같은 형태를 둘러싸고 있던 하늘은 바다를 닮았고, 또 바다는 보통 하늘의 색채를 되받기 때문에 이 하늘의 그림은 그 위에 태양이 또다시 질, 멀리 떨어진 곳의 풍경을 새로 원상복구하고 있었다. 이미 한낮의 열기도, 저녁식사 후의 그 우아하고 굴곡진 표면의 아름다움도 사라졌다는 환상에서 벗어나기 위해서는 바로 밑에 있는 실제의 바다를 들여다보기만 하면 충분했다. 거의 수평으로 비춰진 햇빛들은 그들을 향해 있는 잔물결들의 표면만 비춰줄 뿐이었고,

다른 것들은 어둠 속에 버려져 있었다. 바닷물도 선명하고, 눈에 띄며, 마치 금속에서인 양 움푹 팬 그림자들을 두드러져 보이게 했다. 명백한 것들은 모두 다 사라져버리고 말았다.

이때 매우 관례적이면서도 언제나처럼 감지할 수 없는 갑작스러운 추이로 저녁이 밤과 대체되는 것이다. 모든 것이 변했다. 수평선 쪽의 희미한 하늘, 그리고 그 위의 창백한 노란빛에서 하늘 꼭대기로 갈수록 푸르게 되어가는 곳에 낮의 끝무렵에 나타났던 마지막 구름들이 흩어지고 있었다. 곧 무대장치같이 앙상하고 병적으로 보이는 그림자들만 남게 되었다. 우리는 공연이 끝나고 조명이 꺼진 뒤에 남은 무대장치를 보면 갑자기 그것들이 초라하고 빈약하고 일시적인 것임을 느끼게 되고, 또 그것들이 환상을 창조해낼 수 있었던 것은 그 스스로의 힘이 아니라 조명이나 원근법이라는 술책의 힘을 빌린 것이었음을 알게 된다. 그것들은 조금 전에만 해도 살아서 초마다 변했지만, 이제는 변할 수 없는 슬픈 형태로 굳은 채 잠시 후면 짙어가는 어둠 속에다 그들을 함께 뒤섞어버릴, 하늘 한가운데에 걸려 있는 것처럼 보이는 것이다.

제3부
신세계

8 농무지역(적도 무풍대)

우리는 다카르에서 구세계에 이별을 고하고, 카보베르데 군도를 알아차리지도 못한 채, 1498년에 콜럼버스가 그의 세 번째 항해에서 북서쪽으로 항로를 변경했던 그 숙명적인 북위 7도에 도달했다. 그러나 콜럼버스는 원래 브라질을 발견하기 위하여 계획했던 진로를 변경함으로써 2주일 후에는 기적적으로 베네수엘라 해안과 트리니다드에 도착할 수 있었다.

고대의 항해자들이 그토록 무서워한 적도 부근의 농무지대가 가까워짐에 따라서 양반구(兩半球)에 고유한 바람들이 모두 사라져버렸다. 이곳에서는 몇 주일씩이나 항해가 제대로 되지 않으며, 또 대기가 전혀 움직이지 않으므로 사람들은 그들이 대양의 한가운데에 있다고 생각하기보다는 마치 폐쇄된 공간 속에 있는 것처럼 느꼈다. 미풍 한 점 없는 하늘에 검은 구름들만이 해면으로 서서히 움직이면서 중력에 감응하고 있었다. 만약 이 구름들이 왕성한 활력을 지닌 것이었더라면, 그것들은 번쩍거리는 해면을 스치고 지나가면서 그것을 깨끗이 청소했을 것이다. 보이지 않는 태양 광선을 간접적으로 받고 있는 해양에는 공기와 물 사이의 빛의 가치에 대한 통상적인 관계를 뒤집어놓는, 단조롭고 번들거리는 반사가 이루어지고 있었다.

머리를 아래위로 흔들어보면 하늘과 바다가 서로 엇바뀌는 속에 무척 그럴듯한 바다 풍경이 나타난다. 이 수동적이고 절반만큼만 광선을 받고 있는 수평선에 대해 우리는 야릇한 친근감을 느끼게 된다. 바다와 구름으로 이루어진 천정 사이의 지역은 이쪽에서 저쪽으로 느릿느릿 움직이는 작은 구름떼들 때문에 더욱 좁아 보였다. 우리가 탄 배는 이 양면(바다와 구름 천정) 사이를, 마치 그 중간에서 질식되는 것을 피할 수 있는 충분한 시간을 지니지 못한 것처럼 성급하게 미끄러져 나갔다. 때때로 구름은 가까이 다가왔다가는 형체가 없어져버렸고, 온통 우리 주위를 불룩하게 뒤덮으면서 손가락 끝에 습기를 남겨두고 갑판을 획 스쳐 지나가기도 했다. 그러고는 배의 저쪽 끝부분에서 다시 모습을 나타냈다가는 또 금방 사라져버리곤 했다.

모든 생명체가 바다로부터 소멸되어버린 것 같았다. 우리들 앞에서 하얀 파도 사이를 우아하게 헤엄쳐 나가던 돌고래들도 보이지 않았고, 수평선에는 고래들이 뿜어 올리던 물기둥도 없었으며, 적자색(赤紫色)의 앵무조개과가 이루던 장관도 더 이상 볼 수 없었다.

우리는 이 깊은 바다의 저쪽 편에서 과거의 항해자들이 확신했던 경이를 발견했어야만 하는가? 그들은 미지의 지역에 도달하게 되었을 때, 어떤 새로운 지역을 발견했다고 생각하기보다는 구세계의 과거를 확인하려고 갈망했다. 그들은 자기네가 목격한 것으로 아담과 율리시스를 확인했다. 콜럼버스는 그의 첫 항해에서 서인도 제도의 해안에 도착하게 되었을 때, 이곳이 일본일 것이라고 생각했다. 하지만 콜럼버스는 이 지역이 지상의 낙원이라고 생각하려 했다. 그 후로 400년이란 시간이 경과했으나 그들은 신세계가 1만 년 또는 2만 년 동안 역사의 동란에서 벗어나 있었던 환경의 굴곡을 완전히 잊어버릴 수는 없었다.

이와 같은 사실의 어떤 점은 다른 측면에서까지 아직도 잔존했다. 비록 남아메리카가 실낙원 이전에 이미 낙원이 아니었다 할지라도, 그것은 그 신비스러운 환경으로 모든 가난한 사람에게는 황금 시대를 제공하는 위치를 여전히 지닐 수 있었음을 나는 곧 깨닫게 되었다. 남아메리카의 행운은 이제 태양에 비친 눈처럼 녹아가고 있었다. 오늘날에는 그 행운이 얼마만큼이나 남아 있단 말인가? 이제 특권을 가진 자만이 그곳으로 갈 수 있게 됨에 따라서 남아메리카는 단지 '귀중한 물구덩이' 이외에 아무것도 아니며, 그 모습도 변하고 그 본성도 영원한 것으로부터 역사적인 것으로, 그리고 형이상학적인 것으로부터 사회학적인 것으로 변해버렸다. 콜럼버스가 첫인상으로 '인간의 천국'이라고 예감했던 남아메리카는 부자들에게만 허용되는 감미로운 생활 속에서 연명은 해왔어도 다른 한편으로 파괴되기도 한 것이다.

농무지대의 매연색 하늘과 암울한 공기는 구세계와 신세계가 처음으로 상면하게 되는 심적 상태를 요약해주고 있다. 이 음울한 경계지역은 마치 악의 세력만이 활개를 치는 폭풍 후의 정적과도 같이 한때는—아니 아주 최근까지도—전혀 다른 성격을 지닌 두 행성 간에 존재하는 최후의 방책이었다. 따라서 최초로 이곳을 탐험한 사람들은 이곳에 동일한 인간이 살고 있으리라고는 거의 믿을 수 없었다. 인간이 거의 접촉하지 않았던 이곳(남아메리카)은 다른 지역에서는 그들의 탐욕을 충족할 수 없었던 사람들에 의해서 개방되었다.

두 번째 실낙원으로 모든 것이—예컨대 신·도덕성·법—의문시되어버렸다. 한때는 동시적으로 존재했고 모순적이었던 절차들이 앞의 사실들을 실제로 확고하게 만들었으며, 이것들을 법률에 비추어 무효한 것으로 만들었다. 『성서』에 있는 에덴동산의 존재가 확실한 것으로 간주되었으며, 예컨대 고대인의 전설 속에 있던 황금 시대, 청춘의 샘, 아틀란티스, 헤스페리데스의 동산, 목가(牧歌), 행운의 섬 따위가 확인되기도 했다. 그렇지만 이와 동시에 우리들 자신의 생활보다 더욱 순수하고 행복한 인간생활(물론 현실적으로는 이 같은 생활이 존재하는 것은 아니었지만, 구세계 사람들이 느끼던 숨겨진 번민이 신세계의 생활을 그와 같은 것으로 생각하게 만들었다)은 계시라든가, 구제(救濟)·습속·법에 대해 유럽인들이 지니고 있던 기존의 개념들을 의혹시하게 했다.

인류는 이제까지 이처럼 엄청난 시련을 경험해보지 못했으며, 또 지구로부터 수백만 킬로나 떨어진 곳에 사고 능력을 갖춘 사람들이 살고 있는 또 하나의 지구가 있다는 계시가 어느 날 우리에게 주어지지 않는 이상, 앞으로도 이와 같은 시련은 결코 발생하지 않을 것이다. 설령 오늘날 이론적으로는 수백만 킬로라는 거리를 뛰어넘을 수 있다는 것을 우리가 잘 알고 있다손 치더라도, 초기의 항해자들로서는 자기들 앞에 가로놓인 거대한 무(無)의 공간과 대결한다는 것은 그만큼 두려운 일이었다.

우리는 몇몇 특정한 사건에서 16세기의 항해자들이 직면했던 난관들이 얼마만큼 절대적이고 비타협적인 성격을 지닌 것이었는가를 헤아릴 수 있다. 저 히스파니올라—오늘날의 아이티와 산토도밍고—지역을 예로 들어보자. 1492년(콜럼버스가 처음으로 아메리카에 도착한 해-옮긴이)에 그 섬들에는 약 10만 명이 살고 있었다. 그들은 그로부터 몇백 년이 지나는 동안 단 200명으로 감소되어버렸다. 유럽 문명에 대한 공포와 혐오가 마치 천연두나 백인의 공격만큼이나 효과적으로 그들을 절멸시켜버렸다. 식민자들은 이 원주민들을 이해할 수가 없었으며, 그들의 본성을 밝혀내기 위하여 계속해서 사절들을 파견했다. 만약 이 원주민들이 진짜로 인간이라면, 이들은 아마도 이스라엘의 실종된 10부족의 후예들이 아니었을까? 또는 코끼리를 타고 건너온 몽골인들인지? 또는 머독 공(Prince Modoc)에 의해서 몇 세기 전에 이곳으로 보내진 스코틀랜드인들인지? 그들은 항상 이교적이었는지, 아니면 한때는 성 도마(성서에 나오는 예수의 열두 제자 가운데 한 사람으로 예수의 부활을 믿으려 하지 않았다-옮긴이)에 의해서 세례를 받았으나 타락해버린 가톨릭교도들인지? 그들이 동물이나 악마의 후예들이 아닌 진짜 인간이라고 확실히 여겨지지는 않았다.

예컨대 1512년에 페르난도 5세(1452~1516: 에스파냐의 정치적 통일을 완성한 왕-옮긴이)는 에스파냐 사람들이 이성적인 창조물이라고는 간주할 수 없는 원주민 여자들과 결혼하는 것을 방지할 목적으로, 서인도 제도에 백인 여자 노예들을 수입하도록 명령했다. 그리고 라스 카사스(Las Casas)가 그 지역에서 강제노동을 금지하도록 왕실에 탄원했을 때, 식민자들은 분개했다기보다는 도저히 믿을 수 없는 일이라는 듯이, "뭐라고? 그는 우리가 '일하는 짐승들'을 사용하지 말기를 원한단 말인가?"라고 하는 태도를 나타내었다.

사절단 가운데서 가장 유명했던 것으로는 당연히 1517년의 성(聖) 제롬 수도승단의 사절을 들 수 있겠다. 왜냐하면 그들의 이야기에서 우리는 당시의 정신적 태도와 식민지 경영에서는 잊히고 있던 세심한 태도를 이해할 수 있기 때문이다. 가장 근대적인 심리학적·사회학적 조사방식에 준해서 질문이 이루어졌는데, 식민자들이 평가하기에는 원주민들이 '카스티야(Castilla) 농민들처럼 그들 자신의 사회를 유지해나갈 수 있다'고 생각하는지 물어보았다. 그러나 식민자들의 대답은 모두가 부정적이었다. "원주민들의 손자 대에 가서나 자립생활이 가능할지 몰라도, 현재의 원주민들은 악덕에 깊이 물들어 있기 때문에 불가능하다. 그 증거로 그들은 에스파냐 사람들을 회피하려고 하며, 보수 없이 일하기를 거부하지만 때로는 그들 자신의 소유물들을 남에게 모두 주어버리기도 한다. 그리고 우리가 그들 가운데 어떤 자들의 귀를 잘라버렸을 때도 그들은 그 친구들을 버리는 법이 없다." 그리고 식민자들은 "원주민들이 자유로운 동물로서 남아있기보다는 인간의 노예가 되는 편이 더 낫다"라고 한결같은 결론을 내리는 것이었다.

이로부터 몇 년이 지난 뒤의 어떤 한 증언이 그러한 논평에 결정적인 사항을 덧붙여주고 있다. "원주민들은 인육을 먹으며 정의에 대한 관념이라고는 조금도 없다. 그들은 벌거벗고 돌아다니며, 거미와 곤충 따위의 모든 살아 있는 벌레를 먹고…… 그들은 수염이 없는데, 만약 그들 중에 누군가가 수염을 갖게 되면 그는 급히 수염을 한 오라기씩 잡아당겨 뽑아버리는 것이다"(1525년 인디언 평의회에서 오르티스의 증언).

같은 시기에 이웃 섬(오비에도의 증언으로는 푸에르토리코)에서는 원주민들이 수시로 백인들을 잡아들였고, 생포한 백인들을 물속에 던져 죽인다고 했다. 그러고 나서 죽은 시체가 부패하는지 않는지를 보기 위하여 익사체 주위에 몇 주일씩이나 지키고 앉아 있는다는 것이다. 우리는 이 두 가지 상이한 조사를 비교함으로써 두 가지 결론을 이끌어낼 수 있다. 즉 백인들은 사회과학에, 원주민들은 자연과학에 의지하고 있었다. 그리고 백인들은 원주민들이 동물이기를 바랐지만, 원주민들은 백인들이 신들은 아닐 거라고 의심하는 것으로 만족했다. 양편이 모두 마찬가지로 무지했으나, 그래도 원주민들 생각이 더 인간적인 가치를 지녔다.

이 같은 도덕적 혼란에 좀더 지적인 시련이 부가되었다. 이 시대의 항해자들에게는 모든 것이 신비스러웠다. 피에르 다이(Pierre d'Ailly, 1350~1420: 프랑스의 신학자─옮긴이)의 『세계상』(世界像, *Imago Mundi*)은 새로이 발견한 극도로 행복한 인간, 즉 '행복족'(gens beatissima)에 대해서 이야기하는데, 이들은 소인(小人)과 장수인(長壽人) 그리고 무두인(無頭人)으로 구성되었다. 피에트로 마르티레 (Pietro Martyre, 1437~1526: 이탈리아의 사학자─옮긴이)는 여러 종류의 괴물──예컨대 악어를 닮은 뱀, 코끼리의 코만큼이나 큰 코에다가 소 모양의 몸통을 가진 동물, 잔등은 거북 같은데 조개가 뒤덮였고 사지가 있는데다가 머리는 소처럼 생긴 동물, 사람을 잡아먹는 물고기인 티부론──에 대해서 기술했다. 이것들은 다름 아닌 왕뱀, 맥, 해우(海牛)나 하마, 그리고 상어(포르투갈말로는 투바랑)였다.

이와는 반대로 매우 불가사의한 사물들은 당연히 자연적인 것으로 간주되었다. 콜럼버스가 (브라질을 발견하지 못하게 된) 갑작스러운 항로 변경을 정당화하려고 했을 때, 그는 항상 다습한 이 지대에서 겪었던 체험들을 공식적으로 보고했는데, 그 보고에 따르면 태양 광선이 너무나도 강렬하게 비쳤기 때문에 선창을 걸어다닐 수 없었고, 포도주통·물통들이 파열되기도 했으며, 곡물들이 타버리기도 했고, 말린 고기들이 일주일 동안에 구워지기도 했다. 태양이 이처럼 작열했기 때문에 그의 승무원들은 살아 있는 채로 불에 태워지는 것이라고 생각했다. 모든 것이 가능했던 그 행복한 시대여!

콜럼버스가 세이렌(그리스 신화에 나오는 半人半鳥의 요정)을 목격한 곳이 바로 이곳, 아니면 이 부근이 아니었을까? 실제로 그는 첫 번째 항해의 마지막 무렵에 카리브해에서 인어를 보았으나, 그 인어들은 아마존 하구로부터 옮겨온 것은 아니었다. 콜럼버스는 "세 마리 인어가 대양의 수면 위로 그들의 몸을 드러내었다. 비록 화가들이 그린 것만큼 아름답지는 않았지만, 그들의 둥근 얼굴은 분명히 인간의 모습과 같은 것이었다"라고 말하고 있다. 해우(海牛)들도 둥근 머리에다 가슴에는 유방을 가지고 있었으며, 암놈들은 새끼를 가슴에 움켜잡고 젖을 먹이기 때문에──특히 사람들이 목화나무를 양(羊)을 낳는 '양의 나무'라고 표현했던 시대에 살았던 ─콜럼버스의 이와 같은 해석에 조금도 놀랄 필요가 없다.

라블레도 『팡타그뤼엘』 제4권에서, 아마도 서인도 제도에서 돌아온 항해자들의 보고를 근거로 한 것이겠지만, 오늘날 민족학자들이 친족체계라고 부르는 것에 대해 최초의 희화를 제공했다. 즉 노인이 어린 소녀를 '아버지'라고 부르는 차원에서는 친족체계란 거의 상상할 수도 없는 것이다. 어쨌든 16세기의 인간의식은 지식 이상의 어떤 본질적 요소, 즉 과학적인 고찰에 필요불가결한 자질을 결여하고 있었다. 그 당시의 사람들은 세계의 양식에 대해서─마치 오늘날 미술에서 이탈리아 회화나 흑인 조각의 몇몇 외면적 특징만을 이해하고 전체적 조화의 의미를 깨닫지 못한 시골뜨기가 보티첼리 (1445~1510: 이탈리아의 화가-옮긴이)의 진짜 작품과 모사품을 구별하지 못하거나, 파우앵족(Pahouin: 중부 아프리카 가봉에 사는 종족으로 팡족이라고도 한다. 그들의 彫像은 20세기 유럽 미술가들의 주목의 대상이었다-옮긴이)의 소상(小像)과 시장에서 파는 복제품을 구별할 수 없는 것처럼─민감하지 못했다. 인어나 양(羊) 나무는 대상을 인식하는 데서의 오류와는 다른 것이며, 그 이상의 것이다. 지적인 수준에서 그것들은 취미의 결여라고 간주되어야만 할 것으로, 당시 사람들은 다른 분야에서는 천재적 요소와 희귀한 세련성을 지녔음에도 관찰에 관한 한 모자라는 점이 많은 정신상의 결함을 나타냈다. 나는 이 같은 사실을 비난하려는 것이 아니다. 오히려 우리는 결점에도 불구하고 그들이 이룩한 성과에 존경의 감정을 지녀야만 할 것이다.

현대의 사람들 가운데서 아크로폴리스에서 기도하기를 원하는 사람은 아테네를 선택할 것이 아니라, 아메리카를 향해 항해 중인 증기선의 갑판을 선택하는 게 나을 것이다. 구시대의 빈혈증을 가진 여신이여, 유폐당한 문명의 스승이여, 우리들은 이제부터 그대를 거부하리라! 달여행을 기다리며 인류에게 제공된 유일한 전체적 모험을 감행하는, 신세계의 항해자·탐험가·정복자들과 같은 영웅들보다 더욱 가치 있는 사람들은, 문화를 개방한다는 영예를 위하여 그토록 잔혹한 대가를 지불한 후위부대의 생존자들이라고 생각한다. 다시 말해서 몽테뉴, 루소, 디드로, 볼테르에 의해서 우리들에게 알려져왔고, 내가 학교에서 배웠던 사실들을 더욱 풍요하게 만들어준 후론족·이로쿼이족·카리브족·투피족들이 바로 내가 경의를 표하고자 하는 사람들이다!

콜럼버스가 저녁에 수평선을 따라 반짝거리는 불빛들을 최초로 보았을 때, 그는 그곳이 아메리카의 해안이라고 생각했다. 그러나 그것은 일몰과 월출 사이에 산란에 전념하고 있던 야광충 무리에 불과했다. 나 자신도 신세계의 첫 풍경을 목격하기 위하여 갑판 위에서 밤을 새우는 동안에 이 같은 현상을 볼 수 있었다.

어제부터 신세계는 우리들 앞에 모습을 나타내기 시작했다. 그렇지만 눈으로는 볼 수가 없었다. 왜냐하면 항로가 변경되어 더욱더 남쪽으로 방향을 잡았지만 우리 배는 해안선을 따라서 상아고스티누곶으로부터 리우데자네이루를 향해 나아갔기 때문이다. 적어도 이틀 동안, 아마 사흘쯤 우리는 보이지 않는 아메리카와 함께 항해를 계속했다. 우리들 여행의 종말을 고하는 것은 커다란 해조들―도망가는 북양 가마우지(해조의 일종)를 습격하여 미끼를 토하게 하는 전제적인 바다제비―이 아니었다. 왜냐하면 콜럼버스가 뒤늦게야 깨달았듯이 이 새들은 육지로부터 멀리 떨어져 날아다니기 때문이다. 콜럼버스도 처음에는 아직 대서양을 반쯤 지날 무렵에 이 새들을 보고 육지가 가까이 있을 것이라고 즐거워했다. 마지막 며칠 동안에는 바다 위로 솟구치며 나는 물고기들도 잘 보이지 않았다. 신세계는 그 존재를 그것의 향기로써 항해자들에게 처음으로 가르쳐준다. 그리고 이 향기를 호흡해보지 못한 사람들에게는 이것이 어떤 것인지를 서술하기가 곤란하다.

처음에는 지난 몇 주 간의 바다 냄새가 이미 자유롭게 맴돌지 않는 것처럼 느껴졌다. 바다 냄새는 어딘가에서 보이지 않는 벽을 향해 올라갔으나, 더 이상 움직이지 못한 채 우리의 관심을 끌지 못했다. 그러나 우리의 관심은 전혀 다른 냄새—이제까지 우리의 경험으로는 그 성질을 규명할 수 없는 냄새—를 자유롭게 호흡하는 것이었다. 이 냄새는 마치 삼림(森林)의 미풍이 식물계의 제5원소(물·불·흙·공기 등 4원소 이외의 것으로 萬象의 실체를 이루는 것)나 온실의 냄새와 교호되는 것만 같았다. 만약 우리가 이 냄새만을 흡입하게 된다면 우리는 그 강렬한 청신함에 취하고 말 것이다. 그러나 그 냄새는 마치 (음악에서) 아르페지오의 순간처럼 분리와 융합을 계속하면서 처음의 강렬한 향기를 내뿜으며 확대되었다. 이 모든 것을 이해하기 위해서는 당신은 우선 신선한 채로 파열된 열대의 후추에 코를 깊숙이 파묻어야만 한다. 그리고 또 그 이전에 당신은 브라질 내륙지방의 술집에서, 발효된 담뱃잎으로 길이가 몇 미터나 되도록 돌돌 말아 꿀을 바른 검은 담배의 냄새를 맡아보아야만 한다. 이 두 가지 냄새의 결합 속에서 우리는 수천 년 동안이나 비밀을 보유해온 아메리카를 재발견할 수 있을 것이다.

다음 날 새벽 4시에 신세계의 모습이 처음으로 나타났을 때, 그것은 그 향기만큼의 가치를 지닌 듯했다. 이틀 낮과 밤 동안을 우리 배는 거대한 산맥을 따라 지나갔다. 이 산맥들은 높기 때문에 거대한 것이 아니라, 계속적으로 반복하여 그 모습을 나타내었고, 그 봉우리들이 무질서하게 연결되어 시작과 끝을 도저히 구별할 수 없었기 때문에 거대했다. 해발 수백 미터의 산봉우리는 번쩍이는 암석들로 이루어져 있었다. 이런 광경에는 파도가 몰려오면 씻겨버리는 모래섬을 우리가 볼 때 느끼는 것과 같은 어떤 야성적인 어리석음이 존재하는 것 같았다. 나는 우리 지구상의 어느 곳에도 이와 같은 커다란 규모로 이러한 형상이 존재할 것이라고 생각해본 적이 결코 없었다.

물론 이 거대함의 형상은 아메리카 특유의 것이다. 나는 이런 느낌을 뉴욕의 거리, 시카고와 리우데자네이루의 교외지역, 콜로라도의 로키산맥, 볼리비아의 안데스산맥, 그리고 브라질 중부의 고원지대에서 체험해보았다. 이런 풍경에서 우리가 처음 받게 되는 충격은 어떤 경우에서나 동일한 것이었다. 그러나 우리가 이와 같은 광경에서 느끼는 당혹감은 그 풍경이 자연에 대한 인간의 정상적인 적응을 불가능하게 만든다는 단순한 사실에 기인한다. 물론 시간이 지남에 따라 우리들이 아메리카의 이러한 풍경에 익숙해지게 되면, 사물 상호간의 정상적인 관계를 회복해주는 예(例)의 적응기능을 발휘하게 되는 법이다. 이 적응기능은 거의 느낄 수가 없는 희미한 것이어서, 사람은 비행기에서 내리는 순간에 생기는 지적 제동장치 속에서만 그것을 깨달을 수 있을 정도다. 그럼에도 이 두 세계에서 생겨나는 공통의 척도는 우리의 판단력 속에 침투해 들어와 그것을 변형시킨다.

예를 들어 뉴욕시가 추악하다고 생각하는 사람들은 환각에 희생되어서 필요한 등록대장의 변경을 단지 하지 못했을 뿐이다. 뉴욕은 분명히 객관적으로 볼 때 하나의 도시이고, 또 도시로 판단될 수 있다. 그러므로 뉴욕시가 유럽인의 감수성에 제공하는 풍경은 유럽의 풍경과는 다른 등급의 풍경이다. 아메리카의 풍경이 우리에게 제공하는 것은 사물의 좀더 기념비적 체계로서 유럽인들은 이에 대응될 만한 자연의 경관을 지니고 있지 않다. 따라서 뉴욕의 미란 도시의 미로서 새로운 종류의 도시를 창조한 가운데서 발생한 것이며, 도시미의 원리들이 통용되지 않는 인공적 풍경의 차원에서 유래하는 미라 할 것이다. 우리의 시각도 그것을 억제하지만 않는다면, 즉각 이 새로운 풍경의 가치에 적응되어 부드러운 조명의 감촉, 원경(遠景)의 섬세함, 고층 빌딩 아래의 장대한 깊이와 그 계곡 속에서 여러 가지 빛깔의 자동차들이 꽃과 같이 장식되어 있는 모습을 감지할 수 있다.

　그러나 이와 같은 사실에도 불구하고 리우데자네이루만(灣)의 새로운 미에 나 자신이 전혀 적응되지 못하고 있음을 말해야만 한다는 사실은, 정말 내게는 곤혹스러운 일이 아닐 수 없었다. 어떻게 내가 리우데자네이루의 미를 표현해야만 할지? 리우데자네이루의 경관은 그 자체의 균형이라는 척도에 따라서 설립된 것은 아니다. 사탕 덩어리 산, 코르코바두(리우데자네이루 입구에 있는 바위산 ─ 옮긴이) 및 그 밖의 너무나도 유명한 아름다운 장소들이 바다에서 상륙하려는 여행자인 내 눈에는 마치 이가 다 빠진 입의 네 모퉁이에 아무렇게나 남아 있는 치근처럼 보였다. 열대의 갈색 안개 속에서 오랫동안 망각되어온 지리적 우연의 산물은 광대한 지평선을 적절히 장식하기에는 너무나 미흡하다. 만일에 이 경치를 모두 시야 속에 들어오게 하려면, 만의 반대쪽에서, 다시 말해서 높은 곳에서 만을 내려다볼 수 있도록 해야 한다. 바다 쪽을 향해서 본다면 여기서는 뉴욕의 경우와 정반대 착각이 일어난다. 조선(造船) 작업장 같은 경치를 덮어씌우고 있는 것은 이곳에서는 바로 자연이다.

　이 만의 다양한 표지(標識)는 그것의 조화에 대한 진정한 인상을 느끼게 하지는 않는다. 그러나 배가 항구로 들어오면서 섬을 피하기 위하여 이리저리 항로를 바꿈에 따라 숲으로 꽉 찬 언덕으로부터 시원한 미풍이 우리에게 쏟아져 들고, 우리는 전 대륙의 용자를 예감할 수 있는 꽃과 바위를 처음으로 면접하게 된다. 다시 한번 콜럼버스의 이야기가 머리에 떠오른다.

수목은 너무나 높이 치솟아 마치 하늘과 맞닿아 있는 것 같았고, 만약 내 생각이 정확하다면 사시사철 나뭇잎이 떨어지는 경우가 없었다. 왜냐하면 그 수목들은 마치 우리 고장에서의 5월처럼 11월에도 싱싱하고 푸른 나뭇잎을 가지고 있었기 때문이다. 어떤 나무에도 꽃이 피었고 또 다른 나무에는 열매가 달려 있었다…… 그리고 어디에 가든지 나이팅게일(밤꾀꼬리)이 여러 종류의 수많은 새와 함께 지저귀고 있었다.

아메리카 대륙이 눈앞에 있다. 대륙은 그 엄연한 모습을 즉각적으로 느끼게 한다. 대륙은 저녁 무렵에 그 만의 안개가 자욱한 수평선에 생기를 부여하는 모든 종류의 존재로 이루어져 있다. 그러나 이곳에 처음 오는 나에게는 그 같은 형상, 그 같은 움직임, 그 같은 광채가 곧 이곳의 시골이나 마을이나 도시의 성격을 말해주는 것은 아니다. 그것은 또 이 대륙의 숲이나 초원이나 계곡을 상징하는 것도 아니다. 나는 이 같은 풍경이 자신의 가족과 직업이라는 좁은 세계에 갇혀서 이웃끼리도 서로 모른 채 살아가는 인간들의 개인적 특성을 나타내는 것이라고도 보지 않는다. 내게는 그저 단 하나의 총괄적 생활로밖에는 비치지 않는다. 나를 사방에서 온통 둘러싸고 압도하는 것은 인간과 사물의 무궁무진한 다양성이 아니라 하나의 단일하고도 무서운 실체, 바로 신세계이다.

9 구아나바라

리우데자네이루는 그 심장부까지 후미져 굽어 있다. 그래서 배에서 내리면 그곳이 바로 도시의 중심부인지라 마치 도시의 나머지 반이 이스(Ys: 바다 밑으로 가라앉아버렸다는 프랑스 브르타뉴 지방의 전설의 도시-옮긴이)처럼 바닷물 밑에 가라앉아버린 것 같은 느낌을 갖게 된다. 사실 어떤 의미에서 리우데자네이루시는 침몰되어왔다. 왜냐하면 리우데자네이루시의 첫 번째 지역은 하나의 단순한 성채로서 바위투성이의 작은 섬에 위치하여, 우리들의 배가 가까스로 착륙할 수 있는 곳이었기 때문이다. 리우데자네이루는 아직도 그 시의 창설자인 빌게뇽(Villegaignon, 1510?~71: 프랑스의 항해자로 1555년에 구아나바라에 도착하여 성채를 쌓았다-옮긴이)이라는 이름을 간직하고 있다. 해변에 내려서 나는 한때 투피남바 촌락이 있었던 리우브랑쿠가를 천천히 거닐었다. 내 호주머니에는 인류학자였던 장 드 레리의 『성무일과서』(聖務日課書)가 있었다.

그는 지금부터 꼭 378년 전에 리우데자네이루에 도착했다. 그는 칼뱅(프랑스의 종교개혁자-옮긴이)이 파견한 다른 제네바인 프로테스탄트 교도 10명과 함께 그의 학창 시절 친구인 빌게뇽을 찾으러 여기에 왔다. 그런데 빌게뇽은 구아나바라만에 정착한 후, 겨우 1년이 지나자 막 개종을 하고 난 참이었다. 그는 이상한 사람으로서 여러 가지 일에 손을 대었으며 모든 분쟁에 끼어들었다. 예컨대 그는 터키인, 아랍인, 이탈리아인, 스코틀랜드인(그는 스코틀랜드 여왕인 매리 스튜어트와 프랑스 국왕인 프랑수아 2세의 결혼을 성사시키기 위하여 여왕을 납치하기도 했다), 그리고 영국인과 싸웠다. 그는 몰타섬과 알제에 모습을 나타내었는가 하면 체레솔레(Ceresole Alba: 이탈리아의 지명-옮긴이)의 전투에도 나타났다. 그는 자신의 모험적인 경력의 마지막 무렵, 군대의 건축기사로서 정착하는 듯이 보인 바로 그 순간에, 자신의 직업에 대한 실망으로 번민하면서 불안정하고 야심적인 기질에 따라 브라질로 떠날 것을 결심했다.

그는 단순한 식민지 이상의 식민지인, 실제로 하나의 제국을 그곳에 설립하고자 했다. 그래서 그의 당면한 목표는 유럽에서 박해를 받던 프로테스탄트를 위한 피난처를 제공하는 것이었다. 그 자신은 가톨릭교도였고 또 자유사상가였다. 그는 로렌 추기경과 콜리니(Coligny, 1519~72: 프랑스의 군인이자 신교도의 지도자-옮긴이)의 후원을 얻었다. 방탕한 사람들이나 도망친 노예들 가운데서 신념과 억제력을 지닌 사람들을 모집하기 위한 활발한 캠페인을 벌인 뒤, 그는 1555년 7월 12일에 사회의 각계각층으로부터 모집된 개척자 600명 — 이 중에는 죄수들도 섞여 있었다 — 을 배 두 척에 태우고 브라질로 떠났다. 그가 준비하기를 잊어버린 물건이라고는 여자와 식량이었다.

출발할 때부터 문제가 생겼다. 배가 두 번씩이나 디에프(프랑스 노르망디 지방의 항만도시-옮긴이)로 되돌아가야 했고, 8월 14일 마지막으로 출발했을 때도 다시 문제가 발생했다. 배가 카나리아군도에 도착하자 싸움이 일어났고, 배의 식수가 변질되었으며, 괴혈병이 발생했다. 그러나 11월 10일 마침내 빌게뇽은 구아나바라만에 도착했다. 그곳에서는 몇 년 전부터 프랑스인들과 포르투갈인들이 원주민들의 인기를 끌기 위해 서로 다투고 있었다.

브라질 해안에서 프랑스의 특권적 위치는 적어도 16세기가 되면서 시작되었다. 우리는 그 당시 브라질에 갔던 많은 프랑스 여행객을 알고 있는데, 특히 곤느빌(Gonneville)은 1503년에 브라질에서 원주민 사위를 데리고 프랑스로 돌아왔다. 이것은 1500년에 카브랄이 산타크루스를 발견한 것과 거의 같은 시기의 일이었다. 장 쿠쟁(Jean Cousin)이 콜럼버스의 첫 항해보다 4년 전에 브라질을 발견했다는 사실은 브라질과, 그때까지 디에프에 나타나던 프랑스인의 전통을 설명할 수 있을 것 같기도 하다.

결국 프랑스인들은 즉시 이 새로운 나라를 브레질(Brésil)이라고 불렀는데, 브레질이란 명칭은 적어도 12세기부터 이 신비의 대륙에 은밀하게 주어져왔다. 그리고 프랑스어도 원주민들의 용어로부터 많은 낱말을 그 자체 내에 포함시켰다. 예를 들면 아나나(ananas: 파인애플)·마니오크(Manioc)·타망뒤아(Tamandua: 개미핥기)·타피르(Tapir: 맥)·자귀아르(Jaguar: 표범)·사구앵(Sagouin: 긴꼬리원숭이)·아구티(Agouti: 설치류의 일종)·아라(Ara: 앵무새)·카이망(Caïman: 악어)·투캉(Toucan: 거취조)·코아티(Coati: 곰의 일종)·아카주(Acajou: 마호가니) 등이다.

쿠쟁의 승무원 가운데 팽종(Pinzon)이란 사람이 있었는데, 콜럼버스가 팔로스에서 되돌아가려고 했을 때 용기를 불어넣어준 사람이 바로 팽종이었다. 그뿐만 아니라 콜럼버스의 첫 항해(1492~93)에서 핀타호(제1차 항해 시 배 2척 중에서 콜럼버스가 타지 않은 배 - 옮긴이)를 지휘한 것도 팽종으로서 콜럼버스는 항로를 변경할 때마다 그와 상의했다. 마지막으로 만약 콜럼버스가 1년 뒤의 항해에서 다시 팽종 일파의 권고로 말미암아 예정되었던 진로를 바꾸지만 않았다면, 그는 멀리 상아고스티누(São Agostino)곶에 도착할 수 있었을 것이고, 브라질을 공식적으로 처음 발견했다는 영예도 그가 차지했을 것이다.

앞으로 어떤 기적이 일어나지 않는 한 상세한 내용은 영영 밝혀지지 않을 것이다. 왜냐하면 쿠쟁의 이야기도 보관되어 있던 디에프의 기록보관소가 17세기 때 영국인의 포격으로 인한 화재로 소실되어 버렸기 때문이다. 그러나 내가 브라질 땅에 처음 발을 디뎠을 때, 나는 4세기 전에 프랑스인과 원주민의 친밀했던 관계를 나타내는 약간 슬프고도 진귀한 사건을 기억할 수 있었을 뿐이다. 원주민과 같은 생활을 하던 노르망디 출신의 통역자는 원주민 여인과 결혼했고 식인(食人)풍습에 빠져 있었다. 그리고 불행한 한스 슈타덴(16세기 독일의 탐험여행가-옮긴이)은 몇 년 동안이나 잡아먹힐지도 모른다는 불안 속에서 매일매일 요행스럽게도 목숨을 부지하고 있었다. 그는 전혀 이베리아 사람의 것으로 생각되지 않는 붉은 수염을 기르면서 프랑스인으로 행세하려고 노력했으나 쿠오니암 베베 왕은 다음과 같이 말했다. "나는 이미 포르투갈인을 다섯 사람이나 사로잡아 먹어치웠다. 그들은 모두 프랑스 사람인 체했지. 거짓말쟁이들!" 그렇다면 1531년에 군함 라펠르린이 표범가죽 3천 장, 원숭이 300마리, 그리고 이미 프랑스말을 몇 마디 알고 있던 앵무새 600마리를 싣고 왔었다는 사실에서, 도대체 우리는 어떤 친밀성을 발견할 수 있단 말인가!

빌게뇽은 만의 중앙에 있는 섬에 콜리니성을 세웠다. 원주민들이 그 성을 지었으며, 이 작은 식민지에 식량을 공급했다. 그러나 얼마 되지 않아서 항상 주기만 하고 되돌려받는 것이 아무것도 없는 데 싫증을 느낀 원주민들은 도망을 갔고, 그들의 촌락은 황폐해졌다. 기아와 질병이 그 성에서 발생했고, 빌게뇽의 독재적인 면모가 곧장 드러났다. 죄수들이 그에게 반란을 일으켰을 때, 그는 그들을 모두 학살해버렸다. 질병이 순식간에 전 지역으로 확대되어 임무에 충실하던 몇몇 원주민도 전염이 되었으며, 800명이 이 질병으로 사망했다.

빌게뇽은 이 세계의 위기를 멸시하기 시작했다. 사실 그는 그의 전 생애를 통하여 정신적 위기를 느끼고 있었다. 프로테스탄트들과의 접촉은 그로 하여금 이들의 종교적 신념에 몰두하게 했고, 또 그는 그에게 많은 가르침을 주었던 선교사들을 보내줄 것을 칼뱅에게 청원했다. 그래서 1556년에 레리가 리우데자네이루에 도착하게 되었다.

이때부터 이야기는 매우 이상하게 바뀌기 때문에, 나는 어떤 소설가나 시나리오 작가라도 이 이야기의 내용을 정확히 이해할 수 있을 것이라고는 생각지 않는다. 참으로 놀라운 이야기가 전개된 것이다. 얼마 안 되는 프랑스인들은 자연과 인간이 모두 생소한 미지의 대륙에 고립되어서 식량이 될 만한 것을 재배할 수도 없고, 질병에 시달리면서 그들이 필요로 하는 모든 것을 그들을 몹시 싫어하는 사람들에게 의존하여 얻고, 더욱이 그들 스스로의 술책에 빠지기도 했던 것이다. 왜냐하면 그들은 가톨릭과 프로테스탄트가 우애롭게 공존할 수 있는 하나의 공동체를 설립하기 위하여 유럽을 떠난 것이지만, 벌써 서로서로 개종하기 시작했기 때문이다. 그들은 마땅히 자신들의 생계를 위하여 일을 해야만 하는 순간에도 몇 주일씩이고 이상한 토론에 열중했다. 예컨대 사람들은 최후의 만찬을 어떻게 해석해야만 할 것인가? 성별식(聖別式)에서 물을 포도주와 섞어야만 하는가? 성찬(聖餐)과 성세수(聖洗手)의 문제가 진실한 신학적 승부의 주체가 되었으며, 빌게뇽은 이 토론의 결과에 따라 그때그때 자신의 입장(종교적)을 바꾸었다.

그들은 심지어 특사를 유럽에 보내어 어떤 논쟁점에 대하여 칼뱅이 결정을 내려주도록 요청하기까지 했다. 하지만 그들의 분쟁은 계속 악화되었으며, 빌게뇽의 능력도 변모해버렸다. 레리가 전하는 바에 따르면, 사람들은 빌게뇽의 기분과 가혹한 행위를 그가 입은 옷의 빛깔로써 예측했다고 한다. 마침내 그는 프로테스탄트에 반대하여 그들을 굶겨 죽이려 했다. 그래서 그들은 그 공동체를 떠나 내륙에 들어가서 원주민들과 함께 살게 되었다. 이 같은 목가적 이야기는 민족학의 걸작이라 할 장 드 레리의 『브라질 대륙 기행』에 기술되어 있으며, 그 모험은 비극적으로 끝났다.

제네바인들은 천신만고 끝에 프랑스의 배를 타고 돌아오게 되었다. 유럽을 떠나는 항해에서 그들은 지나가는 모든 배를 약탈하기도 할 만큼 기세가 등등했지만 이제는 사정이 전혀 달랐다. 식량이 없어 그들은 원숭이와 앵무새를 잡아먹었다. 그런데 앵무새는 매우 귀중한 것이었으므로 레리의 친구인 한 원주민 여자는 그녀의 앵무새를 내놓으려 하지 않았다. 그래서 할 수 없이 앵무새에 대한 대가로 대포를 그녀에게 주었다. 그다음에는 선창 밑에 있는 쥐를 잡아먹었으며, 쥐 한 마리가 4에퀴로 거래되기까지 했다. 식수도 고갈되어버렸다. 1558년에 그 배가 브르타뉴에 도착했을 때는 탑승객의 절반이 굶어 죽은 상태였다.

한편 섬에서는 폭력이 난무하고 처형이 빈번하게 거행되는 가운데 식민지가 해체되고 있었다. 이제 빌게뇽은 모든 사람의 증오의 대상이 되었으며, 어떤 사람들에게는 반역자로, 또 다른 사람들에게는 배교자로 취급받았다. 인디언들에게는 공포의 존재였지만, 포르투갈인들로부터는 위협을 받는 가운데 그의 꿈을 단념하고야 말았다. 마침내 1560년에 그의 조카 부아 르 콩트가 통치하던 콜리니성은 포르투갈에 점령되어버렸다.

이제 나는 자유로이 걸어다니면서 리우데자네이루를 여행하게 되었으므로 우선 그 모험의 흔적을 식별해내고자 했다. 마침내 나는 한 일본인 학자를 기념하여 국립박물관이 주최했던 만(灣)의 한 귀퉁이에 대한 고고학적 답사 과정에서 하나의 흔적을 발견하게 되었다. 모터보트가 우리 일행을 질척질척한 해변에 내려놓았을 때, 나는 낡고 녹슨 폐선을 한 척 발견했다. 물론 그 배는 16세기의 것은 아니었다. 그렇지만 그것은 시간의 경과를 보여주는 아무런 표지도 없는 이 지역에 역사적 차원의 요소를 부여해주었다.

낮게 떠 있는 구름과 새벽부터 뿌리는 가랑비 사이로 도시는 멀리 사라지고 있는 것 같았다. 검은 진흙에는 게들이 움직이고 있었으며, 홍수(紅樹: 열대의 강이나 바닷가에서 자라는 교목 — 옮긴이)가 있었다. 이 나무들이 이처럼 크게 자라난 것은 성장 또는 퇴락의 징표인가? 그리고 숲 반대편에 있는 오두막 몇 채 위로 산의 낮은 경사지가 희미한 안개에 휩싸여 있었다. 나무들이 있는 지역의 위가 우리들이 답사할 대상지로, 그곳에 있는 모래 구덩이에서 최근에 농부들이 도자기 몇 점을 발견했다. 나는 두꺼운 도자기 한 점을 집어들고 만져보았다. 그것은 하얀 잿물을 입혀 만든 것으로 가장자리에 붉은 장식이 들어 있었고, 전해 들은 바로는 속에 넣어서 보관하는 사람의 뼈를 마귀가 찾아내지 못하게 하기 위해서 그려넣는다는 검고 섬세한 선으로 이루어진 미궁을 상징하는 무늬가 있는 점으로 보아 틀림없이 투피족의 제품이었다.

사람들이 설명해주는 바에 따르면, 시내에서 50킬로도 채 떨어지지 않은 곳에 있는 요지(要地)까지는 자동차로 가볼 수는 있겠으나 비가 오면 길이 끊겨 일주일 간이나 그곳에 갇혀 꼼짝 못하게 될 우려가 있다는 것이었다. 그 요지를 방문할 수만 있었다면, 그 침울한 곳을 변모시켜주지 못한 과거를 조금은 더 이해할 수가 있었으리라.

레리도 그곳에 갇혀서 꼼짝을 못하는 동안 아마도 그 지루한 시간을 보내느라 원주민의 거무스름한 손이 민첩한 동작으로 얇고 갸름한 주걱에 니스를 묻혀서 '바둑판 무늬며 8자 모양의 무늬며 그 밖의 갖가지 재미있는 장식 무늬 등 수많은 아름다운 형태'를 만드는 모습을 구경했을 것이다. 오늘날까지 나는 그런 항아리의 파편을 들여다볼 때마다 원주민의 수수께끼 같은 신비로운 기교에 고개를 갸우뚱하곤 한다.

리우데자네이루와 나의 첫 대면은 매우 이상한 것이었다. 나는 난생처음으로 적도의 반대쪽이요, 열대요, 또 신세계에 발을 들여놓았다. 나는 무엇을 보고 이 삼중(三重)의 변화를 처음으로 느끼게 될까? 이때까지 들어본 적이 없는 어떤 목소리가 나에게 이 사실을 확신시켜줄 것인가? 나의 첫 번째 언급은 쓸데없는 것이었다. 리우데자네이루는 마치 하나의 큰 응접실처럼 느껴졌다.

좁고 꼬불꼬불하며, 희고 검은 모자이크가 발견되는 몇몇 골목길이 중심가와 연결되어 있었다. 나는 그러한 골목길들을 조사하면서 그곳에는 독특한 분위기가 있음을 알 수 있었다. 주거지역과 거리의 차로(車路)의 구분은 유럽에서와 같이 명확하지는 않았다. 도로변의 상점들이 아무리 아담한 것이라 해도 상품들이 길거리까지 쏟아져 나와 있기 때문에, 우리가 상점 안에 있는 것인지 아니면 길거리에 있는 것인지 도대체 분간할 수가 없었다. 거리는 통행을 하는 장소라기보다는 생활하는 장소였다. 이곳은 유럽의 거리보다 조용하고 생기가 있었으며, 더 보호를 받고 있었다. 아니, 더 정확히 말한다면 대륙·기후·반구(半球)의 변화는, 유럽에서는 이곳과 같은 효과를 나타내기 위해서 인공적으로 만들어 붙여야 하는 얇은 유리 지붕이 이곳에서는 불필요하다는 변화를 갖고 왔을 뿐이라는 것이다. 리우데자네이루는 마치 지붕 없이 야외에 세워진 밀라노의 갈레리아스, 암스테르담의 갈레리유, 또는 파리에 있는 파사주 데 파노라마나 생 라자르역의 홀과 같은 인상을 주는 것이다.

사람들은 보통 여행을 공간의 이동이라는 면에서 생각한다. 그러나 장기간의 여행은 공간뿐만 아니라 시간, 사회적 서열에서의 변화도 수반한다. 우리가 받은 인상들을 적절히 정의하기 위해서는 먼저 이 각각의 세 가지 요소를 서로 관련시켜야만 한다. 공간 하나만 하더라도 세 국면을 지니고 있으므로, 여행에 대한 적절한 개념을 수립하기 위해서는 적어도 다섯 가지 요소를 고려해야 한다. 나는 브라질의 해변을 거닐자마자 이 같은 사실을 깨달았다. 내가 대서양과 적도를 건너서 열대 부근에 왔다는 사실을 이 몇몇 확실한 징표로써 알 수 있었다. 이 징표 가운데서 후텁지근한 열기는 내가 보통 때 입고 있던 모직물의 옷을 벗게 했고, '집 안'과 '집 바깥'이라는 구별(우리들 문명의 징표 가운데 하나라고 인식할 수 있다)을 없애버렸다. 반면에 완전히 인간화해버린 우리네 풍경에서는 찾아볼 수 없는, 인간과 미개척 자연과의 대립이 이곳에는 있음을 나는 곧 알 수 있었다. 이곳에는 도처에 종려나무나 낯선 꽃들이 있으며, 또한 꼭지를 떼어내면 술 냄새가 물씬 나는 달콤하고 시원한 즙을 마실 수 있는 푸른 야자나무 열매가 살롱 앞마다 수북이 쌓여 있다.

하지만 나는 다른 변화도 느꼈다. 지금까지는 가난했던 내가 이곳에서는 부자가 되었다. 그 이유는 무엇보다도 나의 물질적 조건이 바뀌었다는 것과 이 지역의 물건들이 믿을 수 없을 만큼 값이 싸다는 것이었다. 예컨대 파인애플 한 개에 1프랑, 커다란 바나나 한 꾸러미가 2프랑, 이탈리아인 상점주인이 꼬챙이에 꿰어 구워준 병아리가 4프랑밖에 하지 않았다. 마치 (프랑스의 동요에 나오는) 버터 빵 궁전에 온 기분이었다. 게다가 배의 기항(寄港)이라는 것이 으레 일으키게 마련인 안일한 심리상태 때문이기도 했을 것이다. 이것은 어차

피 모든 선객에게 주어지는 기회인데도 그것을 이용하지 않으면 손해라는 생각도 들고 해서, 의당 가져야 할 자제심도 마비돼버려 낭비도 의례적으로 필요할 때도 있다는 이상한 심리상태가 되어 자신을 완전히 해방감에 빠지게 만드는 이상야릇한 심정이 되어버리는 것이다.

물론 여행이라는 것을 이와는 정반대 방식으로도 할 수는 있을 것이다―이런 경험을 나는 휴전 뒤에 호주머니에 단돈 한푼도 없이 뉴욕에 도착했을 때 체험하게 되었다. 그러나 일반적으로 말해서 여행이란 많거나 적거나, 더 좋든지 아니면 더 나쁘든지 간에 어떤 종류의 변화를 여행자의 상황에 반드시 나타나게 하는 법이다. 여행자는 이 세계에서 기어오를 수도 있고 내려갈 수도 있다. 그가 방문하는 지역의 향기와 느낌은 그가 그곳에서 차지하게 될 사회적 척도상의 정확한 위치와 함께 그의 마음속에서 분리될 수 없는 것이다.

여행자는 전혀 다른 문명과 직면하게 될 순간도 있다. 여행자를 사로잡는 것은 무엇보다도 이 문명의 생소함이다. 그러나 이와 같은 기회를 얻는 것도 오래전부터 점차 드물어지고 있다. 오늘날의 여행자들은 인도에 가든 아메리카에 가든 그가 생각하는 것보다는 훨씬 익숙한 사물들을 발견하게 될 뿐이다. 무엇보다도 우리들이 개척하는 목적과 일정이라는 것은, 어느 날짜에 계획했던 사회에 들어가게 될지를 자유롭게 선택하는 방법일 것이다. 우리의 기계문명은 다른 모든 문명을 압도하나 적어도 우리는 기계문명의 정복의 속도를 선택할 수는 있다. 다른 나라를 탐사한다는 것은 언제나 우리들로 하여금 똑같은 결론을 갖게 할 것이지만, 우리는 그 사회의 발달에서 초기나 혹은 최근의 단계를 선택할 수가 있다. 따라서 여행자는 물건이 없기 때문에 자신의 원시예술품 화랑을 그만두고 고물시장에서 진부한 기념품 따위를 구해서 파는 것으로 만족하는 골동품 상인이 되어버린다.

이와 같은 차이점을 우리는 어떤 거대한 도시에서라도 찾아낼 수 있다. 마치 식물이 일정한 계절이 되면 꽃을 피우듯이 대도시도 구역마다 그 도시의 성장·번성·몰락, 또는 시대의 징표들을 지니고 있다. 파리의 마레(Marais)는 17세기에는 최고의 번영을 누렸지만 이제는 아주 퇴락해버리고 말았다. 제9구(區)는 제2제정기에는 번화한 지역이었으나 이제는 상당히 쇠퇴하여, 낡은 저택들에 소시민들이 몰려 살고 있다. 제17구도 마치 시들어버린 꽃송이를 여전히 자랑스럽게 치켜들고 있는 커다란 국화처럼, 오늘날에는 지나간 영화의 기억만을 지닌 채 잔존한다. 얼마 전까지만 해도 번화했던 제16구도 이제는 아파트가 들어서기 시작하여 점차로 교외화되어가고 있다.

역사적으로 그리고 지리학적으로 전혀 다른 도시들을 비교해보면 그 발달 성쇠의 주기상 차이와 템포 차이가 더욱 복잡함을 알 수 있다. 리우데자네이루의 중심가는 성격상 바로 1900년부터 1910년대의 특징을 지녔다. 그러나 다른 곳에 가보면, 야자나무·망고나무·브라질산 자단나무가 늘어선 기다란 가로와 조용한 거리들에는 구식의 가옥들이 정원 한가운데에 있다. 나는 (후일 캘커타(콜카타)의 주택지대에서) 나폴레옹 3세 시대의 니스나 비아리츠를 회상하게 되었다. 열대는 이국적이라기보다는 시대에 뒤떨어져 있다. 우리가 진실로 이곳에 있다는 확신을 주는 것은 열대의 식물이 아니라 어떤 사소한 건축학적 세부사항과 생활방식에 대한 느낌으로, 우리는 이것들을 통해서 우리가 지구 표면의 많은 부분을 지나 전진해온 것이라기보다는 시간상으로 후퇴했다는 점을 느낄 수 있다.

리우데자네이루는 보통의 도시처럼 세워진 것은 아니다. 원래는 만(灣)을 막아주는 편편한 습지에 세워졌으나, 후일 모든 지역이 우리를 기분 나쁘게 노려보는 것 같은 비탈지대로까지 확장되었다. 너무 작은 장갑에 끼어진 손가락처럼 리우데자네이루시는——어떤 곳은 20킬로미터 혹은 30킬로미터 뻗어나가 있다——도대체 아무것도 뿌리박을 수 없을 만큼 가파른 화강석 지대의 기슭에까지 자리 잡고 있다. 단지 몇몇 수풀이 고립되어 아무것도 없는 대지나 바위틈에서 자라고 있었다. 우리들이 바위 사이의 시원한 길을 따라서 걸어갈 때 가끔 비행기들이 나뭇가지를 스칠 듯이 지나가기도 했지만, 리우데자네이루는 아직도 처녀지 상태로 있는 것 같았다. 리우데자네이루에는 구릉이 매우 많았는데, 이 지역적 조건이 고지대의 식수 부족을 너무나도 잘 설명하고 있었다.

이 같은 면은 벵골만의 숲지대에 있는 치타공과는 정반대 현상이다. 왜냐하면 치타공에서는 부자들이 오렌지 빛깔의 진흙으로 된, 초목이 많은 작은 언덕 위에 높이 세워진 한적한 방갈로에서 거주하므로 지독한 열기와 하층계급들의 비참한 생활로부터 떨어져 살기 때문이다. 반면에 리우데자네이루에서는 이 이상한 모습의 화강석 두건 위에 반사열이 있기 때문에 시원한 미풍이 아래로 불어 내릴 기회란 없다. 오늘날에는 도시계획가들이 문제를 해결했지만, 1935년에는 고도계가 사회적 위치의 빼놓을 수 없는 척도였다. 높은 지대에 사는 사람일수록 사회적 위치가 낮았다. 어떤 꼭대기에는 흑인들이 오두막에서 가난하게 살고 있었다. 오직 축제날이 되면, 그들은 떼를 지어 시내로 몰려와 기타 소리를 높이며 그들 앞에 있는 모든 것을 휩쓸고 지나갔다.

도심지에서 구릉지대까지 이어진 꾸불꾸불한 길을 따라가보면 곧 교외풍경이 전개된다. 리우브랑쿠가 맨 끝에 있는 보타포구(Botafogo)까지만 해도 호화로운 도시풍경이지만, 플라멩구(Flamengo)를 지나면 파리의 뇌이이(Neuilly: 파리의 서쪽 교외)에 온 기분이다. 코파카바나의 터널 부근은 20년 전의 생드니나 르 부르제

(파리의 북쪽 교외) 같은 느낌에다가, 1914년 전쟁 이전의 파리 교외 지역에서 느낄 수 있었던 시골 냄새를 느낄 수가 있었다. 오늘날에는 마천루가 즐비한 코파카바나도 그 당시에는 단지 조그마한 시골도시에 불과했다.

리우데자네이루를 떠나게 되었을 때, 나의 마지막 기억은 다음과 같다. 나는 미국인 동료들을 만나기 위하여 코르코바두의 산 중턱에 있는 호텔에 갔다. 그곳에 가면 무너진 바위더미 가운데에 급조(急造)된 케이블 철도를 볼 수 있는데, 그것은 반은 차고 같고 반은 등산객 대피소 같은 모양을 하고 있었으며, 지휘소는 세심한 안내인이 지키고 있는 일종의 루너파크 같은 것이었다. 이 모든 것이 꼭대기에 올라가기 위한 것으로, 자동차는 무질서한 산등성이 길을 따라 (종종 깎아지른 듯한 절벽을 통과하기도 하면서) 끌어당겨졌다. 마침내 우리는 제국 시대의 작은 가옥에 도착할 수 있었는데, 단층으로 된 이 집은 붉은색으로 벽토가 칠해져 있었다. 우리는 테라스로 바뀌어버린 정거장에서 식사를 하면서 콘크리트 가옥, 판잣집 및 여러 종류의 거주지역들을 관망할 수 있었다. 공장의 굴뚝들이 잡다한 풍경을 이루고 있을 것이라고 우리가 기대할지도 모르는 저쪽에는, 비단결처럼 빛나는 열대의 바다와 그 위로 터질 듯한 둥근 달이 떠올라 있었다.

나는 배로 되돌아왔다. 배는 다시 이글거리는 햇빛을 받으며 출발했다. 배가 덜덜거리며 바다 위로 지나감에 따라, 반사된 광선이 마치 움직이고 있는 악명(惡名)의 거리처럼 보였다. 이것이 나중에는 폭풍을 불러일으키게 되고, 대양(大洋)은 어떤 거대한 짐승의 배처럼 희미하게 빛나는 것이다. 한편 달은 바람이 부는 데 따라서 지그재그, 삼각형, 또는 십자 모양을 이루며 빠른 속도로 움직이는 구름들로 덮여 있었다. 이 이상한 모습들은 마치 북극광(北極光)이 열대에 익숙해져서, 하늘의 검은 배경에 투사되는 것처럼 내부로부터 밝혀지고 있었다. 때때로 이처럼 흐릿하게 나타나는 빛 너머로 불안하게 방황하는 등불처럼 지나쳤다가, 되돌아가다가 다시 사라지는 불그스름한 달조각이 보이곤 했다.

10 남회귀선 여행

리우데자네이루에서 산투스까지의 해안은 여전히 우리들에게 우리가 꿈꾸어온 열대의 풍경을 보여주었다. 2천 미터가 넘는 해안의 산맥들이 바다를 향해 깎아지른 듯이 높이 솟아 있었고, 바다에는 작은 섬과 암초가 무수했다. 난초가 무성하게 덮인 습윤한 삼림과 야자나무가 많은 섬세한 모래해변이 잇달아 펼쳐졌지만, 이 해변은 그 뒤에 있는 사암이나 현무암의 암벽이 갑작스레 무너지고는 하기 때문에 오직 바다 쪽으로만 접근이 가능했다. 100킬로미터쯤마다 작은 항구가 있었는데, 그곳에는 지금 폐허는 되었지만 어부들이 살고 있는, 지난 시대의 선주나 선장, 혹은 식민지의 행정관들이 건조한 18세기의 집들이 있었다.

안그라두스라이스(Angra dos Reis)·우바투바(Ubatuba)·파라티(Parati)·상세바스티앙(São Sebastião)·빌라벨라(Villa Bella) 등은 모두가 지난 시절 왕국의 광산촌에서 채취한 금·금강석·황옥(黃玉)·감람석을 운반하기 위한 지점으로 사용되었다. 당시에는 이것들을 노새의 등에 싣고 산을 넘어 운반하는 데 몇 주씩이나 걸렸다. 그러나 오늘날 만약 우리가 이 산꼭대기들을 따라서 노새의 운반로를 조사해본다 해도, 그 당시에 이 운반로가 얼마나 번성했기에 어떤 사람들은 노새가 운반 중에 떨어뜨린 편자를 수집하는 것으로 생계를 꾸려 나가는 직업을 삼았는지 도무지 상상할 수도 없을 것이다.

부갱빌은 귀금속의 채취와 운송에 사람들이 얼마만큼이나 주의를 기울였던가를 이야기해주고 있다. 금은 채취되자마자 리우다스모르테스, 사바라, 세루프리우와 같은 각 지방에 배치되어 있는 광산회사의 출장소에 넘겨졌다. 그곳에서 왕실의 몫이 징수되었고, 채취자의 몫은 중량(重量)·명의(名義)·번호 그리고 왕실의 문장이 새겨진 금막대기로 만들어져 넘겨졌다. 광산과 해안의 중간쯤 되는 곳에 중앙관리소가 있어 새로운 검사를 실시했다. 장교 한 사람과 사병 50명이 (취득물에 대한) 5분의 1에 해당하는 세금을 받았고 짐승이나 인간에 대해서도 각각 통행세를 받아내었다. 이 세금들은 국왕과 현지 파견대를 위하여 분배되었다. 따라서 광산에서 해변으로 떠나는 수송대가 검문소에서 철저하게 조사받는다는 사실은 당연했다.

리우데자네이루의 조폐소에 금막대기를 가지고 온 사람들은 그곳에서 금막대기 하나에 8피아스터의 가치가 있는 반(半)두블롱(에스파냐의 금화)과 교환했는데, 교환할 때마다 국왕의 주금료(鑄金料)와 통화발행세를 지불해야만 했다. 부갱빌은 덧붙여 말하기를, "조폐국의 건물은 현존하는 조폐국 가운데서 가장 훌륭하다. 그것은 필요한 업무를 가능한 한 신속하게 처리할 수 있는 설비를 갖추고 있다. 포르투갈로부터 선대(船隊)가 도착하는 것과 동시에 광산에서 금이 운반되었기 때문에 조폐작업은 신속히 처리되어야만 했고, 실제로 화폐가 놀랄 만큼 빠른 속도로 주조되었다."

금강석의 경우는 그 체제가 더욱 엄격했다. 부갱빌의 말에 따르면, "청부인들은 발견한 금강석에 대하여 정확한 보고서를 제출해야만 하고, 국왕이 임명한 감독관에게 금강석을 인도해야만 한다. 감독관은 이것을 즉시 철제 상자 속에 집어넣고 자물쇠를 세 개 채운다. 감독관이 열쇠 한 개를, 총독이 한 개를, 그리고 왕실장원의 검사관이 나머지 한 개를 각각 나누어 가진다. 그러고 나서 첫 번째 상자는 두 번째 상자에 넣어지고, 열쇠 세 개와 함께 위의 세 사람에 의하여 봉인된다. 총독도 이 상자를 열어볼 권한이 없다. 그는 단지 세 번째 금고에 이 상자를 넣고, 자물쇠에 자신의 봉인을 찍은 다음에 리스본으로 보낼 뿐이다. 상자는 국왕 앞에서 개봉되고, 왕은 자기가 원하는 다이아몬드를 고른 다음 계약에 따라 협정된 가격을 청부인에게 지불한다"라는 것이었다.

이 같은 집중적인 활동의 결과로 1762년 단 1년간에 119아로바 (에스파냐·포르투갈·남아메리카의 용량 및 중량 단위. 1아로바는 11~15킬로그램 정도—옮긴이)의 금, 즉 1톤 반 이상이나 되는 금이 운송·검사되어 화폐로 주조되었으나 오늘날 이 해안에는 과거의 낙원을 회상케 하는 것은 아무것도 남아 있지 않았다. 단지 여기저기에 있는 하구의 저쪽 끝에 건물의 정면만이 홀로 장중하게 서 있고 한때는 대범선들이 정박하던 높은 성벽에 파도가 치고 있을 뿐이었다. 우리는 몇몇 맨발의 원주민만이 이 웅대한 삼림과 때묻지 않은 하구, 그리고 깎아지른 듯한 암벽을 돌아다닐 것이라 생각했다. 그러나 200년 전에 근대 세계의 운명이 포르투갈인들의 공장에서 주조되었던 곳은 바로 바다 위의 높은 고원이었다.

금을 탐식한 뒤에 세계는 설탕을 갈망하기 시작했다. 그러나 설탕을 얻기 위해서는 노예가 많이 필요하게 되었다. 광산 발굴이 끝나자—이와 함께 삼림은 도가니에 불을 땔 연료를 공급하기 위해 황폐하게 되었고—노예제가 철폐되었으며, 다음에는 커피에 대한 세계의 수요가 급증했다. 상파울루와 산투스의 항구는 이 같은 변화에 민감했으며, 황금이 처음에는 황색이었다가 그다음에는 흰색, 그리고 이제는 흑색으로 바뀌었다. 비록 산투스는 국제적인 상업활동의 중심지로 변했지만 산투스 풍경은 그 은밀한 미를 간직하고 있다. 배가 섬 사이로 천천히 헤쳐 나가는 가운데 내가 열대와 최초로 충격적인 경험을 한 장소가 이곳이었다. 초록색 나뭇잎들이 온통 우리 주위를 둘러싸고 있어 우리는―리우데자네이루에서는 멀리 떨어진 고지대의 온실에 보관되어 있던―식물들에 손을 뻗쳐 거의 만져볼 수도 있었다.

산투스의 배후지(背後地)는 습윤한 평원으로 이루어지고, 무수한 만·늪지·운하·강·간척지 따위가 진주색의 수증기 속에 희미한 윤곽만을 드러내 마치 천지창조 때 대지의 모습을 나타내는 것 같았다. 바나나 재배지역의 풍경은 우리가 상상할 수 있는 초록색 가운데서 가장 신선하고 부드러운 것이었다. 이곳은 브라마푸트라 하구 지역에 있는 황마(黃麻) 재배지의 초록빛을 띤 황금색보다도 그 색조의 변화가 더욱 섬세했고, 황마 재배지가 평온한 장려함을 지닌 데 비하여 이곳은 우리들로 하여금 사물의 원초적 분위기를 연상하게 해주는 미묘함과 야릇한 매력을 지니고 있었다.

우리는 반 시간 동안을 즙액이 많은 나무줄기와 탄력성 있는 무성한 나뭇잎, 그리고 분홍색과 밤색의 거대한 수련(睡蓮)에서 뻗어 나온 덩굴이 뒤엉켜 있는 바나나나무―그것은 왜소한 나무라기보다는 차라리 마스토돈(코끼리 비슷한 큰 고대 동물 ‒옮긴이) 같은 거대한 식물이라는 것이 옳을―사이를 자동차로 지나갔다. 그러고 나자 도로는 100미터 높이의 산등성이 위로 뻗어 있었다. 이 해안지방의 모든 곳에서처럼, 급경사가 이 삼림에 인간이 침입하는 것을 막아주었으며, 우리가 이와 같은 처녀림을 보기 위해서는 수천 킬로미터나 북쪽으로―실제로 거의 아마존강 유역의 저지대 부근까지―더 올라가야만 했다. 자동차가 끝없는 나선형 도로를 나아감에 따라서 풀과 나무들 여러 종류가 마치 박물관의 표본들처럼 우리들 앞에 끊임없이 나타났다.

이곳의 삼림은 잎과 줄기가 서로 대조를 이루는 점이 유럽의 삼림과 달랐다. 이곳의 나뭇잎은 유럽의 것보다 더욱 검고, 또 초록의 색조는 식물계보다는 오히려 광물계와 더 가깝게 관련된 듯했으며, 감람석이나 에메랄드보다는 경옥(硬玉)과 전기석(電氣石)을 상기시키는 빛깔이었다. 한편 흰색이나 회색을 띤 나무줄기들은 무성한 나뭇잎들의 검은 배경을 향해 마치 마른 해골처럼 서 있었다. 삼림 전체를 관망하기에는 암벽에 너무 가까이 있었으므로 나는 세부를 관찰했다. 식물들이 유럽의 것보다 더욱 풍부했고, 나뭇잎들은 금속 조각을 베어낸 것처럼 그 모습이 당당하고 단단해 보였는데, 마치 시간의 시련으로부터 보호되어 의미가 가득 들어 있는 모습을 지닌 것 같았다. 밖에서 관찰해보니, 이 지역의 자연은 우리가 알고 있던 자연과는 다른 서열에 속하는 것 같았다. 이 지역의 자연은 그 존재와 영속성에서 좀더 절대적인 것이었다. 앙리 루소(Henri Rousseau, 1844~1910: 프랑스의 화가—옮긴이)가 그린 이국적인 풍경화들처럼, 이곳의 자연을 구성하는 부분들은 물체가 지닐 수 있는 준엄성을 느끼게 했다.

언젠가 나는 노르망디와 브르타뉴에서 수년 간 봉직한 뒤 프로방스에서 첫 휴가를 지내는 중에 이와 동일한 종류의 경험을 해보았다. 그것은 마치 내가 아무런 흥미도 갖지 못했던 곳으로부터, 돌멩이 하나하나가 집의 단순한 구성요소가 아니라 하나의 증인으로서 고고학적 중요성을 지닌 다른 곳으로 갑자기 옮겨온 것 같은 기분이었다. 나는 매우 흥분하여 그곳을 돌아다니면서 나뭇가지 하나하나마다 백리향(百里香)·로즈메리(지중해 원산의 상록 관목—옮긴이)·마요라나·꿀풀·월계수·유향수(乳香樹)·박하·소귀나무·라벤더로 불리고, 또 이들 각각은 그것의 작위(爵位)를 증명하는 서류와 거기에 따른 특권의 임무를 가지고 있다는 것을 마음속으로 한없이 되뇌었다. 짙은 수지(樹脂) 냄새가 나로 하여금 더 높은 가치를 지닌 식물계가 존재하고 있다는 증거와 그 이유를 확신시켜주었다. 프로방스의 식물상이 내게 냄새로써 증명했던 것을 열대의 식물상은 그것의 형태로써 제시하고 있었다. 프로방스를 미신과 처방이 모두 풍부하게 기록된 하나의 살아 있는 식물지(植物誌)라고 한다면, 열대의 식물군은 거대한 무희들의 일단으로서, 그 한 사람 한 사람이 모두 마치 인생에서 아무것도 두려워할 것이 없다는 점을 좀더 명확히 입증하기 위하여 그녀들이 취할 수 있는 최상의 순간의 자태를 보여주는 것이라 하겠다. 그것은 하나의 정지된 무용으로서, 땅속 아주 깊은 곳에 있는 샘물의 광물성 동요(動搖)를 제외하고는 그 어떤 것도 이 무용을 혼란시킬 수 없다.

정상에 도달하니 모든 것이 다시 전혀 새롭게 변모했다. 열대의 축축한 열기와 리아나(열대산 덩굴식물―옮긴이)와 바위의 웅장한 모습들이 사라져버렸다. 산지로부터 바다로 내리벋은 웅대한 조망 대신에, 반대쪽으로는 변덕스러운 하늘 아래에 계곡과 산등성이가 줄지어 있는 벌거벗은 고원들이 불규칙하게 펼쳐져 있었다. 아래쪽에서는 브르타뉴의 이슬비가 내리고 있었다. 왜냐하면 우리들은 바다로부터 멀리 떨어져 있지는 않았지만 거의 해발 1,500미터의 위치에 있었기 때문이다. 이 암벽의 정상에서 고지대가 시작되어 계속적으로 뻗어 올라갔으며, 이와 함께 해안이 급격한 경사를 이룬 가운데 쭉 잇달아 펼쳐졌다. 북쪽으로는 이 고지대가 3천 킬로미터 떨어진 아마존 하구로 연결되어, 그곳에서 갑작스레 해면과 같은 고도를 이루는 저지대로 변모했다.

그러나 이와 같은 하락은 해안으로부터 500킬로미터쯤 떨어진 보투카투(Botucatu)산맥과 1,500킬로미터쯤 떨어진 마투그로수 평원에 의해서 두 번 단애를 이루게 된다. 나는 이 해안의 암산과 견줄 만한 삼림으로 출발하기 전에 아마존강 대지류의 주변 지역을 살펴보기로 했다. 대서양·아마존강·파라과이를 국경선으로 하는 대부분의 브라질 지역은 마치 해면으로부터 다시 세워진 하나의 경사진 테이블이나 혹은 정글과 늪지의 습윤한 주위로 둘러싸인 무성한 숲으로 된 하나의 도약판(跳躍板)과 같은 것이라 하겠다.

내 앞에 드러난 지역들은 침식으로 많은 부분이 황폐해져 있었다. 그러나 무엇보다도 인간이야말로 이 무질서한 경관에 책임져야 할 존재라 하겠다. 처음에는 이 지역의 땅을 개간·경작했으나, 몇 년 뒤에는 계속적으로 내린 비와 토양의 황폐화로 이 지역에서는 식민지 대농원이 존속될 수 없었다. 그래서 사람들은 더 오염되지 않고 비옥한 땅을 찾아 다른 지역으로 이동해갔다.

인간과 대지의 관계에서, 구세계에서는 몇천 년 동안이나 상호작용으로 유지해온 친밀한 관계의 바탕이 되는 저 세심한 상호 관계가 이곳에서는 일찍이 이루어진 적이 없었다. 이곳 브라질의 땅은 약탈당하고 파괴되어버렸다. 농업이라는 것도 신속하게 이익을 얻기 위해 땅을 강탈하는 짓이 되어버렸다. 사실 100년도 못 되어 개척자들의 활동 영역은 상파울루주를 가로지르며, 천천히 타오르는 불길처럼 처녀지를 잠식하면서 이곳을 폐허화해버렸다. 19세기 중엽에 광맥이 고갈되어버리자 광부들이 시작했던 것과 같은 방식의 농업이 동으로 서로 퍼져 나갔다. 그리고 얼마 뒤에 나 자신도 파라나강 상류의 아주 멀리 떨어진 지역에서 이와 같은 광경을 — 한 곳에는 나무줄기가 베어져 여기저기 넘어뜨려져 있고, 또 다른 곳에서는 거주 지역을 빼앗긴 가족들이 있는 혼란상태 — 목격할 수 있었다.

산투스로부터 상파울루로 가는 길에는 식민자들이 맨 먼저 개척한 지역이 있다. 따라서 이곳에서 우리는 과거의 사멸되어버린 농업을 연구할 고고학적 유적을 찾을 수 있다. 과거에는 삼림이 무성했을 언덕들이 이제는 기껏해야 창백한 풀들이 얇게 덮여 있는 앙상한 골격을 보여주었다. 우리는 여기저기에서 과거에 커피 대농원이 위치했던 지역임을 나타내주는 땅들을 찾아낼 수 있었다. 계곡지대의 지역은 말하자면 자연으로 복귀한 것 같았으나 원시림의 고귀한 구축에는 결코 미치지 못했다. 카포에이라 또는 이차림(二次林)이라고 불리는 곳에는 취약한 나무들이 초라하게 뒤섞여 있을 뿐이었다. 때때로 우리들은 몇몇 일본인 이민자가 사는 집을 보기도 했는데, 그들은 옛날에 사용하던 방식으로 땅의 일부분을 재생해 그곳에 채소밭을 만들려고 노력하고 있었다.

이곳의 풍경은 전통적인 범주로는 분류할 수 없기 때문에, 유럽인 여행자들에게는 당혹스러운 것이었다. 우리는 인간의 손이 가해지지 않은 야성 그대로의 자연에 대해서는 아무것도 아는 것이 없다. 왜냐하면 우리들 자신이 알고 있는 풍경이란 우리들의 욕구와 필요에 전적으로 복종되어 있기 때문이다. 만약 우리들의 풍경이 때때로 야성적인 것으로서 관심을 끌게 된다면, 그것은 — 예컨대 우리들의 삼림처럼 — 그 변화가 더 완만하게 진행되거나 또는 — 산에서처럼 — 문제들이 매우 복잡하여 인간들이 그것들에 대한 체계적인 회답을 주지는 않고 세부적으로만 그 문제들을 파악하려고 했기 때문이다. 그것들을 요약한 총괄적인 해답은 아직 한 번도 확실히 요구된 적도 없었고, 또 그런 형태로 (총괄적으로) 사람들이 생각해본 적도 없어서, 외견상으로는 본래대로의 자연 그대로의 모습으로 인간 앞에 나타나고 있다. 그래서 사람들은 이들 풍경을 진실로 야성적인 것이라고 생각하기가 쉬운데, 사실은 인간들이 제각기 제 맘대로 질문하고 제 맘대로 해답을 주는 연쇄행동을 무의식적으로 되풀이해온 결과에 불과하다.

그러나 유럽의 풍경 가운데 가장 야성적이라고 할지라도 거기에는 질서와 조화를 나타내는 점이 있다. 푸생(Poussin, 1594~1665: 프랑스의 화가로 자연을 해학적으로 형상화했다―옮긴이)은 이와 같은 방식으로 자연을 해석한 사람들 가운데 가장 전형적인 사람이라 하겠다. 산을 걸어다녀본다면 우리는 황량한 경사면과 삼림의 대조, 목야지와 그 위의 삼림, 여러 종류의 식물군이 차례로 나타나며 풍경을 지배하는 다양한 전개를 알게 될 것이다. 아메리카를 여행해보면, 자연 자체의 자발적인 표현과는 전혀 다른 이 같은 고귀한 조화가, 풍경과 그곳에 살고 있는 인간 사이에서 오랫동안 추구되어온 공동작업의 결과라는 것을 깨닫게 될 것이다. 이처럼 소박한 풍경에도 찬탄을 금치 못하게 되는 것은 과거 우리들이 실행해왔던 흔적들 때문이다.

남아메리카든 북아메리카든 사람들이 거주하는 아메리카에서는―무언가 유럽의 상황과 가까운 멕시코와 중부 아메리카 및 안데스 고원지대처럼 인구가 더 조밀한 지역을 제외하고―오직 두 가지 선택이 우리에게 있을 뿐이다. 첫 번째 선택은 너무나 무자비하게 우리들의 필요를 위해 사용된 결과 하나의 풍경이라기보다는 마치 야외의 공장과 같이 돼버린 자연이다(지금 나는 서인도 제도의 사탕 재배지와 미국 중서부의 옥수수 재배지 풍경을 생각하면서 말하고 있다). 두 번째 것은 인간이 매우 오랫동안 점거한 결과 파괴되어버렸으나, 어떤 점진적이고도 계속적인 적응과정을 거쳐 '하나의 풍경' 수준으로 재상승된 자연이다. 상파울루의 교외지대에서―후일 내가 가게 된 뉴욕주, 코네티컷주, 또는 로키산맥의 경우도 마찬가지였다―나는 비록 인구가 덜 조밀하고 덜 개간되었기 때문에 유럽의 풍경보다는 더욱 야성적이기는 해도, 벌써 그것이 원래 지녔던 신선함을 모두 상실해버린 자연에 익숙하게 되었다. 이곳의 자연은 야성적이라기보다는 격하되어버린 것이다.

(프랑스의) 여러 주를 합해놓은 것만큼이나 큰 이 공지는 한때 인간들이 소유했고, 또 짧은 기간이나마 인간들이 개간하기도 했다. 그러고 나서 인간들은 이곳을 떠나 어딘가 다른 곳으로 가면서 이곳에 인간이 잠깐 머물렀던 흔적들을 남겨두었다. 그리고 10년 또는 20년 동안, 인간이 그의 용도에 알맞도록 바꾸어놓으려고 노력했던 이 지역에는 하나의 새롭고 무질서하며 단조로운 식물군이 서서히 재생하고 있었다. 이 무질서는 그것의 순진한 표정 밑에 감추어져 있기 때문에 더욱 기만적이다. 그뿐만 아니라 이 무질서는 아득한 과거에 있었던 투쟁들에 대한 기억과 윤곽을 완전히 보존해오고 있다.

11 상파울루

어떤 독설가가 미국을 정의하기를 "야만에서 문명을 거치지 않고 퇴폐로 옮아간 나라"라고 했다. 이 정의는 오히려 신세계의 도시에 더 어울리는 말인지도 모른다. 신세계의 도시들은 한 가지 공통적인 특성을 지니고 있다. 이것들은 중간적인 단계를 거침이 없이 첫 생성기로부터 바로 노쇠기로 접어들었다. 내가 가르친 브라질 여학생들 가운데 하나가 프랑스를 처음으로 방문하고 난 뒤에 상심하여 되돌아왔다. 그녀가 도시를 판단하는 기준은 청결과 백색이었는데, 거무스름한 건물들을 지닌 파리는 그녀에게는 불결하고도 비위에 맞지 않는 것이었기 때문이다.

그러나 아메리카의 도시들은 거대한 기념비들로 우리가 느낄 수 있는 시간에서 벗어난 그와 같은 휴지(休止)상태를 보여주지 않을 뿐만 아니라, 도시의 주요한 기능을 초월한다거나 명상과 반성물의 존재가 되지 못한다. 뉴욕이나 시카고 혹은 상파울루에서 내가 감명을 받은 것은 '고대의 잔존물들'이 없었다는 사실이 아니라, 반대로 그곳에 하나의 적극적인 요소가 있었다는 점이다. 또 다른 13세기의 성당들을 자신들의 수집품에 첨가할 수 없기 때문에 기분이 실쭉해진 유럽인 여행객들과는 달리, 나는 시간상의 후향적(後向的) 차원을 지니지 않은 하나의 체계에 나 자신을 즐거이 적응했으며, 하나의 새로운 형식의 해석이 필요한 문명에 접하게 되어 즐거움을 느꼈다. 만약 내가 잘못 생각하는 것이라면, 그것은 정반대 의미에서이다. 왜냐하면 이 도시들은 새로운 도시들이며 이들의 새로움이 바로 그들의 존재를 정당화해주는 것이기 때문이며, 내가 이 도시들이 영원하도록 새로움을 간직하지 못한 데 대해서 용서하기란 어렵다.

우리는 유럽의 도시들을 오래되면 될수록 더욱 높이 평가한다. 그러나 아메리카에서는 해가 지남에 따라서 도시에는 불명예스러운 요소가 나타난다. 왜냐하면 아메리카의 도시들은 단지 새롭게 만들어졌을 뿐만 아니라, 새로움을 위해서 만들어졌으므로 최근에 만들어진 것일수록 더욱 훌륭하기 때문이다. 새로운 구역이 세워지면 그것은 우리가 이해하는 의미의 도시와는 다른 모습이다. 그것은 너무도 화려하고 새로우며 위세가 당당하다. 그것은 우리들로 하여금 시장과 일시적인 국제전람회를 연상시킨다. 그러나 이것들은 전람회가 폐막된 후에도 오랫동안 존속하는 건물들이기는 해도 훌륭하게 지속되지는 않는다. 건물들이 낡고, 비와 그을음이 흔적을 남기며, 건축양식이 유행에 뒤떨어지게 되고, 또 사람들이 참지 못하여 이웃의 건물들을 헐어버리게 되면 이 건물을 세웠던 최초의 설계가 파괴되어버리기도 한다. 이 같은 사실은 낡은 도시들과 비교된 새로운 도시들의 경우라기보다는 오히려 진화의 주기가 늦은 도시들과 비교해볼 때, 진화의 주기가 매우 빠른 도시들의 경우라 하겠다. 유럽의 어떤 도시들은 천천히, 그리고 평화스럽게 쇠퇴하고 있으나, 신세계의 도시들은 영원한 청춘을 간직할 수 없는 하나의 고질과도 같은 계속적인 고열(高熱)을 지니고 있다고 하겠다.

1935년에 상파울루에서, 그리고 1941년에 뉴욕과 시카고에서 나를 우선 놀라게 한 것은 이들 도시의 새로움이 아니라 시간의 흐름이 초래하는 황폐의 속도였다. 나는 이들 도시가 유럽의 도시들처럼 10세기간의 역사를 지니고 있지 않다는 것에 조금도 놀라지 않았다. 내가 감명을 받은 것은, 그 도시들의 그토록 많은 부분이 벌써 쉰 살이라는 나이를 먹었다고 해서 저처럼 부끄럼도 없이 버젓하게 퇴색한 빛을 과시할 수 있을까 하는 사실이었다. 이 도시들이 지닌 유일한 장식이 젊음이었는데, 그 젊음이라는 것이 이들 도시나 그곳에서 사는 사람들에게는 순간적으로 지나쳐버리는 현상일 뿐이었다.

낡은 철제품, 붉은 전차, 반짝반짝 빛나는 놋쇠로 된 손잡이가 달린 마호가니 빗장, 바람이 쓰레기를 쓸어가버리는 청량한 뒷골목에 있는 벽돌공장, 성당과 비슷하게 만들어진 주식거래소와 사무실 옆에 있는 시골풍 교회, 화재대피 장치용 선회교(旋回橋)가 건물 사이로 연결되어 있는 아파트 등등의 면모를 갖춘 도시는 새로운 건축물들이 세워짐에 따라 끊임없이 진전해나가면서 과거에 세워졌던 건물들의 폐허 위에 다시금 만들어지고 있었다. 바로 이와 같은 것이 시카고요 아메리카의 모습이었다. 따라서 신세계가 1880년대의 기억을 시카고에서 간직하고 있다는 사실에 놀랄 필요는 없다. 왜냐하면 100년이 채 못 되는 이 수수한 모습(시카고의)이야말로 고대의 흔적을 여러 부분에서 나타낼 수 있기 때문이다. 1천 년씩이나 된 우리 유럽의 도시들에서는 이 같은 면모란 판단을 위한 하나의 단위조차도 될 수 없지만, 사람들이 시간이라는 측면에서 사물을 생각지 않는 시카고에서는 이 같은 면모도 벌써 향수를 불러일으킨다.

1935년에 상파울루의 주민들은 상파울루시가 한 시간당 집 한 채의 비율로 확장되고 있다는 점을 자랑하기를 좋아했다. 그 당시에는 별장들이었지만 오늘날에는 사무실이나 아파트의 형태로서 그 비율이 계속 변모되고 있다고 한다. 상파울루는 너무나 빨리 성장하기 때문에 지도를 살 수가 없다. 따라서 매주 새로운 지도가 출간되어야만 할 형편이었다. 만약 사람들이 몇 주일 전에 알아두었던 주소를 찾아간다면, 그 집이 없어져버리기 바로 전날 그곳에 도착하는 모험을 치르기도 한다. 형편이 이러했으므로 100년 전의 어떤 구역에 대한 나의 기억이란 기껏해야 문서상의 관심일 수밖에 없었다. 그래도 나는 이 기억들을 시의 공문서 보관소에 가서 들추어보기로 했다.

그 당시에는 상파울루시가 추악한 도시로 알려지고 있었다. 시 중심가의 커다란 건물들은 호화스러웠으나 구식이었고, 그 장식은 마치 점잖은 체하는 단조로운 설계로 겉치레만 해놓은 것 같았다. 조상(彫像)과 부조(浮彫)는 석조가 아니라 석고로 만들어졌으며, 노란 페인트로 그 표면을 칠해두었지만 그 사실을 감출 수는 없었다. 그러나 석조라는 면에서 1890년대 양식의 호화스러움을 위해서는 석조의 지나친 중량과 견고성이 부적합하다는 사실로 부분적으로나마 변명이 될 수도 있다. 하지만 상파울루시의 건축에 나타난 즉흥성은 건축학적인 타락이며, 모든 것이 도시 형성을 위해서가 아니라 영화나 연극의 한 장면을 위해서 급조된 외관만을 위한 건물이라는 느낌을 주었다.

그럼에도 상파울루는 단 한 번도 내게 추하다는 느낌을 준 적이 없다. 그것은 아메리카 대륙의 모든 도시같이 야생의 도시였다. 모든 도시라고 했지만 워싱턴만은 제외해야 한다. 이 도시만은 야생도 아니고 그렇다고 순화(馴化)된 것도 아닌, 차라리 별 모양의 방사선으로 뻗은 대로들로 이루어진 감옥 안에 랑팡(Lenfant, 1754~1825: 워싱턴시의 설계를 맡은 프랑스인 건축가-옮긴이)에 의해서 감금당한 채 지루함을 이겨내지 못해 쇠약해가는 도시의 모습이라고 해야 할 것이다. 반면에 그 당시의 상파울루는 매우 야성적인 모습을 지니고 있었다.

상파울루시는 맨 처음에 두 개의 작은 강——아낭가바후강과 타만두아테이강──이 만나는 지점인 북쪽의 박차 모양 대지에 세워졌다 (이 두 강은 나중에 파라나강의 지류인 티에테강과 합류한다). 상파울루시의 기능은 단지 '원주민들을 통제'하려는 것이었다. 그곳은 16세기부터 포르투갈인 제수이트 교도들이 원주민들에게 문명의 축복을 받게 하기 위해 최선을 다하던 선교의 중심지였다. 1935년에도 여전히 타만두아테이강 쪽 하류 지역에는 몇몇 더 시끄러운 골목길이 있었고, 또 브라스(Braz)와 페냐(Penha) 서민가(街)가 있었을 뿐만 아니라 창살을 단 조그만 창문이 달리고 타일을 깐 지붕이 낮은 집들로 둘러싸인, 풀이 자라고 있는 광장이 또한 몇 개 있었다. 집들은 백악으로 색칠이 되어 있었고 그 옆에는 이상하게 생긴 교회가 있었는데, 교회건물에는 맨 꼭대기 부분에 바로크 양식의 박공 외에는 아무런 장식도 없었다.

북쪽 멀리로는 티에테강의 은빛 물결이 늪지대로 넓게 퍼져 나가기 시작했으며, 늪지대부터 중심가까지는 교외지역과 땅들이 불규칙한 원을 그리며 둘러싸고 있었다. 바로 이 지역 뒤에 시의 상업중심지가 있었다. 그런데 이 시는 그 양식과 열망(熱望)에서 1889년 만국박람회의 모습을 여전히 지니고 있었다. 그다음에는 디레이타·상벤투 및 노방브르 15를 교차하는 지역에 위치하는 상파울루시의 유명한 상업지역인 트리안글──마치 시카고의 루프처럼──이 나타난다. 이곳의 거리들은 상업표지들로 가득 찼고, 검은 양복을 입은 분주한 사업가들이 유럽인과 북아메리카인들에 대한 그들의 충성을 선언하고 있었을 뿐만 아니라, 열대지방의 무기력을 벗어나게 하는 해발 800미터의 지대에 그들이 있다는 자존심을 과시했다.

그렇지만 이들도 열대를 느끼지 않을 수는 없다. 예컨대 1월에는 비가 '오지 않는다.' 비는 이 도시에 스며들고 있는 습기로부터 자연스럽게 형성된다. 마치 보편적인 증기가 진주색 물방울로 변하는 것 같다. 유럽에서처럼 비는 일직선으로 떨어지지 않는다. 빗방울은 공기 속의 습기와 뒤섞인 다수의 매우 작은 물방울처럼 창백하게 번쩍거리는 것 같다. 또는 이곳에 비가 내리는 모습은 타피오카(녹말의 한 가지. 열대 지방에서 나는 카사바(마니오크)의 뿌리를 가늘게 잘라서 압착하여 액즙을 빼내고 갈아서 씻어낸 것으로 소화가 잘되어 수프의 원료로 이용된다―옮긴이)가 든 수프의 폭포와 같다고 표현할 수도 있었다. 구름이 지나가버려도 비는 멈추지 않았고, 대기가 비의 통과로 나머지 습기를 잃어버릴 때에야 비가 그쳤다. 이 같은 순간에는 하늘이 밝아지고 갈색 구름들 사이로 창백한 푸른빛이 어슴푸레 보였으며, 산의 시냇물과 같은 격류가 거리로 흘러내렸다.

대지(臺地)의 북쪽 귀퉁이에 거대한 공장이 하나 보였는데, 이것이 이투·소로카바·캄피나스 대농원을 향한 북쪽의 도로를 따라 흐르는 티에테강을 연하여 길이가 몇 킬로나 되는 상주앙 공장이다. 그것은 오른쪽으로는 여러 종류의 잡동사니 물건들을 전 내륙지방에 공급하는 시리아의 시장과 조용한 공장들 사이에 있는 역으로 연결된 플로렌시우 데 아브레우 거리를 통과했다. 그런데 이 조용한 공장들에서는 직공과 피혁 제조자들이, 근처의 숲에서 살고 있는 대농원 종사자들과 날품팔이꾼들이 사용하는 은으로 장식된 마구(馬具), 술이 달린 무명으로 된 말에 까는 담요, 연장으로 세공한 값비싼 가죽 안장을 여전히 만들어내고 있었다. 그 길은 상파울루의―그 당시에는―유일한 마천루였던 아직 완공되지 않은 분홍색의 마르티넬리 빌딩을 지나, 한때는 부자들의 주거지였으나 이제는 색칠이 된 목조 별장들이 망고나무와 유칼리나무가 가득한 정원 속에서 썩어가고 있는 캄푸스 엘리제우스를 건너 노동자 계급들이 사는 산타 이피제니아로 연결되었는데, 이곳 끝에는 매춘부들이 창 안에서 유혹하는 사창가가 있었다. 상파울루시의 맨 끝 변두리에는 페르디제스와 아구아브란카의 프티부르주아의 작은 소유지가 있었는데, 이것은 남서쪽으로 파카엠부의 좀더 귀족적이고 그늘이 많은 언덕의 사면(斜面)과 접해 있었다.

남쪽으로는 대지가 차차 높아졌고, 이 대지의 허리를 따라서 반세기 전에 백만장자들이 한때 카지노와 찻집의 양식을 반반씩 지닌 호화로운 주택을 세웠던 아베니다 파울리스타가 나타났다. 그러나 백만장자들은 그 후로는 도시의 일반적인 확대에 따라서 더 남쪽의 언덕지대로 옮아갔다. 그들은 구불구불한 도로들이 있는 이 조용한 교외지대에 운모가 섞인 시멘트와 정제(精製)된 금속으로 된 난간이 달린 캘리포니아식 주택을 세웠다. 이 건물들은 주택지와 함께 심어진 짙은 나무 숲 사이로 기껏해야 흘깃 바라보일 뿐이었다.

도시의 어떤 특권적인 부분들은 도시의 모든 요소를 겸비하고 있는 듯했다. 예컨대 바다로 향한 도로가 두 갈래로 나누어지는 지점은 시의 주요 간선도로들 중 하나인 다리로 연결되는 아낭가바후 계곡의 가장자리이다. 그 아래에는 영국식으로 설계된 공원—조상(彫像)과 정자 등이 있는 잔디밭—이 있고, 두 비탈이 시작되는 지점에는 시의 주요 건물들인 시립극장, 에스플라나다 호텔, 자동차 클럽, 시의 조명과 수송을 담당하는 캐나다 회사가 있었다.

서로 이질적인 이 건물들은 어떤 고정된 무질서 속에서 대치하는 듯한 느낌을 준다. 서로 적대시하듯 서 있는 이들은 마치 저녁에 물을 마시러 강의 한 지점으로 모여든 포유동물들이 한동안 꼼짝 않고 상대방을 감시하는 모습과 흡사하다. 공포감보다 더 절실한 어떤 욕구를 채우지 않을 수가 없어서, 서로 대립적인 성격을 지닌 종족들이 일시적으로 어울리는 모습과 같다. 동물의 진화란 도시 생활의 변모보다는 느린 속도로 이루어지는 법이다. 그러므로 만일 지금 다시 한번 그곳의 똑같은 자리를 바라보게 된다면 아마도 나는 그 이질적 집단이 사라진 것을 확인하게 될 것이다. 강의 양안은 아스팔트로 포장되어버렸고 그 위에는 옛날 것보다 더 웅장하고 동질적인 마천루들이 꽉 들어서 있기 때문에 필요한 역할들이 한 사회 내부에서 배당되었다. 근대문명에 의해 주어진 모든 직업, 모든 취미, 모든 종류의 호기심이 상파울루에서 발견될 수 있었다.

그러나 이들 각각은 단 한 사람이 대표했다. 우리의 친구들은 사람이라기보다는 기능들이었으며, 그들에게 주어진 역할은 그것의 본질적인 중요성 때문이 아니라 그것이 우연히 자유롭게 되었기 때문에 그들의 역할이 되었다. 예를 들면 이곳에는 가톨릭교도·자유주의자·정통주의자·공산주의자가 있는가 하면, 식도락가·애서가(愛書家)·순혈종(純血種)의 말이나 개 애호가 또는 구시대의 명장(名匠)이나 근대예술 애호가 및 지방의 학자·음악가·예술가·초현실주의파 시인도 있다. 이 사람들 가운데서 어느 누구도 그들의 연구를 철저히 수행하려고는 하지 않았으며, 중요한 문제란 공허한 소유물이었다. 만약 어떤 두 사람이 서로가 (역할에서) 중복되는 것을 알게 된다면 그들은 뚜렷한 증오심을 지니고 서로를 파괴하기 시작한다. 반면에 자신의 선점(先占)을 주장하기 위해서, 그뿐만 아니라 어떤 무한정으로 즐길 수 있는 사회학적 미뉴에트(3박자의 느린 무용이나 음악-옮긴이)처럼 보이는 집합적인 연주를 완전하게 만들기 위해서 몇 가지의 지적 교환과 하나의 일반적인 욕구가 존재했다.

어떤 역할은 놀랄 만큼 맹렬하게 수행되었다. 물려받은 수단, 천부적인 매력, 그리고 점잖은 기만술의 획득이 상파울루의 살롱을 즐겁게 만들었으나 결국에는 실패로 이끌었다. 이 커다란 세계에 대한 완전한 모델을 제시한다는 필연성 때문에 역할 수행자들은 어떤 역설을 인정하지 않을 수 없었다. 예를 들어 공산주의자는 지방의 봉건체제의 상속자들 가운데서 가장 부유한 사람들이었고, 전위파 시인은 그의 젊은 부인을 지방의 손님들 가운데서 가장 정숙한 사람들에게 까지 소개할 수가 있었다.

이러한 세속적인 면에서의 전문화는 백과사전적 욕구와 어깨를 나란히 하려 들었다. 개화된 브라질 사람들은 개론서와 대중 보급용 저서들을 탐독하고 있었다. 외국에 대해서 그 당시 프랑스가 확보하고 있던 비길 데 없는 특권을 자랑하기는커녕 우리 사절들은 그러한 특권이 어디에 그 근거를 두는 것인지 이해하려고 애쓸 만큼 현명했다. 그 당시부터 슬프게도 그것은 기울어져가던 과학적 창조의 독창성과 풍요함에 기인했다기보다는 많은 우리 학자가 아직까지 부여받고 있었던 재능에 기인한 것이었으므로, 그 재능으로서 어려운 문제들을 그들이 조심스럽게 이바지했던 문제의 해결로 접근시킬 수 있었다.

이런 의미에서 볼 때 남아메리카가 지닌 프랑스에 대한 사랑은 부분적으로는 소비를 하며, 또 남들로 하여금 소비를 쉽게 해주는 동일한 성향에 근거를 둔 비밀스러운 공모(共謀)에 집착하는 것이었다. 그곳 남아메리카에서 존경받던 위대한 이름들은 파스퇴르, 퀴리, 뒤르켐같이 모두 과거에 속하는 사람들이었다. 그러나 그 이름들은 물론 그 크나큰 신뢰를 증명하기에는 충분히 가까운 시기에 속하는 것이라고 볼 수도 있다. 그러나 헤픈 우리의 고객들은 그 신뢰를 재투자하기보다는 낭비하기를 택했다. 그래서 우리는 단지 그들에게 그들 자신의 발견거리를 만드는 수고를 덜어준 것뿐이었다.

오늘날에 와서 프랑스에는 이 지적인 중개인으로서의 역할조차도 너무 힘겹게 되어가고 있는 듯함을 인식한다는 것은 슬픈 일이다. 우리는 과학에 대한 19세기적 개념에 단단히 고착되어 있는 듯하다. 그리고 프랑스인의 전통적 특질이라 할 일반교양·활기·명석함·논리적 재능과 필력을 지닌 사람은 누구나 과학에 대한 이 같은 개념에 따라서 과학의 어떤 분야에 관심을 기울이고, 혼자서 그것을 다시금 생각한 뒤에 하나의 타당한 종합을 이루어낼 수 있었다. 그러나 현대 과학은 그런 종류의 사물에는 관심이 없다. 과거에는 단 한 사람의 전문가가 그의 조국을 유명하게 만들 수 있었던 분야에서, 이제는 그러한 전문가들이 모인 군대가 필요하다. 그러나 우리들은 그 군대를 보유하지 못했다. 창조적 과학은 하나의 집합적이며, 거의 익명적인 활동이 되어버렸고, 우리는 이 점에 대해 전혀 준비를 제대로 갖추지 못했다. 우리는 아직도 우리들의 구식 정통성을 지니고 있다. 그러나 게임에서 어떤 경기방식을 사용하더라도, 그것으로는 득점을 기록하지 못함을 계속해서 숨길 수는 없다.

우리들의 나라보다 젊은 나라들은 이 교훈을 배웠다. 브라질도 저명인사들을 갖고 있었으나 그 숫자는 매우 적었다. 예컨대 에우클리데스 다 쿠냐(Euclides da Cunha, 1866~1909: 신문 기자이자 작가-옮긴이), 오스왈두 크루스(Oswaldo Cruz, 1872~1917: 말라리아·황열병 등의 치료에 공적이 있는 의사-옮긴이), 샤가스(Chagas, 1879~1934: 의사. 크루스의 제자-옮긴이), 빌라 로보스(Villa-Lobos, 1887~1959: 작곡가-옮긴이)가 거기에 포함된 사람이다. 문화란 소수의 부유한 사람들에 의해서 보호되어왔다. 그리고 상파울루 대학이 설립된 것은 (군대나 교회의 전통적인 영향력을 받지 않을) 하나의 지식층을 생성하기 위해서였다.

나는 그 대학에서 강의하기 위하여 브라질에 도착했을 때, 나의 브라질인 동료 교수들에 대하여 동정을 느꼈다. 그들은 형편없는 봉급을 받았기 때문에 다른 종류의 부업을 해야만 생계를 유지할 수 있었다. 나는 자유직에 종사하는 사람들이 여러 세대에 걸쳐 영예와 특권을 지녀왔던 나라에 나 자신이 소속되어 있다는 사실이 자랑스러웠다. 그러나 20년 후에는 지금은 가난에 찌든 나의 학생들이 프랑스에서도 좀처럼 허용되지 않는 자유로운 도서구입을 하며, 더 숫자가 많고 더 잘 구비된 대학교직을 차지할 것이라는 점을 나는 예견하지 못했다.

우리 강의실에 모인 학생들은 도처에서 온 온갖 연령의 사람들로서, 그들은 어떤 불안감을 지닌 채 우리에게 배우러 왔다. 어떤 젊은 사람들은 우리가 부여하는 졸업장으로 일자리를 얻고자 갈망했고, 이미 사회에서 기반을 잡은 사람들 ─ 법률가·정치가·기술자 ─ 은 만약 그들이 학위를 받지 못하게 되면 그들의 대학 출신 적수들과 경쟁하는 데 불리해지지나 않을까 두려워했다. 그들은 모두가 이른바 말하는 세상을 잘 안다는 사람들로서 남을 깔보기를 좋아했다. 이것은 메일라크(Henri Meilhac, 1831~97: 프랑스의 극작가─옮긴이), 알레비(J. F. Halévy, 1834~1908: 프랑스의 작곡가─옮긴이)와 함께 시작된 19세기의 '파리 생활'에 대한 개념에 따라 부분적으로 고취되었으며, 브라질인 한두 명이 실천하고 있었다.

그들이 지녔던 주요한 생각이란 100년 전의 파리와 같이, 1930년의 상파울루나 리우데자네이루에서도 뚜렷이 나타나고 있는 신생 대도시가 촌티를 제거했다는 것을 증명해보려는 욕구였다. 우리 통속극에서 아르파종(Arpajon)이나 샤랑토노(Charentonneau)의 주민이 웃음거리의 대상이 되듯이 이곳에서는 시골의 소박함에 대한 경멸적인 표현은 우리 학생들에 대해서 시골뜨기란 말로 상징화되고 있었다. 이 이중적인 유머에 대한 실례 한 가지가 이 글을 쓰는 중에 떠올랐다.

이탈리아인 거류민단이 시의 중심부로부터 3 내지 4킬로미터나 떨어져 시골티가 나는 거리의 중앙에 아우구스투스의 조상(彫像)을 건립했다. 그것은 고대의 대리석상을 실물과 같은 크기의 청동으로 복제한 것이었다. 그 동상은 하나의 예술품으로서는 별다른 가치가 없었지만, 적어도 이 시에서 19세기 이전의 시기를 환기해주었다는 점에서는 의미가 있었다. 그러나 상파울루의 시장들은 그 황제(아우구스투스 동상)의 치켜든 손이 '카를리토(바로 뒤에 나오는 카를로스의 애칭 – 옮긴이)가 여기에 살고 있다'는 것을 가리키는 것이라고 생각했다. 사실 그 손이 가리키는 방향에는 이제는 매우 낡아버렸지만 그 소용돌이꼴 주두장식(柱頭裝飾)과 원화장식(圓花裝飾)이 식민지 시대의 화려함을 연상케 해주던, 저명한 브라질 정치가인 카를루스 페레이라 데 소자의 커다란 별장이 있었다.

또 모든 사람은 아우구스투스가 팬티를 입고 있다고 생각했는데, 왜냐하면 대부분의 사람들이 토가(로마 시대 사람들이 입던 긴 겉옷 – 옮긴이)를 본 적이 없어 그것이 무엇인지를 몰랐기 때문이다. 이 같은 농담들이 제막식이 있은 뒤 한 시간도 못 되어 상파울루 전 시내에 쫙 퍼졌으며, 그날 저녁 오데옹 극장의 공연에서도 반복되었다. 이와 같이 상파울루의 부르주아들은 50년 전에는 행상인으로서 이 시에 도착했으나 지금은 아베니다(아베니다 파울리스타. 호화주택이 많은 거리 이름 – 옮긴이)의 가장 화려한 별장의 소유자들인 이탈리아인 이민자들과 그 동상의 기증자들에게 복수를 했다.

우리의 학생들은 모든 것을 알고자 했으나, 가장 최신의 이론만이 탐구해볼 가치가 있는 것이라고 생각하는 듯했다. 과거의 지적 업적들은 전혀 모르는 채 그들은 '최신의 사물'에 대한 열광으로 일관해 있었고, 유행만이 그들의 관심을 지배했다. 그들은 관념을 그 자체로서가 아니라 그것에서 얻어낼 수 있는 위세로써 그 가치를 판단했다. 그 위세는 관념이 그들의 독점적 소유로부터 벗어나자마자 사라져버렸다. 그러므로 학생들은 자기 급우들을 지배할 수 있게 할 잡지나 안내서의 연구에 서로 다투어가며 몰두했다.

나의 동료들과 나 자신은 이 같은 현상으로 매우 고생했다. 오직 충분히 성숙한 관념들만을 존중하도록 훈련받은 우리들은 과거에 대해서는 아무것도 모르지만 그 당시의 새로운 사실들에 대해서는 우리들보다 항상 2, 3개월 앞질러 알고 있던 학생들에게 포위·공격 당하고 있었다. 그들은 학습 방법이나 취미를 지니고 있지 않았다. 그렇지만 그들은 자기네 논문에는 명목상 주제가 어떤 것이든 간에 유인원으로부터 현재까지의 인류진화에 대한 고찰은 반드시 포함되어야 한다고 느끼고 있었다. 플라톤, 아리스토텔레스, 오귀스트 콩트의 인용문들은 제멋대로 난도질되어 의역(意譯)된 결론으로부터 이끌어내어진 것이었는데 ─ 그들의 목적을 위해서는 애매할수록 더좋은 것이었다 ─ 이렇게 해놓으면 그들의 급우들이 감히 이것을 표절할 생각을 하지 않을 것으로 생각했기 때문이다.

학생들은 이 대학을 하나의 유혹적인 것이긴 하나 독을 지닌 과일로 간주했다. 이들 젊은 학생들은 세상을 전혀 몰랐고, 또 대부분이 너무나도 가난하여 유럽으로 여행한다는 희망은 어림없었다. 우리들은 많은 학생에게 브라질의 민족적인 열망과 생활을 균열시키는 사해동포주의의 수익자요, 지배계급의 대변인으로서 의심받았다. 그러나 우리 손에서 지식의 사과가 생겨났으므로 학생들은 우리에게서 그것을 얻으려고 했고, 그런 다음에는 우리를 거절했다.

우리는 학생들 서로가 남보다 뛰어나려고 애쓰면서 우리들 주위에 몰려드는 작은 집단들의 규모와 내용으로써 우리의 영향력을 판단하게 되었다. 선생에게 경의를 표시하는 오메나젬은 점심식사나 다과회 형태로 베풀어졌는데, 이것들은 우리를 초대한 주인들의 현실적인 궁핍을 짐작하게 해주는 것이었기 때문에 더욱 감동적이었다. 우리의 개인적인 명성과 우리가 가르친 학문의 명성이 마치 주식시장의 시세처럼 개최기관의 위세나 참석자의 숫자, 참석하기를 승낙한 저명인사들의 사회적 혹은 공적 위치에 따라서 올라가기도 하고 내려가기도 했다. 그리고 상파울루에는 주요 국가들이 각기 상점 형태의 대사관—예를 들어 영국 찻집, 파리 또는 빈의 과자점, 독일 레스토랑식으로—을 상주시키는 셈이었으므로, 그중 어떤 곳을 택해 가는가에 따라서도 그 은밀한 의도가 드러났다.

예전에는 나의 귀여운 제자였으며 지금에 와서는 존경하는 동료가 된 그대들 중 어느 누구든, 이러한 이야기에 주목하게 되더라도 거기에 대해 나쁜 감정은 품지 말기를 바란다. 당신들을 생각할 때면 나는 당신네들 관례에 따라, 그대들의 세례명부터 떠올리게 된다. 그이름들은 유럽인의 귀에는 낯설고 야릇하게 들리지만, 그 다양함은 그대들의 아버지들께서는 수천 년 묵은 인류의 갖가지 꽃으로 당신에게 어울리는 신선한 꽃다발을 자유로이 선택해주실 수 있었음을 증명하는 것이 아닌가.

그대들은 아니타·코리나·제나이다·라비니아·타이스·지오콘다·질다·오네이데·루실라·제니트·세실리아라고도 불렸고, 에곤·마리우와그네르·니카노르·루이·리비우·제임스·아조르·아실레스·데시우·에우클리데스·밀톤이라 불리기도 했다. 내가 이렇게 그대들의 원시적 시절을 언급함은 절대로 빈정대고자 함이 아니다. 오히려 그와는 정반대로 그것이 내게 가르침을 주기 때문이다. 그것은 시대에 따라 부여받는 이로움이 덧없음을 알게 해준다. 그 시절의 유럽과 오늘날의 유럽을 생각해봄으로써, 또 몇 세대를 걸쳐서야 얻어질 걸로 기대해야 할 지적 발달을 그대들이 지나간 30년 동안에 이루어놓은 것을 보고서 한 사회가 어떻게 사라지고 태어나는지를 나는 알게 되었다. 또한 나는 책에서 보면 암흑상태 한가운데에서 작용하는 익명의 힘들의 움직임에서 비롯되는 듯 보이는 저 거대한 역사의 변혁들도, 천부적인 재질을 타고난 소수의 젊은이들의 남성적인 결단력으로 순식간에 이룩될 수 있다는 것을 배웠다.

제4부
대지와 인간

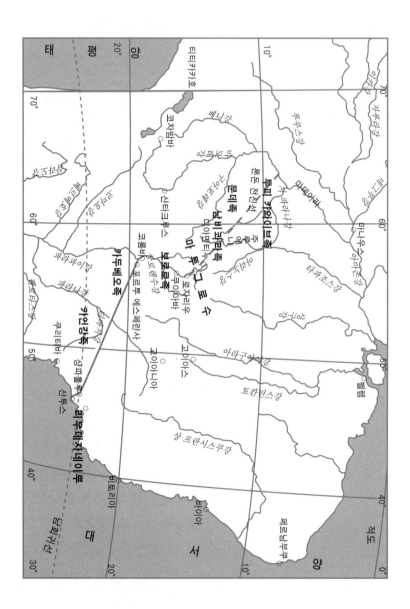

태평양

20°

70°

티티카카호

10°

60°

적도

50°

40°

30°

20°

10°

0°

40°

50°

60°

70°

치르라강

아기강

마나우스

마데이라강

마데이라

푸루스강

네그루강

쿠로삼바

브니강

모로나강

볼로 전쟁선

남비과라족

다이몬드

투피 카와이브족

문데족

일본 전쟁성

이투리투

마투그로수

투쿠마네코

타파조스강

마토그로스

아라구아이아강

토칸틴스강

상프란시스쿠강

산타크루스

코룸바

포르투 에스페란사

포르투 무르티뉴

보로로족

코이오반

코이오니아

자라구

비아아

페르남부쿠

카두베오족

파라과이강

파라나강

우루과이강

포르치알레그리

코룸바

카인강족

잉우데자네이루

상파울루

산투스

쿠리티바

발파라이소

쿠리티바

파라과이

대서양

대양

남회귀선

12 도시와 농촌

상파울루에서는 일요일마다 인류학에 빠져들 수가 있었다. 전에 내가 이곳으로 오기로 했을 때 인디언들에 대한 조사를 할 수 있으리라고 약속받았던 것은 그릇된 것이었다. 교외에는 인디언이 아닌 시리아인들과 이탈리아인들이 살고 있었기 때문이다. 가장 가까운 곳에 있는 민족학적 호기심의 대상은 약 50킬로미터 떨어진 원시 촌락에 있었다. 누더기를 걸치고 사는 그곳 주민들은 금발머리에 푸른 눈으로서, 가까운 조상이 독일계라는 사실을 드러내고 있었다.

실제로 1820년경에 독일 이주민 집단이 이 나라에서 가장 덜 열대성인 지역에 자리를 잡으려고 왔다. 여기에서 말하자면 그들은 지방의 비참한 농민생활에 섞여 녹아들어갔던 것인데, 이보다 남쪽에 있는 산타카타리나주의 작은 도시인 조인빌레와 블루메나우는 남양의 수목 아래 지나간 세기의 분위기가 그대로 보존되고 있었다. 지붕이 가파른 집들이 양쪽으로 늘어서 있는 거리들에는 독일어로 된 이름들이 붙어 있었으며, 그들은 거기서 독일어만을 오직 유일한 통용어로 썼다. 레스토랑의 테라스에서는 코밑수염과 구레나룻을 한 노인네들이 자기로 된 대롱이 달린 긴 파이프로 담배를 피우는 모습도 볼 수 있었다.

상파울루 부근에는 일본인들 역시 꽤 많았다. 그러나 이들에게는
접근하기가 좀 힘들었다. 이민회사는 그들을 모집하여 이주와 도착
즉시 임시숙소의 보장을 약속했던 것이며, 그리하여 촌락과 군(軍)
야영지의 성격을 둘 다 지닌 내륙지방의 농장에다가 그들을 배치했
다. 학교·공장·병원·상점, 그리고 유흥업소 등 모든 공공시설이 그
곳에는 한군데에 모여 있었다. 이주민들은 한편으로는 자발적이기
도 하지만 조직적으로 장려된 그러한 칩거생활 속에서 회사에 진 빚
을 갚고, 번 돈은 금고에다가 보관해가면서 긴 세월을 그곳에서 보냈
다. 여러 해가 지난 후에 회사는 그들을 자기 조상들의 땅에서 죽게
해주려고 고향으로 실어 나르는 일을 맡았으며, 만약에 그들이 브라
질에 있는 동안 말라리아에 걸려 죽게 되면 시체나마 고국으로 보내
주도록 했다.

이 거대한 모험의 전 과정에서 이주자들이 조국인 일본을 떠났다
는 느낌을 갖지 않게 하느라고 가능한 한 모든 수단이 동원되었다.
하지만 이 사업을 맡았던 기업가들의 염려가 단순히 경제적이거나
재정적인 데 있었던 것인지, 아니면 인도주의적 견지에서 비롯된 것
인지는 분명치 않다. 지도를 자세히 연구해보면 농장들의 위치를 선
정하는 것도 어떤 작용이 있는 것 같은 전략적인 저의가 드러나 보인
다. '카이가이 이쥬 쿠미아이' 또는 '브라질-타카오카 쿠미아이'(일
본어로 앞의 것은 '해외 이주 조합'을, 뒤의 것은 '브라질-타카오카 조
합'을 뜻한다-옮긴이)의 사무소 안으로 침투해 들어가기는 지극히
어렵게 되어 있다. 특히 거의 비밀 조직망처럼 되어 있는 호텔이나
병원·벽돌 제조공장·제재소같이 이민들의 자급자족을 돕고 있는
곳으로 들어가는 것은 더더구나 힘들게 되어 있었다.

그리고 농경의 중심지에도 접근하기 어려웠다. 이렇게 침투하기

힘들게 해놓음으로써 몇몇 음흉한 의도를 감싸고자 했다. 그러므로 어떤 지점을 잘 골라서 그 이주민들을 분리해놓은 것이나 고고학적 연구(농사 문제에서는 토착민들의 유물과 일본 신석기 시대의 유물 간의 유사성이 눈에 띄도록 하기 위해 조직적으로 유지되었다)를 추구했다는 것은, 아마도 두 개의 말단적인 사슬의 고리가 드러난 것에 지나지 않는다고 보아야 할 것이다.

상파울루 중심부에서는 서민지대의 몇몇 시장을 흑인들이 운영했다. 더 정확히 말한다면 — 왜냐하면 갖가지 인종이 모여 살았으며, 적어도 과거에만은 편견이 거의 없었기에 온갖 종류의 혼혈을 가능케 했던 지역에서는 그러한 표현이 의미가 없기 때문이다 — 이곳에서는 백인과 흑인 간의 혼혈인 '메스티소', 백인과 인디언의 혼혈인 '카보클루', 그리고 인디언과 흑인 간의 혼혈인 '카푸주'를 분간해내는 훈련을 할 수 있었다.

이와는 대조적으로 팔려고 내놓은 상품들이 오히려 더 순수한 혈통을 보존하고 있었다. 예를 들면 우선 페네이라스라는 마니오크(남아메리카에 있는 카사바속(屬)에 딸린 식물. 여기서 타피오카를 채취함 – 옮긴이) 가루를 치는 체가 있는데, 그 만듦새는 전형적인 인디언식으로, 세로로 켠 대나무로 만든 엉성한 격자에다가 윗가지로 둥글게 테를 두른 것이었다. 또 아바니쿠라는 부채는 불을 붙일 때 쓰는 것으로 역시 토착민들의 전통을 이어받은 것이었으며, 그 모습을 자세히 들여다보면 재미가 있었다. 왜냐하면 그 하나의 모습에서 독창적인 묘기를 볼 수 있었기 때문인데, 헝클어지고 엉성해서 훤히 비치는 종려나무 잎을 엮어서 빳빳하고 가지런한 표면을 이루게 하여 거세게 움직일 때면 바람을 내는 데 적합하도록 만든 것이었다. 그래서 갖가지 종려나무 잎이 있고 또 그것을 엮는 방법 또한 여러 가지이므로, 가능한 한 모든 형태를 취하기 위해 그것들을 결합하는 것도 가능하고, 또 이런 자질구레한 기술적 정리(定理)를 예증하는 견본들을 모으는 것도 가능하다.

종려나무는 크게 나누어 두 종류가 있다. 하나는 중앙의 줄기를 중심으로 양측에 대칭을 이루면서 작은 잎이 나누어져 나온 것이고, 또 하나는 부채꼴로 잎들이 갈라져 난 것이다. 우선 첫 번째 형태에서 두 가지 방법이 가능해진다. 줄기의 한쪽 방향에 있는 작은 잎들을 모두 내리꺾어서 한꺼번에 엮거나, 아니면 작은 잎들을 서로 직각이 되게 접어 한 잎의 꼭대기가 다른 잎의 밑바닥에 들어가도록 하거나, 그와 반대로 끼워넣어서 각각을 따로 엮거나 할 수 있다. 그와 같이 하여 두 종류의 부채를 얻을 수 있는데, 날개 모양을 하거나 혹은 나비 모양을 한 것이다. 그다음 두 번째 형태에서는 여러 가지 가능성이 주어지는데, 그 정도는 다양하지만 항상 앞선 두 가지 방법의 결합에서 이루어지는 것이며, 숟가락·팔레트, 또는 장미꽃 장식의 형태로 나오는 그 모양은 구조로 인해서 뒤통수에 납작하게 틀어 올린 머리를 연상시키고는 했다.

상파울루시장에서 특히 눈길을 끄는 것으로는 '피가'라는 것이 있다. 피가, 즉 무화과라고 불리는 그것은 고대 지중해인들의 부적으로서, 꽉 쥔 주먹이 달린 팔뚝 모양으로 생긴 것이며, 주먹 모습을 보면 엄지손가락이 가운데 두 손가락의 첫째 마디 틈으로 머리를 내밀고 있는 형태를 하고 있다. 이것이 성교의 상징적인 표시였을 것이라는 사실은 의심할 여지가 없다. 그곳 시장에서 볼 수 있던 피가들은 은이나 흑단(黑檀)으로 된 장신구이거나 또는 꾸밈없이 조각이 되어 강한 빛깔로 요란하게 채색이 된 이정표만큼이나 큰 물건이기도 했다.

나는 그 피가를 상파울루시의 높은 곳에 위치한 1900년대 로마식으로 된, 황토칠을 한 내 집 천장에다가 즐거운 회전목마처럼 걸어 놓고 있었다. 내가 살던 그 집은 재스민이 뒤덮인 아치 밑을 통해 들어가게 되어 있었으며, 뒤쪽으로는 작은 구식 정원이 있었는데, 나는 그 정원 끝 쪽에다 바나나나무를 심어달라고 주인에게 부탁했다. 그 바나나나무야말로 내가 적도에 와 있다는 사실을 깨닫게 해주었다. 몇 해가 지났을 때 그 상징적인 바나나나무는 작은 숲을 이루었으며, 나는 거기서 수확을 거둘 수 있었다.

상파울루 교외에서는 시골의 민속을 관찰하고 채집할 수가 있었다. 그 민속들이란 마을이 온통 초록빛 종려나무 잎으로 뒤덮이는 5월절 축제라든가, 포르투갈의 전통이 충실히 지켜지는 '모루'(무어인 회교도)와 '크리스탕'(그리스도교도) 간의 기념경연, 또는 종이돛이 달린 마분지로 만든 배 '나우 카타리네타'의 행진, 그리고 상당히 떨어진 곳에 있는 나병환자 보호구역으로의 순례 등이다. 그곳 보호구역에서는 '핀가' ─사탕수수로 빚은 술인데 럼주와는 전혀 다른 것이며, 그대로 마시기도 하지만 '바티다'라 불리는 레몬주스에 섞어 마시기도 한다─ 의 방탕한 기운이 돌고 있는 속에, 장화를 신고 번쩍거리는 옷을 걸쳤으며 구제할 수 없을 정도로 취해버린 백인과 인디언의 혼혈인 음유시인들이, 북 두드리는 소리에 맞춰 풍자시를 겨루느라 서로 야단들을 하고는 했다.

또한 도표를 만들어보면 매우 흥미로울 만한 신앙과 미신들이 있다. 예를 들면 금가락지를 얹어놓음으로써 다래끼를 치료한다든가, 모든 음식은 두 가지의 양립할 수 없는 그룹, 즉 '코미다 켄테'(더운 음식)와 '코미다 프리아'(찬 음식)로 나누어진다든가 하는 것이다. 그 밖에도 또 결합되면 유해한 것이 있으니 생선과 육류, 망고 열매와 술, 바나나와 우유 같은 것이 그러하다.

그러나 내륙지방에서는 지중해적 전통의 잔재보다는 잉태 중인 한 사회가 조장하는 이상한 형태를 눈여겨보는 것이 훨씬 더 흥미진진했다. 주제는 마찬가지여서, 항상 문제가 되는 것은 과거와 현재였으나, 고전적인 양식의 민족학적 조사 — 현재를 과거에 의거해서 설명하고자 하는 — 와는 반대로 여기서는 유럽 진화의 극히 초기적인 단계를 복구하는 듯 보이는 것이 바로 유동 중인 현재였다. 마치 프랑스의 메로빙거 왕조 시대 때처럼 광대한 들판이 깔린 농촌에서, 공동의 도시생활이 태어나려 함을 볼 수 있었다.

그때 태동하고 있던 부락은 오늘날의 도시 — 너무나도 낡아빠졌기에 이곳에서 그들의 고유한 역사를 발견해내기가 힘들게 되어버렸으며, 점차 동질로 구성되어가는 형태 속에 뒤섞여 있고, 오직 행정적인 구분만이 두드러져 보일 뿐인 — 와 같은 것은 아니었다. 오히려 그와는 반대로 식물학자가 초목들을 살필 때 각각의 명칭과 외관, 그리고 그 구조에 따라 어느 계(界)의 어떠어떠한 커다란 과(科)에 속하는 것인지를 알아보는 것처럼, 자연에다가 인간이 덧붙여놓은 하나의 계(界), 즉 도시계의 어디에 속하는 것인지 그 도시들 하나하나를 면밀히 조사할 수 있었다.

19세기와 20세기에 걸쳐 개척의 선단(先端)은 서서히 동쪽에서 서쪽으로, 그리고 남쪽에서 북쪽을 향하여 이동되어갔다. 1836년경 이 주민들이 확고하게 장악했던 곳은 리우데자네이루와 상파울루 사이에 있는 노르테(Norte)뿐이었으나, 그 움직임은 중앙지대까지로 번져 나가기에 이르렀다. 그보다 20년 후에는 북동쪽에 있는 모지아나(Mogiana)와 파울리스타(Paulista)로 잠식해 들어갔으며, 1886년에는 아라라쿠아라(Araraquara), 알타 소로카바나(Alta Sorocabana), 그리고 노로에스테(Noroeste)까지 침입했다. 이 맨 마지막의 지역에서는 1935년에도 인구증가 곡선이 커피 생산량 증가 곡선과 들어맞았다. 거기에 반해 북쪽의 낡은 토지에서는 한 가지 증가의 붕괴가 또 다른 한 가지의 쇠퇴를 반세기는 앞질렀으며, 인구통계학상의 하락이 1920년부터 인식되기 시작했고, 또한 이미 1854년부터 메말라버린 땅들은 폐기되기 시작했다.

이러한 공간 사용의 순환과정은, 이와 마찬가지로 그 징후가 일시적인 역사적 진화와 부합되는 것이었다. 도시확장이 역진하는 것으로 비칠 만큼 충분히 견고한 기초를 지닌 듯한 곳은 해안에 있는 대도시들—리우데자네이루와 상파울루—뿐이었다. 상파울루 인구는 1900년에는 24만 명이었고, 1920년에는 58만 명, 그리고 1928년에는 100만 명을 넘어섰으며, 오늘날에 와서는 그 두 배 이상으로 불어났다. 그러나 내륙지방에서는 도시의 부류가 생겨났다가 사라져버리고는 했으며, 그곳에 주민이 불어나는 것과 동시에 그 주변의 시골에는 단번에 인구가 줄어버리고는 했다. 이곳에서 저곳으로 자리만 옮겨다녔을 뿐이지 수적으로는 항상 늘지 않았으나, 그 주민들은 사회유형을 바꾸어갔다. 따라서 낡아버린 도시들과 아직 발달이 안된 도시의 발상지들을 나란히 놓고 관찰해봄으로써 인간적인 면과 극도로 짧은 시간적인 한계 속에서 변형에 대한 연구가 가능해지며, 그 변형은 지질학적 단계를 따라 유기적 존재의 수백만 세기에 걸친 진화과정을 비교하는 고생물학자들에게 밝혀지는 것만큼 감동적이다.

일단 해안 쪽을 떠나게 되면, 1세기 전부터 브라질은 발전한 것보다는 오히려 변모를 더 많이 해왔다는 사실을 기억해둘 필요가 있었다.

제국주의 시대에는 인간에 의한 점유가 미미하긴 했으나 비교적 배치가 잘되어 있었다. 해안지방 또는 그 근처에 있는 도시들은 아직 작은 채로 있었으나, 내륙지방의 도시들은 오늘날보다는 훨씬 강한 생동감을 지니고 있었다. 너무도 자주 잊어버리는 경향이 있는 역사적 모순 때문에, 교통수단의 전반적인 미흡은 가장 불편한 지역에 특혜를 준 셈이었다. 말을 타고 가는 것 이외에는 다른 교통수단이 없는 경우 사람들은 며칠 또는 몇 주일 간보다는 오히려 몇 달 간에 걸쳐 그러한 여행을 계속하거나, 수노새나 겨우 지나갈 수 있는 곳으로 깊이 들어가는 것을 더 낫게 여겼다.

브라질 내륙은 물론 느리기는 하지만 연대책임으로 지속적인 삶을 지탱해나가고 있었다. 하천을 오가는 배는 여러 달에 걸친 세밀한 행정(行程)에 따라 정해진 날짜에 운항을 했다. 그리고 쿠이아바에서 고이아스로 가는 길처럼 1935년에는 완전히 잊혀 있던 통로들도, 그보다 100년 전에는 각기 50마리 내지 200마리의 암노새를 끌고 가던 대상들의 빈번한 왕래지로 이용되던 곳이었다.

중부 브라질은 20세기 초엽에는 거의 방치된 상태로 있어야 했는데, 그것은 해안지방에 조성된 현대적인 생활조건 때문에 생겨난 인구 밀집과 교역에 대해 치러야 했던 대가인 셈이다. 내륙지방에서는 진보가 무척 힘들었기 때문에, 그곳에 알맞은 좀더 느린 개발운동이 이루어지지 못하고 후퇴를 하고 있었다. 그와 마찬가지로 여행시간을 단축한 증기선의 항해는, 온 세계에 걸쳐 옛날에 유명하던 천부(天賦)의 양항(良港)들을 절멸시켰다. 비행기도 우리들을 예전의 행정 위로 뜀질을 해 솟아오르도록 초대해놓고는 그와 마찬가지의 역할을 하지 않았는가 자문해보라. 요컨대 기계적인 진보는 많은 보상금을 지불하고 있는데, 그중 적지 않은 부분이 고독과 망각이며, 그것은 이제 우리가 더 이상 즐길 수 없는 세계와의 친밀성에 대한 대가로 주어진다.

상파울루주의 내륙 및 그 부근 지방에서는 이러한 변동이 소규모로 이루어졌다. 물론 요새도시의 흔적은 이미 사라지고 없었다. 예전에는 요새도시들을 세움으로써 한 지방의 소유권을 확실시했는데, 그 근원은 해안 또는 강안에 있던 많은 브라질 도시에 있었으며 리우데자네이루, 비토리아, 플로리아노폴리스, 바이아, 포르탈레자, 그리고 아마존 유역의 마나우스, 오비두스 등이 그러했다. 또 남비콰라 인디언족에게 주기적으로 침입을 받았던 폐허가 구아포레강 근처에 그대로 남아 있는 빌라 벨라 데 마투그로수도, '삼림지대의 두목'이라는 이름이 붙은 예전에 유명하던 요새도시로서, 볼리비아 국경에 있는 곳이다. 이 볼리비아 국경은 바로 1493년에 교황 알렉산데르 6세가 그때까지 미지의 상태로 있던 신대륙을 두 경쟁국인 에스파냐와 포르투갈의 왕들에게 분할해주기 위해 상징적으로 그었던 선 위에 있다.

북쪽과 동쪽으로는 이제는 버림받은 몇몇 광산도시가 눈에 띄는데, 그곳의 폐허화한 대건축물들—18세기의 현란한 플랑부아양 양식·바로크 양식의 교회들—의 호화로움은 그곳을 둘러싸고 있는 황폐한 상태와 대조를 이루고 있었다. 그 광산들이 채굴되는 동안에는 꽤 법석거렸으나 이제는 혼수상태에 빠진 듯이 보인다. 각각의 구덩이, 그리고 나선형의 원기둥, 소용돌이 무늬의 박공벽의 굴곡 틈에서 그들을 몰락시켰던 부(富)의 한 끄트머리라도 찾아내려고 애를 썼던 때문인가? 땅 밑을 파내다 보니 들판은 '황폐'라는 대가를 치러야 했으며, 특히 제련소에 나무를 대어주던 숲이 피폐해버렸다. 그리하여 이 광산촌은 마치 화재 때처럼 광물이 바닥나버리자, 즉시 불길이 꺼져버렸다.

상파울루주는 그 밖에도 또 다른 사건들을 생각나게 하는 곳이다. 한 예를 들면, 각기 다른 식민 형태를 주장함으로써 야기되었던 제수이트 교도들과 대농장주들 간의 투쟁이 있었다. 인구가 자꾸 감소되었기 때문에 제수이트 교도들은 인디언들을 원시적 생활에서 벗어나게 하여, 그들의 자치하에 일종의 공동생활체를 조직하기를 원했다. 상파울루주의 깊숙이 들어앉은 몇몇 지역에서는 이러한 브라질 최초의 마을들을 알데이아(원주민 마을) 또는 미상(미션, 포교단)

이라는 그 명칭에서 알아볼 수가 있으며, 특히 그 광대하고 기능적인 토지계획을 보아서도 알 수 있다.

　그곳 마을의 중심부에는 탄탄히 다져진 땅이 잡초로 뒤덮인 직사각형의 광장을 굽어보고 있는 교회가 서 있으며, 광장 둘레에는 직각으로 교차하는 길이 나 있고, 그 길가에는 원주민의 오두막집 대신 들어앉은 나지막한 집들이 서 있다. 농장주들은 그들의 부당착취에 브레이크를 걸고, 또 그들에게서 노예노동력을 빼앗아가는 이 선교단의 지상권을 부러워했다. 그리하여 그들은 반란토벌대를 내보냈으며, 그 결과 오히려 성직자들과 인디언들은 마음을 놓고 편안히 지낼 수 있었다. 브라질 인구학상의 기묘한 특성도 이와 같이 설명될 수 있다. 즉 알데이아의 후예로 내려온 촌락 생활은 가장 가난한 지역에서나 유지가 되었으며, 반면에 비옥한 토지에 열심히 눈독들을 들이고 있는 다른 지역에서는 주민들이 주인집 둘레에 모여 살 수밖에 없도록 선택할 여지가 없이 되어 있었다. 진흙이나 짚으로 만들어놓은 모두 비슷비슷하게 생긴 오두막집에서 살았는데, 그것은 고용주가 소작인들을 감시할 수 있었기 때문이다.

　오늘날에도 역시, 공동생활이 아직 이루어지지 않았을 때 시설자가 임의로 일정한 간격을 두고 알파벳 순으로 부아르키나(Buarquina), 펠리시다데(Felicidade), 리망(Limão), 마릴리아(Marilia)식으로(1935년경에는 파울리스타 회사가 P字까지 건설을 해놓고 있었다) 이름을 매겨가며 정류장을 세울 수밖에 없었던 곳의 몇몇 철로선을 따라가보면, 기차가 수백 킬로미터를 달린 끝에 '샤베'(관문) 몇 군데—샤베 바나날·샤베 콘세이상·샤베 엘리자같이 인구가 몰려있는 파젠다(농장)로 통하는 역—에서만 정거를 한다.

　이와 반대로 어떤 때는 농장주들이 신앙적인 이유로 교회 본당에다 토지를 기증하기로 결심하는 경우도 있었다. 그와 같은 경우에 어느 성자의 비호 아래 자리 잡는 취락, 즉 파트리모니우(세습재산이라는 뜻)가 생겨난다. 그 밖에 종교와는 무관한 세습재산도 있는데, 그것은 소유자가 스스로 포보아도르(개척자) 내지 플란타도르 데 시다데(도시의 주인)가 되고자 했을 경우에 생긴 것들이었다. 이 경우에 그는 자기 이름을 따서 그 도시를 파울로폴리스, 오를란디아 따위로 불렀으며, 때로는 정치적인 계산에서 그 도시가 어떤 유명한 인물의 후원을 받도록 그들 이름을 빌려 프레지덴테 프루덴테(프루덴테 데 모라이스: 브라질의 제3대 대통령(1894~98)-옮긴이), 코르넬리우 프로코피우, 에피타시우 페소아(브라질 제11대 대통령(1919~22)-옮긴이) 등으로 명명하기도 했다.

그러나 그들의 생활주기는 무척이나 짧았으므로, 그 취락은 다시 몇 번씩 이름이 바뀌게 되었으며, 그 각각의 발전단계가 그들의 변천을 드러내주었다. 처음에는 어떤 별명에 따라 불렸는데, 즉 미개간지 한가운데의 작은 경작지라는 이유로 바타타이스(감자)라는 이름이 붙거나, 몹시 황폐한 지역에서는 스튜 냄비를 데울 연료조차 없었기에 페이장 크루(날콩)라는 이름이 붙기도 했고, 멀리 떨어진 외진 곳이어서 식량이 부족하면 아로스 셈 살(소금 안 친 밥)이 되기도 했다. 그러다가 어느 날, 수천 헥타르를 불하받은 어떤 '콜로넬'―대토지 소유자나 주재관에게 붙이는 포괄적인 호칭―이 영향력을 행사하고자 할 때가 생긴다. 그리하여 그가 새로이 사람들을 불러 모아들이고 유동인구를 몰아버리면, 페이장 크루라는 이름은 레오폴디나 페르난도폴리스로 변하는 것이다.

그 뒤에 또 얼마가 지나면 이렇게 변덕과 야망이 빚어냈던 도시는 쇠퇴하여 사라져가고 오직 그 이름과 말라리아나 십이지장충에 먹혀들고 남은 인구가 겨우 목숨을 이어가는 오막살이 몇 채만이 남게 된다. 때로는 그 도시가 번창하여 집합의식을 획득하고 그곳이 한때

한 개인의 노리개요 수단이었다는 사실을 망각하고자 원하기도 한다. 이탈리아·독일, 그 밖에도 대여섯 군데는 되는 원주지에서부터 새로이 이주해 들어온 사람들은 그곳에다 뿌리를 내리고 싶은 욕망을 느낄 때, 사전에서 어떤 토착명의 자료들을 찾기 시작하며, 타나비, 보투푸란가, 투팡 또는 아이모레와 같이 대개 투피어계인 이름들이 콜럼버스 이전의 명성으로 그들을 꾸며주게 된다.

철도 때문에 멸망해버렸던 강가의 작은 마을들은 이미 사멸되기는 했으나, 제대로 다 자라지도 못한 채 사그라진 한 순환기를 보여주는 자취만은 그대로 여기저기에 남겨놓고 있다. 우선 강 언덕에는 뱃사공들이 인디언의 매복 습격을 피할 수 있게 해주는 여인숙과 헛간, 그리고 증기선의 항해와 더불어 대략 30킬로미터 간격으로 가느다란 굴뚝이 달린 외륜선이 나무를 싣기 위해 멈추는 선창이 있으며, 그다음 항해 구간의 양끝에는 하항(河港)이 있고, 급류나 폭포 때문에 건너갈 수 없는 곳에는 수송수단을 바꾸는 장소가 있다.

1935년에는 아직도 활기차게 전통적인 면모를 보존하고 있는 두 종류의 도시들이 있었다. 그것은 포주(정착지라는 뜻)라는 갈림길에 있는 부락과 보카 데 세르탕, 즉 '수풀의 입구'라 하여 도로 끝에 자리 잡고 있는 부락이었다. 그때는 이미 노새마차나 우차 같은 옛날의 교통수단이 화물자동차로 대체되어 있을 때였다. 그러나 예전과 똑같은 길에서 수백 킬로미터를 엉성한 상태로 1단 또는 2단 기어로 굴러가야만 했기 때문에 결과적으로 속력은 짐승을 타고 가는 것이나 매한가지였으며, 기름때에 찌든 작업복을 걸친 운전사들과 가죽허리띠를 두른 트로페이루(가축상인)들이 팔꿈치를 맞대어야 하는 똑같은 숙박지를 따라야만 했다.

도로들은 사람들이 그곳에다 거는 기대에 부응하지 못하는 것들이었다. 그 기원부터가 가지각색이었다. 우선 구도로는 예전에 대상(隊

商)들이 한쪽 방향으로는 커피·사탕수수·술·설탕을 운반해 가고, 다른 쪽으로는 소금과 말린 채소 그리고 밀가루를 실어가는 데 이용했다. 그 길은 때때로 삼림지대 한복판에서 레지스트루(등록소)에 의해 차단되기도 했으니, 오두막 몇 채가 둘러싸고 있는 곳에 나무를 쌓아 차단물을 만들어놓고는, 누더기를 걸친 농부 차림의 어느 수상한 권력자가 통행세를 요구했다. 그리하여 이 일로 통행세를 회피하기 위한 좀더 비밀스러운 도로망인 에스트라다 프란카스가 생겼으며, 노새용의 에스트라다 물라다와 소달구지용의 에스트라다 보이아다가 만들어졌다.

이 노새와 소가 다니는 길에서는 두세 시간 동안을 잇달아 단조롭게 찢어지는 소리가 계속되는 것을 들어야만 했다. 습관이 안 든 사람은 이성을 잃을 정도로 그 소음이 심했는데, 천천히 다가오는 달구지의 차축이 마찰을 일으키면서 내는 소리였다. 그 달구지들은 16세기에 지중해 지역에서 수입된 낡은 모델로, 원시 시대 이래로 그 형태가 거의 변하지 않은 것이었다. 끌채가 달리고, 짚으로 내벽을 싼 무거운 차체가 둥그런 바퀴들과 연결되어 있는 차축 위로 바퀴통도 없이 직접 놓여 있었다. 그러므로 수레를 끌어야 하는 짐승들은 차체 때문에 차축이 받게 되는 날카로운 저항을 이겨내기만도 기진맥진했으며, 더군다나 그 모든 중량을 앞으로 끌고 가자니 죽도록 허덕거려야 했다.

그래서 도로들이 생긴 것은 넓은 의미로 우연적인 결과로 보아야 하는데, 즉 대략 같은 방향으로 가던 짐승이나 달구지 또는 화물자동차들이 자꾸 반복해서 밟음으로써 땅이 평평하게 골라졌기 때문이다. 또 짐승이나 달구지·화물차 같은 것이 같은 방향으로 가게 된 것도 전혀 우연이었으니, 뜻하지 않게 비가 오거나 구덩이가 진 곳이 있거나 또는 풀들이 너무 우거진 곳에 부딪혔을 때, 그때그때의 상황에 가장 알맞은 길을 트다가 그렇게 된 것이었다. 협곡과 나무 한 그루 없는 비탈길이 복잡하게 얽혀 있는 곳도 만나게 되고, 때로는 그것들이 합쳐져서 삼림 한복판에 폭이 100미터는 됨 직한 대로를 터놓기도 하는데, 그것은 내게 세벤(Cévennes: 프랑스의 지방)의 지삭(支索, draille: 돛대를 유지하는 굵다란 밧줄 – 옮긴이)을 연상케 했다.

또 어떤 때는 지평선 사방으로 길이 갈라져 있어서 몇 시간 동안에 걸쳐서 온갖 위험을 무릅쓰고 30킬로미터쯤 전진해 나간 끝에 겨우 사막이나 소택지에 다다르게 되어, 막다른 길에 처하는 일이 없으려면 과연 그 아리안의 모든 실가닥 중에서 어느 것을 골라 따라가야만 할지 정말 알 수 없는 경우도 생긴다. 우기에는 그 도로들마저 질척질척한 진흙덩이 운하로 변하기 때문에 전혀 사용할 수 없게 되어버린다. 그러나 곧 이어서 어떤 화물자동차 한 대가 맨 처음으로 지나가는 데 성공하여 진흙 구덩이에 깊은 홈을 파놓으면 금방 말라서 사흘 이내에 시멘트처럼 단단히 굳어버린 깊은 바퀴자국을 만들어놓게 된다. 그러면 그 뒤를 이어오는 차량들은 비가 만들어놓은 이 작은 협곡 속에다가 바퀴를 맞추어 넣고 그대로 따라가는 수밖에 별도리가 없었는데, 앞서 간 차와 바퀴 사이의 간격이 동일하고 또 차축의 높이만 같으면 그것은 가능한 일이었다.

만약에 바퀴 간의 거리는 같더라도 차체가 훨씬 낮으면 차는 갑자기 들어올려져서 단단한 받침돌 위에 걸터앉아버리는 일이 있는데, 이때는 곡괭이로 그것을 깨버려야만 하는 난관에 부딪힌다. 또 바퀴 사이의 간격이 다른 경우가 생기면, 그때는 한쪽에 있는 바퀴들을 그 홈 속 밑쪽으로 넣고, 다른 한쪽에 있는 바퀴들은 쳐든 채 며칠 동안 내내 굴러가야만 하며, 따라서 그 차는 순간순간마다 전복이 되어버릴 위험을 안고 간다.

나는 르네 쿠르탱(저자의 동료 교수로 당시 상파울루 대학에서 법률 강의를 맡고 있었다-옮긴이)이 그의 새 포드 승용차를 바쳐야 했던 어느 여행이 생각난다. 장 모귀에(저자의 동료 교수로 철학 강의 담당-옮긴이)와 쿠르탱 그리고 나, 이렇게 셋은 차가 갈 수 있는 곳까지 멀리 가보기로 합의를 보았다. 그래서 상파울루에서 1,500킬로미터 떨어진 곳의 아라구아야강 기슭에 사는 어느 카라자 인디언 가족의 오두막집까지 가게 되었다. 그런데 돌아오는 길에 자동차 앞버팀대가 그만 부러져버렸기 때문에 우리는 100킬로미터를 엔진을 앞축에 직접 얹어놓은 채로 달렸고, 그다음 600킬로미터는 한 촌락의 대장간에서 급히 만들어낸 철봉으로 지탱하며 가야 했다.

특히 생각나는 것은 그때 그 불안 속에서 운전하던 몇 시간—상파울루와 고이아스 경계선상에는 마을이 드물었기 때문이다—이다. 해는 이미 졌는데 10킬로미터를 더 가야 했기 때문에 접어든 길의 팬 홈에서 어느 순간에 벗어져 나올지 전혀 알 수 없는 채 가야 했다. 갑자기 깜박이는 별들이 총총 박혀 있는 어둠 속에서 포주(정착지)가 불쑥 나타났다. 전등을 켜기 위한 발동기의 박동 소리도 몇 시간 전부터 들렸겠지만 삼림 속에서 나는 다른 밤의 소음과 뒤섞여 알아채지 못했다. 여인숙에서는 철제 침대나 달아맨 그물 침대를 택하도록 해주었고, 새벽에 우리는 동이 트자마자 시다데 비아잔테(交易地)의 루아 디레이타(主通路)를 돌아다녔다. 그곳에는 가옥과 시장이 있었으며, 광장에는 레가통이스(regatões: 아마존강을 통해 일상 잡화를 팔던 상인들-옮긴이)와 마스카테(행상) 그리고 의사·치과의사·순회 변호사까지 자리를 잡고 있었다.

장날이 되면 굉장히 활기가 넘친다. 외따로 떨어져 살던 농부들 수백 명이 당분간 그들의 오막살이를 떠나, 온 가족을 이끌고 며칠 간의 여행을 시작한다. 그것은 연례적인 행사로서 송아지·노새, 그리고 맥 또는 퓨마의 가죽과 쌀·옥수수·커피 몇 부대를 내다 팔고, 그 대신 무명 한 필·소금·램프를 켤 석유 그리고 총알 얼마만큼을 바꿔 오려고 나서는 길이었다.

시장이 서는 곳의 배경을 이루는 것은 여기저기 작은 관목과 함께 가시덤불에 뒤덮인 채 펼쳐져 있는 고원이었다. 새로운 침식작용—반세기 전부터 시작된 산림 벌채—이 그 고원을 마치 손도끼로 조심스럽게 친 듯이 가볍게 깎아놓고 있었다. 몇 미터에 걸쳐 고르지 못한 지평면이 단구(段丘)의 첫머리에 경계를 긋고, 또 새로이 생겨나고 있는 협곡이 눈에 띈다. 넓게 흐르지만 깊이는 얕은 물줄기가 지나는 데서—어떤 하상(河床)에 이미 고정되어 흐르는 강물이라 하기보다는 제멋대로 물이 넘쳐흐를 뿐이라고 보는 게 더 나을 것 같다—얼마 멀지 않은 곳에 평행으로 난 두세 개 큰길이 농가들을 둘러싸고 있는 무성한 울타리의 경계를 따라서 뚫려 있다. 그 농가들은 바람벽에 짚을 섞은 흙을 바른데다가 기와로 지붕을 이었는데, 석회칠을 해놓아서 크림빛 흰색이 눈부셨다. 덧문에다가 밤색으로 테두리를 둘렀고, 자줏빛 땅이 반짝이고 있었기 때문에 그 눈부심이 더욱 강하게 느껴졌다. 유리도 끼우지 않은 커다란 창문이 뚫려 있고 거의 언제나 금이 가 있는 정면 벽 때문에 휘장을 쳐놓은 시장 모습과 유사한 집들이 생기자마자 거센 풀들이 나는 목초지가 형성되며, 가축들은 그 풀들을 뿌리까지 먹어 치운다.

장날에 대비해서 장을 세우는 이들은 사탕수수 또는 잡초로 이은 끄나풀이나 나뭇가지로 단을 묶은 어린 종려나무 잎으로 만든 건초들을 비축해두도록 한다. 그러면 고객들은 장이 서는 동안에 그 거대한 정육면체의 건초 더미 틈에서, 둘레에 못을 박은 둥그런 바퀴가 달린 그들의 달구지와 함께 야영을 한다. 그들의 여행 중에 이 새 짚으로 엮은 벽과 쇠가죽을 덮은데다가 동아줄로 고정해서 만든 지붕이 피난처 역할을 해주었으며, 게다가 종려나무 잎으로 이은 차양과 달구지 뒤까지 내려오는 흰 무명으로 된 텐트가 있어 제법 격식을 갖추어주었다. 그들은 한데 앉은 채로 쌀과 검은 콩, 그리고 말린 고기를 요리했고, 벌거숭이 어린아이들은 소—사탕수수를 씹고 있는데 그 부드럽게 휘어지는 줄기가 소들의 입 밖으로 처져 있는 모습이 마치 푸른 분수와 같았다—들의 다리 틈으로 뛰어다니며 놀고 있었다.

며칠이 지나면 모두들 떠나버린다. 여행객들은 삼림 속으로 다시 사라져버리고, 포주(정착지)는 태양 아래 잠들어간다. 그로부터 1년 동안 시골 생활은 일주일 내내 닫혀 있다가 한 번 열리는 빌라 데 도민구(일요 회관)가 안겨주는 활기만을 기다리며 흘러간다. 그리하여 일요일마다 주점 하나와 오두막집 몇 채가 자리 잡고 있는 그곳 십자로에 신사들이 모인다.

13 개척지대

이런 유의 풍경은 일단 해안을 떠나서 북쪽이나 서쪽으로 나가면 브라질 내륙에서 끝없이 되풀이된다. 삼림은 그쪽 방향으로 파라과이의 소택지 또는 아마존강 지류를 둘러싸고 있는 숲까지 뻗어 있다. 마을들은 매우 드문드문 있는데, 그 마을 사이를 갈라놓는 면적은 너무도 광대하다. 만일 장애물 하나 없이 환히 트인 곳이면 그곳이 바로 캄푸 림푸, 즉 '깨끗한' 사바나(대초원)라는 곳이며, 덤불이 무성한 데라면 캄푸 수주, 곧 '더러운' 사바나라고 불리는 곳이다. 또 세르라두와 카아틴가라는 것이 있는데, 이것들은 두 가지 종류의 관목 숲을 말한다.

남쪽 방향, 즉 파라나주 쪽으로 가보면 점차로 열대에서 멀어지게 되고 지면은 높아지며, 그곳의 하층토(下層土)는 화산성(火山性)이므로 그러한 여러 가지 이유로 또다시 색다른 풍경과 생활양식에 접할 수 있는 곳이다. 그곳에서는 개화된 중앙지대와 가까운 데 위치하면서도 아직도 미개한 상태로 남아 있는 토착민 사회의 잔재를 여기저기서 발견할 수 있으며, 또한 가장 현대화한 형태의 내륙 식민지 건설을 볼 수도 있다. 그래서 내가 처음으로 탐험을 나갔던 곳이 바로 이 노르테 파라나(북부 파라나) 지역이었다.

파라나강으로 경계를 이루고 있는 상파울루주의 변경을 넘어서 온화하며 습기찬 거대한 침엽수림에 도달하는 데는 고작해야 24시간밖에 걸리지 않았다. 오랫동안 빽빽히 나무가 들어차온 곳이라 그곳에 침투하고자 했던 대농장주들의 노력을 좌절시켜오던 숲이었다. 그래서 1930년경까지도 그 숲은 거의 처녀지였으며, 오직 몇몇 인디언 무리가 그때까지 떠돌아다니고 있었고, 보통 얼마 안 되는 개간지에 옥수수밭을 일구며 사는 가난한 농민들인 고립된 개척자 몇 명이 있을 뿐이었다.

내가 브라질에 도착했을 때 그 지역이 막 개방되기 시작했는데, 주로 한 영국계 회사의 영향에 의해서였다. 그 회사는 도로와 철도부설을 조건으로 하여 거의 150만 헥타르에 대한 조차권을 정부로부터 얻어냈다. 그 영국인들은 그 땅을 조금씩 몫을 나누어 이민들, 특히 중부와 동부 유럽에서 오는 이민들에게 다시 팔 계획을 세웠으며, 농산물이 생기게 되면 자연히 화물수송은 보장될 것이므로 철도 소유권은 그대로 지니고 있으려 했다. 1935년까지도 그 계획은 착착 진행되고 있었다. 숲을 가로지르며 철도는 착실하게 뻗어 나가고 있었다. 1930년 초에는 50킬로미터, 그해 말에 가서는 125킬로미터, 1932년에는 200킬로미터, 그리고 1936년에는 250킬로미터를 나갔다. 15킬로미터 정도마다 역 하나씩을 세웠으며, 그 주위 1제곱킬로미터를 개간하여 그곳에 도시가 들어서게 했다.

그곳에는 날이 갈수록 철도 진로가 실현되는 데 따라 사람이 계속 몰려들었으며, 가장 고참자인 론드리나를 선두로 하여(이미 3천 명의 주민을 헤아리게 되어 있었다) 주민이 90명인 지닌 노바 단트지그(新단치히), 60명이 사는 롤란디아, 그리고 맨 마지막에 생긴 아라폰가스는 1935년에는 집 한 채에 주민 한 명이 유일하게 살고 있었다. 그는 이미 중년으로 접어든 프랑스 사람이었는데, 1914년부터 1918년까지의 전쟁 때 사용했던 군대용 각반을 두르고 꼭대기가 납작한 밀짚모자를 쓰고서 사막을 답사하러 다녔다. 후에 이러한 개척 한계선에 대한 전문가인 피에르 몽베이그의 말을 들으니, 1950년에 이 아라폰가스에는 주민이 1만 명 살고 있었다고 한다.

말을 타거나 또는 트럭을 타고 이 지방을 간다면, 고대(古代) 갈리아 지방에 생긴 로마의 길처럼 산등성이를 따라 새로 난 길로 접어들면 이 지역이 살아 있는 곳인지 아닌지를 알 도리가 없다. 길다랗게 몫을 지어놓은 땅들은 한 면은 도로에 닿아 있고 또 다른 한 면은 골짜기 밑바닥마다 흐르는 시냇물에 이어 있었다. 거주지가 시작되는 곳은 바로 그 물가 근처의 아래쪽이었다. 그러므로 데루바다, 즉 개간은 그 밑에서부터 경사지를 따라 천천히 올라가면서 이루어지고 있었다. 따라서 문명의 상징인 도로는 아직도 두꺼운 삼림의 덮개 속에 싸여 있었으며, 그 언덕 꼭대기는 아직도 몇 달 혹은 몇 년 간은 계속 숲에 싸인 채 있을 것 같았다.

그러나 골짜기 아래쪽에서는 최초의 수확물들이 —이 보랏빛 처녀지인 테라 로샤에서는 항상 그 규모가 엄청나다—쓰러져 있는 거대한 나무들의 줄기와 그루터기 틈을 비집고 솟아 나오는 중이었다. 머지않아 겨울비는 이곳의 잔해를 기름진 부식토로 썩이는 일을 도맡을 것이며, 또한 이제는 사라져버린 숲을 오랫동안 비옥하게 해주었으나 붙잡아줄 뿌리조차 없는 또 다른 부식토를 산비탈을 따라 씻겨 내려가게 할 것이다. 아마도 10년, 20년 아니 30년이 지나면 이 가나안 땅도 건조하고 황폐한 황무지의 모습을 띠지 않을까?

우선 지금은, 이 이주민들에게는 지나친 풍요에 어떻게 대처해야 할 것인가 하는 문제가 있을 뿐이었다 포메라니아 혹은 우크라이나 사람인 이들 정착자 가족들은 —그들은 아직 집을 지을 틈도 없었기 때문에 시냇가에 널빤지로 가려놓은 데서 가축들과 함께 지내고 있었다—이 놀라운 땅에 대해 기쁨을 금치 못했다. 그러나 옥수수나 목화 같은 것이 이 무성한 식물군 속에 휘말려버리지 않고 제대로 열매를 맺게 하려면, 먼저 야생마같이 사납고 격렬한 이 땅을 억누르는 일이 필요했다. 어떤 독일인 농부 하나가 종자 몇 개가 퍼져 이루어진 레몬나무 숲을 우리에게 보여주며 기쁨의 눈물을 흘렸다. 이 북방에서 온 사람들에게는 그 풍요함도 놀라운 일이었지만, 더 어리둥절하게 만드는 것은 오직 동화 속에서나 나오는 걸로 믿고 있던 이상야릇한 일이 일어나는 것이었다. 그 지방은 열대와 온대의 경계선상에 있었기에 고도가 몇 미터만 차이가 나도 기후 변화를 뚜렷이 느낄 수 있는 곳이었다. 그러므로 자기들 고향에서 나는 식물과 아메리카의 특산물이 여기저기서 함께 자라는 것이 가능했다. 따라서 농사를 짓는 데 이렇게 기분전환이 될 재미있는 사실에 매혹된 그들은 밀과 사탕수수, 아마와 커피⋯⋯식으로 함께 붙여 심기를 시작했다.

새 도시들은 완전히 북유럽식이었다. 새로운 이주민들은 이곳에서 옛날 이주민들—기껏해야 100년 전에 상파울루 남쪽, 쿠리티바 주위에 모여 살던 독일인·폴란드인·러시아인 그리고 몇 안 되는 이탈리아인들이지만—과 합류하여 살았다. 네모나게 널빤지나 깎은 통나무로 지은 집들은 중부와 동부 유럽을 연상시켰다. 그리고 네 바퀴에 방사상의 살이 뻗쳐 있고 말들이 끌도록 되어 있는 길다란 수레들이 이베리아식 달구지를 대신하고 있었다. 그곳에서도 역시 빠른 속도로 형태를 잡아가고 있는 어떤 미래의 윤곽이 예기치 못했던 잔재보다도 더 감격적이었다. 한 미완성의 공간이 나날이 도시 구조를 획득해가고 있었으며, 각기 분화하는 것이 마치 생물의 배(胚)가 세포로 나뉘며, 또 그 세포는 그들이 가진 특성 나름대로 다시 갈라져 기능에 따라 각기 표시되는 것과 같았다.

이미 론드리나는 대로와 상업 중심지역, 공장지대 그리고 거주지역을 갖춘 체계 잡힌 도시로 되어 있었다. 그러나 어느 신비스러운 설립자가 이 빈터에서 종사한 것이며, 어떤 신비스러운 힘이 일단의 시민들을 여기저기에 배치하고, 각 지역으로 하여금 하나의 기능을 강요하고, 또 각기 특별한 사명을 갖도록 하는 것일까? 삼림 속 한가운데서 아무렇게나 도려낸 이 사각형 속에서 곧바르게 난 길들이, 출발점에서 보면 특성도 없는 그저 기하학적인 선으로서, 아주 똑같은 것으로 보일 뿐이다. 그러나 중심지를 달리는 길이 있고, 변두리 지역을 이어주는 길도 있다. 또 어떤 길들끼리는 평행으로 나 있는가 하면, 어떤 길들은 철로나 다른 도로에 대해 수직이 되게 나 있다.

이와 같이 첫 번째 길들은 교통수단과 같은 방향으로 나 있고, 두 번째 길들은 그것을 차단하거나 가로지른다. 그러므로 상업이나 그 밖의 사업을 위해서는 첫 번째 길 연변을 택하게 될 것이며, 필연적으로 그곳은 번창하게 되어 있다. 그다음은 정반대 이유로 개인의 거주지나 몇몇 공공기관은 두 번째 길 주변을 택하거나 아니면 그곳으로 가도록 강요를 받는다. 즉 중심지나 변두리 간의 대립, 그리고 평행과 수직 간 대립의 결합으로 네 가지 상이한 도시생활 양식이 결정지어지며, 이 요인들이 어떤 사람들에게는 특혜를 주고, 또 다른 이들에게는 실망을 주어가며 성공과 실패를 낳게 함으로써 미래의 주민들을 형성하게 된다. 그러나 그것으로 끝나는 것도 아니다. 그 주민들 중에서 다시 두 유형이 생겨나게 된다. 하나는 동료를 필요로 하여 한 지역의 도시화가 깊이 진전됨에 따라 더욱 그곳으로 자연히 이끌려갈 유형이며, 다른 하나는 자유를 갈구하는 은둔자 유형이다. 그리고 또 첫 번째 유형은 더욱더 복잡해지며, 새로운 대위법을 조직하게 될 것이다.

하지만 그들도 수많은 도시에서 활동 중인 요인들, 즉 그들을 서쪽으로 몰고 가며, 동쪽 구역에는 빈곤과 퇴폐를 강요하는 저 신비스러운 인자(因子)에 자리를 내주어야만 한다. 그것은 아마도 태양이 움직이는 방향이 긍정적인 것이고, 그 반대 방향은 부정적인 것이라는, 즉 하나는 질서이고 다른 하나는 무질서라는 무의식적인 믿음을 지녔던 인간에게 태초부터 스며들었던 우주적 리듬의 단순한 표현일 것이다. 우리가 태양을 숭배하기를 그만두고, 동·서·남·북을 마법적인 특성을 지닌 것으로 연상하기를 멈춘 지도 이미 오래되었다.

그러나 아무리 우리의 유클리드적 정신이 공간의 질적인 개념과 맞지 않는 것이 되었다 해도, 천문학적 또는 기상학적 대현상이 감지하기는 힘들어도 지워지지 않는 어떤 계수(係數)를 지니고 지구상의 모든 지역에 영향을 미치는 것이 우리에게 달린 문제는 아니다. 모든 사람에게 동쪽에서 서쪽으로 가는 방향은 성취의 방향으로 느껴지며, 또 북반구의 온대지방 주민에게는 북쪽이라는 곳은 추위와 어둠의 본거지로, 남쪽은 더위와 햇빛의 고장으로 여겨진다. 물론 그 어느 것도 각 개인의 사려 깊은 행동 속에서 드러나는 것은 아니다.

그러나 도시생활은 이상한 대조를 나타내 보인다. 비록 도시생활이라는 것이 문명의 가장 복잡하고 또 가장 세련된 형태를 나타낸다고 하지만, 그것이 좁은 공간 위에 실현하는 예외적인 인간의 집결과 그 주기의 지속을 통하여 시련 속에서 무의식적인 거동을 재촉하는 것이다. 그 거동이라는 것은 하나하나 놓고 보면 무한히 작은 것이지만, 수많은 사람이 같은 명목을 내걸고 똑같은 방법으로 표시하면 크나큰 힘을 일으킬 수 있다. 이와 같이 도시들은 동쪽에서 서쪽으로 발전해가고, 부와 빈곤이라는 양극으로 집중현상을 일으킨다. 그러한 성극(成極)작용의 축은 첫눈에는 이해하기 힘든 것이지만, 만약에 우리가 모든 도시가 각기 가진 특권 ── 이것을 하나의 예속상태로 볼 사람도 있겠지만 ── 을 알게 되면 그것은 명백해진다. 그 특권이란 집합의식이라는 물결 위로, 마치 현미경 밑에서처럼 확대의 힘을 빌려 우리 조상 전래의, 그리고 아직도 엄연히 존재하는 미신이라는 미생물들이 우글거리며 떠올라오게 만드는 것이기 때문이다.

그런데 이것이 정말 미신이라고 불려야 할 것인가? 그러한 편애 속에서 나는 오히려 미개민족들이 무의식중에 행하던 어떤 지혜의 흔적을 보며, 거기에 역행하려는 현대의 반항에는 정말 광기조차 서려 있음을 본다. 우리들이 숱한 좌절과 안타까움을 대가로 하여 쟁취하는 정신적인 조화를 그들 미개민족들은 흔히 쉽게 얻을 줄 알고 있었다. 그러므로 우리는 인간 경험의 진정한 조건을 받아들이고, 그것의 한계와 리듬에서 벗어나는 것은 우리 힘 밖에 있다는 사실을 인식하는 편이 낫다. 음향과 향기가 색채를 지니며, 감정에는 무게가 있는 것과 마찬가지로, 공간은 그 고유의 가치를 소유하고 있다.

이런 유의 대응관계를 추적해보는 것은 (音素들을 결합함으로써 가능한 음소들로부터 어떤 한정된 음색을 허용케 하는 관계—개인에 따라 일정치 않은 음소의 색채가 아니라—의 기초를 아는 언어학자들에게서 오늘날 고전적인 본보기가 되어 있는 '모음의 14행시'(프랑스의 시인 랭보의 모음과 색깔의 결합 관계를 읊은 시—옮긴이)에 관해 감히 사람들이 그렇게 말한 바 있듯이) 시인의 말장난도 속임수도 아니다. 그러한 추적은 학자들에게 가장 새로운 영역으로, 그 발굴을 매개로 풍부한 수확을 얻게 해줄 수 있는 영역을 제공한다.

만약에 물고기가 명암에 따라 냄새를 미학적으로 구분한다면, 또 벌들이 빛의 강도를 무게에 따라 분류한다면—벌들에게 어둠은 무거운 것, 밝음은 가벼운 것이므로—화가·시인 또는 음악가의 작품과 신화 그리고 미개인들의 상징은 우수한 형태로서는 아니더라도 가장 근본적이며 또 우리가 공통으로 지니고 있는 것으로는 유일한 지식으로서 우리 앞에 나타나야만 한다. 그 지식은 과학적 사고가 오직 날카로운 첨단—사실이라는 돌 위에다 갈았기 때문에 더욱 깊이 찌르는 것이나, 그것은 본질의 상실이라는 희생을 대가로 치른 것이다—만을 구성하는 것이며, 또 그 효능은 충분히 깊숙하게 꿰뚫는 능력에 기인한다.

사회학자는 전 세계적이고 구체적인 인도주의를 공들여 만들어내는 데 일익을 담당할 수 있다. 사회생활에서 규모가 큰 시위운동과 예술작품은 둘 다 무의식적인 삶의 수준에서 태어난다는 공통점을 지니고 있기 때문이다. 전자는 집합적인 것이며, 후자는 개인적이라는 상이성이 있다 해도 그 차이는 부차적이며, 다만 공중에 의한 것과 공중을 위한 것이라는 점에서나 차이가 드러날 뿐, 공중은 똑같이 공통분모를 제공하고 그들이 태어날 조건을 결정지어준다.

도시는 자주 교향곡과 시에 비유되어왔으며, 내게는 그러한 비교가 매우 자연스러운 것이라고 느껴진다. 왜냐하면 사실 그것들은 같은 종류의 대상이기 때문이다. 아마 도시는 자연과 인공의 합류점에 있다는 점에서 더 소중한 것으로 평가될는지 모른다. 도시란 그 생물학적 역사를 도시의 경계 안에 가두고 있는 동물의 협회라 할 수 있다. 그리고 또 이 피조물의 입장에서 사고하고자 하는 모든 의도에 의해 도시는 빚어지고 있다. 도시는 그것의 유래와 형태에 의함과 동시에 생물학적 출산, 유기적 진화 및 미적 창조의 요소를 소유하게 된다. 도시는 자연의 대상인 동시에 문화적 주제이니 개인임과 동시에 단체, 체험된 것임과 동시에 꿈꾸어지는 것이며, 인간의 가장 뛰어난 발명품이다.

이 브라질 남부의 종합적인 도시들의 주택 배열, 도로의 전문화, 그리고 각 구역에서 싹트는 양식에서 드러나던 비밀스럽고도 고집스러운 의지는 그 의지가(계속 그러한 도시의 특성은 연장해가면서도) 그러한 사업을 낳게 했던 일시적 호기심에 역행하면 할수록 더욱 의

미심장한 것으로 보이고 있었다. 일단의 기사(技師)와 자본가의 결단력에서 생길 수 있었던 론드리나·노바 단트지그·롤란디아·아라폰가스가 도시생활의 진정한 다양성을 찾아 조용히 돌아오고 있었다. 마치 그보다 1세기 전의 쿠리티바가 그랬고, 그리고 아마도 오늘날의 고이아니아가 그런 것처럼.

파라나주의 수도인 쿠리티바는 정부가 그곳을 도시로 만들기로 결정한 바로 그날 지도상에 나타나게 된 곳이다. 소유주로부터 얻어낸 그 땅을 매우 싼값으로 팔아 넘겼는데, 그것은 인구가 쇄도하게 만들기 위해서였다. 똑같은 방식이 후에 미나스주에 벨로리존테를 수도로 만들려 할 때도 채택되었다. 그러나 고이아니아에서는 커다란 모험이 감행되었는데, 애초의 목적이 아무것도 없는 무 상태에서 출발하여 브라질 연방의 수도를 건립하는 것이었기 때문이다.

남쪽 해안에서 아마존강까지 이르는 직선거리의 3분의 1가량에 걸쳐 2세기 전부터 사람들에게 잊힌 고원이 펼쳐져 있다. 대상(隊商)들이 다니고 하천수로를 이용하던 시대에, 광산지대에서 북쪽으로 거슬러 올라가려면 그 고원을 지나는 데는 몇 주일이면 충분했다. 그리하여 아라구아야강에 다다라 그곳에서 벨렘까지는 배를 타고 가면 되었다. 그러한 옛 지방생활의 유일한 증거로 남아 있는 고이아스(州名에서 이름을 딴 도시다), 즉 고이아스의 작은 수도인 그곳은 연안지방에서 1천 킬로미터 떨어진 곳에 버려져 있어서 실제로 연안 쪽과는 두절된 상태로 지내고 있었다.

그 도시는 종려나무로 뒤덮인 작은 산이 제멋대로 변하는 그림자의 지배를 받는 푸른 경치 속에 자리 잡고 있었다. 나지막한 집들이 늘어선 거리는 공원들과 광장 사이의 비탈길에서 내리막을 이루었으며, 광장의 교회 앞에서는 말들이 한가로이 풀을 뜯고 있었다. 교회는 반은 헛간, 반은 종탑이 딸린 집으로 되어 있었으며, 장식창이 달려 있는 건물이었다. 그 열주(列柱)라든가, 도장된 회반죽, 박공벽 등 계란흰자위처럼 거품이 나는 도료를 잘 저어서 아직도 산뜻하게 보이는 크림색·황토색·푸른색·분홍색을 칠한 것이 이베리아 전원의 바로크 양식을 연상시켜주었다. 이끼 낀 둑 사이로 강물이 흐르고 있었다. 버려진 주택지를 뒤덮어버렸던 열대산 칡과 바나나나무·종려나무의 무게에 눌려 강둑 여기저기에는 움푹 팬 곳도 보였다. 그 지나치게 자라 있는 모습은 그 도시가 황폐했음을 강조하기보다는 오히려 그 훼손된 표면에 조용한 품위를 덧붙여주는 듯했다.

나는 그러한 불합리를 슬퍼해야 할 것인지, 아니면 즐겨야 할 것인지 알 수 없지만 아무튼 행정부는 고이아스의 들판과 경사지, 그리고 시대에 뒤떨어진 맵시를 잊어버리기로 결정했다. 그곳은 모든 것이 너무도 작고 너무도 낡아 있었기에 그들이 꿈꾸던 거대한 사업을 진척하기 위해서는 아무것도 없는 백지상태가 오히려 더 필요했다. 그래서 찾아낸 것이 동쪽으로 100킬로미터 떨어진 곳, 마치 온갖 동물의 파괴자이며 모든 식물의 적인 커다란 재앙이 휩쓸고 지나간 듯 억센 야생초와 가시덤불로만 뒤덮인 고원형(高原型)의 땅덩어리였다. 그곳으로 가려면 달구지가 다니기 좋은 길이 있을 뿐, 어떤 철도나 제대로 된 도로는 없었다. 이 100제곱킬로미터의 지역이 그 중심지에 미래의 수도가 건설될 연방지구의 위치로 지도상에 표시되었다. 건축가들을 성가시게 할 아무런 자연적인 장애도 거기에는 없었으므로 그들은 마치 제도판 위에서처럼 당장에 설계를 할 수 있었다.

그리하여 도시계획이 땅바닥에 윤곽을 드러내기 시작했다. 외곽의 경계를 확정지었으며, 그 안에 주거지구·상업지구·행정지구·공업지구, 그리고 오락시설용으로 할당한 구역 등 갖가지 지역을 규정지어놓았다. 개척지에서는 항상 오락시설이 중요하다. 그래서 1925년경 비슷한 시도로 마릴리아시가 생겼을 때는 600여 채 세워진 집 중에 유곽이 거의 100여 집이나 포함되어 있던 적까지 있다. 그 대부분이 자선병원 수녀회와 함께 19세기에 프랑스가 해외에 미친 영향의 양쪽 날개를 이루었던 저 '프란세지냐스'(프랑스의 귀부인들이란 뜻)로 사용된 것이었다. 프랑스 외무성은 1939년까지도 이른바 천박하다는 잡지를 보급하는 데 비밀자금의 상당한 부분을 할당하기도 했다. 나의 옛날 동료들 중 몇몇은 내가 다음과 같은 이야기를 회상시켜도 거짓이라고 반박하지 않을 것이다. 브라질 최남단의 주인 리우그란데두술 대학의 설립과 프랑스 교수 우대 이유는 프랑스 문학과 프랑스적 자유에 대한 기호에 있는 것이다. 즉 어느 미래의 독재자가 젊은 시절에 파리에서 한 바람둥이 아가씨를 통해 익힌 취미에 기인한 것이었다.

단시일 내에 모든 신문에는 페이지 가득히 격문이 뒤덮였다. 그들은 고이아니아시의 설립을 보도하고 있었다. 마치 그 도시가 백년제(百年祭)나 맞은 듯 상세한 도면과 함께 주민들에게 약속된 이점, 즉 현대식 도로·철도·상수도·하수도 및 극장시설 등을 열거하고 있었다. 내 기억이 틀리지 않는다면, 초기인 1935, 36년경에는 법정 수수료를 지불하기로 동의한 구매자에게는 상여금을 붙여서 토지를 제공한 시기조차 있었다. 최초의 점유자들이란 법률가와 투기업자들이었던 때문이다.

나는 1937년에 고이아니아를 방문했다. 전신주와 측량용 말뚝이 비죽비죽 솟아 있으며, 황무지와 전쟁터를 방불케 하는 끝없는 벌판이 지평선 네 귀퉁이에 흩어져 있는 새집 100여 채를 보여주었다. 그중 가장 큰 것이 시멘트로 만든 평행육면체인 호텔이었는데, 그 몰취미 속에선 공항 터미널이나 작은 성채가 연상되었다. 아마 어떤 이는 거기에다 기꺼이 '문명의 보루'라는 표현을 붙였을지도 모른다. 비유적인 의미가 아니라 글자 그대로의 의미로 썼을 때 그러한 어법이 이상하게도 풍자적인 가치를 드러냈다. 이런 식으로 사막을 지배하는 것만큼 야만적이고 비인간적일 수 있는 것은 아무것도 없을 것이기 때문이었다.

이렇게 우아함이라고는 찾아볼 수 없는 건축 붐이 고이아스와는 반대였고, 어떤 역사도 시간의 흐름도 습관도 이 공허함을 채우지 못했으며, 그 어색한 모습을 부드럽게 만들 수 없었다. 그곳은 마치 정거장이나 병원에서처럼 항상 스쳐 지나갈 곳, 영원히 머무를 수 없는 곳으로 느껴졌다. 오직 어떤 재난에 대한 두려움만이 참호를 정당화할 수 있었다. 실제로 재앙은 한 번 일어났으며, 그 지배적인 침묵과 정체상태는 위협을 연장할 뿐이었다. 개화자 카드무스는 용의 이빨을 부러뜨렸다. 괴물의 숨결 때문에 살갗이 벗겨지고 타버린 대지는 사람이 자라나는 모습을 보게 되길 기다리고 있었다.

14 마법융단

지금 내 머리에서는 고이아니아의 고급 호텔에 대한 추억과 인간이 이 세계하고 맺고 있다고 자인하는 관계—아니, 나날이 증대해 가는 어떤 힘에 의해 맺기를 강요당하는 관계—의 부조리를 호사로움과 비참함의 양극단에서 증명하는 몇몇 추억이 교차하고 있다. 지금 내게는 고이아니아에 조금도 못지않게 자의(恣意)적으로—정치적 타산과 주민의 강제 이주 정책의 결과 1947년에 불과 30만이었던 카라치의 인구가 3년 후인 1950년에는 120만이 된 것을 보더라도 이 자의적이란 말을 쓴 까닭을 이해할 것이다—조성된 도시인 카라치에 세워진 고이아니아 호텔이 떠올랐다. 이 도시도 고이아니아와 마찬가지로, 우리 지구의 날가죽을 이집트에서 인도에 이르는 광막한 지역에 걸쳐 앙상하게 벗겨버린 듯한 저 불모의 땅의 동쪽 끝에 세워져 있다.

처음에는 어촌이었던 것이 나중에 영국의 식민 지배와 더불어 조그마한 항구이자 상업도시가 된 카라치는 1947년에 이르러 수도로 승격이 되었다. 옛날 군 주둔지였던 대로변에는 집단용의 큰 병영과 작은 독채들이 있는데—독채로 된 병사에는 관리들 또는 사관들이

들어 살고 있었다─각각의 병사는 먼지투성이가 된 식물(植物) 담을 경계로 해서 분리돼 있었다. 이런 대로에서 난민들은 떼지어 잠을 잤고, 씹는 구장(蒟醬: 동남 아시아 지역에서 씹는 기호품으로 애용되는 식물-옮긴이)을 마구 뱉어서 붉은 반점으로 멍투성이가 된 인도에서 이들은 불쌍하게 살아갔다.

그러나 다른 한편에서는 페르시아계의 백만장자들이 서양의 사업가들을 겨냥해 궁전과 같은 호텔들을 짓고 있었다. 수개월을 계속해서, 새벽부터 밤까지 누더기를 걸친 남녀들이 뒤섞여서 줄을 지어 각자 한 광주리씩 시멘트를 날라 와서는 공사장의 판자틀 안에다 쏟아 붓고 숨을 돌이킬 새도 없이 이내 다시 믹서가 있는 곳으로 광주리를 채우러 돌아가는 것이었다. (이슬람 사회에서 여성의 격리는 종교적 관행이라기보다는 부르주아적 위신의 표현이라고 보는 것이 옳다. 빈민 계층에서는 남녀 간의 구별 행위가 전혀 인정받지 못한다.)

건물 한 동이 채 준공되기도 전에 벌써부터 손님을 받았다. 왜냐하면 식사를 제공할 경우 하루 방값이 여성 인부 한 달치 노임보다 비쌌기 때문이다. 이럴 경우 9개월 만에 호텔 한 채의 건축비를 벌어들일 수 있다. 그래서 공사는 서두를수록 좋았고, 또 공사 감독자는 건축물의 각 부분의 접합부가 제대로 시공됐는지는 거의 관심이 없었다. 그런즉 옛날 페르시아의 태수들이 노예들을 강제 동원해서 진흙을 나르고 블록을 쌓게 하여 날림 궁전─이런 궁전의 장식 무늬를 새겨 넣는 데에는, 높은 곳에 매달려 있어서 한결 돋보이는 작업 발판 위를 일렬로 걷고 있는 광주리 운반 아낙네들의 모습이 언제든 쓰일 수 있는 모델로서 아주 적격이었을 것이지만─을 짓게 하던 시절과 달라진 것이라고는 하나도 없었다.

좀처럼 쉽게 끝날 것 같지 않은 계절풍이 실어 나르는 견디기 힘든 습기며, 그보다 더한 영국인들이 '카라치 터미'(Karachi tummy)라고 부르는 이질(痢疾)에 대한 공포 때문에 현지인들의 생활권(이것 역시 이 황무지에서 식민지 시대에 인위적으로 만들어진 것이다)에서 좁히지 못하는 수 킬로미터의 거리를 둔 채, 상인·실업가·외교관으로 이루어지는 고객들은 자기들의 안방 구실을 하는 이 시멘트 통 안에서 더위와 권태로 지쳐버린다. 이런 시멘트 통 객실을 설계하는 데에는 경제적인 배려보다는 몇 주 간이나 몇 개월 간을 그 속에 밀폐되어 있어야 하는 인간 견본이 교체될 때마다 간단한 소독이 가능해야 한다는 데 대한 배려가 오히려 앞선 것이 아니냐는 느낌마저 들었다.

이런 내 추억은 이내 나로 하여금 3천 킬로를 단숨에 날아가 콜카타의 가장 오래되고 가장 숭앙받는 성소(聖所)인 칼리 여신의 신전에서 얻은 다른 추억과 연결해준다. 물이 괴어 흐르지 않는 늪 가까이, 인도 서민의 종교생활이 펼쳐지는 기적의 뜰과 탐욕스러운 상혼(商魂)이 함께 빚어내는 특수한 분위기 속에서 착색인쇄된 종교화와 채색된 석고 신상(神像)이 범람하는 장터 옆에 이 종교의 사업가들이 성지순례자들을 숙박하게 하기 위해 세운 현대판 대상숙소(隊商宿所)가 있다. 그것은 남성용과 여성용 두 부분으로 나뉜 길쭉한 창고형 시멘트 건물로서 침대로 쓰이게 되는, 이 역시 시멘트로 된 긴 상(床)이 주위에 설치되어 있는 이른바 레스트하우스(간이 숙소)였는데, 누가 내게 다가와서 은근히 그곳의 하수도와 상수도 시설을 자랑했다. 인간 짐짝(순례자들)이 아침에 기상해서 하감(下疳), 종기, 곪은 데, 상처 등을 치유하고자 무릎 꿇고 기도하기 위해 밖으로 나가기가 무섭게 여러 개 호스가 물을 뿜어내어 숙소 내부를 온통 세척해버린다. 이래서 푸줏간의 큰 도마같이 생긴 이들 침대가 모두 깨끗해져서 다음 화물들(손님들)을 받아들일 수 있게 된다. 아마도 강제수용소를 제외하고는 일찍이 이토록 인간이 고깃간의 고기 대접을 받은 적은 없었으리라……

그래도 이것은 사람들이 일시적으로 묵고 가는 경우에 불과하다. 하지만 거기서 조금 떨어진 나라얀간지(Narayanganj: 옛 동파키스탄(현재의 방글라데시)의 소도시 - 옮긴이)에서는 황마(黃麻) 노무자들이 벽에 매달려 공중에서 흔들거리는 희끄무레한 섬유의 거대한 거미줄 속에서 일을 하고 있다. 거기서 나와 그들이 돌아가는 곳은 쿨리라인스(coolie-lines: 노무자 합숙소)라고 불리는 조명도 마룻바닥도 없는 블록으로 쌓은 여물통이다. 이곳에는 노무자가 여섯 내지 여덟 명씩 밭이랑처럼 구획진 줄에서 서로 몸을 맞대고 살고 있는데, 이랑 사이로 해서 밖으로 나와 있는 홈을 통해서 하루에 세 번씩 물을 대어 오물을 씻어내는 장치가 있다.

　사회 발전의 덕분으로 이런 수용방식은 차츰 '노무자촌'(workers' quarters)이라는 것으로 대체되어가는데, 이 역시 세로 3미터, 가로 4미터의 방에다 노무자 2, 3명을 함께 수용하는 감옥에 불과하다. 사방이 벽이고 출입문마다 무장 경관이 지키고 있으며 취사장과 식당은 공용이고 수돗물로 간편하게 씻어내릴 수 있는 시멘트 바닥 구조다. 각자가 제각기 불을 피워 취사를 하고 어두컴컴한데 맨바닥에 쭈그리고 앉아서 식사를 해야 한다.

　내가 처음으로 (프랑스의) 랑드 지방에서 교직을 얻었을 때 어느 날 거위를 강제 비육(肥育)하기 위해 특별히 마련한 계사를 살펴본 적이 있다. 거위는 한 마리 한 마리가 죄다 좁은 칸막이 안에 갇혀 있어서 단지 소화기관 자체에 불과한 상태였다. 여기서도 상황은 꼭 마찬가지였다. 단지 거위 대신에 남자나 여자를 생각하면 되고 또 살찌우는 대신 야위게 한다는 두 가지 차이점을 빼놓고는 말이다. 하지만 어느 경우에나 사육자 측이 피사육자에게 용인하는 행위 ― 한쪽은 바람직스럽고 다른 한쪽은 불가피한 행위이겠지만 ― 는 단 한 가지밖에 없다. 이들 어두컴컴하고 통풍도 잘 안 되는 벌집의 구멍(같은 좁은 공간)은 휴식에도 놀이에도 사랑에도 적합하지 않다. 공용의 배수로 언저리에 줄지어 박혀 있는 이들 벌집 구멍은 인간의 삶의 기능을 오로지 배설에만 국한해버리는 사고법에서 태어났다.

불쌍한 동양이여! 나는 정체를 잘 알 수 없는 도시 다카에서 유산계급의 가옥을 몇 군데 구경했다. 어떤 집은 호사로워 뉴욕 3번가의 골동품상과 비슷했다. 또 어떤 부유한 집은 (파리 교외의) 부아 콜롱브에 있는 은퇴한 노인의 별장에 못지않을 정도로 등나무 의자며 가장자리에 술 장식이 붙은 냅킨이며 도자기 같은 것을 갖추고 있었다. 또 어떤 집은 구식 집으로서 프랑스의 가장 처량한 초가집과 닮았고 진흙탕인 좁은 앞마당의 끝에는 흙을 이겨서 만든 가마솥이 걸려 있어 부엌 구실을 하고 있었다. 또 유복한 젊은 부부용으로 지은 세 칸짜리 아파트는 (프랑스 동부 지방의) 샤티용 쉬르 센이나 지보르에 정부의 부흥건설국에서 짓게 하는 경제적 아파트와 별차이가 없었다. 다만 다카의 아파트는 세면소에 수도꼭지가 하나밖에 없는데다 방은 맨시멘트 바닥이고 가구도 소녀용 방의 가구 이하로 검소하다는 점이 달랐다.

콘크리트 방바닥에 쭈그리고 앉아서 코드로 천장에 매달린 희미한 전등 불 아래서, 오! 천일야화여('오 천일야화여!'라는 감탄사는 '천일야화' 전설의 무대였던 나라 — 아라비아·페르시아·인도 등 — 에 와서 '천일야화'의 분위기 속에서 이 지역 고유의 전통음식을 먹게 되어 기이한 운명이라는 기분에서 발한 말-옮긴이), 나는 그들의 조상 전래의 맛있는 저녁식사를 손가락으로(아라비아인이나 인도인들은 평소 손으로 식사를 한다-옮긴이) 했다. 먼저 '키추리'가 나왔는데, 이것은 쌀과 영어로 펄스(pulse)라고 불리는 렌즈콩으로 이루어지는 것으로, 시장에 가면 그 가지가지 빛깔의 변종을 부대에 넣어서 팔고 있다. 다음이 '님코르마'라고 불리는 닭 프리카세(프리카세란 닭·토끼·송아지 고기 따위를 화이트소스에 졸여서 양념하여 무친 요리를 말한다—옮긴이). 그리고 기름기가 많고 과일 맛이 나는 큰 새우 스튜인 '친그리 카리.' 다음은 '디메르 타크'라고 하는 찐 계란 스튜로 이것에는 '쇼샤'라고 하는 오이소스가 쳐져 있다. 그리고 끝으로 디저트인 '피르니'라고 하는 우유를 친 밥.

나는 어느 젊은 교수의 손님이었다. 그 집의 식구로는 집안일을 돌보아주고 있는 처남과 식모, 아기, 그리고 푸르다(여성 격리 관습—옮긴이)에서 해방된, 나를 초대해준 분의 아내가 있었다. 조용한 성격에 겁을 먹은 암사슴 같은 이 아내에 대해서 남편은 그녀가 푸르다에서 얼마 전에야 겨우 해방된 몸이라는 것을 강조하면서 갖가지 비꼬는 말을 늘어놓았는데, 그 말들이 정도가 좀 지나쳐서 그녀에게뿐 아니라 내게도 괴로웠다. 그는 또 내가 민족학자라는 것을 내세우면서 옷장 안에 있는 내의들을 죄다 점검할 수 있게 모조리 다 보여드리라고 아내에게 명령했다. 이러다가는 마침내 입고 있는 것까지 모조리 벗겨서 아내를 벌거숭이로 만들어버릴지도 모르겠구나 하고 느껴질 정도로 남편은 자기도 잘 모르는 이 '서양'(문명)에 아첨을 하고 싶었던 것이다.

이렇게 해서 나는 노무자 주거지역과 저소득층 집단주택으로 특징지어지는 아시아가 내 눈앞에서 그 미래의 모습을 미리 보여주고 있는 것을 보았다. 이것은, 어떠한 형태의 이국정서도 벗어던져버리고 5천 년의 공백기를 지낸 끝에 이제 다시, 아마도 기원전 3000년대에 아시아가 발명했을 저 음울하지만 효율적인 생활양식을 복원하려 하는 내일의 아시아이다. 이 생활양식이 그 후 지표를 이동하여 근대에 와서 '신세계'에서 잠시 지체하게 되자, 사람들은 그것을 아메리카 고유의 문화인 것처럼 생각하는 경향이 생겼다. 그 후 이 문화는 1850년에 이르러 다시 서쪽으로 이동하기 시작하여 일본에 도달하고, 계속해서 세계일주를 마친 후에 지금은 그 기원지로 되돌아온 것이다.

인더스 계곡 지대에서 나는 오랜 세월 모래·홍수·전쟁·아리아 민족의 침입 등을 견뎌내고 남아 있는 저 장엄한 유적, 즉 기와 조각과 토기 조각으로 엉켜 붙어 굳은 혹(더미)인 모헨조다로(Mohenjo-Daro)와 하라파(Harappa)를 거닐었다. 이들 고대의 탄광촌은 정말 놀라웠다. 일직선으로 달리고 직각으로 교차하는 도로들, 모양이 같은 집들이 줄지어 서 있는 노무자촌, 제분소, 제철소, 지금도 땅바닥에 파편이 널려 있는 점토 컵 작업장. 여러 (시간과 공간을 옮겨놓고 말을 고른다면, 즉 현대적인 표현을 쓴다면) 블록을 차지하고 있는 시립의 곡물창들, 공중 목욕탕, 상수도망, 하수도망, 편의성은 만점이나 멋이 없는 주택가, 기념 건물이나 큰 조각물도 없고 다만 지하 십 몇 미터에서 20미터 사이에 부자들의 허영적 욕망과 관능적 욕구를 채울 것만을 목적으로 한, 신비성도 깊은 신앙심도 엿볼 수 없는 예술품의 징조라고 할 수 있는 가벼운 장식이며 사치스러운 장신구들이 놓여 있을 뿐이다. 이 전체는 그곳을 방문하는 사람들에게 현대 대도시의 장점과 결점을 일깨워주는 동시에 오늘날 미합중국이 유럽에 대해서까지 그 모델을 보여주고 있는, 서양문명의 한층 더 진보된 형태를 예시해주고도 있다.

4, 5천 년의 끝에 가서는 역사는 한 사이클이 끝나는 것이라고 사람들은 즐겨 생각한다. 인더스강의 도시로 시작한 도시문명, 산업문명, 부르주아문명이 유럽이라는 번데기 안에서 오랜 퇴화 과정을 거친 끝에 대서양의 대안에 가서 성숙하게끔 운명지워진 문명과 그 기본 정신에서 그다지 차이가 없다고들 생각한다. 제일 오래된 구세계는 나이 어렸을 때 이미 신세계의 밑그림 얼굴을 그리고 있었다.

그러므로 나는 표면적인 대조나 외면상의 특이성을 경계한다. 그런 것은 단시간 동안밖에 효력이 없기 때문이다. 우리가 이국정서라고 이름하는 것은 고르지 못한 리듬을 말하는 것으로 몇 세기 동안은 의미가 있어서 서로가 함께 나누어 갖고 있었을지도 모르는 같은 하나의 운명을 가리어 덮어버리는 것이다. 마치 줌나(Jumna)강 언덕에 섰던 알렉산드로스 대왕이나 그리스의 여러 왕이, 그리고 스키타이 (Scythia)와 파르티아(Parthia) 제국이, 또 베트남 해안에서의 로마 해군 원정대가, 여러 민족을 병합한 무굴 황제의 궁정이 모두 이국정서를 그런 것으로 느꼈듯이 말이다.

지중해를 건너서 비행기가 이집트에 들어서면, 눈은 우선 야자수 숲의 녹갈색, 물의 녹색 ― 이 녹색을 '나일의 물색'(불어로 '나일 물색'이란 말은 약간 갈색을 띤 녹색을 말한다 ‒ 옮긴이)이라고 부르는 말이 꼭 맞는구나 하는 느낌을 사람들은 이때 갖게 된다 ―, 베이지색 모래, 보랏빛 충적토 따위로 공연(共演)되는 장엄한 교향악에 놀라게 된다. 하지만 더욱 놀라운 것은 하늘에서 본 마을들의 조감도다. (도시계획상 단위 구역의) 경계선 내에 제대로 들어박히지 못한 촌락들은 집들과 길들의 복잡한 무질서를 보여주어 여기가 동양이로구나 하는 것을 입증하고 있다. 그것은 16세기와 마찬가지로 20세기에 와서도 기하학적 도시계획을 편애하는 '에스파냐와 앵글로색슨의 신세계'와 정반대가 아니고 무엇이겠는가?

이집트를 지나고 나면 아라비아 상공의 비행은 사막이라는 단 한 가지 테마에 대한 갖가지 변주를 제공한다. 우선 붉은 기와로 만든 성(城)의 폐허 같은 큰 바위들이 사막의 오팔색 위로 솟아 있다. 그 밖에는 물의 흐름을 한 줄기로 모으지 않고 여러 갈래로 갈라서 흐르게 하는 와디(사막 지방에서 장마철에만 흐르고 보통때는 물이 흐르지 않는 수로 ‒ 옮긴이)의 상식에 어긋나는 수로들이 그려내는, 땅바닥에 드러누운 나무 모양의 ― 아니, 어쩌면 해초나 수정 모양이라고 하는 것이 나올는지 몰라……—복잡한 그림이 눈에 들어온다. 그 너머 저쪽 편에는 대지가 마치 한 마리의 큰 괴수에 짓눌린 형용으로 드러누워 있다……. 성난 뒷발꿈치로 땅을 짓밟으며 거기서 즙액을 짜내려고 안간힘을 쓴 끝에 지쳐버린 모습으로…….

저 모래들의 부드럽기 이를 데 없는 빛깔이여! 사람의 살갗과도 같구나! 또 복숭아 껍질, 진주모, 생선의 날고기와도 같구나! 아카바(Aqaba)에서는 물이 (인정스럽게) 은혜를 베푸는 존재임에도 인정사정없이 냉혹한 청색을 반영하고 있고, 한편 인간과의 친교를 거부하는 바윗덩이들은 비둘기털 빛으로 녹아 있다.

해가 질 무렵이 되면 모래는 서서히 안개 속으로 사라진다. 하늘의 모래인 안개도 하늘의 맑은 청록색에 대항하듯 땅에 합세한다. 그래서 사막은 굴곡도 기복도 잃어버린다. 그리하여 사막은 하늘보다 점도(粘度)가 조금밖에 더 크지 않은 장밋빛의 균일하고 거대한 덩어리인 황혼과 혼합돼버린다. 사막은 제 스스로와의 관계에서도 쓸쓸한 존재가 되어버리고 만다. 차츰 안개가 짙어지고 밤 이외에는 아무것도 없어진다.

비행기가 카라치에 착륙하자, 달의 사막처럼 (낯설고) 이해할 수 없는 타르(Thar)사막에 해가 떠오른다. 넓고 긴 황야마다 여러 밭이 작은 그룹들을 이루면서 여기저기 나타난다. 해가 좀더 높이 중천에 오르면, 경작지들이 서로 이어져 장밋빛과 녹색의 기조(基調) 위에서 조화된 한 장의 연속된 화면을 선사한다. 그 빛깔은 오랫동안 사용되어서 군데군데 닳아서 해어진 곳도 있고, 또 해어진 곳을 꾸준히 기워온 흔적도 있는, 낡은 장식 융단의 그윽한 멋을 담은 퇴색한 빛깔과도 같았다. 이제 인도에 온 것이다.

밭의 구획은 불규칙적이긴 하지만 형태나 색채는 전혀 무질서하지 않다. 그것들이 어떤 식으로 집합체를 형성하건 간에 언제나 하나의 균형 잡힌 전체를 이루게 되는데, 마치 그 각각의 윤곽을 초잡을 때, 클레(Paul Klee, 1879~1940: 스위스의 화가-옮긴이)와 같은 화가의 지리학적 몽상처럼, 전체와의 관계를 사전에 숙고라도 한 것 같았다. 이 모두는 촌락, 그물 모양의 밭, 늪 언저리의 작은 수풀, 이 세 가지가 형성하는 삼위일체 주제의 되풀이에 불과한데도 극도로 희귀하고 조화롭고 자의적(恣意的)인 이미지를 구성하고 있다.

비행기가 델리에 기착해주어서 낭만적인 인도, 즉 강렬한 녹색 수풀덤불 가운데서 폐허가 돼 있는 몇몇 사원을 저공에서 별견할 수 있었다. 그다음 눈에 들어오기 시작한 것은 대홍수의 장면이다. 강물은 진하고 진흙투성이인데다 흐름이 정체되어서, 물 자체가 바닥이 되어버린 강물 표면을 줄무늬를 이루며 떠다니는 무슨 기름같이 보였다. 바위 구릉과 숲이 있는 비하르(Bihar) 상공을 지나면 바로 델타지대로 접어든다. 토지는 구석구석이 한 치도 남기지 않고 경작되어 있고, 논은 하나하나가 다 빈틈없이 둘러쳐진 울타리 안에서 그 자신을 적시고 있는 물 때문에 새파랗게 반짝이는 금록색의 보배처럼 보인다.

예각(銳角)이라고는 아무데서도 찾아볼 수 없고 모든 모서리는 둥글게 되어 있는데도, 살아 있는 조직의 세포처럼 모든 것이 이가 잘 맞아 있다. 콜카타 쪽으로 좀더 가까이 가면, 부락의 수가 점점 늘어난다. 수목의 녹색으로 만들어진 벌집 모양의 구멍 안 개미 알처럼 오두막집들이 쌓여 있어서 그 짙은 녹색은, 군데군데 산재한 짙은 붉은색 지붕 기와로 인해 한층 더 강렬한 빛을 발한다. 착륙하고 보니 땅에는 호우가 쏟아지고 있다는 것을 알 수 있었다.

콜카타 다음은 브라마푸트라강의 델타를 가로지른다. 이 강은 괴물 강으로서 하도 굴곡이 심해서 한 마리 짐승같이 보인다. 그 주변은 시야가 닿는 한 어디를 보나 들판이 물로 덮여 있다. 다만 황마밭만이 비행기에서 내려다보니 같은 수효만큼 이끼의 격자(格子)를 형성하고 있고, 그 이끼의 싱그러움이 녹색을 한층 돋보이게 하고 있다. 수목으로 둘러싸인 마을들이 꽃꽂이용의 꽃송이들처럼 물 속에서 불쑥 모습을 드러내 보이고 있다. 그 주변에 배들이 모여드는 것이 보인다.

인간 없는 사막의 세계도 아니고, 또 그렇다고 토지 없이 헤매는 인간의 세계도 아닌, 이 두 가지의 중간적 위치에 처해 있는, 그러면서도 엄연히 인간의 땅인 이 인도는 정말 가늠할 수 없는 얼굴을 하고 있다. 카라치에서 콜카타로 나는 데 소요된 여덟 시간 동안에 내가 인도에 대해서 내린 평가는 인도를 결정적으로 신세계로부터 떼어놓고 말았다.

인도의 토지구획 방식은, 아메리카 중서부나 캐나다의 그것에서 볼 수 있는 것처럼 마치 접시 가장자리의 이가 빠진 듯이 구획마다 주변 경계선의 늘 같은 장소에 농가를 배치하는, 동일한 형태의 단위들로 구성되는 바둑판 무늬 모양이 아니다. 그렇다고 새 개발지역이 무지막지하게 조금씩 갉아먹기 시작하고 있는 저 열대지방의 녹색 수풀의 비로드 형식은 더욱 아니다. 작은 단위로 무수히 분할돼 있고, 남긴 데 없이 구석구석이 경작돼 있는 이 토지를 보는 유럽인들은 먼저 친밀감부터 갖게 된다. 그러나 이 혼란스러운 색조며, 논과 밭의 끊임없이 새로이 그어지는 불규칙적인 윤곽선이며, 다시 고친 듯이 보이는 희미한 논두렁 등을 보면 틀림없이 (유럽과) 같은 융단 그림일 것이지만, 유럽 전원의 좀더 명쾌한 형식이나 색조와 비교해본다면, 같은 융단을 이면에서 비추어 보는 것 같은 느낌이 든다.

이것은 단순한 비유에 불과할지 모른다. 하지만 이 비유는, 유럽과 아시아 각각의 위치를 양자에 공통된 문명과의 관계에서 (그리고 또 유럽문명의 위치를 자신의 투영상인 아메리카문명과의 관계에서) 꽤 잘 설명해주고 있다. 최소한 물질적 측면에서는 한쪽은 다른 쪽과 정반대 관계로 나타난다. 한쪽은 항상 이득을 보고 다른 쪽은 항상 손해를 보아왔다. 마치 양측이 공동사업을 벌여오는 과정에서, 한쪽이 모든 이익을 독차지하고 다른 쪽은 보수로 얻은 것이 비참함밖에 없었다는 듯이. 한쪽의 경우(앞으로 얼마 동안 더 계속될는지?), 규칙적인 인구의 증가가 농업과 공업의 발전을 가능케 함으로써 자원이 소비자보다 더 빠른 속도로 증대했다. 같은 혁명이 다른 쪽에 대해서는 18세기 이래로 정체한 채 머물렀던 부의 총체에 대한 개인의 몫을 착실히 저하시켜왔다.

유럽, 인도, 북아메리카 및 남아메리카, 이들 네 지역은 그들만으로 벌써 지리적 환경과 인구밀도 상호 관계의 가능한 모든 조합방식을 전부 보여주고 있지 않은가? 빈곤한 열대지방이지만 인구가 적은(뒤의 조건이 앞의 조건을 일부 보상해주고 있다) 아마존 지대의 아메리카는, 역시 열대로서 가난하고 인구과잉인(뒤의 조건이 앞 조건을 악화시키고 있다) 남아시아와 대조를 이루고 있다. 이것은 또 온대 국가들의 범주에서, 막대한 자원을 가지고 있으면서도 비교적 인구가 제한돼 있는 북아메리카가 자원은 비교적 제한돼 있지만 인구가 많은 유럽과 짝을 이루고 있는 것과 비교할 만하다. 하지만 아무리 이런 식의 증거를 나열해본다 해도 남아시아는 역시 언제나 희생당하는 대륙이다.

15 군중

구세계의 미라가 돼버린 도시 이야기를 하건, 또는 신세계의 신생도시 이야기를 하건 우리는 물질적이나 정신적인 측면에서 최고의 가치들을 도시생활과 결합하려 드는 버릇이 있다. 인도의 대도시들은 일종의 빈민굴이다. 한데 우리가 불명예라고 여겨 부끄러워하는 일이나 나병처럼 꺼리는 일들이 인도에서는 종국적인 사회현상으로서 나타나는, 즉 인간들의 밀집 — 생활 조건의 차이를 무시한 '밀집' 자체가 존재 이유인 밀집 — 에서 오는 (단순한) 도시생활의 (자연스러운) 현상에 불과할 따름이다.

추잡성·무질서·혼란·혼잡·폐허·판잣집·진흙탕·오물·체액·똥·오줌·고름·분비물·땀, 도시생활이 그것들에 대한 조직적인 방어수단이 될 수 있다고 우리가 생각하는 모든 것, 우리가 싫어하는 모든 것, 우리가 비싼 대가를 치르고라도 회피하려고 하는 모든 것, 인간의 공동생활에서 생기는 모든 부산물, 이 모든 것이 인도에는 한없이 널려 있다. 이것들이 도리어 도시가 번영하기 위해서 필요한 자연환경이 되고 있다. 도로는 큰길이든 골목길이든 각 개인에게 '자기 집' 구실을 한다. 그는 거기서 앉기도 하고 자기도 하고, 심지어 끈적끈적한 쓰레기 속에서 먹을 것을 줍기도 한다. 그곳은 뭇 인간이 하도 제 마음대로 배설하고 더럽히고 짓밟고 주무르는 바람에, 인간에게 혐오감을 일으키기는커녕 자기 집의 일부로 느껴지는 곳이다.

콜카타에서 주위를 소떼가 둘러싸고 있고 창문이 독수리의 횃대 구실을 하는 내 호텔에서 나설 때마다, 나는 한 편의 발레극의 중심 인물이 되어버린다. 만일 그 내용이 그토록 비참하지만 않았다면 아마 나는 그 발레극을 아주 코믹하다고 생각했을 것이다. 이 발레에는 등장인물이 여럿 나오는데, 각기 중요한 역할을 맡고 있다.

구두닦이: (구두 닦으라고) 내 발치에 몸을 던진다.

조그마한 소년: 그는 뛰어와서 응얼댄다. "한푼 주세요…… 한 푼요."

불구자: 잘려 나간 팔과 손을 더 잘 드러내 보이려고 옷을 벗어젖히고 있다.

매춘 중매인: "영국 여자 있어요, 아주 예뻐요……."

클라리넷 장수.

뉴 마켓(New Market) 시장의 짐꾼: 그는 모든 상품을 다 열거하면서 사달라고 애걸을 하지만, 실은 물건을 직접 파는 데 관심이 있는 것은 결코 아니고, 내 뒤를 따라붙어서 얻을 수 있는 잔돈으로 요기를 할 수 있기 때문이다. 그는 마치 그 모든 물건이 자기 재산인 양 의욕적으로 품목을 외어댄다. "트렁크는요? ……셔츠는요? ……양말은요?"

그리고 끝으로 일단의 단역들, 즉 인력거, 마차, 택시 따위의 손님 끌이들. 택시는 인도에 3미터 간격으로 얼마든지 늘어서 있다. 하지만 누가 알아? '나'라는 사람이 그런 것에는 시선도 돌리지 않는 지체 높은 위인일 수도 있지 않은가!…… 이들말고도 등장인물로는 상인, 가게 주인, 싸구려 물건을 파는 노점 상인 등등, 당신이 지나가는 것을 마치 천국의 도래와 같이 고맙게 여기는 ─ 당신은 그들에게서 무엇인가 사줄 수도 있으니까 ─ 사람들도 있다.

이들의 행동을 보고 비웃거나 성을 내거나 하고 싶어지는 자들은 이 두 가지가 다 신성모독과 같은 것이라고 생각하고 조심해야 한다. 그와 같은 바보스러운 짓이나 불쾌감을 자아내는 행동방식들에서 어떤 고뇌에 기인하는 임상적 징후를 보려고는 하지 않고 비판하려 드는 것은 무리한 짓이 될 것이며, 비웃는 것은 범죄적 행위가 될 것이다. 그들의 단 한 가지 강박관념, 즉 허기가 그들로 하여금 그런 절망적 행동을 하게끔 만든다. 바로 그 허기가 수많은 사람을 시골에서 몰아내어 콜카타의 인구를 불과 수년 만에 200만에서 500만으로 끌어올린 것이고, 바로 그것이 이향자(離鄕者)들을 철도역이라는 막다른 골목으로 몰아세운다.

그들이 밤에 역의 플랫폼에서 하얀 면포에 싸여 자고 있는 것이 열차 안에서도 보이는데, 그 면포는 오늘은 옷이지만 내일은 아마 수의가 될지도 모른다. 또한 바로 그 허기가 적선을 비는 자의 눈을 애원의 빛으로 가득 차게 하며, 그 눈이, 한 개인의 무언의 요구로부터 당신을 보호하기 위해 문간에 버틴 무장병사 모양으로 일등칸에 설치해놓은 철제 격자 너머로 당신의 눈과 마주치게 된다. 만일 이때 여객이 동정심을 참지 못해 몸을 보호하겠다는 조심성을 내팽개치고 철제 격자를 넘어가 적선을 베풀려고 한다면 그 무언의 요구는 (허기진 자들이 다투어 일시에 몰리는 바람에) 순식간에 대소동으로 변해버릴 우려가 있다.

열대 아메리카에 사는 유럽인도 많은 문제에 봉착한다. 그는 인간과 지리적 환경의 사이에서 그에게는 새롭고 이상한 여러 가지 관계를 관찰하게 된다. 그리고 인간의 생활형태마저도 그에게 끊임없이 고찰의 주제를 제공한다. 하지만 인간과 인간의 관계에서는 새로운 형식을 발견할 수가 없다. 그것은 지금까지 늘 자기를 에워싸온 관계들과 같은 범주의 것이다. 남아시아에서는 반대로, 현실은 인간이 세계에 대해서나 인간에 대해서 요구할 수 있는 수준을 훨씬 하회하거나, 아니면 그보다 훨씬 상회하거나 하는 듯이 보인다.

(이곳 남아시아에서는) 하루하루의 생활이 인간관계라는 개념의 끊임없는 부인인 듯이 보인다. 이곳 사람들은 무엇이든 쉽게 제안하고, 무엇이든 쉽게 약속하며, 아는 것도 없는 주제에 무엇이든 다 할 수 있다고 한다. 이런 까닭으로 (이런 사회에서) 당신은 상대방이 '성의'와 '계약 이행에 대한 책임 관념'과 '제 자신에 의무를 과할 수 있는 능력' 속에 존재하는 '인간됨의 자질'을 갖추고 있다는 것을 아예 부정하지 않을 수 없게끔 강요당하고 만다. 인력거꾼은 당신보다 길을 잘 모르면서도 어디든지 모실 수 있다고 나선다. 비록 인력거에 올라타서 그들에게 그것을 끌게 하는 데는 약간 마음이 괴롭지 않을 수는 없다 하더라도, 그들이 그런 도덕적으로 비합리적인 행동을 함으로써 자신들을 인간 이하의 대접을 받게끔 우리를 강요하는데 어찌 화가 나지 않을 수 있으며, 어찌 그들에게 짐승대접을 하지 않을 수 있으랴.

어디를 가나 걸인 천지라는 사실이 또한 더욱 심각한 문젯거리가 된다. 여기서는 사람을 대할 때 벌써부터, 단순히 한 인간과 접촉을 한다는 생각만으로는 상대방 눈을 쳐다볼 수가 없게 되어버렸다. 왜냐하면 잠시만 멈칫하는 기미를 보여도 그것은 곧 하나의 약점으로 잡혀버려, 상대방의 애원을 받아들이겠다는 뜻으로 해석되어버리기 때문이다. '사-힙'(우리말의 '여보세요'라는 말에 해당-옮긴이) 하면서 걸인이 말을 걸어올 때의 그 어조는 우리가 소리를 높이고 끝 음절에서 억양을 낮추면서 어린애들을 꾸짖을 때 '부아-용'(불어에서 첫 음절을 높게, 끝 음절을 낮게 발음하면 '이놈!'의 뜻이 됨-옮긴이)이라고 할 때의 어조와 놀랄 만큼 닮았다. 그 어조는 이런 뜻을 담고 있는 것 같았다. "아니, 나리께선 보시고도 모르시는 겁니까요, 뻔한 걸 갖고요? 지금 이놈은 고개 숙여 적선을 빌고 있단 말씀이에요. 그러니 나리께선 보태주셔야 하시는 거 아니에요? 도대체 무슨 생각을 하고 계세요? 정신 나갔어요?"

이런 사실적 상황에 대한 승복에 대해서는 아무도 이론을 제기하지 못할 것인즉, '애걸'의 (형식적) 요인이 자연히 소멸될 수밖에 없다. 그러므로 결과적으로 남은 일은 객관적 상태 확인 절차, 즉 걸인과 나 사이에 생겨난 당연한 관계의 확인 절차밖에 없다. 이런 관계에서 '적선'이라는 행위가 결과로 나오게 되는 것은 물리 세계에서 원인을 결과에다 맺어주는 필연성의 관계와 전혀 다를 바가 없다.

여기서도 역시 상대방이 틀림없이 갖추고 있다고 되도록이면 내가 인정하고 싶은 그 인간적 자질을, 상대방의 행동거지 때문에 부득불 부인하지 않을 수 없게 된다. 사교상의 규칙이 지켜지지 않기 때문에 인간 상호 간의 관계를 관장하는 모든 원초적 상황이 무너져버리고, 그러고 보면 처음부터 다시 시작할 방법도 없다. 왜냐하면 이들 불행한 자들을 평등하게 대해주고 싶어도 그들은 이 부정에 대해 항의할 것이기 때문이다. 그들은 평등하게 되기를 원하지 않으며, 오히려 당신이 오만한 태도로 자기들을 짓밟아주기를 애원하거나 간청하고 있다. 당신과 그들을 갈라놓고 있는 거리를 확대함으로써 한 줌의 음식(불어에서는 거지에게 적선하는 한 조각의 빵, 한 줌의 음식을 bribe라고 한다─옮긴이) ── 영어에서는 '뇌물'을 마침 bribery라고 한다 ── 을 기대하는 것이고, 그 음식도 당신과 그들의 관계가 긴장이 되면 그만큼 더 영양가가 높은 것이 될 것이다. 그들이 내 신분을 높이면 높일수록 그들이 요구하는 '별것 아닌 것'이 '대단한 것'이 될 것이라고 그들은 기대한다. 그들은 '살 권리' 따위는 요구하지 않는다. 살아남는다는 것은 그들에게는 강자들에 대한 경의의 표시로만 겨우 얻을 수 있는 분에 넘치는 은혜이다.

그러므로 그들은 자기들을 평등하게 만들 생각은 하지 않는다. 그러나 설령 그들이 '인간'이라고 하더라도, 그들의 그 끊임없는 압박이나 간계(奸計)나 거짓말이나 도둑질로 당신에게서 무엇인가를 얻어내려고 당신을 속이고 기만하기 위해 늘 머리를 짜서 생각해내는 잔꾀들은 참을 수 없다. 그렇다고 해서 이들에게 냉혹하게 대할 수는 없지 않겠는가? 왜냐하면 (이 점이 바로 우리로 하여금 어찌할 바를 모르게 만든다) 이러한 모든 짓은 결국 '애원'의 여러 가지 형태이니까 말이다. 그리고 당신들에 대한 그들의 기본적 태도가 도둑질을 하는 경우라고 할지라도 언제나 '애원'의 태도이기 때문에, 바로 이 이유 때문에 이런 상황이 너무나도 참을 수가 없게 여겨지고, 또 난민들이 여러 가족을 입주시킬 수 있는 크기의 방을 차지한 우리를 직접 내쫓으려 하지는 않고 수상 관저의 문간에 몰려가서 온종일 울고불고 하며 하소연하는 소리가 내가 들어 있는 고급 호텔의 창 너머로 들려올 때, 카라치의 나무숲 속에서 무리를 지어 쉴새없이 울어대는 잿빛 목털을 한 검은 까마귀떼와 같구나, 하고 생각하지—그렇게 하는 것이 조금 부끄럽기는 했지만—않을 수가 없다.

이러한 인간관계의 악화는 유럽인의 정신으로는 우선 이해할 수 없는 것같이 여겨진다. 우리는 마치 원초적 상태—혹은 이상적 상태—가 이와 같은 적대관계의 해소에 해당되기라도 하는 것처럼 계급 간의 대립을 투쟁이나 긴장이라는 형태로 이해하려 든다. 하지만 여기서 '긴장'이라는 말은 의미가 없다. 긴장된 것은 아무것도 없다. 설령 긴장될 수 있었던 것이 있었다 하더라도 그것은 벌써 찢겨 나가고 없다. (관계의) 단절은 처음부터 있었던 것이고, (그 반면에) 저 '좋은 시절'—그 흔적을 찾기 위해서거나 그런 시절이 다시 오기를 바라는 마음에서 언급할 수도 있을 그런 '좋은 시절' ─ 이란 존재하지 않는다는 사실은, 길에서 마주치는 저들이 모두 지금 나락으로 떨어지고 있다는 이 한 가지 사실만을 확신케 하는 셈이다. 가진 재산을 몽땅 다 바친다고 해도, 저들이 떨어지는 것을 잠시라도 막을 수 있겠는가?

게다가 '긴장'이라는 개념으로 생각을 해본다고 해도 그 결과가 우울한 데는 변함이 없다. 왜냐하면 그 경우에는 모든 것이 너무도 긴장돼 있어서 이미 균형의 가능성은 존재하지 않는다고 말해야 할 것이기 때문이다. 체제(體制) 자체의 관점에서 본다면, 체제를 파괴하기부터 시작하지 않는 한 상황은 돌이킬 수 없게 되어 있다. 이 경우 우리는 금방 애원자들과의 관계에서 애초부터 불균형하게 돼 있다는 것을 발견하고, 그들을 업신여겨서가 아니라 그들이 존경을 통해서 우리를 타락시키기 때문에 그들을 내쫓아야 한다. 그들은 자기들의 운명의 어떤 조그마한 개선도, 당신의 운명이 그 백 배로 개선될 때만 비로소 얻을 수 있는 것이라고 어리석게도 확신하면서 당신이 더 영광스럽고 더욱 강력해지기를 바람으로써 우리를 타락시킨다.

이런 사실들은 보통 아시아의 것이라고들 하는 잔인성의 원천을 환히 밝혀준다. 화형대(火刑臺), 갖가지 처형술, 여러 가지 고문, 불치의 상처를 입히기 위해 고안된 갖가지 기구, 이런 것들은 모두 하천배(下賤輩)가 당신을, 또는 그 반대로 서로를 이용하는 비천한 관계의 미화 수단으로 쓰인 흉폭한 행위에서 비롯된 것이 아니고 무엇이겠는가? 지나친 사치와 지나친 비참 사이의 간격이 인간다움의 차원을 파괴하고 있다. 따라서 이제 남아 있는 유일한 사회는 아무런 능력도 없는 자가 모든 것을 바라며 살아남는 사회(천일야화에 나오는 요정들은 얼마나 동양적인가!), 모든 것을 요구하면서도 아무것도 제공하지 않는 사회일 수밖에 없다.

이와 같은 조건하에서는, 우리들이 서양문명을 규정하고 있다고 즐겨 생각하는(대개의 경우 착각이지만) 인간관계와는 공통점을 갖고 있지 않은 인간관계라는 것이, 우리들 생각으로는 마치 어린애들의 행동 세계에서 우리들이 관찰할 수 있는 바와 같이 때로는 비인간적이고 또 때로는 인간 이하의 것으로 여겨지는 것은 조금도 놀랍지 않다. 적어도 어떤 면에서는 이들 비극적 인간들은 우리에게 어린애 같이 보인다.

우선 그들의 눈길과 미소의 부드러움이 그렇다. 또 어떤 자세로든지 앉기도 눕기도 하는 이들 모두에게서 볼 수 있는, 복장과 장소에 대한 놀라운 무관심도 그렇다. 또 그들의 작은 장식품과 싸구려 장신구에 대한 기호. 남자들이 손 잡고 걷거나, 남이 보는 데서 몸을 쭈그려서 소변을 보거나, 젖꼭지를 물듯이 해서 칠람의 단 연기를 빨아들이거나 하는 따위의 순진하고 쾌활한 행동. 증명서나 면허장의 마술적 위력을 믿는 일. 그리고 또 엉뚱한 가격을 불러놓고도 금방 그 4분의 1이나 10분의 1로 만족해버리는 차부(車夫만이 아니라 일반적으로 당신이 고용하는 아무나)에게서 볼 수 있는, '어떤 조건이라도 오케이'라는 공통된 생각. "저들의 불만이 뭐냐" 하고 어느 날 동부 벵골주의 총독이 치타공의 구릉지대에서 병과 영양부족과 빈곤에 시달리면서 이슬람교도들에게 악랄하게 박해를 받고 있던 주민에게 통역을 앞세워 물어본 일이 있다. 한동안 생각한 끝에 나온 그들의 대답은 "추위요!"였다.

인도에 있는 유럽인은 모두, 그것을 원하건 말건 '베어러'(bearer)라고 불리는, 모든 잡일을 다 하는 상당수의 하인에 둘러싸이게 마련이다. 이것이 전통적으로 내려오는 불평등의 사회제도인 '카스트'에서 오는 것인지, 아니면 식민지 지배자들의 봉사에 대한 목마름에서 오는 것인지 알 길이 없으나, 아무튼 이들이 펼쳐 보이는 아첨행위는 금방 주위 분위기를 답답하게 만들어버린다. 당신이 마루 위를 걸어야 하는 노고를 한 걸음이라도 덜어주기 위해 그들은 (당신을 업어드리기 위해 기꺼이) 바닥에 드러누울 것이고, 하루에 열 번씩이나— 코를 풀 때, 과일을 먹을 때, 손가락에 무엇이 묻었을 때……—목욕할 것을 권고한다. 언제나 그들은 주변을 돌면서 명령을 내려줄 것을 애걸한다.

이런 복종의 고통 속에는 어딘지 에로틱한 점도 느껴진다. 그래서 혹시 당신의 행동이 그들 기대에 어긋나게 되거나 또는 모든 상황에서 당신이 그들의 옛 주인이었던 영국인처럼 행동해주지 않는다면 그들의 세계는 무너져버린다. 아니, 푸딩은 안 드신다구요? 저녁진지 전이 아니고 후에 입욕하신다고요?…… 이렇게 되면 그들에게는 세계의 종말이다. 이내 그들의 얼굴에는 곤혹스러운 표정이 그려진다. 나는 곧 생각을 바꾸어서 내 습관이나 아주 드문 호기마저 포기해버린다. 한 인간의 마음을 구제하기 위해서 (좋아하는) 파인애플을 포기해야 할 처지에 놓이게 되어, 돌처럼 딱딱한 배나 끈끈한 커스터드를 먹고 참아야 할 신세가 돼버린다.

나는 며칠 동안 치타공의 서킷 하우스에서 머물렀는데, 그것은 스위스 산장 양식의 목조 호화건물로 내가 든 방은 가로 9미터, 세로 5미터, 높이 6미터였고, 천장 조명등, 벽에 설치된 쟁반형 조명, 기타 간접 조명, 욕실, 화장실, 거울, 선풍기 등등을 위한 전기 스위치가 12개씩이나 있었다. 그러고 보니 이 고장이 (저 유명한) '뱅골의 불'로 이름난 고장이 아니었던가. 이 전기의 남용으로 어떤 왕후는 자기 궁전에서 매일 밤 불꽃놀이를 즐겼다고 한다.

어느 날 나는 시내의 번화가에서, 지방장관이 나에게 붙여준 자동차를 어떤 그럴싸하게 생긴 가게 앞에 세우게 하고 거기에 들어가려 했다. 그곳에는 '로열 헤어드레서, 고급 이용실……'이라는 상호가 붙어 있었다. 어처구니가 없어진 운전기사가 나를 쳐다보았다. '어떻게 나리께서 저런 곳에 앉으실 수 있어요!' 아닌게 아니라 만일 주인이 격을 떨어뜨려 기사와 같은 부류의 사람과 동석함으로써 그와 동시에 기사의 격도 떨어뜨린다면, 자기 동료에 대한 기사의 체면은 무엇이 된단 말인가! 무안해진 나는 고품격 인종을 위한 이용 예법을 따르도록 그에게 일임해버렸다. 그 결과 우리는 이용사가 앞 손님들의 이발을 모두 마치고 이발 기구를 챙길 때까지 한 시간을 차 안에서 기다렸다가, 타고 온 슈브롤레(우리나라에서는 보통 '시보레'라고 알려진 미국산 고급 차―옮긴이)로 함께 서킷 하우스로 돌아왔다. 스위치가 열두 개 있는 내 방으로 돌아오자마자 '베어러'가, 이발이 끝나고 나면 내 머리를 만진 이 노예의 손때를 씻어버릴 수 있게 입욕 준비를 한다.

이와 같은 태도는, 각자가 자기 아랫사람을 발견하거나 만들어내거나 할 방법만 있다면, 어느 타인에 대해서 주인 행세를 할 수 있는 자리에 오르고 싶은 마음이 생기게 마련인 그런 전통문화를 갖고 있는 나라에 뿌리를 내리고 있다. '베어러'도 내가 그를 대하는 것과 마찬가지로 저 '스케줄드 카스트'(scheduled caste), 즉 최하위의 카스트에 속하는 인부들을 대할 것이다. '등록된 카스트'라고 영국 행정부가 부르던 이 최하위의 카스트는 관례상으로는 거의 인간으로서 자격을 인정받지 못했으므로, 영국 행정부의 보호를 받을 권리를 갖고 있었다.

하기는 이들도 틀림없는 인간이 아니겠는가! 이들 청소부 겸 분뇨통 교환부는 그 두 가지 책무 때문에 하루 종일 허리를 구부려서 자루 없는 비로 현관의 먼지를 쓸고 손으로 거두는가 하면, 또 집 뒤로 돌아가서 문 아랫부분을 주먹으로 치면서 용변 중인 사람에게 빨리 그 괴상하게 생긴 변기 ―영국인들은 이것을 커모드(commode: 상자같이 생긴 실내용 목제 변기─옮긴이)라고 부른다──사용을 마치도록 독촉하기도 한다. 늘 낮은 자세로 기어다니다시피 앞뜰을 종종걸음으로 가로지르면서도, 마치 그들은 그들대로 주인의 '골수'를 빼먹으면서 그들 나름의 특권을 확보함으로써 하나의 지위를 획득할 방법을 발견하기라도 한 듯이.

이런 예속 상태의 습관에서 벗어나려면 '독립'과는 전혀 다른 그 무엇과 시간이 필요할 것이다. 이런 사실을 내가 이해하게 된 것은, 어느 날 밤 콜카타에서 어떤 신화의 테마를 소재로 한 '우르보시' (Urboshi: 젊음과 아름다움이 영원한 천사의 이름─옮긴이)라는 제목의 연극을 보고 나서 '스타 극장'을 나섰을 때의 일이다. 겨우 하루 전에 도착한 이 도시의 변두리인 이 구역에서 나는 길을 잃고 헤매고 있었다. 마침 지나가던 단 한 대의 택시를 잡으려고 우리를 앞질러 나선 이 지방의 유산 계급에 속하는 한 가족이 있었다. 그러나 택시의 기사는 그 가족을 태우려 하지 않았다. 그와 손님 사이를 오간 대화 중에는 '사힙'(나리)이라는 말이 집요하게 되풀이되고 있었다. 기사는 백인과 경쟁하는 무례를 강조하는 듯이 보였다. 불쾌한 기분을 감추면서 그 가족은 어둠 속으로 걸어서 떠나가버렸고 택시는 나를 태워 집으로 보내주었다. 아마도 기사는 좀더 넉넉한 팁을 기대했는지 모른다. 하지만 나의 어설픈 뱅골어 실력으로 이해한 바에 따르면 언쟁의 중심은 딴것이었다. 그것은 전통적 질서는 지켜져야 한다는 것이었다.

이날 밤의 연극을 보고 몇 가지 장애쯤은 쉽게 극복될 것이라는 희망을 품게 되었던 참이라, 그만큼 더 이 사건은 내게 충격적이었다. 극장 같기도 하고 창고 같기도 한 이 넓고 황폐한 홀 안에 나는 외톨이 외국인이란 느낌도 거의 없이 이 지방 사람들 속에 섞여 있을 수 있었다. 조그마한 가게 주인, 상인, 고용자, 관리 등등 모두 점잖은 모

습이었고, 부인—그 무게를 갖춘 몸차림으로 봐서 부인들은 거의
외출하는 습관이 없는 듯이 보였다—을 동반한 경우도 많았는데,
나에 대한 이들의 무관심은 낮에 겪은 여러 가지 경험을 생각할 때
무척 고무적이었다. 그들의 태도가 아무리 소극적이었다 하더라도,
아니 그들의 태도가 소극적이었다는 바로 그 이유로 우리들 사이에
는 은근한 형제애가 싹트고 있었다.

그 희곡은, 단편적으로밖에 이해하지 못했지마는, 브로드웨이와
샤틀레(프랑스 파리에 있는 대중 연극을 하는 큰 극장-옮긴이)와 벨
엘렌(시대 착오를 풍자한 오펜바흐의 희가곡-옮긴이)이 뒤범벅이 된
것 같았다. 거기에는 익살맞은 하녀의 연애 장면과 감상적인 사랑 장
면이 나오고, 또 히말라야, 실연한 끝에 세상을 버리고 은거하는 청
년과 세발작살을 들고 무서운 눈초리로 그 청년을 수염이 무성한 장
군으로부터 보호하는 신이 등장하기도 했다. 그리고 절반은 주둔부
대를 드나드는 노는계집처럼 보이고 나머지 반은 티베트의 정교한
우상처럼 보이는 일단의 코러스 걸도 등장했다. 막간에는 확성기가
중국의 곡과 파소 도블레의 중간쯤 되는 천하고 열정적인 곡을 들려
주는 동안, 하라파에서 4천 년 전에 그렇게 했듯이 한 번 사용하고 나
면 버리게 되어 있는 토기 잔—하라파에서는 지금도 그 파편을 주
울 수 있다—에다 차와 소다를 대접했다.

가벼운 의상을 하고 있어서 그 곱슬곱슬하게 지진 머리며 두 겹으
로 접힌 턱이며 살찐 몸매가 훤히 보이는 주인공 남자배우를 바라보
았을 때, 나는 어떤 지방신문의 문예란에서 수일 전에 읽은 한 구절
이 생각났다. 그 구절을 인도 영어의 미묘한 맛을 잃지 않기 위해 번
역하지 않고 여기에 옮겨 본다. "……그리고 광활한 하늘의 푸른빛
을 응시하면서 탄식하는 젊은 처녀들, 그녀들은 과연 무엇을 생각하
고 있을까? 살찌고 유복한 구애자들 생각을 하고 있다……." 이 '살

찐 구애자'에 대한 언급이 나를 놀라게 했다. 그러나 무대 위에서 접힌 뱃가죽을 너울거리는 저 자신만만한 주인공을 보고, 그리고 출구로 나가기만 하면 마주치게 될 굶주린 거지들을 떠올려보고, 나는 기아와 괴로운 친밀관계를 맺고 있는 사회에서 비만의 시적 가치를 한층 더 잘 인식할 수가 있었다. 게다가 영국인들 또한 보통 사람들에게 충분한 양보다 훨씬 많은 양의 음식이 영국인들에게는 필요하다는 것을 원주민들의 머리에 심어두는 것이 이곳에서 초인(超人)처럼 보이게 하는 가장 확실한 방법이라는 것을 잘 이해하고 있었다.

버마(미얀마)의 국경과 가까운 치타공의 구릉지대를, 이 지방의 어떤 왕후의 동생으로 관리가 된 남자하고 함께 갔을 때, 나는 그가 하인들을 시켜 나를 포식하게 만드는 그 성의에 놀라버렸다. 새벽에는 '팔란차', 즉 '침대에서 드는 차'(침대란 말을 원주민의 오두막에서 볼 수 있는, 우리도 자본 일이 있는 대나무로 엮은 탄력성 있는 널빤지를 가리키기 위해 쓸 수 있다면)가 나온다. 두 시간 후에는 먹을 것 많은 조반. 정오의 식사. 5시에는 푸짐한 차. 끝으로 저녁 식사. 이 모든 식사를 하루에 단 두 번만 식사를 하는 원주민이 사는 부락 한가운데서 하는 것이다. 그들의 두 번의 식사는 쌀과 호박죽이다. 그들 중에서도 가장 부유한 사람들은 발효시킨 생선 즙을 조금 넣어서 먹는다. 나는 생리적 이유에서나 도덕적 이유에서나 얼마 못 가서 이런 (많은) 식사를 견디지 못하게 돼버렸다.

인도의 영국계 고교에서 교육받은 불교도 귀족으로 46대나 되는 긴 족보를 자랑하는 가정에 태어났으며, 귀족의 집은 '궁전'이라고 해야 한다고 학교에서 배웠다고 해서 자기의 초라한 방갈로를 '내 궁전'이라고 부르던, 내 일행인 친구는 나의 절식에 질렸을 뿐 아니라 조금은 충격까지 받은 듯하여, 이렇게 물었다. "당신은 하루에 다섯 번 식사를 하지 않습니까?" 천만에. 나는 하루에 다섯 번 식사는 하지 않았고, 특히 굶주림으로 죽어가는 사람들 사이에서는 더욱 그런 생각은 없었다. 영국인말고는 백인이라고는 한 번도 본 일이 없었던 이 남자의 입에서 질문이 연이어 쏟아졌다. "프랑스에서는 무엇을 먹어요?" "식사 내용은 무엇인지요?" "몇 시간마다 식사를 하는지요?" 나는 민족학자의 질문에 대해서 원주민이 대답할 때와 같은 성실한 태도로 답하면서 그를 이해시키려고 노력했다. 나는 내 대답 하나하나에 대해서 그가 마음속에서 충격을 받고 있다는 것을 알아 차릴 수 있었다. 그의 세계관이 바뀌고 있었다. 백인도 결국 단순한 하나의 인간에 불과하구나.

이곳(인도)에서 인간생활을 성립시키는 데는 놀라우리만큼 '아주 조금'만으로 충분하다. 여기 인도(人道) 위에 한 장인이 혼자서 쇠붙이 몇 조각과 연장을 갖고 장사를 시작한 것을 보자. 그는 이 하찮은 일을 열심히 함으로써 자기와 가족의 먹을거리를 장만한다. 먹을거리라고 해야 별것 아니다. 노천에 마련된 부엌에서는 막대기 둘레에 돌돌 말아 붙인 고깃조각이 잉걸불 위에서 익고 있다. 유음료(乳飲料)는 원뿔꼴의 냄비 안에서 (끓어서) 줄어들고 있다. 둥글게 잘라낸 잎사귀들이 구장을 싸기 위해 나선형으로 가지런히 놓여 있다. 이집트콩(인도의 중요한 식량의 한 가지로, 인도에서는 gram이라고 함. 볶아서 커피 대용으로도 쓰므로 '커피콩'이라고도 함 – 옮긴이)의 황금색 낱알이 뜨거운 모래 안에서 볶이고 있다. 국자 한 술만큼씩 어른이 사오는 이 이집트콩 몇 알을 갖고 어린애 하나가 놀고 있다. 어린애는 곧 쭈그리고 앉아서 그것을 먹고는 또 조금 후에는 역시 쭈그린 자세로, 길 가는 사람들을 아랑곳하지 않고 소변을 본다. 판자로 만든 찻집에서는 한가한 사람들이 우유를 친 차를 마시면서 여러 시간을 보낸다.

살아가는 데는 아주 조금만으로 충분하다. 약간의 공간과 음식과 오락과 기구와 연장. 이것은 '손수건 안의 인생'(좁은 공간에서의 최소한의 삶이라는 뜻 —옮긴이)이다. 하지만 영혼만은 부족함이 없다. 그것은 부산한 거리에서도, 생생한 눈빛에서도, 토론의 격렬함에서도 느낄 수 있다. 그것은 또 낯선 사람이 지나갈 때마다 하는 미소를 머금은 인사 —이슬람권에서는 오른쪽 손바닥을 이마에 갖다대면서 절을 하는 '살라암'이라고 하는 인사를 수반할 때가 많다 —의 정중함에서도 엿볼 수 있다. 이들이 우주 속에 자리 잡을 때의 그 마음의 편함을 (이렇게 설명하지 않고) 달리 어떻게 해석할 수 있을 것인가. 이것이 바로 기도용 융단이 세계를 표상하는 문명이요, 땅바닥에 그어진 네모가 예배 장소를 설정하는 문명이다. 면도사, 대서인, 헤어 드레서, 장인 등의 일을 하는 이들은 길 한가운데 버티고서 각자 자기 진열대 앞에서, 파리와 통행인과 왁자지껄한 시끄러움 속에서 평온한 마음으로 자기 일을 열심히 한다. 이런 삶의 고달픔을 견뎌내기 위해서는 초자연과의 매우 강인하고도 매우 개인적인 유대가 필요할 것이다. 그리고 세계의 이 지역의 이슬람교나 그 외 종교의 비밀의 하나도, 아마도 각자가 자기 신의 앞에 있다는 것을 항상 자각하고 있다는 사실 속에 있을 것이다.

나는 카라치에 가까운, 인도양에 면한 클리프턴 비치를 산책하던 때를 떠올린다. 1킬로나 계속되는 모래언덕과 늪의 끝에 도달하면 어두운 빛깔을 띤 모래사장이 있는 긴 바닷가로 나오게 된다. 그날은 사람이 아무도 없었지만, 축제가 있는 날은 주인보다 더 화려한 옷을 걸친 낙타를 타고 군중들이 대거 몰려든다고 한다. 바다는 푸르스름한 흰색이었고 태양은 지는 중이었다. 역광을 받고 있는 하늘 아래에서 빛이 모래와 바다에서 오는 듯이 느껴졌다. 터번을 두른 한 늙은이가, 케밥(불고기 꼬치 —옮긴이)을 굽고 있는 근처 가게에서 빌려온 철제 의자 두 개를 이용해서 즉석에서 개인용 모스크(이슬람교의

예배당-옮긴이)를 만들었다. 그리고 아무도 없는 모래사장에서 혼자
기도를 했다.

16 장터

미리 계획된 것은 아니었지만, 일종의 지적인 트래블링(촬영술의 전문 용어로 장소를 이동해가면서 촬영하는 이동촬영을 말한다-옮긴이)이 나를 중앙 브라질에서 남아시아로 데리고 왔다. 이것은 가장 뒤늦게 발견된 땅에서부터 제일 먼저 문명이 탄생한 땅으로의 이동이요, 또한 만일 벵골주가 마투그로수주나 고이아스주의 3천 배의 인구밀도를 갖고 있다는 것이 사실이라면, 인구밀도가 가장 적은 곳에서 그것이 가장 높은 곳으로의 이동이다. 내가 쓴 글을 다시 읽어보고, 나는 이 차이가 훨씬 더 크다는 것을 새삼 깨닫는다.

내가 아메리카에서 우선 고찰한 것은 자연이나 도시의 경관이었다. 이 두 경관의 경우는 모두 각각의 형식·색·독자적 구조로 정의되는, 그곳에 있는 인간과는 독립적인 존재로서의 객체가 관찰대상이었다. 인도에서는 이 같은 커다란 객체(즉 자연 및 도시 경관)는 역사에 멸망당하고 소실되어 물체와 인간의 먼지로 환원되어서 그것이 하나의 유일한 실체가 되어버리고 말았다. 저쪽에서는 내 눈에 먼저 비친 것이 물체였는데, 이곳에서는 '인간'밖에 보이지 않는다. 수천 년이라는 세월의 활동에 침식당해온 하나의 사회학적 질서가 무너지고 그 자리에 인간의 다양한 상호 관계가 들어서고 만 것이다. 그만큼 인간의 격증(激增)이 관찰자와 지금 해체되어가는 객체 사이를 가로막고 있다.

세계의 이 부분(인도)을 가리키기 위해 저쪽 대륙에서 그렇게도 자주 사용하는 '아대륙'(亞大陸)이라는 말은 이제 새로운 뜻을 갖게 되었다. 이 표현은 이제 단순히 아시아 대륙의 일부분이라는 뜻을 갖는 것이 아니고, 차라리 '대륙'이라고 불릴 수 있는 자격을 제대로 갖추지 못한 어떤 한 대륙을 가리키는 데 쓰이게 되어버렸다. 그만큼 한 순환 과정의 극한점까지 추진된 해체작용이, 종전에는 수억의 인간을 조직된 틀 속에 수용하던 그 구조를 파괴해버렸다. 그 결과 오늘날에 와서는 이들 인간은 역사가 생성한 허공 속에 버려져서 공포, 고통, 굶주림과 같은 가장 기본적인 동기에 따라 좌충우돌 사방팔방으로 내몰리고 있다.

열대 아메리카에서는 인간은 우선 희소하기 때문에 잘 은폐돼 있다. 그러나 인간이 좀더 밀집해 있는 곳에서도, 각 개인은 아직도 짧은 역사의 새 집합체가 갖는 초기 단계의 생활양식에 갇혀 산다고 할 수 있다. 내륙이나 또는 도시에서도, 생활수준이 아무리 낮다 해도 인간이 울부짖는 소리가 들릴 정도로 비참해지는 것은 예외적이다. 이곳은 겨우 450년 전에야, 그것도 몇몇 특정 지역에서만 개발이 시작된 터라 아직도 살아가는 데 많은 것이 요구되지 않는 곳이다. 그러나 5천 년 또는 1만 년 전부터 농업이나 수공업이 영위되어온 인도에서는 생활의 기반 자체가 사라져가고 있다. 삼림은 소멸했다. 그래서 땔나무가 없어져서, 음식을 익히기 위해 논밭에 주어야 할 비료감을 태우지 않을 수 없다. 경작이 가능한 토지는 빗물에 씻겨 바다 쪽으로 흘러내려가 유실된다. 굶주린 가축은 인간보다 증식력이 줄어들어서, 그것이 살아남는 것은 인간이 그것을 먹는 것을 막아주는 덕분이다.

이 두 지역의 갖가지 장터나 저자를 비교해보는 것만큼 이 텅 빈 열대와 초만원의 열대 간의 대조를 잘 설명해주는 것은 없다. 볼리비아나 파라과이와 마찬가지로 브라질에서도, 이 집단생활의 큰 행사는 아직도 개인적 수준에 머물러 있는 생산방식을 잘 보여준다. 상품 진열에 사용된 광주리 하나하나가 그 주인의 독창성을 보여준다. 아프리카에서와 마찬가지로, 여자 장수가 집에서 쓰다 남는 것을 내다 판다. 계란 둘, 고추 한 줌, 채소 한 단, 꽃 한 다발, 야생 식물의 열매로 만든 목걸이 두서넛—'염소 눈'이라는 것은 검은 반점이 찍힌 붉은 목걸이이고, '마리아의 눈물'이라는 것은 윤이 나는 회색 목걸이인데, 이것들은 한가할 때 따 와서 실로 꿰어두었다 만든 것이다—, 자기 손으로 직접 만든 광주리나 토기, 복잡한 흥정을 거치는 무슨 낡은 부적. 하나하나가 소박한 예술작품인 이들 소형 진열대는 다양한 기호와 기교를 보여주는 동시에 각각 나름대로 독특한 조화도 보여주는데, 이런 사실은 자유가 이들 모두에서 잘 지켜지고 있다는 것을 증명한다.

(이곳에서 어쩌다) 지나가는 사람을 불러 세우는 일이 있으면, 그것은 결코 해골 같은 인체나 불구가 된 인체를 보여서 당신에게 충격을 주거나 누군가를 죽음에서 구해달라고 부탁하기 위해서가 아니다. 그것은 당신에게 '토마르 아 보르볼레타', 즉 "나비 한 마리 잡아보지 않겠어요?" 하고 권해보기 위해서다. 나비가 아니고 다른 동물일 때도 있지만, 이것은 '비슈'라고 하는 '동물 복권 놀이'로서 숫자가 동물 우화에 나오는 인형과 짝지어져 있다.

동양의 바자에 대해서는 방문을 해보지 않더라도 두 가지 사실만 빼놓고는 모두 다 잘 아는 터다. 사람들이 빽빽하다는 것과 더럽다는 것. 두 가지가 다 상상을 초월한다. 이것을 이해하려면 직접 체험해보는 수밖에 없다. 왜냐하면 단 한 번만 보아도 그 규모를 짐작할 수 있기 때문이다. 파리떼로 검은 반점 무늬가 찍힌 저 공기, 저 사람들의 우글거림. 그것들 속에서 우리는 인간의 자연스러운(원초적) 생활 배경—칼데아의 우르(유프라테스강 하류 지방에 있는 바빌로니아의 옛 도시-옮긴이)에서 시작하여 제정 로마를 거쳐서 필리프 르 벨(1285~1314년까지 통치한 프랑스 국왕 필리프 4세-옮긴이)의 파리(이 시대의 파리는 유럽 최대의 도시로 번창했음-옮긴이)에 이르기까지 우리들이 문명이라고 부르는 것이 이런 환경 속에서부터 서서히 성장해온 것이다—을 엿볼 수가 있다.

나는 콜카타에서는 신시장과 모든 구시장을 다 둘러보았다. 카라치에서는 '봄베이 바자'를 구경했고, 델리의 시장들도 보았고, 아그라(Agra)의 '사다리'와 '쿠나리' 시장도 보았다. 다카는 도시 자체가 일련의 수크(회교국의 야외 시장-옮긴이)여서, 가족들은 가게와 작업장 사이의 좁은 공간에서 몸을 구부리고 살고 있다. 또 치타공의 리아주딘 바자와 카툰간지도 보았다. 라호르의 여러 대문(大門)에 있는 모든 시장, 즉 아나르칼리 바자, 델리, 샤, 알미, 아크카리 등도 방문했고, 페샤와르의 사드르, 답가리, 시르키, 바죠리, 간지, 칼란 시장도 가보았다. 카이바르 고개에서 아프가니스탄의 국경에 이르는 시골의 시장들이나 미얀마에 가까운 란가마티의 시골 시장에서는 과일과 채소 시장을 방문했다. 가지와 붉은 양파 더미와 번석류(蕃石榴: 열대산의 석류과 과일로 잼이나 젤리를 만드는 데 쓰임-옮긴이) 같은, 머리가 어지러워지는 독한 냄새를 내뿜으며 입을 벌리고 있는 석류 더미.

꽃 시장에서는 장미며 재스민이 금박과 금실 장식이 돼 있다. 건과상(乾果商)의 진열대에는 은종이를 깐 위에 황갈색과 갈색의 건과들이 산더미같이 놓여 있다. 양념과 카레가 빨간색, 오렌지색, 노란색

가루의 피라미드처럼 쌓여 있는 것을 나는 관찰하고 또 그 냄새도 맡아본다. 건(乾)살구와 라벤더를 섞은 것 같은 향내를 강렬하게 내뿜어서 쾌감으로 까무러칠 것 같은 고추 더미. 나는 또 불고기 장수, 프레시 치즈를 쪄서 파는 상인, '난' 또는 '챠파티'라고 불리는 크레이프 빵을 만들어 파는 가게도 보았다. 차 장수, 소다 장수. 대추야자의 도매를 하고 있는 가게에서는 쌓인 열매가, 과육(果肉)과 씨의 끈적끈적한 무더기를 이루어서 무슨 공룡의 배설물 같아 보였다. 과자 장수는 과자 진열대 위에 달라붙은 파리를 파는 상인으로 오해를 받을지도 모를 것 같다. 철물 장수는 그 큰 망치 소리 때문에 100미터 앞에서도 미리 그 존재를 알 수 있다. 황금색 짚을 쌓아놓은 광주리 장수와 밧줄 장수.

모자 가게에는 사산조 페르시아(Sasanian Persia) 왕후의 모자와 비슷한 '칼라' 모자의 황금빛 원뿔꼴들이 터번용 천 사이에 줄지어 놓여 있다. 포목점에서는 청색이나 황색으로 갓 물들여놓은 천이며, 인견으로 짠 부하라(우즈베키스탄공화국의 도시로 직물의 명산지-옮긴이)풍의 짙은 황색과 장밋빛 스카프가 흔들리고 있다. 침대용 목재를 깎고 칠하고 하는 목공. 멧돌의 줄을 잡아당기고 있는 칼 연마사. 뚝 떨어진 곳에 있어 쓸쓸한 고철 판매장. 담배 가게에는 담황색 담뱃잎들이 다발로 묶어 세워놓은 담뱃대 옆에 붉은 당밀을 섞은 톰바크(담배, 여기서는 당밀을 섞어서 이겨놓은 것을 말한다-옮긴이)와 교대로 무더기로 놓여 있다. 포도주 저장 창고의 술병처럼 정렬한 산달을 파는 산달 장수. 갈라놓은 뱃속에서 튕겨 나와 사방으로 뒤죽박죽 흩어진, 청색과 핑크색의 유리 창자 같아 보이는 팔찌를 파는 팔찌 장수.

도기(陶器) 가게에는 바니시를 바른 길쭉하게 생긴 칠람(담배) 항아리가 정렬해 있다. 운모가 섞인 점토로 만든 큰 항아리며, 회갈색 흙 바탕에 다색(茶色), 백색, 적색의 물을 들이고, 가는 줄무늬를 넣은 항아리도 있고, 염주처럼 실로 꿰어놓은 칠람 화로도 있다. 온종일 체질을 하고 있는 밀가루 장수. 저울로 금 장식줄의 토막을 다루고 있는 금은 세공품상. 그의 진열창보다 더 휘황찬란한 옆집의 양철 땜집. 흰 면포를 가볍고 단조로운 몸짓으로 두들겨서 섬세한 색채 무늬를 찍어내는 직물 날염공. 노천에서 작업하는 대장장이 ─소란스러우면서도 질서 정연한 세계인 이 작업장의 위에는 미풍에 잎사귀들이 흔들거리는 나무처럼, 어린애들을 위한 다색의 바람개비 장대들이 찰랑거리고 있다.

시골에서도 시장 풍경은 감동적일 때가 있다. 나는 모터를 장착한 배로 벵골 지방의 여러 강을 돌아다녔다. 수면 바로 위에 떠 있는 듯이 보이는, 하얀 타일로 치장된 모스크들 주위에 바나나나무와 야자수들이 서 있다. 양안에 이런 수목이 즐비한 불리간가강의 중류에서 나는 '해트'(hat)라고 불리는 시골 장을 구경하려고 어떤 조그마한 섬에 내렸다. 그곳에서 닻을 내리고 있는 수많은 거룻배와 샘팬들이 우리들의 눈을 끌었기 때문이다. 집이라고는 한 채도 보이지 않는데도 그곳에는 진흙탕 속에 진을 친 많은 사람으로 우글대는 ─ '도시'라고 해도 손색이 없는 ─ 일일 도시가 형성돼 있었다. 그것은 하나하나가 특정 상거래에 쓰일 수 있게 구획 지어진 시장이었다. 쌀, 가축, 거룻배, 장대, 나무판자, 토기, 포목, 과일, 구장의 씨, 그물. 강물의 분기점에서는 배들의 왕래가 하도 빈번해서 물 흐름이 액체의 길바닥처럼 여겨졌다. 갓 팔린 소는 배 한 척에 한 마리씩 실려서 선 채로, 이 배를 바라보고 있는 풍경 앞을 일렬로 지나갔다.

이 고장 전체가 야릇한 감미로움에 싸여 있다. 히아신스로 청색을 띠게 된 초목이며, 샘팬들이 오가는 늪이며, 강물의 흐름 속에는 무엇인지 사람의 마음을 안정시켜주는 동시에 사람에게 최면술을 걸어오는 듯한 마력을 느끼게 된다. 벵골 보리수나무의 극성으로 말미암아 붕괴해가는 붉은 벽돌의 벽 모양으로, 사람도 제 몸이 부패해가는 것을 가만히 그대로 내버려두고 싶은 심정이다.

그러나 그와 동시에 이 감미로움은 어딘지 불안감을 감추고 있다. 이 풍경은 정상이 아니다. 정상이기에는 너무 물이 많다. 해마다 겪는 홍수가 비정상적인 생존조건을 만들어낸다. 홍수가 닥치면 채소 생산과 어획이 격감하기 때문이다. 그러므로 물이 불어나는 계절은 바로 굶주림의 계절이다. 가축까지도 물렁물렁한 수생(水生) 히아신스만으로는 충분한 사료가 될 수 없어서, 해골처럼 말라서 죽어간다. 공기보다 물 속에 더 잠겨 사는 이상한 사람들. 아이들은 걷기 시작할 무렵부터 벌써 딩기(작은 배) 타는 기술을 익혀야 한다. 따로 연료가 없기 때문에 물에 불려서 섬유를 채취한 후의 말린 황마가, 한 달에 겨우 3천 프랑의 수입밖에 없는 사람들에게 증수기(增水期)에는 200줄기에 250프랑으로 팔리는 곳.

그러나 관습, 주거, 생활양식으로 볼 때는 가장 미개한 민족에 가까우면서도, (현대적) 백화점 못지않은 복잡한 구조의 시장을 조직할 줄 아는 이곳 주민들의 비극적인 상황을 이해하기 위해서는 마을 안으로 들어가봐야만 한다. 겨우 한 세기 전만 하더라도 이들의 시체가 온통 들판을 뒤덮었다. 대부분이 베틀로 베를 짜면서 살아오던 그들은, 식민지 지배자들이 맨체스터에 면직물 시장을 개설하기 위해서 그들에게 전래의 가업을 행하는 것을 금했기 때문에 굶주림과 죽음으로 몰렸다.

오늘날에 와서는 1년의 절반이 물속에 잠긴다고는 해도 경작이 가능한 토지는 구석구석이 황마 재배를 위해 활용되고 있는 터이지만, 이 황마는 물에 침적시키는 과정을 거친 후 나라얀간지와 콜카타의 공장으로 보내어지거나 또는 유럽이나 아메리카로 직송되고 있다. 그 결과 방식은 달라졌다 하더라도 종전의 경우와 조금도 다를 바 없는 필연성을 가지고, 문맹인데다 반라로 살아가는 이들 농민들은 그 생계가 세계 시장의 경기변동에 좌우되게끔 돼버렸다. (그들의 식량 조달원으로서) 고기잡이가 행해지는 것은 사실이지만, 그들의 주 식량원인 쌀은 거의 전량 수입에 의존하는 실정이다. 그래서 농업 — 그나마 경작지 소유자는 극소수이다 — 에서 얻는 미미한 수입을 보충하기 위해서 그들은 가슴 아픈 수공업에 시간을 쪼개어 쓰지 않을 수 없다.

뎀라(Demra)는 거의 호상(湖上)의 촌락이라 할 수 있는 마을로서, 호숫물에서 불거진 언덕배기의 나무숲 사이에 오두막집들이 모여 있으나, 언덕들 상호 간의 연결망이 매우 불안해 보인다. 나는 그곳에서 나이 어린 아이들까지 가세한 주민들이 새벽부터, 일찍이 다카의 명물이었던 저 모슬린 베일을 손으로 짜고 있는 것을 보았다. 조금 떨어진 곳에 있는 란갈분드(Langalbund)에서는 그 지방 전체가 서양의 남성용 내의에 쓸 조개껍데기 단추를 제조하고 있다.

샘팬 선(船)의 짚으로 이은 오두막집에 상주하는 카스트에 속하는 주민들인 비디아야족 또는 바디아족들은 나전 장식의 원료로 쓰기 위해 강물 홍합을 잡아서 팔고 있다. 진흙투성이 조개껍데기의 퇴적은 마을이 사금 광산촌인 것같이 보이게 만든다. 조개는 산(酸)의 액체에 적셔서 씻어낸 후, 망치로 잘게 깨어서 회전 숫돌로 둥글게 만든다. 그런 다음 그 원반을 받침대 위에 놓고, 활로 조작하는 목제 나사송곳에 붙어 있는 이 빠진 줄의 끝으로 다듬는다. 끝으로 이것과 비슷하게 생기긴 했지만 끝이 뾰족한 연장이 구멍 넷을 뚫는 데 쓰이게 된다. 아이들은 완성된 단추를 열두 개씩, 프랑스 시골의 잡화상에서 팔고 있는 것과 같은, 야들야들하게 장식이 된 두꺼운 종이에 꿰어 붙인다.

아시아 국가들의 독립에 따른 정치적 대변혁이 일어나기 이전에는 인도의 시장과 태평양의 여러 섬으로 제품을 출하하던 이 보잘것 없는 수공업은, 그것에 종사하던 사람들이 원료나 가공용 약품의 대금을 대납해주는 마하잔(mahajan)이라는 고리대금업자인 동시에 중개인인 계급의 희생이었으며 또 현재도 희생이 되고 있는데도 여전히 그들의 생활수단이 되고 있다. 가공용 약품의 대금은 5배, 6배로 뛰었지만, 시장이 폐쇄되는 바람에 이 지방의 생산은 주 6만 그로스(1그로스는 12다스─옮긴이)에서 월 5만 그로스 이하로 떨어졌다. 결국 같은 기간에 생산자에게 지불되는 대금이 75퍼센트나 떨어진 셈이다. 얼마 안 되는 시일 동안에 5만 명이나 되는 사람들이 본래부터 형편없었던 수입이 100분의 1로 줄었다는 사실을 확인하게 된다.

그러나 그들의 생활형태가 설사 원시적이라 하더라도 인구의 규모며 생산량이며 제품의 체재를 감안할 때, 그들의 완제품을 민예품으로 규정하기는 어렵다. 열대 아메리카에서는─브라질, 볼리비아, 멕시코에서도 그렇지만─이 말은 금속이나 유리나 양모나 면포나 짚의 세공품에 여전히 적용될 수 있는 것이 사실이다. 원료는 그 지방에서 나는 것이고, 기술은 전통적인 것이고, 생산방식은 가족적이다. 용도라든가 형태는 무엇보다도 만드는 사람의 습관이나 필요성에 좌우되는 법이다.

이곳(벵골)에서는 (말하자면) 중세의 주민이 단번에 공장 수공업 시대로 뛰어들어 세계 시장의 먹이가 된 셈이다. 여기 주민은 출발점부터 도달점까지 소외의 체제하에서 살아왔다. 원료는, 영국이나 이탈리아에서 수입되는 방적용 실을 사용하는 뎀라의 직조공에게는 완전히 외국산이고, 란갈분드의 샀일꾼─이들의 조개는 지방산이지만 가공에 불가결한 화학약품이나 마분지나 얇은 금속판은 그렇지 않다─에게는 그 일부분이 외국산이다. 그리고 이곳의 불쌍한 사람들은 입을 것을 사 입기도 어렵고, 더군다나 단추까지 옷에 달아

입기는 기대하기 어려운 형편이기 때문에 제품은 뱅골의 어디를 가든지 '외국의 규격에 의거해서' 그 형식이 결정된다.

파란 전원과 초가집들이 언덕에 정렬해 있는 평화스러운 운하, 이런 경치 속에서 마치 투명 그림처럼 공장의 흉측스러운 모습이 떠오른다. 마치 역사와 경제의 진화가 가장 비극적인 과정들, 즉 중세의 빈곤과 전염병들, 산업 시대 초기에 있었던 것 같은 광폭한 착취, 현대 자본주의가 몰고 온 실업과 투기 따위를 이 불쌍한 희생자들 위에 포개어 고정해놓고 그 무게로 이들을 짓누르는 데 성공하기라도 했듯이……. 14세기와 18세기 그리고 20세기가 열대의 자연이 아직 배경장치 구실을 해주는 전원시를 조롱하기 위해서 이곳에 모인 셈이다.

열대 아메리카가 아직까지 누리고 있는, 인구가 아주 없거나 상대적으로 적은 상태를 유지할 수 있었다는 역사상의 특권을 내가 충분히 이해할 수 있게 된 것도 인구밀도가 때로는 1제곱킬로당 1천 명을 넘는 이 지방에서였다. 자유라는 것은 법률이 만들어낸 발명품도 아니요, 철학이 낳은 보배도 아니며, 다만 다른 문명보다 더 우수한 문명만이 가질 수 있는 귀중한 재산일 뿐이다. 왜냐하면 우수한 문명만이 자유를 낳을 수 있고 또 그것을 보존할 수 있기 때문이다. 그것은 개인과 그 개인이 차지하고 있는 공간 간의 객관적 관계(이것은 소비 인구의 밀도를 두고 하는 말 - 옮긴이)에서나, 소비자와 그 소비자가 소비할 수 있는 자원 간의 객관적 관계(이것은 경제적인 측면에서 본 소비물자의 여유를 두고 하는 말 - 옮긴이)에서 결과한다. 게다가 전자(물자가 풍부한 경우)가 후자(인구밀도가 커서 공간이 부족한 경우)를 보상해준다는 보증도 없고, 또 부유하더라도 인구밀도가 지나치게 큰 사회가──마치 밀가루에 기생하는 혹종의 벌레들이 각자가 가진 독으로 먹을 것이 떨어지기도 전에, 서로 떨어져 있으면서도 서로를 죽여서 자멸하기에 이르듯이 ─ 그 지나친 밀도로 인해 자멸하지 않는다는 보장도 있을 수 없다.

지나치게 순진하거나 위선적 억지가 아니고서는 인간이 자기의 생활조건과 무관하게 자기 신조를 선택한다고 생각할 사람은 없을 것이다. 정치 조직이 사회의 생존 형태를 결정하기는커녕 생존 형태가 그 자체의 표현인 이데올로기에 의미를 부여한다. 이들 기호(즉 이데올로기 - 옮긴이)는 그것이 지적하는 대상체가 현존하는 경우에만 언어로서 기능을 다할 수 있다. 현재의 서양과 동양 간의 오해는 우선 의미론적인 것에서 비롯된다. 동양에서 우리(서양인)가 선전하는 개념의 형식(여기서 이 개념을 '시니피앙'으로 간주해서 생각하는 것이 좋다 - 옮긴이)은, 그곳에서는 의미(시니피에, signifié: 구조주의 언어학의 용어로 기호(signe)가 갖고 있는 두 가지 측면 가운데 '기호의 의미'를 나타낸다. 기의(記意) 또는 소기(所記)로 번역된다. 참고로 다른 또 하나의 측면은 시니피앙(signifiant)이며, 기표(記表) 또는 능기(能記)로 번역된다 - 옮긴이)가 존재하지 않거나, 아니면 의미가 다른 것이다. 반면에 만의 하나 여건이 전혀 달라진다고 하더라도 그것이 도저히 우리가 견뎌낼 수 없다고 판단하는 범위 내의 변화인지 아닌지는, 이런 사태의 희생자에게는 별로 중요하지 않을 것이다.

그들은 자기들이 노예가 되어간다고 생각하기는커녕 도리어 강제 노동이나 식량 배급이나 주입된 사상을 받아들임으로써 해방되었다고 생각하게 될 것이다. 왜냐하면 그들은 이 길을 일을 얻고, 식량을 획득하고, 정신적 생활을 누리게 해주는, 역사의 진화 과정이 그들에게 주는 당연한 수단으로 여길 것이기 때문이다. 우리가 배척해야 마땅하다고 여기던 갖가지 상황도 새로이 제시된 명백한 현실 ─ 우리 자신이 종전까지는 그 외관만 보고 거절해오던 현실이지만 ─ 앞에서 눈이 녹듯이 힘없이 사라져버린다.

아시아와 열대 아메리카의 비교는 아무리 적절한 정치적·경제적 대비책을 갖고도 해결하지 못하는 문제를 하나 제기하는데, 그것은 바로 제한된 구간에서의 인구 증가 문제이다. 이와 관련해서는 유럽이 이들 두 대륙의 중간적 위치를 차지하고 있다는 것을 언급하지 않을 수 없다. 인도는 약 3천 년 전에 이 수(數)의 문제에 도전해서, 카스트 제도로 양을 질로 변환하는, 즉 인간집단 간을 차별지어 서로 병행해서 살아가도록 분화하는 방법을 찾았다. 인도는 이 문제를 좀 더 넓은 영역으로 확대해서 인간을 뛰어넘어 모든 형태의 생명에까지 적용할 생각을 했다. 채식의 규칙도 카스트제와 같은 배려에서 구상되었다. 이것은 사회집단과 동물의 종(種)이 서로 침해하는 것을 방지하고, 서로 적대적인 자유의 행사를 포기함으로써 각 집단 고유의 자유를 지켜나가기 위한 배려에서 나왔다.

인간에게서는 이 중대한 실험이 실패했다는 것은 비극적이다. 내가 이렇게 말하는 까닭은 카스트가 다르기 때문에 카스트 상호 간이 서로 평등해지는 상태—이들 서로 다른 카스트 간의 차이를 잴 수 있는 공통의 척도가 없는 상태—에 지난 긴 역사 동안에 한 번도 도달해본 적이 없기 때문이다. 또 카스트 내에 '동질성'이라는, 비교를 가능케 함으로써 계급화를 가능케 만드는 독적(毒的) 요소를 잠입시켰기 때문이기도 하다. 왜냐하면 인간이 모두 서로를 같은 인간으로서, 그러면서도 또 동시에 각각 다른 인간으로서 인지하면서 공존할 수 있는 것이 사실이라면, 인간은 상대방이 자기와 동등한 인간적 자질을 가지고 있다는 것을 인정하기를 거부해가면서도, 또 그렇게 함으로써 서로 종속관계를 만들어가면서도 공존해갈 수 있다는 것도 사실이기 때문이다.

인도의 이 대실책은 하나의 교훈을 던져준다. 하나의 사회는 인구가 지나치게 많아지면, 그 사상가들이 아무리 천재라 할지라도 예속

(隷屬)을 분비해가면서가 아니면 존속할 수 없다는 사실이다. 인간이 그 지리적·사회적·지적 공간 안에서 답답해졌을 때는 한 가지 간단한 해결책이 그를 유혹할 우려가 있다. 그 해결책이란 인간이라는 종(種)의 일부에 대해서 인간의 자격을 인정하지 않으려 드는 것이다. 몇십 년 간쯤은 나머지 인간(인간의 자격을 인정받지 못한 그 '일부'를 제외한 나머지 — 옮긴이)은 마음대로 행세할 수 있을 것이다. 그러고 난 후에는 또 새로운 추방에 착수해야 할 것이다.

이런 시각에서 볼 때, 유럽이 지난 20년 전부터 그 무대가 되어온 일련의 사건들 — 이것은 유럽의 인구가 두 배로 늘어난 과거 1세기를 요약하고 있다 — 은 이제 나에게는 한 민족, 한 정책, 한 집단만의 착오의 결과라고 생각될 수가 없어졌다. 내게는 차라리 그것이 확정된 미래의 세계로 가는 진화의 징조로 보인다. 그 진화는 남아시아가 우리보다 1천 년 내지 2천 년 먼저 경험한 것이며, 우리도 결심을 단단하게 하지 않는 한 아마도 거기서 헤어나지 못할 것이다. 왜냐하면 이 인간에 의한 인간의 조직적인 가치 박탈은 만연하고 있기 때문이다. 또한 최근의 사태는 일시적인 현상을 반영한 데 불과하다는 구실하에 문제를 회피하려 드는 것은 너무나도 위선적이고 자각심이 결여된 소행이라고 하지 않을 수 없기 때문이다.

아시아에서 나를 불안하게 만드는 것은, 아시아가 미리 보여주는 우리의 미래상이다. 인디오의 아메리카에 대해서는 나는, 지금은 그곳에서조차도 믿을 수 없는 덧없는 것이 되어버렸지만, 인간이 자기 세계와 호흡을 같이하던 시대의 영상, 즉 자유의 행사와 자유의 표상 사이에 적절한 관계가 존재하던 시대의 영상을 몹시 소중히 여기고 있다.

제5부
카두베오족

17 파라나

야영자들이여, 파라나에 캠프를 쳐보시오. 그곳이 아니라면 캠프를 치지 말도록 하시오. 당신들이 지녔던 기름기 많은 종이들이나 빈 맥주병, 그리고 내버린 깡통들을 유럽의 마지막 흔적으로서 남겨두시오. 그곳은 당신들이 텐트 치기에 적합한 장소입니다. 그렇지만 일단 개척지역을 벗어나거나 그곳이 — 이제는 매우 임박해지고 있지만 — 황폐해질 때까지는 격류들이 자유스럽게 흰 거품을 일으키며 현무암으로 된 자줏빛의 산허리로 흘러내리도록 내버려두시오. 만지기에는 너무 날카롭고 차가운 화산성(火山性) 이끼들에는 손을 대지 않도록 하시오.

그리고 당신이 사람들이 살지 않는 초원을 처음 발견했거나, 안개가 몹시 짙은 침엽수림의 숲속에 가까이 가게 되었을 때는 결코 더 이상 들어가지 마시오. 그 숲속에는 침엽수들이 고사리와 리아나 (liane: 열대 아메리카 산 칡 종류—옮긴이)가 뒤얽혀 있는 땅바닥 위로 솟아나 하늘을 향해 뻗어 있는데, 그것은 유럽의 침엽수와는 정반대 모양을 하고 있다. 말하자면 이곳의 침엽수는 정상을 향해서 점점 가늘어지는 원추형이 아니라, 반대로 나무줄기들이 육각형의 모습으로 계속 넓게 퍼져 나가며 자란다. 그리하여 마치 식물계가 광물계와 대조를 이루는 것은 그것의 변칙성 때문이라고 말했던 보들레르의 주장을 증명이나 하려는 것처럼, 그것들은 하나의 거대한 우산과 같은 모양으로 뻗어난다. 그것은 과거 수백만 년 동안 석탄기(石炭紀)의 아무런 변화 없는 모습을 그대로 지니고 있는 풍경이다.

아마존강 유역의 혼잡을 피하기에 충분할 만큼 회귀선으로부터 멀리 떨어졌고, 또 높이 있기 때문에 이곳은 우리들 자신보다 더욱 현명하고 더 강력한 어떤 종족의 활동으로만 설명될 수 있을 것 같았던 장엄함과 완전한 질서감을 보존해왔다. 오늘날 침묵 속에 방치되어버린 이 숭고한 지역들을 우리가 탐색할 수 있게 된 것은 분명코 그 같은 종족이 사라져버렸기 때문이다.

나는 티바지(Tibagy)강 양안을 내려다보고 있는, 해발 약 1천 미터인 이곳 고지대에서 처음으로 미개인들과 접촉하게 되었다. 나는 시찰 여행 중이던 인디언 보호국의 지역감독관 한 사람과 함께 여행 중이었다.

우리 유럽인들이 브라질을 발견했을 당시의 남부 브라질 전체에는 언어와 문화의 모양에서 상호 관련성을 지니고 있던 원주민들이 거주하고 있었다. 우리는 그들을 제(Gé)라는 집합적 명칭으로 구분했다. 그들은 이미 모든 해안지역을 점유하고 있던 투피(Tupi)어를 사용하는 침략자들에 의해서 몇 세기 전에 이곳으로 밀려나게 된 것 같았다. 그러나 이들과의 투쟁은 아직도 계속되고 있었다. 남부 브라질의 제족은 접근하기가 매우 어려운 지역으로 물러났기 때문에, 해변지역의 투피족은 식민지 개척자들에게 소탕되어버렸지만 그들은 그래도 수세기 동안 존속할 수 있었다. 어떤 소규모 무리들은 파라나와 산타카타리나의 남부 주에 있는 숲속에서 20세기까지도 존속했다. 이들 중 한두 집단은 1935년까지 존속했다. 왜냐하면 그들은 지난 수백 년 동안 잔혹한 박해를 겪으면서 자신들을 외부 세계에 전혀 노출하지 않는 법을 배웠기 때문이다.

그러나 대부분의 집단들은 1914년경에 진압되었고 또 브라질 정부는 '문명생활에 적응'시킨다는 목적으로 그들을 특정지역 내에 거주시켰다. 예를 들면 내가 베이스 캠프를 쳤던 상제로니무의 부락에는 자물쇠상점·약방·학교, 그리고 제재소가 있었다. 정기적으로 도끼·칼·못이 그곳에 보내졌고 의류와 담요도 지급되었다. 그러나 20년 후에는 이 같은 실험은 중지되었다. 그래서 보호국은 인디언들이 독자적으로 살아나가도록 내버려두었다. 이런 사실은 보호국이 정부 당국에 의해서 얼마만큼 도외시되어왔던가를 나타내주었다(그 이후에 보호국은 어느 정도 기반을 되찾게 되었다). 결국 전적으로 타의에 따라 보호국은 원주민들이 재차 자신들의 뜻에 부합되는 생활을 하도록 격려하는 다른 방법을 실시할 수밖에 없었다.

원주민들이 짤막한 문명생활을 체험하면서 지니게 된 것이라고는 브라질인들의 옷, 그리고 도끼·칼·바늘·실의 사용법이었다. 다른 측면에서는 완전한 실패였을 뿐이다. 원주민들을 위해 주택이 건립되었지만 그들은 오히려 야외에서 사는 것을 더 좋아했다. 그들을 부락 내에 거주시키려고 노력을 해보았으나 그들은 여전히 방랑생활을 즐겼다. 그들은 침대를 쪼개어 땔나무로 사용해버리고, 땅바닥에서 잠자던 생활로 되돌아갔다. 정부에서 파견한 목동들은 할 일이 없어 마음대로 나돌아다녔다. 왜냐하면 그들이 만든 밀크나 고기를 인디언들이 먹으려 들지 않았기 때문이다. 지렛대의 작용으로 가동되도록 나무로 만들어진 기계공잇대(아마 포르투갈인이 동양으로부터 들여다놓은 것 같은 기구로, 브라질에서는 자주 볼 수 있는 '몬졸루'라고 불리는 장치)는 한 번도 사용하지 않고 썩도록 방치해두고 그들은 여전히 손으로 가루를 빻았다.

티바지 인디언들은 '진정한 인디언'이 아니었으며, 또 이 같은 사실 때문에 그들은 '진정한 야만인'도 아니란 것을 알게 되었을 때, 나는 매우 실망했다. 그러나 이들이 민족학의 모든 초심자가 공통적으로 지니게 되는 대상에 관한 순진하고도 시적인 개념을 제거할 수 있도록 깨우쳐주었다는 점에서는, 나에게 신중함과 객관성이라는 교훈을 가르쳐주었다. 그들은 내가 바랐던 것보다는 덜 순수했을 뿐만 아니라 내가 처음 접촉했을 때는 추측할 수 없었던 몇 가지 비밀을 지니고 있었다.

그들은 20세기 초반(1900~25년)에 매우 광범위하게 나타났던 사회학적 상황을 완전하게 보여주는 하나의 실례였다. 말하자면 그들은 갑작스레 문명의 강요를 당한 '예전의 야만인들'이었다. 그리고 그들이 '사회에 위험한 존재'가 아니라는 것이 밝혀짐과 동시에 문명은 그들에게 더 이상 관심을 부여하지 않았다. 그들의 문화는 백인의 영향을 무시하여 고유하게 유지되고 있던 고대 전통들로 대부분 구성되어 있었다(예컨대 그들은 아직도 이에 줄질을 하고, 장식을 새겨넣고 있었다). 그러나 그들의 문화에는 현대문명으로부터 습득된 요소들도 포함되어 있었다. 결합(문명과의 접촉에서 생긴)은 비록 그 애용요소가 화려하지는 않았지만 그래도 독창성을 지니고 있었으며, 또한 후일에 내가 접촉하게 되었던 감염(문명으로부터)되지 않은 원주민들의 것과 마찬가지로 인디언 문화 연구에 매우 유익한 것이었다.

이제는 이들 인디언이 자신들의 방식대로 살아가도록 되었기 때문에 근대문화와 미개문화 간의 명백한 균형이 이상스럽게 역전되는 점을 주목할 수가 있었다. 예전의 생활방식과 전통적 기술들이 다시 나타났다. 그들이 지녔던 '과거'는 결코 사라져버린 것도 아니며, 아득히 먼 옛날의 것도 아니었다. 인디언들의 집에 매우 잘 다듬어진

돌공잇대와 에나멜 칠이 된 금속식기류, 대량생산품인 값싼 스푼, 그리고 재봉틀의 몸통 골격이 함께 나열되어 있는 사실을 우리는 달리 어떻게 설명할 수 있겠는가? 아마도 그 공잇대들은 여전히 호전적인 활동 때문에 개척자들을 접근하지 못하게 하는 야만인들과의 물물교환에서 획득된 것이 아니었는지? 이 점을 알기 위해서는 정부의 지정구역 내에서 은퇴생활을 보내고 있는 늙은 인디언 브라부의 인생편력을 정확히 알아야만 했다.

이 같은 야릇한 자취들은 인디언들이 집이나 옷, 그리고 금속용구 따위를 전혀 몰랐던 시대의 증거품으로서 종족들 가운데서 존속하고 있다. 이와 마찬가지로 오래된 기술들도 사람들의 반의식적인 기억 속에서 보존되고 있다. 인디언들은 성냥을 잘 알고 있기는 해도 값이 비싸서 얻기가 어렵기 때문에, 언제나 팔미투나무(야자나무의 일종-옮긴이)의 연한 두 조각을 마찰시키거나 회전시켜서 불을 얻으려고 한다. 언젠가 정부 당국에서 소총과 권총을 나누어주었지만 인디언들은 그것을 집(인디언들은 집도 그대로 내버려두었다) 안에 걸어놓았다. 그 대신에 그들은 사냥할 때 총기류라고는 결코 본 적이 없는 사람들의 전통적인 기술로써 만들어진 활과 화살을 사용했다. 그리하여 당국의 노력에 따라 날치기식으로 덮어 가려졌던 예전의 생활방식이 재차 주장되었다. 황폐한 부락에서는 지붕들이 차례로 먼지 속에서 무너져내리고 있었지만, 인디언들은 숲속의 작은 길들 사이로 줄을 지어 다녔다.

우리들은 보름 동안이나 계속하여 말을 타고 숲속을 헤쳐 나갔다. 그런데 숲이 너무 방대하고 길을 잘 알 수가 없어서 우리는 목적지에 도착하기 위해서는 때때로 어둠 속에서 전진하지 않으면 안되었다. 매우 놀랍게도 우리가 타고 간 말들은 높이가 30미터나 되는 나무들이 햇빛을 가로막는 어둠 속에서도 조금도 길을 잘못 찾는 법이 없었

다. 그러나 시간이 흐름에 따라 말들은 발작적인 행동을 계속 취하고
는 했다. 때로는 언덕 아래쪽으로 갑작스레 비틀거리며 내려가서 우
리는 재빨리 말 안장의 머리 부분을 잡아야만 했고, 때로는 밑쪽으로
부터 별안간 냉기가 스며들며 철벅거리는 소리가 들려 우리가 내를
건너고 있음을 알아차리기도 했다. 그러고 나면 말들은 마치 안장과
사람들을 제거해보기를 몹시 원하는 것처럼 미친 듯이 건너편 둑을
향해 기어올라갔다. 일단 (평지에서) 균형을 되찾게 되면, 눈으로 볼
수는 없고 냄새로써 알아차려야 하지만, 낮은 나뭇가지들을 피하기
위하여 가끔 머리를 수그리게 하는 신기한 자각(自覺)에 혜택을 입으
면서 조심하기만 하면 되었다.

그러자 멀리 떨어진 곳으로부터 어떤 뚜렷한 소리가 들렸다. 그것
은 저녁 무렵에 잠깐 들었던 표범의 울음소리는 아니었고 개 짖는 소
리였다. 이제 휴식처 야숙지(夜宿地)가 가까워진 것이다. 몇 분이 지
난 뒤, 우리들의 안내인은 방향을 바꾸었다. 우리는 그를 따라서 가
축을 기르기 위하여 나무줄기로 경계를 쳐놓은 조그마한 황무지로
들어갔다. 외딴 오두막 한 채가 나타났는데, 지붕은 짚으로 엮어져
있었다. 하얗고 얇은 면포를 걸친 집주인이 우리를 맞았는데, 남편은
가끔 포르투갈어를 사용했으며 아내는 인디언어를 썼다. 석유 심지
의 희미한 불빛 가운데서 우리는 재빨리 집 안의 물건들을 살펴보았
다. 흙을 두드려 만든 층계, 테이블 한 개, 판자로 된 침대 하나, 의자
로 사용되는 상자 몇 개, 그리고 굳은 점토로 된 아궁이에는 양철통
과 통조림통으로 갖추어진 부엌 세간 한 벌이 있었다.

우리는 서둘러서 두 개의 마주난 종려나무 줄기 사이에 그물침대
를 매달았다. 우리는 자주 밖에 나가서 잠을 잤는데, 수확한 옥수수
를 비에 젖지 않게 쌓아두기 위한 '파이올'(天蓋) 아래서 자기도 했
다. 놀랍게도 마른 옥수숫잎 더미 위에 누워 있으니 매우 편안했다.

길쭉한 옥수수나무 밑둥들이 서로 합쳐져 사람의 몸에 꼭 맞도록 되었으며, 달콤한 풀잎 냄새가 우리를 매우 아늑하게 해주었다. 그러나 새벽녘에는 냉기와 습기 때문에 잠을 깼다. 숲속의 빈터로부터 우윳빛 안개가 솟아나고 있었다. 우리는 급히 오두막 안으로 들어갔는데, 그곳은 아궁이에서 나오는 빛으로 어슴푸레했다(집에는 창문이 없었으나 빛이 벽의 틈 사이로 들어왔다). 주인 남자는 설탕을 가득 넣어 지독하게 진한 커피를 끓이며, 비계 조각과 함께 뒤섞은 '피포카'(옥수수 알갱이)를 준비했다. 우리는 말들을 다시 모아 안장을 올리고는 떠났다. 잠시 후 그 외진 곳에 있는 오두막집은 시냇물 흐르는 소리가 들리는 숲으로 완전히 가려 보이지 않았다.

상제로니무의 원주민 지역은 면적이 약 10만 헥타르나 되어 인디언 450명이 대여섯 개의 작은 부락에 집단을 이루어 살고 있다. 나는 이곳으로 여행하기 전에 인디언 보호국의 통계에서 말라리아·결핵 및 알코올중독의 피해 정도를 알 수 있었다. 지난 10년 동안 이곳의 출생자는 171명밖에 안 되었으나, 유아사망자는 140명이나 되었다.

우리는 주(州) 정부에서 건립한 목조가옥들을 방문했다. 그것들은 부락 내에 집단을 이루고 있었다. 우리는 가끔 인디언들이 세워놓은 더 외떨어진 집들도 목격했다. 이 외딴집들에는 팔미투나무의 줄기를 리아나로 얽어매어 만든 사각형의 울타리와 벽 네 귀퉁이에 매어진 풀잎 지붕이 있었다. 또한 우리는 집은 사용하지 않고 그 옆에다 나뭇가지로 엮은 차양을 만들어놓고 그 밑에서 인디언 한 세대가 살고 있는 곳도 들어가 보았다.

그와 같은 경우에 거주자들은 밤낮으로 계속 타오르는 불 주위에 모여 있다. 보통 남자들은 누더기 셔츠와 낡은 바지를 입었고 여자들은 면으로 된 옷을 맨살에 그대로 입거나 겨드랑이 밑으로 담요 한 장을 몸에 감았으며, 어린아이들은 발가벗고 다녔다. 모든 사람은 여행 중의 우리들과 마찬가지로 큰 밀짚모자를 쓰고 있었는데, 이 모자를 만드는 것이 그들의 유일한 생산활동이며 돈벌이였다. 남자와 여자 그리고 모든 세대의 사람에게서 몽골인종형의 특징이 나타나 보였다. 그들의 키는 작고 얼굴은 넓고 평평하며, 광대뼈는 튀어나오고, 눈은 가느다랗고, 피부는 노란 빛깔이며, 머리털은 검고 곧으며 ─여자들의 경우에는 길거나 또는 짧았다─ 몸에는 털이 전혀 없거나 매우 드물었다.

그들은 단 하나의 방에서 기거하고 있었다. 그들은 어느 때고 관계없이 달착지근한 감자를 먹는다. 그들은 잿더미 밑에서 구운 감자를 기다란 대나무 집게로 집어낸다. 그들은 엷은 고사리 더미 위에서 아무렇게나 잠자리를 정하거나 옥수수짚으로 된 거적 위에서 잔다. 그리고 사람들은 제각기 그들의 발을 불 가까이에 둔다. 그러나 한밤중이 되면, 몇 개의 타고 남은 잿불이나 나무줄기들이 제대로 이어져 있지 않은 벽으로써는 해발 1천 미터의 영하 추위를 막기에는 미약하다.

인디언들이 세운 집은 오직 이 방(房) 하나뿐이었으며, 당국에서 건립한 가옥들 가운데서도 단 한 개의 방만이 사용되고 있다. 인디언들의 모든 재산이 이곳에 무질서하게 펼쳐져 있었는데, 우리들 안내인들, 즉 이웃 세르탕(황야)에서 온 카보클루족(혼혈의 지방 농민 - 옮긴이)은 이것을 보고 분개했다. 또 우리는 이 물건들이 브라질에서 만들어진 것인지 이 지방 특산물인지를 구별하는 데 곤란을 겪었다. 대체로 도끼·칼·에나멜 칠이 된 접시와 금속그릇·헝겊 조각·바늘과 실, 그리고 몇 개의 병과 우산들은 브라질산이었다. 가구들도 조잡하게 만들어진 것이었다. 예컨대 카보클루족들도 사용하는 구아라니산의 나무로 만든 낮은 걸상(등 없는)이 몇 개 있었고, 온갖 크기의 광주리들이 다목적으로 쓰였는데, 이 광주리들에서는 남아메리카에서 많이 볼 수 있는 '십자 짜기' 기술을 볼 수 있었다. 곡물의 가루를 치는 체와 나무절구, 나무나 돌로 만든 공잇대, 항아리 몇 개 그리고 여러 가지 용도에 사용되는 각종 그릇이 수없이 많았는데 속이 텅빈 이것들은 건조된 호리병박을 가지고 만든 것이었다. 이 보잘것없는 물건들을 획득하는 데 많은 곤란을 겪었다.

온 가족에게 미리 유리세공품의 반지·목걸이 그리고 브로치(장식핀) 따위를 나누어주는 것으로도 필요한 우호적 접촉을 이룩하기에 불충분할 때가 가끔 있었다. 원하는 물건의 가치보다 훨씬 많은 '밀레이스'(milreis: 브라질의 옛 화폐단위 — 옮긴이)를 제공해도 그 소유자는 관심을 나타내지 않기도 했다. "그는 그것을 만들 수 없다." "만약 그것을 그 자신이 만들 수 있다면 기꺼이 그것을 당신에게 줄 것이다. 그 자신도 오래전에 한 노파로부터 그것을 얻었는데, 그것은 오직 그 여자만이 만드는 비법을 알고 있다. 만약 그것을 당신에게 주어버린다면, 어떻게 그것을 다시 전하겠는가?" 물론 그 노파는 이곳에 있지 않다. 그렇다면, 어디에? "어디에 있는지 모르지만, 아마 숲속 어딘가에 있겠지요." ……그 밖에도 가장 가까운 백인들의 상점으로부터도 100킬로미터나 떨어진 곳에서 살며, 지금은 열병으로 떨고 있는 이 늙은 인디언에게 우리가 주려는 돈들이 무슨 소용이 있겠는가? 연장이라고는 조금밖에 지니지 못한 사람들에게서 그 물건들을 빼앗음으로써 다시는 채워놓을 수 없게 만든다면 그것은 부끄러운 짓을 하는 것이다.

하지만 문제가 전혀 다를 때도 많다. 이 인디언 여자가 그 항아리를 내게 팔려고 했을까? "물론, 그 여자는 팔고 싶어 하지요. 그렇지만 불행히도 그것은 그 여자 소유가 아니랍니다. —누구의 것이지요? —침묵 —남편 것인가요? 아니요 —당신의 남자형제들 것인가요? 아니요 —당신 아들의 것이오? —아닙니다." 그 물건들은 손녀의 것이었다. 항상 그 손녀는 우리가 사고자 하는 모든 물건을 소유하고 있었다. 서너 살쯤 된 이 손녀는 불 옆에 쪼그리고 앉아서, 내가 조금 전에 주었던 반지에 정신이 팔려 있었다. 나는 이 아가씨와 오랫동안 흥정을 했는데, 부모들은 여기에 전혀 끼어들지 않았다. 처음에는 그 물건(호리병박)에 대해 500레이스(reis: 옛 브라질의 화폐단위였던 real의 복수형 – 옮긴이)와 반지 한 개를 주겠다고 했으나 소녀가 마음이 내키지 않는 것 같아, 결국은 400레이스와 브로치 한 개를 더 주고 소녀의 마음을 돌려놓았다.

카인강족(Kaingang)은 농사는 별로 짓지 않았으나 고기잡이와 사냥, 그리고 채취가 주된 생업을 이루고 있다. 고기잡이는 백인들의 방식을 매우 서투르게 흉내낸 것으로 고기가 제대로 잡힐지 의심스러웠다. 예컨대 고기잡이 도구라고는 잘 휘는 나뭇가지 한 개와 실 끝에 송진을 발라 맨 브라질산 낚시 그리고 그물로서 헝겊 조각을 쓰는 것이 고작이었다. 그들에게는 사냥과 채취가 숲에서의 유랑생활을 지배했다. 이 기간에는 몇 주 동안이나 가족들이 모두 흩어져 사라지기 때문에 그들이 어느 은밀한 은신처에서 살고 있는지, 또 어떤 복잡한 길을 따라 옮겨 다니는지 모르게 된다.

가끔 우리가 숲속의 오솔길에서 적은 떼거리와 마주치게 되어도 그들은 즉시 사라져버린다. 앞장을 선 남자들은 손에는 새 사냥에 사용되는 탄환을 발사하는 활을 들고, 어깨에는 마른 진흙으로 만들어 탄환을 담아둔 화살통을 메고 있다. 남자들의 뒤에는 여자들이 모든 살림살이를 헝겊끈으로 등에 진 후 나무껍질로 만든 널따란 띠를 이마둘레에 묶은데다가 매달은 채롱 속에 넣고 따라다닌다. 어린아이들과 살림도 이런 식으로 운반된다. 우리가 말의 걸음을 늦추고 그들과 몇 마디 대화를 나누면, 그들도 잠깐 지체하다가는 곧 사라져버려 숲속에는 다시 침묵이 흐른다. 우리는 다른 곳과 마찬가지로 이 근처의 집들도 텅 비어 있을 것이라는 점을 알 뿐이었다. 얼마나 오랫동안 집을 비워두는 것일까?

이 유랑생활은 며칠씩 또는 몇 주씩이나 계속될 수도 있다. 자보티카바(앵두 비슷한 과일)·오렌지·리마(레몬 비슷한 열대산 과일) 같은 과일들이 열매를 맺는 계절인 사냥철에는 모든 사람이 집단적으로 이동하게 된다. 그들은 깊숙한 숲속의 어떤 곳에서 보금자리를 잡는 것일까? 그들은 어떤 비밀장소에 활과 화살을 숨겨놓고 있는 것일까(우리는 단지 집구석에서 그들이 잊어버린 견본들을 우연히 발견할 따름이다)? 어떤 전통과 의식 그리고 신념에서 그들은 다시 숲속으로 되돌아가는 것일까?

원예는 이들 원주민의 경제에서는 으뜸가는 활동이다. 때로 숲속의 평원에서는 원주민의 개간지가 발견된다. 높은 나무들이 벽처럼 둘러싼 사각형의 지대(10~20제곱미터의 면적)에서 바나나·감자·마니오크·옥수수 등을 기르고 있다. 단 한 사람 또는 두 여인이 낱알들을 우선 불에 말린 다음에 절구에다 빻는다. 이 가루는 직접 먹기도 하고, 때로는 단단한 빵을 만들기 위하여 기름에 섞어 덩어리로 굳히기도 한다. 거기에 검은콩을 넣어서 먹기도 한다. 사냥에서 얻은 짐승과 반(半)야생의 돼지가 육식 재료가 된다. 고기는 언제나 나뭇가지에 꿰어서 불 위에 구워 먹는다.

그리고 썩어가는 나무들의 몇몇 줄기에서 우글거리는 희끄무레한 애벌레 코루(koro)에 관해서도 언급할 필요가 있다. 백인들의 조롱에 기분이 상한 인디언들은 자기네한테 그 곤충이 맛있다는 것을 이제는 고백하지 않으려 들고, 또 그것을 먹는다는 것도 완강히 부인하고 있다. 그러나 폭풍우로 쓰러진 커다란 피네이루나무(pinheiro)가 코루를 즐겨 먹는 사람들에 의하여 산산조각이 난 처참한 모습을 땅바닥에서 보려면 숲속을 20~30미터만 돌아다녀도 충분하다. 그리고 어떤 인디언의 집에 갑작스레 들어가게 되면—그들이 그것을 재빨리 감추기 전에—애벌레들이 우글거리는 컵을 볼 수 있다.

물론 코루를 채취하는 것을 목격하기란 쉬운 일이 아니다. 우리는 음모꾼들처럼 이 계획을 오랫동안 숙고했다. 아무도 살지 않는 부락에서 혼자 살고 있던 열병에 걸린 한 인디언이 우리들의 계획에 적합한 대상으로 선택되었다. 우리는 그의 손에 도끼를 쥐어주고, 그를 격려하면서 부추기었다. 그러나 아무 소용도 없었고, 그는 우리가 그에게 바라는 것을 전혀 모르는 듯했다. 할 수 없이 마지막 방편으로 우리는 그에게 우리들 자신이 코루를 먹고 싶어 한다는 것을 이야기했다. 마침내 우리는 그를 어떤 나무줄기 앞으로 데려갔다. 그가 도끼를 한 번 내리치자 나무줄기 속 깊숙한 곳에서 수많은 맥관(canal)이 나타났다. 맥관 속마다 누에와 매우 비슷한 크림색의 살찐 벌레가 있었다. 이제는 우리들 차례가 되었다. 그 인디언은 내가 그 벌레의 목을 베어내는 것을 무감각한 표정으로 보았다. 그 벌레의 몸에서 희끄무레한 기름이 흘러 나왔는데, 나는 그것을 망설이다가 맛보았다. 그것은 버터의 단단하고도 섬세한 느낌과 야자 열매의 과즙 같은 맛을 지니고 있었다.

18 판타날

이런 식의 세례를 받고 난 후에 나는 본격적인 탐험 준비를 했다. 이러한 기회는 9월부터 이듬해 3월까지 계속되는 브라질의 대학 방학기간에 생길 수 있었다. 그러나 이 기간은 또한 우기이기도 하다. 이 같은 불편함에도 나는 두 원주민 집단과 접촉할 계획을 세웠다. 파라과이와의 국경지대에 살고 있는 카두베오족에 대해서는 아직까지 연구가 제대로 되어 있지 못했을 뿐만 아니라, 그들 대부분은 벌써 소멸되어버렸다. 그리고 다른 한 집단인 보로로족(Bororo)은 잘 알려졌으며 지금도 번창하고 있는데, 중부의 마투그로수주에 살고 있었다. 그리고 리우데자네이루의 국립박물관에서는 나의 여정 중에 발견되는 고고학적 발굴지역을 아울러 조사해보도록 제시했다. 옛 문서들 가운데 여기저기서 언급되는 이 같은 지역을 조사해볼 기회는 아직까지 아무도 갖지 못했다.

그때부터 나는 종종 상파울루와 마투그로수 간을 때로는 비행기, 때로는 트럭, 때로는 기차와 배를 타고 여행했다. 1935년에서 36년 사이에는 기차와 배를 이용했다. 실제로 내가 문제 삼았던 지역은 파라과이강 좌안(左岸)에 있는 포르투 에스페란사(희망의 항구)의 종착

점에서 멀리 떨어지지 않은 철로 부근에 있었다.

이 지루한 여행에 대해선 별로 할 말이 없다. 우선 노로에스테 철도를 이용하면 개척 중인 바우루에 도착되며, 그곳에서 그 주의 남부를 횡단하는 마투그로수행 야간 기차를 타게 된다. 모두 합쳐서 사흘 동안 기차를 타야 하는데, 나무를 연료로 사용하는 그 기차는 느릿느릿 달리며, 가끔 연료를 공급받기 위하여 오랫동안 정차했다. (기차의) 차량 또한 나무로 만들어졌으며, 어느 정도 사이가 벌어져 있었다. 그래서 잠을 깨어보면 세르탕의 붉은 먼지가루가 (옷의) 주름과 (사람의) 털구멍마다 스며들었고, 얼굴에 얄따랗게 굳은 진흙의 막을 덮어씌워놓고 있다. 열차 내의 식당에서는 벌써 내륙지방의 요리법을 따르고 있다. 경우에 따라서 마른고기나 날고기, 그리고 과즙을 빨아먹는 파리냐(farinha: 옥수수나 신선한 마니오크를 뜨거운 열을 가해 수분을 빼낸 다음에 거칠게 가루로 빻은 펄프 - 옮긴이)와 함께 쌀과 검은콩을 제공한다. 그다음에는 옥수수나 마니오크나무 열매의 반죽 조각에 치즈가 딸려 나오는 브라질식의 한결같은 디저트가 따른다. 역마다 어린아이들이 여행객들에게 매우 상쾌한 맛을 느끼게 해주는 즙이 많은 노란 파인애플을 싼값으로 판다.

마투그로수주는 트레스 라고아스(Tres Lagoas)역의 바로 전에서 시작되는데, 이 역에서 기차가 파라나강을 횡단한다. 이 강은 너무나 방대한 까닭에 벌써 우기가 시작되었는데도 아직까지 (강의) 여러 곳에서 강 밑바닥이 드러나 보였다. 그다음에는 나의 내륙지방 여행기간에 이미 눈에 익어서 보고 싶지 않으나 어쩔 수 없이 지나쳐야 하는 풍경들이 시작된다. 왜냐하면 그 풍경은 파라나에서 아마존 분지의 브라질 중앙을 특징짓기 때문이다. 평탄하거나 기복을 이루는 고원과 아득한 지평선, 그리고 기차가 지나감에 따라 흩어지는 제부(Zébu: 등에 큰 혹이 있는 혹소 - 옮긴이) 무리들이 때때로 보이는 덤불

숲이 나타난다. 많은 여행자가 마투그로수를 '커다란 숲'으로 오역한다. '숲'을 나타내는 말은 여성형인 마타(mata)로 표현된다. 한편 남성형인 마투(mato)는 남아메리카 풍경의 보충적인 모습을 나타낸다. 따라서 마투그로수는 정확히 말하면 '큰 덤불'을 의미하는 것이다. 원시적이고 서글프긴 하나 그 단조로움이 웅장하고도 열광적인 무언가를 던져주는 이 지역에 그 어느 말이 이보다 더 어울릴 수 있겠는가?

사실 나는 세르탕(sertão)이라는 단어를 관목덤불(brousse)이라고 번역할 때도 있다. 그러나 그 말은 약간 다른 뜻도 내포하고 있다. 마투라는 낱말도 어떤 경치의 객관적 특성과 연관해서 쓰는 말이다. 불어의 'brousse'는 수풀(forêt)과의 대립관계에서 사용하는 말인 데 반하여, 세르탕은 주관적인 면에서 파악한 인간과 자연경치의 대립관계와 관련하여 사용되는 말이다. 따라서 세르탕은 사람이 거주하며, 개간된 지역과는 반대되는 곳으로서 사람들이 영속적인 시설물을 갖지 아니한 덤불지역을 가리킨다. 아마도 식민지의 은어인 블레드(bled: 벽촌, 황량한 토지)라는 말이 'sertão'의 뜻에 정확하게 부합될 것이다.

때때로 고원이 끊어지면서, 엷은 하늘 아래에서 미소 짓고 있는 듯한 나무와 풀이 무성한 경치 좋은 계곡이 나타나기도 한다. 캄푸그란데와 아키다우아나(Aquidauana) 사이에는 좀더 깊이 갈라진 틈이 있어 마라카주(Maracaju)산맥의 불타는 듯한 절벽을 한층 더 돋보이게 한다. 마라카주산맥의 협곡은 코리엔테스에서 말하자면 다이아몬드 채취자들의 집결지인 '가림푸'를 둘러싸고 있다. 여기서부터 갑자기 모든 풍경이 바뀌어버린다. 즉 아키다우아나를 지나면 곧 판타날(Pantanal)에 들어서게 되는데, 이곳이 바로 파라과이강의 중간 유역을 차지하는 세계에서 가장 넓은 늪지대이다.

비행기에서 내려다보면, 평평한 지대를 강들이 꾸불꾸불하게 가로질러 흐르는 이곳은, 흐르지 않는 물로 형성된 아치나 복잡한 굴곡형으로 이루어지는 일대 장관을 선사한다. 마치 자연이 현재의 임시적인 강줄기를 만들어놓기 전에 망설였던 것처럼, 강 밑바닥조차 희미한 곡선으로 둘러싸인 것같이 보인다. 판타날의 지면은 꿈같은 풍경을 이루고 있다. 그곳에는 마치 물 위를 떠다니는 반월형의 물체처럼 보이는 언덕 꼭대기에서 흑소떼들이 노닐고, 한편 늪의 수면에는 홍학·백로·왜가리와 같은 큰 새의 무리가 빽빽이 모여 희고 붉은 섬을 만들고 있다. 그러나 이 새들이 만드는 섬도 귀중한 밀랍을 분비하는 카란다 종려나무의 널찍한 부채꼴 잎사귀보다 덜 푹신해 보인다. 이 듬성듬성 심어진 작은 숲만이 광막한 물의 사막에 어울리지 않게 복스러운 경치를 깨뜨리고 있다.

이름이 잘못 붙여진 침울한 포르투 에스페란사를 뉴욕주에 있는 파이어 아일랜드(Fire-Island)를 제외하고는, 세계에서 가장 기이한 지역으로 나는 기억한다. 나는 가장 모순적인 여건들을 각각 다른 방식으로 결합하고 있다는 유사성을 보여주는 이들 두 지역을 비교하는 것이 즐겁다. 지리적으로, 인간적으로 동일한 불합리가 존재하기에 그곳은 재미있게 또는 음울하게 나타나고 있다.

파이어 아일랜드를 생각해낸 사람은 과연 스위프트(Jonathan Swift, 1667~1745: 『걸리버 여행기』로 알려진 아일랜드의 작가-옮긴이)였을까? 그것은 롱아일랜드 쪽으로 뻗어 있으며 식물이 자라지 않는 화살 모양의 모래땅이다. 그곳에는 길이만 있고 넓이는 존재하지 않는데, 어떤 방향으로는 길이가 80킬로미터나 되고, 폭은 200~300미터가 되기도 한다. 대양 쪽에는 바닷물이 자유롭게 드나들지만, 파도가 매우 거세기 때문에 사람들이 감히 수영을 하려고 하지 않는다. 그러나 대륙 쪽으로는 언제나 평온하며, 그곳은 깊지가 않아서 수영을 할 수 있다. 따라서 사람들은 먹지 못하는 고기들을 잡으며 시간을 보낸다. 이 고기들이 썩지 않도록 하기 위해서, 물에서 고기를 잡는 즉시 모래 속에 파묻으라는 명령을 고기잡는 사람들에게 전달하는 게시판이 정기적으로 바닷가를 따라 세워진다.

파이어 아일랜드의 모래언덕은 매우 불안정하고, 물에 대한 강도가 약하기 때문에 갑자기 아래에 있는 바다 속으로 무너져내릴 위험이 있어서, 다른 게시판을 세워 그곳에 접근하는 것을 금지하고 있다. 운하가 움직이는 베네치아와는 반대로 이곳에서는 움직이는 것이 바로 땅이다. 그래서 섬의 중심부에 위치하는 작은 촌락인 체리 그로브의 주민들이 왕래하기 위해서는 말뚝 위에 세워진 목재로 된 구름다리를 반드시 이용해야만 한다.

더 자세하게 설명하자면, 체리 그로브에는 주로 (남성끼리의) 동성 부부가 거주하는데, 이들은 분명히 모든 관계를 반대로 영위하는 생활 때문에 이 지역에서 살게 되었다. 이 모래땅에서는 독성이 있는 담쟁이덩굴 외에는 아무것도 자라지 않기 때문에, 사람들은 하루에 한 번씩 선창 아래에 있는 단 한 곳의 상점에 가서 생활필수품을 구입해야 한다. 모래언덕보다 더 높고, 안정지대에 있는 골목길을 따라서 이 불임(不姙) 부부들이 먹일 아기도 없는, 주말의 우유병밖에는 안 든 텅빈 유모차(그 좁은 길에는 이것만이 다닐 수 있다)를 밀면서 그들의 오두막으로 되돌아가는 모습을 보게 된다.

파이어 아일랜드는 즐거운 익살극 같은 풍자적 느낌을 주지만, 포르투 에스페란사에서 볼 수 있는 것은 한층 더 저주받은 자들을 위한 그 복제판이다. 1,500킬로미터나 되는 긴 철로의 4분의 3이나 되는 사람이 살지 않는 지역을 통과하여 정차하게 되는 곳 맞은편의 작은 언덕을 제외하면 그 어떤 것도 이들의 존재를 알려주지 않는다. 이곳에서 내륙지방으로 들어가기 위해서는 배를 타야만 한다. 왜냐하면 철로가 작은 증기선들의 선착장으로 사용되는 판자로 덮어놓은 진흙투성이의 제방 위에서 중단되기 때문이다.

철도 고용인과 그들의 집을 제외하고는 다른 사람이나 가옥이 전혀 없다. 나무로 된 허술한 집들이 늪 위에 지어져 있었다. 사람이 사는 지역임을 나타내는 질퍽질퍽한 널빤지를 따라서 집에 도착할 수 있다. 철도 회사의 알선으로 작은 오두막에 우리 짐을 풀었다. 그런데 그곳은 높은 말뚝들 위에 자리 잡고 있어서, 사닥다리로 올라가야 하는 정육면체의 상자였다. 문은 철도의 대피선 위 허공을 향해 열려 있었다.

새벽녘에 우리의 전용 기관차의 높게 울리는 기적으로 깨어났다. 우리는 이 기관차를 사적 용도로 썼다. 밤에는 매우 고통스러웠다. 축축한 열기와 우리들이 여행 전에 충분히 감안하여 준비한 모기장을 뚫고 공격하는 늪지대의 큰 모기들, 이 모든 것이 합세하여 우리를 잠 못 자게 만들었다. 아침 5시가 되자, 기관차에서 내뿜는 증기가 얇은 마룻바닥을 통해 우리들에게 스며들었으며, 바깥에는 벌써 열기가 가득했다. 습기에도 불구하고 안개는 없었으나, 마치 공기에 어떤 보충적인 요소가 추가되어 공기를 호흡하기가 부적당하게 되어버린 것처럼, 하늘은 납빛을 띠었고 대기는 숨막힐 것 같았다. 다행히도 기관차가 빨리 달렸기 때문에 우리는 산들바람을 맞으며, 다리가 (기관차의) 제장기(除障器) 위에서 흔들거리는 것을 느끼는 동안 밤중에 겪었던 괴로움에서 벗어날 수 있었다.

단선인 그 철로(일주일에 기차가 두 번씩 다녔다)는 늪지대를 가로질러 놓여 있었으나, 매우 급조(急造)된 것으로서 금방이라도 약한 널빤지 위로 기차가 이탈해버릴 것 같았다. 선롯가의 군데군데에 있는 물에서는 더럽고 구역질이 나는 악취가 풍겨 나왔다. 그렇지만 앞으로 몇 주 동안 우리는 이 물을 마시지 않을 수가 없었다.

오른쪽과 왼쪽에는 작은 관목들이 마치 과수원 안에서처럼 적당한 간격을 두고 솟아 있었는데, 멀리서 보기에는 물에 비친 하늘이 번쩍거리는 빛깔을 나뭇가지 아래에 반사하는 반면에, 나무들은 어두운 덩어리를 이루며 뒤섞여 있었다. 모든 것이 미지근한 열기 속에서 천천히 자라도록 준비되어 있는 것 같았다. 만약 수천 년 동안 이 선사시대의 지역에서 살 수 있고, 또 그 시간의 흐름을 느낄 수 있었다면 우리는 분명히 유기물들이 이탄(泥炭)·석탄 또는 석유로 변형되는 것을 목격할 수 있을 것이다. 나 자신도 석유가 땅 표면으로 흘러 나와서 미묘한 무지갯빛으로 물을 채색하고 있는 것을 보았던 것 같다. 그런데 우리의 일꾼들은 많은 수고를 하면서 돈 몇 푼을 얻어야 한다는 사실을 인정하지 않으려 했다. 그러나 그들은 우리가 쓰고 있는 기술자의 표지라 할 코르크제 헬멧(보호용)의 상징적 가치에 격려를 받고서는 고고학이 더 중요한 답사의 구실이 된다고 믿게 되었다.

　때때로 사람을 무서워하지 않는 짐승들, 예컨대 흰꼬리를 가진 노루의 일종인 베아두, 한 떼의 에마, 작은 타조, 혹은 수면에 닿을락말락 날아가는 백로떼들이 정적을 깨뜨리고는 했다.

　도중에 일꾼들이 기관차에 편승하여 우리들 곁으로 올라왔다. 얼마 후 12킬로미터 되는 지점에서 정차했다. 이곳에서 지선(支線)이 중단되었기 때문에 그때부터는 걸어갈 수밖에 없었다. '카팡' 특유의 모습을 지니고 있는 우리의 목적지가 저 멀리 보였다.

　겉보기와 달리 판타날의 물은 조금씩 흐르고 있으며, 이에 따라 어떤 지점에서는 조개껍데기와 진흙이 쌓여서 그곳에 식물들이 뿌리를 뻗고 자란다. 따라서 판타날에는 '카팡'이라고 불리는 끝이 뾰족한 녹색의 나무숲이 여기저기 있으며, 한때는 인디언들이 이곳에서 캠프를 쳤다. 오늘날에도 인디언들이 살았던 흔적을 여기저기서 발견할 수 있다.

우리는 날마다 선로 옆에 쌓여 있는 침목들로 길을 만들어 나가면서 목적지인 카팡에 도달했다. 우리는 거기서 햇볕으로 뜨뜻해진 늪의 물을 마시면서, 숨쉬기에도 힘든 찌는 듯한 날들을 보내야 했다. 해질 무렵에는 기관차가 우리를 데리러 왔다. 때로는 디아블레스라고 불리는 수레들 중 하나가 왔는데, 그것은 일꾼들이 마치 곤돌라의 사공들처럼 네 귀퉁이에서 큰 막대기를 사용하여 (철로의) 자갈 위를 전진해나가는 것이었다. 그곳에서 잠을 자지 않기 위해서 우리는 피곤하고 목마른 가운데 포르투 에스페란사의 사막으로 되돌아왔다.

그곳에서 100킬로미터쯤 떨어진 곳에 농경지가 있는데, 우리는 그곳을 카두베오족 탐색의 출발지로 선택했다. 사람들이 '파젠다 프란세자'(프랑스인 농장)라 부르는 철로 연변의 면적은 약 5만 헥타르나 되었고, 철로가 120킬로미터를 통과하고 있었다. 이곳 가시덤불과 까칠까칠한 풀밭이 많은 지역에는 가축이 7천 마리나 살고 있었다(열대지방에서는 짐승 한 마리가 살기에는 5~10헥타르의 면적이면 충분하다). 그리고 이 가축들은 이 지역에 두세 번 정차하는 철로편에 의해서 정기적으로 상파울루에 수출되었다. 사람들의 거주지역을 통과하는 정거장은 '과이쿠루스'라 불렸는데, 이 명칭은 과거에 그 지역에서 세력을 떨치던 호전적인 대부족들을 생각나게 하는 것이었다. 브라질의 영토에서는 카두베오족이 이들 가운데서 마지막으로 남아 있는 부족이었다.

프랑스인 두 명이 몇몇 소치기 가족과 함께 농사를 지으며 살고 있었다. 두 사람 중에서 젊은 사람의 이름은 잊어버렸으나, 나이가 40가량 된 또 한 사람의 이름은 '펠릭스 R'이었는데 보통 그를 '돈 펠릭스'라고 불렀다. 그는 몇 년 전에 인디언의 습격으로 살해되었다.

우리의 주인들(두 프랑스인)은 제1차 세계대전 당시에는 젊은 나이여서 참전했던 사람들이었다. 그들의 기질과 적성은 그들로 하여금 모로코의 식민지 주민이 되게 만들었다. 그들이 어떤 생각으로 낭트(프랑스 서부의 항구 도시로 17, 8세기에는 아프리카·아메리카 대륙과의 무역 거점이었다-옮긴이)를 떠나 브라질의 불편한 지역으로 좀 더 위험한 모험을 하게 되었는지 나도 모르겠다. 여하튼 파젠다 프란세자는 그것이 설립된 지 10년이 지났지만 모든 자본은 처음에 토지를 매입하는 데 소비되어버렸기 때문에, 가축과 장비를 개량할 여유가 없어서 쇠퇴해가고 있었다.

우리의 주인들은 영국식의 커다란 방갈로에서 한편으로는 농사꾼으로서, 다른 한편으로는 식료품 장사로서 엄격한 생활을 하고 있었다. 실제로 이 파젠다의 판매소는 사방 100킬로 내의 지역에 식료품을 공급하는 유일한 상점이었다. 일꾼이나 날품팔이인 엠프레가두(empregado)들이 그곳에 와서, 한 손으로 번 돈을 다른 한 손으로 낭비해버리곤 했다. 간단한 가필(加筆)만으로도 채무를 채권으로 바꾸어놓을 수 있었기 때문에, 기업들은 거의 돈이 없이도 운영해나갈 수가 있었다. 관례적으로 상품의 가격은 정상적인 가격보다 두세 배 더 비쌌으므로, 만약 이 같은 영리적 측면이 무시되지만 않았더라면 그곳에서 장사는 많은 이익을 남길 수 있었을 것이다.

토요일마다 일꾼들이 사탕수수의 작은 뭉치를 가지고 와서는 파젠다의 '엔제뉴'(engenho) ─나무로 된 세 개의 실린더로 회전시켜 사탕수수의 줄기를 으깨는 네모난 모양의 기계─속에서 압착시킨 다음, 금속의 커다란 냄비에 넣고 열을 가하여 즙액으로 만들고, 다시 그것을 주형에 부어 황갈색 덩어리로 된 단단한 알맹이(그들은 이것을 '라파두라'라고 불렀다)로 만들었다. 그 일꾼들은 이 생산품을 가까운 상점에 팔고 나서는 ─참으로 비통스러운 일이지만─바로 그날 저녁에는 구매자로서 그들의 어린아이에게 세르탕에서는 유일한 과자(그들의 생산품으로 가공한 것이다)를 사주기 위해 훨씬 비싼 값을 지불했다.

  농장의 주인들은 이 같은 착취 작업을 점잖게 받아들이고 있었다. 그들은 작업시간 외에는 (그들의) 피고용인들과는 접촉하지 않았으며, 또 그들과 같은 부류의 이웃과도 연락이 없었다(왜냐하면 인디언 보호지역이 그들의 거주지역과 파라과이 국경의 가장 가까운 대농원 사이에 있었기 때문이다). 그들이 이처럼 매우 엄격한 생활을 준수하는 것은 실의(失意)를 방지하는 최선책이 되었던 것이 분명했다. 그들이 남미대륙 생활에서 양보한 것은 다만 의류와 음료에 대해서였다. 브라질, 파라과이, 볼리비아, 아르헨티나의 전통들이 혼합되어 있는 이 국경지역에서 그들은 '팜파'(대초원) 스타일의 복장을 하고 있었다. 정교하게 짜인 갈색의 짚으로 된 볼리비아의 모자는 넓은 테두리가 위로 향해 있고 꼭대기가 높은 것이었다. 그리고 성인용 속바지의 일종인 '시리파'(chiripá)는 붉은 보라색·분홍색 또는 푸른색의 줄무늬가 있는 연한 빛깔의 무명으로 된 것이다. 그것은 장딴지까지 올라오는, 두꺼운 천으로 만든 하얀 장화의 바깥으로 종아리와 넓적다리를 드러내놓게 했다. 날씨가 서늘해지면 '시리파' 대신에 '봄바샤'를 입는데, 그것은 알제리 보병의 복장과 같은 헐렁헐렁한 바지로 양쪽 옆에 자수가 화려하게 수놓아져 있었다.

  그들은 목장에서 가축들을 '돌보면서' — 말하자면 가축들을 조사하여 팔 수 있는 것을 고르면서 — 거의 하루를 보낸다. '카파타스'(소몰이의 우두머리)의 굵은 외침 소리에 따라 짐승들은 여러 목장으로 분리되기 위하여 주인들 앞으로 굉장한 먼지를 일으키며 열을 지어 지나간다. 긴 뿔이 달린 제부, 살찐 암소, 겁에 질린 송아지들이 널빤지가 깔린 통로 속으로 떼를 지어 들어간다. 때때로 황소 한 마리가 들어가지 않으려고 버둥거리기도 한다. 이 같은 경우에는 40미터나 되는 정교하게 짜인 가죽끈이 '라소에이루'(말이나 소를 잡기 위해 올가미 밧줄을 던지는 사람-옮긴이)의 머리 위에서 빙빙 맴돌다가 순식간에 회오리를 일으키면서 황소를 쓰러뜨리고, 라소에이루가 탄 말은 의기양양 뒷발을 딛고 껑충 뛰어오른다.

그러나 하루에 두 번씩 ─ 오전 11시 30분과 저녁 7시 ─ 모든 사람은 '시마랑', 즉 빨대로 마시는 '마테'라고 불리는 파라과이 차를 마시기 위해서 그들의 집을 둘러싸고 있는 담쟁이덩굴 아래로 모이게 된다. 마테는 우리들의 털가시나무와 같은 속(屬)의 작은 관목이다. 그것의 잔가지를 땅속의 화구(火口)에서 나는 연기로 가볍게 구워서 회녹색의 거친 분말로 만든 다음 통 속에 오랫동안 보관한다. 물론 나는 진짜 마테 차에 관해 이야기하고 있다. 마테라는 이름으로 유럽에서 판매되는 물품은 일반적으로 아주 나쁘게 변형된 것이므로 본래의 마테와는 아무런 유사성도 지니고 있지 않다.

마테를 마시는 데는 몇 가지 방식이 있다. 우리들은 여행하는 동안 몹시 지쳐 있기 때문에, 곧바로 원기를 회복하고자 하는 조바심으로 마테를 한 줌 가득히 찬물 속에 집어넣고 급히 끓인다. 그러나 끓기 시작하자마자 불에서 끄집어내는 것이 매우 중요하다. 왜냐하면 만약 그렇게 하지 않는다면 마테는 향기를 모두 잃어버리고 말기 때문이다. 이것이 이른바 샤데마테(chá de maté)라는 것으로 차를 거꾸로 달여내는 방식인데, 마치 한 잔의 진한 블랙 커피와도 같이 기름기가 돌다시피 하며 어두운 녹색을 띠고 있다.

시간이 없을 때는 '테레레'로 만족해야 하는데, 이것은 찬물에 가루를 한 줌 타서 작은 관으로 빨아 마시는 차이다. 쓴맛을 싫어하는 사람들은 파라과이의 미녀들이 즐겨 먹는 '마테 도세'(단 마테)를 택할 수 있다. 그것은 설탕을 섞은 가루를 (잘 타고) 센 불 위에서 캐러멜처럼 만들어 끓는 물에 담갔다가 걸러서 마시는 것이다. 그러나 내가 아는 바로는 마테를 애호하는 모든 사람은 하나의 사회적 의식인 동시에 파젠다에서 실시되는 것처럼 일종의 은밀한 악습(마테는 습관성이 있는 음료이다-옮긴이)이기도 한 '시마랑'에 대해, 이 모든 마테의 제조법보다 더 큰 비중을 두었다.

사람들은 우선 '시나'라고 불리는 한 작은 소녀의 주위에 둘러앉는데, 그 소녀는 주전자와 풍로 그리고 '쿠이아'——주둥이가 은으로 장식된 호리병박이나 과이쿠르스에서 사용되는 것처럼 농부가 돈을새김을 한 혹소의 뿔——를 가지고 있다. 이 용기에는 마테 가루가 3분의 2가량 들어 있는데, 그 소녀는 여기에 끓는 물을 서서히 부어 가루를 적셔 반죽을 만든다. 반죽이 만들어지는 즉시 그 소녀는 구근(球根) 모양의, 아랫부분에 구멍이 뚫려 있는 은관(銀管)을 가지고, 그것이——용액이 가라앉게 되는 쿠이아 밑바닥의 깊숙한 작은 동굴 모양의 지점에까지——닿을 수 있도록 반죽 속으로 구멍을 조심스럽게 만들어 판다. 이와 동시에 반죽의 균형이 깨어지지 않도록 은관을 충분히 흔들어야만 한다. 그러나 너무 많이 흔들게 되면 물이 적절하게 섞이지 않는다. 이렇게 하여 시마랑이 준비된다. 그러나 용액을 집주인에게 드리기 전에 그것이 충분히 침윤되도록 잠깐 지체해야 한다. 그리하여 집주인이 두세 번 빨고 난 뒤에 그릇을 소녀에게 되돌려주면 그곳에 참석한 모든 사람은 먼저 남자들, 그다음에 여자들(만약 여자들도 참석했다면)의 순서로 그릇이 빌 때까지 같은 동작을 되풀이한다.

적어도 (마테를 마시는 데 익숙한) 단골손님들은 그것을 첫 번째로 빨아 마시면서 훌륭한 맛을 느낀다. 왜냐하면 (마테를 마셔보지 못한) 초보자들은 흔히 입속이 불로 타는 듯한 느낌을 받기 때문이다. 마테는 마치 하나의 숲 전체가 그것의 몇 방울 속에 집결되어 있는 듯한 쓴맛과 향기를 동시에 지니고 있다. 이 같은 맛은 뜨거운 은잔의 촉감과 거품이 많은 끓는 물로써 이루어진다. 마테는 커피·홍차, 그리고 초콜릿에서 발견되는 것과 유사한 알칼로이드를 지니고 있으나 그것의 약효—용액 자체의 신맛—때문에 기운을 나게 할 뿐만 아니라 진정제 구실도 한다. 그 용기가 몇 차례 돌고 나면 마테는 맛이 없어지게 된다. 그러나 그릇 속의 굴곡진 부분을 빨대로 조심스럽게 찾아본다면, 아직도 쓴맛을 생생히 간직하고 있는 용액이 남아 있을 것이다.

확실히 마테는 아마존 지역의 과라나(guarana)보다 우수하고, 볼리비아 고원의 보잘것없는 코카(coca)보다는 훨씬 낫다. 코카는 마른 나뭇잎으로 만들어지는데, 이것을 씹으면 곧 작은 공 모양의 섬유질로 된다. 그런데 이것은 혓바닥의 점막에 마취작용을 일으켜, 혀가 마치 다른 사람의 몸에 붙어 있는 듯한 느낌을 주며 탕약과 같은 맛을 자아낸다. 마테와 비교할 만한 맛을 내는 것으로는 향료를 섞어 넣은 베텔(bétel: 후추나무 잎과 생석회와 빈광나무 열매를 섞어 사람들이 씹을 수 있도록 한 것-옮긴이) 한 조각을 들 수 있다. 그러나 이것의 향기와 맛도 숙달되지 못한 사람에게는 다만 고약한 느낌만을 줄 뿐이다.

카두베오족은 파라과이강 좌측의 낮은 지역에 대부분 살고 있었는데, 이곳은 보도케나산맥의 구릉지대를 경계로 하여 파젠다 프란세자와 분리되어 있었다. 우리를 맞이한 그곳의 백인 두 사람은 그들을 게으르고, 퇴폐적이며 또 도둑과 술주정뱅이들로 간주하고 있었다. 그들에게는 우리의 탐험이 처음부터 책망받을 것으로 느껴졌다. 그들은 우리에게 많은 도움을 주었고, 또 사실 그들의 도움이 없었다면 우리는 결코 목적을 달성할 수가 없었을 것이지만, 그들은 우리의 탐험을 반대했다.

그러나 수주일 후에 우리가 채색된 조각이 되어 있는 큰 도기 항아리며, 아라비아 문양으로 색채를 넣어 장식한 노루가죽이며, 이제는 사라져버리고 없는 만신전을 상징하는 목각 등을 사막의 대상(隊商)처럼 황소의 등에 싣고 돌아왔을 때 그들의 놀라움은 굉장했다. 이 의외의 사실에 어떤 시사를 받아 그들의 태도가 야릇하게 바뀌었다. 즉 2, 3년 후에 돈 펠릭스가 상파울루에 있는 나를 찾아왔을 때, 나는 예전에 인디언들을 거만하게 취급했던 그와 그의 동료들이 그 이후로는 영국 사람들의 말마따나 '아주 원주민화해버린'(이 부분은 영어로 'gone native'라고 표현되어 있다-옮긴이) 생활을 하고 있음을 알게 되었다.

파젠다의 작은 부르주아 살롱에는 채색된 가죽들이 걸려 있었으며, 원주민들의 도기가 귀퉁이마다 진열되어 있었다. 우리의 친구들은 모범적인 식민지 관리처럼 모로코나 수단의 바자(bazar: 자선 시장) 흉내를 냈다. 그리고 이제는 그들의 공식적인 공급자가 된 인디언들은 파젠다에서 환영을 받았으며, 인디언 가족 전체가 그곳에 유숙하면서 자기들이 가지고 온 물건들을 교환했다. 이 같은 친밀성은 어느 정도까지 전개되었을까? 독신자들이 축제일이면 반나체의 몸에 검은색 또는 푸른색의 소용돌이꼴 장식을 정성들여 칠한 인디언 처녀들의 매력을 견디어낼 수 있었으리라고 인정할 수는 없을 것이다(이 소용돌이꼴 장식은 정교한 레이스가 달린 옷처럼 피부에 그려져 있었기 때문에 피부와 옷을 혼동할 지경이었다). 어쨌든 내가 알기로는 1944년이나 1945년경에 돈 펠릭스는 그의 새로운 가족들에게 살해되었는데, 그의 죽음은 흔히 생각하는 것과 같은 인디언의 희생물이라기보다는 우리들 신출내기 민족학자들의 방문으로 10년 전에 그가 빠져버리게 되었던 혼란 때문일 것이다.

파젠다의 상점에는 마른 고기·쌀·검은콩·옥수숫가루·마테·커피·라파두라와 같은 우리가 필요로 하는 식품들이 있었다. 또 우리는 사람들이 타고 갈 말과 짐을 운반할 황소를 빌렸다. 왜냐하면 우리가 필요로 하는 물건들과 교환할 수 있도록 어린이 장난감·거울·목걸이·반지·향수·천조각·담요·옷·연장들과 같은 많은 물건을 싣고 가야만 했기 때문이다. 파젠다의 노동자들 중에서 몇 사람이 우리의 안내인 역할을 맡기로 했는데, 그들은 크리스마스 축제일 동안에 가족과 떨어져 있게 되는 것을 매우 못마땅해했다.

인디언 부락에서는 우리들이 오기를 기대하고 있었다. 왜냐하면 우리들이 파젠다에 도착하자마자, 인디언 바케이루(vaqueiro: 소몰이)들이 이방인들이 선물을 가지고 인디언 부락을 방문할 것이라는 소식을 전하기 위해 떠났기 때문이다. 이 소식은 원주민들에게 여러 가지 불안을 불러일으켰는데, 그 가운데서도 우리들이 '토마르 콘타'하러, 즉 '그들의 영토를 빼앗으러' 오는 것이 아닌가 하는 우려가 지배적이었다.

19 날리케

카두베오족의 수도인 날리케(Nalike)는 과이쿠루스(Guaycurus)로
부터 150킬로미터쯤 떨어져 있으며, 말을 타고 가면 사흘이 걸린다.
황소들은 짐을 실었기 때문에 속도가 느려서 먼저 출발시켰다. 첫날
에 우리는 보도케나 산의 비탈을 올라 고원 위에 있는 파젠다(농장)
의 마지막 오두막에서 밤을 보내기로 했다. 우리는 즉시 좁은 계곡
속을 통과하게 되었다. 그곳에는 풀들이 매우 높게 자라 있어서 말들
이 제대로 길을 찾아낼 수 없을 지경이었다. 그뿐만 아니라 늪의 진
흙 때문에 나아가기가 훨씬 힘들었다. 말이 발을 잘못 디뎌서 쓰러졌
다가 다시 딱딱한 땅으로 되돌아오게 되면, 사람의 몸은 온통 풀잎으
로 뒤덮여버리게 된다. 이 경우에 우리는 매우 조심해야만 했다. 왜
냐하면 겉보기로는 무해할 것 같은 잎사귀도 그 뒷면에는 작은 진드
기들이 달걀 모양의 덩어리를 이루어 꿈틀거리고 있기 때문이다. 이
작은 오렌지색 벌레들은 사람의 옷 안으로 기어들어서 온몸에 퍼져
나가 피부에 들어박히는 것이다. 이 같은 경우에는 벌레들을 즉시 없
애버리기 위해 말에서 뛰어내려 옷을 벗은 다음에 그것을 몹시 세게
두드리고, 한편으로는 다른 사람이 온몸을 면밀히 조사해보는 수밖

에 없었다. 잿빛의 조금 더 큰 기생충은 덜 끔찍스럽다. 그러나 이것은 피부에 달라붙어 아무런 고통도 주지 않지만, 몇 시간 또는 며칠 뒤에 우연히 손으로 만져 발견하게 되었을 때는 벌써 살 속에 침투하여 부풀어올라 있기 때문에 칼로 도려내지 않을 수 없게 된다.

마침내 덤불숲이 사라지고 우리는 돌멩이가 많은 길을 따라서 선인장과 나무가 반반 섞인 마른 숲속을 지나갔다. 아침부터 비바람이 쏟아질 것 같았는데, 우리가 선인장이 무성한 높은 봉우리를 돌아 나가려 할 때는 퍼붓기 시작했다. 우리는 말에서 내려 바위틈 안에 피신처가 될 만한 구멍을 찾아내었다. 우리가 들어간 작은 동굴 안은 습기가 차 있기는 해도 폭우는 막아주었다. 그런데 우리가 그 안으로 들어가자마자 모르세구(박쥐)들이 온통 요란스럽게 날개를 치며 퍼덕거렸다. 우리들이 박쥐들의 잠을 깨워놓았던 것이다.

비가 멎자 우리는 어두컴컴하고 울창한 숲속을 계속하여 나아갔다. 숲속에는 상쾌한 냄새가 나는 야생과일들이 가득했다. 예컨대 속살이 많은 '제니파푸'는 떫은맛이 나며, 숲속의 빈터에 있는 '과비라'의 영원히 차디찬 과육은 모든 여행객의 목을 축여주기로 알려져 있고, 또 '카주'는 예전에 인디언들이 이곳에서 과수재배를 했으리라는 것을 짐작하게 만든다.

이 고원은—풀이 높게 자란 초원에 나무들이 여기저기 흩어져 있는—마투그로수의 특징적인 모습을 나타내고 있었다. 우리는 작은 짐승들이 진흙탕을 재빨리 건너가고 있는 늪지대를 가로질러서 숙영지에 도착했다. 라르곤(Largon) 전신국에는 목장 하나와 오두막 한 채가 있었는데, 우리들이 도착했을 때는 한 가족이 막 도살한 '베제루'(송아지) 옆에 몰려들어서 고기를 베어내고 있었다. 한편 벌거벗은 어린아이 두서너 명이 환호성을 지르며 피를 흘리고 죽어 있는 황소 위에 기어오르고 있었다. 황혼 속에서 밝게 타오르는 노천 불

위에 '슈라스쿠'(불고기)를 굽자, 기름이 번쩍거렸고, 또 한편으로는 썩은 고기를 먹는 '우루부'(독수리의 일종)들이 100마리 정도 땅에 내려와 고기찌꺼기와 피를 먹기 위해 개들과 싸우고 있었다.

라르곤 이후로는 우리들은 '인디언의 길'을 따라 여행했다. 그러나 세라(산)는 매우 가파른 내리막 언덕을 통과하는 곳이었으므로 말들이 놀라지 않도록 우리는 말에서 내려 그것들을 이끌고 갔다. 그 길은 급류 위를 지나는 것이어서 비록 볼 수는 없었지만, 우리는 바위 위에 폭포를 이루며 떨어지는 물소리를 들을 수 있었다. 우리들은 조금 전에 내린 비에 젖은 돌멩이들이나 질퍽질퍽한 물웅덩이에 발을 잘못 디뎌 미끄러지기도 했다. 마침내 우리는 세라의 기슭에 있는 둥근 공터에 도착했는데, 그곳은 캄푸 두스 인디우스(원주민의 들)였다. 우리는 늪지대를 횡단하기 전에 그곳에서 말들과 함께 잠깐 휴식하기로 했다.

오후 4시부터 우리는 오늘 밤의 숙식을 준비하기 시작했다. 그물침대와 모기장을 칠 수 있는 나무들을 찾아내었고, 안내인들은 불을 피워서 쌀과 마른고기로 식사 준비를 했다. 우리는 몹시 갈증을 느꼈으므로 식수 대용품인 과망간산염과 물과 흙이 뒤섞인 물을 아무런 거리낌도 없이 많이 마셨다. 해가 질 무렵 잠깐 동안 우리는 모기장의 더러운 무명천 사이로 붉게 타오르는 하늘을 쳐다보았다. 잠이 들자마자 우리는 다시 깨어나 출발해야만 했다. 한밤중에 안내인들이 우리를 깨웠고 그들은 벌써 말에 안장을 얹고 있었다. 그때는 몹시 더운 계절이었으므로 밤의 서늘한 기온을 이용하여 여행해야만 했기 때문이다. 우리는 달빛 아래서 아직 잠이 덜 깬 채 추위에 몸을 떨며 사정없이 길을 떠났다.

시간이 흘러 동이 트기 시작했고 말들은 비틀거렸다. 새벽 4시경에 우리는 피토쿠에 도착했는데 그곳은 예전에 인디언 보호국이 중요한 지소를 세웠던 장소였다. 이곳에 남아 있는 것이라고는 황폐한 가옥 세 개뿐이었으나 우리들이 그물침대를 설치하기에는 충분했다. 피토쿠강이 수 킬로미터 떨어진 판타날 쪽으로 조용히 흐르고 있었다. 그것은 시작도 끝도 없는 늪지대의 강으로서 그곳에는 피라냐(piranha: 도미 비슷하게 생긴 남아메리카의 강에 사는 물고기로, 떼지어 동물을 습격하여 잡아먹는다고 한다-옮긴이)가 떼를 지어 살고 있다. 피라냐는 조심성이 없는 사람들에게는 위험한 존재이지만, 노련한 인디언들은 강 속에서 목욕도 하고 물을 길어도 별 탈이 없다. 실제로 소수의 인디언 가족들은 아직도 늪의 여기저기에서 생활하고 있다.

그때부터 우리는 판타날의 한가운데를 통과하게 되었는데, 그 지역에는 나무가 있는 산등성이 사이에 물에 침수된 분지가 있거나 나무라고는 전혀 없는 방대한 수렁이 한없이 펼쳐져 있었다. 이곳에서는 안장을 얹은 황소가 말보다 더 편리했다. 왜냐하면 황소는 비록 속도가 늦기는 해도 콧구멍에 꿰어진 고삐로 조종을 받으면서 때로는 가슴까지 빠지는 늪을 육중한 몸체로 지탱하며 전진할 수가 있기 때문이다.

우리는 아마도 파라과이강까지 뻗어 있는 듯이 보이는, 너무 평탄해서 물이 쉽게 빠져나가지 못하는 넓은 평원 안에 있었다. 그런데 이곳에서 나는 여태까지 겪어보지 못한 최악의 폭풍우를 맞게 되었다. 사방을 둘러보아야 몸을 숨길 수 있는 나무 한 그루 없는 이곳에서 우리는 폭우를 맞으면서 천천히 나아갈 수밖에 없었다. 우리들의 좌우에서 천둥이 내리치고 대포사격처럼 섬광이 번쩍거렸으며 사람과 말이 모두 물벼락을 뒤집어썼다. 두 시간 후에야 비가 멈추어 소란이 가라앉았는데, 우리는 마치 격랑의 바다 위에서처럼 스콜이 지평선 너머로 천천히 사라져가는 것을 볼 수 있었다. 그러나 저 멀리 지평선 끝에, 아마도 몇 미터나 됨 직한 진흙 축대 위에 오두막 10여 채가 어슴푸레 모습을 나타내고 있었다. 우리는 날리케 근처에 있는 엔제뉴(사탕 농장) 부락에 도착해 있었다. 1935년에는 집이 모두 합쳐서 다섯 채밖에 없던 날리케에 앞서 이곳에 머무르기로 결정했다.

언뜻 보기에는 이곳의 오두막들은 매우 가까이에 있는 브라질 농부들의 오두막과 거의 다른 점이 없는 것 같고, 또 원주민들의 의상이나 생김새가 그들과 구별이 될 수 없을 만큼 혼합의 정도가 상당한 것 같았다. 그러나 언어는 전혀 다른 것이었는데 과이쿠루(guaycuru)어의 발음은 듣기에 좋았다. 말씨는 빠른 편이고 단어는 길며, 밝은 모음이 주조를 이루는 가운데 치음(齒音)과 후음(喉音)이 교대로 나타나는데다가 습음(濕音)과 유음(流音)이 풍부해서('ㅅ, ㅈ, ㅊ' 등이 치음, 'ㅎ' 등은 후음, 'ㄹ, ㄹㄹ' 등이 유음이고, 우리말에서 '손녀, 불량'이란 발음에서 '손'과 '불' 직후에 발음되는 자음이 습음이다-옮긴이), 마치 시냇물이 자갈 위를 흘러가는 듯한 소리를 듣는 듯했다. 카두베오(caduveo)라는 말(실제로는 '카듀에오'라고 발음된다)은 원주민 자신들에 대한 명칭인 '카디게고디'(Cadiguegodi)의 속음(俗音)이다. 그들의 언어를 이해할 수 있기에는 우리들의 체류가 너무 짧았을 뿐만 아니라, 특히 우리의 새로운 주인들은 포르투갈어에 대해 극히 초보적인 지식밖에는 없었다.

집의 골격을 이루고 있는 나무줄기는 껍질을 벗겨 땅속에 박아놓았으며, 대들보는 나무를 자르면서 남겨놓은 첫 번째 가지 사이에 걸쳐져 있었다. 노란 종려나무 잎으로 된 덮개가 양쪽으로 경사를 이루며 지붕 구실을 했다. 그러나 이것들은 벽이 없다는 점에서 브라질인의 오두막과는 달랐다. 실제로 이들 인디언들의 집은 백인들의 오두막(이것으로부터 지붕을 모방했다)과 거적으로 된 평평한 지붕을 가졌던 옛날 원주민들의 은신처를 결합한 중간형태였다.

이 보잘것없는 규모의 집에서도 의미 있는 점들을 발견할 수가 있다. 이 집에는 단 한 가족만이 거주하는 법이 드물며, 길고 좁은 헛간 같은 방에서 여섯 가족까지 함께 살기도 한다. 그러나 각 가족들은 명확히 자기네 몫으로 한정된 거주공간을 따로 쓴다. 이 공간에는 녹비(鹿皮)·긴 무명천·호리병박·그물·짚으로 만든 바구니 따위가 여기저기에 널려 있거나 쌓여 있거나 혹은 걸려 있으며, 사람들은 널빤지로 만든 칸막이 판자 위에 드러눕거나 앉아서 또는 웅크린 채로 시간을 보내고 있었다. 방구석에는 장식이 된 커다란 물항아리가 다리 3개로 된—때로는 조각이 되어 있기도 한—받침대 위에 얹혀 있었다.

예전에는 이 건물들은 이로쿼이족(Iroquoy: 북미 동해안에 거주하던 인디언족 – 옮긴이)의 가옥과 마찬가지로 '기다란 집'이었고, 이들 중 몇 개는 아직도 그러한 명칭에 어울리는 모습을 하고 있다. 오늘날에는 주로 여러 가족이 같은 집에서 살기에 편리한 까닭으로 집을 기다랗게 지었으나, 예전에는 거주형이 모계 거주형(matrilocale)이

그림 1 밝은 적색으로 채색을 한 다음 검은 수지를 위에 바른 물항아리.

라서 사위가 장인·장모 집에서 함께 살아야 했기 때문이다.

이 비참한 오두막에는 40년 전에 이탈리아의 미술가이며 탐험가였던 구이도 보지아니(Guido Boggiani, 1861~1901 ─옮긴이)가 1892년과 1897년에 목격했던 과거의 번영이 어떤 곳에서도 발견되지 않았다. 그는 두 차례 여행에서 민족학적으로 중요한 기록을 담은 여행기와 수집품(지금의 로마에 보관되어 있다)들을 남겨놓았다. 이곳은 중심지역 세 곳의 인구를 모두 합쳐도 200명이 넘지 못했다. 그들은 사냥을 하거나, 야생과일을 채취하며 소 따위의 가축을 몇 마리 기르거나, 구름 아래로 흐르는 유일한 샘터 저편에다 옥수수를 약간 경작하면서 살았다. 샘물은 우윳빛이었는데 약간 단맛을 내었다. 우리는 이 샘터에서 모기가 들끓는 가운데 세수도 했고 또 그 물을 식수로도 사용했다.

밀짚을 엮거나 남자들이 두르는 무명의 허리띠 끈을 짜거나, 주화(은으로 된 것보다는 주로 니켈로 된 것)를 두드려서 목걸이에 매다는 관이나 둥근 물건을 만드는 일을 제외하고는, 도기를 만드는 것이 이곳 사람들의 주요한 활동이었다. 여자들은 피토쿠강의 진흙을 깨진 도기 조각의 가루와 함께 섞어 반죽을 만들고 그것을 나선형으로 올라가는 가래가 되게 굴린 다음에, 원하는 형태가 될 때까지 그 가래들이 서로 붙도록 가볍게 두드려준다. 그리고 이것에 아직 물기가 있을 동안에 가는 실로 음각을 새겨놓고, 그 위의 세라에서 발견되는 산화제일철로 채색을 한다. 그다음에는 이것을 노천에서 불에 굽는다. 굽기가 끝나면 그릇이 아직 뜨거울 동안에 점액이 많은 수지(樹脂)로 한두 종류의 니스 ─검은빛의 파우 산투(pau santo)와 반투명의 노란빛 안지쿠(angico) ─를 사용하여 장식을 한다. 그러고 나서 그릇이 식으면 음각을 더욱 돋보이게 하기 위해서 하얀 가루 ─백악(白堊)이나 재 ─를 뿌린다.

여자들은 또 어린 아이들을 위하여 손쉽게 구할 수 있는 재료들을 가지고 인물이나 동물을 상징하는 작은 상(像)을 만들기도 했다. 여기에 사용되는 재료는 진흙·밀랍 또는 마른 깍지(콩) 따위로서, 조금만 손질을 가하면 상을 만들 수 있는 것들이다.

어린아이들은 또 나무로 만든 작은 상에다가 누더기옷을 입혀가지고는 인형으로 갖고 놀았다. 그

그림 2 카두베오족의 도자기 세 가지.

런데 외관상으로는 서로 매우 비슷하지만 어떤 작은 상은 나이 많은 여자들이 귀중하게 보존하여 자기네 바구니의 맨 밑바닥에 넣어둔다. 이것들은 장난감일까? 혹은 신상(神像)일까? 아니면 선조들의 형상(形像)일까? 여기에 정확히 답하기란 불가능하다. 왜냐하면 이 목상들은 매우 모순되게도 사용될 뿐만 아니라, 특히 한 가지 또는 동일한 상이 때때로 다른 목적에 사용되기 때문이다. 어떤 경우에는—예컨대 오늘날 (파리의) 인류학 박물관(Musée de l'Homme)에 있는 것들—상의 의미가 종교적이라는 것이 분명하다. 왜냐하

면 우리는 어느 상
에서는 '쌍둥이
의 어머니'(la Mére
des Jumeaux) 모습
을, 다른 상에서는
'작은 늙은이'(le
Petit Vieillard) ──
지상에 내려왔으
나 사람들로부터
푸대접을 받아 복
수를 하려고 하는
데, 오직 그를 보
호해주었던 한 가

그림 3 두 개의 목각상. 작은 늙은이 상(왼쪽)과 쌍둥이의
어머니 상(오른쪽).

족만은 벌을 면제해주려고 하는 신 ── 모습을 알아볼 수가 있기 때문
이다.

하지만 이 신성한 목상들이 장난감으로서 어린아이들에게 주어졌
다는 사실을 신앙의 붕괴라고 간주한다면 너무 단순한 생각인 것 같
다. 왜냐하면 우리들이 느꼈던 바와 같은 이 불안정한 상황을 1890년
대에 보지아니가, 그보다 10년 후에 프리츠(Fritch: 체코슬로바키아의
인류학자-옮긴이)가, 그리고 나 자신보다 10년 뒤에 이곳에 왔던 조
사자들이 모두 기술하고 있기 때문이다. 50년 동안이나 변함없이 지
속되어온 이 상황은 어떤 의미에서는 정상적이라고 할 수 있겠다. 그
리고 이 같은 조건을 해석하기 위해서 우리는 종교적 가치가 와해되
고 있는 것이 분명할 뿐만 아니라 원주민들은 우리가 흔히 생각하는
것보다 더욱 광범위한 방식으로 신성과 세속을 조정하고 있다는 점
을 이해하여야만 할 것이다. 이 양자의 대립이란 ── 사람들이 흔히

확신하는 것과는 달리 — 결코 절대적이거나 연속적인 것이 아니다.

나의 오두막 옆에는 주술사(呪術師)가 살고 있었는데, 그의 집에는 둥글고 등이 없는 걸상, 짚으로 만든 관, 진주가 꿰어져 있는 끈으로 덮여 있는 호리병박 모양 딸랑이, 그리고 질병의 원인이 되는 나쁜 영혼을 사로잡기 위해 사용되는 타조의 깃털이 있었다. 그런데 이 깃털은 질병의 근원인 비슈 — 화를 부르는 악령 정도로 이해하면 된다 — 를 지닌 동물을 잡는 데 사용하는 것으로서, 주술사 자신의 비슈가 갖고 있는 대항력 덕분으로 치료를 받을 때 나쁜 비슈를 내쫓을 수 있는 길이 보장되었다. 주술사의 비슈는 자기의 수호신 같은 것이었을 뿐 아니라 견본을 보존하는 역할까지도 겸했던 것 같다. 왜냐하면 주술사는 자기의 피보호자가 나에게 이 귀중한 기구들을 주는 것을 금지했기 때문이다. 그는 자기가 "이 기구들에 정이 들어 있다"라고 내게 말하라고 했던 것이다.

우리가 이곳에 체류하는 동안에 다른 오두막에 살고 있던 어떤 소녀의 사춘기를 축하하기 위한 축제가 열렸다. 그 축제는 소녀에게 옛날식으로 옷을 입히는 것으로 시작되었다. 소녀의 무명옷 대신에 네모난 직물 조각으로 겨드랑이 밑부터 온몸을 둘둘 말았다. 사람들은 그녀의 어깨·팔·얼굴에 화려한 그림을 그려주었고, 그들이 갖고 있고 사용할 수 있는 목걸이는 모두 그녀의 목에다 걸어주었다. 물론 이 모든 사실은 고대의 전통적인 관례에서 나온 것이라기보다는 '우리들이 지불한 돈의 가치'를 우리에게 보여주기 위한 하나의 시도로서 나타냈던 것이라 하겠다.

젊은 민족학자들은 원주민들이 사진기를 무서워하므로 그들의 이같은 두려움을 완화하기 위해서는 미리 현금이나 이와 비슷한 선물을 주는 것이 가장 좋은 방법이란 것을 알게 되었다. 카두베오족은 이 같은 체계를 완전하게 사용하고 있었다. 그들은 사진을 찍히기 전에 보상을 요구했을 뿐만 아니라 보상을 받기 위해서 우리에게 사진을 찍도록 강요하기도 했다. 거의 날마다 여자들은 화려하게 옷을 입고 사진을 찍어달라고 했으며, 우리는 싫든 좋든 간에 그녀들의 사진을 찍고 돈을 지불해야만 했다. 어떤 경우에는 필름을 절약하기 위해서 단지 찍는 시늉만을 하고 난 뒤에도 돈을 지불해야만 했다.

그렇지만 이 같은 잔꾀를 거절하거나, 인디언들이 타락했다거나 또는 돈에 눈이 어두워졌다고 간주하는 것은 매우 잘못된 생각이다. 왜냐하면 그들의 이런 방식은 그들 부족이 가진 어떤 독특한 특징 ─ 예컨대 신분이 고귀한 여자들이 지닌 자주성과 권위, 이방인과 대면했을 때 취하는 과시, 그리고 보통 사람은 이 여자들에게 존경을 표시해야만 한다는 주장 ─ 이 다만 변형된 것일 뿐이었기 때문이다. 이 같은 특징들은 환상적이고 즉흥적인 방식으로 지속될 수도 있고, 또 이 특징들을 계속하여 발전시킴으로써 그것이 지닌 의미를 보존해왔던 것이다. 따라서 내가 할 일이란 이 특징들을 그들의 전통적인 관습과의 관련 속에서 정리해보는 것이었다.

그 소녀에게 옷을 입히는 의식에 뒤따른 축제에서도 비슷한 현상이 나타난다. 오후부터 사람들은 핀가(사탕수수 알코올)를 마시기 시작한다. 남자들은 원을 그리며 둘러앉아서 (그들이 유일하게 알고 있는) 하위(下位)의 군대계급 ─ 예컨대 하사·중사·중위·대위 ─ 을 큰 소리로 자랑한다. 이것은 18세기의 탐험가들이 기록한 '엄숙한 술잔치'의 한 가지이다. 서열에 따라 앉아 있는 족장들은 시종의 시중을 받고, 전령관들은 술 마시는 사람들의 계급과 그의 용감한 행위들을 낭송한다.

카두베오족은 술을 마시면 이상한 반응을 나타낸다. 술에 취해 얼마간의 흥분이 지난 다음에는 침통한 침묵에 빠져들었다가 흐느껴 울기 시작한다. 술이 덜 취한 두 사람이 슬픔에 빠진 다른 한 사람의

그림 4 작은 조각 두 개. 왼쪽은 석각이고, 오른쪽은 목각으로 신화의 인물을 나타낸다.

팔을 잡고, 이리저리 거닐면서 그 사람이 토하기로 마음먹을 때까지 위로와 우애의 말을 속삭여준다. 그러고 나서 세 사람은 술잔치가 계속되고 있는 그들의 자리로 다시 돌아간다.

이 동안에 여자들은 세 가지 음조로 된 단조로운 노랫가락을 계속 되풀이하여 부른다. 몇몇 나이먹은 여자들은 자기들끼리 한곳에 모여 술을 마시면서, 거의 두서없는 말들을 지껄이거나 몸짓을 하면서 폭소와 재담을 터뜨리고는 한다.

그러나 이 사실도 또한 술취한 늙은 여자들의 단순한 방종으로 간주한다면 오류를 범하게 될 것이다. 왜냐하면 어린아이들의 성장기에서 매우 중요한 시점을 축하하는 것과 같은 축제에서는, 여자들이 가장을 하고 출현하여 군대행렬·춤·시합과 같은 것을 보여주기도 했다는 사실을 옛날의 여행자들이 증명해주기 때문이다. 1930년대의 이들, 누더기를 걸친 부족들은 황폐한 늪지에서 비참한 정경을 자아내고 있었다. 그러나 그들의 이 같은 몰락은 그들이 과거의 어떤 특징에 이처럼 강인하게 집착하는 사실을 좀더 충격적으로 느끼게 했다.

20 원주민 사회와 그 형태

한 종족이 지닌 관습들의 전체적 집결에는 언제나 어떤 특정한 양식이 존재한다. 관습들이 체계를 형성하는 것이다. 나는 이러한 체계들이 수적으로 제한되어 있는 것이 아니며, 또 개별적인 인간존재들과 마찬가지로 인간사회도—그들의 놀이와 꿈 또는 정신착란의 상태에서—결코 절대적인 방식을 창조해내는 것은 아니라는 사실을 확신하게 되었다. 인간사회란 재구성이 가능한 관념의 저장고로부터 어떤 결합들을 선택해낸다. 신화, 어린이와 어른들의 놀이, 건강한 사람이나 병든 사람의 꿈, 또는 심리학적·병리학적 행위 가운데 표현되어 있는 것과 같은 모든 관찰된 관습의 목록을 작성하기 위해서는 우리들은 화학원소의 주기표와 유사한 일종의 주기표를 만들어내게 될 것이다. 현실적인 것이든 또는 단지 가능할 뿐이든 모든 관습이 이 주기표 내에서 가족으로서 집단을 이루게 되고, 우리들은 사회가 실제로 어떤 것을 채택하느냐를 단지 식별하기만 하면 될 것이다.

이 같은 생각은 오늘날 파라과이의 토바족(Toba), 필라가족(Pilaga), 그리고 브라질의 카두베오족, 최후의 종족들로 남아 있는 므바야 과이쿠루족(Mbaya-Guaicuru)의 경우에 특히 잘 들어맞는 것 같다. 이들의 문명은 우리들 자신의 사회가 그것의 전통적인 오락들 중 어느 하나에서 즐겨 상상했던 것을 즉각적으로 환기해준다. 루이스 캐럴(Lewis Carroll, 1832~98)은 그의 환상적 작품(『이상한 나라의 앨리스』를 가리킴-옮긴이)에서 이것의 표본을 성공적으로 묘사했다. 왜냐하면 이 인디언 기사들은 카드에 그려진 인물들의 모습을 닮았기 때문이다. 이 특징은 무엇보다도 그들의 의상에서 잘 나타난다. 그들은 적색과 흑색의 무늬로 채색된 어깨가 넓고 주름이 빳빳한 가죽 망토와 웃옷을 입었는데, 고대의 작가들은 이것을 터키의 융단과 비교해보기도 했다. 이들 무늬(옷에 그려진)의 유형은 스페이드·다이아몬드·클로버·하트 모양의 주제를 반복하고 있었다.

그들은 왕과 여왕을 가지고 있었다. 캐럴의 소설 속 여왕처럼, 카두베오족의 여왕들은 무사들이 전쟁에서 베어온 (사람의) 머리를 가지고 장난하는 것을 즐겼다. 신분이 고귀한 남녀들은 시합을 즐겼는데, 이들 카두베오족보다 더 오래전부터 이곳에 살았으며 그들과는 언어나 문화가 다른 구아나족(Guana)이 노예로서 시중을 들었기 때문에 귀족들은 평범한 일들은 하지 않아도 되었다. 구아나족의 마지막 종족인 테레누족(Tereno)은 미란다(Miranda)의 작은 부락에서 멀리 떨어지지 않은 정부의 보호구역에서 살고 있었다. 예전에 구아나족은 땅을 경작하여 농작물을 므바야의 지배자에게 세금으로 바쳤다. 이것은 말을 타고 다니면서 약탈을 일삼던 무장한 떼거리들로부터 그들을 보호해준 대가로 지불되었다. 16세기에 이 지역을 탐험한 어떤 독일인은 구아나족과 므바야족의 관계가 중세 유럽의 봉건영주와 농노 사이에 존재하던 관계와 유사한 것이라고 기록했다.

므바야족은 카스트로 조직되어 있었다. 이 카스트의 정상부에는 귀족들이 위치했는데, 귀족들은 '세습적으로 내려온 대귀족'과 '귀족의 신분으로 상승된 사람들'의 두 가지 서열로 나누어져 있었다. 그런데 일반적으로 후자에 속하는 사람들은 고유한 신분의 어린아이와 같은 시간에 출생했다는 동시성을 인정받아서 신분이 상승되었다. 대귀족들은 또 연장자와 연하자 두 집단으로 나누어졌다. 귀족계급 다음에는 무사계급이 위치하는데, 이들 중에서 가장 훌륭한 사람들은 입문식(Initiation)을 마친 후에는 집단성원으로 인정받아 모든 말에 접미사를 부가하는 (특정한 은어의 형태로서) 인위적인 언어를 사용하거나 특수한 명칭을 지닐 수 있는 자격을 갖게 된다. 구아나족이나 샤마코쿠족(Chamacoco), 또는 다른 종족의 노예들이 천민계급을 이룬다. 그런데 구아나족들은 그들의 목적에 따라서 주인들을 모방한 세 가지 카스트로 다시 구분되었다.

귀족들은 그들의 가문(家紋)에 대등하는 문신(文身)이나 형판(型板)을 몸에 채색함으로써 그들의 서열 표시를 나타낸다. 이들은 눈썹과 속눈썹을 포함해서 얼굴에 있는 모든 털을 뽑아버렸으며, 눈썹이 무성한 유럽인을 '타조의 형제'라고 부름으로써 그들의 혐오감을 나타내었다. 남녀 귀족들은 공공연하게 한 떼의 노예와 추종자들을 거느리고 다녔는데, 이들은 귀족들이 아무런 일도 하지 않도록 서로 다투어 시중을 들었다. 1935년경까지도 한때는 가장 훌륭한 도안가였던 사람들이 이제는 화장을 하고 장신구를 가득 단 늙은 괴물처럼 변모했다. 그들은 이제 카티바(노예)들이 없어져 그러한 기분풀이 예술을 그만둘 수밖에 없게 된 것을 섭섭해하고 있었다. 날리케에는 여전히 과거의 샤마코쿠족 노예들이 몇몇 있었는데, 이제는 집단을 이루고 있으며 친절하게 취급받고 있었다.

귀족들의 오만함은 에스파냐와 포르투갈의 정복자들까지도 두려워했는데, 이 정복자들은 그들에게 돈(Don)과 도나(Dona)라는 칭호를 주었다. 그 당시에는 백인 여자들이 므바야족에게 사로잡혀도 두

그림 5 · 6 카두베오족의 문양.

려워할 필요가 없었다. 왜냐하면 므바야족의 무사들은 결코 백인 여자와의 결합으로 그들의 피를 더럽히고자 하지 않았기 때문이다. 므바야족의 어떤 부인들은 총독의 아내와 만나는 것을 거부했다. 그들은 오직 포르투갈의 여왕만이 그들과 교제할 수 있는 품위를 지녔다고 생각했다. 그리고 도나 카타리나(Dona Catarina)라는 이름으로 알려진 아직 어린 소녀가 마투그로수주 지사의 쿠이아바(Cuiaba) 초청을 거절했다. 왜냐하면 그 소녀는 벌써 결혼 적령기에 달해 있었으므로 지사가 그녀에게 구혼할 것이라고 생각했기 때문이다. 그녀는 자기보다 신분이 낮은 사람과 결혼할 수 없을 뿐만 아니라 또 결혼을 거절함으로써 지사를 모욕할 수도 없었기 때문에 초청을 거절했다.

이곳의 인디언들은 일부일처제였다. 그러나 때때로 처녀들은 무사들의 모험에 따라가기를 좋아하여 시종이나 심부름꾼, 그리고 여주인 역할을 하면서 무사들에게 봉사했다. 한편 귀부인들은 공공연하게 남자들과 알고 지냈는데, 이들은 흔히 부인들의 연인이기도 했다. 그러나 이 같은 경우에도 남편들은 결코 질투를 나타내지 않았으며, 만약 질투를 나타내는 남편이 있다면 그는 체면을 잃고 마는 것이었다. 이 사회에서는 우리들이 자연적이라고 여기는 감정에 대해 강한 적의를 나타내었다. 예를 들면 그들은 출산에 대해 심한 혐오감을 느낀다. 낙태와 영아살해가 거의 정상적이라고 여겨질 만큼 실시되고 있으며, 실제로 집단의 존속은 출산에 의한 것이라기보다는 양자(養子)로 이루어진다. 따라서 무사들이 원정을 가는 주요한 목적의 하나는 어린애들을 얻기 위해서였다. 19세기 초반에는 과이쿠루 집단성원들의 겨우 10퍼센트만이 과이쿠루족의 혈통을 받은 사람들이었다.

어린애들이 태어나더라도 양친이 그들을 키우지 않고 다른 가족이 양육을 맡으며, 친부모들은 아주 가끔 어린애들을 찾아갈 뿐이었다. 어린애들은 열네 살이 되기까지는 머리부터 발끝까지 검은 칠을 하

그림 7 · 8 신체 장식의 모티프.

374

고 있었으며, 그 당시 원주민들이 알기 시작했던 흑인들의 부친 이름들을 이 어린애들에게도 사용했다. 열네 살이 되면 이들은 입문식을 하게 되고 몸의 검은 칠도 씻게 되며, 그때까지 쓰고 있던 머리카락으로 만든 둥근 관 두 개 중에서 한 개를 벗을 수 있었다.

그렇지만 신분이 고귀한 어린애가 출생했을 때는 축제가 열렸으며, 또 그가 성장하면서 젖을 떼거나 처음으로 걸음마를 시작한다든지 처음으로 놀이에 참가하게 된다든지 하면 그때마다 축제가 계속되었다. 전령관들은 그 가족의 계급 칭호를 공표했고, 또 어린애의 영예로운 미래를 예언하기도 했다. 그리고 이 어린애와 동시에 출생한 다른 어린애는 그의 전우로서 지명되고는 했다. 주연(酒宴)이 마련되고, 뿔이나 두개골로 만들어진 그릇에 꿀물을 담아 사람들을 대접했다. 여자들은 무사의 무기들을 빌려가지고 전투 흉내를 내면서 서로 대치했다. 귀족들은 서열에 따라 자리를 잡고 앉아서 노예들의 시중을 받았다. 노예들은 술을 마실 수 없었는데, 그들의 임무란 필요한 경우에는 주인들이 토하는 것을 도와주거나 주인들이 술에 취해 달콤한 꿈나라로 잠들기까지 그들을 돌보아야만 하는 것이었다.

다윗 · 알렉산드로스 · 카이사르 · 샤를마뉴 · 라헬 · 유디트 · 팔라스 · 아르진(Argine) · 헥토르 · 오지르(Ogier) · 란슬롯(Lancelot) · 라헤르(Lahire: 프랑스에서 트럼프에 나오는 킹(처음 네 사람), 퀸(다음 네 이름), 잭(끝의 네 이름)과 각각 결부된 전설적 인물 – 옮긴이)와 같은 모든 위대한 인물은 그들(귀족들)이 인류를 지배하도록 운명지어진 존재라는 확신을 토대로 하여 그들의 오만함에 대한 근거를 제공했다. 이 같은 사실은 우리가 오직 단편적으로만 이해할 수 있는 어떤 신화를 통해서 그들에게 확신되고 있었다. 그리고 이 신화는 몇 세기를 거치는 동안에 순화되어서 놀랄 만한 단순성을 지니게 되었다. 이 신화의 좀더 간략한 형식을 입증하는 사례를 나는 ── 후일 동양 여행을 하면서 노예상태의 정도가 한 사회의 완성된 특징의 기능이라는 점을 알게 되었을 때―발견할 수 있었다.

신화의 내용은 다음과 같았다. 지상(至上)의 존재인 고노엔호디가 인류를 창조하기로 결정했을 때, 구아나족이 맨 처음 지상(地上)에 출현하도록 되어 있었고, 그다음에 다른 종족들이 나타나게 되어 있었다. 그리하여 농경은 구아나족에게, 수렵은 다른 종족에게 할당되었다. 그런데 인디언족들의 신들 가운데 하나인 사기꾼(Trompeur) 신은 므바야족이 구멍 밑바닥에 잊혀 있는 것을 발견하고는 그들을 밖으로 나오게 했다. 그러나 그들에게 남겨진 일이라고는 아무것도 없었으므로, 그들은 오직 다른 모든 종족을 억압하고 약탈하는 짓밖에 할 수 없었다. 이보다 더 심오한 사회계약이 있었겠는가?

이 기사문학의 등장인물들은 지배와 위세의 잔혹한 놀이를 탐닉하면서, 그 양식이 아마도 우리의 트럼프 장식을 제외하고는 어떤 것과도 유사하지 않을 것이며 또한 콜럼버스 이전의 아메리카가 우리에게 남겨놓은 거의 모든 것으로도 필적할 수 없을 독특한 필사예술(art graphique)을 창조해내었다. 이미 조금 전에 거기에 관해 언급한 바 있으나, 지금부터 카두베오 문화의 그 특이한 필치에 대해 서술하고자 한다.

카두베오족에서 남자는 조각가이고 여자는 화가이다. 남자들은 단단하고 푸르스름한 가이악나무(유창목)로 내가 앞서 말했던 채색된 인형을 만든다. 그들은 또한 찻잔으로 사용되는 흑소의 뿔에 사람이나 타조, 또는 말의 머리를 양각으로 장식한다. 간혹 그들은 그림을 그리기도 하는데, 그것은 항상 나뭇잎이나 사람 또는 짐승들을 표현하기 위해서다. 여자들에게는 도자기와 피부의 장식만을 하도록 제한되어 있는데, 살갗에 그림을 그리는 데서 몇몇 여자는 비할 데 없는 대가들이다.

그림 9~12 신체 장식의 다른 머티프들.

20 원주민 사회와 그 형태 377

그들의 얼굴, 때로는 몸 전체가 정묘한 기하학적 주제들이 교대로 나타나는 비대칭적인 아라비아 문양의 그물 모양 그림으로 뒤덮여 있다. 이러한 것들을 처음으로 묘사한 사람은 제수이트회의 일원인 산체스 라브라도르(Sanchez Labrador)로서 그는 1760년부터 1770년까지 이들과 함께 살았다. 그러나 정확한 재현을 보기 위해서는 한 세기 후에 보지아니가 이곳을 방문할 때까지 기다려야만 했다. 1935년에 나 자신도 다음과 같은 방법으로 수백 개의 주제를 수집했다. 처음에는 그 모양을 사진찍으려고 마음먹었다. 그러나 모델이 된 여자들의 금전적 요구로 나의 자금이 바닥나버렸다. 그래서 나는 종이 위에다 사람의 얼굴을 그려가지고는 여자들로 하여금 마치 그들이 실제로 얼굴에 하는 것처럼 종이 위의 그림에 색칠을 하도록 제시했다. 이 생각이 성공하여 나는 서투른 스케치를 하지 않아도 되었다. 그런데 이들은 흰 종이에 결코 당황하지 않았는데, 이 사실은 그들의 예술이 사람 얼굴에 대한 자연적인 구성과는 아무런 관련이 없음을 잘 나타내준다.

당시 몇몇 매우 나이가 많은 여인만이 옛날의 묘기를 간직하고 있는 듯했다. 그래서 나는 오랫동안 나의 수집품이 마지막으로 수집된 것이라고 믿고 있었다. 그런데 이로부터 15년 후(지금부터 2년 전)에 브라질인 동료 한 사람이 수집품의 도해서를 내게 보내왔을 때 나는 몹시 놀랐다. 그의 자료들은 내 자료들과 똑같았을 뿐 아니라 그 주제도 동일했다. 보지아니와 나의 방문이 있기까지 40년 동안에 그랬던 것처럼 양식·기술 및 영감(이 수집들의)은 그동안 조금도 변하지 않았다. 이 같은 보수주의는 오늘날 완전히 변화된 상태로 전해지고 있는 카두베오족의 도기를 생각한다면 주목할 만한 현상이다. 그러므로 인디언 문화에 존재하는 피부 채색과 특히 안면 채색은 아주 중요한 가치를 지닌다.

그림 13 카두베오족 소년이 그린 그림들.

그림 14 같은 소년이 그린 나른 그림.

과거에는 피부 채색의 경우에 문신을 넣거나 혹은 채색을 하기도
했다. 그러나 오늘날에는 채색을 하는 방법만이 남아 있다. 여성 채
색가들은 자기 동료나 때때로 어린 사내아이의 얼굴이나 몸에 그것
을 그렸다. 그리고 성인 남자들이 몸에 채색하는 경우는 급속히 줄어
들었다. 채색가들은 제니파푸의 즙액——처음에는 무색이지만 산화
작용에 의해서 흑청색으로 변한다——을 묻힌 칼 모양의 얇고 가느다
란 주걱으로 모형이나 스케치, 또는 지표를 전혀 사용함이 없이 사람
의 몸에 즉석으로 그림을 그린다.

그녀는 입술의 상단부를 활 모양의 주제로써 장식하고 양쪽 끝은
나선형으로 마무리짓는다. 그다음에는 얼굴을 수직선으로 나누며,
때때로 이것을 수평으로 가로지르기도 한다. 이 단계가 지나고 나면
장식은 눈·코·뺨·이마·턱의 위치에 관계없이 자유롭게 아라베스
크 형태로 진행되는데, 마치 쭉 잇닿은 평면에다가 작업을 하는 것
같았다. 완전한 균형을 이룬 비대칭의 구성은 얼굴의 어느 구석에서
부터라도 시작될 수 있었고 작업이 끝날 때까지 조금이라도 머뭇거
린다거나, 그림을 지운다거나 하는 일은 결코 없었다. 그녀들이 사용
하는 주제는 비교적 단순한 것——나선형·S형·십자형·마름모형·
완자무늬형·소용돌이형——들이지만, 이것들은 각각 본래의 특성을
나타낼 수 있도록 결합되어 있다.

1935년에 내가 수집했던 디자인 400개 가운데서 서로 닮은 것은
하나도 없었다. 그러나 나의 수집품과 브라질인 동료의 수집품을 비
교해보았을 때는 정반대 사실이 확인되었으므로(광범위한 유사성이
존재했다), 우리는 비록 이 예술가들의 주제가 매우 다양한 것이기는
해도 전통에 의해서 규제받고 있음을 추론할 수 있었다. 그렇지만 불
행히도 나와 나의 후계자들은 이들 인디언의 도안양식에 내재하는
이론을 이해할 수가 없었다. (현지의) 제보자들(informateurs)이 기초

적인 주제들에 관해 몇 가지 언질을 주었지만, 더 복잡한 장식에 관계되는 것은 잊어버렸다거나 모른다고 하소연했다. 사실 이들의 도안양식은 세대에서 세대로 전승된 경험적인 솜씨에 기반을 둔 탓이거나 아니면 그들이 자기네 예술의 비결에 대해서 침묵을 지키기로 결심한 듯했다.

오늘날 카두베오족은 전적으로 자신들의 즐거움을 위해 서로 상대방에게 그림을 그려준다. 그러나 이 같은 습속은 한층 깊은 의미를 지니고 있다. 산체스 라브라도르의 보고에 따르면, 귀족들은 다만 그들의 이마에만 도식(塗飾)을 행하고, 얼굴 전체에 그림을 그린 사람은 평민임을 나타내는 것이라고 했다. 그뿐만 아니라 그 당시에는 도식은 젊은 여자들에게만 국한지었다. 나이든 여자들은 여기에 시간을 소비하는 일이 거의 없고, 나이를 먹으면서 얼굴에 생긴 주름만으로도 그녀들에게는 만족스러운 것이었다.

이 선교사는 창조주의 작품에 대한 이와 같은 모욕으로 마음이 혼란되었다. 왜 원주민은 인간의 얼굴 모습을 변화시키려고 하는가? 그는 이 점을 규명해보려고 노력했다. 그들이 매우 많은 시간을 이같은 아라베스크 모양의 선들에 쏟고 있는 것은 배고픔을 잊기 위한 것이었을까? 혹은 그들의 적이 그들의 얼굴 모습을 식별하지 못하게 하기 위한 것이었을까? 물론 여기에는 남을 속이기 위한 의도도 틀림없이 내포되어 있었다. 왜? 그러나 선교사는 이 같은 그림이 원주민들에게는 근원적인 중요성을 지녔으며, 어떤 의미로는 그림이 원주민 자신의 궁극적인 목적이라는 사실을 마음에 내키지는 않지만 깨달았다.

그래서 그는 원주민들이 사냥이나 고기잡이, 그리고 가족에 대해서는 무관심한 채 매일같이 그림 그리기로 시간을 보내는 데 대하여 비난했다. 그러자 원주민들은 그에게 다음과 같이 대답했다. "당신은

그림 15 얼굴 도식의 예. 마주 보는 두 소용돌이 모양이 윗입술을 나타내며, 또 윗입술에 그려진다는 데 유의할 것.

어리석은 사람이다. 왜냐하면 당신은 에이과이에기(Eyiguayegui: 카두베오족 가운데 한 부족-옮긴이)처럼 자기 자신을 그리지 않기 때문이다." 그들은 그림 그리기란 인간 속성의 한 부분이며, 그림을 그리지 않는다는 것은 자연상태의 금수와 같은 것이라고 생각했다.

만약 오늘날에도 카두베오족의 여자들 가운데서 이 같은 습속이 존속하고 있다면, 그것은 대체로 성적 매력이라는 점에서 설명될 수 있다. 카두베오족의 여자들에 대한 평판은 파라과이강의 양안 일대에서 확고하게 인정되고 있었다. 많은 혼혈인과 다른 종족 출신의 원주민들이 날리케로 와서 그곳에 정착을 하고, 또 결혼도 했다. 따라서 이처럼 여자들이 얼굴과 신체에 도식을 하는 것은 성적 매력을 강화하거나 상징화하는 것으로 해석할 수 있다. 그 섬세하고도 미묘한 형태의 곡선들은 얼굴 자체의 선만큼이나 감각적이었다. 어느 하나의 선이 때로는 다른 선을 강조하고 때로는 견제하기도 했는데, 그 어느 경우에서나 감미롭고도 자극적인 효과를 나타내었다. 말하자면 이러한 회화적인 외과수술에 의해서 인간의 육체에 대한 일종의 예술적인 접목을 결과적으로 얻게 된 것이라 하겠다. 산체스 라브라도르는 "원주민들이 자연의 아름다움보다도 인공적인 추악함을 더욱 귀중히 여긴다"라고 비난했지만, 그는 어떤 아름다운 융단이라도 이 원주민들의 도식에는 필적할 수 없다고 언급함으로써 모순되는 태도를 나타내고 있다. 그러나 이 분장의 에로틱한 효과는 매우 체계적이고도 의식적으로 개발되어온 것이었다.

므바야족은 자연에 대한 그들의 공포를 안면도식과 낙태, 그리고 영아살해라는 관습으로 표시했다. 실제로 이 원주민의 예술은 신이 최초로 우리 인간을 창조할 때 사용한 재료라는 점토에 최대의 경멸을 표명했다. 이와 같은 의미에서 원주민의 예술은 죄와 인접해 있는 것이다. 제수이트파의 선교사로서 산체스 라브라도르는 원주민

의 예술에서 악마의
존재를 발견했다는
점에서 매우 놀라운
통찰력을 보여준다.
그는 원주민들이 어
떻게 신체를 성형
(星形)의 모티프로
써 도식하는가를 서
술하면서, 이 미개
예술의 프로메테우
스(그리스 신화에서
제우스 신에 반역하
여 인간을 위해 하늘
에서 불을 훔친 신-
옮긴이)적 측면을
강조했다.

그림 16 가죽 위의 도식 문양.

　그는 "에이과이
에기족의 사람들은
그 자신을, 손과 어깨로써만이 아니라 온몸으로써 이 유치하게 묘사
된 우주의 중량을 지탱하는 아틀라스(그리스 신화에서 지구를 지탱
하는 거인-옮긴이)로 생각한다"라고 기술했다. 사실 이 표현은 인간
이 신의 모습의 반영이라는 것을 거부하고 있는 카두베오족 예술의
예외적인 성격을 잘 설명해준다. 이들의 회화에서 자주 사용되는 직
선·나선상·소용돌이꼴은 우리들로 하여금 에스파냐의 바로크양식
가운데서 주철세공(鑄鐵細工)과 치장 벽토를 연상하게 한다. 아마도
우리들은 카두베오족이 정복자들로부터 차용한 어떤 양식과 대면하

고 있는 것이 아닌지 모르겠다. 그들이 어떤 주제들을 자기네 것으로 전용한 것은 분명한 사실이며, 이 점에 대해서 몇 가지 실례를 알고 있다. 1857년에 서양의 군함 마라카냐(Maracanha)호가 파라과이에 첫 모습을 나타내자, 한 떼의 원주민들이 이 배를 방문했다. 다음 날 이 원주민들의 온몸에 닻들이 그려진 것을 볼 수 있었다. 심지어 어떤 원주민은 상반신 전체에 백인 사관의 제복을 단추·견장·혁대·옷자락까지 완전한 형태로 그려놓고 있었다. 이것은 므바야족이 오래전부터 그림 그리는 습관에 익숙해 있고, 충분한 기예를 지니고 있는 일종의 명인 경지에 도달해 있음을 입증해준다.

이들의 곡선을 많이 사용하는 양식은 콜럼버스 발견 이전의 아메리카에서 이와 비슷한 것이 몇 개 나타날 뿐이며, 이 대륙의 여러 지점에서 발굴된 고고학적 자료——이들 중 몇몇은 콜럼버스의 대륙 발견보다 수세기나 앞선 것이다——와 유사함을 보여준다. 오하이오 계곡의 호프웰에서 출토된 유물, 미시시피 계곡에서 발견된 비교적 최근의 토기, 아마존강 하류의 산타렘과 마라조, 페루의 차빈(Chavin)에서 발견된 유물 등과 같이 광대한 지역에 이 같은 양식들이 분산되어 있다는 사실 자체가 고대를 표시하는 하나의 증거라 하겠다.

그러나 진짜 문제는 다른 곳에 있었다. 카두베오족의 도안양식을 주의 깊게 연구해보면 그것이 지닌 독창성은 차용된 것이라기보다는 창안된 것이라고 하기에 충분할 만큼 단순한 모양의 기본적인 유형(아마 이것은 창안과 차용이 병행하여 발생했을 것이다)에 있는 것이 아니라 이들 최초의 유형들의 상호조합——결과적으로 말하자면——으로 완성된 작품에 존재하는 것임을 곧 깨닫게 될 것이다. 그러나 이러한 조합의 구성방식은 너무나도 체계적이고 세련되어 르네상스 시대의 유럽 예술이 인디언들에게 제공해주었을지도 모를, 그 분야의 어떤 암시보다도 훨씬 능가하고 있다. 출발점이 무엇이었든지 간에 이 발전은 아주 놀랄 만한 것이었기에 오직 원주민 자신들의 독자적인 이유로만 설명될 수 있다.

나는 한 논문(「아시아와 아메리카 예술에서의 표상(表象)의 양면성」, 『르네상스』 2·3, 뉴욕, 1945 - 지은이)에서 카두베오족의 예술을 이와 유사한 다른 사회의 예술 — 고대 중국, 캐나다와 알래스카의 북서해안, 뉴질랜드 — 과 비교해보려고 했다. 그러나 지금 여기에서 내가 제시하는 가설은 다른 것으로서, 내가 예전에 제시한 가설과 상반되는 것이라기보다는 보완하는 것이라 하겠다.

그때 나의 논문에서 지적했듯이, 카두베오족의 예술은 일종의 이원주의(남녀의 二元主義)의 특징을 지닌 것으로, 남자는 조각을 하고 여자는 그림을 그리는 것이었다. 그뿐만 아니라 조각이 그것의 모든 양식화를 위해서 자연주의적이고 표상적인 것에 집착했다면, 회화는 비표상적인 예술에 전념했다. 여기에서는 오직 여자의 예술 — 그림 그리기 — 만을 고찰하지만, 나는 이 같은 이원주의가 하나의 수준 이상에서 다른 측면에서도 나타나고 있음을 강조했다.

여성 화가들에게서는 두 가지 양식이 나타나는데, 장식과 추상(抽象)의 정신이 가장 근본적인 요소라 하겠다. 추상이 각을 중심으로 한 기하학적 양식이라면 장식은 곡선이 많은 자유로운 양식이 특징을 이룬다. 대부분의 장식 구성은 이 두 가지 양식의 일정한 법칙에 따른 결합에 기반을 두고 있다. 예를 들면 한 가지 양식은 가장자리에 많이 사용되며, 다른 양식은 중심부 장식을 위해 사용된다. 토기를 예로 든다면 이 같은 조합은 더욱 뚜렷해진다. 목 부분은 기하학적으로 장식되고, 기체(器體)는 곡선으로 장식되거나 이와 반대로 장식되기도 한다. 곡선양식은 얼굴의 도식에, 기하학적 양식은 몸의 도식에 일반적으로 사용된다. 그렇지만 경우에 따라서는 신체의 각 부분이 이 두 가지 양식의 조합으로 장식되기도 한다.

모든 경우에서 다른 여러 가지 원리도 균형을 유지하고 있음을 알 수 있다. 이 원리들은 언제나 짝을 이루고 있다. 예를 들면 원래는 직선형이었던 장식도 부분적인 면이 변형되어 나중에는 여기저기에서 봉쇄될 수도 있다.

대부분의 작품에서 두 모티프(주제)가 교대로 나타난다. 그리고 화제(畵題)와 배경은 상호 교환이 가능하기 때문에 그림의 도안구도는 양화(陽畵)와 음화(陰畵)의 두 방식으로 파악할 수 있다. 때로는 대칭과 비대칭의 이중 원리가 동시에 사용되기도 하여, 그 도안은 두 부분으로 구분되거나 단절되는 것이라기보다는 왼쪽으로 쳐진 병행사선마다 비스듬히 양분되거나, 십자선으로 4등분되거나 또는 풍차 모양을 하고 있었다. 여기서 나는 의식적으로 가문학(家紋學)의 용어를 쓰고 있다. 왜냐하면 지금까지 언급한 그 원리들은 모두가 가문학의 원리를 고려하여 생긴 것이기 때문이다.

예를 하나 들어서 분석을 해보자. 여기 단순하게 보이는 신체 도식(塗飾)의 모양이 있다(그림 17·18). 그것은 중앙부가 하나의 작은 문장(紋章)으로 이루어진 긴 마름모꼴의 규칙적인 구획이 뚜렷이 나타나는 세로로 그은 줄과 파도 무늬의 모양으로 구성되어 있다. 이와 같은 식으로 이야기한다면 오해가 생길지도 모른다. 그러므로 좀더 세밀하게 관찰해보자. 그것은 일단 완성되기만 하면, 그림으로서 몇 가지 일반적인 모습을 보여준다. 그러나 그 (그림을 그리는) 여자는 그녀의 물결치는 듯한 리본을 그림으로써 시작했던 것이 아니고, 각각의 간격을 하나의 문장으로써 장식했다. 그 여자의 방법은 특이한 것으로서 좀더 복잡했다. 그녀는 도로포석 작업을 하는 인부처럼 동일한 요소들을 가지고 순서에 따라서 열을 맞추는 작업을 한다.

각각의 요소는 다음과 같은 방식으로 구성된다. 리본(띠)의 부분—이것은 다시 띠의 오목한 부분과 그와 인접해 있는 띠의 볼록

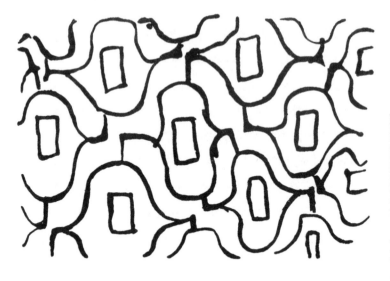

그림 17 · 18 신체 도식. 왼쪽은 보지아니가 1895년에, 오른쪽은 저지가 1935년에 각각 채집한 것이다.

한 부분으로 구성돼 있다 —, 방추형의 구역, 그리고 그 구역 중앙의 방패꼴 무늬. 이 요소들은 각각 서로 아무런 관계없이 접착되지만, 마지막에 가서야 전 도안이 하나의 안정을 이룩하여 그것의 작업을 지배하는 동적 원리를 확립하거나 거부한다.

그러므로 카두베오족의 양식은 우리에게 일련의 복잡성을 제시한다. 첫째로, 하나의 수준 또는 여러 수준에서 마치 거울로 된 넓은 방처럼 이원주의가 반복적으로 나타나고 남자와 여자는 각각 조각과 회화, 추상과 표상, 각과 곡선, 기하학적 모양과 아라베스크 문양, 목 부분과 몸통 부분, 대칭과 비대칭, 선과 면, 형체와 배경에 전념하는 것이라 하겠다. 그러나 이러한 대치는 이 창조적 작업 과정의 끝부분에 가서야 비로소 인식될 수 있는 정태적 성격을 지니고 있다. 주제가 착상되어 실천에 옮겨지는 이 예술의 동태적 측면은 모든 수준에서 이 기본적인 이원주의를 나타내고 있다. 제1차의 주제는 처음에는 분해되었다가, 나중에 제2차의 주제로 재구성된다. 이 제2차의 주제는 제1차의 주제로부터 차용된 단편들 가운데서 일종의 잠정적인 결합을 이룩했다가, 마치 요술에 의한 결과인 것처럼 최초의 결합을 재현한다. 그러고 나면 이 같은 방식으로 획득된 복잡한 장식들은 다시 한번 분단되었다가 문장(紋章)의 십자형 4등분으로 각각 대치하게 된다.

이제야 우리는 왜 카두베오족의 양식이 우리의 카드에 나타난 미묘한 변형을 상기시켰는지 이해할 수 있을 것이다. 우리들의 카드에 나타난 각각의 도안은 이중적인 필요에 부응하고, 또 이중적인 기능을 수행해야만 한다. 그것은 하나의 독립적인 객체로서 두 사람의 대화나 대결에 봉사해야만 한다. 그것은 또한 하나의 전체적인 경기에서, 각각의 카드에 부여된 개별적인 역할을 수행해야만 한다. 그러므로 카드의 임무는 복잡한 것으로서 한 종류 이상의 필요성 — 기능의 면에서는 대칭성이 요구되고, 역할의 면에서는 비대칭성이 요구된다—을 충족해야만 한다. 이 문제는 대칭적이기는 해도, 사선을 이루는 도안구성을 사용함으로써 해결된다.

하나의 완전한 비대칭적 구성은 역할을 만족시킬 수는 있어도 기능은 만족시키지 못하며, 완전한 대칭적 도안구성에서는 반대현상이 일어날 것이다. 우리는 다시 이원성의 두 가지 모순적인 형식에 기반을 두기 때문에, 객체 자체의 이상적인 축과 객체가 표현하는 환상의 이상적인 축 사이의 제2차적인 대치로 생기는 하나의 절충을 얻게 되는 복잡한 상황을 갖게 된다. 그러나 이 같은 결론에 도달하려면 우리는 양식 분석의 차원을 초월해야만 한다. 요컨대 우리는 "이 객체는 무엇을 위한 것인가?"를 질문해야만 하기 때문에, 이와 동일한 질문을 카두베오족의 예술에도 제기해야만 한다.

우리는 부분적으로 그 질문에 대답했다. 아니, 오히려 원주민들이 우리에게 그 대답을 해주었다고 하겠다. 안면도식은 개인에게 인간으로서 준엄을 부여했고, 자연에서 문화로, 무정신의 동물로부터 문명화된 인간으로 이행을 나타내는 경계선이었다. 그뿐만 아니라 그것은 사회적 지위에 따른 상이한 양식과 구성을 지님으로써 사회적 기능을 보유했다.

물론 이 같은 사실들을 파악하는 것도 중요하지만, 그것 자체가 카두베오족 예술의 독창성을 확인해주지는 않는다. 기껏해야 그것은 그 존재이유를 설명해줄 뿐이다. 그러므로 카두베오족의 사회구조 분석을 계속해보자. 므바야족은 세 계급으로 나누어져서, 각 계급은 사회적 관용에 지배를 받고 있었다. 귀족계급에게는, 그리고 어느 정도는 전사계급에까지도 최대 관심사는 권위의 문제였다. 오래된 기록들에는 이들이 어떻게 해서 체면을 잃지 않고, 또 무엇보다도 하층계급 사람들과 결혼하지 않음으로써 그들의 신분을 존속했는지가

그림 19 · 20 얼굴 및 신체 도식의 두 가지 모티프.

기술되어 있다. 이러한 사회에는 분리라는 심각한 위험이 존재했을 것이다. 각각의 계급이 자발적으로, 그리고 필요에 따라서 그 자체의 존속에만 몰두하면 사회집단 전체의 융합이 희생될 위험성이 있다. 특히 서로 다른 계급 성원과의 결혼금지와 계급서열에 따른 미묘하고도 복잡한 차이는 집단생활에서 실제적으로 필요한 상호 교류의 가능성을 곤란하게 만든다. 따라서 우리는 출산에 대한 공포를 지니고, 사회 내부의 계급이 다른 성원과 결혼하는 위험성을 피하기 위하여 적이나 다른 종족을 양자로 계급 내에 받아들이는 체계적인 관례까지 만들면서, 전도된 형태의 인종차별을 실시하는 이 사회의 모순성을 이해할 수 있다.

이와 같은 조건에서 볼 때, 므바야족이 지배하던 광대한 지역의 북동부와 남서부의 경계지방에서, 우리가 이 두 지역 사이의 거리만큼이나 커다란, 거의 동일한 두 가지 형태의 사회조직을 발견하게 된 것은 참으로 의미 깊은 일이었다. 파라과이의 구아나족과 마투그로수의 보로로족은 므바야족과 매우 유사한 신분서열상의 구조를 지니고 있었다(보로로족은 아직까지도 이 구조를 지니고 있다). 이들 종족은 서로 다른 사회적 지위를 대표하는 세 계급구조를 지니고 있었는데, 이 계급들은 과거로부터 세습되고 또 계급 내의 결혼을 실천했다. 그러나 내가 위에서 언급한 바 있는 위험성은 계급들을 수직적으로 분할함으로써 피할 수 있었다. 한 계급의 성원들은 다른 계급의 성원과는 결혼할 수 없지만 각 계급 내의 반족(半族: 한 혈연 집단과 다른 혈연 집단 상호 간에 혼인하는 풍속이 있을 때, 이 각 집단을 반족이라고 한다 - 옮긴이) 성원들은 다른 반족 성원들과 의무적으로 결혼해야만 했다. 그러므로 계급의 비대칭성이 어떤 의미에서는 반족의 대칭성에 의해서 균형을 유지하는 것이라 말할 수 있다.

우리는 이 복잡한 사회구조를 하나의 체계화된 전체로서 고찰할

그림 21 얼굴 도식.

수가 있다. 계급과 반족을 두 측면으로 구별하여, 그 하나가 다른 것
보다도 더 오래된 것이라고 간주하는 것도 흥미로운 일로, 이 같은
주장은 양쪽으로부터 입증될 수 있다.

그러나 지금 우리의 관심은 전혀 다른 종류의 문제를 향해 있다.
구아나족과 보로로족 사회에 대한 내 설명이 간략하기는 해도, 우리
는 사회학적 차원에서 이 두 사회가 카두베오족 예술의 양식이라는
면에서 우리가 지금까지 규명해온 것에 비교될 만한 하나의 사회구
조를 지니고 있음을 발견할 수 있다. 각각의 사회마다 이중의 대립성

이 존재한다. 첫째로 3분조직과 양분조직, 대칭성과 비대칭성의 조직 형태가 서로 대치되고 있다. 둘째로 상보성(相補性)에 기반을 둔 사회기구와 상하의 서열관계에 기반을 둔 사회기구가 서로 대치하고 있다. 이 같은 모순적인 원리에 충실하기 위한 결과로서 사회집단은 연대를 맺고 있는 집단과 대립하는 집단으로 분할과 재분할을 거듭한다. 문장(紋章)이 많은 분리된 선들로부터 파생된 특성들을 상징적으로 집합한 것이듯이, 사회도 대각선으로 비스듬히 등분(tailler)되거나, 재단(couper)되거나, 좌우로 등분(partir)되거나, 또는 우상에서 좌하로 비스듬히 양분(trancher)된다. 다음 장에서 언급하겠지만, 보로로족의 촌락은 카두베오족의 그림과 비슷한 형태를 나타내는 평면도의 조직을 지니고 있다.

구아나족과 보로로족은 사회구조의 모순에 직면하여, 이 모순을 순수하게 사회학적 방법으로 해결하거나 위장하려고 했던 것 같다. 아마도 이들은 므바야족의 영향을 받기 전에 이미 반족체계를 지녔기 때문에 손쉽게 모순을 해결할 수 있었던 것 같다. 또는 이들이 하나의 지방민으로서 귀족의 존대성을 결여하게 된 후일에야 이 반족체계를 발명했거나 차용했을 수도 있었다. 물론 이 점에 관해서 다른 가설도 세워볼 수 있었다. 어쨌든 므바야족은 결코 이 같은 해결방법을 채택하지 않았다. 왜냐하면 그들이 이 방법을 몰랐거나(매우 믿기 어려운 사실이지만), 아니면 이 해결방법이 그들의 광신적 성격과 양립될 수 없었기 때문이었을 것이다. 그래서 므바야족은 그들의 모순을 해결하거나, 이 같은 목적을 위해 고안된 인위적인 제도로 이 모순을 위장할 기회를 갖지 못했다.

사회적인 면에서, 그 구제법은 부족한 것이기는 해도 만약 므바야족이 고의적으로 이것을 외면하지만 않았다고 해도, 완전히 취득할 수 없는 것은 아니었다. 그것은 객관적으로 형성된 것이 아니고 그들의 내부에 잠복해 있으면서 혼란과 불화의 원천으로서 나타났다. 실제로 므바야족은 그 해결책을 생각해보았다. 그러나 만약 그들이 직접적으로 생각하게 되면, 그것은 그들의 습속의 선례에 충돌하는 것이 되어버렸다. 그것은 오직 그들의 예술에 변형된 형태로 나타날 때만이 무해한 것으로 보였다.

카두베오족 예술의 신비한 매력과 언뜻 보기에는 아무런 이유도 없는 것 같은 복잡성은, 만약 한 사회의 이해와 미신이 방해하지만 않았더라면 실현될 수 있었던 제도들에 대해서 상징적인 형식을 부여하려 했던 사회의 환상으로서 설명될 수 있을 것 같다. 이들의 문화가 지닌 매력은 정말 굉장한 것이었고, 그 문화의 여왕들은 화장으로써 그 문화의 꿈을 장식했다. 그러나 그 화장이란, 여자들이 분장으로 축복하며, 그들의 나신(裸身)이 우리 앞에 드러남과 동시에 신비의 베일이 벗겨지는 저 도달할 수 없는 황금 시대를 서술하는 상형문자이다.

제6부
보로로족

21 황금과 다이아몬드

볼리비아로 이르는 통로인 코룸바는 파라과이강의 우안(右岸)에
서 포르투 에스페란사와 마주 보고 있다. 쥘 베른(1825~1905: 프랑스
의 공상과학 소설가—옮긴이)은 그것이 강 위로 불쑥 튀어나온 석회암
벽의 정상부에 걸터앉아 있다고 생각했을지 모른다. 한두 척의 작은
외륜기선(2층으로 된 선실, 물속 아래로 잠겨 있는 저장소, 얇다란 연통
이 특히 눈에 띄었다)이 코룸바로 통하는 길이 시작되는 부두에 카누
들과 함께 비끄러매어져 있었다. 처음에는 한두 개 건물들이 불균형
스럽게 커 보였다. 예컨대 세관건물과 병기고(兵器庫)는 최근에 와서
독립을 획득했고, 이제는 젊은 야심의 열기에 휩싸여 있는 주(州)들
사이의 불안정한 경계선을 이룰 무렵부터 세워진 것이었다. 그리고
그 당시에는 많은 교통량이 라플라타강과 내륙지방 사이의 강 위를
왕래했다.

그 길이 절벽의 정상부에 도달하고 나면, 꼭대기를 따라서 200미터
쯤 계속되다가 오른편으로 갑작스레 꺾였다. 그곳에 긴 거리와 흰색
이나 베이지색이 조잡스럽게 칠해진 지붕이 평평한 집들과 함께 코
룸바가 나타났다. 저쪽 끝에는 초록색 잎과 오렌지색 꽃을 가진 카살

피니아 가운데서 풀들이 자라는 사각형 지대가 있었고, 그 위에는 바위투성이의 교외지역이 지평선과 맞닿은 언덕과 함께 펼쳐지고 있었다.

그곳에는 호텔이 단 한 개밖에 없었는데 항상 만원이었다. 몇 개 방을 개인집으로부터 얻었으나, 이것은 1층에 자리 잡고 있었으므로 늪지대의 습기로 축축하고, 벌레들이 우글거려서 우리들 여행객에게 초기 그리스도교 순교자들의 현대판을 재현하는 듯한 인상을 주었다. 음식도 또한 형편없었다. 이 시골지방은 몹시 가난했고 또 전혀 개발되지 않았기 때문에 코룸바의 인구를 이루는 2, 3천 명의 여행객과 상주인구들의 생활필수품들을 충족해주지 못했다. 물가는 터무니없이 높았으며, 이 마을은 강의 끝부분에서, 평평하고 황량한 오지로서의 지리적 특성과는 대조적인 하나의 광적인 생기를 지니고 있었다. 코룸바를 지배하는 분위기란 100년 전에 캘리포니아나 극서부(極西部)의 개척자 마을의 분위기와 같은 것이라 하겠다. 저녁이 되면 온 마을 사람들이 절벽길에 모였다. 젊은 남자들은 난간에 다리를 걸치고 앉아 있으며, 소녀들이 서너 명씩 떼를 지어 속삭이면서 지나가고는 했다. 마을 입구에서조차 타조나 큰 구렁이를 볼 수 있으며, 둘레가 500킬로미터나 되는 늪지대에서 깜박거리는 램프의 빛 가운데로 이처럼 엄숙하게 늘어선 대열은 하나의 의식적(儀式的)인 모습을 지니고 있었다.

코룸바는 쿠이아바로부터 일직선으로는 겨우 400킬로미터 거리밖에 안 된다. 나는 이 두 마을 간의 비행기 여행의 발전 과정을 ─두세 시간이 걸려서 도착하던 작은 4인승부터 1938년과 39년의 12인승 융커 비행기까지─목격했다. 그러나 1935년에는 강이 유일한 교통수단이었으며, 또 구불구불 흐르는 강길은 400킬로미터의 거의 두 배나 되었다. 우기 중에는 주의 수도까지 8일이 걸렸으나 건기에는 2주

일찍이나 걸렸으며, 강물이 말라버려 종종 배가 강 밑바닥에 닿기도 했다. 이 같은 경우에는 배를 다시 수면에 띄워 올리기 위하여 강둑의 튼튼한 나무에 밧줄을 매달고 모터를 힘껏 잡아당기느라고 하루 종일을 보내기도 했다. 운송회사 사무실에는 손님을 유인하는 포스터가 붙어 있었다. 말할 필요도 없이 선전 내용은 실제와는 거리가 멀었다.

하지만 이 배를 타고 한 항해여행은 정말 멋졌다. 승객은 거의 없었다. 주로 목장으로 되돌아가는 목축업자와 그 가족들, 몇몇 레바논인 상업 여행객, 수비대의 군인들, 얼마 안 되는 시골의 관리들이었다. 이들은 배에 타자마자 그들에게는 해변용 의복에 해당하는 옷들로 모두 바꾸어 입었다. 그들은 몸의 털이 보이고 줄무늬가 있는 잠옷(멋쟁이들은 실크로 된 것을 입고 있었다)을 입고, 실내화를 신었다. 우리는 하루에 두 번씩, 결코 변함이 없는 식단으로 짜인 식사를 했다. 밥 한 그릇, 검은콩 한 접시, 말린 옥수숫가루 한 접시에 항상 마른 고기나 날고기 한 그릇이 우리 식탁에 차려졌다. 이것이 페이장(강낭콩)으로 만든 '페이조아다'라는 요리다. 이 매일매일의 음식물에 대해서 나의 동료들은 그들의 식성만큼이나 까다로운 비난을 퍼부었다. 식사 때에 따라서 이 페이조아다는 '무이투 보아'(일품)라고 평가되기도 하고, 때로는 '무이투 루임'(구역질 나!)이라고 판정받기도 했다. 마찬가지로 디저트에 대해서도 ─주로 크림치즈와 과일, 젤리를 칼끝으로 먹었다─ 평가 용어는 한 가지로 국한되어 있었다. '벰 도세'(이만하면 됐어)라고 표현하거나 또는 그렇지 않다고 말하거나 할 뿐이었다.

30킬로미터쯤 지날 때마다 배는 나무를 적재하기 위하여 멈추었다. 필요한 경우에는 정선(停船)이 두세 시간 더 연장되었는데, 그동안 요리사는 들판으로 나가서 올가미를 던져 소를 잡아 목을 자르고,

승무원들과 함께 껍질을 벗겨서는 배 위에 끌어올렸다. 이런 식으로 우리가 앞으로 며칠 동안은 신선한 고기를 먹을 수 있다는 보장을 받은 채 배는 다시 출발했다.

그 나머지 시간에 배는 좁게 굴곡진 강을 따라서 조용하게 항해했다. 이것은 '에스티롱이스(지그재그)를 멋지게 헤쳐 나가는' 기술이다. 즉 앞의 전망을 가려버릴 만큼 커브가 심한 지점과 지점 사이의 항해구간을 조심스럽게 항해하는 일이다. 때로는 강의 굴곡 때문에 이런 '에스티롱이스'가 서로 너무 접근되어, 저녁 무렵이 되었는데도 배는 아침에 출발했던 곳에서부터 겨우 몇 미터 거리에 있을 뿐이었다. 또한 배는 강 양편의 언덕 위에 있는 숲속의 나뭇가지들이 수면 위로 뻗어 내리고 있는 사이를 헤쳐 나가기도 했는데, 그런 경우 배의 엔진 소리에 수많은 새가 놀란다.

아라라 앵무새들의 청색·적색·황금색이 번쩍거리는 비상(飛翔). 기다란 목 때문에 마치 날개 달린 뱀과 같은 가마우지, 인간의 울음소리와 매우 닮은 소리를 내는 앵무새와 잉꼬. 너무 단조롭고 또 가까이에 있는 풍경을 오랫동안 보게 되면, 여행객들에게 일종의 마비증이 일어나게 되어 좀더 이상스러운 사물에 의해서만 관심이 자극될 수밖에 없게 된다. 예컨대 카스카벨(방울뱀)이나 지보야(왕뱀)가 지푸라기처럼 가볍게 땅 위를 꿈틀거리며 다가오든지, 사슴 한 쌍이나 맥이 강을 헤엄쳐 건너간다든지, 한 무리의 자카레(사람을 해치지 않는 악어)가 나타나면 카빈총으로 쏘아 죽이든지(여기에도 곧 싫증이 났다) 하는 따위의 사건에 관심을 기울이고는 했다.

피라냐 낚기는 좀더 흥미로운 것이었다. 강변 어느 곳에, 일종의 교수대처럼 생긴 것에 고기가 걸려 있는 커다란 살라데이루(건어장)가 있었다. 나무로 된 선반 아래에는 뼛조각이 땅바닥에 흩어져 있었는데, 자줏빛을 띤 이 뼛조각 위로 독수리들이 맴돌았다. 이 도살장 아래의 100여 미터까지 강물이 붉게 얼룩져 있었다. 갑판 위에서 낚싯줄을 던지기만 하면, 미끼를 달지도 않은 낚시가 수면에 채 닿기도 전에 피라냐떼가 황금빛 몸체를 번쩍이며 낚시에 달려들었다. 그러나 낚시꾼들은 이 피라냐를 다루는 데 조심하지 않으면 안 되었다. 왜냐하면 피라냐에게 한 번 물리기만 해도 손가락이 잘려 나가기 때문이다.

우리가 보로로족을 조사하기 위하여 잠깐 여행하게 될 최상단 지역의 상로렌수강을 지나고 나자 판타날은 사라져버렸다. 좌우의 풍경은 풀이 무성한 사바나가 전개되었고, 집들이 나타나기 시작했으며, 가축들이 풀을 뜯어먹고 있는 것을 볼 수가 있었다.

쿠이아바에는 여행객의 관심을 끌 만한 것이 별로 많지 않았으나, 강변으로 통하는 포장된 비탈길과 그 위로 보이는 예전에 병기고(兵器庫)로 사용하던 건물의 윤곽이 인상적이었다. 그곳에서부터 교외 주택들이 들어서 있는 지역과 경계를 이루는 도로를 2킬로미터 이상이나 따라가면 야자수가 두 줄로 서 있는 사이에 분홍색과 흰색의 성당이 있는 광장이 나타났다. 왼쪽으로는 주교의 사택이 있었고 오른쪽에는 지사(知事)의 사택이 있었다. 중심가의 모퉁이에는 그 당시로는 유일한 것이었던 여관을 뚱뚱한 레바논인이 운영하고 있었다.

나는 고이아스에 대해 언급한 바 있다. 따라서 쿠이아바에 대해 언급하자면 같은 말을 다시 반복할 수밖에 없다. 그 위치는 별로 아름답지가 않지만 그 양식에서, 반은 농가식으로 반은 궁전식으로 된 이상하게 생긴 집들이 많은 이 마을은 고이아스의 경우와 비슷한 매력을 지니고 있다. 그 지역은 작은 골짜기였으므로 집의 위층으로부터는 언제나 도시의 일부밖에는 볼 수가 없었다. 흙색과 비슷한 빛깔을 띤 오렌지색 기와지붕의 하얀 집이 '킨타이스'라고 불리는 정원이 무성한 녹색 나뭇잎들을 에워싸고 있다. 중심부의 L자 모양으로 된 광장 주위로 그물 모양을 이루고 있는 골목길은 18세기의 식민지 도시를 연상하게 한다. 이 골목길 중 어떤 길을 가더라도 낙타훈련장으로 사용되는 사각(死角)지대나 한두 채 진흙으로 만든 오두막과 함께 망고나무와 바나나나무가 가득한 가로(街路)를 보게 되고, 그다음에는 곧 황야로부터 목장으로 되돌아오면서 풀을 뜯어먹고 있는 소떼들이 가득한 교외에 도달할 것이다.

쿠이아바는 18세기 중엽에 세워졌다. 1720년경에 '반데이란테스' (기수들)라고 불리던 상파울루의 탐험가들이 처음으로 이 지역에 들어와서, 오늘날 쿠이아바가 위치하는 곳으로부터 몇 킬로미터밖에 떨어지지 않은 곳에 몇 사람의 식민자와 함께 정착지를 세웠다. 이 지역에는 '쿠시푸' 인디언들이 살고 있었는데, 이들 중 일부가 경작하는 것을 도와주겠다고 했다. 어느 날 미겔 수틸이라는, 자기에게 어울리는 이름을 가진(sutil은 브라질어로 '영리한'이란 뜻이 있다-옮긴이) 어떤 식민자가 원주민 몇 명에게 야생 꿀을 캐어오도록 시켰다. 그날 저녁에 이 원주민들은 땅바닥에서 캐낸 금덩어리를 한 움큼씩 쥐고 돌아왔다. 수틸은 시간을 조금도 지체함이 없이 '바르부두' (수염난 사람)라고 불리던 동료와 함께 즉각 그 문제의 지역으로 출발했다. 그래서 이들은 한 달에 금덩어리를 5톤이나 캐내었다.

그러므로 쿠이아바 근처의 여러 지역이 하나의 전쟁터처럼 보이는 것은 조금도 놀랄 만한 일이 아니다. 덤불숲과 억센 풀들로 뒤덮인 언덕을 차례로 탐식하는 광기가 전개된 것이다. 오늘날까지도 쿠이아바 사람들은 그들의 채소밭에서 금덩어리를 찾아낸다고 한다. 실제로 금은 언제나 번쩍번쩍하는 쇳조각 형태로 발견되었다. 쿠이아바의 가난한 사람들은 문자 그대로 '금을 캐는 사람들'이었으며, 우리는 그들이 그 마을의 낮은 지역을 흐르는 강의 바닥에서 일하는 것을 흔히 볼 수 있었다. 이곳에서 하루만 일해도 어느 정도 식사비는 충분히 마련할 수 있었고, 쿠이아바의 여러 상점에는 금가루 한 스푼과 고기 한 덩어리 또는 쌀 1파운드와 교환하는 작은 계량기가 한 쌍있었다.

비가 몹시 내리기만 하면 강물이 계곡 아래로 흘러내렸는데, 이럴 때마다 아이들은 밀랍으로 만든 공을 들고 그곳으로 달려가서, 반짝거리는 금조각이 공에 붙어 나올 것을 기대하며 급류 속에 그 공을 던져넣었다. 쿠이아바 사람들은 금이 풍부하게 매장된 광맥층이 그 시(市) 아래의 몇 미터 땅속에 형성되어 있다고 주장하면서, 바로 브라질 은행 건물 밑에는 은행의 구식(舊式) 금고 속에 있는 것보다 훨씬 많은 양의 금이 있다고 이야기했다.

쿠이아바는 그 예전의 번창했던 시절부터 느릿느릿하고 예의바른 생활양식을 지녀왔다. 여행객들은 첫날을 호텔과 정부청사 사이의 광장을 왔다 갔다 하는 것으로 모두 소비해버린다. 우선 여행객이 그의 도착을 알리는 명함을 제시하면, 한 시간쯤 뒤에 경관이 의례적인 인사말을 전달해준다. 그다음에는 정오부터 오후 4시까지 시의 모든 기능이 정지되는 시에스타(낮잠 시간)가 지난 다음에 지사를 방문한다. 민족학자들은 점잖은—그렇지만 열광적이지는 않은—대우를 받는다. 왜냐하면 지사로서는, 원주민들이란 그 자신이 정치적으로 유리한 위치에서 벗어나 멀리 떨어진 시골지역으로 추방되어 있음을 상기해주는 기분 나쁜 존재였기 때문이다. 주교 또한 지사와 똑같은 심정이었다. 그러나 주교는 나에게 흔히들 상상하듯이 원주민들이 공격적이고 우둔하다고 생각해서는 안 된다고 말했다. 왜냐하면 한 보로로족 여인이 그 당시에 개종했을 뿐만 아니라, 디아만티누 수도사들이 천신만고 끝에 세 사람의 파레시를 다른 사람 앞에 내놓아도 부끄럽지 않을 목수로 만들어놓았기 때문이다.

그리고 학식에서는 선교사들이 보존할 만한 가치가 있는 모든 것에 벌써 주목하고 있었다. 원주민 보호국의 무식한 관리들이 보로로를 말할 때 마지막 모음에 악센트를 붙였지만, 신부들은 악센트가 중간의 모음에 붙여져야만 할 것이라는 점을 벌써 20년 전에 주장했다는 사실을 내가 깨달았던가? 또한 보로로족이 노아의 대홍수를 알고 있었다는 것은 그들이 종말의 순간까지 하느님을 저주하지 않았다는 사실을 뚜렷이 나타내는 것이라 하겠다. 물론 나는 보로로족들에게 자유로이 접근할 수 있었다. 그러나 주교는 내가 신부들의 활동을 위태롭게 할 만한 어떤 짓도 하지 않았으면 좋겠다고 했다. 우리가 원주민들에게 목걸이나 손거울과 같은 자질구레한 선물들을 주지 말도록 요구했다. 주교의 생각으로는 이 게으른 원주민들에게 노동의 신성함을 상기해주기 위한 도끼 한두 자루면 선물로서 충분한 것이었다.

이러한 형식주의로부터 해방되기만 하면 진지한 일들로 넘어갈 수 있다. 나는 날마다 투르쿠스(브라질에서는 터키인이란 뜻의 투르쿠스가 아랍인, 레바논인, 시리아인 등에 대한 통칭으로 쓰인다─옮긴이)라고 불리던 레바논인 상인의 밀실에 갔는데, 그들은 도매업자인 동시에 고리대금업자이기도 했다. 철물·직물·의료품과 같은 그들의 물품이 수십 명의 친척·고객·피보호자들에게 공급되었고, 이들은 외상으로 물건을 사고는 했는데, 카누나 황소 몇 마리를 타고 깊은 삼림 속이나 멀리 떨어진 강의 지류에 고립되어 살고 있는 고객들로부터 금전을 긁어 모으기도 했다. 여행하면서 물건을 파는 이 상인에게는 그의 희생자와 마찬가지로 인생이 힘든 것이었다. 그러나 적어도 상인은 20년이나 30년 뒤에는 은퇴할 수가 있었다.

나는 빵굽는 사람이 요리용 기름으로 걸쭉하게 된, 발효하지 않은 밀가루로 만든 빵('볼라샤'라고 불렀다)을 한 부대 준비하는 동안에 빵 가게에서 기다리기로 했다. 그러나 이 돌처럼 단단한 빵은 빵 굽는 화덕에 넣어 말랑말랑해지면, 그다음에 이것을 작은 조각으로 만들어 식량으로 사용했는데, 마른 고깃덩어리처럼 냄새가 고약했다. 쿠이아바에 있던 우리의 정육점 주인은 선천적인 몽상가로서 그의 모든 생각은 도저히 이루어질 것 같지 않은 하나의 꿈―그의 생전에 서커스단이 쿠이아바를 방문할 것이라는 꿈―에 집착해 있었다. 그렇지만 만약 서커스단이 오게 되더라도, 그는 코끼리를 쳐다보면서 다음과 같이 생각할 것이다. "아! 저 많은 고깃덩어리……."

쿠이아바에는 두 사람의 프랑스인 B형제가 있었다. 그들은 코르시카 태생이었지만 쿠이아바에서 오랫동안 살고 있었는데, 그 이유는 말하지 않았다. 그들은 머뭇거리며, 먼 데서 들려오는 듯한 억양 없는 목소리로 모국어를 말하고는 했다. 그들은 자동차 주차업을 경영하기 전에는 해오라기 사냥꾼이었다. 그들은 하얀 종이로 만들어진 일종의 화관(花冠)들을 땅바닥에 늘어놓으면서 자기네 기술을 설명했다. 해오라기들은 자신의 깃털처럼 눈부시게 하얀색에 유혹되어 그 화관들의 하나에 주둥이를 쪼아 넣으면, 그는 손쉽게 해오라기를 잡는다는 것이다. 새들이 짝을 짓는 계절에는 해오라기의 아름다운 깃털들을 살아 있는 몸에서 뜯어낼 수 있었다. 과거에는 쿠이아바의 많은 의상실에는 이러한 깃털이 가득했으나 오늘날에는 아무도 그것을 필요로 하지 않았다.

그래서 두 형제는 다이아몬드 탐사를 시작했다. 결국 그들은 자동차 주차장을 문 닫고, 중량급의 화물 트럭에 물품을 가득 채워 싣고는 마치 과거에 사람들이 해도(海圖)도 없이 바다 위로 범선을 진수시켰듯이 그들도 이 트럭을 출발시켰다. 화물 트럭은 계곡이나 강의 밑바닥에 걸려 움직이지 못하게 될 수도 있었다. 그렇지만 그들의 목적지에 안전하게 도착하여 400퍼센트의 이익을 얻게 되면, 예전의 손해를 보충할 가능성도 또한 있었다.

나는 가끔 화물 트럭을 타고 쿠이아바 일대를 횡단했다. 출발하기 전날에 우리는 기지로부터 기지로의 모든 여행에는 충분한 양의 휘발유가 필요하며, 또 대부분 여행 중에는 1단이나 2단 기어를 사용할 것이라는 점을 명심하면서 특별히 휘발유를 준비했다. 그다음에는 폭풍우가 쏟아져 내릴 경우에 피난처를 만들 수 있도록 야영도구와 식량들을 꾸렸다. 우리는 필요할 때는 다리를 만들 수 있도록 준비한 노끈과 판자 및 다른 모든 연장을 화물 트럭의 안쪽 벽에 매달아두었다.

다음 날 새벽에 낙타의 등에 올라타듯이 우리는 화물들 위에 올라앉았고, 화물 트럭은 덜컹거리면서 나아가기 시작했다. 정오 무렵 우리는 어려운 사태에 접하기 시작했다. 도로는 홍수로 늪지대처럼 진흙탕이 되어 통나무를 깔지 않으면 안 되었다. 우리는 이 진흙탕으로부터 빠져나오기까지 꼬박 사흘 동안 그 화물 트럭의 꼭 두 배 길이만큼, 통나무 통로를 계속적으로 만들어야만 했다. 간혹 모랫바닥을 통과하기 위해서는 바퀴 밑에 나뭇가지나 나뭇잎을 깔기도 했다. 다리가 본래대로 서 있는 곳에서조차 화물 트럭이 그 흔들흔들하는 다리 위를 무사히 통과하도록 짐을 모두 내린 다음에, 다리 건너편에 가서 짐을 다시 적재하기도 했다. 산불로 다리가 파괴된 곳에서는 캠프를 치고 다리를 다시 세웠다. 그러나 판자들은 너무나 소중한 것이어서 그것들을 여기에 남겨두고 갈 수는 없었으므로, 우리는 출발하기 전에 다시 그 다리를 분해해야만 했다.

마침내 우리는 강의 주류(主流)에 도달했다. 그러나 카누 세 개를 횡대로 결합한 조잡스러운 나룻배를 이용해야만 이 강을 건널 수 있었다. 그런데 짐을 모두 내린 채 화물 트럭을 이 배 위에 실어도 뱃전에 물이 거의 넘칠 지경이었다. 이뿐만 아니라 배가 저쪽편에 도달하고 보면 강둑이 너무 급경사이거나 진흙탕이어서 올라갈 수가 없는 경우가 종종 있었다. 이럴 때는 더 좋은 선착지나 여울에 도달할 때까지 때로는 무려 수백 미터나 되는 통로를 만들지 않으면 안 되었다.

이 화물 트럭을 몰고 다녀야만 하는 사람들은 몇 주간씩이나, 심지어는 몇 달 동안을 계속하여 도로 위에서 지내야 했다. 그들은 운전사와 조수로 짝을 이루어 작업을 했는데, 운전사는 자동차 바퀴에 고장이 있는지를, 조수는 자동차 발판에 이상이 있는지를 점검했다. 가끔 사슴이나 맥이 놀라서라기보다는 호기심으로 물끄러미 서 있기도 했으므로 이들은 손에 항상 카빈총을 지니고 있었다. 그래서 다행히 총을 쏘아 제대로 맞히게 되면, 그날은 그들은 더 이상 차를 몰지 않고 트럭을 세웠다. 그들은 이 포획물을 마치 사람들이 감자껍질을 나선형으로 벗겨내듯이 껍질을 벗기고는 내장을 들어낸 다음에 얇게 썰어내었다. 이 가느다란 고깃조각들에다, 그들이 이 같은 경우에 사용하기 위하여 항상 지니고 다니는 후추·소금, 그리고 다진 마늘을 섞은 혼합물을 문질러 발랐다. 그러고 난 다음에 그들은 이것을 몇 시간 동안 햇볕에 말렸고, 이 같은 과정은 며칠 동안 반복되었다. 이렇게 하여 만들어지는 카르네 데 솔(볕에 말린 고기)은 햇볕이 안 날 경우에 큰 막대기 위에서 바람에 말린 카르네 데 벤투(바람에 말린 고기)보다는 맛이 덜했다.

이 훌륭한 운전사들은 이상스러운 존재로서, 어떤 순간에라도 가장 복잡한 수선을 해낼 수 있었을 뿐만 아니라 통행로를 즉석에서 만들어낼 수도 있었다. 그렇지만 때때로 그들은 그들의 화물 트럭이 재난을 당한 지점의 덤불숲에서 몇 주일씩이나 계속하여 정거해두기도 했다. 마침내 다른 트럭 운전사가 이 길을 지나가게 되면, 이 소식을 쿠이아바에 알려주었다. 그리하여 그들이 쿠이아바에서 리우데자네이루나 상파울루로 가서 잃어버린 부속품을 주문했다. 이 동안에 운전사와 조수는 캠프를 치고는, 몸을 씻거나 잠을 자면서 기다렸다. 우리의 운전사들 가운데서 가장 훌륭한 사람은 실종범인(失踪犯人)이었다. 그는 그가 저지른 짓을 결코 말하지 않았으나, 쿠이아바의 사람들은 그것을 알고 있었다. 그러나 아무도 그의 정체를 누설하지 않았다. 도망쳐 다니기도 위험하게 되었을 때 그는 어쩔 수 없이, 그 자신의 생명을 매일매일의 모험을 하면서 그가 택했던 인생을 위해 자유롭게 희생하리라고 생각했다.

우리가 새벽 4시에 쿠이아바를 떠날 때는 아직도 컴컴했다. 우리들은 1인치 높이의 간격으로 벽토로 세공이 되어 있는 교회를 어렴풋이 그려볼 수 있었다. 화물 트럭은 베어진 망고나무가 좌우로 늘어서 있는, 자갈로 포장된 쿠이아바의 마지막 도로를 덜컹거리며 지나갔다. 우리가 덤불숲을 지나갈 때까지도 나무들 사이의 자연적인 간격은 이 초원지대를 마치 하나의 과수원과 같은 모습으로 보이게 했다. 그러나 곧 도로가 몹시 험하게 되어버려 우리가 '문명세계'를 뒤에 남겨두고 떠났다는 사실을 잊어버리게 되었다. 화물 트럭은 산을 넘고 강을 건너며, 우리의 시선을 끄는 카포에이라가 무성하게 덮인 진흙의 강바닥이나 계곡을 지나치기도 하고, 때로는 돌멩이가 많은 꼬불꼬불한 비탈길을 따라가기도 했다.

우리가 어떤 높은 정상부에 올라갔을 때, 지평선 위로 분홍색의 얇고 기다란 것을 보게 되었다. 그것은 형태나 구성에서 결코 다양하지는 않았기 때문에 새벽에 동이 트는 모습일 리는 없었다. 그러나 오랫동안 그것이 진짜로 실재하는 모습이라는 것을 믿을 수가 없었다. 트럭을 타고 가면서 몇 시간이 지난 뒤에 우리는 바위가 많은 언덕을 뚜렷이 볼 수 있었고, 하나의 방대하고 더 명확한 전망과 마주치게 되었다. 북쪽에서 남쪽으로 200 내지 300미터 높이나 되는 하나의 붉은 암벽이 초록색 언덕 위에 솟아 있었다.

북쪽으로 갈수록 그 암벽은 점차 평평한 지대로 낮아지고 있었지만, 우리가 다가가는 남쪽 방향에서는 어떤 상세한 모습도 분간해낼 수가 있었다. 이전에는 쪼개지지 않은 듯이 보였던 모습이 이곳에 와서 보니 좁은 대지, 불룩 내민 바위 덩어리 등 전망대의 보조적인 특징들을 지니고 있었다. 각면형(角面形)의 보루와 좁은 통로가 암석으로 된 기다란 장벽에 변화를 주고 있었다. 우리의 화물 트럭은 인간에 의해서 거의 고쳐질 수 없을 것 같은 이 비탈길을 기어오르는 데 몇 시간이 소요되었다. 이 비탈길은 마투그로수 평원의 최상단에서 끝났으며, 북쪽으로 서서히 내려앉아서 아마존강 하구에서 끝나는 샤파당(대평원)의 1천 킬로미터를 우리가 진입할 수 있게 되었다.

　하나의 새로운 세계가 우리 앞에 전개되었다. 우윳빛이 도는 초록색의 거친 풀들도 땅속의 사암(沙岩)들이 표면에서 와해되어 생겨난 흰색·분홍색, 또는 붉은색 모래들을 완전히 뒤덮고 있지는 못했다. 이곳의 식물군은 두꺼운 껍질, 천연적으로 광택이 나는 잎, 그리고 가시로 건기를 견디어내며 1년의 7개월 동안을 지탱하는, 마디가 많고 여기저기 흩어져 있는 관목 몇 그루뿐이었다. 그러나 며칠 동안 비가 내리기만 하면 이 황량한 초원지대는 하나의 정원으로 바뀔 수 있었다. 풀들은 밝은 초록색으로 변하고, 나무는 즉시 흰색이나 자주색의 꽃들로 뒤덮이는 것이었다. 그러나 이곳에서 받는 주된 인상은 하나의 광대무변함이었다. 이 지역을 구성하는 풍물이 너무나도 한결같았고, 또 비탈이 서서히 이루어지고 있어서 지평선은 10여 킬로미터 뒤로 밀려나 있었다.

　한 시간 동안 계속해서 차를 타고 가도 풍경이 조금도 변하지 않았다. 실제로 오늘 본 풍경과 내일 보게 될 풍경이 너무나 비슷해서 우리들의 기억과 지각은 부동성에 사로잡혀 뒤섞였다. 사람들이 나중에는 지평선을 구름으로 착각하게 될 만큼 이곳 경치는 아무런 경계표(境界標)도 없는 매우 단조로운 것이었다. 그렇지만 이곳의 풍경은 단조롭다고만 하기에는 너무나 환상적이었다. 때때로 우리의 화물 트럭은, 평상시에는 이 고원지대를 흐르지 않다가(왜냐하면 고원지 대에는 둑이 없기 때문이다) 어떤 계절이 되면 이 고원지대에 범람하는 수로(水路)를 횡단하기도 했다. 그것은 마치 이 지역——아득한 고대에 브라질을 아프리카 대륙과 합쳐놓았던 곤드와나 대륙 시대의 모습을 아직도 완전하게 지닌 부분인, 세계에서 가장 오래된 지역 중 하나——이 강바닥을 파낼 시간을 지니기에는 아직도 그곳의 강에 비해서는 너무 젊은 것 같았다.

유럽의 풍경에서는 사물의 외관은 정확한 모습을 지니며 빛은 확산성을 소유하고 있다. 이곳에서는 하늘과 땅의 일반적인 역할이 전도되어 있다. 구름은 극도의 호화스러운 형태를 이루는 반면에 그 아래에 있는 땅은 불명확하고 희끄무레한 모습을 지니고 있을 뿐이다. 형태와 부피란 하늘의 특권인 것이며, 땅은 형태를 지니지 못한 비실재적인 모습을 나타내는 것이다.

어느 날 저녁 우리는 다이아몬드 채취자들의 식민지인 가림푸로부터 얼마 떨어지지 않은 곳에 머물렀다. 곧 기다란 땅거미가 우리의 모닥불 주위로 다가왔다. 누더기옷을 입은 가림페이루들이 작은 대나무관을 꺼내어, 그 속에 든 내용물들을 우리 손에 부어주었다. 그것은 자연 그대로의 다이아몬드였는데 그들은 이것들을 우리에게 팔고자 했다. 그러나 B형제들은 가림푸의 생활방식에 대해 우리들에게 충분히 이야기해주었기 때문에, 우리의 이 같은 거래에는 아무런 문젯거리가 생길 수 없음을 알고 있었다. 왜냐하면 가림푸는 그 자체의 성문화되지 않은 법률을 지니고 있었으며, 그 법률은 충실히 준수되고 있었기 때문이다.

이러한 사람들은 모험가와 떠돌아다니는 사람 등 두 범주로 구분되었다. 후자의 집단들이 숫자가 더 많았는데, 이 사실은 왜 가림푸에 들어가면 나오는 사람이 없는지를 잘 증명해준다. 강바닥의 모래 속에서 다이아몬드가 나오는 조그마한 하천의 소유권은 선점자에게 귀속되었다. 그들은 다이아몬드가 노다지로 쏟아질 때—그런 기회란 사실 쉽게 오는 것이 아니다—까지 기다릴 정도로 재력이 넉넉하지 못하기 때문에 그들 스스로 무리를 조직했다. 이들 각각의 무리는 독자적인 '우두머리'나 '기술자'가 지배했다. 이 지도자는 부하들을 무장하고, 그들의 작업에 필요한 쇠로 된 그물체, 광석을 씻는 홈통, 잠수용 모자, 공기 펌프 같은 장비를 갖추어주며, 특히 무엇보다도 그들에게 정기적으로 식사를 제공하도록 충분한 자본을 소유해야만 한다. 물건을 거래할 경우, 그의 부하들은 인정된 상인들(이들 또한 영국이나 네덜란드의 대규모 다이아몬드 회사와 관련을 맺고 있다)에게만 그들이 발견한 다이아몬드를 팔게 되어 있다.

그들이 무장을 해야만 했던 것은 다른 적대적인 무리들의 위협을 방어하기 위해서만은 아니었다. 극히 최근까지, 그리고 오늘날에까지도 흔히 그들이 무장한 목적은 경찰이 다가오지 못하게 하기 위해서였다. 실제로 다이아몬드 채취지역은 주 안에 또 하나의 주를 형성하고 있었으며, 이들은 가끔 서로 전쟁을 하기도 했다. 1935년에 우리들은 지도자 모르베크와 그의 부하들이 마투그로수의 주 경찰을 상대로 싸운 전쟁에 관해서 쉴새없이 들었다. 이 전쟁은 서로가 협정을 맺고 끝났다. 경찰에게 포로로 잡힌 가림페이루가 쿠이아바까지 살아서 돌아오는 일이 거의 없었다는 이야기는 반란을 정당화하기 위하여 전해진 소문임이 틀림없었을 것이다. 유명한 지도자의 한 사람이었던 두목 아르날두가 그의 부두목과 함께 포로가 되어 발밑의 작은 판자에 몸을 의지한 채 커다란 나무꼭대기에 목이 매달렸다, 그래서 그들이 피로에 지쳐 몸의 균형을 잃어 발판을 놓치면, 자동적으로 교수형에 처해지는 형벌을 받고 죽었다고 한다.

이곳의 법률은 매우 엄격하게 지켜졌으므로 가림푸의 중심지인 라게아두나 포쇼레우의 여관들에서는 주인이 자기 다이아몬드들을 테이블 위에 놓아둔 채 잠깐 자리를 비워도 아무런 사고가 생기지 않았다. 다이아몬드가 채취되기만 하면 그 즉시로 그것의 형태·빛깔·크기가 정확하게 감정된다. 이러한 구체적인 명세와 이 다이아몬드에 대한 감정 책임이 매우 정확하기 때문에 운이 좋은 사람은 몇 년이 지난 뒤에도 자기 다이아몬드와 다른 사람 것을 분간해낼 수가 있다. 나의 방문객 중에서 어떤 사람은 "내가 그 다이아몬드를 바라보니, 그것은 마치 성처녀가 나의 손바닥에 떨어뜨린 눈물 같았다"라고 내게 말했다. 그러나 다이아몬드가 항상 이처럼 순수한 것만은 아니었다. 가끔 다이아몬드는 그것의 모암(母岩) 속에서 발견되기 때문에, 그것의 최종적인 가치를 판단하기가 불가능해진다. 이 같은 경우에는 공인된 구매자 가격을 말하면("다이아몬드의 무게를 단다"라고 말한다), 그것으로 최종가격이 결정된다. 오직 연마공이 작업을 해보아야만 그 공인 구매자의 판정 결과가 밝혀질 것이다.

나는 사람들이 규정을 위반하려고 하지는 않는지를 물어보았다. "물론 그런 사람도 있지만, 결코 성공하지 못한다"라고 그들은 대답했다. 다른 구매자에게 제공되거나, 지도자 몰래 제공된 다이아몬드는 즉각 '태워'지게 된다. 다시 말해서 그 구매자는 매우 싼 가격을 주게 되며, 이 가격은 같은 시도가 계속됨에 따라 점점 더 낮아진다. 사정이 이와 같은 방식으로 전개되기 때문에 법을 위반하려는 가림페이루는 그의 손에 다이아몬드를 쥔 채 결국 아사(餓死)해버리는 것이다.

일단 다이아몬드가 매도되면, 그것은 전혀 다른 물건이 된다. 시리아인 포지는 불순한 다이아몬드를 무더기로 사서 플라이머스 스토브(휘발유 스토브의 일종이며 플라이머스는 상표 이름이다 – 옮긴이) 위에서 가열해 착색기(着色器)에 집어넣으면 표면이 좀더 매력적인 노란색 다이아몬드(이것은 채색된 다이아몬드라는 뜻의 '핀타두'라는 명칭을 갖는다)를 얻게 되어 부자가 되었다고 했다.

다른 형태의 속임수는 더 높은 수준에서 행해졌다. 쿠이아바와 캄푸그란데에서 나는 수출용 다이아몬드를 빼돌림으로써 생계를 유지하는 사람을 알았다. 이들 직업적인 밀수꾼들의 방법은 가지각색이었다. 한 가지 예를 들면, 밀수품을 가짜 담배 꾸러미 속에 감추어두었다가 만약 경찰에 체포되면 그 꾸러미를 덤불 속으로 던져버리고, 자유로운 몸이 되면 숲속에 가서 다시 꾸러미를 찾아내는 것이다.

그러나 바로 그날 저녁에, 캠프파이어 주위에서 우리의 방문객들이 체험했던 일상의 모험들을 이야기하기 시작했다. 나는 세르탕의 생생한 언어를 약간 알게 되었다. 예컨대 불어식 발음인 'on'을 표현하기 위하여, 그들은 다양한 표현 ─O homen(사람)·O camarade(친구)·O collega(동료)·O negro(흑인)·O tal(등등)·O fulano(동무), 기타 등등 ─을 사용했다. 운이 나쁘게도 어떤 사람이 금을 그의 광석 세척용 홈통에서 발견했다. 다이아몬드 채취자에게는 나쁜 징조인 이 같은 사건에 대해 그들은 즉시 그 금을 강물 속에 던져버렸다. 그렇게 하지 않으면 몇 주 동안 악운이 발생한다고 그들은 생각했다. 어떤 채취자는 독이 있는 홍어꼬리에 긁혀 상처를 입었다. 이 상처는 쉽게 치료되지 않았다. 왜냐하면 상처를 입은 사람은 그의 옷을 벗겨 상처를 물로 씻어줄 여자를 발견해야만 했기 때문이다. 가림푸에 있는 몇 안 되는 여자들은 거의 모두가 창녀들이었기 때문에 이와 같은 순진한 치료법이란 가끔 지독한 악성매독을 발생시키기도 했다.

이 여자들을 이 지역에 오게 한 것은 그 터무니없는 요행이었다.

투기자들은 하루 저녁에 부자가 될 수도 있다. 만약 그가 부자가 되면, 그의 경찰기록 때문에 그곳에서는 돈을 쓰지 않을 수가 없다. 화물 트럭이 쓸데없는 상품을 가득 싣고 왔다 갔다 하는 것은 바로 이같은 이유 때문이다. 화물이 가림푸에 도착하는 즉시, 가격이 얼마나 되든지 간에 서로 다투어 물건을 사려고 했다. 반드시 그런 것은 아니지만, 이 같은 현상은 과시하고 싶은 욕구 때문이라 하겠다. 우리가 다시 출발하기 전에 새벽 일찍이 나는 곤충들이 들끓는 강의 한 모퉁이에 작은 오두막을 짓고 사는 동료 한 사람을 방문했다. 그는 벌써 잠수용 헬멧을 쓰고 시냇물의 바닥을 긁어내는 작업을 하고 있었다. 그 오두막의 내부는 집터와 마찬가지로 침울하고 비참했다. 그러나 그 친구의 부인은 그녀의 옷 열두 벌과 비단 드레스를 내게 자랑스럽게 보여주었다. 그런데 그 옷들에는 흰개미들이 붙어 살고 있었다.

그날 저녁 우리들은 노래를 부르고, 거짓말 꾸미기를 하면서 보냈다. 참석한 사람들은 차례로 자기 몫을 실천해야 했다. 대부분의 경우 연주 홀에서의 아득한 옛적의 저녁들로부터 기억해낸 것이었다. 나는 하급장교들을 만나 함께 식사를 한, 원주민 경계지역에서 이와 똑같은 놀이를 했던 것을 기억한다. 이 두 경우에서 모두 타이프 치는 사람이 내는 소음을 흉내내거나, 발동이 걸리지 않는 오토바이를 흉내내거나, 또는 이상한 곡조에 따라 요정들의 춤을 흉내내다가 재빨리 질주하는 말을 흉내내는—인도에서처럼 '만화'라고 불리기도 하는—독백(獨白)들이 환영을 받았다. 그리고 마지막으로 일련의 '우스꽝스러운 표정'을 짓기도 했다.

나는 가림페이루들과 보낸 이날 저녁에 어떤 전통적인 만가(挽歌)의 몇 구절을 수집할 수 있었다. 그것은 한 일등병이 그에게 지급된 식량에 대해 하사관에게 불평을 하고, 하사관은 그 불평을 다시 상사에게 전달하면, 상사는 소위에게, 소위는 대위에게, 대위는 소령에게, 소령은 대령에게, 대령은 장군에게, 장군은 황제에게……전달하는 노래였다. 그리고 황제는 그 불평을 예수 그리스도에게 전달하면, 예수는 그것을 하느님 아버지께 전달하지 않고, 펜을 들어 이들 모두를 지옥에 보내라고 위탁하는 것이었다. 세르탕에서 불리던 이 노래의 몇 구절을 여기에 소개한다.

O Soldado……

O Oferece……

O Sargento que era um homem pertinente
Pegô na penna, escreveu pro seu Tenente

O Tenente que era homem muito bão
Pegô na penna, escreveu pro Capitão

O Capitão que era homem dos melhor'
Pegô na penna, escreveu pro Major

O Major que era homem come é
Pegô na penna, escreveu pro Coroné

O Coroné que era homem sem ígual
Pegô na penna, escreveu pro General

O General que era homem superior
Pegô na penna, escreveu pro Imperador

O Imperador……
Pegô na penna, escreveu pro Jesu' Christo

Jesu' Christo que é filho do Padre Eterno
Pegô na penna e mandô tudos pelo inferno.

그러나 이들은 실제로는 농담을 할 만한 기분이 아니었다. 오랫동안 모랫바닥에서는 다이아몬드가 점차 조금씩밖에 나오지 않았고, 이 지역에 말라리아나 십이지장충병 따위가 전염되었다. 1, 2년 전에는 황열(黃熱)도 나타나기 시작했다. 따라서 예전에는 일주일마다 화물 트럭이 넉 대 왕래하던 이 지역에 오늘날에는 기껏해야 한 달에 두세 번씩밖에 왕래하지 않았다.

우리가 예정했던 도로들은 산불이 나서 다리가 모두 파괴되어버렸기 때문에 아무도 다니지 않았다. 화물 트럭이 그 길을 따라 모험을 한 것은 3년 전부터였다. 그 도로의 상태가 어떠한지를 사람들은 전혀 몰랐다. 따라서 우리가 상로렌수에 도착한 것만도 다행이었다. 그곳에는 강둑에 하나의 커다란 가림푸가 있었는데 우리가 원했던 모든 물품—식량·사람, 그리고 상로렌쿠강의 지류 가운데 하나인 베르멜류강 연안의 보로로 부락까지 우리가 타고 갈 카누—을 그곳에서 구입할 수 있었다.

나는 정말 우리들이 어떻게 그 길을 뚫고 나왔는지 모르겠다. 그 여정은 내 마음속에 마치 하나의 혼란된 악몽처럼 남아 있다. 예컨대 험난한 길을 뚫고 나가기 위하여 한없이 캠프를 치고, 물건들을 내렸

다가는 다시 싣고, 도로에 판자를 한없이 깔면서 전진하다가 피곤에
못 이겨 맨땅바닥에 드러누워 잠이 들었다가도 한밤중에 몸 아래에
서 이상한 소리가 계속 나서 깨어보면, 흰개미들이 우리의 옷을 뚫고
들어오려는 것이었다. 개미들은 벌써 우리들이 즉석 담요와 우비로
사용하던 고무 망토에 밀집하여 꿈틀거리고 있었다. 마침내 이른 아
침에 우리들은 아직도 계곡에 안개가 자욱한 상로렌수 부근의 언덕
을 통과하게 되었다. 우리들은 그야말로 하나의 비상한 업적을 성취
했다는 확신을 지니고, 계속해서 나팔을 불어대며 도착을 알렸다. 그
러나 아이들 하나도 우리를 맞이하러 나오지 않았고, 우리는 다만 강
의 모서리에서 황폐한 오두막을 네댓 채 발견했을 뿐이었다. 사람이
라고는 한 명도 보이지 않았는데, 그 오두막을 재빨리 조사해본 결과
사람들이 그곳에 살지 않음을 알아냈다.

　지난 며칠 간의 끔찍한 고생 때문에 우리 신경은 갈가리 찢어진 듯
했고, 우리는 거의 절망적인 기분을 느꼈다. 우리는 이 모든 것을 단
념해야만 했던 것인가? 우리들은 되돌아가기 전에 최후의 노력을 해
보기로 결정했다. 우리들 각자가 다른 방향으로 출발하여 이 부락의
교외지대를 탐색해보기로 했다. 저녁 무렵이 되자 우리들은 모두 아
무런 단서도 얻지 못한 채 빈손으로 돌아왔으나, 운전사만은 고기잡
이 가족을 발견하여 그 우두머리를 데리고 왔다. 오랫동안 물속에서
생활하는 사람들에게서 나타나는 병색의 하얀 피부를 지녔고 수염
이 난 이 사람은 6개월 전에 황열이 이 부락에 발생했고, 살아남은 몇
몇 사람도 모두 뿔뿔이 흩어졌으며, 만약 우리가 상류로 갔더라면 한
두 사람과 카누를 발견했을 것이라고 우리에게 말했다.

　이 사람은 우리와 함께 가줄 것인지? 물론. 왜냐하면 그와 그의 식
구들은 몇 달 동안이나 강에서 고기만 잡아먹으면서 살아왔기 때문
이다. 그리고 부락에 가면 원주민들이 그에게 옥수수와 담배를 줄 것

이고, 또 우리들도 그에게 약간의 돈을 지불할 것이라는 점을 알았기 때문이다. 그는 보조 격으로 보트를 젓는 사람이 되겠다고 우리에게 약속했으므로, 우리는 그를 우리 행렬에 포함시킬 수가 있었다.

나는 우리들이 지금 행한 것보다 더욱 기억되는 다른 보트 여행에 대해서 다음 기회에 기술하겠다. 그러나 이때 우리가 행한 보트 여행은 비가 내려 강물이 불었기 때문에 상류에 도달하는 데 8일이나 걸렸다는 점만을 이야기해둔다. 우리가 작은 모래언덕에 도착했을 때, 우리는 7미터나 되는 큰 보아(boa) 한 마리가 우리들이 이야기하는 소리에 깨어나 살랑살랑 움직이는 것을 볼 수 있었다. 그 보아를 죽이는 데 많은 탄알이 소모되었다. 왜냐하면 이 보아는 몸에 상처를 입어도 끄떡도 하지 않고, 오직 머리에 총알이 맞아야만 죽기 때문이었다. 또 우리들은 그 보아의 껍질을 벗기는 데 거의 반나절이 걸렸으며, 그 보아의 배 속에서는 막 태어나려는 순간의 ─ 아직 살아 있는 ─ 작은 새끼 열두 마리가 발견되었으나, 태양열로 그것들은 모두 죽어버렸다.

어느 날 우리가 오소리의 일종인 '이라라'를 총으로 쏘아 잡은 직후에, 강둑 위에서 우리를 향해 손을 흔들고 있는 벌거벗은 두 형체를 보았다. 이들이 바로 우리가 처음으로 만난 보로로족이었다. 우리는 그들에게 다가가 말을 하려고 했다. 그들이 알고 있는 말이라고는 브라질말의 하나인 푸무(fumo: 담배)뿐인 듯했다. 그런데 이들은 푸무를 수무(sumo)라고 발음했다. 예전에 선교사들은 원주민들이 F나 L 또는 R를 발음할 수 없기 때문에, 원주민들을 "종교도 없고, 법률도 없고, 국왕도 없다"(sans foi, sans loi, sans roi)라고 말했던 것이 아니었는지? 그들은 소규모로 농사를 짓고 있었다. 그러나 그들의 생산품에는 끈처럼 말아서 발효시키는 담배 농축물이 전혀 없었으므로, 우리는 그들에게 이것을 아낌없이 주었다. 우리는 그들의 부락에 가는 중이라고 그들에게 손짓으로 설명했다. 그러자 그들은 우리가 저녁 무렵에는 그곳에 도착할 것이며, 우리가 도착할 것을 알려주기 위해서 먼저 떠나겠다고 했다. 그러고는 그들은 숲속으로 사라져버렸다.

몇 시간 뒤에 우리들은 진흙의 강둑 위에 도착하여 오두막을 몇 채 발견하게 되었다. 우리들은 한 무리의 벌거벗은 원주민들이 웃음을 터뜨리며 환영하는 가운데 부락에 들어갔다. 이들은 발톱에서부터 머리카락 끝까지 '우루쿠'로써 붉은색을 칠하고 있었다. 그들은 우리가 짐을 내리는 것을 도와주었으며, 몇몇 가족이 살고 있는 하나의 커다란 오두막으로 우리를 안내해주었다. 그곳에서는 이 부락의 족장이 우리를 맞이했으며, 그는 자신이 앉아 있던 자리를 우리에게 양보했다. 그리고 우리가 이곳에 머무르는 동안에, 그는 강 건너편의 둑 위에서 생활했다.

22 선량한 미개인

아직 별로 오염되지 않은 문명을 가지고 있는 원주민의 한 마을에 처음으로 당도한 사람을 덮치는 저 깊고도 혼란스러운 인상을 어떻게 정리하여 기술해야 할지 모르겠다. 카인강족에서나 카두베오족에서나 극도의 빈곤이 방문객의 주의를 끌었으며, 방문객이 받는 첫인상은 기진맥진, 그리고 좌절감 그것이었다. 하지만 아직도 생생하게 살아 있는데다 자기들의 전통에 충실한 하나의 사회를 목격했을 때의 충격은 나를 당황하게 만들었다. 천 가지 색채를 띤 실타래의 어느 실가닥부터 먼저 집어서 이 얽힌 실을 풀어야 한단 말인가? 내가 처음으로 이 같은 종류의 문제와 부딪히게 된 것이 바로 보로로족 가운데서였는데, 그때 일을 생각하던 중 최근에 겪은 다른 일이 생각났다.

그것은 미얀마의 국경에 가까운 쿠키족의 어떤 마을에서 끊임없이 내리는 몬순(계절풍)의 비로 미끌미끌해진 진흙으로 변한 비탈길을 몇 시간이나 걸려 기어올라간 끝에 높은 언덕의 꼭대기에 닿았을 때의 일이었다. 극도의 육체 피로, 배고픔, 갈증, 정신적 혼란, 틀림없이 이런 것에서 연유된 것 같은 현기증은 형체와 빛깔의 지각에 따라 하늘의 계시를 받은 듯이 반짝거리고 있었다. 그 취약성에도 불구하고 전체가 크기 때문에 장중한 인상을 풍기는 민가는 서양에서도 알려진 재료와 기술을 왜소한 표현을 통해서 사용하고 있다. 이 집들은 세워졌다기보다는 차라리 서로 매듭으로 엮이고, 짜맞추어졌으며, 또 오랫동안 사용한 까닭으로 반들반들하게 닳아 있다.

그 속에서 사는 사람들은 단단한 돌멩이로 된 커다란 건물에도 압도되지 않았다. 이 집들은 그것들의 존재와 모든 운동에 즉각적으로 매우 유연성 있게 호응하는 것이었다. 사실 이 집은 그 주인에게 지배를 받는 것이지만, 우리들의 집이란 거꾸로 주인이 집에 지배를 당하는 꼴이었다. 그 부락은 마치 가볍고 신축성 있는 갑옷처럼 부락민들에게 봉사하는 것이었다. 그들은 유럽의 여인들이 모자를 쓰는 것처럼 그들의 갑옷을 입는 것이었다. 그것은 대규모의 개인적인 장식의 대상이었고, 그 집을 세운 사람은 어떤 자연적 성장의 자발성을 간직할 만큼 현명했다. 요컨대 나뭇잎과 휜 가지들이 면밀하게 계획된 설계의 정확성과 결합되어 있었다.

거주자들은 종려나무의 벨벳빛 나뭇잎으로 이루어진 칸막이 벽과 장막으로 보호되고 있는 듯했다. 그리고 그들이 집에서 나올 때는 마치 타조의 깃털로 된 하나의 거대한 실내의를 방금 벗어버린 듯했다. 그들의 집은 아래로 줄이 쳐진 보석함이고, 그들의 몸뚱이는 그 보석함 속의 보석인 것처럼 생각되었다. 그들의 신체는 정교하게 꾸며졌으며, 그것의 기본적 색조는 분(粉)으로 고양되어 있었다. 이 같은 장식은 분장을 더욱 화려하게 만들기 위하여 고안된 것 같았는데, 깃털과 꽃은 정글지대에 있는 짐승들의 반짝이는 이빨에 대한 하나의 배경 역할을 했다. 그것은 마치 하나의 전(全) 문명이 생활의 형식과 내용 및 색채에 대한 민감한 정열 가운데서 뻗어나가는 것 같았다. 말하자면 그 문명은 이 같은 생활의 가장 풍요한 본질로서 인간의 신체를 장식하고 그것이 표현할 수 있는 모든 현상 가운데서 최고도의 특질과 이 특질의 특권적인 보고(寶庫)를 지니고 있는 대상을 선택하려고 하는 것이다.

우리가 그 거대한 야영 막사에 정착하게 됨에 따라서 나는 이러한 사실들을 이해할 수 있게 되었다기보다도 나 스스로가 감명을 받게 되었다. 이 오두막의 설계와 구조는 예전과 다름없는 것이었지만, 건축양식은 최근의 브라질 건축양식의 영향을 이미 받고 있었다. 예컨대 이 오두막의 형체는 타원형이 아니고 이제는 직사각형으로 변모했으며, 지붕과 벽은 아직도 나무줄기 위에 야자나무 잎을 덮은 것이지만, 이 두 요소는 서로가 명확히 구별되는 것은 아니었으며, 지붕은 둥근 모습 대신에 V자형으로 되어 거의 땅바닥에 닿을 만큼 아래로 내려와 있다.

그러나 우리가 방금 도착한 케자라(Kejara) 부락은 살레지오회 신부들의 영향력이 아직까지는 뚜렷하게 퍼져 있지 않은, 극소수 부락 중 하나였다. 이 신부들은 원주민 보호국과 협력하여 정착민과 원주민 사이의 갈등을 해소하기 위한 선교사들이었다. 그들은 또한 이 부락에 대하여 몇 가지 훌륭한 민족학적 현지조사를 실시했다. 실제로 보로로족에 대한 그들의 조사는 슈타이넨(Karl von den Steinen: 독일의 인류학자-옮긴이)의 초창기 연구 이후로 우리들에게는 가장 유용한 연구자료였다. 그렇지만 불행하게도 이들의 활동은 점차적으로 원주민 문화를 체계적으로 소멸시키려는 시도가 되어버렸다.

두 가지 사실로 케자라 문화가 얼마만큼이나 최후의 독립성을 고수하고 있었던지를 알 수 있었다. 첫 번째 사실은 베르멜류강 지역의 모든 부락 족장의 태도였다. 이 오만하고 불가사의한 족장은 포르투갈어를 몰랐다──또는 모르는 체했다. 그는 우리들이 방문한 동기에 호기심을 가졌고, 또 우리들의 요구에 정중한 태도를 보였지만, 나와 직접 대화를 나누는 법이 결코 없었다. 언어의 문제와 자신의 권위를 고려하여, 그는 모든 결정을 부락협의회의 성원들과 의논하여 내렸다.

두 번째로 케자라에는 나의 통역관이자 정보 제공자 역할을 담당하도록 결정된 원주민 한 사람이 있었다. 그는 서른다섯 살쯤 된 남자로서 포르투갈어를 썩 잘했다. 실제로 그는 선교사들의 노력의 결과로서 포르투갈어로 작문과 회화를 할 수 있었다. 그뿐만 아니라 그 신부들은 그의 이 같은 결과에 매우 만족하여 그를 로마로 보내어 교황을 직접 만나보도록 했다. 또한 이 신부들은 그가 다시 돌아와서는 그의 종족의 전통적인 관례를 무시하고 가톨릭교의 예식에 따라서 결혼할 것을 원했다. 그렇지만 바로 이 요구가 그로 하여금 재차 보로로족의 고대 이상에 따르도록 만든 하나의 정신적 위기를 초래했다. 그래서 그는 케자라로 와서, 이곳에서 지난 10여 년 또는 15년간을 모든 면에서 원주민과 똑같은 생활을 해오고 있었다. 완전한 알몸으로 지내면서 몸에는 진홍색을 칠하고, 코와 아랫입술에는 각각 코마개와 입마개(원주민들이 새의 깃털 따위로 코와 입의 살갗을 뚫고 끼워두는 장식용구─옮긴이)를 끼워 달고는, 한때 교황의 축복을 받았던 이 원주민이 이제는 보로로 사회의 가장 뚜렷한 대변자로 바뀌어버렸다.

얼마 동안 우리들은 원주민 수십 명에게 둘러싸였고, 그들은 우리들의 도착 소식을 이야기하면서 웃음을 터뜨리며 북새통을 벌였다. 보로로족 남자들은 모든 브라질 원주민 가운데서 가장 키가 크고 또 체격이 가장 훌륭했다. 그들은 둥그스름한 머리와 길쭉한 얼굴, 운동가처럼 정력적이고 균형잡힌 얼굴을 지니고 있었다. 이들의 모습은 나로 하여금 어떤 파타고니아형을 연상하게 만들었고, 또 보로로족은 파타고니아형과 인종적 관점에서 유사성을 지닌 것 같기도 하다.

그러나 여자들은 일반적으로 키가 작고 병약해 보였으며, 얼굴의 균형이 제대로 잡혀 있지 않았다. 여자들 가운데서 남자처럼 신체적인 조화를 이룬 사람은 매우 드물었다. 따라서 애당초부터 남자들의 진취적 기상은 여자들의 호감이 가지 않는 모습과 대조를 이루었다. 대체로 이 부족들은 이 지역을 휩쓴 풍토병에도 불구하고 매우 건강해 보였다. 그러나 이 부락에는 나병환자가 한 사람 있었다.

남자들은 성기의 끝부분을 씌운 하나의 작은 짚으로 된 성기덮개를 제외하고는 몸에 걸친 것이라고는 아무것도 없었다. 이 성기덮개는 귀두 포피에 씌워졌는데, 그 덮개 꼭대기는 열려 있었다. 대부분의 남자들은 머리부터 발끝까지 지방과 함께 짓이긴 우루쿠로써 붉은색을 온몸에 칠하고 있었다. 심지어 그들은 어깨나 귀 밑부분까지 둥그스름하게 자른 머리칼에도 이 붉은색 칠을 했다. 그러므로 이들 모두는 마치 투구를 쓰고 있는 것 같았다. 이 밖에 다른 그림들이 이 진홍색의 바탕 위에 첨가되었다. 예컨대 검게 빛나는 송진으로 된 말굽 모양의 그림들이 이마나 양쪽 뺨, 또는 입 언저리까지 덮여 있기도 했다. 때로는 하얀색 줄이 어깨나 팔에 그려져 있기도 했다. 또는 진주조개의 가루와 함께 섞은 반짝반짝 빛나는 분말들을 어깨나 가슴에 문지르기도 했다.

여자들은 허리에 딱딱한 나무껍질로 된 허리띠를 둘렀고, 이 허리띠가 양다리 사이를 덮어주는 좀더 부드러운 나무껍질로 된 하얀색의 길고 가느다란 조각을 끌어매고 있었다. 이것 위로 여자들은 우루쿠에 적신 무명옷(미개인들이 국부를 덮기 위해 허리에 걸치는 간단한 옷 - 옮긴이)을 걸쳤고, 가슴과 어깨 위에는 섬세하게 짜인 무명을 이중으로 엮은 천을 걸치고 있었다. 이들의 옷은 발목·손목·이두근을 빙 돌아 감으면서 팽팽하게 당겨진 작은 무명조각들을 꿰맞추어 만든 것이었다.

원주민들이 점차 물러가버리고, 우리들은 가로가 12미터, 세로가 5미터쯤 되는 그 오두막을 주술사 부부(말이 없고 우리들에게 적대적이었던)와 늙은 노파(이웃 오두막의 친척들이 먹여 살려주던) 한 사람과 함께 차지하게 되었다. 주술사와 그의 처는 종종 그 노파를 무시했고, 노파는 차례로 죽어간 그녀의 다섯 남편과 함께 그녀가 옥수수와 물고기 같은 사냥물들을 충분히 지닐 수 있었던 행복한 시절들을 노래하고는 했다.

바깥에서는 남자들이 노래를 부르기 시작했다. 그들은 억양이 심하고, 목구멍소리가 낮게 울려 퍼지는 노랫가락을 제창했다. 그 단조로운 음조, 계속적인 반복, 독창과 합창의 교대, 모든 진행과정에서 나타나는 남성적이고도 비극적인 스타일은 나로 하여금 독일의 어떤 남자들만이 가입하는 단체의 전사가(戰士歌)를 생각나게 했다. 그들은 왜 이 같은 노래들을 부르고 있었던가? 내가 듣기로는 그것은 '이라라' 때문이었다. 우리들은 사냥물을 가지고 왔는데, 이것을 먹기 전에 정성스러운 의식이 거행되어야만 했던 것이다. '이라라'의 영혼이 위로되어야만 했기 때문에 그 사냥물 자체가 헌정되었던 것이다. 나는 너무나 피곤하여 훌륭한 민족학자라면 당연히 취해야 하는 행동을 하지 못하고(계속해서 그 의식을 지켜보지 못하고) 한밤중이 되어서는 잠이 들어 새벽녘에야 다시 깨어났다. 우리가 그곳에 머무르는 동안 매일 저녁마다 이와 똑같은 의식이 거행되었다. 원주민들은 밤에는 종교적 의식을 치르고, 새벽부터 정오까지 잠을 잤다.

그 의식의 어떤 순간에는 관악기가 등장하도록 요구되었다. 그러나 일반적으로는 자갈을 채운 호리병박을 덜컹덜컹 흔드는 가운데 노래를 불렀다. 이 노랫소리들을 들어보니 참으로 놀랄 만한 것이었다. 왜냐하면 때로 이 노랫소리는 갑자기 멈추어지거나 갑자기 시작되었고, 때로는 점점 세게 부르거나 점점 약하게 부르면서 하나의 침

428

묵을 메우기도 했고, 때로는 음향과 침묵을 강도·특질·지속의 면에서 매우 다양하게 교체하면서 무용수들이 주역을 담당했으므로, 이 경우에 우리들 사회의 뛰어난 지휘자라 할지라도 하나의 더 융통성이 있거나 더 감응적인 악기를 요구하지 않을 수 없을 것이다. 예전에 다른 종족의 원주민들이나 또는 선교사들까지도, 악마 자체가 이 음악을 통하여 원주민(보로로족)에게 말을 하는 것이라고 확신했던 것은 조금도 놀랄 만한 일이 아니다. 이 북소리가 전하는 언어에 대한 전통적인 신념들이 아직까지 해명되지는 않았으나, 적어도 어떤 사람들 가운데서는 하나의 극도로 단순하며 상징적인 종류의 부호화된 음성어가 실제로 존재했으리라고 상정할 수 있다.

나는 이 부락을 한 바퀴 둘러보기 위하여 새벽에 일어났다. 문밖으로 나왔을 때, 깃털이 뽑힌 한 무리의 애처로운 새들을 발견했다. 이 새들은 원주민들이 애완용으로 길들인 '아라라'로서, 원주민들은 살아 있는 새의 깃털을 뽑아내어 그들의 머리장식 재료로 사용했다. 이 벌거벗은 몸뚱아리로 땅바닥을 기어다니는 새들은 마치 구이용 병아리같이 보였으며, 몸의 깃털이 절반이나 빠져 나가버려 주둥이만이 더욱 길쭉하게 튀어나온 듯했다. 지붕 위에는 다른 아라라 앵무새들이 엄숙하게 앉아 있었는데, 이들은 새로 난 깃털을 가지고 있었으며, 붉은색과 푸른색이 칠해진 가문(家紋)의 표상처럼 보였다.

나는 어떤 개간지의 중앙에 있었는데, 그곳은 한쪽으로는 강과 경계를 이루었고, 다른 쪽으로는 숲이 연결되어 있었다. 채소밭들이 그 숲의 한쪽 귀퉁이의 보이지 않는 곳에 있었고, 나무들 사이로 저 멀리 붉은 사암이 가득한 언덕의 배경을 희미하게 볼 수 있었다. 이 개간지를 빙 둘러서 내가 거처하는 것과 동일한 형태의 오두막이 모두 스물여섯 채가 있었다. 이 오두막들은 원을 그리고 있었으며, 중심에는 적어도 길이가 20미터, 폭이 8미터나 됨 직한 오두막이 한 채 있었

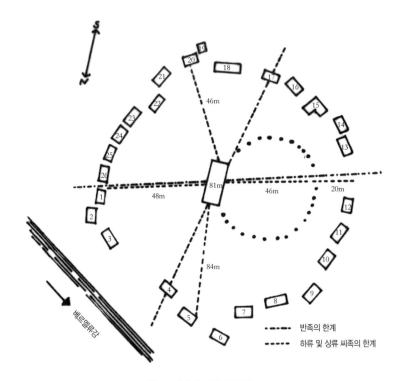

그림 22 케자라 마을의 평면도.

는데, 이것은 다른 오두막보다도 훨씬 큰 '바이테만나제오'(남자들
의 집)였다. 미혼의 남자들은 모두 이곳에서 잠을 잤고, 사냥이나 고
기잡이 또는 어떤 공식적인 의식을 치르기 위해 밖으로 나오는 날을
제외하고는, 낮 동안에는 부락의 모든 남자가 그곳에 모여 있었다.
부락민들이 춤을 추는 곳은 이 독신자 숙소의 바로 서쪽편에 있는 커
다란 타원형의 장소였다. 여자들이 이곳에 출입하는 것은 엄격하게
금지되었다. 여자들의 거주지는 이 오두막을 둥그렇게 둘러싸고 있
는 오두막들이었으며, 남자들은 하루에도 몇 번씩이나 잣나무숲 사
이의 길을 따라서 그들의 회합장소와 부부가 거주하는 곳을 왕래했

다. 나무 꼭대기나 지붕 위에서 내려다보면, 보로로족의 마을은—독신자 숙소가 바퀴의 중심을 이루고, 주위로 뻗은 소로들이 바퀴의 살을 이루며, 가족이 거주하는 오두막들이 바퀴의 가장자리를 이루고 있는—마치 하나의 수레바퀴 같았다.

모든 부락은 그들의 인구가 현재보다도 훨씬 많은 경우를 제외하고는, 언제나 이 같은 형태를 이루고 있었다. 그 당시 케자라에는 단지 150명이 살고 있었다. 따라서 가족용 가옥들은 몇 개의 동심원을 이루고 있었다. 이와 같은 원형의 부락들은—지역마다 변형을 이루면서—아라구아야강과 상 프란시스쿠강 사이의 브라질 고원지대에서 사용되는 제(Gé) 어족에 속하는 말을 하는 모든 종족에게서 발견할 수 있었다. 아마도 보로로족은 이 집단의 최남단 지역을 대표하는 것이리라. 그러나 다스모르테스강의 오른쪽에 살고 있으며, 보로로족과 가장 가까운 북쪽의 이웃인 카야푸족들도 그들의 부락을 이와 똑같이 형성하고 있고, 아피나예족·셰렌테족·카넬라족의 경우도 마찬가지였다.

이 원형의 거주형태는 보로로족의 사회생활과 종교생활에 매우 핵심적인 요소였기 때문에, 다스가르사스강 지방의 살레지오회 선교사들은 보로로족을 개종하는 가장 확실한 방법은 그들의 부락을 포기하도록 만들어, 오두막들이 평행으로 열을 이루는 다른 주거지로 옮기는 것이라는 점을 즉각 깨달았다. 그러나 만약 그렇게 된다면, 그들은 모든 면에서 방향감각을 상실해버리고 말 것이다. 그리고 그들의 사회 및 종교체계(뒤에서 알게 되겠지만, 이 양자는 서로 밀접히 결합되어 있었다)는 매우 복잡한 것이기 때문에, 그들의 주거형태에서 뚜렷이 나타나고 그들의 일상생활 속에서 그들을 확신해주는 그와 같은 구성체계 없이는 그들은 존재할 수 없으며, 또 그들의 전통에 대한 모든 감정도 소멸되어버릴 것이다.

이 정도까지는 우리들은 살레지오회 신부들을 용서할 수 있다. 왜냐하면 그들은 이 난해한 문화구조를 이해하고, 그것을 재수집하는 데 극심한 어려움을 겪었기 때문이다. 보로로족 가운데서 활동하는 사람이라면 누구든지 신부들이 그들에 관해서 이야기하는 것을 먼저 숙지해야만 한다. 그러나 이와 동시에 아직까지 선교사들이 침투하지 못했고, 또 원주민의 체계가 여전히 작용하는 지역에서 발견한 결론들과 그 신부들의 결론을 서로 비교해보는 것도 매우 필요한 일이었다. 그리하여 나는 이미 출간되었던 연구결과들에 따라서 나의 정보 제공자들로 하여금 그들의 부락구조를 분석해보도록 했다. 우리들은 이 집 저 집으로 다니면서 사람들의 숫자를 헤아리고, 각 거주자들의 지위를 파악하며, 개간지의 모래바닥 위에 특권·전통·지위·서열·권리와 의무에 각각 일치하는 정교한 관계 도식들의 이념형적인 경계를 그려보기도 했다. 나는 나침반을 나의 직접적인 목적들에 적용함으로써 이 모든 것에 대한 설명들을 단순화하겠다. 왜냐하면 원주민들은 우리의 지리학자들이 사용하듯 나침반을 정확히 사용하지 못하기 때문이다.

케자라의 원형부락은 베르멜류강의 왼쪽 강변과 접선을 이루었다. 그 강은 대략 동쪽에서 서쪽으로 흐른다. 부락민들은 부락을 수직으로 가로지르는 하나의 선에 의해서 두 집단으로 나누어지며, 이론적으로는 강과 평행을 이루고 있다. 북쪽에 사는 사람들은 '세라'라고 불렸고, 남쪽에 사는 사람들은 '투가레'라고 불렸다. 비록 절대적인 확실성을 지닌 것은 아니지만 전자의 명칭은 '약한'을 뜻하고 후자는 '강한'을 뜻한다. 어쨌든 이 구분은 두 가지 이유에서 기본적이라 하겠다. 첫째는 각각의 개인들은 그의 어머니가 따른 집단에 영구적으로 소속된다는 것이고, 둘째는 각각의 개인은 다른 집단의 성원과 결합하도록 되어 있다는 점이다. 만약 나의 어머니가 세라라면 나도 세라이고, 나의 아내는 '투가레'라야만 한다.

여자들은 그들이 태어난 집 안에서 살고 또 그 집을 상속받는다. 그러므로 보로로족의 남자가 결혼하게 되면, 그는 개간지를 가로질러 한 반족(半族)과 다른 반족을 분리하는 그 이념적인 경계선을 넘어 다른 지역에서 살게 된다. '남자들의 집'은 부분적으로는 한 반족에 위치하고, 부분적으로는 다른 반족에 위치한다. 그러나 '거주의 법칙'에 따르면 세라 지역으로 들어가는 문은 '투가레 문(門)'이라고 불리고, 반면에 '투가레' 지역으로 들어가는 문은 '세라 문'이라고 불린다. 물론 남자들만이 이 문들을 사용하고, 한쪽 구역에 사는 사람은 다른 쪽 구역의 출신이고 그 반대도 역시 마찬가지다.

결혼한 남자는 그의 처의 집에 있을 때는 '집에 있다'는 감정을 결코 느끼지 않는다. 그가 태어났고 또 그가 유년 시절로부터 기억하는 '그의' 집은 부락의 다른 편에 위치한다. 그의 어머니·누이·누이의 남편들은 그곳에서 살고 있다. 그러나 그가 마음이 내키거나 따뜻한 환영을 확신할 때는 언제든지 그곳에 되돌아갈 수 있다. 또한 그의 아내의 집이 답답하게 느껴지면——예컨대 아내의 남자형제들이 아내의 집을 방문하게 되면——그는 언제나 자기의 집에 가서 그곳에서 잠을 잘 수 있다. 그곳에서 그는 그의 사춘기를 기억나게 하는 더 많은 것을 발견하게 된다. 그 분위기란 하나의 남성적인 우애이며, 그 종교적인 환경도 미혼의 소녀들과 때때로 연애를 하는 것을 막을 만큼 강력한 것은 아니었다.

반족의 기능은 결혼 이상의 문제에까지 확대되고 있다. 권리와 의무도 다른 반족과 직접적으로 관련되어 있다. 왜냐하면 어느 한쪽은 상대편의 도움으로 즐기고, 다른 한쪽은 상대편에게 도움이 되도록 해야만 하기 때문이다. 예를 들면 세라인의 장례식은 '투가레'인이 거행하고, 또 '투가레'인의 장례식은 세라인이 거행한다. 요컨대 이 두 반족은 짝을 이루고 있으며, 모든 사회적 또는 종교적 과업은 상대편의 참여를 초래하고, 또 상대편은 그 같은 참여로 보충적인 역할을 수행한다. 그러나 '적대' (敵對)의 요소가 배제된 것은 아니다. 왜냐하면 한 반족은 그 자체에 대한 자존심을 지니고 있으며, 경우에 따라서는 상대편 반족을 질투하기도 하기 때문이다. 그것은 마치 어떤 두 축구팀이 상대방을 패배시키려고 하는 대신에 서로가 관용을 과시하기 위하여 경쟁하는 것으로 비유될 수 있겠다.

두 번째 지름은 첫 번째 지름과 직각을 이루면서 북쪽에서부터 남쪽으로 그어져 있다. 이 선의 동쪽에서 태어난 사람들은 모두 '상류에 사는 사람들'로 불리고, 서쪽에서 태어난 사람들은 모두 '하류에 사는 사람들'로 불린다. 그러므로 우리는 두 반족을 포함하여 모두 네 개 부분을 지니게 되어, 세라와 투가레가 다시 분화되는 것이다. 그렇지만 불행히도 이때까지 어떤 관찰자도 이 두 번째 지름의 역할을 파악하지는 못했다.

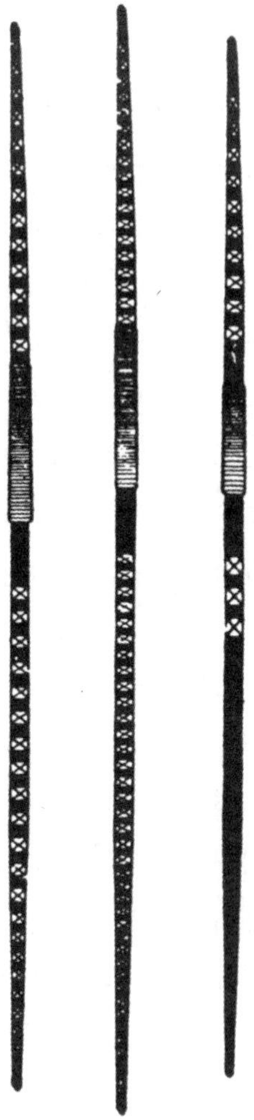

부락민들은 또한 혈족들로 구분되고 있

그림 23 활. 소유주의 씨족을 식별할 수 있도록 나무껍질로 만든 장식 고리의 위치가 특징 있게 배치되어 있다.

다. 이들 혈족은 하나의 공통된 조상으로부터의 혈통을 지닌, 여계 (女系)로 전승되는 가족집단들을 말한다. 이 조상들은 신화적 특성이

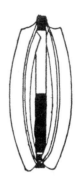

그림 24 가문(家紋)이 표시된 화살 깃.

있어 때로는 그 조상이 누구인지를 아무도 모른다. 그러므로 우리는 혈족의 성원들이 동일한 이름을 가지고 있다는 사실로 서로가 동일 혈족에 속하는 것을 안다고 말해야 할 것이다. 아마도 언젠가 이 혈족은—세라가 4개, 투가레가 4개—모두 8개였던 것 같다. 그러나 그 이후로 어떤 혈족은 소멸되어버리기도 했고, 또 어떤 혈족은 다시 분화되기도 했다. 그러므로 현실적인 상황은 매우 혼란되어 있었다. 그렇지만 어떤 경우에라도 한 혈족의 성원들은 결혼한 남자를 제외하고는 모두가 동일한 오두막이나 인접한 오두막에서 살고 있음이 확실했다. 따라서 각각의 혈족은 그 원형의 오두막에서 그 자신의 거주지역을 소유하고, 세라나 투가레, 그리고 상류에 사는 사람들이나 하류에 사는 사람들에 소속되었고, 또 만약 두 번째 지름이 문제의 혈족이 거주하는 지역을 통과하게 된다면 또 다른 분화가 생겨난다.

그러나 여기에는 또 다른 복잡한 면이 있다. 각각의 혈족은 세습적인 하위집단들을 포함하며, 이 하위집단들은 또한 여계로부터 전승되고 있다. 실제로 각 혈족은 '붉은 가족'과 '검은 가족'으로 나누어져 있다. 예전에는 각 혈족이 상류·중류·하류의 세 계급으로 나누어져 있었다. 이 같은 현상은 므바야-카두베오족의 서열화한 카스트를 전위해놓은 것이 아닌가 싶기도 하다(이 점에 대해서는 뒤에 다시 언급하겠다). 이 같은 가설을 세워볼 수 있는 것은 이 계급들이 족내혼을 실시하고 있다는 사실에 따른 것이다. 어떤 상류의 사람은 오직 다른 반족의 상류의 사람과 결혼할 수 있었기 때문이다(다른 계급의 경우도 마찬가지였다). 그러나 보로로족 부락의 인구가 격감했기 때문에 우리는 이 문제에 관해서는 단지 추측에 의존할 수밖에 없다. 과거에는 1천 명 또는 그 이상의 사람들이 살았던 보로로 부락에 오늘날에는 겨우 100명 또는 기껏해야 200명의 거주자밖에 없기 때문에, 많은 범주가 어쩔 수 없이 나타나지 못하고 있다. 오직 반족의 법칙만이 엄격하게 준수되고 있으나, 어떤 상류의 혈족들의 경우에는 이 법칙이 적용되지 않기도 한다. 하지만 다른 혈족들을 위해서 원주민들은 예측하지 않은 상황들과 직면하여 그들이 할 수 있는 최상의 방책을 즉각적으로 수립하고 있다.

혈족체계가, 보로로 사회가 즐겨 '시행'하는 구분들 가운데서 가장 중요한 것임은 의심할 여지가 없다. 한 반족과 다른 반족 사이의 결혼에 관한 일반체계에서, 예전에는 혈족이 특별한 친화에 따라 결합되었다. 예컨대 어떤 세라 혈족은 우선적으로 어느 특정한 '투가레' 혈족과 연분을 맺었다. 혈족들은 그들의 사회적 위치에서 또한 다양한 내용을 이루고 있다. 그 부락의 족장은 언제나 어떤 특정한 세라 혈족에서 선출되었고, 그 칭호는 어머니의 아저씨로부터 어머니의 여자형제의 아들에까지 이르는 여계(女系)를 따르고 있었다. 또한 혈족에는 '부유한' 혈족과 '가난한' 혈족이 있었다. 그렇지만 이 상이한 부(富)라는 것은 어떤 점에서 존재하는 것이었는가?

부에 대한 우리들의 개념은 주로 경제적인 것이다. 보로로족의 생활수준이 아무리 검소하다 하더라도 그들 사이에서도 우리 사회와 마찬가지로 생활수준은 모두 같은 것은 아니다. 어떤 사람들은 사냥이나 물고기잡이를 더 잘했고, 어떤 사람들은 더 재수가 좋거나 또는 더 능란한 일을 하기도 했다. 케자라 부락에서 한두 사람은 전문적인 지위의 시초라고 할 만한 것을 지니고 있었다. 예를 들면 어떤 사람은 돌멩이를 갈아서 도구를 만드는 기술자였다. 그는 이 도구를 식량과 교환했으며, 안락한 생활을 영위하는 듯했다. 그러나 이 같은 차이점은 개인적인 것으로, 말하자면 일시적인 것이었다. 이런 점에서 오직 족장만이 예외였으며, 그는 식량이나 제조품의 형태로 모든 혈족으로부터 경의를 표시받았다. 그러나 이 각각의 선물은 그에 따른 의무를 수반했으므로 그는 은행가의 위치에 있었다. 부는 그의 손을 통했지만, 그는 그것을 결코 그 자신의 소유로 요구할 수 없었다. 내가 수집한 종교적인 물건들은, 내가 선사한 물건들을 족장이 혈족들에게 다시 재분배한 결과로 내게 주어진 것이었다. 족장은 이런 식으로 그의 지불의 균형을 유지하고 있었다.

사회적 지위에서 혈족의 빈부는 전혀 다른 성격을 띠고 있다. 각 혈족은 그 자체의 신화·전통·무용·사회적 또는 종교적 기능들을 보유하고 있다. 그런데 신화는 보로로 문화에서 가장 기묘한 특징 중 하나인 기술적 특권의 기저에 있었다. 거의 모든 보로로족의 물건은 그 소유자의 혈족과 하위혈족이 식별될 수 있도록 문장(紋章)으로 장식되어 있었다. 다시 말해서 어떤 깃털이나 또는 어떤 깃털의 빛깔을 사용하느냐 하는 점에서, 어떤 물건을 조각하거나 자르는 방법에서, 빛깔이나 종류에서, 상이한 깃털을 배열하는 방식에서, 어떤 장식활동을 시행하는 데서 —— 예컨대 깃털 모자이크나 섬유를 엮은 것, 혹은 어떤 특정한 양식을 사용하는가 및 그 밖의 여러 점에서 —— 각 혈족은 그들 고유의 특권을 지니고 있었다.

예를 들면 의식용(儀式用) 활은 각 혈족에 규정된 기준에 따라서 깃털이나 나무껍질로 된 고리로써 장식되었다. 화살의 밑부분은 여

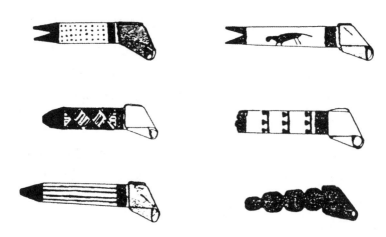

그림 25 가문이 표시된 성기덮개들.

러 가지 특수한 장식을 지닌다. 입마개를 만드는 진주조개의 조각들
도 각 혈족에 따라서 타원형이나 직사각형 또는 물고기형으로 달리
만들어졌다. 입마개의 가장자리 장식도 각각 다른 빛깔을 사용했다.
그리고 일반적으로는 깃털을 여러 개 꽂은 나무줄기로 장식되는, 무
용할 때 쓰는 깃털장식의 머리띠도 혈족에 따라 특별하게 꾸며졌다.
축제의 경우에는 심지어 남자의 성기덮개까지도 문장을 표시하며,
혈족의 상징과 빛깔에 따라 장식되거나 잘라진 짚으로 된 리본을 달
았다.

　이 같은 특권들(도중에 사고 팔기도 했다)은 주의할 만한 대상이다.
원주민들의 이야기에 따르면 어떤 한 혈족이 다른 혈족의 특권을 빼
앗는다는 것은 상상할 수 없는 일이라고 했다. 만약 그 같은 사태가
발생한다면 혈족 간의 내전이 일어날 것이라고 했다. 그러나 이런 관
점에서 혈족 사이에 커다란 상이성이 존재한다. 어떤 혈족은 호화롭
게 살고, 어떤 혈족은 빈곤하게 산다. 이런 사실은 오두막의 내부를
살펴보면 알 수 있다. 이 같은 상이성은 '부'와 '빈곤' 사이의 차이라

기보다는 '시골뜨기'와 '세련된 사람' 간의 차이라고 간주해야 할 것이다.

보로로족의 물질적인 설비는 한 면으로는 단순성, 다른 한 면으로는 일을 끝까지 완결하는 경우가 극히 드물다는 점으로 특징지을 수 있겠다. 그들이 사용하는 연장들은 예전에 원주민 보호국에서 도끼와 칼을 제공했는데도 고대의 형태를 그대로 답습하고 있었다. 힘든 일을 위해서는 원주민도 금속도구를 썼지만, 그들은 여전히 나무로 된 활과 뾰족한 화살, 물고기를 잡는 곤봉을 만들어 갖고 있었다. 이 같은 작업을 하기 위해 그들은 우리가 주머니칼을 사용하듯 모든 경우에 사용하는 손도끼와 조각칼의 형태가 혼합된 전통적인 연장을 지니고 있었다. 그 연장은 근처의 강변에 살고 있는 설치류의 일종인 카피바라(물가에 사는 덩치가 큰 물돼지 - 옮긴이)의 굽은 앞니를 나무 막대기 옆에 붙여놓은 것이었다.

짚으로 엮은 돗자리나 거적과 달리, 뼈나 나무로 만들어진 남자들의 연장과 무기, 그리고 벌판에서 일하는 여자들의 땅 파는 막대기들은 오두막 안에서는 찾아보기가 어려웠다. 검은 항아리, 때로는 커다란 손잡이가 달린 사발과 얇은 대야 따위가 호리병박으로 만들어져 있었다. 이 물품들은 그 형태가 매우 순수했으며, 이 같은 순수성은 그것을 이루는 재료들의 간소함으로 강조되고 있었다. 한 가지 이상스러운 점은 보로로족의 도기들은 장식이 되어 있었으나, 이 장식은 비교적 최근에 종교적 이유에서 금지된 것 같다는 사실이다. 아마도 이것은 샤파다족 원주민들이 바위로 지은 피난처에서 아직까지도 발견되고 있는 그림들을 이제는 더 이상 그리지 않는다는 사실과 같은 이유일 것이다.

물론 샤파다족의 그림들은 보로로 문화로부터 전승된 많은 요소를 지니고 있다. 이 사실을 정확히 규명하기 위하여 나는 그들에게 나를 위해서 커다란 흰 종이 한 장에 장식을 해달라고 요청했다. 한 원주민이 우루쿠와 송진으로 만들어진 반죽으로 작업을 시작했다. 비록 그 보로로족의 원주민은 그들이 바위벽에 그림을 그리곤 했던 시절을 잊어버렸고, 또 그 경사진 바위벽으로 가보는 일도 드물었지만, 그가 나를 위해 그려준 그림은 그 바위벽에 그려진 그림 가운데 하나와—그것보다는 작은 치수로—거의 정확하게 일치했다.

보로로족의 가구는 소박했지만, 그들의 옷과 옷에 걸치는 액세서리에 대해서는 그들은 자기네 기호에 따라 자유롭게 치장했다. 물론 호화롭게 꾸미기도 했는데, 왜냐하면 여자들은 보석함을 지니고 있었으며, 원숭이 이빨이나 표범의 송곳니로 만든 목걸이 따위가 들어 있는 보석함을 어머니에게서 물려받고 또 그것을 딸에게 물려주었기 때문이다. 이것들은 사냥으로 얻은 유물들이다.

그러나 남편들도 또한 사냥물의 머리털을 뽑아서, 이것을 기다랗게 땋아가지고는 터번처럼 머리에 쓰고 다녔다. 또한 남자들은 축제일에는 큰 아르마딜로—때로 길이가 1미터가 넘는 이 땅굴 파기 명수는 제3기(신생대) 이후로 조금도 변하지 않았다—의 발톱 한 쌍으로 만든 초생달 모양의 펜던트(늘어뜨리는 장식)를 하고, 깃털이나 무명천 쪼가리 또는 진주조개의 껍데기로 치장을 했다. 또는 큰부리새의 부리가 깃털로 장식된 막대기에 동여매지기도 했고, 아라라의 기다란 꼬리깃털을 하얀 솜털로 덮인 대나무 막대기에 꽂기도 했다. 이 모든 것은 이마에 동여맨 깃털로 장식된 머리띠를 뒤에서 균형을 잡아주기 위하여 고안된 머리핀처럼, 쪽진 머리를 장식하는 것이었다.

때때로 이 두 가지 특징은, 설치하는 데 오랜 시간이 걸리는 하나의 '합성' 머리장식 가운데 결합되기도 한다. 전에 나는 이 머리장식의 하나를 파리의 인류학 박물관에 갖다놓기 위해서 8일간이나 걸린 협상 끝에 소총 하나를 주고 얻었다. 그것은 그들의 의식에 필요 불가결한 것으로서, 그것을 새로 한 벌 만드는 데 필요한 깃털들을 사냥으로 모아 들인 후가 아니면 그들은 그것을 팔려고 하지 않았다. 그 머리장식은 부채 모양의 큰 관(冠), 얼굴의 상부를 덮고 있는 깃털 챙, 아메리카독수리의 깃털을 붙여 단 꼬챙이로 구성되는 머리를 덮는 원통형의 높은 관, 깃과 솜털을 발라 붙인 줄기를 다발로 꽂아놓은, 뜨개질로 짠 원판으로 이루어져 있다. 그 전체는 높이가 거의 2미터에 달한다.

이처럼 보로로족은 장식을 과시하기를 매우 좋아했으므로 남자들은 의식용 옷을 입을 때가 아니라도 언제나 즉흥적으로 장식물을 만들어 걸치고 있었다. 많은 사람이 관을 썼는데, 그것은 깃털로 장식한 털 리본, 바구니에 깃을 꽂아 둥글게 만든 것, 둥그런 나무테에 표범 발톱을 얹은 것 따위를 쓰는 것이었다. 그러나 그들은 매우 간단한 물건들로도 만족하고 있었다. 땅에서 뽑아 급히 색칠을 하여 꾸민, 마른 짚으로 만든 리본도 다른 어떤 상상이 생겨나기 전까지는 그들에게는 머리장식만큼이나 즐거운 것이었다. 때때로 나무들의 꽃을 이 같은 목적에 사용하기 위하여 따내기도 했다. 나무껍질 한 조각과 깃털 하나 또는 이들 두 가지만으로써, 이 피로해할 줄 모르는 장식품 제조자들은 깜짝 놀랄 만한 귀고리 한 쌍을 충분히 만들어 내었다.

'남자들의 집'에 들어가보면 이 건장한 남성들이 몸치장을 하느라고 얼마나 열심인지를 알 수 있다. 방구석마다 남자들은 칼이나 손도끼 또는 끌로써 작업을 하고 있거나, 강에서 잡은 조개들을 조각내어 목걸이를 만들기 위하여 맷돌 위에 갈고 있었으며, 깃털과 대나무로 만든 환상적인 구성물들이 바야흐로 창조되는 중이었다. 이들은 마치 부두의 하역인부들처럼 생겼지만, 어떤 양재사라 할지라도 이 원주민들보다 더 장식기술을 잘 응용할 수는 없을 것이다.

그러나 '남자들의 집'이 오직 작업장인 것만은 아니다. 사춘기 남자들은 그곳에서 잠을 자고, 기혼남자들도 할 일이 없을 경우에는 그곳에서 낮잠을 자거나, 이야기를 나누거나, 마른 옥수수잎을 말아서 만든 커다란 담배를 피우기도 했다. 그들은 또한 그곳에서 식사를 하기도 했다. 왜냐하면 의무에 관해 매우 자세하게 조직된 체계가 모든 혈족으로 하여금 '바이테만나제오'(남자들의 집)에서 봉사하도록 했기 때문이다. 약 두 시간 간격으로 남자들 가운데 한 사람이 자기 가족의 오두막에 가서 '민가우'라고 부르는 삶은 옥수수로 만든 음식을 그릇에 담아온다. 그가 도착하면 모든 사람이 커다란 환호성을 지르며 그를 맞이한다. '아우 아우' 하는 소리가 한낮의 정적을 깨뜨리고 반사된다. 의식에 따라 그는 6~8명의 동료들을 초청하여 그 음식을 도기나 조개껍데기로 만들어진 국자를 가지고 나누어 먹는다.

앞에서 언급했듯이 여자들은 이 '남자들의 집'에 들어가는 것이 금지되어 있다. 물론 결혼한 여자들을 의미한다. 왜냐하면 미혼의 소녀들도 그 근처에 아주 가까이 가지 않도록 스스로 조심하고 있으며, 만약 그녀들이 부주의했거나 또는 남자들을 자극하려고 너무 가까이 접근하면, 남자들이 그곳에서 뛰어나와서 그녀들을 겁탈할 수도 있다는 점을 잘 알고 있었기 때문이다. 따라서 모든 여자는 일생에서 오직 한 번, 그녀의 미래 남편에게 청혼하기 위하여 자신의 자유의사에 따라 '남자들의 집'에 들어가게 되어 있었다.

23 죽은 자와 산 자

'바이테만나제오'는 작업장, 클럽, 합숙소, 사랑의 장소인 동시에 사원(寺院)이기도 하다. 그곳에서는 종교 무용가들이 의식을 치를 준비를 하고, 몇몇 종교의식은 여자들의 참여 없이 그곳에서 이루어진다(예컨대 '롱보'라는 악기의 제작이나 시험도 이곳에서 행해진다). 이 의식용 악기는 나무로 만들어졌고 색이 짙게 칠해져 있다. 그것들은 길고 평평한 물고기 모양의 형체를 한 것으로서, 크기는 30센티미터에서 150센티미터까지 여러 종류이다. 이것들을 기다란 끈의 끝에 매달아 회전시키면, 저음의 으르렁거리는 소리가 났기 때문에 그들은 이것을 귀신이 마을을 방문할 때 내는 소리라고 믿고 있었다. 그들은 이 같은 소리가 여자들을 공포에 휩싸이게 한다고 여겼으며 '영혼의 방문'이라고 생각했다. 이 악기를 본 여자는 모두가 불행을 당한다고 믿으며, 심지어 오늘날까지도 그러한 여자는 곤봉에 맞아 죽을 것이라고 했다.

내가 처음으로 그들이 이 악기를 만들고 있는 것을 목격했을 때, 그들은 요리기구를 만들고 있다고 나에게 속이려 애를 썼다. 내가 그 악기 몇 개를 가지려고 할 때 원주민들이 매우 싫어한 이유는 악기를 다시 만들어야 하기 때문이라기보다는 내가 이 악기의 비밀을 발설하지나 않을까 두려워했기 때문이다. 나는 캄캄한 밤중에 '남자들의 집'으로 나의 배낭을 가지고 갔는데, 그들은 즉시 포장을 한 그 악기들을 배낭 속에 집어넣고 자물쇠를 채웠다. 그리고 나는 내가 쿠이아바에 다시 돌아갈 때까지 그것을 절대로 열어보지 않겠다고 약속해야만 했다.

우리 유럽인 관찰자들이 보기로는, '남자들의 집'에서 행해지는 양립할 수 없어 보이는 활동들이 거의 어이없을 만큼 잘 조화를 이루고 있었다. 이 종족처럼 종교적인 부족도 드문데다, 그 교리 또한 아주 정교한 형이상학의 체계를 지니고 있었다. 그러나 이들의 정신적인 신념과 일상생활의 습관은 서로 매우 밀접하게 혼합되어 있기 때문에 종교를 바꾼다는 것은 그들에게는 상상조차 못할 일이다. 나는 이와 동일한 꾸밈없는 신앙심을 미얀마 국경지대의 불교사원에서 관찰한 적이 있다. 그 사원의 중들은 제단 밑에 약상자의 내용

그림 26 '롱보'라는 악기.

물과 포마드통이 쏟아져 나와 있는 방에서 숙식을 하고 또 불공을 드리기도 했다. 그뿐만 아니라 이 중들은 공부하는 틈틈이 그들의 제자

들을 애무하는 것을 불미스러운 짓으로 여기지도 않았다.

초자연적 존재와의 관계에서의 이 같은 무례는, 나의 종교와의 유일한 접촉이 당시에 벌써 무신앙이 돼 있었던 유년 시절로까지 거슬러 올라가야 하는 만큼, 그만큼 더 나를 놀라게 하는 것이었다. 제1차세계대전 중에 나는 베르사유에서 유대교 율법 교사였던 나의 할아버지와 함께 지냈다. 할아버지의 집은 시나고그(유대 교회) 옆에 있었으며 기다란 복도에 의해서 교회와 연결되어 있었다. 그 복도에 한 발자국을 디디는 것만도 하나의 무서운 경험이었다. 그 복도는 세속계(世俗界)와 다른 세계 사이의 통과할 수 없는 경계를 이루고 있었다. 그리고 이 후자의 세계는 내가 신성한 것으로 인식하고 있던 필요불가결한 조건인 바로 인간적인 온기가 결여되어 있는 세계를 말한다.

예배를 드리는 시간을 제외하고는 그 교회는 텅 비어 있었다. 따라서 그곳에서는 쓸쓸함이 자연스럽게 여겨졌고, 그곳에서 외웠던 짤막한 주문들도 이같이 쓸쓸한 분위기를 극복할 만큼 충분히 강렬하지도 않았고, 또 오래 지속되지도 않았다. 그것들은 단순히 하나의 어울리지 않는 소요에 불과한 것 같았다. 우리 집안의 종교적 의식도 이와 동등한 인간미의 결여된 듯한 특질에서 벗어나지 못했다. 식사하기 전에 올리는 할아버지의 침묵의 기도를 제외하면, 그 이외의 아무것도 우리 어린이들로 하여금 우리들의 삶이 신의 어떤 좀더 높은 질서에 지배되고 있다는 것을 생각나게 하지는 않았다(식당의 벽에 붙은 기다란 종이에 인쇄되어 있는 "음식은 충분히 씹어 먹어라, 소화는 거기에 달려 있다"라는 문구를 제외하고는).

보로로족에게 종교가 더 큰 권위를 지니고 있었던 것은 아니었다. 이와 반대로 종교는 당연한 것으로 간주되었다. '남자들의 집'에서 사는 사람들은 마치 어떤 특별한 목적을 위한 행위인 것처럼 매우 우발적인 태도로 종교의식을 행했다. 그곳에는 비록 무신론자라 할지라도 성역에 들어가면 취하게 되는 그런 존경의 태도 같은 것도 전혀 없었다. 그날 오후, 그들은 저녁에 여러 사람 앞에서 거행될 저녁 의식을 준비하면서 '남자들의 집'에서 노래를 부르고 있었다. 한쪽 구석에서는 소년들이 코를 골며 잠을 자거나 서로 재잘거리고 있었으며, 두세 명은 딸랑이의 리듬에 맞추어 노래를 불렀다.

이들 중 어느 한 사람이 원주민들이 사용하는 담배를 태우려고 하거나 옥수수죽을 퍼먹을 차례가 되면 그의 악기를 옆사람에게 넘겨주며, 그러면 다른 일을 하던 사람이 그것을 받아 연주하든지 또는 한 손으로는 악기를 연주하면서 다른 한 손으로는 몸을 긁기도 했다. 만약 어떤 무용수 한 사람이 그가 최근에 새로 창안한 무용을 보여주기 위해 장내를 한 바퀴 돌면, 모든 사람은 하던 일을 멈추고 그 무용에 대한 자신들의 의견을 표명하고는 했다. 의식을 위한 봉사는 다른 한구석에서 갑자기 주문을 외는 것이 시작될 때까지는 전혀 잊힌 듯했다.

그러나 '남자들의 집'은 내가 이미 언급한 부락의 사회 및 종교생활의 중심지로 존재 이상의 어떤 중요한 의미를 지니고 있다. 그 부락의 거주구조는 제도적인 체계를 위한 충분하고도 복잡한 역할을 수행하게 할 뿐만 아니라, 인간과 우주, 사회와 초자연적인 것, 죽은 자와 살아 있는 자 간의 관계를 위한 기초를 제공하고 있다.

보로로 문화의 이 새로운 차원에 들어가기 전에, 나는 죽은 자와 살아 있는 자에 대하여 약간 덧붙여 이야기해야만 한다. 이 설명 없이는 보로로족의 사고가 이 우주적인 문제에 응용한 해결책의 특수한 성격을 파악하기란 곤란할 것이다. 보로로족의 해결책은 서반구의 다른 극단에 위치하는 북미의 북동부 평원과 삼림지대의 원주민들—오지브와족, 메노미니족, 윈네바고족 등—사이에서 발견되는 것과 놀랄 만큼 유사했다.

  아마도 경의를 갖고 죽은 자를 다루지 않는 사회란 없을 것이다. 우리가 아는 바로는, 인류가 아직 세상에 존재하지 않았을 무렵에도 이미 네안데르탈인은 돌멩이를 몇 개 쌓은 무덤 속에 죽은 자를 묻었다. 물론 장례식은 집단마다 서로 다르게 거행된다. 그렇지만 우리가 이 같은 상이성에 내재하는 불변의 감정을 생각해본다면, 이 상이성들을 무시할 수 있을 것인가? 비록 우리가 사회마다 이 문제에 대해 취하는 각각의 태도를 가능한 한 단순화한다고 하더라도, 우리는 말하자면 중간적인 위치들의 전체적인 계열에 따라 연결되는 양극단이라는 하나의 중대한 구분을 인정하지 않으면 안 된다.

  어떤 사회에서는 죽은 자를 쉬도록 내버려둔다. 산 자들의 죽은 자에 대한 주기적인 경의 표시로 말미암아 죽은 자는 산 자를 괴롭히는 일을 하지 않는다. 설사 죽은 자가 산 자를 만나러 온다 하더라도 틈을 두고서, 그것도 예정된 시각에 오는 것이다. 그리고 죽은 자의 내방(來訪)은 복리(福利)만을 가져온다. 예컨대 계절이 정확하게 바뀐다든지, 여자가 임신을 하거나 채소밭의 작물이 익게 되는 따위의 모든 좋은 사건이 죽은 자에 의해서 보증되는 것이다. 그것은 마치 죽은 자와 산 자가 서로 약속했던 것 같다. 죽은 자는 산 자의 애착심을 나타내는 어떤 온건한 표시에 대한 보답으로 그들이 있었던 곳에 머무르고, 이와 같은 순간적인 만남의 경우에도 언제나 산 자의 이익이 먼저 고려되었다. 민속의 보편적인 주제들 중 하나가 이 같은 불문율을 잘 설명해준다. 그것은 이른바 죽은 자들이 감사를 표하는 내용이 담긴 테마이다.

  어떤 부유한 영웅이 시체를 매장하기를 거부하는 채권자로부터 시신을 사서 규범에 따라 장례식을 치러준다. 그러자 죽은 자가 그의 은인의 꿈속에 나타나 그가 앞으로 성공할 것을 보증해주면서, 이 성공으로부터 발생하는 이익은 서로가 똑같이 분배해야 한다는 조건을 붙인다. 그리하여 틀림없이 그 영웅은 그의 초자연적인 보호자의 도움으로 위험을 하나씩 뚫고 나아가 그가 사모하던 공주를 구출하고, 공주의 사랑을 얻게 된다. 그 영웅은 공주의 호의를 죽은 자와 함께 나누어 가져야 하는가? 그 공주는 마술에 걸려, 반은 여자며 반은 용이나 뱀의 형체가 되었다. 죽은 자는 그의 몫을 요구하고, 영웅은 그들의 약속을 지키려 한다. 그러면 죽은 자는 그 영웅의 이 충실한 계약이행에 매우 만족하여 공주의 마술에 걸린 반(뱀의 형체)을 택하고, 영웅으로 하여금 완전한 인간으로서 공주를 아내로 택하게 한다.

이 같은 사고법과 대립하는 다른 사고법이 있는데, 이것 역시 어떤 민속적 주제에 의해서 설명될 수 있다. 나는 이 주제를 '기업정신이 왕성한 기사'라고 부르겠다. 이 경우에는 주인공은 부유하지 않고 가난하다. 그가 소유하는 것이라고는 곡식 한 낱알밖에 없으나, 그는 매우 영리하기 때문에 처음에는 그것을 닭 한 마리, 소 한 마리와 바꾸고 마지막으로 시신과 교환한다. 그리고 이 시신을 살아 있는 공주와 바꾼다. 여기에서는 죽은 자가 주체라기보다는 객체이다. 죽은 자는 서로 협상하는 파트너가 아니라, 거짓말과 사기가 관련되는 투기상의 도구에 불과하다.

어떤 사회는 죽은 자에 대해 이 같은 태도를 취한다. 그 사회는 죽은 자를 쉬게 하지 않고 오히려 죽은 자를 불러낸다. 이 같은 경우는 식인풍습과 죽은 고기를 먹는 풍습이 죽은 자의 장점과 능력을 자신에게 첨부하려고 하는 소원에 기반을 두고 있을 때, 문자 그대로 적용된다. 또 권력 경쟁이 심하며, 따라서 그 경쟁자들이 필요할 때마다 늘 죽은 자들에게 호소하는 사회, 즉 선조에게 호소함으로써 자기의 특권을 정당화하려고 애쓰거나 족보를 속임으로써 선조를 이용하려 드는 사회에서도 역시 이 같은 태도가 상징적으로 적용되고 있다고 볼 수 있다.

이와 같은 사회는 자기들이 죽은 자를 이용했기 때문에 그 죽은 자들로 말미암아 사회의 안녕이 무너지는 것이라고 느낀다. 이 같은 사회의 사람들은 죽은 자가 그들의 박해에 대해 보복하는 것으로 생각한다. 산 자가 죽은 자를 이용하려고 할수록 그만큼 더 산 자에 대하여 끈질기고도 도전적으로 보복한다는 것이다. 그러나 이것은 내가 첫 번째 예로 든 경우처럼 공평한 분배의 경우이든지, 또는 두 번째 예의 경우처럼 방종한 투기의 경우이든지 간에 그 관계는 결코 일방적일 수가 없다.

이 두 가지 극단 사이에는 중간적인 위치가 몇 개 존재한다. 캐나다의 서쪽 해안과 멜라네시아의 원주민들은 그들의 모든 조상을 예식에 소환하여 조상들이 후손들의 편을 들어주도록 한다. 중국이나 아프리카의 어떤 조상제례에서는 죽은 자가—비록 몇 대에까지만 적용되지만—개인적인 신분자격을 유지하기도 하며, 미국의 남서부에 있는 푸에블로족들의 경우에는 죽은 자는 그 개인적 신분을 즉각 상실해버리지만 몇 가지 특별한 역할을 그들끼리 나누어 가진다. 죽은 자는 이름이 없어져버리며, 또 모든 특성을 잃어버리는 유럽에서조차 민속에는 죽은 자에게는 두 가지 상이한 종류가 있다는 믿음 가운데 전혀 상반된 현상의 흔적을 아직까지 간직하고 있다(두 종류의 죽은 자란 자연적인 원인에 의해(자연사로) 죽은 사람들로서 보호되는 조상과, 자기 손으로 죽은(자살한) 사람이나 살해되었거나 또는 마술에 걸려 죽은 조상을 말하며, 후자는 질투심이 많고 해를 끼치는 영혼으로 화한다).

만약 우리가 서구문명의 진화에만 국한하여 생각하게 된다면, 우리는 의심할 여지없이 점차로 죽은 자에 대하여 고려를 덜하게 되고, 죽은 자와 계약적인 합의를 맺을 것이 분명하다. 결국에는 이와 같은 현상은 아마도 『신약성서』의 한 구절——"죽은 자로 하여금 그들의 시신을 묻게 하라"——에 나타나 있는 바와 같은 무관심에 귀착되고 말 것이다. 그러나 이 같은 진화가 어떤 보편적인 유형과 일치하는 것이라고 추측할 수 있는 아무런 근거도 없다. 오히려 모든 사회는 위에서 말한 두 가지 가능한 형식을 막연하게나마 인식하고 있는 듯하다. 이 두 가지 가능한 형식 중 어느 한쪽에 그 사회가 기울어져 있다고 할지라도, 모든 사회는 미신적인 행동을 취함으로써 반대쪽의 가능한 형식으로 기울어지려고 한다. 보로로족이나 내가 예로 인용한 다른 종족들의 독창성은 그들이 이 두 가지 가능성을 명확히 체계화했고 또 서로를 적용할 수 있는 의식과 신념의 체계를 수립했다는 점에 있다. 말하자면 그것은 그들이 하나의 이중적인 조정을 바라면서 실천해나가고 있는 기구이다.

만약 내가 보로로족에게는 자연사와 같은 것이 없다고 말한다면, 나는 내 생각을 완전하게 표현하지 못한 것이다. 왜냐하면 보로로족에게서 한 인간은 한 개체가 아니라, 하나의 '인격'이다. 인간이란 사회학적 우주의 부분이다. 영원하게 존재하는 인간의 부락은 물리적 우주와 함께 천체와 기상학적 현상과 같은 다른 살아 있는 존재를 구성한다. 이 같은 현상은 대지가 매우 급격히 황폐하게 됨으로써 부락 자체가 어느 한 지점에서 30년 이상을 존속하기란 매우 힘들다는 사실에 영향을 받게 되는 것은 아니다. 실제로 부락이란 그것이 위치하는 땅이나 어느 일정 기간, 혹은 그것이 포함하는 오두막들로써 이루어진 것이 아니다. 부락은 내가 앞서 말한 지면배열(地面配列) 가운데 존재한다. 그리고 부락의 이 지면배열은 결코 변화하지 않는다. 바로 이 같은 이유 때문에 선교사들은 그 지면배열을 정지시켜버림으로써 부락의 전체 문화를 파괴했던 것이다.

동물들에 관해 이야기한다면 어떤 것들은——예컨대 특히 새나 물고기는—인간의 세계에 속하고, 어떤 것들은—육생동물(陸生動物)들은—물리적 우주에 속한다. 그러므로 보로로족은 자기들 인간의 형체를 물고기(이들 물고기 이름으로 그들은 스스로를 부르고 있다)의 형체와 아라라 앵무새(이 모습으로 변할 때가 윤회의 마지막 단계이다)의 형체 사이의 과도적 형체라고 간주하고 있다.

만약 보로로족의 사고가—민족학자의 사고방식처럼—자연과 문화의 근본적인 대립에 지배되고 있는 것이라면, 그들은 콩트나 뒤르켐의 생각보다 앞서고 있으며, 인간생활 자체는 문화의 일부분으로 간주되어야만 한다고 생각한 것이 된다. 그러므로 죽음이 자연적인 것이냐 또는 비자연적인 것이냐를 말하는 것은 쓸데없는 일이다. 어떤 원주민이 죽게 되면, 그와 가까운 사람뿐만 아니라 전체로서 사회에 반드시 손실을 끼치는 것이다. 그리하여 자연은 사회에 대하여 부채를 지고 있는 상태가 된다.

실제로 우리가 보로로 사회에서 핵심적 요소인 '모리'의 개념을 하나의 부채로서 가장 적절히 설명할 수 있다. 원주민 한 사람이 죽으면 보로로족의 부락은 하나의 집단적인 사냥을 실시하는데, 이것은 죽은 자가 소속되지 않는 반족에서 의무적으로 주최한다. 이 사냥을 하는 목적은 자연으로 하여금 부채를 갚도록 하는 것이다. 원주민들은—사냥의 대상물로서 그들이 특히 좋아했던—표범과 같은 큼직한 짐승을 잡아 그 껍질이나 이빨이나 발톱을 가지고 와서 죽은 자의 '모리'로 삼았다.

내가 케자라에 도착하기 조금 전에 한 남자가 죽었는데, 불행히도 그는 다른 부락에서 어떤 이유로 죽었다. 그래서 나는 그 이중의 매장의식—처음에는 시체를 나뭇가지로 덮어 부락의 중앙에 있는 시궁창에 두었다가, 시체가 완전히 썩게 되면 유골을 강물에 씻은 다음에 그 유골에 색칠을 하고, 아교로 깃털을 붙여 장식했으며, 마지막으로는 그 유골을 바구니에 담아서 호수나 흐르는 냇물 밑바닥에 가라앉혔다──을 목격할 수 있었다. 내가 참석하여 지켜보았던 다른 모든 의식은, 일시적인 무덤을 파놓은 장소에서 '죽은 자'의 친척들이 방혈(放血: 장례의식의 하나로, 관련된 사람들이 피를 흘리는 것-옮긴이)하는 것을 포함하여, 매우 전통적인 형식으로 거행되었을 뿐만 아니라 내가 그 부락에 도착하기 전날과 도착한 바로 그날 오후에 집단적인 사냥이 거행되었으므로 나는 그것을 볼 수 있었다.

그러나 두 번의 사냥으로도 그들은 아무런 짐승도 죽이지 못하여 예전의 표범 가죽을 장례식 무용행사에 사용했다. 지금 생각해보니 혹시 우리의 '아라라'를 제식용(祭式用) 사냥물 대신으로 썼던 것이 아닌지 의심스럽다. 섭섭하게도 그들은 나에게 이 같은 경우가 있었는지를 결코 말하지 않았다. 만약 그와 같은 사태가 발생하게 되었더라면, 나 자신이 그 죽은 자의 대표자이며, 우두머리 사냥꾼인 '우이 아두' 역할을 수행하도록 요구될 수 있었기 때문이다. 그랬더라면 그의 가족들은 인간의 머리카락으로 만든, 사냥할 때 사용하는 허리띠와 신비로운 목관악기의 일종인 '포아리'를 내게 선물했을 것이다. 그 악기는 깃을 단 호리병박 속에 대나무를 깎아 만든 것으로서, 사냥이 끝난 후에 부는 신비스러운 관악기이다. 그리고 나중에 잡은 짐승의 껍질에 이것을 붙여놓는다. 또 나는 짐승의 고기·가죽·발톱·이빨을 죽은 자의 친척들에게 분배해주어야 했을 것이고, 그들은 이에 대한 교환으로 의식용 활과 화살, 사냥터에서의 내 활동을 기념하기 위한 다른 목관악기, 조가비로 만든 납작한 원반의 목걸이를 주었을 것이다.

물론 나 자신도 그 죽은 자의 죽음에 책임이 있는 사악한 영혼에 발각되지 않도록 온몸을 검게 칠했어야 했을 것이다. '모리'의 법칙에 따르면, 이 사악한 영혼은 내가 죽여야만 하는 짐승 속에 변신하여 있고 그것이 끼친 해악을 보상하도록 되어 있지만, 그 영혼은 집행자(사냥에서 그 영혼이 변신해 있다고 생각되는 짐승을 죽이는 사람)에 대하여 증오와 복수심으로 가득 차 있다는 것이다. 왜냐하면 어떤 의미에서 보로로족의 잔인한 천성은 인간적이고, 또 사회에 속하는 것이 아니라 자연 자체에 속하는 어떤 특정한 생물을 통해서만 이러한 잔인한 살육행위가 행해지는 까닭이다.

이미 언급한 것처럼, 나는 어떤 주술사의 집을 함께 썼다. '바리'(주술사)는 하나의 특별한 범주에 속하는 인간으로 물리적 우주나 사회적 세계의 어느 편에도 완전하게 소속되지 않는 존재였다. 그들은 이 두 계급 사이에서 조정 역할을 하는 자라 하겠다. 비록 명확하지는 않지만 이들은 모두 '투가레' 반족의 출신인 것 같다. 나와 같이 지내던 주술사는 투가레 반족 출신이 틀림없었다. 왜냐하면 우리의 오두막은 '세라'에 있었고, 또 부락의 규칙대로 그의 아내와 함께 살고 있었기 때문이다. 남자들이 '바리'가 되는 것은 신의 소명에 의한 것이라 했다. 때로 이 같은 사실은 어떤 계시로 이루어지는데, 그 계시의 핵심적 내용이란 사악하거나 또는 다만 무서운 영혼들이 매우 복잡한 집단의 어떤 영혼들과 계약을 맺었다는 것이다. 이들의 한 부분은 하늘의 세계에 속하고(따라서 천문학과 기상학의 현상을 관장할 수 있다), 다른 부분은 동물의 세계에 속하고, 또 다른 부분은 지하의 세계에 속한 악마로서 이들의 숫자는 계속 증가하고 있다. 왜냐하면 죽은 '바리'의 영혼들이 가담을 하게 되었기 때문이다.

그들은 태양계와 풍우(風雨), 질병과 죽음의 변화를 담당한다. 그들의 모습은 여러 가지 형태였으나, 어느 경우에라도 사람을 공포 속에 빠뜨렸다. 어떤 사람들이 이야기하는 바에 따르면, 어떤 자들은 머리카락에 광택이 없고 머리에는 구멍이 뚫려 있어 담배를 피우면 연기가 그 구멍에서 솟아나온다고도 하며, 어떤 자들은 엄청나게 긴

손톱을 가지고 있으며, 눈·코·머리카락에서 비가 쏟아져 내리는가 하면, 또 어떤 자들은 배가 무지하게 큰데다가 박쥐처럼 부드럽고 폭신폭신하다는 것이었다.

'바리'는 비사회적 존재이다. 그는 하나 또는 그 이상의 영혼들과 개인적으로 연결되어 있기 때문에 특권적인 존재이다. 예를 들면 그가 혼자서 사냥을 나가면 초자연적인 도움을 언제든지 얻을 수가 있었다. 또 그는 자기 뜻대로 동물로 변신할 수도 있고, 예언의 능력을 지녔을 뿐만 아니라 질병의 비밀도 알고 있었다. 사냥에서 잡은 짐승이나 채소밭에서 딴 과일은 주술사 몫을 떼어놓은 다음에야 먹을 수 있었다. 이 마지막 사실은 산 자가 죽은 자의 영혼들에게 빚을 지고 있는 '모리'이다. 그러므로 부락의 체계 내에서 그것이 지니는 역할은 내가 이야기한 장례식을 위한 사냥의 역할과 대칭적인 동시에 반대 역할을 하는 셈이다.

그러나 바리 또한 하나 혹은 그 이상의 '보호적인 영혼'의 지배를 받고 있다. 이 보호적인 영혼은 바리를 이용하여 그들 자신의 변신을 수행한다. 이 같은 경우에는 바리가 자기를 통솔하는 보호적인 영혼과 함께 무아의 경지에 빠져들게 된다. 그의 보호에 대한 보상으로 그 영혼은 바리의 모든 행동을 돌본다. 그 영혼은 주술사의 재산뿐만 아니라 그의 신체까지의 소유자이기도 하다. 부러진 화살, 깨진 항아리, 손톱, 머리털 따위의 모든 설명되지 않는 사물에 대해서 주술사는 그 영혼에게 대답할 수 있어야 한다. 이러한 사물들은 그 어떤 것도 결코 파괴되거나 내버려질 수 없기 때문에, 바리는 자기 과거의 존재들의 파편들을 모두 간직하고 있어야 한다. 죽은 자가 산 자를 잡는다는 오래된 금언이 여기에서는 예기치 못한 끔찍한 의미를 지니고 있다. 왜냐하면 그 보호적인 영혼과 주술사 간의 결속은 샘이 날 만큼 밀접한 것이므로 그 둘 중 누가 주인이고 누가 하인인지를 결코 확인할 수가 없는 지경이기 때문이다.

그러므로 보로로족에게서 물리적 우주는 개별화된 권력의 복잡한 행렬체계 가운데 존재하는 것이 분명하다. 그들의 인간적 성질은 직접적으로 표출된다. 그러나 이 사실이 그들의 다른 속성들과 일치하는 것은 아니다. 왜냐하면 이러한 힘들은 사물인 동시에 인간존재이며, 죽은 것인 동시에 살아 있는 것이기 때문이다. 그 사회에서 주술사는, 사람인 동시에 사물이기도 한 사악한 영혼들의 불분명한 우주와 인간 사이의 중개인이다.

사회학적 우주는 물리적 우주와는 전혀 다른 특성을 지니고 있다. 보통 사람들(주술사가 아닌 사람들)의 영혼은 그 자신을 자연의 힘과 동일시하지 않고, 말하자면 그 자신의 세계를 형성한다. 그러나 이들은 자기 자신의 정체를 상실해버리고 집합적인 존재인 '아로에' 속으로 흡수되어버린다. 이 아로에라는 말은 고대의 브르타뉴인의 '아나옹'처럼 '영혼들의 사회'로 해석되어야만 할 것이다. 그런데 실은 이 영혼들의 사회도 이중적이다. 왜냐하면 영혼들은 장례식을 치르고 난 뒤에는 동쪽과 서쪽의 두 부락 중 한 곳으로 가야만 하기 때문

그림 27 제사(종교의식) 용구를 나타내는 보로로족의 그림.

이다. 이들 두 부락 위에는 보로로 사회의 두 명의 위대한 영웅신이 각각 지키고 있다. 두 부락 중 서쪽은 형인 '바코로로'가 지키고, 동쪽 부락은 아우인 '이투보레'가 지킨다. 이 동서의 축은 베르멜류강의 흐름과 병행한다. 그러므로 죽은 자의 부락의 이중성과 강 상류의 반족과 강 하류의 반족으로 부락 자체가 2차적으로 양분되는 현상 가운데는 아직까지 밝혀지지 않았던 하나의 관계가 존재하는 것 같다.

따라서 바리는 인간사회와 개인적이거나 우주적인 사악한 영혼들 사이의 중개자로서 봉사하는 것이다(죽은 바리의 영혼들은 우리가 관찰했던 것처럼 동시에 양면을 지니고 있다). 여기에는 죽은 자의 사회와 산 자의 사회 간의 관계를 주재하는 또 다른 중개자가 있다. 죽은 자의 사회는 자선심이 많고, 집합적이며 ─ 신과 인간이 서로 형체와 성질이 닮은 ─ 신인동형(神人同形) 동성적(同性的)이다. 이 중개인을 '영혼들의 길을 지배하는 사람'을 의미하는 '아로에토와라아레'라고 했다. 그의 뚜렷한 특성은 바리의 특성과 정반대이다. 그와 바리는 서로를 증오하고 두려워한다. 그는 선물을 받을 수 없고 어떤 법칙들을 엄격히 지켜야만 한다. 그는 결코 먹어선 안 되는 것도 있고, 또 매우 검소한 옷차림을 해야 한다. 모든 종류의 장식이나 호화로운 빛깔의 옷을 걸치는 것이 그에게는 금지되어 있다. 또 그와 영혼들 간에는 아무런 계약도 없으며, 이 영혼들은 언제나 그에게 나타나 있고, 어떤 의미로는 그에게 내재한다. 그가 무아지경에 빠졌을 때, 그를 소유하는 대신에 이 영혼들은 꿈속에서 그에게 나타난다. 때때로 그가 이 영혼들에게 부탁을 하는 수가 있는데 그것은 언제나 다른 사람의 이익을 위한 것이다.

바리가 질병과 죽음을 예견하는 재능을 지니고 있는 반면, 이 영혼들의 길을 지배하는 자는 병자들을 치료하고 낫게 해주는 재능을 가

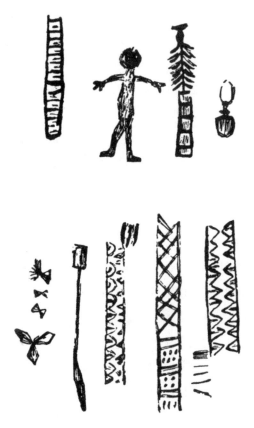

지고 있다. 그리고 물리적 필연성의 구현으로서 바리는 그의 엄숙한 예언을 깨닫기에는 너무나 둔감한 병자들을 죽여버림으로써 그의 예언을 확실하게 만들기도 한다는 것이다. 그렇지만 이 점에서 우리는 보로로족이 죽음과 삶의 관계에 대해 우리들과는 다른 생각을 지니고 있음을 알아야만 한다. 어떤 사람이 언젠가 오두막 한구석에 고열로 누워 있는 한 여자에

그림 28 제사의 주재자, 나팔, 딸랑이, 기타 갖가지 장식을 나타내는 보로로족의 그림.

대해서 말했다. 그가 내게 말한 "그 여자는 죽었다"라는 의미는 그들이 그 여자의 병세를 희망 없는 것으로 여겨 포기했다는 것을 뜻했다. 결국 이것은 우리 사회의 군대가 부상자와 사망자를 전상자(戰傷者)라는 단일한 명칭 가운데 포함시키는 방식과 크게 다를 바 없다. 비록 부상자의 관점에서 볼 때, 그가 사망자 속에 포함되지 않았다는 사실에는 부정할 수 없는 이점이 있다 할지라두, 즉각적인 효율성(전투를 위한)이라는 면에서는 부상자나 사망자가 동등한 것이다.

그 지배자(영혼의 길을 지배하는 사람)는 바리와 같이 자기 뜻대로 동물로 변신하기도 한다. 그러나 그는 산 자로부터 '모리'를 강제로 빼앗는, 죽은 자의 힘의 상징인 사람을 잡아먹는 표범으로는 결코 변신하지 않는다고 했다. 오히려 그 지배자는 과일을 따는 아라라, 물고기를 잡는 독수리, 또는 맥과 같이 그 고기를 가지고 전 부락사람들이 잔치를 벌일 수 있는 짐승(무언가를 제공하는)들의 하나로 변신하고자 한다. 바리는 영혼의 소유물인 데 반해 '아로에토와라아레'는 인간을 구원하기 위하여 그 자신을 희생하는 것이다. 심지어 그로 하여금 그의 임무를 깨닫게 해주는 계시조차 고통스러운 국면을 지니고 있다. 그가 어느 곳에 가든 그를 따라다니는 지독한 악취에 의해서 그 계시를 처음으로 인식한다. 물론 이 악취는 어떤 죽은 시체가 부락의 무용장소 중앙에 있는 땅에 일시적으로 매장되는 기간에 나타나는 냄새를 연상시키는 것이다.

그러나 그 계시의 순간에는 그는 신화상의 존재인 '아이제'와 관련되어 있다. 이 '아이제'는 깊은 물에서 살고, 불쾌감과 나쁜 냄새를 지니고 있으며, 애정이 깊은 신비적인 괴물이다. 이 괴물은 아로에토와라아레 앞에 나타나 그로부터 애무를 받는다. 이 같은 장면은 장례식 중에 젊은 영혼을 나타내기 위하여 이상한 옷을 걸친 분장자를 포옹하는, 진흙으로 몸을 칠한 젊은이들에 의해서 흉내내어진다. 원주민들은 '아이제'에 대한 관념을 매우 명확하게 지니고 있으므로, 그들은 심지어 이 괴물의 모습을 그릴 수도 있었다. 그리고 그들은 롱보라는 악기도 같은 이름으로 부르는데, 그 악기의 소리는 그 괴물이 나타나는 것을 예고해줄 때 쓰일 뿐만 아니라 그 괴물의 울음소리와도 비슷하기 때문이다.

따라서 그들의 장례식이 몇 주일씩이나 계속되는 것은 놀랄 만한 일이 아니다. 이들의 역할은 매우 크고 또 매우 다양한 것이지만, 내가 지금까지 명확하게 구별해낸 두 국면에 있다. 개인적인 관점에서 고찰해본다면, 이 장례식 기간 중 매일매일은 사회와 물리적 우주 사이의 조종을 제공하는 셈이라고 하겠다. 물리적 우주를 구성하는 적대적인 힘들이 사회에 해악을 끼쳤기 때문에, 그 해악은 어떻게 해서든지 시정되어야만 한다. 바로 이 같은 시정을 하는 것이 장례식의 사냥이 행하는 역할이다. 그 죽은 자가 한 집단의 사냥꾼들에 의해 그 복수에 대한 보상을 받게 되면, 그는 영혼들의 사회에 틀림없이 들어갈 수 있게 된다. 이것이 나도 참관할 기회를 갖게 된 대장송가 '로이아쿠릴루오'의 기능이다.

보로로 부락에서는 하루 중 어느 일정한 시점이 특별한 중요성을 지니고 있다. 그것은 저녁 무렵의 점호 시간이다. 땅거미가 지기 시작하면 즉시 무용장소에서는 커다란 모닥불이 피워지고, 혈족의 우두머리들이 그곳에 모여든다. 씨족의 보도 담당자가 큰 소리로 각 집단을 호명한다. '바데드제바'(족장들), '오 세라'(따오기네 가족), '키'(맥네), '보코도리'(대아르마딜로네), '바코로'(바코로네. '바코로로'라는 영웅의 이름을 땄음), '보로'(입술장식네), '에와구두'(부리티 야자나무네), '아로레'(애벌레네), '파이웨'(고슴도치네), '아피보레'(아피보레네. 이름의 의미는 모름(보로로말의 전문가들은 이들 역어 중 어떤 것들에 대해 이의를 제기하거나 더 정확한 번역을 제시할지도 모르겠다. 그렇게 해준다면 그것은 매우 유익할 것이다. 내가 여기 제시한 역어들은 단지 원주민들이 제공해준 정보에 입각했을 뿐이다-지은이))……. 각 집단이 모두 거기에 도착하게 되면, 다음 날에 해야 될 명령을 그 부락에서 가장 멀리 떨어진 오두막에서도 들을 수 있는 큰 소리로 그곳에 모인 사람들에게 전달한다. 모닥불빛이 거의 꺼지고 모기들이 사라져버리게 될 무렵, 모든 남자는 저녁 6시경에 되돌아왔던 가족용 집으로부터 나온다.

그들은 제각기 손에 거적을 들고 나와 남자들의 집 서쪽에 위치하는 무용장소의 평평한 땅바닥에 간다. 그곳에서 그들은 몸에 바른 우루쿠칠과의 계속적인 접촉으로 가운데가 오렌지색으로 바랜 무명의 담요를 덮고 눕는다. 아마 인디언 보호국에서는 이 담요가 자기네들이 이 지역에 희사했던 것인 줄을 결코 알아내지 못했을 것이다. 거기에는 또한 남자 대여섯 명이 함께 누워서 때로 몇 마디씩 지껄일 수도 있는 커다란 거적도 있었다. 어떤 자들은 동료들이 엎드려 있는 몸 사이로 느릿느릿 걸어다니기도 한다. 호명이 계속됨에 따라 한 가족의 우두머리들이 차례로 일어나 대답하고, 그의 명령을 부여받고는, 하늘의 별을 바라보는 자세로 다시 반듯이 드러누웠다. 여자들 또한 오두막에서 나와서 문턱에 떼를 이루어 서 있다. 처음에는 한두 명의 제식 집합자로 시작했으나 사람들이 자꾸만 모여듦에 따라서 굉장히 떠들썩하던 이야기 소리가 차차 멎었으며, 우리들은 처음에는 남자들의 집 안에서부터 울려 나오기 시작하여 나중에는 이 무용 장소의 전역에서 부르는 노래·합창·서창들이 밤새 계속되는 것을 듣게 되었다.

　그 죽은 자는 세라 반족의 성원이었다. 따라서 투가레 반족이 그의 장례식을 치렀다. 그 광장의 중앙에는 무덤 자체를 나타내기 위하여 나무줄기들이 뿌려졌다. 이 나무줄기들은 쌓인 화살더미 옆에 뿌려졌고, 그 앞에는 음식을 담은 그릇들이 차려져 있었다. 제식을 집행하는 사람들과 노래 부르는 사람들의 숫자는 12명 정도 되었는데, 이들은 모두 화려하게 채색된 깃털로 만든 커다란 관들(어떤 자들은 이것을 엉덩이에 매달리게 했다)을 썼고, 어깨에는 그들의 목에 단 가는 끈으로 고정된 직사각형의 고리버들 세공으로 된 부채 모양의 물건들을 두르고 있었다. 어떤 사람들은 완전한 나체에다 붉은색(줄무늬로 칠하거나 마구 칠했다)이나 검은색 칠을 했고, 또는 흰색의 길고 얇은 줄무늬를 상하로 칠했으며, 또 어떤 사람들은 기다란 대나무 치마를 입고 있었다.

그 젊은 영혼을 의인화하는 역할을 수행하는 주된 배역을 담당한 사람은 이 행사의 여러 단계에 부합되도록 옷을 바꾸어 입었다. 때로 그는 생생한 초록색의 나뭇잎으로 된 옷을 걸쳤고, 머리에는 내가 위에서 설명한 거대한 관을 쓰고서, 또 마치 경축용 기차처럼 표범 가죽을 끌고 다녔다. 이 표범가죽은 그의 뒤에서 사람들이 치켜올렸다. 다른 경우에는, 그는 벌거벗은 몸에다 검은색 칠을 했고, 또 눈 주위에다가는 알이 없는 짚으로 만든 커다란 안경 같은 장식만을 했다. 이 안경 모양의 장식은 고대 멕시코의 비의 신 틀랄로크(Tlaloc)를 연상케 한다는 점에서 매우 흥미로운 것이었다. 아마도 애리조나와 뉴멕시코의 푸에블로 인디언들이 이 신비에 대한 열쇠를 지니고 있을 것 같다. 그 부족들에게서는 죽은 자의 영혼이 비의 신으로 변신한다고 여겨졌기 때문이다. 그리고 이들은 또한 눈을 보호하는 마술의 물체를 소유한 사람은 자기 뜻대로 다른 사람이 자기를 볼 수가 없게 만들 수도 있다는 내용과 관련된 어떤 신념들을 지니고 있었다.

나는 안경이 남아메리카의 원주민들에게는 굉장한 매력을 지니고 있음을 알았기 때문에, 마지막 여행에는 알이 없는 안경 모양의 물건들을 많이 가지고 가기도 했다. 이것은 남비콰라족에게서 대성공을 거두었다. 왜냐하면 그들의 전통적인 믿음에 따라 그들이 그 안경 모양의 물건들을 특별히 환영했기 때문이다. 우리들은 보로로족 사이에서 사용되고 있는 이 짚으로 만든 안경 모양의 물건들에 대한 기록을 얻지는 못했다. 그러나 몸에 검은색 칠을 한 것은 남들로 하여금 보지 못하게 하려는 것이었으므로 안경 모양의 물건들도 푸에블로족의 신화에서와 마찬가지 역할을 수행하기 위한 것이 아니었던가 여겨질 수도 있다(이 책이 출판된 후에 살레지오회의 선교사들이 이 해석에 이의를 제기했다. 그들에게 자료를 제공한 사람들의 말에 따르면, 짚 고리는 야행성 맹금을 상기시킨다는 것이다-지은이). 그리고 또한 보로로족에게서 비를 관장하는 영혼들인 '부타리코'는 마야족의 물의 여신과 같이 낚시 모양의 손과 커다란 송곳니를 지닌 무시무시한 모습을 하고 있는 것으로 묘사되고 있다.

우리가 이곳에 도착한 후 처음 며칠 밤 동안에 우리들은 투가레 혈족의 무용인 '에워두'(야자나무네의 춤)와 '파이웨'(고슴도치네의 춤)를 차례로 구경했다. 이 두 가지 춤에서, 무용수들은 머리부터 발끝까지 나뭇잎으로 몸을 덮고 있었으며, 그들의 머리는 보이지 않았으므로 우리들은 그들이 실제의 키보다도 훨씬 큰 것으로 여기게 되었다. 사실 그들이 머리에 쓰고 있는 깃털장식의 관은 매우 당당한 모습이었으므로 우리는 무의식중에 그 무용수들이 매우 키가 큰 것으로 생각하게 되었다. 그들은 손에 야자나무의 줄기나 나뭇잎들로 장식된 막대기를 들고 있었다.

그들의 두 가지 춤 가운데서 하나는 무용수들이 각각 광장의 양쪽 끝에서 서로를 마주 보는 두 집단으로 분리되어, "호, 호!" 하는 외침 소리를 지르며 서로가 뒤섞여 원을 그리며 춤을 추고, 마지막에는 그들이 처음에 출발한 쪽의 반대편에 위치하게 되는 것이었다. 나중에야 여자들이 남자 무용수들 사이에 섞여들게 되고, 그때부터 (프랑스 프로방스 지방의) '파랑돌' 춤과 같은 것이 끊임없이 계속되었다. 벌거벗은 주역 무용수들의 인도로 제자리걸음도 하고, 앞으로 가기도 하며, 뒷걸음을 치기도 하고, 딸랑이도 흔드는데, 그동안 다른 남자들은 땅바닥에 웅크리고 앉아서 노래를 불렀다.

3일이 지난 뒤 그 의식은 중단되고, 제2막인 '마리두' 무용이 준비되었다. 남자들은 떼를 지어서 숲으로 가 초록색 야자나무들을 손에 가득 쥐고 돌아왔다. 그들은 이 야자나무의 잎을 떼어내고, 줄기를 잘라 길이가 30센티미터쯤 되는 막대기를 만들었다. 이 막대기들은 다시 나뭇잎을 엮어서 만든 조잡한 끈으로 두세 개씩 한 뭉치로 묶어 길이가 몇 미터나 되는 신축성 있는 사닥다리의 발판을 만들었다. 이윽고 길이가 다른 사닥다리가 두 개 만들어졌다. 그다음에는 이 사닥다리를 바퀴 모양이 되도록 말았다. 이 각각은 그것의 좁은 폭을 아래로 하여 세워졌는데, 높이가 하나는 대략 1.5미터, 다른 하나는 대략 1.3미터가 되었다. 그러고 나서 이 바퀴 모양의 양쪽 겉부분은 나뭇잎들을 그물처럼 엮어 장식했으며, 머리털을 엮은 얇은 끈으로 결합했다. 이 모든 과정이 완결되고 나면, 그 두 물체는 광장의 중앙으로 엄숙하게 운반되어 나란히 세워졌다. 이것은 각각 남자 '마리두', 여자 '마리두'라고 불렸고, '에와구두' 혈족이 그 제작의 책임을 지고 있었다.

저녁 무렵이 되자 5명 또는 6명의 남자로 이루어진 두 집단이 각각 동쪽과 서쪽으로 떠났다. 나도 동쪽으로 떠난 집단의 50미터쯤 뒤에 떨어져서 그 집단이 무엇을 하는지를 살펴보았다. 그들은 나무들의 장막 뒤에서 사람들의 눈에 띄지 않도록 숨어서 무용수들처럼 나뭇잎으로 몸을 덮고 또 그들의 관(冠)을 제자리에 위치하도록 바로 썼다. 그러나 이 같은 경우에서 이 역할은 아무도 모르게 은밀히 치러져야만 했다. 상대편 집단도 마찬가지로, 이들은 각각 동쪽과 서쪽의 부락으로부터 와서 그들의 숫자에서 새로운 증가를 환영하는 그 죽은 자의 영혼들을 대표하는 것이었다. 모든 것이 준비되자 이들은 휘파람을 불면서 광장 쪽으로 모습을 나타내었는데, 그곳에는 서쪽으로 떠난 집단들(동쪽에 거주하는 사람들)이 도착해 있었다. 상징적인 의미에서 서쪽에 거주하는 사람들은 상류에서 왔기 때문에, 동쪽의 하류에서 온 사람들보다 시간이 더 오래 걸리는 것도 당연했다.

그들의 머뭇거림과 두려움을 자아내는 태도는 유령들의 상태를 놀랄 만큼 잘 나타내고 있었다. 나는 호메로스(고대 그리스의 시인이자 『일리아드』와 『오디세이아』의 작가임 – 옮긴이)가 어떤 방식으로 율리시스(『오디세이아』의 주인공인 오디세우스의 라틴식 이름 – 옮긴이)로 하여금 피에 의해 모습이 나타난 유령들을 붙잡으려 했던가를 생각했다. 그러나 곧 그 의식은 활기를 띠기 시작했다. 남자들은 상대방의 마리두를 잡아서(이것들은 살아 있는 나무줄기를 베어 만들었기 때문에 몹시 무거웠다), 팔의 길이만큼 들어올려가지고는 그 아래에서 지쳐 쓰러질 때까지 계속 춤을 추었고, 그들이 쓰러지면 다른 사람들이 그 춤을 계속했다.

의식은 이제 처음의 신비스럽던 성격을 잃어버리고 하나의 시장터와 같은 장면을 연출했다. 부락의 젊은 남자들은 난장판 가운데서 거친 농담을 지껄이며 땀투성이인 채로 그들의 근육을 과시했다. 그들이 하는 경기는 브라질 고원지대의 제족(Gé)의 통나무 굴리기 시합처럼 순전히 세속적인 의미로, 특정한 관계가 있는 사람들 사이에서 되풀이되었다. 그러나 보로로족의 경우에, 그 경기는 아직도 세속적인 놀이로서 종교적인 큰 뜻을 보유하고 있었다. 이 흥청망청 떠들어대는 무질서한 장면 가운데서 원주민들은 자신들이 죽은 자와 함께 즐기고 있으며, 죽은 자로부터 계속해서 살아가는 권리를 빼앗아낸다는 의미를 갖는 것이었다.

이 죽은 자와 산 자 간의 대립관계는 처음에는 모든 의식(儀式) 과정을 통하여 부락민들을 참여자와 방관자로 양분하는 데에서 나타난다. 그러나 비록 남자들의 집이 비밀에 의해서 보호되고 있기는 하지만, 진정한 참여자는 남자들이다. 그러므로 그 부락의 지면배열은 우리가 사회학적 수준에서 부여했던 것보다 훨씬 심오한 의미를 지니고 있다. 부족 중 한 사람이 죽게 되면, 부락의 반이 각각 죽은 자와 산 자의 역할을 수행한다. 그런데 이 균형을 유지하는 경기는 동시에

서로에게 분배된 역할을 지닌 상대방을 상징하고 있다. '바이테만나제오'에서 성장한 남자들은 영혼들의 사회를 상징화하는 반면, 여자들에게 속하는 그 둘레의 오두막집들은 가장 종교적인 의식에서 항상 제외됨으로써 여자는 운명적으로 방관자가 되어 산 자의 역할을 맡게 되는 것이다.

우리는 초자연적 세계 자체가 이중적이라는 것은 이미 관찰했다. 왜냐하면 그 세계는 주술사의 영역과 제식을 관장하는 사람들의 영역을 모두 포함하기 때문이다. 주술사는 열 번째 하늘(보로로족은 여러 개의 하늘을 믿고 있었다. 그들은 하늘이 여러 층으로 이루어져 있다고 생각했다)에서부터 땅 밑까지 천상과 지상의 힘을 지배하는 사람이었다. 그러므로 그가 통제하며 또 그가 의지하는 이 힘들은 하나의 수직적인 축을 따라서 배열되어 있다. 한편 영혼들의 길을 지배하는 제식의 집행자들은 죽은 자의 두 부락이 위치하는 동쪽과 서쪽을 결합하는 수평적인 축을 지배하고 있다. 자료에 따르면 '바리'는 투가레 혈족 출신이고, '아로에토와라아레'는 '세라' 혈족 출신임이 밝혀졌다.

또 이 반족사회로 구분하는 것이 이중적인 의미를 지녔음이 드러나고 있다. 모든 보로로족의 신화에서 투가레 혈족의 영웅들은 창조자와 조물주로서 나타나며 '세라' 혈족의 영웅들은 평화와 조직의 담당자로서 표현되는 것은 놀라운 사실이다. 투가레 혈족의 영웅들은 물·강·물고기·식물 따위의 사물의 존재에 대하여 해답을 주고, 세라 혈족의 영웅들은 인간을 괴물로부터 구출하고, 각각의 동물들에게 특정한 자양분을 할당해주면서 창조를 질서 있게 했다. 어떤 신화는 심지어 지상의 힘이 예전에는 투가레 혈족에게 속했는데, 어떻게 하여 이들이 그것을 '세라' 혈족에게 자발적으로 넘겨주었는가를 이야기해주고 있다. 그것은 마치 원주민들의 생각으로는 반족사회

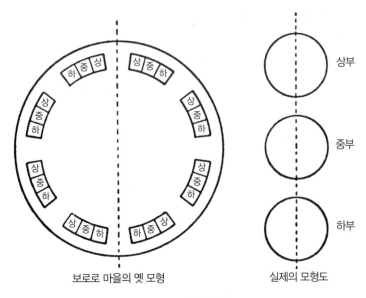

보로로 마을의 옛 모형   실제의 모형도

상부

중부

하부

그림 29 보로로 마을의 사회구조도.

의 대조관계를 통하여, 하나의 구속받지 않는 자연으로부터 하나의
명령받은 사회로 이동한 것을 상징화하기 위한 의도인 듯했다.

이 같은 사실은 투가레 혈족이 '강한' 혈족으로 알려지고, 세라 혈
족은 비록 정치적·종교적 힘을 지니고 있었지만, '약한' 혈족으로
알려지는 명백한 역설을 설명해준다. 투가레 혈족은 물리적 우주에
더 밀착해 있고, 세라 혈족은 인간적 우주에 더 밀착해 있다. 따라서
세라 혈족이 투가레 혈족보다는 약하다. 사회질서도 우주의 서열을
속일 수 없고, 또 그 서열로부터 벗어날 수가 없다. 보로로족에게서
조차, 자연은 오직 우리들이 자연의 지위를 인식하고 그 권위에 따른
숙명이 진정한 역할을 수행하게 할 때만 정복될 수 있는 것이다.

보로로족의 경우에서와 같은 하나의 사회학적 체계는 어떤 경우에
라도 선택을 허용하지 않는다. 어떤 사람도 그의 아버지로서나 또는

그의 아들로서 동일한 반족에 소속될 수 있다. 왜냐하면 그가 충성심을 바쳐야 하는 것은 어머니 쪽이기 때문이다. 오직 그의 할아버지와 손자로서, 그는 다시 반족의 문제에서 어느 한 위치에 있게 된다. 만약 세라 혈족이 창조자로서의 영웅들과 배타적인 인척관계를 주장하여 그들의 권력을 정당화하고자 원한다면, 그들은 이렇게 함으로써 실제로 영웅들의 '손자들'이 되는 하나의 전세대로부터 멀리 떨어져 위치하게 되는 반면, 투가레 혈족들은 그들의 '아들'이 되어버리고 말 것이기 때문이다.

원주민들은 그들이 지닌 체계의 논리성에 따라 어느 정도까지 넋을 잃어버리는 것일까? 결국 나는 내가 목격한, 사람을 현혹하는 이 형이상학적 '코티용'(2사람, 4사람 또는 8사람이 한 짝이 되어 추는 프랑스의 활발한 춤-옮긴이)이 결국에는 하나의 소름끼치는 광대극으로 단순화되어버리지나 않을까 하는 느낌을 씻어버릴 수가 없다. 남자들의 우애는, 산 자가 영혼들의 방문에 대한 환영(幻影)을 지니기 위해서는 죽은 자를 인격화해야 한다고 주장했다. 여자들은 그 의식에서 제외되었고, 또 여자들의 본성에 관해서도 기만을 당하고 있었는데, 이것은 의심할 여지없이 주택과 출생권에 대한 우선권을 장악할 수 있는 권리들을 여자들과 같이 양분하는 것을 막기 위해서였다. 물론 종교의 신비도 남자들만이 접촉했다.

그러나 여자들의 쉽게 믿어버리는 성격 — 진짜로 믿는 것이든 가짜로 믿는 체하는 것이든 — 은 또한 하나의 심리학적 기능들을 지니고 있다. 그 기능이란 남성과 여성 모두의 이익을 위하여 환상적인 분야에 대해 하나의 정서적이며 지적인 만족을 제공하는 것이다. 만약 여자들이 이 같은 만족감을 부여하지 않는다면, 그 환상적 분야는 전체적으로 좀더 의미가 적게 처리될 것이다. 만약 우리가 우리의 어린아이들로 하여금 산타클로스 할아버지를 믿도록 키운다면, 그것은 다만 우리들이 그들을 잘못 인도하기를 원하기 때문이 아니라, 그들의 열광이 우리들로 하여금 신선한 용기를 제공해주기 때문이다. 이 어린아이들을 통해서 우리들은 우리들 자신을 또한 속이려 하고, 어린아이들이 믿는 것처럼 우리들도 무제한한 관용의 세계가 현실과 절대적으로 양립할 수 없는 것은 결코 아니라고 믿으려는 것이다. 그러나 사람은 죽어버리면 결코 돌아오지 않기 때문에 모든 형태의 사회질서는 그것이 우리들로부터 무언가를 빼앗아가서는 결코 아무것도 되돌려주지 않는 것과 같이 우리들로 하여금 죽음에 좀더 가까이 접근시키고 있다.

모럴리스트(도덕주의자)를 위해 보로로의 사회는 하나의 특별한 교훈을 제공해주고 있다. 모럴리스트로 하여금 원주민들의 이야기에 귀를 기울이게 해보자. 원주민들은 내게 설명해주었듯이 그에게도 설명해줄 것이다. 원주민들은 춤을 추는 가운데 부락의 반족들이 서로 함께 호흡하며 살아가고, 호혜성에 대한 일종의 정열로서 여자·물건·서비스를 교환하고, 어린이들을 근친결혼시키며, 상대편의 죽은 자를 매장해주고, 삶이란 영원하며, 인간은 서로를 돕는다는 확신을 함께하며, 사회는 정의에 기반을 두고 있다고 믿는다. 이 같은 진실들을 증언하고 또 이 진실에 대한 확신을 보장하기 위하여 부족의 현자들은 부락의 지면배열과 집의 분배 속에 뚜렷이 표현되어 있는 하나의 웅장한 우주론을 전개해왔다.

그들이 모순에 직면하게 되었을 때는 이 모순들이 없어질 때까지 계속하여 그것들을 잘라내었다. 어떤 대항도 다른 대항을 반박할 때만 이용되었다. 집단들은 영적인 삶과 현세적인 삶의 두 부분이 대칭과 비대칭의 균형을 이루는 상태가 될 때까지 수직적으로 또는 수평적으로 나누어진다. 이 같은 과정은 카두베오족들이 그들의 회화에서 표현하려고 했던 방식(비록 그 방식이 보로로족보다 덜 명확하게 나타났지만 동일한 내용을 지닌 것이다)과 마찬가지였다.

그러나 우리가 최근의 어떤 관찰로부터 불가피하게 나타나는 결론들을 이끌어내었을 때, 반족과 거기에 대립되는 반족, 혈족과 하위혈족들에게서 남는 것은 도대체 무엇인가? 복잡성 자체에 대해 즐거움을 느끼는 데서 복잡성이 나타나고 있는 사회에서, 각 혈족이 세 집단의 혈족——상·중·하——으로 재분화되고 있으며 이 중에서 한 집단이 다른 두 집단에 대해 우월성을 지니고 있다. 상의 집단은 다른 상의 집단과, 중의 집단은 다른 중의 집단과, 하의 집단은 다른 하의 집단과 결혼관계를 맺어야만 한다. 그렇지만 모든 제도화된 우애의 형태에도 불구하고 보로로 부락은 이 각각의 집단이 상응되는 집단과 결혼하는 세 가지 집단의 분석에 그 최종적인 구성의 기반을 두고 있다. 이 세 사회는 모두가 깨닫지 못하는 가운데 영원히 고립적으로 구분되어왔으며, 그 자체의 자만심을 각각 보유하고, 심지어는 잘못된 제도들에 의해서 그 자신으로부터 감추어지기도 했다.

결과적으로 이 세 집단은 각각 이제는 그 목적을 발견해낼 수 없게된 인위적인 산물들의 무의식적인 희생물이 되어버렸다. 보로로족이 어떤 기만적인 의인법의 도움으로써 그들의 체계를 충분히 개화하려고 노력하더라도, 그들은 다른 사회가 또한 그러했듯이 이 진실을 은폐할 수가 없을 것이다. 한 사회가 살아 있는 자와 죽은 자의 관계를 다루는 관점은 결국 한마디로 말하자면 종교적 사고법을 통해서 살아 있는 자들 상호 간에 실존하는 관계를 숨기거나 미화하거나 정당화하려는 노력을 반영하고 있다는 진리는 은폐할 수가 없다.

제7부
남비콰라족

24 잃어버린 세계

  브라질 중앙부의 민족지학 탐험 준비는 파리의 레오뮈르 세바스토 폴 네거리에서 이루어진다. 거기에 가면 의상이나 패션 도매업자들이 몰려 있어서 인디언들의 까다로운 기호를 만족시킬 수 있는 물건들을 찾아낼 수 있으리라 기대할 수 있는 곳이기도 하다.

  보로로족을 방문한 지 1년이 지나자, 내가 인류학자가 되는 데 필요한 모든 조건이 다 채워졌다. 레비-브륄(Lévy-Bruhl, 1857~1939: 프랑스의 인류학자이자 사회학자로 미개인의 심성을 전(前)논리적이라 하여 문명인의 정신구조와 구별을 시도했다. 저서로는 『미개사회의 사유』 등이 있다-옮긴이), 모스(Mauss, 1872~1950: 프랑스의 뒤르켐 학파에 속하는 사회학자-옮긴이), 그리고 리베(Rivet, 1876~1958: 프랑스의 인류학자로 인류학박물관장을 지내기도 했다-옮긴이)도 다 같이 축복을 해주었고, 생토노레가의 어떤 화랑에서는 나의 수집품들을 전시했으며, 나는 강연도 하고 기사도 썼다. 그리고 과학연구소의 청년부를 주재하던 앙리 로지에 덕분에 나는 좀더 이상적인 모험을 할 충분한 자금을 얻을 수 있었다. 그래서 나의 장비를 모을 일만 남아 있었다. 석 달 동안 원주민들과 지냄으로써 나는 그들의 욕구를 알고 있었으며, 그 욕구는 남아메리카 대륙의 한 끝으로부터 다른 끝에 이르기까지 놀랄 만큼 흡사했다.

그리하여 아마존만큼이나 내게는 낯설었던 파리의 어느 구역에서, 나는 체코슬로바키아인 수입상들에 둘러싸여 기묘한 흥정을 벌이게 되었다. 나는 그들의 장사에 대해 아는 바가 전혀 없었으므로, 내가 필요로 하는 것을 설명할 용어조차 모르고 있었다. 그래서 내가 오직 할 수 있었던 것은 인디언들의 방법을 적용하는 것이었다. 예를 들면 묵직한 실타래에 연결되어 선반마다 쌓여 있던 '조약돌'이라 불리는 장식용 진주들 가운데서 가장 작은 것들을 골라냈다. 그러고는 강도가 어떤지 시험해보기 위해 이로 깨물어보았다. 또 그 진주들이 대량으로 채색이 된 것이 아닌지를 보기 위해서 강물에 한 번 집어넣으면 물감이 혹시 빠지지나 않을까 확인해보기 위해서 핥아도 보았다. 그런 연후에 인디언들의 기호에 맞추어 빛깔에 따라 몫을 달리하여 샀다. 우선 흰색과 검은색은 같은 양을 샀고, 그다음 붉은색, 그리고 훨씬 적게 노란색을 샀으며, 그다음에는 아마도 인디언들이 업신여길 것이겠지만 구색을 갖추기 위해 파란색과 초록색도 조금 샀다.

그들의 이런 모든 편애의 이유는 이해하기 매우 쉬운 것이다. 인디언들이 그들 고유의 진주를 손으로 만들 때, 그들은 진주알이 작으면 작을수록 더 높은 가치를 부여한다. 더 많은 손질과 고도의 숙련을 필요로 하는데다가 가치를 더 두는 것이다. 원재료로서 그들이 쓰는 것은 종려나무 열매의 검은 껍질과 강가의 조가비에서 얻은 우윳빛 진주모였고, 그 두 빛깔을 번갈아가며 배치하는 데서 효과를 내게 했다. 여느 사람들과 마찬가지로 그들도, 자신들이 알고 있는 것이라야 높은 평가를 내린다. 그러므로 나도 그 흰색과 검은색 진주로 나의 탐험을 성공적으로 이끌어갈 수 있을 것이었다.

흔히 그들에게서 노란색과 붉은색은 언어상으로 같은 범주 속에 들어가는 것을 볼 수 있는데, 그 이유는 (인디언들이 염료로 사용하는) 우루쿠나무의 열매가 그 씨앗의 질과 발육상태에 따라서 주홍빛을 낼 때도 있고 노란 오렌지색을 낼 때도 있기 때문에, 거기에서 연유한 것이다. 그러나 어쨌든 간에 붉은색이 우위를 차지하는데, 그것은 이미 몇몇 씨앗이나 깃털 따위로 그들에게는 친숙해진 그 강도 높은 채색 때문이다. 파란색과 초록색으로 말할 것 같으면 이 차가운 색채는, 자연 속에서 쉽게 사그라지는 식물들을 통해 그 예를 보여주는 것들이다. 그러므로 여기에서 벌써 그들의 무관심이 이해되는 것이며, 또 하나는 이 색조들에 상당하는 어휘가 애매하게 되어 있는 것이다. 지역에 따라 어떤 말에서는, 파란색이란 말이 검은색이나 초록색과 동류로 취급되기조차 한다.

바늘은 튼튼한 실을 받아들일 만큼 굵어야 했으나, 그 바늘이 꿰어야 할 진주알이 작으므로 너무 굵어서도 안 되었다. 또 실은 나는 강렬한 빛깔, 이왕이면 빨간색으로(인디언들은 그들의 실을 우루쿠로 물들여 쓴다) 수공을 한 면모(綿毛)를, 보존할 수 있도록 매우 튼튼히 꼬아진 것을 원했다. 대체로 말하여 나는 싸구려 물건을 경계하는 법을 익혔던 것이다. 보로로족의 실례가 나로 하여금 원주민들의 기술에 대한 깊은 존경심을 불러일으켜놓고 있었다. 거친 야생의 생활에서는 어떤 물건의 질이 좋지 않으면 여지없이 그 증거가 드러나고 마는 법이다. 그러므로 그 원주민들로부터 신용을 잃지 않기 위해서 ─ 역설적으로 보일지는 모르겠으나 ─ 내게 필요한 것은, 가장 담금질이 잘된 강철에다가 완전히 철두철미하게 채색이 된 유리세공품(모조진주·목걸이·귀고리 등), 그리고 영국 왕실의 마구(馬具) 직공도 퇴짜를 안 놓을 만한 실이었다.

때로는 나의 이국적인 기호에 몹시 흥미를 느끼는 상인들과 우연히 마주칠 때도 있었다. (파리의) 생마르탱 운하에서는 어떤 낚싯바

늘 제조인이 헐값에 그의 모든 규격품으로 남은 물건을 내게 넘겨준 적도 있었다. 1년 동안 삼림 속을 누비고 다닐 때 길이가 몇 킬로미터는 될 그 낚싯줄을 메고 다녔으나 아무도 갖고자 원하는 이가 없었는데, 그것은 아마존강의 낚시꾼들한테 어울리는 고기를 낚기에는 너무도 작았기 때문이다. 그러다가 마침내는 볼리비아 국경에서 그것들을 처리해버렸다. 내가 가져가는 모든 물건은 이중 기능을 지녀야만 했다. 첫째는 인디언들과 교역하는 데 쓰거나 선물로 줄 수 있어야 했고, 둘째로는 상인들이 거의 들어가지 않는 외진 지역에서 식량과 용역을 확보하는 수단이 되어주어야 했다. 탐험의 마지막 무렵에 가서 자력(資力)이 다 떨어져, 고무 채취자들이 사는 작은 촌락에서 가게를 벌여 몇 주간을 묵어야 했던 일까지 있었다. 그래서 그곳 매춘부들이 에누리할 것도 없이, 달걀 두 개로 목걸이 하나를 나한테서 사가기도 했다.

나는 한 해를 온통 삼림 속에서 보내기로 계획을 세우고 있었는데, 목표에 관한 문제로 오랫동안을 망설이고 난 후였다. 탐험 결과가 나의 의도에 어긋날 것인지는 생각조차 할 수 없었기에, 어떤 특정한 사례를 연구함으로써 인간 본성에 관해 깊이 파들어가기보다는 아메리카 대륙을 전체적으로 이해하고 싶었다. 그래서 나는 쿠이아바에서 마데이라강까지 고원지대의 서부를 가로지름으로써 민족학적으로 그리고 지리학적으로 일종의 브라질 횡단을 실행해보고자 결심했다. 극히 최근까지도 이 지역은 브라질에서 가장 알려지지 않은 곳으로 남아 있었다.

18세기의 상파울루 탐험대(브라질 내륙지방을 개척해 들어간 선구자들인 반데이란테스를 말함-옮긴이)도 워낙 풍경이 황폐하고 인디언들이 사나웠기 때문에 겁을 먹고 쿠이아바 이상은 거의 넘어가지 않았다. 20세기 초엽에 들어서조차도 쿠이아바와 아마존 사이의

1,500킬로미터는 여전히 금지된 땅이었으며, 쿠이아바에서 마나우스나 아마존 강가의 벨렘으로 가기 위한 가장 단순한 방법이라는 것이, 리우데자네이루를 거쳐 바다와 강줄기를 따라 북쪽으로 올라가는 길이었다. 그러다가 겨우 1907년에 와서야 캉디두 마리아누 다 실바 론돈 장군(그 당시는 대령이었다)이 그곳으로 파고 들어가기 시작했다. 그런데 그곳을 답사하고, 처음으로 쿠이아바를 통해 연방 수도와 북서쪽 국경 수비소를 잇는 전략상의 이점을 노린 전신선(電信線)을 설치하느라고 8년이란 세월이 소요되었다.

론돈 위원회의 보고서(아직 전부 출간되지는 않았다)와 론돈 장군이 행했던 몇 번의 강연, 장군의 탐험 도중에 한 번 동행한 적이 있는 시어도어 루스벨트(미국의 제26대 대통령 – 옮긴이)의 여행 회상록, 그리고 고(故) 로케테 핀투가 『론도니아』라는 제목을 붙여 1912년에 출간했던(당시 그는 국립박물관장이었다) 재미있는 책 한 권, 이러한 글들이 그 지역에서 발견된 미개인들에 관한 요약된 정보 구실을 했다. 그러나 그 이후로 낡은 저주가 또다시 그 고원지대 위로 떨어졌던 것 같다. 전문적인 민족학자라고는 그 누구도 그 지역에 들어가기를 않았다. 그래서 나는 전신선 또는 손대지 않은 채 남아 있는 길을 따라감으로써 남비콰라족이 어떤 사람들인지, 또 북쪽으로 더 멀리 나아가면 있다는 수수께끼의 종족들—론돈이 그들을 지적해놓은 것으로 그쳐버린 이후 그 누구도 본 적이 없는 사람들—은 누구인지 정확히 밝혀보고 싶은 충동을 느꼈다.

1938년까지 브라질 내륙으로 통하는 전통적인 도로인 강줄기를 따라 있는 대도시와 해안가에 사는 부족들에게만 집중되었던 관심이, 그 고원지대의 인디언들에게로 옮아가기 시작했다. 나는 보로로족에게서 얻은 경험을 바탕으로 종교적·사회적 측면에서 전에는 아주 조잡한 문화를 가진 것으로 취급되어오던 부족들이 보기 드물 정도로 세련된 사람들일 수도 있다는 사실을 알고 있었다. 이제는 죽고 없는 한 독일인 쿠르트 운켈에 의해 이루어졌던 조사의 최초 결과에 대해 사람들은 알고들 있었다. 쿠르트 운켈은 '니무엔다주'라는 원주민식 이름을 가졌던 사람이며, 중앙 브라질의 제족 부락에서 몇 해를 지낸 후, 보로로족은 하나의 고립된 현상보다는 오히려 다른 부족들과 함께 그들이 공유하는 어떤 근본적인 주제의 변형을 나타내고 있다고 확신했던 사람이었다.

그러므로 중부 브라질의 초원지대는 거의 2천 킬로미터에 걸쳐 깊숙이 들어가면서 놀라울 만큼 동질적인 문화를 지닌 생존자들에 의해 점유되어 있었던 셈이다. 이 문화의 특징을 든다면 방언에 의해 여러 갈래로 변화되었으나 같은 어족에서 나온 한 가지 언어를 가졌으며, 비교적 낮은 물질적 생활수준과는 매우 대조적으로 사회조직과 종교적 사고는 고도로 발달되어 있었다. 바로 이들에게서 브라질 최초의 주민—삼림지대 깊숙한 곳에 있어 잊혔거나, 아니면 백인들이 아메리카 대륙을 발견하기 직전에 어디서부터 왔는지 모를 어느 호전적인 부족들에 의해 해안가와 계곡을 정복당해 가장 각박한 땅으로 쫓겨갔으리라고 여겨지는 주민들—들의 모습을 알아보았어야 하지 않을까?

16세기의 여행자들은 해안지방 거의 도처에서 거대한 투피 구아라니 문화를 나타내는 것들과 접할 수 있었다. 그 문화의 주인공들은 파라과이의 거의 전역과 아마존 유역을 점령했고, 고작해야 파라과이와 볼리비아 국경지대 정도만 단절되어 있었기에, 그 점유지는 지름 3천 킬로미터에 걸치는 열쇠고리 형상을 하고 있었다. 아스텍족, 즉 멕시코 계곡을 뒤늦게 점유했던 그 부족들과 막연하나마 어떤 유사성을 보여주는 이 투피족 역시 신래자(新來者)였다.

그들의 브라질 대륙 계곡지대 이주는 19세기까지도 계속되었다.

아마도 그들은 아메리카 대륙이 발견되기 이전의 몇백 년 간을, 어딘가에는 죽음과 재앙이 없는 땅이 있으리라는 믿음에 쫓겨 떠돌았을 것이다. 19세기 말엽에 그들은 작은 집단으로 나뉘어 상파울루 해안지방에 나타났는데, 그때가 그들의 이동의 종말기였건만 그러한 확신을 여전히 지니고 있었다. 그래서 주술사의 선도 아래 춤을 추며, 사람이 죽지 않는 나라에 대한 찬가를 부르고, 또 그러한 나라에서 살 만한 가치가 있는 자가 되겠다고 오랜 기간 단식을 하기도 했다. 어쨌든 16세기에는 해안지방에서 서로 먼저 선주민이 되겠다고 치열한 다툼들을 벌였는데, 누가 과연 그때의 선주민이 되었는지 알 수 있는 자료는 거의 갖고 있지 못하지만, 아마도 지금부터 우리가 문제삼으려는 '제'족(Gé)이 아니었나 생각된다.

브라질 북서부에서 투피족은 다른 종족들과 이웃하여 살았다. 그 다른 종족들이란 '카라이브' 또는 '카리브'라 불렸는데, 언어는 완전히 딴판이었으나 문화가 몹시 유사했으며, 그들은 서인도 제도를 정복하려고 애를 쓰던 족속이었다. 또 '아라와크'족도 곁에 살았는데, 이들은 꽤나 신비스러운 사람들로 남아 있다. 앞의 두 종족보다 훨씬 오래되었고 또 세련되었던 이들은, 서인도 제도 주민의 대다수를 차지했으며, 멀리 플로리다 지방까지 뻗어 나갔다. 아라와크족은 고도의 물질문화를 이루었으며, 특히 도기제조와 목각에 뛰어났다는 점에서는 제족과 판이했지만, 사회조직 — 같은 형의 사회조직을 가졌던 듯싶다 — 면에서는 제족과 닮았다.

카리브족과 아라와크족은 대륙으로 진입하는 데 투피족보다 앞섰던 것 같다. 그들은 이미 16세기에 기아나, 아마존 하구, 그리고 서인도 제도에 밀집해 있었다. 그들의 이주로 생긴 작은 취락이 여전히 내륙지방, 즉 아마존 우안의 몇몇 지류, 싱구강과 구아포레강 유역에 남아 있다. 아라와크족 역시 볼리비아 고지에 그들의 자손을 남겨두고 있다. 도기 굽는 기술을 므바야족과 카두베오족에게 전해준 것은 아마도 아라와크족일 것이다. 왜냐하면 앞서 말했듯이 카두베오족에 의해 노예 신분으로 떨어져버린 구아나족이 바로 아라와크말의 한 가지 사투리를 쓰고 있기 때문이다.

고원지대에서 가장 알려지지 않은 지방을 횡단하며, 초원에서 제족에 속하는 서쪽 끝의 주민들을 발견하게 되기를 나는 바랐다. 그리고 마데이라강 하구에 이르렀을 때는 아마존 지방, 즉 그들의 내륙 침투상 요로(要路)의 연변이었던 지역에서 기록이 남아 있지 않은 다른 세 어족의 흔적을 연구하게 되기를 기원하기도 했다.

나의 기대는 부분적으로만 실현이 되었을 뿐인데, 그것은 콜럼버스 이전 아메리카 대륙의 역사에 관해서 우리들이 지나치게 단순한 견해를 지녔기 때문이었다. 요즈음에 와서는 최근에 있었던 여러 발견의 결과를 보았고 또 나 자신 북아메리카에 대한 민족지학적 연구에 여러 해 전념해왔기에, 서반구도 하나의 전체로 고려되어야만 한다는 것이 이해된다. 제족의 사회조직과 종교적 믿음은 북아메리카의 삼림지대와 태평양 지대의 종족들에게서 그대로 되풀이되고 있다. 게다가 샤코족(과이쿠루족도 마찬가지다)과 미국의 평원지대나 캐나다에 사는 부족 간의 유사성이 주목을 끈 지도—어떤 결론을 끄집어내지는 못했으나—이미 오래된 일이다.

그리고 태평양 해안을 따라 도는 연안 항해를 통하여, 멕시코와 페루의 문명도 역사상 여러 시점에서 분명히 교류를 시도했을 것이다. 그러한 모든 점이 어느 정도 경시되어왔던 것이 사실인데, 그 이유는 아메리카에 대한 연구는 오랫동안 하나의 확신에 의해 지배되어 왔기 때문이다. 그 확신이란 아메리카 대륙에 인간이 이주를 시작한 것은 아주 최근, 다시 말해 기원전 5, 6천 년부터 겨우 시작된 일이며, 전적으로 베링해협을 거쳐 도착했던 아시아 민족에 의해 이루어진 것이라는 믿음이었다.

그러므로 우리는 어떻게 그 유랑민들이 서반구의 한 끝에서 다른 끝으로 옮겨와 낯선 풍토에 적응해가면서 정착할 수 있었던가? 또 그들의 손길을 거쳐 담배·제비콩·타피오카·고구마·감자·땅콩·목화 그리고 특히 옥수수로 될 수 있었던 야생종들을 그들은 과연 어떻게 찾아내어 재배했으며, 또 그 광대한 지역에 퍼뜨릴 수 있었던가? 그리고 아스텍, 마야, 잉카 문명의 아득한 후계자를 둘 수 있었던, 그 후속 문명이 어떻게 멕시코·중앙아메리카, 그리고 안데스 지방에서 태어났으며 발전될 수 있었던가? 하는 문제를, 겨우 수천 년이라는 시간의 테두리 안에서 설명하지 않을 수 없었던 것이다. 따라서 그런 방식으로 수천 년을 설명하려면, 각각의 발전 단계가 몇 세기 동안에 이루어진 것으로 하려면, 일종의 역사적 각색이 요구되었다. 그러므로 콜럼버스 이전의 아메리카 역사는, 이론가의 기분에 따라 순간순간 새로운 광경을 나타내 보여주는 일종의 만화경적 영상이 잇달아 나오는 것으로 되어버렸다. 마치 대서양 저편의 전문가들이, 신세계의 현대사를 특징짓는 그 역사적 깊이의 결여를 원주민 시대의 아메리카 탓으로 돌리려고 애쓰는 듯이 모든 일이 행해지고 있었다.

그러나 이러한 추측들은 우리가 생각했던 것보다는 훨씬 더 일찍 아메리카 대륙에 사람들이 들어왔다는 사실을 증명해주는 발견들로 뒤집히게 되었다. 우리는 그곳에서 그들이 이제는 사라진 동물들, 즉 뭍에 사는 세발가락나무늘보·매머드·낙타·고대 들소, 그리고 영양 등을 식별할 줄 알았고, 또 사냥까지 했다는 사실을 알고 있으며, 그 사람들이 쓰던 석제 무기라든가 연장과 함께 이러한 동물들의 뼈가 발견되었다. 또 그러한 동물들 중 어떤 것이 멕시코의 지지대 같은 데서 서식하고 있는 것은, 현재 그 지역을 지배하는 것과는 전혀 다

른 기후조건 — 현재와 같이 변하는 데 수천 년이라는 세월을 필요로
했을 — 이 그곳에 있었다는 사실을 암시해준다.

고고학적 유물의 연대를 결정지어보기 위해 방사능을 사용해보았
을 때도 이와 같은 결과가 나왔다. 그러므로 우리는 적어도 2만 년 전
에 벌써 아메리카 대륙에 인간이 출현했다는 것을 인정해야만 한다.
어떤 지역에서는 3천 년도 더 전부터 이미 옥수수를 재배하기도 했
다. 또 북아메리카에서는 도처에서 거의 1만 년 내지 1만 2천 년이나
된 유적들이 발견되고 있다. 동시에 탄소의 잔여 방사능 측정으로 얻
은 수치로는, 아메리카 대륙의 주요 지층의 연대가 우리가 전에 추측
했던 것보다 500년 내지 1,500년은 더 앞서는 것으로 나타나고 있다.
마치 물속에 넣으면 피어난다는 압축지로 만든 일본의 종이꽃들처
럼, 콜럼버스 이전의 아메리카 역사는 지금까지 부족했던 부피를 갑
자기 늘리고 있다.

그러나 우리는 우리의 선조들이 부딪쳤던 것과는 정반대의 난제에
직면해 있다. 어떻게 이 방대한 기간을 메워야 하는가? 방금 내가 되
새겨보고자 했던 주민들의 이동은 표면상에 위치하는 것이며, 멕시
코나 안데스의 거대한 문명에 앞서는 어떤 다른 문명이 있었다는 사
실을 우리는 깨닫고 있다. 이미 페루와 그 밖의 북아메리카의 여러
지역에서 그곳 최초의 거주민들의 유적이 발견되었다. 최초에는 농
경을 모르는 부족이었다가 촌락을 이루어 소규모 농경생활을 하는
사회가 되었으나, 이때까지는 옥수수도 몰랐고 도기제조법도 모르
고 있었다. 그러다가 돌에 조각을 하고 귀금속에 세공을 할 줄 아는
집단이 생겨났는데, 이들의 솜씨는 그 후에는 유례를 찾아볼 수 없을
만큼 자유롭고 감흥을 일으키는 양식을 만들어냈다.

모든 아메리카의 역사가 그 속에서 꽃피었고 집약되었다고 우리가
믿었던 페루의 잉카 문명과 멕시코의 아스텍 문명은, 우리의 제정(祭

그림 30 · 31 멕시코의 옛 주민. 왼쪽은 멕시코 동남부(아메리카 자연사박물관), 오른쪽은 멕시코만 연안지방(1952년 파리에서 개최된 멕시코 미술전에서).

政) 양식이 숱한 영향을 입혀준 이집트나 로마의 양식과 거리가 멀어진 것만큼이나 그 원천과는 사이가 벌어진 것이 되고 말았다. 전체주의적(全體主義的) 예술은 빈곤과 조잡 속에서 획득되는 웅대한 스케일에만 탐욕스러운 관심을 지니며, 국가 자체를 세련시키는 것보다 다른 일, 즉 전쟁이나 행정적인 일에 그 자력(資力)을 집중함으로써 권력을 확보하고자 부심하는 나라의 표현이다. 마야의 기념물들조차 그보다 1천 년 앞서 전성기에 도달했던 한 예술의 찬란한 퇴폐처럼 느껴진다.

창시자들은 어디에서 온 것일까? 지난날의 확신을 잃어버린 지금, 우리는 아무것도 모른다는 사실을 고백해야만 한다. 베링해협이 있는 지방에서 민족의 이동은 대단히 복잡한 것이었다. 에스키모족들이 그 이동에 가담한 것은 비교적 최근의 일이다. 거의 1천 년 동안에 걸쳐 그들을 앞질렀던 선주민들은 고(古)에스키모족으로서, 그 문화가 고대 중국과 스키타이족을 연상시키는 민족이었다. 그리고 매우 장기간에 걸쳐 ─ 아마도 기원전 8000년쯤부터 서력 기원 직전까지

쯤 될 것이다—그곳에는 또 다른 주민들이 있었다. 기원전 1000년 정도로 거슬러 올라가는 조각품들을 통해, 멕시코의 옛날 주민들은 현재의 인디언들과는 딴판인 모습을 지니고 있었음을 우리는 알게 되었다. 우리는 그 조각품에서 약하게 굴곡이 빚어진 수염 없는 얼굴을 한 뚱뚱한 동양인과 르네상스 양식의 옆모습을 연상시키는 매부리형에다 수염이 더부룩한 인물을 보았다.

유전학자들은 다른 영역의 소재들을 가지고 연구함으로써 콜럼버스 이전의 아메리카에서 야생 그대로 채집되었거나 아니면 재배되었던 식물들 중 적어도 40종류는 아시아에서 그에 대응하는 품종들과 똑같거나 또는 그와 같은 것에서 파생된 염색체 구성을 지녔음을 확인했다. 그렇다면 우리는 그 목록에 올라 있는 옥수수가 동남아시아로부터 전래된 것이라고 결론을 내려야 하지 않겠는가? 하지만 만약 아메리카 대륙의 주민들이 이미 4천 년 전, 항해기술이 분명히 유치했던 시기에 옥수수를 경작했다면, 동남아시아로부터 전파되었다는 결론이 어떻게 가능하겠는가?

아메리카 대륙의 원주민들에 의해 폴리네시아에 사람이 살게 되었다는 헤이에르달(1914~?: 노르웨이의 인류학자-옮긴이)의 대담한 가설은 따를 수 없다 하더라도, 그가 '콘티키'호를 타고 탐험항해를 한 이후로는 태평양을 횡단하는 접촉이 일어날—그것도 또 자주 일어날—가능성이 있었음을 우리는 인정해야만 했다. 그러나 이미 아메리카 대륙에 고도의 문명이 꽃피고 있었던 시기인 기원전 1000년 무렵에 태평양의 섬들은 무인지경 속에 있었다. 아니 적어도 그 시기까지 거슬러 올라가는 것은 아무것도 그곳에서 발견된 적이 없는 것이다. 그러므로 우리는 폴리네시아 이전에, 아마 벌써부터 사람들이 살고 있었을지도 모르는 멜라네시아와 아시아의 해안 전역을 향해 눈을 돌렸어야 한다. 오늘날에 와서 우리는 알래스카와 알류샨열도 또는 시베리아 간의 교류가 끊임없이 이어져오고 있었음을 확신하고 있다. 알래스카에서는 서력 기원 초기 무렵에, 야금술은 몰랐으면서도 철로 된 연장들을 사용하고 있었다. 또 똑같은 도기류와 아울러 같은 전설, 같은 의식, 그리고 같은 신화가 아메리카의 오대호 지방에서부터 중부 시베리아까지 걸쳐서 발견되고 있다.

그러므로 서구인들이 폐쇄적인 생활을 하는 동안에, 북방민족들은 스칸디나비아에서부터 시베리아와 캐나다를 거쳐 (캐나다 동쪽의) 래브라도에 이르기까지 매우 긴밀한 접촉을 유지했던 것으로 짐작이 간다. 만약 켈트족들이 그들의 신화 중 몇 가지를 우리가 거의 아무것도 모르고 있는 아북극(亞北極) 문명으로부터 따온 것이라면, 어떻게 성배(聖杯: 그리스도가 최후의 만찬 때 사용한 술잔 - 옮긴이)의 전설들이 북아메리카 삼림지대 인디언들의 신화와 유사성 ─ 어떤 다른 신화체계와의 사이에서도 볼 수 없는 크나큰 유사성 ─ 을 나타내게 되었는가 하는 것이 이해될 것이다. 그리고 라플란드(Lapland: 스칸디나비아의 북부 지역. 아시아계의 소수 민족인 라프족이 사는 노르웨이·스웨덴·핀란드 및 옛 소련의 일부에 걸침 - 옮긴이) 사람들이, 앞서 말한 북아메리카 삼림 속 인디언들의 텐트와 동일한 모습의 원추형 텐트들을 여전히 치고 있다는 사실은 결코 우연이 아니다.

아시아 대륙의 남부에서는 아메리카 문명이 다른 반향을 일으키고 있다. 중국 남쪽 국경지대의 중국인들이 야만인이라고 불렀던 민족들과 또 인도네시아의 미개 부족들이 깜짝 놀랄 만큼, 아메리카 원주민들과 유사한 모습을 보여주고 있다. 또 보르네오 내륙지방에서는 북아메리카에서 가장 널리 퍼져 있는 몇몇 신화와 거의 분간을 하기 어려운 신화들이 수집되기도 했다. 전문가들은 동남아시아에서 발견된 고고학적 자료들과 스칸디나비아의 원시사(原始史)에 속하는 자료들 간의 유사성에 대해 이미 오래전부터 주목을 해왔다. 그러므로 인도네시아, 동북아메리카, 그리고 스칸디나비아 제국의 세 지역이 어떤 의미로 보면, 신세계의 콜럼버스 이전 역사의 삼각점(三角點)을 이루었다고 볼 수 있다.

인류의 생활사에서 주요한 사건, 즉 초기에는 구세계의 도나우강과 인더스강 사이로 한정되었던 신석기 문화의 출현——토기와 직물의 보급, 농경과 목축의 개시, 그리고 야금술 분야에 대한 최초의 시도와 더불어 나타났던——이 아시아와 아메리카의 발달이 뒤진 민족들에게 일종의 자극을 준 것이라고 생각할 수는 없는 것일까? 태평양 해안 전체——아시아 해안 또는 아메리카 해안——에 걸쳐 하나의 강력한 활동이 일어나, 수천 년에 걸쳐 이 지역에서 저 지역으로 연안항해의 힘을 빌려 퍼져 나갔으리라는 가설을 인정하지 않고서는

그림 32 · 33 왼쪽은 페루 북부의 차빈(테요에 의함), 오른쪽은 멕시코 남부의 몬테 알반('춤추는 사람들'이라고 불리는 얕은 돋을새김).

아메리카 문명들의 기원을 이해하기는 어렵다.

예전에 우리들은 콜럼버스 이후의 아메리카에 역사적 차원이 결여되어 있었다는 이유로, 콜럼버스 이전의 아메리카에서도 그것을 인정하려 들지 않았다. 아마도 이제 우리에게 남은 일은 제2의 오류, 즉 아메리카 대륙이 유럽 세계와 단절되어 있었다는 이유만으로 2만 년 동안 아메리카는 전 세계로부터 격리되어 있었다고 생각하는 오류를 정정하는 일이다. 오히려 모든 사실이, 대서양의 깊은 침묵에 대응하여 태평양 주위 도처에서는 꿀벌들의 윙윙거림 같은 문명의 태동이 답하고 있었음을 암시해주기 때문이다.

그것은 어쨌든 간에 기원전 1000년간을 통하여, 아메리카의 교배종은 좀더 옛날의 진화에서 생겨난 의문점 많은 변종에다 튼튼하게 접목이 된 세 개의 접지(接枝)를 이미 낳은 듯하다. 소박한 양식으로 보아서는 대평원 동쪽의 미국 전역을 점유하거나 또는 영향을 미쳤던 '호프웰' 문화(기원전 1000년경에 오하이오주·일리노이주를 중심으로 일어난 아메리카 인디언 문화-옮긴이)는 북부 페루의 차빈 문화(남부 페루에서는 파라카스 문화가 이 문화에 상응한다)와 상통하는 것이었다. 한편 차빈 문화 쪽에서 보아서는 '올멕'(기원전 1세기에 마야 문명 전에 멕시코만 지대에 있었던 문명-옮긴이)이라 불리는 문명의 초기 형태와 몹시 유사하며, 또 마야 문명을 예고하는 것이기도 하다.

위의 세 가지 문화의 경우에서 우리는 부드럽고 자유로우며, 이중적인 의미를 포함시키고자 하는 지적 기호(차빈 문화와 마찬가지로 호프웰 문화에서 어떤 예술작품들은 사람들이 그것을 올바른 위치에 놓고 보느냐, 아니면 거꾸로 보느냐에 따라서 각기 다른 방법으로 읽히게 되어 있었다)가 담긴, 유동적인 손의 예술과 대면하게 된다. 그런데 거기에는 아직까지 우리가 흔히 콜럼버스 이전의 아메리카 예술에다 결부해 생각하는 모가 난 뻣뻣함이라든가, 보수주의적인 흔적은 거의 나타나지 않고 있다. 때때로 나는 카두베오족의 그림들이, 바로 이 먼 전통을 그들 나름대로 영속시켜나가는 것이 아닌가 믿고자 애쓰기도 한다.

아메리카 대륙의 문명이 여러 갈래로 나뉘기 시작한 때가 바로 이 시기가 아니었을까? 멕시코와 페루가 주도권을 장악하여 크나큰 발전을 이룩해나간 반면, 그 이외의 곳은 중간적 위치에 머물렀거나 아니면 도중에서 낙오하여 반야만상태로 떨어져버린 것이 아니었을까? 열대 아메리카에서 일어났던 일에 관해서는 고고학적 유물들이 보존되기에 부적당한 풍토조건으로 말미암아, 우리는 앞으로도 결코 정확히 알 수는 없을 것이다. 그러나 제족의 사회조직을 비롯하여 보로로족의 촌락배치까지가, 고지(高地) 볼리비아의 '티아우아나코' 문화의 경우처럼, 잉카 이전의 몇몇 유적에 관한 연구가, 사라져버린 이들 문화로부터 복원할 수 있었던 것과 닮았다는 사실은 충격적이라 아니할 수 없다.

지금까지의 여러 가지 이야기 때문에, 서부 마투그로수의 조사 준비에 대한 기술에서부터 많이 멀어지고 말았다. 하지만 내가, 고고학적 영역 및 민족학적 영역에서 모든 아메리카 연구에 깊이 스며들어 있는 저 열띤 분위기를 독자들이 호흡하기를 바라는 이상, 그런 말을 쓰는 것은 꼭 필요한 일이었다. 우리가 캐고자 하는 문제는 너무나 어마어마한데다가 우리가 더듬어가는 길들은 너무나 무너지기 쉽고 협소하며, 과거 — 거대한 벽으로 가로막힌 — 는 너무도 돌이킬 수 없이 사라졌으며, 우리들의 사색의 토대를 이루는 것마저 하도 덧없는 것이라서, 현지조사에서 얻은 미미한 지식을 앞에 둔 조사자의 마음은 가장 겸허한 체념과 광기 어린 야심의 갈등 속에서 헤매게 마련이다. 그는 본질적이고 중요한 것들은 이미 놓쳐버렸고, 그의

그림 34 북부 페루의 차빈(테요에 의함).

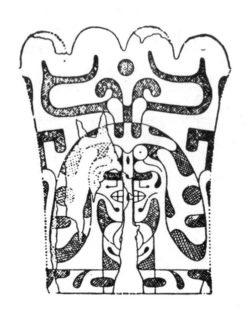

그림 36 미국 동부의 호프웰(W.K. 무어헤드에 의함)

모든 노력도 단지 그 본질의
표면을 긁는 것밖에는 안 된
다는 것도 알고 있다. 하지
만 그는 기적적으로 보존되
어온 어떤 지표와 우연히 맞
부딪치게 되지 않을까? 그
래서 거기서 뜻하지 않던 실
마리를 얻을 수 있지나 않을
까 하고 자문해본다. 아무것
도 가능하지 않기에 모든 것
이 가능할 수도 있다. 우리

그림 35 미국 동부의 호프웰
(Ch. C. 윌로비에 의함).

가 더듬고 있는 이 방은 너무도 어둠이 짙어, 감히 우리는 무어라 거
기에 대해 단정을 내리기가 어렵다. 그 밤이 언제까지 계속되도록 운
명지어져 있는지에 대해서도 아무런 단정을 내리지 못한다.

25 황야에서

2년 만에 되돌아오는 이곳 쿠이아바에서, 나는 북방으로 500~600킬로미터 뻗어 나간 전신선의 상태가 어떤지 정확히 알고자 한다.

쿠이아바에서는 전신선을 싫어들 한다. 거기에는 여러 가지 이유가 있다. 18세기에 도읍이 생겨난 이래로 드문 일이긴 했어도, 북쪽 지방과의 접촉은 아마존강 중류 쪽으로 난 수로를 통하여 이루어지고 있었다. 쿠이아바의 주민들은 그들이 좋아하는 자극성 기호품인 과라나를 손에 넣기 위하여 타파조스강으로 카누에 탄 탐험대를 보내고는 했는데, 그 탐험은 6개월 이상이나 걸리는 것이었다. 과라나는 밤색의 단단한 반죽으로서 거의 독점적으로 마우에 인디언들만 만드는 것인데, 그 재료는 파울리니아 소르빌리스라는 칡의 열매를 빻은 것이다. 그 반죽을 꽁꽁 뭉쳐 소시지처럼 만들고서는, 사슴 가죽으로 만든 주머니에 넣었다가 꺼낸 다음 '피라루쿠'라는 물고기의 골질(骨質) 혓바닥을 강판삼아 갈도록 되어 있다.

이런 절차에도 다 그만한 까닭이 있다. 금속 강판을 사용하거나 또는 다른 짐승의 가죽으로 된 주머니에다 넣어두게 되면 그 귀중한 반죽의 가치가 떨어진다는 것이다. 이와 같은 생각에서 쿠이아바 사람들은 담배 묶음도 반드시 손으로 풀거나 찢어야지 만일에 칼로 잘랐다가는 담배의 김이 빠질 우려가 있다고 설명을 한다. 과라나 가루를 설탕물 속에 쏟으면 용해되지 않은 채로 물속에 떠돌게 되는데, 이 초콜릿맛이 약간 감도는 혼합액을 사람들이 마시는 것이다. 나 개인적으로는 이것의 효능을 조금도 느껴본 적이 없지만, 중부와 북부의 마투그로수 사람들에게는 이 과라나가 남부의 마테에 비할 만한 위치를 차지하고 있다.

그러나 과라나는 숱한 고생과 노력을 해서 구할 만한 가치가 확실히 있다. 급류 속으로 뛰어들기 전에 몇 사람을 강가에 남겨두고 가게 되는데, 이들은 남아서 숲속 한 귀퉁이를 개간하여 옥수수와 마니오크를 심는다. 그리하여 탐험대가 돌아올 때는 싱싱한 식료품들이 그들을 맞아들이도록 되어 있다. 그러나 증기선의 운행이 발달된 이래로는 과라나는 더 빨리, 그리고 대량으로 리우데자네이루로부터 쿠이아바까지 당도하게 되었다. 리우데자네이루에는 연안을 왕래하는 기선들이 해로를 거쳐 마나우스와 벨렘으로부터 과라나를 들여오고 있다. 그러므로 타파조스강 줄기를 따라서 가던 탐험은 어떤 영웅적인, 그러나 이미 반쯤은 잊혀버린 과거에 속하는 일로 되어버렸다.

그러나 론돈 장군이 북서부 지방을 문명세계 쪽을 향해 열어놓겠다고 공표했을 때, 그 탐험의 기억이 되살아났다. 고원지대의 주변에 관해서 사람들은 별로 아는 것이 없었는데, 그곳에는 쿠이아바에서 북쪽으로 각기 100킬로미터와 170킬로미터 떨어진 곳에 로자리우와 디아만티누라는 생긴 지 오래된 작은 촌락이 남아 있었으며, 주민들은 그곳에서 광맥이 끊어지고 자갈도 동이 나게 된 이후로는 지루한 삶을 이어가고 있었다. 그 밖에도 또 아마존강의 지류를 이루는 작은 강들을 카누를 타고 곧장 내려가는 대신에, 그 작은 강 하나하나를 횡단하면서 육로를 거쳐야 했기 때문에, 그렇게 긴 여정으로서는 굉장히 위험한 시도였다. 1900년경까지도 북부 고원지대는 신비스러운 지역으로 남아 있어서, 사람들은 그곳에 '세라 두 노르테'(Serra do Norte: 북쪽의 산맥이라는 뜻-옮긴이)라는 산맥이 있다고 믿기조차 했으며, 아직까지 대부분의 지도에 그 이름이 그대로 올라 있다.

이러한 무지가 그 당시 새로웠던 '머나먼 서부'라든가 또 '골드 러시'(황금 추적)와 같은 내륙 진출에 관한 이야기들과 어우러져 마투그로수의 주민들, 그리고 심지어는 해안지방의 주민들에게까지 광적인 열망을 불러일으켰다. 그래서 론돈 장군 휘하 사람들이 전신선을 가설해놓자, 곧 이어 이주자들이 몰려들어 어떤 자원이 묻혀 있을지 모를 그 땅을 뒤덮었으며, 그곳에다 브라질의 시카고를 세우려 했다. 그러나 희망을 모두 버려야 했다. 에우클리데스 다 쿠냐가『황야의 사람들』속에서 묘사했던 브라질의 저주받은 영토가 있는 북동쪽처럼, 세라 두 노르테는 반사막성의 초원, 대륙 최악의 불모지역 중 하나인 것으로 드러나기 시작했다. 더군다나 전신선의 가설이 완성된 시기인 1922년경에 똑같이 무선전신의 탄생을 보게 되었기 때문에 전신선은 그 의의를 잃고 말았으니, 공사가 끝나는 바로 그 순간부터 진보된 과학시대의 고고학적 유물 대열에 끼어든 셈이 되었다.

그러나 이 전신선도 한때의 영광을 누려보기는 했는데, 1924년 상파울루에서 일어난 반란으로 연방정부와 내륙 간의 모든 접촉이 동결되어 있을 때였으며, 이때 리우데자네이루는 전신을 이용해 벨렘과 마나우스를 거쳐 쿠이아바와 연락을 취할 수 있었다. 그 시기가 지나자 바로 쇠퇴의 길이 시작되었다. 전신업무에 종사하기를 원하던 몇몇 전선 지지자도 물러가거나 아니면 사람들의 머릿속에서 잊혀갔다. 그래서 내가 그곳에 닿았을 때, 거기 남아 있던 몇 사람은 몇 해 전부터 아무런 보급도 받지 못한 채로 있었다. 감히 그 전신선의 사용을 정지시키지는 못하고 있었지만, 이미 아무도 거기에 관심을 두는 사람은 없었다. 전신주는 넘어질 듯했고 전선은 녹슬어가고 있었다. 중계소의 마지막 잔존자들은 그곳에서 떠나버릴 용기도, 또 그럴 수단도 없어서 질병과 기아·고독에 시달리면서 서서히 사라져가고 있었다.

이러한 상황은 쿠이아바 사람들의 양심을 더욱 괴롭혔는데, 그 어긋난 희망은 어쨌든 간에 하나의 결과를 낳았으며, 작은 일이긴 해도 확실한 그 결과는 전신선의 요원(要員)들을 악용한 셈이 되었다는 것이다. 현지로 출발하기에 앞서 요원들은 대리인을 한 명 지명하도록 되어 있었으며, 그 대리인은 급료를 대신 받아서 그 수취인의 지시에 따라 사용하는 사람이었다. 이 지시라는 것이 대개는 총알·석유·소금·바느질용 바늘, 그리고 옷감 따위의 청구에 그쳤다. 그런데 이 모든 물건은 대리인들과 레바논인 상인들 및 대상(隊商) 조직자들의 결탁으로 엄청나게 높은 값이 매겨졌다. 그러므로 몇 해가 지나자 거친 들판에 버려졌던 이 불행한 사람들에게는 자신들의 재력을 넘어서는 빚이 따라붙게 되었고, 그곳에서 벗어나 돌아갈 엄두를 차차 내지 못하게 되었다.

확실히 전신선은 잊어버리는 편이 나았다. 그리고 그 전신선을 전진기지로 이용하려던 내 계획은 용기를 잃고 말았다. 론돈 장군의 대원이었던 퇴역 하사관들을 만나보려고 무척 애를 썼지만, 그들에게서 얻어들을 수 있었던 것은 '고약한 지방, 정말 몹쓸 곳, 이 세상의 그 무엇보다도 나쁜 곳'이라는 지루한 비난뿐이었다. 그리고 절대로 기어들어갈 곳이 아니라는 것이었다.

그리고 또 인디언들의 문제가 있었다. 1931년에 정체불명의 인디언들이 그동안 사람이 살지 않는 곳으로 믿어왔던 리우두산게 계곡으로부터 나와서 쿠이아바에서 북쪽으로 300킬로미터, 그리고 디아만티누에서는 겨우 80킬로미터밖에 안 떨어진 곳인, 비교적 사람들의 왕래가 빈번한 지역에 자리 잡고 있는 '파레시스'의 전신국을 습격하여 파괴시켜버린 사건이 일어났다. 이들 야만인에게는 베이수스 데 파우, 즉 '나무 주둥이'라는 별명이 붙여졌는데, 그들이 아랫입술과 양쪽 귓바퀴에다가 원판을 끼우고 다녔기 때문이다. 그 이후 그들은 산발적으로 계속 출몰을 했고, 따라서 전신선은 남쪽으로 80킬로미터가량 이동하지 않으면 안 되었다.

1909년 이후로 전신국 측과 간헐적인 접촉을 유지해오던 유랑자들인 남비콰라족으로 말할 것 같으면, 그들과 백인의 관계는 파란곡절이 몹시 심했다. 처음에는 상당히 우호적인 관계를 지녀오다가, 1925년부터 차차 악화되어갔다. 그러던 그해 어느 날 노동자 일곱 명이 원주민의 촌락으로 초대를 받아갔는데, 이 손님들이 그곳에서 사라져버린 것이다. 이때부터 남비콰라족과 전신요원들은 서로 회피하기 시작했다. 1933년에 한 신교계 선교단이 '주루에나' 전신국으로부터 얼마 떨어지지 않은 곳에 자리를 잡으려고 왔다. 그런데 이때 원주민과 선교사 간의 관계가 급속히 험악해진 듯싶다. 이유는 선교사들이 집을 짓고 정원을 다지는 데 원주민들이 도와준 것에 대한 사례로 준 선물들이 원주민들에게는—그들 눈에는 불충분했나보다—불만스러웠던 것이다.

몇 달이 지난 후 한 인디언이 열병이 나서 선교단에 찾아와 사람들이 보는 앞에서 아스피린 두 알을 받아 삼켰다. 그러고는 강가에 가서 목욕을 했는데, 충혈이 일어나 죽어버렸다. 남비콰라족은 독물을 사용하는 데 꽤 숙달이 되어 있는 사람들이었기에 그들의 동료가 암살되었다는 결론을 내렸다. 그래서 복수를 하겠다고 공격해 들어오는 바람에 선교단의 단원 여섯 명이 학살을 당했다. 이 중에는 겨우 두 살 먹은 어린아이까지 끼어 있었다. 그리고 쿠이아바에서 떠난 구조대가 도착했을 때는 오직 부인 한 사람만 살아남아 있었다. 사람들이 내게 들려준 그 부인에 관한 이야기는, 그 공격의 장본인들—그들은 내 곁에서 몇 주일 동안에 걸쳐 동료와 정보 제공자 역할을 해주었다—이 내게 들려준 이야기와 완전히 일치했다.

이 사건과 또 그 뒤를 이은 몇몇 다른 일 이후, 전신선 연변 지역 전체의 공기가 긴장되어 있었다. 쿠이아바의 중앙전신국 사무소에서 다른 주요 통신소들과의 연락(이 일이 이루어지는 데 매번 며칠씩 소요되고는 했다)이 가능해지자마자 우리가 받은 소식들은 가장 사기를 꺾는 것들이었다. 한군데에서는 인디언들이 나타나 지금 위협을 받고 있다는 것, 또 다른 데에서는 석 달 전부터 인디언들이 모습을 나타내지 않고 있는데 그것 또한 좋지 않은 징후라는 것, 또 어디서는 인디언들이 노무자로 일을 해주기도 했는데, 도로 야만인들이 되어버렸다는 등의 소식이었다. 오직 한 가지 정보만이 유일하게 나의 힘을 북돋워주었는데, 그것은 몇 주일 전부터 제수이트 신부 세 명이 쿠이아바 북방 600킬로미터 떨어진 곳인 남비콰라족의 경계 지방인 주루에나에 정착하기 위해 애쓰고 있다는 소식이었다. 그렇게 되면 나는 언제든지 그곳에 갈 수 있고, 그들 곁에서 정보를 얻은 연후에 나의 탐험 계획을 확정지을 수 있다.

그래서 나는 탐험 준비를 위해 쿠이아바에 한 달 동안 머물렀다. 갈 수 있는 기회가 나한테 주어진 이상, 끝까지 가보기로 마음을 정했다. 목초도 사냥거리도 없는 불모의 지대라는 고원을, 건기의 6개월 동안 횡단해 가야 하는 여행이었다. 그러므로 나는 충분한 식량을 갖추어야 했으며, 사람들이 먹을 것뿐만 아니라 노새가 먹을 것까지 준비해야 했다. 마데이라강 하구에 도달해서 카누로 여행을 할 수 있게 되기 전까지는 노새가 말 구실을 해주어야 했고, 노새에게 옥수수를 먹이지 않으면 긴 여행길을 감당할 만한 힘을 못 내기 때문이었다. 식량을 옮기기 위해서는 황소 또한 필요했다. 황소들은 내구력이 좀더 강하여 길을 가다 찾아 먹게 되는 까슬까슬한 건초나 나뭇잎만을 먹는 것으로도 만족해서 편했다. 하지만 황소들 중 일부가 기아와 피로로 죽을 수 있다는 것도 고려해야 하므로 소를 충분히 확보해야 했다. 그러다 보니 그 황소를 몰고 숙영지에서마다 짐을 싣고 내릴 일꾼들이 필요해지니, 대원도 그에 따라 불어나야 하고 동시에 노새와 식량도 늘려야 하고, 그것은 다시 황소를 추가로 덧붙일 것을 요구하는 셈이 되고……그것은 하나의 악순환이었다.

그래서 결국 나는 옛 전신요원들과 대상(隊商)들로 이루어진 그 방면의 전문가들과 한참 의논을 해본 후에 15명 정도와 그와 같은 수의 노새, 그리고 황소 30마리로 확정을 지었다. 그러나 노새에서는 선택할 여지가 없었다. 쿠이아바 근처 반경 50킬로미터에 이르는 지점 안에서는 팔려고 내놓은 노새가 15마리를 넘지 않았기 때문이다. 팔려고 내놓은 것은 모두 사들였는데, 1938년 당시의 화폐로 그 생긴 모습에 따라서 한 마리당 150프랑에서부터 1천 프랑에 이르기까지, 각각 다른 값을 치르고 샀다. 탐험대장으로서 나는 가장 위풍당당한 노새를 내 몫으로 남겼는데 흰 빛깔의 커다란 놈으로, 내가 앞에서 이야기한 적이 있는 코끼리 애호가였던 향수병에 걸린 정육점 주인으로부터 사들인 것이었다.

진짜 문젯거리는 사람을 선택하는 데에서 시작되었다. 탐험대는 출발 때 연구요원이 4명으로 되어 있었으며, 우리는 우리의 성공과 안전, 그리고 생명까지도 이제 내가 고용하려 하는 인부들의 충성과 능력에 달려 있다는 사실을 잘 알고 있었다. 온통 며칠 간을 나는 쿠이아바의 찌꺼기, 즉 불량소년들과 투기꾼들을 쫓아보내야 했다. 그러던 어느 날, 마침내 근처에 사는 한 늙은 대령이 예전에 그의 집에서 소 치던 사람들 중 하나를 알려주며, 외떨어진 오두막집에서 호젓

이 사는 사람인데 가난하지만 현명하고 덕망 있는 사람이라고 추천을 했다. 나는 그의 집으로 찾아갔으며, 그는 브라질 내륙지방의 농부들에게서 흔히 볼 수 있는 자연스러운 기품으로 내 마음을 사로잡았다. 그는 다른 사람들처럼 1년간 계속 급료를 받는 이 전대미문의 특권을 누려보기 위해 간청을 하는 대신에, 내게 몇 가지 조건을 제시했다. 그 조건이란 사람과 황소의 선택을 자기에게 맡겨주고, 또 그가 북부에 가서 후한 값으로 팔려고 하는 말 몇 필을 끌고 갈 수 있도록 허락해달라는 것이었다.

나는 이미 쿠이아바에서 어떤 대원의 짐승 몰이꾼으로부터 열 마리의 황소 한 무리를 사놓은 참이었다. 그 소들의 우람한 몸체와 더욱이 벌써 구식이 된 맥 가죽으로 만들어진 안장과 마구에 이끌렸기에 샀던 것이다. 게다가 쿠이아바의 사교가 그의 피보호자들 가운데서 요리사로 써달라고 나한테 떠맡겨놓은 사람이 한 명 있었다. 이 사람은 숙영지 몇 군데를 지난 후에 흰색 노루, 다시 말해서 남색가(男色家)이며, 말 잔등에 걸터앉아 갈 수도 없도록 심한 치질을 앓고 있는 사람이라는 사실이 드러났다. 그래서 그는 매우 기뻐하면서 우리와 헤어져 갔다.

그러나 그 훌륭하던 황소들이(막 500킬로미터를 여행하고 난 소들이었는데, 나는 그 사실을 모르고 샀다) 몸뚱아리에 기름기라고는 하나도 없게 되었다. 소들은 차례차례로 안장 때문에 고통을 느끼기 시작했는데, 안장과의 마찰로 피부가 헐고 있었다. 소몰이꾼들이 익숙하게 다루었음에도 등마루서부터 가죽이 벗겨지기 시작했다. 피가 섞인 커다란 구멍이 벌어지고 있었고, 거기엔 구더기가 들끓었으며 마침내는 척추가 드러나 보이기까지 했다. 그리하여 이 곪아터진 해골들이 최초의 조난자가 되었다.

다행히도 우리의 조장 풀젠시오 ──프루젠시우라고들 발음했다—는 새로 짐승을 사서 메울 줄 알고 있었으며, 그가 산 소들은 겉보기에는 볼품이 없었으나 그 대부분이 마지막까지 살아남았다. 사람을 고르는 데서 그는 자기 마을이나 이웃에서 날 때부터 그가 보아왔던 젊은이들을 택했는데, 그들은 그의 재능을 존경하고 있었다. 그들 대부분이 1, 2세기 전부터 마투그로수에 정착하여 엄격한 전통들을 지켜가며 사는 포르투갈 옛 가문의 출신들이었다.

그들은 가난했지만 모두들 수를 놓고 가장자리에 레이스를 단 수건—어머니·누이 또는 애인들로부터 받은 선물이었다—하나씩을 지니고 다녔으며, 여행이 끝날 때까지 다른 것으로는 얼굴을 닦을 생각들을 안 했다. 그러나 내가 처음으로 커피에 넣으라고 설탕 한 꾸러미를 그들에게 전했더니 자기들은 타락하지 않았다고 거만스럽게 대답했다. 나는 그들과 지내며 조금 곤란을 느껴야 했는데, 모든 문제에서 그들도 나만큼이나 독단적인 생각을 지녔기 때문이었다.

예를 들면 여행 중에 먹을 식료품의 구성에 관련된 반란도 가까스로 피했던 것인데, 그들은 만일 내가 짐을 실을 수 있는 곳의 모두를 쌀과 콩으로 채워놓지 않으면 굶어 죽게 될 것이라고 굳게 믿고 있었다. 그들은 사냥거리가 절대로 떨어질 리가 없다고 믿으면서도, 부득이한 경우라면 말린 고기까지는 참아줄 수 있지만 설탕·건과, 그리고 통조림은 그들을 분개하도록 만들었다. 그들은 우리를 위해 죽을 수도 있었으나, 우리에게 거칠게 반발을 했고 자기들 것이 아니면 손수건 한 장도 빨아주려고 하지 않았는데, 세탁은 여자들에게나 맡겨진 일이라서 그렇다는 것이다.

우리들이 한 계약의 토대는 다음과 같았다. 탐험기간 각자는 탈 짐승 한 마리와 총 한 자루를 대여받고, 그 외에 식사를 제공받으며, 1938년의 환율로 따져 매일 5프랑에 상당하는 급료를 지급받는다는 것이다. 그러므로 탐험이 끝날 때가 되면 그들 각자에게는 1,500 또는 2천 프랑의 저축금이 생기게 되는데(그들은 탐험기간 도중에는 한 푼도 받으려 하지 않았다), 이것은 어떤 청년에게는 결혼을, 또 다른 이에게는 목축업을 시작할 수 있을 만한 자금이었다. 그리고 오늘날 남비콰라족 영역 변경에서 전신선 관리요원의 대부분을 충당해주는 파레시족의 구영토를 지나가게 될 때, 반문명화한 파레시 인디언 젊은이 몇 명을 역시 풀젠시오가 채용한다는 데 합의를 보았다.

이와 같이 쿠이아바 근처의 작은 부락들에 흩어져 있던 두세 사람과 몇 마리 짐승이 모여 하나씩 조를 이루면서, 우리 탐험대는 서서히 조직되어가고 있었다. 집합은 1938년 6월 어느 날 그 도시의 입구에서 하기로 정해졌으며, 거기서부터 소들과 거기 탈 사람들은 풀젠시오의 지휘 아래 짐을 일부 싣고 길을 떠나도록 되었다. 짐 싣는 소는 각기 힘에 따라 60 내지 120킬로그램을 운반할 수 있는데, 짚으로 틀어막은 나무 안장을 이용해 좌우로 무게가 똑같이 나뉘게 짐을 둘로 나누어 실어주고, 짐 전체는 말린 가죽으로 감싸게 되어 있었다.

하루 동안 갈 수 있는 거리가 대략 25킬로미터인데, 한 주일을 걷고 나면 짐승들에게는 며칠씩 휴식이 필요하다. 그래서 우리는 가능한 한 짐을 가볍게 지워서, 동물들을 앞질러 떠나보내도록 결정했다. 그리고 나는 도로가 허용하는 데까지, 다시 말해서 쿠이아바에서 북쪽으로 500킬로미터 떨어진 곳인 우티아리티까지는 대형 화물자동차를 타고 갈 참이었다. 우티아리티는 이미 남비콰라족의 영역이 되어버린 전신국 소재지로서, 파파가이우 강가에 있다. 그런데 그곳 파파가이우강의 나룻배는 너무도 약해서 트럭 통행은 불가능할 것이다. 그러면 그때부터 모험이 시작될 것이다.

앞서 간 대원—이 황소들로 이루어진 대상은 '트로파'라고 불린다—이 출발한 지 5일 후, 우리의 화물자동차도 짐을 싣고 움직이기 시작했다. 우리가 50킬로미터도 채 못 갔을 때, 초원지대에서 평화롭게 야영을 하고 있는 대원들과 짐승들을 만나게 되었다. 나는 그때쯤이면 그들이 이미 우티아리티에 도착했거나 아니면 거의 다 갔으리라고 믿고 있었는데, 아직 그곳밖에 못 가고 있었다. 이때 나는 처음으로 화를 냈는데, 그것이 한 번의 일로 끝나주지를 않았다. 그러나 이 같은 종류의 실망을 한두 번 더 겪고 난 다음에는 내가 이제 들어가려는 세계에서는 시간관념이 어디서고 통용되지 않는다는 점을 깨닫기 시작했다.

그 탐험을 이끌어가고 있는 것은 내가 아니었다. 그리고 풀젠시오도 아니었다. 바로 황소들이 이끌어가고 있었다. 그 육중한 짐승들이 그만한 수의 공작부인이라도 되는 것처럼 태도가 갑자기 변하기를 잘해서 언짢은 데가 없는지, 변덕이 갑자기 안 생길지, 그리고 권태가 밀려들지 않으려나 살펴야만 했다. 소들은 자신들이 피로한지, 또는 싣고 가는 짐이 너무 무겁지 않은지 기별을 하는 법이 없다. 그대로 계속 전진해나가다가는 갑자기 나자빠지거나 죽거나 아니면 기력을 회복하려면 6개월은 걸릴 만큼 기진맥진해했는데, 그 어느 경우건 유일한 해결책은 그 소를 포기해버리는 것이다. 그러므로 소를 치는 사람들은 그들 짐승이 지시하는 대로 움직인다.

짐승들은 각기 그들의 빛깔·용모, 그리고 기질에 따라 거기 맞는 이름들을 얻어 갖는다. 그래서 내 소들에게도 다음과 같은 이름들이 붙었다. 피아누(악기)·마사 바루(진흙 다지는 막대기)·살리누(소금 핥기)·시콜라테(초콜릿을 한 번도 먹어본 적이 없는 소몰이꾼들은 설탕을 탄 뜨거운 우유에 달걀 노른자위를 섞은 것을 이렇게 불렀다)·타루마(종려나무)·갈랑(장닭)·라브라두(代赭石)·라말례테(꽃다발)·로셰두(불그스름하다)·람바리(물고기)·아사냐수(파랑새)·카르보니데(불순한 디이아몬드)·갈랄라(?)·무리뉴(혼혈아)·만시뉴(얌전하다)·코레투(정확하다)·두케(공작)·모토르(엔진: 이 소몰이꾼의 설명에 따르면 매우 잘 걷기 때문이란다) · 파울리스타 나베간테(항해사) · 모레누(갈색) · 피구리누(모델) · 브리오수(발랄하다) · 바로주(진흙투성이) · 파이 데 멜(꿀벌) · 아라사(야생 열매) · 보니투(예쁘다) · 브린케두(장난감) · 프레티뉴(갈색 살결) 등.

소몰이꾼들이 필요하다고 판단을 내리면 즉시 탐험대 전체가 멈춘다. 그러고는 짐승들 하나하나로부터 차례로 짐을 내리고 야영 준비를 한다. 만일 안전한 지방에서라면 소들이 들판에 그대로 흩어져 나다니게 내버려두지만 그렇지 않을 경우라면 파스토레아르, 즉 '감시를 계속하면서 풀을 먹이러 데리고 가야만' 했다. 아침이면 몇 사람은 사방으로 몇 킬로미터씩, 모든 짐승의 위치를 확인할 수 있을 때까지 뛰어 돌아다닌다. 이렇게 하는 것을 '캄페아르'라 한다. '바케이루'(소를 기르는 사람)들은 그들의 짐승이 천성적으로 짓궂다고 말한다. 사실 가축들은 일부러 도망을 치고 숨어버려서, 며칠 동안을 찾을 수 없는 경우도 생긴다. 한 번은 노새들 중 한 마리가 들판으로 달아났는데, 처음에는 옆으로 가다가 그다음에는 다시 뒤로 갔기 때문에, 그 뒤를 쫓는 사람들이 흔적을 놓쳐버려서 일주일씩이나 움직이지 못한 적도 있었다고 한다.

동물들이 다 함께 모이게 되면 우리는 그들의 상처를 찾아내어 연고를 발라주어야만 한다. 그리고 짐이 그들의 상처난 부위로 가지 않도록 안장도 다시 조절해주어야 한다. 그런 다음에 마구를 달고 짐을 다시 싣게 된다. 그러고 나면 다시 새로운 드라마가 시작된다. 4, 5일간을 쉬고 나면 소들은 자기가 맡은 일에 도로 서툴어진다. 그래서 안장이 놓이는 것을 느끼자마자 어떤 소들은 그것을 팽개치고 뒷발로 일어서며, 애써서 균형을 잡아놓은 짐을 흐트러뜨리기도 한다. 이러면 모든 일을 또다시 시작해야 한다. 그래도 몸이 자유로워진 황소가 빠른 걸음으로 들판을 가로질러 뛰쳐나가는 일만 없다면 다행으로 여기게 된다. 그런 일이 생기게 되면, 전원일치의 순종이 이루어질 때까지 대여섯 번씩은 반복해야 하는 짐 신기를 위해, 탐험대 전체가 집합하기 전에는 새로 야영 준비를 하고, 짐을 내리고, '파스토레아르' 그리고 '캄페아르'를 해야만 한다.

소들보다 참을성이 모자라는 나로서는 그러한 제멋대로의 전진을 체념하기까지 몇 주일이나 걸렸다. 소들을 따라오는 무리를 뒤로하고 우리는 로자리우 오에스테에 도착했다. 그곳은 주민이 1천여 명 되는 작은 마을이었는데, 주민 대부분이 흑인·난쟁이, 그리고 갑상선 이상자들이었다. 그들은 밝은 야자수잎으로 엮은 지붕 밑에 번쩍거리는 붉은색 벽토로 지은 초라한 오두막집인 카제브레에 살고 있었다. 그리고 집들이 늘어서 있는 곧바로 뚫린 길에는 풀들이 멋대로 자라고 있었다.

나는 내가 묵었던 집의 자그마한 정원을 기억한다. 하도 세심하게 정돈이 되어 있어서 마치 집 안의 사람 사는 방과 같은 뜰이었다. 지면은 잘 골라진데다가 깨끗이 비질이 되어 있었고, 나무들은 거실에 가구를 배열해놓듯이 주의를 기울여 배치를 해놓았다. 오렌지나무 두 그루, 레몬나무 한 그루, 고추나무 한 그루, 마니오크나무 열 그루, 키아부(오크라) 두세 그루와 같은 수의 뽕나무, 장미나무 두 그루, 그리고 바나나나무 한 무더기와 사탕수수 한 무더기가 있었다. 조롱 안에는 앵무새 한 마리가 있었으며, 나무에 한 발씩 잡아매여 있는 병아리 세 마리가 있었다.

로자리우 오에스테에서는 호사스럽게 차린 요리가, 2등분으로 나누어 요리한 것이다. 병아리 한 마리를 내놓을 때도 반쪽은 굽고 반쪽은 톡 쏘는 소스를 발라 차게 해서 대접하고, 생선도 반 토막은 튀기고 반토막은 삶은 것이다. 식사를 끝마칠 때 가서는 카샤사라는 사탕수수로 만든 술이 나오는데, 이때 의례적인 문구를 곁들이면서 받아 마시게 되어 있다. "Cemitério, Cadeia, Cachaça não é feito para uma só pessoa"라는 말을 읊는 것인데, 그 뜻은 "묘지, 감옥 그리고 술(세 단어가 모두 C자로 시작된다), 이것들은 동일한 사람에게 함께 찾아오는 법은 없다"라는 말이다. 로자리우는 벌써 삼림 한복판에 있었는데, 그 주민들이 옛날에는 고무와 금, 그리고 다이아몬드를 찾아 다니던 사람들로 구성되어 있었기 때문에, 나의 행정(行程)에 유익한 지시를 해줄 수 있었다. 이 얘기 저 얘기에서 무슨 정보를 얻을 수 있으려나 하는 희망을 안고, 자신들의 모험을 회상하는 방문객들 이야기에 나는 귀를 기울였다. 그 모험담들 속에는 전설과 경험이 복잡하게 얽혀 있었다.

집고양이와 표범을 교배해서 생기는 가투 발렌테(용감한 고양이) 라는 것이 북부에 있다는 말은 나로서는 도저히 납득할 수가 없었다. 그러나 어떤 이야기 상대자가 내게 들려주는 다음과 같은 이야기에 서는, 결국에 가서는 아무것도 아닐지 모르지만 그래도 무언가 새겨 들을 것이 있었다. 세르탕(Sertão: 브라질의 반불모의 고원지대 – 옮긴이) 사람들의 정신과 생활양식을 알 수 있기 때문이다.

서부 마투그로수, 파라과이강 상류에 있는 작은 마을인 바라 두스 부르제스에는 뱀한테 물린 상처를 치료해주는 쿠란데이루(의원) 한 사람이 살고 있었다. 그는 환자의 팔꿈치부터 손목 사이의 아래팔 부분을 수쿠리(왕뱀)의 이빨로 찌르는 것으로 치료를 시작하고는 했다. 그다음에는 땅바닥에다 소총에 쓰는 화약으로 십자가를 그리고 거기에 불을 붙인 후, 그 연기 속으로 환자의 팔을 뻗게 했다. 이어서 '아르티피시우'(Artificio: 부싯돌을 가리키는데, 부싯깃이 뿔로 된 용기 에 다져넣은 누더기로 되어 있다)로 검게 태운 목면을 꺼내어 카샤사 (사탕수수 술)에 적셔놓으면, 그 술을 환자가 마신다. 그러면 이것으로 치료는 끝난다.

어느 날 '투르마 데 포아이에루스'(Turma de poaieros: 약초인 토근을 채집하러 다니는 무리)의 우두머리가 이 치료 장면을 보고는 의원에게 자기 부하들도 분명히 모두들 예방접종하기를 바랄 테니까, 그들이 도착하는 일요일까지 기다려달라고 부탁을 하고, 한 사람당 5밀레이스, 즉 1938년 통화로 쳐서 5프랑이 되는 액수를 지불하겠다고 하여 그 의원은 이를 승낙했다. 그런데 토요일 아침, 바라캉 (Barracão: 공동으로 사는 오두막집) 밖에서 개 짖는 소리가 요란했다. 그 우두머리가 동료 하나를 내보내 무슨 일인가 알아보도록 했더니, 카스카벨(방울뱀) 한 마리가 성이 올라 있다는 것이었다. 그래서 그 우두머리는 의원에게 그 파충류를 빨리 잡아버리라고 했으나 의원은 거절했다. 우두머리는 화를 내며, 만약 뱀을 안 잡을 시에는 예방접종이고 뭐고 없을 것이라고 말했다. 할 수 없이 의원은 결단을 내려 뱀 쪽으로 손을 내밀었는데, 물려서 그만 죽고 말았다.

이 이야기를 내게 해준 사람이 설명하기를, 자기도 그 의원에게 예방접종을 받은 적이 있으며, 그 후 그 접종의 효험을 시험해볼 양으로 일부러 어떤 뱀한테 물려보았는데, 결과는 완전히 성공적이었다고 했다. 그러면서 덧붙이기를 자기를 문 뱀은 독사가 아니었음이 분명하다는 것이었다.

내가 이 이야기를 기술하는 이유는 브라질 내륙지방 서민들의 사고를 특징짓는, 저 악의와 소박함의 혼합—비극적인 사건을 마치 일상생활의 자질구레한 일들처럼 다루는—을 이 이야기가 잘 나타내주기 때문이다. 언뜻 보기에는 터무니없는 것 같겠지만 그 결론이 품고 있는 의미를 잘못 이해해서는 안 된다. 내게 이 이야기를 해준 사람과 같은 논법을 쓰는 것을 후에 라호르에서 '아흐마디'파의 신회교운동 지도자가 나를 저녁식사에 초대해준 자리에서도 들을 수 있었다. 아흐마디파는 정통교리에서 벗어나는 것인데, 특히 역사의 과정 속에서 구세주라고 자칭하고 나섰던 모든 사람(그들은 소크라테스와 석가모니도 여기에 포함시킨다)이 사실 그럴 만한 가치가 있는 것이며, 만일 그렇지 못하다면 신은 그들의 건방진 태도를 징계했을 것이라고 확신했다.

마찬가지로 로자리우에서 내게 뱀 이야기를 해줬던 친구도 틀림없이 그런 식으로 생각을 하고 있었다. 그가 생각하기로는 그 의원의 주술이 진짜가 아니었다면, 초자연적인 힘이 보통 때는 독이 없던 뱀을 독사로 만듦으로써 그러한 사실을 폭로시키지 않겠느냐는 것이었다. 치료라는 것 자체가 주술적인 것으로 간주되었으므로, 그도 그 의료행위의 진위를 마찬가지로 주술적 차원에서 실험적인 방법으로 밝히려 했다.

나는 우티아리티까지 가는 길에서는 돌발사고를 면하기가 쉽지 않을 것이라고 하는 말을 늘상 들어왔다. 그것이야 어떻든 간에 그보다 2년 전에 상로렌수강에 이르는 도로에서 부딪쳐야 했던 모험에 비할 만한 일은 일어나지 않았다. 그러나 톰바도르산 정상의 카이샤 푸라다(Caixa Furada: 구멍 뚫린 상자라는 말 - 옮긴이)라 불리는 지점에 다다랐을 때, 전동축의 작은 톱니바퀴 하나가 부서졌다. 그때 우리는 디아만티누에서 30킬로미터가량 떨어진 곳에 있었다. 그래서 우리 운전사들은 쿠이아바에 전보를 치기 위해 디아만티누까지 걸어갔다. 그러면 쿠이아바에서는, 다시 리우데자네이루에 비행기로 부속품을 보내달라고 주문했다가 그것을 받으면 우리에게 자동차로 실어다줄 것이었다. 모든 일이 순조롭게 되어 나간다면 수리를 끝낼 때까지 8일이 소요될 것이고, 그렇게 되면 소들은 우리를 앞지를 시간적인 여유를 얻을 수 있다.

이렇게 해서 우리는 톰바도르산 정상에서 야영을 시작했다. 300미터가량 높이에 있는 암석으로 된 돌출부위였는데, 파라과이강 유역을 넘어 샤파다(평원)가 끝나는 곳이었다. 한쪽 옆에서는 작은 물줄기들이 벌써 아마존의 지류를 이루려 하고 있었다. 가시 돋친 식물들로 가득한 그 초원에서 몇 그루 나무를 찾아내어 그 사이에 그물침대와 모기장을 걸쳐놓고 나면, 잠자며 꿈꾸고 사냥하는 것 이외에 무슨 할 일이 있겠는가? 건계(乾季)가 1개월 전부터 시작되었다. 그때가 6월이었다. 8월에 '슈바스 데 카주'라 부르는 약간의 비(그해에는 그것조차 안 내렸다)가 내리는 것을 제외하고 9월까지는 한 방울의 빗물도 떨어지지 않는다. 이미 초원은 겨울 모습을 띠고 있었다. 식물들은 이미 시들어 마르고 때로는 산불에 타 없어져, 검게 탄 잔가지들 밑으로 깔린 모래가 드러나 보였다. 또 이 시기는 고원지대를 가로질러 다니는 몇 안 되는 야생동물이 카팡으로 모여드는 때이기도 하다. 카팡은 속이 안 들여다보일 정도로 나무가 무성한 둥글게 생긴 작은 숲으로, 그곳의 둥근 꼭대기는 샘의 소재지를 가리키고 있으며, 거기서 동물들은 아직도 초록빛을 띠고 있는 작은 목초들을 발견한다.

10월에서 3월까지 우계 동안에는 비가 거의 매일 내리는데, 낮 동안에는 기온이 42도 내지 44도까지 상승을 하고, 밤이 되면 좀 서늘해져서 새벽녘엔 잠깐 동안 갑작스레 비가 쏟아질 때도 있다. 그와 반대로 기온의 변화가 극심한 것이 건계의 특색이라 할 수 있다. 그때가 되면 기온이 낮에는 최고 40도까지 올라갔다가, 밤이 되면 최저 8도 내지 10도 정도로 내려가는 경우가 드물지 않다.

우리는 야영지에 피워놓은 모닥불 주위에 둘러앉아 마테차를 마시면서, 우리 일을 거들어주는 형제와 운전사들이 세르탕(황야)에서의 모험담을 털어놓는 것에 귀를 기울인다. 그들은 커다란 개미핥기(타만두아라 불린다)가 들판(캄푸)에서는 왜 해를 입히지 않는가를 설명하는데, 그것들은 들판에서 몸을 세우게 되면 균형을 유지할 수 없다는 것이다. 개미핥기들은 숲속에 있을 때는 꼬리로 나무에 기대어서 무엇이든지 제 곁에 다가오는 것이 있으면 앞발로 짓눌러버린다는 것이다. 또 그것들은 뱀의 습격도 두려워하지 않는다. 몸통에다가 머리를 포개놓고 잠을 자기 때문에, 표범조차도 어디에 개미핥기 머리가 있는지 알아낼 도리가 없다는 것이다.

우계에 들어섰을 때는 멧돼지들 소리에 항상 귀를 기울여야 할 필요가 있다. 멧돼지들은 50마리 또는 그 이상씩 떼를 지어 다니는데, 그것들의 턱뼈를 가는 소리는 몇 킬로미터 떨어진 곳에서까지 들린다(멧돼지들은 케이샤다 또는 케이슈(턱)라고도 부르는데, 위와 같은 특성에서 유래하여 붙은 이름이다). 이 소리가 들리면 사냥꾼은 도망을 치는 수밖에 없는데, 만약에 그중 한 마리가 죽거나 다쳤다가는 한꺼번에 공격을 해오기 때문이다. 그럴 때는 나무 위나 흰개미집 위로 올라갈 수밖에 없는 일이 생긴다는 것이다.

한 사람이 이야기하기를, 어느 날 밤 자기 동생과 함께 여행을 하다가 도움을 청하며 부르짖는 소리를 들었다고 한다. 그런데 그는 인디언들이 무서워서 도우러 가기를 망설이고 있었다. 그래서 두 사람 모두 날이 밝기를 기다리고 있었는데, 그동안에도 비명은 계속되었다. 새벽녘이 되었을 때 그들이 발견한 것은 총을 땅바닥에 떨어뜨린 채 멧돼지들에 포위되어 전날 밤부터 나무에 매달려 있는 어떤 사냥꾼이었다.

그래도 이 사냥꾼의 운명은 지금 하나 더 이야기하려는 사냥꾼의 운명보다는 덜 비극적인 셈이다. 어떤 사냥꾼 하나는 멀리서 멧돼지 소리가 나는 것을 듣고는 흰개미집 위로 피신을 했다. 그러자 멧돼지들이 그를 포위했다. 그는 탄환이 다 떨어질 때까지 총을 쏘았고, 그 다음에는 '파캉'이라고 하는 벌목할 때 쓰는 칼로 방어를 했다. 다음날 사람들이 그를 찾으러 나섰다가, 검은 독수리(썩은 고기를 먹는)

들이 위를 날고 있는 곳에서 곧 그가 있던 위치를 알 수 있었다. 그러나 땅바닥에는 사냥꾼의 두개골과 내장이 튀어나와 있는 멧돼지들의 잔해밖에는 없었다.

이야기는 또 익살스러운 것으로 옮겨갔다. 어느 '세린게이루', 즉 고무 채취인의 이야기인데, 그는 굶주린 표범과 만나게 되었다. 그들은 숲속의 어느 관목덤불 주위를 뺑뺑 돌며 뒤를 쫓다가, 사람이 실수를 하는 바람에 방향을 잘못 잡아 갑자기 서로 얼굴을 정면으로 마주치게 되고 말았다. 둘 중 어느 누구도 감히 움직이지를 못하고, 사람은 고함조차 칠 수가 없었다. "그 사람은 몸에 경련이 일어 무의식적으로 움직이게 되어 자기 총의 개머리판을 건드리게 되었는데, 자기가 몸에 총을 지니고 있음을 그때야 의식하게 되었죠. 반 시간이 다 지나서였어요."

불행하게도 우리가 캠프를 설치한 곳은 그 지방에 흔한 벌레들이 설치는 장소였기 때문에 말벌이나 모기들이 들끓었는데, '피움'과 '보라슈두'같이 떼를 지어 날아다니며 피를 빨아먹는 아주 작은 각다귀들도 있었다. 그리고 파이 데 멜, 즉 '꿀의 아버지'라고 불리는 꿀벌들도 돌아다녔다. 남아메리카종 벌들에는 독은 없으나, 색다른 방법으로 사람들을 괴롭힌다. 그것들은 땀을 좋아하기 때문에 입술 접합면·눈·콧구멍같이 가장 좋은 장소를 차지하려고 서로들 다투는 판이다. 그래서 일단 자리를 차지하면, 희생자의 분비물에 도취되어서 날아서 도망치느니보다 그 자리에서 그대로 자멸하는 편을 택한다. 또 으스러져서 피부에 직접 붙어 있는 그 벌들의 시체는 끊임없이 새로운 소비자들을 유혹해 들인다. 그래서 그들에게는 '눈핥기'라는 별명도 붙게 되었다. 열대의 숲에선 이 벌들이 정말 고통스러운 존재라서, 몇 주일이 지나면 인체가 익숙해질 수 있는 모기나 각다귀가 끼치는 해독보다 더 심한 짓을 한다.

그러나 벌들이 있는 곳에는 꿀이 있는 법이다. 꿀을 딸 때는 지면에다가 집을 짓는 종류이면 그 집을 째어놓고 나서, 구멍 난 나무에서 달걀만 한 커다란 공 모양의 벌집방이 차곡차곡 쌓인 것을 발견해내면 그것을 끄집어내놓고, 맘대로 꿀 모으는 일에 몰두할 수 있다. 갖가지 벌이 그 종류에 따라 다른 맛을 지닌 꿀을 만들어낸다. 내가 조사해본 것만도 13가지나 된다. 이 모두가 다 너무 독해서 우리도 남비콰라족을 본받아 물에다가 넣어 묽게 만드는 법을 금방 배웠다. 꿀의 짙은 향기들은 부르고뉴산 포도주처럼 그 이상야릇함이 사람들을 어리둥절하게 만든다. 나는 이와 같은 것을 동남아시아의 어떤 조미료에서 찾아볼 수 있었다. 바퀴벌레의 선(腺)에서 추출해내는 것인데, 값이 엄청나게 비싼 귀중한 것이었다. 그것은 극히 미량으로도 요리 한 접시를 향기롭게 만들기에 충분했다. 또 한 가지 굉장히 비슷한 향기가 있는데, 그것은 '성난 프로크루스테스'(그리스 신화에 나오는 노상 강도-옮긴이)라는 이름으로 불리며, 어두운 빛깔을 지닌 프랑스의 어느 초시류 곤충에게서 발산된다.

마침내 우리를 구원해줄 화물차가 새 부품과 그것을 장치할 기사를 싣고 도착했다. 우리는 다시 출발하여 파라과이강 쪽으로 뚫려 있는 계곡 속에 반쯤 폐허가 되어 있는 디아만티누를 거쳐 갔다. 그러고는 또 고원지대로 —이번에는 아무 사고 없이 —올라가서 타파조스강, 그리고 아마존강으로 물을 보내는 아리노스강을 스쳐 지나갔다. 그다음에는 서쪽으로 비스듬히 꺾어져서, 기복이 심한 사크레강이며 파파가이우강의 계곡 쪽으로 갔다. 두 계곡 역시 타파조스강을 형성하는 것으로서, 60미터 높이의 폭포로부터 물을 떨어뜨리고 있었다. 파레시에서 우리는 베이소스 데 파우족이 버려두고 간 무기들을 살펴보느라 멈추었는데, 그들은 이 근처에서 또다시 눈에 띄고 있다는 것이었다. 그곳에서 조금 더 나아간 후에는, 원주민들의 모닥불로 늪지대에서 불안 속에서 하룻밤을 뜬눈으로 지새기도 했다. 몇 킬로미터 떨어진 곳에서 건계의 맑은 하늘에 수직으로 솟아 올라가고 있는 모닥불 연기가 눈에 띄었기 때문이다.

파레시 인디언족의 어느 마을에서는 폭포를 구경하고, 약간의 정보를 수집하느라고 또 하루를 묵었다. 드디어 파파가이우강에 도착했다. 강폭이 100여 미터나 되며, 지면과 같은 높이로 물이 흐르는데, 너무도 맑아서 바위투성이 강바닥이 매우 깊이 있는데도 그대로 들여다보였다. 강 건너쪽으로는 짚으로 이은 오두막집과 짚을 섞은 벽토를 발라 만든 보잘것없는 작은 집들이 열두어 채 보이는데, 그곳이 바로 우티아리티 전신국 주재소이다. 우리는 화물차에서 짐들을 내려놓고, 나룻배에 식료품과 보따리들을 옮겨 싣는다. 그러고는 운전사들과 작별의 인사를 나눈다. 벌써 맞은편 강가에는 벌거벗은 두 몸이 보인다. 남비콰라족이구나.

26 전신선을 따라

　　론돈의 전신선(電信線)을 위해 일하며 사는 사람은 달나라에서 살고 있는 듯 여겨지기 쉽다. 프랑스만큼 넓은데, 4분의 3은 미개척 상태에 있는 땅을 상상해보라. 오직 유랑하는 원주민들이 작은 무리를 지어 돌아다닐 뿐인데, 이들 역시 이 세상에서 우리가 만날 수 있는 사람들 중 가장 미개한 인간에 속한다. 그리고 그 땅 한쪽 끝에서부터 다른 쪽 끝까지는 전선 하나가 가로질러 가고 있다. 전신선이 가설된 곳을 따라 어설프게 닦아놓은 도로인 피카다가, 700킬로미터를 통해 유일한 표지 구실을 해주고 있다. 론돈의 조사대가 북쪽과 남쪽에서 행했던 몇 번의 답사를 제외하면 피카다의 양쪽 가장자리에서부터 미지의 세계가 시작되기 때문이다. 그리고 때로는 피카다 자체도 그 노선 윤곽이 삼림지와 구별하기 힘든 경우도 있다.

　　전선이 있는 것만은 사실이다. 그러나 가설되자마자 쓸모없이 되었던 전선은 썩어 넘어져도 교체를 하지 않는 전신주 위에 축 늘어져 있을 뿐이다. 전신주는 흰개미들이나 인디언들의 공격을 받는 희생을 감수하고 있었다. 인디언들은 전신선 특유의 윙윙거리는 소리를 한창 작업 중인 야생 꿀벌떼 소리로 오인하기도 했던 까닭이다. 어떤 곳에서는 전선이 땅바닥에 늘어져 있기도 하고, 때로는 근처에 있는 관목들에 아무렇게나 걸려 있기도 했다. 예컨대 역설적으로는 전선은 그 주위의 황량함을 거두기는커녕 오히려 악화하고 있다.

사람의 손이 전혀 닿지 않은 풍경은 그 야성으로부터 의의 깊은 가치를 박탈해가는 단조로움을 안겨주게 된다. 그 경치는 인간을 거부하며 인간에게 도전하지도 못하고, 인간의 시선 아래서 없어지게 된다. 한편 영원히 새로 태어날 것 같은 그 삼림 속에서 피카다의 좁다란 길폭, 전신주들의 비틀린 그림자, 전신주들을 이어주는 전선이 늘어져 생긴 거꾸로 된 아치형, 이 모든 것은 이브 탕기(Yves Tanguy, 1900~55: 환상적 풍경화를 많이 그린 프랑스의 초현실주의파 화가 — 옮긴이)의 그림들 속에서 우리가 보게 되는, 고독 속을 표류해 다니는 조화되지 않은 물체들을 생각나게 한다. 그것들은 인간이 지나갔음과 또 그 인간의 노력의 허무함을 증언하면서, 거기 있음으로써 더욱 명료하게 인간이 뛰어넘으려고 애썼던 한계를 보여주고 있다. 그 시도의 일시적인 성격과 그 시도에 제재를 가했던 좌절은 주위를 둘러싸고 있는 쓸쓸한 황야에 증거가 될 만한 가치를 부여하고 있다.

전신선이 있는 이 지역의 인구는 100여 명가량이다. 그중 일부는 파레시 인디언들로서, 예전에 전선가설대에 의해 현지에서 징발되어 군대에서 전선의 보호 유지 및 기계 조작법에 대한 교육을 받은 바 있었다(그렇다고 해서 이들이 활과 화살로써 하는 사냥을 그만둔 것은 아니다). 그 나머지는 브라질 사람들로, 이 새로운 땅에서 '엘도라도'(황금의 나라)나 '머나먼 서부'를 찾겠다는 꿈을 안고 이곳으로 이끌려서 왔던 사람들이었다. 그러나 희망은 어긋났으며, 고원지대로 나아감에 따라 다이아몬드의 '흔적'은 점점 드물어져가기만 했다.

발자취가 동물이 지나가는 길임을 일러주듯이, 다이아몬드가 있음을 가르쳐주는 이상한 빛깔과 모습을 지닌 작은 돌멩이들이 있는데,

이것을 사람들은 '흔적'이라고 부르며, "그것들이 있으면 다이아몬드가 그곳을 통과하고 있다는 거야"라고들 했다. 그러한 돌멩이들로는 엠부라다스(거친 자갈)·프레티냐스(흑인 아가씨들)·아마렐리냐스(누르스름한 돌)·피가두스 데 갈리냐(암탉의 간)·산게스 데 보이(황소의 피)·페이종이스 렐루젠테스(반짝이는 콩)·덴테스 데 캉(개의 이빨)·페라젠스(연장)라는 것이 있고, 그 밖에도 카르보나테스·라크레스·프리스카스 데 오루·파세이라스·시코나스라고 불리는 것들이 있다.

다이아몬드도 없을 뿐만 아니라 1년이면 반년은 폭우의 침해를 받고 나머지 반년은 또 비 한 방울 내리지 않는 이 모래가 많은 땅에는, 가시 돋치고 흰 관목밖에는 자라지 않고 사냥거리조차 없다. 중앙 브라질의 역사 속에서는 너무도 자주 일어났던 이주의 물결은, 크나큰 열광적 움직임 속에서 한 무리의 모험가, 불안에 떠는 자, 가난한 자들을 내륙으로 보냈으나 그들은 즉시 잊혔으며, 오늘날에는 개화된 중심지와 모든 접촉이 끊긴 채 버림받고 있다. 그리하여 이 불행한 사람들은 짚을 이어 만든 오막살이 몇 채로 이루어진 전신국 부락—이 부락들 사이의 거리는 80 또는 100킬로미터나 되며, 그들 사이에는 도보 이외에 달리 연락할 방도도 없다—속에서, 자기들 나름대로의 특이한 광기를 통해서 그 고립생활에 스스로를 적응해나가고 있다.

매일 아침, 전신은 잠시 생기를 되찾는다. 전신국 사람들끼리 소식을 교환하기 때문이다. 한 전신국에서는 자기들을 습격할 준비를 갖추고 있는 적대적인 인디언 무리들이 야영을 하면서 피우는 불길이 포착되었다는 소식, 또 다른 곳에서는 며칠 전부터 파레시 인디언 두 사람의 행방이 묘연해졌다는데, 아마 그들 역시 전신선 연변 지대에서 악명이 높은 저 남비콰라족의 희생물이 된 것 같으며, 남비콰라족은 틀림없이 그 파레시 인디언들을 '하늘나라의 우기에서'(이 지역에서 우기를 지내기가 어려워서 이런 표현을 하는 것 같다-옮긴이) 지내도록 했을 것이라는 소식 따위가 들려오는 것이다. 사람들은 등골이 오싹해지는 무시무시한 익살을 곁들여가며, 1933년에 학살된 선교사들, 또는 상반신을 드러낸 채 가슴은 화살 세례를 받아 구멍투성이가 되고, 머리에는 송신기가 얹혀 매장되어 있는 상태로 발견되었던 어느 전신기사에 관한 일을 다시 상기하게 된다.

그런 이야기들을 교환하게 되는 것은, 인디언들이 이 전신국 사람들에게 일종의 병적인 매력을 행사하기 때문이다. 그 인디언들은 벽지 특유의 환상으로 과장이 되어 있는 끊임없는 위험의 존재로서 대표된다. 그러면서도 또 동시에 이들 유랑하는 작은 무리들의 방문은 이 전신국 사람들에게 유일한 기분전환거리가 되어줄 뿐만 아니라 나아가서는 인간과 접촉할 수 있는 유일한 기회가 되어주기도 한다. 그래서 1년에 한 번이나 두 번 그런 일이 찾아오면, 잠재적 능력을 지닌 살인자들과 학살 후보자들 간에는 남비콰라말과 포르투갈어가 반반씩 섞여 모두 해서 40개 단어로 이루어진 이곳 전신지대 특유의 불가사의하며 온전찮은 말로써 농담이 오간다.

이렇게 여기저기에서 오한을 느끼게 하는 장난을 즐기는 외에도, 각 전신국장들은 또 자기만의 특이한 스타일을 만들고 있었다. 감정이 격한 국장 하나가 있었는데, 그의 아내와 자식들은 배를 곯아 죽을 지경이다. 왜냐하면 그 사람은 강가에서 목욕을 하려고 옷을 벗을 때마다 강 양편 언덕에서 자기 목을 따기 위해 준비를 하는 인디언 복병(伏兵)들이 있다고 생각하고, 그들을 위협하느라 윈체스터 총알 다섯 방을 쏘지 않고는 못 견뎌서, 결국 채워놓기 힘든 탄약을 모조리 소모해버리기 때문이다. 그런 것을 가리켜 케브라르 발라, 즉 '총알을 까버린다'고 일컫는다.

또 약학을 전공하다가 리우데자네이루를 떠나온 거리의 건달 하나가 있는데, 그는 라르구 두 오비도르 거리에서 계속 농담을 하며 돌아다니는 사람이었다. 하지만 더 이상 이야기할 것이 없게 되자 그의 회화는 무언의 몸짓과 혀를 차는 것과 손가락을 튀기는 것, 그리고 의미심장한 시선으로 제한이 되어버렸다. 아마 무성영화 시대라면, 그는 그때까지도 리우데자네이루 사람으로 보였을 것이다. 현자한 사람의 이야기도 덧붙여두어야겠다. 그는 근처 샘에 자주 오는 사슴 무리를 통하여 자기 가족들의 생물학적 안정을 이룰 수 있게 한 사람이다. 매주 그는 사슴을 꼭 한 마리만 잡고 더 이상은 절대로 잡지 않는다. 그리하여 사냥거리도 존속하고, 전신국 역시 버티어 나간다. 그러나 8년 전부터(그때부터 1년에 한 번씩 황소를 끌고 오던 대상들에 의한 식량보급이 점차로 중단되었다) 그들은 오직 사슴고기만 먹고 산다.

우리보다 몇 주일 앞질러서 우티아리티로부터 50킬로미터가량 떨어진 곳에 있는 주루에나 전신국 부락 근처에 자리 잡기를 마친 제수이트 신부들은, 또 다른 종류의 생생한 이야기들을 들려주었다. 그들은 세 사람으로 되어 있었다. 한 사람은 순수하게 신에게 기도만 올리는 네덜란드인이었다. 또 한 명은 브라질 사람인데, 인디언들을 개화하고자 하는 목적을 갖고 있었다. 나머지 한 사람은 전에 귀족이었던 헝가리 사람으로서 훌륭한 사냥꾼이며, 그의 역할은 선교단에 사냥에서 얻은 노획물을 조달해주는 것이었다. 이들 셋은 도착한 지 얼마 안 되었을 때 그곳 교구장의 방문을 받았다. 그 교구장은 루이 14세 치하에서 방금 도망쳐 나온 듯이, R음을 불명확하게 내는 늙은 프랑스인이었다. 그는 야만인들—그는 인디언들을 달리 표현하는 법이 없었다—에 관해서 이야기를 해주었는데, 마치 캐나다 어딘가에 16세기의 항해가 카르티에(Cartier, 1491~1557: 프랑스인이며 프랑수아 1세의 이름으로 캐나다를 점거했다 - 옮긴이)나 샹플랭 (Champlain, 1570~1635: 프랑스인으로 캐나다의 퀘벡시 창설자 - 옮긴이)과 함께 직접 상륙한 사람 같은 어조였다.

교구장이 도착하자마자, 그 헝가리인 —그는 파란만장했던 청년 시절의 방황 끝에 회개하는 심정에서 성직자의 길을 택한 것 같았 다—은 프랑스의 식민지 사람들이 '대나무 발작'이라 부르는 것과 같은 종류의 병에 걸려버렸다. 선교단이 들어 있는 오두막집의 벽을 통해, 그가 자기 상관인 교구장에게 욕설을 하는 것이 들려왔다. 그 러나 교구장은 그 어느 때보다도 더욱 교구장답게 계속 십자가를 긋 고, "사탄이여! 물러가라"라고 외치면서 그 헝가리인을 악마로부터 구하려 했다. 마침내 악마로부터 해방이 된 그 헝가리인은 보름 동안 빵과 물만 먹어야 하는 처지에 놓였다. 그러나 주루에나에는 빵이 없 었으므로 이 말은 상징적인 것일 수밖에 없다.

카두베오족과 보로로족은 여러 가지 이유로, 풍자적인 뜻이 전혀 없이 '식자들의 모임'이라고 부르고 싶은 그런 사회를 형성하고 있 었다. 이에 반해 남비콰라족은 관찰자로 하여금 쉽사리 '인류의 유 년기'라고 생각하게 만드는 —그러나 이것은 잘못된 관찰이다 —그 런 사회를 형성하고 있었다. 우리는 부락 끄트머리의, 전신선 가설공 사를 할 당시에 자재를 두는 장소로 사용되었으나 지금은 일부가 망 가진 어느 오두막집에 자리를 잡고 있었다. 그래서 원주민들의 숙영 지에서 불과 몇 미터도 안 떨어진 곳에 있게 되었다. 그 원주민들은 20여 명 되었는데, 여섯 가족이 모인 것이었다. 그 작은 집단은 우리 보다 며칠 전 그곳에 도착해 있었는데 그들은 유랑하는 기간이라서 이동 도중에 들른 것이었다.

남비콰라족의 1년은 명확하게 두 시기로 구분이 된다. 10월부터 3월까지 비가 많이 오는 계절에는 냇물의 흐름을 내려다보고 있는 작은 언덕에 집단별로 자리를 잡는다. 그러고는 그곳에다 원주민들은 나뭇가지와 종려나무 잎을 엮어 되는대로 거친 오두막을 세운다. 그런 다음 계곡 아래쪽 습지를 차지하고 있는 길다란 삼림 속에 화전을 일군다. 그곳에 곡식을 심고 채마밭을 가꾸는데, 주로 마니오크 (단것과 쓴것)나 갖가지 종류의 옥수수나 담배를 심고, 때로는 콩과 목화와 땅콩, 그리고 호리병박도 심는다. 여자들은 종려나무의 가시를 박아놓은 널빤지 위에다가 마니오크를 갈며, 만일에 독이 있는 종류라면 신선한 과육(果肉)을 헝겊 조각에 넣고 비틀어 눌러서 그 즙을 짜내기도 한다. 그들은 그 채마밭으로부터 정주생활을 하는 동안에 충분히 지낼 만한 식량을 공급받는다. 이 남비콰라족은 마니오크 과육도 저장을 하는데, 그것들을 땅속에 파묻었다가 몇 주일 또는 몇 달 후 반쯤 썩었을 때 끄집어낸다.

건계(乾季)가 시작되면 마을은 내버려진 채 각 집단은 몇 개의 유랑 무리로 나뉘어 흩어지게 된다. 그로부터 7개월 동안 이 무리들은 먹을 것을 찾으며 초원지대를 헤매고 다닌다. 그들이 찾는 사냥거리는 특히 작은 것들로서, 애벌레·거미·메뚜기·설치류·뱀·도마뱀 따위고, 동물성인 것 이외에 나무나 풀의 열매·뿌리 또는 야생꿀을 모은다. 요컨대 기아로 죽는 것을 막아줄 수 있는 모든 것을 찾아다닌다. 하루, 며칠, 때로는 몇 주일 동안 묵기 위해 그들이 꾸미는 숙영지에는 비바람을 피할 수 있을 정도의 간단한 오두막들이 들어서게 된다. 종려나무 잎이나 나뭇가지를 모래에다 반원을 이루게 꽂은 후 꼭대기를 묶어서 피신처를 만든다. 햇빛이 움직여가는 데 따라서, 종려나무는 한쪽에서 뽑혀서 다른 쪽으로 심어진다. 태양을 막아주는 벽이 항상 옆에 있게 하기 위해서이며, 바람과 비로부터 보호받기 위해서 옮겨놓을 때도 있다.

그러나 이때는 무엇보다도 식량을 찾기에 온 힘을 기울여야 할 시기이다. 여자들은 무엇을 파헤칠 때 막대기를 이용하는데 그것은 뿌리를 끄집어내거나 작은 짐승들을 때려눕힐 때 소용이 된다. 남자들은 종려나무로 만든 대형 활과 화살로 사냥을 하는데 화살에는 여러 종류가 있다. 우선 새들을 잡는 데 쓰는 화살은 끝이 무딘 것인데, 나뭇가지에 꽂히지 않게 하기 위함이다. 물고기를 잡는 데 쓰이는 화살은 그보다 더 길고 깃털은 달려 있지 않으며 화살 끝이 셋에서 다섯 갈래로 갈라져 있다. 또 독화살이 있는데 독약을 발라놓은 끝부분에 대나무로 만든 덮개를 씌워두었다가 중간 크기의 동물을 사냥할 때 쓴다. 한편 표범이나 맥 따위의 커다란 동물을 잡을 때는 굵직한 대나무를 잘라 창처럼 촉을 만든 화살을 쓰는데, 동물로 하여금 피를 흘리게 하기 위해서이다. 화살 하나가 옮길 수 있는 독약의 양으로는 큰 동물을 잡기에 부족하기 때문이다.

보로로족 궁전의 찬란함을 보고 나면, 남비콰라족의 물질적 빈곤은 믿기 어려울 정도이다. 남자도 여자도 옷이라고는 몸에 걸친 것이 없으며, 그들의 체형 또한 그들의 문화적 빈약함과 동시에 그들을 이웃하는 다른 부족들과 뚜렷이 구별짓게 하고 있다. 남비콰라족은 키가 작다. 남자는 160센티미터가량이며, 여자는 150센티미터쯤 된다. 다른 많은 남아메리카 인디언 여자들과 마찬가지로 이들 남비콰라족 여자들도 몸통은 그다지 발달된 편은 아니지만, 팔과 다리는 다른 종족의 여자들에게서는 일반적으로 볼 수 없는 가냘픈 편으로, 손가락도 훨씬 가늘고 관절 또한 훨씬 날씬하게 생겼다. 피부색 또한 다른 종족에 비해 더 짙은 편이다. 그리고 많은 사람이 피부병에 걸려 전신에 자줏빛 반점이 뒤덮여 있다.

그러나 건강한 사람들의 경우, 그들은 모랫바닥에 구르기를 좋아하는데 피부에 모래알이 붙으면 갈색 벨벳 같은 느낌을 주며, 젊은 여성들에게는 이것이 무척 매력적으로 보인다. 머리는 긴 편이고 얼굴은 섬세하게 잘생긴 사람들이 많으며 눈길은 예리하다. 체모는 대부분의 황색인종들보다 발달되어 있고, 머리카락은 딴 데서는 보기 힘든 순수한 검은빛인데, 가볍게 웨이브가 져 있다. 이러한 체형이 처음 이 종족을 방문했던 사람들을 깜짝 놀라게 해서, 이 남비콰라족이 농장에서 도망쳐 나와, 킬롬부(반란노예의 부락)로 피신했던 흑인들과의 혼형이 아닐까 하는 억측을 낳기까지 했다.

하지만 만약에 남비콰라족이 비교적 최근에 와서 흑인의 피를 받아들였다면, 우리의 조사가 확인했듯이, 그들 모두의 혈액형이 O형에 속한다는 사실은 이해할 수 없는 일이 될 것이다. 전원이 다 O형이라는 사실은, 그들이 설사 순수한 원주민 혈통이 아니라고 할지라도 적어도 수세기 동안에 걸친 인구집단의 격리가 있었다는 것을 시사한다. 오늘날에 와서는 남비콰라족의 체형문제에 대해서 우리는 종전과 같이 의심스러워하지 않게 되었다. 왜냐하면 남비콰라족의 체형이 브라질의 미나스 제라이스주에 있는 유적인 라고아 산타 동굴에서 그 해골이 발견된 바 있는 어느 옛날 종족의 체형을 연상시키기 때문이다. 나 자신도 그들의 얼굴 모습이 오늘날 멕시코에서 가장 오래된 문명의 산물로 알려져 있는 베라크루스 지방에 있는 상(像)들과 얕은 돋을새김들에서 엿볼 수 있는, 거의 코카서스인의 모습과 닮은 것을 보고 깜짝 놀란 적이 있다.

이러한 신체형의 유사함은 남비콰라족의 물질문화에서의 빈곤으로 더욱 많은 문제점을 던지게 되었다. 그들의 물질적 빈곤이, 그들을 중앙아메리카나 북아메리카의 최고도로 발달된 문화에 결부하기보다는 차라리 석기 시대의 잔존자로 취급하기 쉽게 만들었기 때문이다. 여자들이 걸치는 것은 기껏해야 조개껍데기로 만든 구슬을 꿴 가느다란 줄들을 허리에 두르고 목걸이와 멜빵을 각각 두른 외에 진주모와 깃털로 만든 귀고리를 달고, 커다란 아르마딜로의 딱딱한 껍질을 잘라서 만든 팔찌를 차는 것이다. 그리고 때로는 거기 덧붙여 남자들이 짠 목면이나 짚으로 좁다란 띠를 만들어 이두근이나 발목을 묶는다. 남자들의 차림새는 치부(恥部)의 허리띠에다가 때때로 거는 짚으로 만든 장식을 제외한다면, 더욱 간단하다.

활과 화살 이외에 그들의 무기로는 창의 일종으로서 납작하게 생긴 것이 있는데, 그 용도가 전쟁에 쓰임과 동시에 주술적인 일에 필요한 듯했다. 내가 실제로 그것이 쓰이는 것을 본 것은 폭풍을 몰아내기 위해서나, 아니면 적당한 방향으로 그것을 던져 초원의 악령 '아타수'를 죽이기 위해서였을 때뿐이었기 때문이다. 원주민들은 그들이 굉장히 무서워하는 별과 소도 역시 이 아타수라는 이름으로 부르고 있다(그들은 소와 노새를 동시에 알았으면서도 소는 무서워하고, 노새는 거리낌없이 죽이고 잡아먹는다). 그리고 내 손목시계 역시 그들에게는 아타수였다.

남비콰라족의 모든 재산은 유랑생활을 하는 동안에는 여자들이 등에 메고 다니는 채롱 속에 간단히 들어갈 수가 있다. 이 채롱은 세로로 켠 대나무 여섯 가닥을 갖고 속이 들여다보이게 짜서(두 쌍은 서로 직각이 되게, 한 쌍은 사선을 이루게 하여), 별 모양의 눈이 생긴 그물을 만드는 것이다. 그리하여 채롱 꼭대기 입구 쪽은 약간 밖으로 벌어지게 하고, 아래쪽은 장갑 낀 손가락처럼 끝을 맺는다. 그 치수는 150센티미터에 다다르기도 한다. 다시 말하면, 때로는 그 채롱을 메고 다니는 여자의 키와 맞먹기도 한다는 뜻이 된다. 채롱 맨 밑바닥에는 타피오카 덩어리를 잎으로 덮어 넣어둔다. 그 위에는 가재 도구류, 즉 호리병박으로 만든 그릇들과 대나무, 조잡하게 깨뜨린 돌멩이, 교환을 통해 얻은 쇠붙이의 예리한 파편, 손잡이 역할을 할 두 개의 나무판, 속에 밀초나 가느다란 실을 이용해 고정해서 만든 칼, 그리고 손바닥 사이에 끼고 회전시키는 나무자루 꼭대기에 돌이나 쇠로 만든 꼬챙이를 끼워 만든 송곳 등을 넣는다.

이 원주민들은 론돈 탐험대로부터 얻은 금속제 도끼와 망치를 소유하고 있다. 그래서 돌로 만든 도끼는 이제 뼈나 조개로 된 물건을 가공할 때의 도구로밖에는 쓰이지 않는다. 그러나 절구나 연마기는 여전히 돌로 만든 것을 사용하고 있다. 토기류는 동부 남비콰라족(나는 그곳에서 조사를 시작했다)에게는 알려져 있지 않으나, 그쪽의 다른 지역에는 조잡하나마 있기는 하다. 그리고 남비콰라족은 카누를 갖고 있지 않아서 물을 건널 때는 헤엄을 치는데, 때로는 부이처럼 된 나뭇단을 사용하기도 한다.

이 모든 도구류가 거칠기 짝이 없는 것들이라 가공품이라는 이름을 붙이기가 좀 어색할 정도이다. 남비콰라족의 채롱 속에는 주로 원료들이 들어 있어, 필요에 따라 그것들을 꺼내어 물건을 만든다. 그 원료들이란 보통 갖가지 나무(특히 돌려가며 불 지필 때 소용되는 나무들), 밀랍이나 송진 덩어리, 식물성 섬유질 다발, 동물들의 뼈다귀·이빨·발톱·가죽 조각·깃털, 고슴도치의 가시, 나무열매의 껍질과 강가에 있는 조개류의 껍데기, 돌멩이, 목면, 그리고 씨앗 등을 말한다. 그 모든 것이 하도 잡동사니 같은 모습을 보이기 때문에 남비콰라족의 생활용품을 수집하는 사람은, 인간 활동의 결과라기보다는 확대경을 통해서 본 거대한 개미족의 활동의 산물 같은 것이 널린 것을 보고는 실망을 하게 된다. 실제로 남비콰라족이 높다랗게 자란 풀을 헤치며 일렬로 걸어가는 모습은 개미들의 종대를 연상시키기도 한다. 여자들이 각기 성글게 짠 채롱을 하나씩 메고 숲으로 걸어가는 모습이 마치 개미들이 때때로 자기들의 알을 옮기는 모습 같기도 한 때문이다.

'해먹'(달아매는 그물침대)을 발명해낸 열대 아메리카 인디언들 사이에서 이 기구나 또는 그 밖의 모든 휴식이나 수면에 사용하는 도구를 모르고 산다는 것은, 남비콰라족의 빈곤을 단적으로 표시하는 것이라고 할 수 있다. 남비콰라족은 벌거벗은 채 땅바닥에서 잔다. 건계의 밤은 춥기 때문에 그들은 서로 꼭 부둥켜안고 잠으로써 몸을 덥히거나, 아니면 꺼져가는 모닥불 곁으로 다가간다. 따라서 이 원주민들은 새벽이면 아직도 따스한 잿더미 속에서 뒹굴다가 잠을 깨게 된다. 이와 같은 까닭으로 파레시족은 이들에게 우아이코아코레, 즉 '땅바닥에서 그대로 자는 사람들'이라는 뜻의 별명을 붙인 것이다.

앞에서 말한 바와 같이, 우티아리티 그리고 주루에나에서 우리와 이웃하게 되었던 남비콰라족 무리는 여섯 가족으로 이루어져 있었다. 그중 우두머리인 사람의 가족은 세 부인과 청춘기를 맞은 딸 하나로 되어 있었고, 그 나머지 다섯 가구에는 각기 한 쌍의 부부와 한두 명의 어린아이가 있었다. 그들은 모두 친족관계를 이루고 있었는데, 남비콰라족은 결혼을 할 때 우선적으로 여자형제의 딸인 질녀 또는 민족학자들이 이른바 '교차사촌'(交叉四寸)이라 부르는 아버지의 여자형제의 딸이나 어머니의 남자형제의 딸을 택하기 때문이다. 이 교차사촌이라는 정의에 부합되는 사촌들은, 날 때부터 남편이나 아내를 의미하는 단어로 불리게 된다. 한편 그 밖의 사촌들(각각 남자형제들끼리 또는 여자형제들끼리에서 태어나는 아이들이기 때문에, 민족학자들은 이를 평행사촌들이라고 부른다)은 서로를 형제와 자매로 취급하고, 그들끼리는 결혼을 못하게 되어 있다.

모든 원주민이 다 사이좋게 지내는 것 같았다. 그러나 어린아이들까지 쳐서 모두 23명밖에 안 되던 그 작은 집단에서도 역시 문젯거리를 지니고 있었다. 한 젊은 홀아비가 꽤 거만스러운 아가씨와 막 재혼을 하고 난 참이었는데, 그녀는 남편의 첫 번째 결혼 소생인 어린아이들을 돌보기를 거절하고 있었다. 그 어린애들은 하나는 여섯 살가량 되었고, 또 하나는 두세 살쯤 되는 계집아이들이었다. 그중 큰 애가 엄마처럼 자기 동생을 돌보려 하긴 했으나, 아기는 몹시 소홀하게 다뤄지는 판이었다. 이집 저집으로 넘기며 아기들을 길렀는데, 물론 성가셔하지 않을 수가 없었다. 어른들은 내가 그 아이를 양녀로 받아들이기를 진정으로 바랐을 것이다. 하지만 어린아이들은 너무나도 우스꽝스러운 다른 해결책을 택하고 있었다. 아이들이 이제 겨우 걸음마를 시작한 그 꼬마를 내게로 데리고 와서는 매우 명확한 제스처를 써가면서, 내게 그 아기를 아내로 삼지 않겠느냐고 제안을 해왔던 것이다.

또 다른 가족 하나는 부모가 이미 나이가 꽤 들었는데, 그들의 딸이 남편(그때는 모습이 보이지 않았다)에게서 버림을 받은 후 임신한 몸으로 돌아와서 같이 살고 있는 것을 볼 수 있었다. 그 밖에 또 어느 젊은 부부 한 쌍은 아직 젖을 떼지 않은 어린애를 둔 부모들에게 강요되는 금기사항 때문에 몹시 고통을 받고 있었다. 그들에게는 강물에서 목욕하는 것이 금지되어 있어서 몹시 더러운 채 지내야 했고, 거의 대부분의 음식물에 대해서도 먹는 것이 금지되어 있어 몸이 야위어 있었으며, 아직 젖을 떼지 않은 어린아이의 부모는 공동생활에도 참가를 못하므로 권태롭게 지내고 있었다. 그래서 남편은 때때로 혼자서 나가 사냥을 하거나 야생의 식량을 주워 들이고 있었으며, 부인은 남편이나 그의 부모로부터 먹을 것을 얻고 있었다.

아무리 남비콰라족이 대하기 쉽다 하더라도―그들은 민족학자의 존재, 내가 휴대한 조사 노트, 사진기 같은 데 무관심했다―언어상의 문제로 내 작업은 간단치 않았다. 우선 그들 사회에서는 개인을 고유명사로 부르는 것을 허락하지 않았다. 그래서 어떤 개인을 구별하여 가리키려면 전신선 사람들의 관례를 따라야만 했다. 다시 말하여 어떤 가면을 지어 원주민들과 합의를 본 후에, 그 이름으로 그들을 지적해야만 했다. 예를 들면 포르투갈식 이름인 줄리우, 조제 마리아, 루이자 등으로 정하거나 아니면 별명을 붙여 레브레(산토끼), 아수카르(설탕) 등으로 부르는 것이다. 또 론돈 장군이나 동료 중 하나가 카베냐크(Cavaignac: 프랑스의 장군 이름 - 옮긴이)라고 이름을 붙여주었다고 하는 사람도 있었다. 그 원주민에게 그런 이름이 붙게 된 것은 그의 턱수염 때문이었는데, 인디언들은 일반적으로 수염이 있는 경우가 드물기 때문이었다.

어느 날 내가 한 떼의 어린아이들과 놀고 있을 때였는데, 여자아이들 중 하나가 한 친구로부터 매를 맞았다. 맞은 아이는 내 곁으로 도망을 오더니, 내 귀에다 대고 무슨 알 수 없는 말을 속삭이기 시작했다. 나는 무슨 뜻인지 이해를 할 수 없어서 몇 번씩이나 다시 반복을 해보라고 할 수밖에 없었는데, 그 통에 상대편 아이가 사태를 짐작하고는 굉장히 화가 나서 이번에는 자기 차례라는 듯 내게로 와서 무슨 중대한 비밀같이 보이는 것을 털어놓았다. 잠시 망설이고 의아해하다가 마침내 의문이 가시게 되었다.

첫 번째 소녀는 매맞은 데 대한 앙갚음으로 내게 자기 싸움 상대의 이름을 알려주러 왔던 것이며, 그 상대방 소녀는 그것을 알아차리자 역시 복수를 할 목적으로 첫 번째 소녀의 이름을 밝혔던 것이다. 이때부터 양심적인 일은 못 되지만, 아이들을 부추겨서 서로서로 대항을 하게 만들어 그들 모두의 이름을 알아내는 일은 굉장히 쉬웠다. 그런 일이 있은 후에 다시 그런 방식으로 작은 공모를 꾸며내어, 별 어려움 없이 어른들의 이름도 알아낼 수 있었다. 그러나 어른들이 우리의 이러한 밀회를 알게 되었을 때, 아이들은 책망을 받게 되었고 따라서 나의 정보원도 고갈이 나버렸다.

언어 때문에 겪은 두 번째 장애는 남비콰라말이라는 것이 전혀 알려져 있지 않은 여러 가지 방언의 집대성이라는 점이었다. 그 방언들은 명사형 어미와 몇 가지 동사형에 의해서 구별이 된다. 전신선 지대에서는 일종의 서투른 영어를 사용하는데, 초기에만은 그것이 유용하게 쓰일 수 있었다. 나는 원주민들의 호의와 그들의 예민한 두뇌의 도움을 얻었기 때문에 남비콰라어의 초보적인 단계는 배울 수가 있었다. 다행히도 남비콰라어에는 마법적인 단어가 포함되어 있어서—동부 방언에는 '키티투', 그 외 다른 지방의 방언에는 '디게' '다게' 또는 '초레'—그러한 단어를 명사에 덧붙이기만 하면(필요한 경우에는 부정을 나타내는 단철어(短綴語)를 보충하기도 한다) 명사를 동사로 바꾸어 쓸 수가 있게 된다.

이러한 기본 남비콰라어로는 아주 미묘한 생각은 표현할 수가 없다 하더라도 아무튼 그런 방식으로 웬만한 것을 다 이야기할 수는 있다. 원주민들도 이러한 점을 잘 알고 있다는 것은 그들이 포르투갈어를 말하고자 할 때 그러한 방식을 응용하는 것을 보면 알 수 있다. 그리하여 '귀'와 '눈'이라는 말은 각기 '듣다'(또는 '이해하다')와 '보다'를 의미하게 되며, 또 반대되는 개념 '듣지 않는다' '보지 않는다'를 표현할 때, 그들은 '오렐랴 아카보'라든가, '올류 아카보', 즉 '귀 또는 눈(의 행동)을 마친다'라고 한다.

남비콰라어를 말하는 것은 약간 어렴풋하게 들리는데, 마치 숨을 들이마시거나 속삭이며 말하는 것 같다. 여자들은 이러한 특징을 더 강하게 나타내는 것을 즐기며, 몇몇 단어는 변형('키티투'가 여자들의 입에서 발음이 될 때는 '케디우추'로 들린다)을 하기도 한다. 그리고 입술 끝을 움직여 발음을 하기 때문에, 아이들의 발음을 연상할 만큼 알아듣기 어려운 소리를 낸다. 그들이 이러한 소리를 내는 것은 완전히 의식적으로 기교와 태깔을 부리고자 한다는 것을 증명하는 것이며, 내가 그녀들의 말을 이해하지 못해서 다시 한번 말해달라고 부탁을 하면 그녀들은 자신들의 독특한 화법을 장난삼아 더욱 과장하고는 했다. 그래서 내가 맥이 빠져 단념을 해버리면, 그녀들은 웃음을 터뜨리며 그녀들이 이겼으므로 농담을 시작한다.

나는 또 남비콰라어가 동사에 붙는 접미사 이외에도, 또 다른 10여 개의 접미사를 사용하여 어떤 존재와 물체들을, 그만한 수준의 범주로 구분한다는 사실도 곧 깨닫게 되었다. '머리털-털-깃털' '날카로운 물건-구멍 뚫린 물건' '길다란 물체(뻣뻣한 것-또는 부드러운 것)' '열매-씨앗-둥그런 물건' '매달리는 것-떨리는 것' '부풀어오른 물체-액체가 가득 찬 물체' '나무껍질-가죽-그 밖의 다른 의복' 등으로 나눈다. 이러한 고찰은 나로 하여금 중앙아메리카의 한 어족과 남아메리카 북서부의 한 어족인 치브챠어의 비교에 관심을 기울이게 했다. 치브챠어는 멕시코와 페루 문명 사이에 개재하여, 현재 콜롬비아가 있는 자리에서 영화를 누렸던 한 거대한 문명에서 태어난 언어로서, 남비콰라어는 아마도 치브챠어의 남방의 후예가 아닌가 여겨진다(실제로 이런 식으로 어떤 존재들과 물체들을 나누는 방법은 수많은 다른 아메리카 언어에서도 볼 수 있으며, 따라서 남비콰라어를 치브챠어와 접근시키는 것은 이전에 내가 생각했던 만큼 타당성 있는 것으로는 여겨지지 않는다-지은이).

이것은 나로 하여금 외관이라는 것은 언제나 믿지 못할 것이라는 생각을 또다시 하도록 만들었다. 그들의 헐벗은 모습에도 불구하고, 신체형은 멕시코 최고의 주민을, 또 언어의 구조는 치브챠어를 닮은 이들 남비콰라족이 진정한 의미의 미개인일 가능성은 희박하다. 우리가 아직 아무것도 알 수 없는 그들의 과거와 현재 그들이 처한 지리적 환경의 가혹함은, 아마도 어느 날엔가는 역사가 살찐 송아지를 주기를 거부했던 이 방탕한 자식들의 운명을 설명하게 될 것이다.

27 가족생활

　남비콰라족은 동이 트기 시작하면 잠에서 깨어 꺼져버린 불을 다시 지피고, 밤 동안에 차가워진 몸을 그럭저럭 데운 후에 전날 먹다 남은 음식물로 요기를 한다. 그러고는 잠시 후에 혼자서 또는 여럿이서 무리를 지어 남자들은 멀리 사냥을 떠나고, 여자들은 숙영지에 남아 부엌일을 한다. 태양이 떠오르기 시작할 때 첫 목욕을 한다. 여자들과 아이들은 장난을 치며 함께 목욕하는 일이 잦으며, 때로는 불을 피워놓고 물에서 나오자마자 그 앞에 쭈그리고 앉아 원기를 회복하면서 목욕 뒤에 오는 떨림을 다시 즐긴다. 그 후 낮 동안에도 다시 몇 번 멱을 감는다.

　그들이 나날이 하는 일에는 거의 변화가 없다. 식사준비가 그들에게는 가장 많은 시간과 노력을 요구하는 일이다. 마니오크를 강판에 갈고 눌러 짜야 하며, 그 과육을 말리고 쪄야 한다. 또 때로는 쿠마루 열매의 껍질을 벗겨서 삶기도 한다. 쿠마루는 대부분의 요리에 쓰이는데, 쌉쌀한 편도(扁桃)의 향기를 내준다. 그것이 필요하다고 느낄 때는 여자나 어린아이들이 나가서 주워오거나 따온다. 먹을 것이 충분할 때면 여자들은 발뒤꿈치를 엉덩이에 붙인 채 땅바닥에 쭈그리고 앉거나 무릎을 꿇고서 실을 잣는다. 아니면 나무열매의 껍질이나 조개껍데기로 만든 그들의 진주를 손질하여 윤을 내며 또 그것을 실에 꿰어 귀고리나 그 밖의 장식품을 만들기도 한다. 그러다가 일에 싫증을 느끼면 서로 이를 잡아주며 빈둥거리다가 잠을 자기도 한다.

가장 더위가 심한 시각에는 숙영지가 고요해진다. 주민들은 말없이 또는 잠이 들어 그들의 처소가 햇볕 아래 마련해주는 일시적인 그늘을 즐긴다. 그 나머지 시간에는 어느 일이건 서로 이야기를 나누는 가운데 하게 된다. 거의 항상 명랑하게 잘 웃는 이 원주민들은 농담을 잘 던지고 때로는 폭소를 터뜨려가며 외설스러운 이야기나 천하고 지저분한 이야기도 나눈다. 작업은 누가 찾아오거나 또는 사건이 생기면 중단이 된다. 만일 조심성 없는 두 마리 개나 새들이 그들 앞에서 교미라도 하는 날에는 모두들 일을 멈추고 황홀한 듯 주의 깊게 계속 들여다본다. 그러다가는 한참 동안 그 중대사건에 관해 한마디씩 주석을 달고 난 다음이라야 일을 다시 시작한다.

아이들은 하루의 거의 대부분을 빈둥빈둥 놀며 지낸다. 여자아이들은 때때로 어른들과 똑같은 일을 하기도 하지만, 할 일이 없는 남자아이들은 물가에 나가 낚시질이나 한다. 숙영지에 남아 있게 되는 남자 어른들은 채롱을 엮거나 화살 또는 악기를 만들며, 때때로 가사를 조금 도와주기도 한다. 일반적으로 가정 내에서는 협조가 잘 이루어지는 편이다. 오후 서너 시경이 되어 남자들이 사냥에서 돌아오면, 숙영지에는 활기가 넘치게 되며 이야기들은 더욱 활발히 오가며 가족에 관계없이 모두들 한데 모인다. 타피오카로 만든 둥글납작한 빵 과자와 낮 동안에 찾아놓을 수 있던 것을 다 가져다놓고 배를 채운다. 해가 질 무렵이면 그날의 당번으로 지적된 여자 몇이서 근처 숲으로 밤 동안에 피울 땔감을 줍거나 꺾으러 간다. 땅거미가 질 때쯤이면 그녀들이 멜빵을 팽팽하게 잡아당기게 만든 무거운 짐을 지고 비틀거리며 돌아온다. 짐을 벗어놓기 위해 그녀들은 무릎을 꿇고 뒤쪽으로 약간 몸을 눕히며, 멜빵의 앞끈을 끌러놓기 위해 땅바닥에 그들의 채롱을 내려놓는다.

숙영지 한쪽 구석에 나뭇가지들이 쌓여 있으며, 필요할 때마다 각자 가져다 쓰게 되어 있다. 각 가족들이 이제 막 타오르기 시작하는 자기네 불 주위로 모여든다. 그리하여 이야기와 노래와 춤 속에서 저녁 나절이 흘러간다. 때로 밤이 이슥할 때까지 오락시간이 계속되기도 한다. 그러나 보통은 몇 차례의 애무와 사랑싸움 뒤에 부부들은 더욱 가깝게 다가앉고 어머니들은 잠든 아기를 꼭 껴안은 채 모든 것이 고요해진다. 오직 장작 타는 소리, 땔감 가지러 가는 사람의 가벼운 발자국 소리, 개 짖는 소리, 또는 아기 울음소리만이 차가운 밤의 정적을 깨뜨린다.

남비콰라족에게는 어린아이가 얼마 없다. 후에 가서 알게 된 일이지만, 아이 없는 부부가 드물지 않다. 그리고 어린아이가 하나 또는 둘 있는 경우가 정상적인 수효인 것같이 보이며, 한 집에 셋 이상 있는 경우는 예외적인 일인 듯하다. 아이가 젖을 떼기 전까지는 부부간의 성교가 금지되어 있다. 아이가 세 살이 될 때까지 금지하는 일이 흔하다. 어머니들은 어린아이를 넓적다리 위에 걸터앉게 하고 무명이나 나무껍질로 만든 널따란 어깨띠로 받쳐준다. 그러므로 등채롱을 멘데다가 두 번째 아이까지 둘러메고 다니기는 불가능할 것이다. 대단히 빈약한 환경 속에서 유랑생활을 해야 하므로, 원주민들은 몹시 신중해야만 한다. 그래서 필요한 경우 여자들은 유산을 하기 위하여 어떤 물리적 방법이라든가 약용식물의 도움을 빌리는 것을 서슴지 않는다.

하지만 원주민들은 자기들의 자식에 강렬한 애정을 느끼고, 동시에 그것을 아이에게 보여주며, 똑같은 감정을 아이들로부터 되돌려

받는다. 그러나 이러한 감정도 때로는 그들이 지니고 있는 초조와 불안으로 감춰지는 수도 있다. 어느 소년 하나가 소화불량으로 고생을 하고 있었다. 머리를 아파했으며, 구토를 하느라 우는 소리를 하면서 반나절은 보냈고, 나머지 반나절은 잠속에 빠져 있었다. 아무도 그 소년에게 관심을 전혀 기울이지 않으며, 하루 온종일을 혼자서 있게 내버려두었다. 그러나 저녁이 되면 그 소년의 어머니가 다가가서는 소년이 잠든 동안에 부드럽게 이를 잡아주면서, 다른 사람들이 가까이 오지 않도록 손짓을 하며 품 안에 안고 재우는 것을 볼 수 있었다.

또 어느 젊은 어머니는 자기 아기를 데리고 놀면서 등을 손바닥으로 가볍게 찰싹찰싹 쳐주니 아기가 웃기 시작했다. 그러자 어머니는 재미가 들어 점점 세게 치니 마침내는 아기가 울음을 터뜨리게 되었고, 그제야 어머니는 그것을 멈추더니 또 아기를 달래기 시작했다.

나는 앞에서 말한 바 있는 그 작은 고아 계집애가 춤을 출 때, 문자 그대로 발에 짓밟히는 것을 목격했다. 그러나 모두들 흥분해서 아무도 주의를 기울이지 않은 채, 아이는 그대로 쓰러져 있었다.

화가 나면 아이들은 자기 어머니를 마구 때리지만 어머니들은 거의 대항하는 법이 없다. 아이들은 벌도 받지 않는다. 나는 그 가운데 어느 아이도 매 맞는 것을 본 적이 없으며, 장난삼아 하는 것을 빼놓고는 때리려는 시늉조차 본 적이 없다. 가끔 아이들은 몸이 아프다고, 싸움을 했다고, 배가 고프다고, 또는 이를 잡아주는 것이 싫다고 운다. 하지만 마지막 경우 같은 이유로 우는 일은 드물다. 왜냐하면 이를 잡는 것이 잡아주는 사람을 즐겁게 하는 만큼 잡히는 사람에게도 재미있는 듯하기 때문이다. 그래서 관심과 애정의 표시로서 이를 잡기도 한다. 그들은 이를 잡아달라고 하고 싶으면, 어린아이(또는 남편)는 어머니(또는 아내)의 무릎에 머리를 얹고, 돌아가며 머리 양쪽을 내민다. 그러면 그 부인네는 가르마를 지어 갈라가며 머리털을 살피거나, 아니면 머리타래를 헤쳐가며 속을 들여다보며 작업을 해 간다. 이는 잡히는 즉시 깨물어 먹힌다. 그리고 그동안에 우는 어린 아이는 가족 중 딴 사람이나 좀더 큰 애가 달래주고는 한다.

그러므로 아이를 데리고 있는 어느 어머니의 모습도 즐거움과 생 기가 가득한 것같이 보였다. 어머니가 오두막의 짚으로 된 벽 틈으로 아이에게 어떤 물건을 내밀어 보였다가는, 어린아이가 잡으려고 하 면 "앞으로 잡아! 뒤로 잡아봐!" 하면서 도로 끌어당겨 숨기곤 한다. 그러다가는 아이를 잡고 큰 소리로 웃으면서 땅바닥에 그 물건을 던 지는 시늉을 한다. "암담 놈 테부"(내가 너한테 던질게!). 아이는 날카 로운 소리로 대답한다. "니우이"(싫어!).

거꾸로 어린아이들도 불안정하고 까다로운 애정으로 자기 어머니 를 감싼다. 그래서 자기 어머니가 사냥해온 물건 중에서 몫을 나눠 받는 것도 주의를 해서 본다. 아이는 우선은 어머니 곁에서 생활을 한다. 이동여행 중에는 어머니는 아이가 걸을 수 있을 때까지는 받쳐 들고 다닌다. 그러다가 조금 크게 되면 아이는 또 어머니 옆에 붙어 따라다닌다. 그리고 아버지가 사냥을 나간 동안에는 숙영지나 마을 에서 어머니와 함께 머무른다. 그러나 몇 해가 지나고 나면 성(性)을 구별해야만 한다. 아버지는 딸보다는 아들에 더 관심을 쏟게 되는데, 남자로서 갖춰야 할 기술들을 아들에게 가르쳐줘야 하기 때문이다. 이것은 어머니와 딸의 관계에서도 마찬가지다. 아버지와 자식들 간 의 관계는 내가 앞에서 강조하여 기술했던 바와 똑같은 애정과 정성 을 나타내는 것은 틀림없다. 아버지는 아이를 어깨에다 올려놓은 채 데리고 다니며, 또 그 작은 팔에 맞는 치수의 무기를 만들어주기도 한다.

아이에게 전통적인 신화들을 이야기해주는 것도 역시 아버지 쪽 이다. 아버지는 꼬마들이 이해할 수 있도록 쉬운 형태로 신화를 바꾸어서 이야기해준다. "온 세상 사람이 다 죽었단다! 아무도 남지 않았어! 사람도 없어졌고! 아무것도 남지를 않은 거야!" 원초(原初)의 인류 파멸을 생각나게 하는 남아메리카의 홍수 전설이 어린아이가 알아들을 수 있는 쉬운 방법으로 이렇게 시작된다.

일부다처혼의 경우 첫 번째 부인 소생인 아이들과 그들의 젊은 계모 사이에는 특수한 관계가 존재하게 된다. 젊은 계모들은 그 아이들과 우애롭게 지내는데 그 다정함은 집단 내의 모든 여자애에게 미치는 것과 같은 것이다. 아무리 그 집단이 작다 하더라도, 그곳에서 소녀들과 젊은 부인들로 이루어진 한 사회는 구별지어져 눈에 띈다. 소녀들과 젊은 여자들은 한데 어울려 강에서 목욕을 하고, 생리적 욕구의 충족을 위해 떼를 지어 덤불숲으로 몰려가고, 함께 담배도 피우며 농담을 나누고, 또 번갈아가며 서로의 얼굴에 침을 뱉기까지 하는, 우리가 보기에는 이상스러운 장난들을 즐기며 지낸다.

그녀들의 이러한 관계는 밀접한 것이며 또 소중히 여기나 예의는 차리지 않는 것으로서, 마치 우리 사회에서 어린 소녀들 사이에 있을 수 있는 관계와 같다. 그러한 관계는 봉사나 친절을 포함하는 일이 드물다. 그러나 그것은 매우 재미있는 결과를 야기한다. 이런 관계를 겪는 소녀들에게서 소년들보다 훨씬 빨리 독립심이 생긴다. 소녀들은 젊은 여자들을 따라다니면서 그들의 활동에 참여하는 반면, 홀로 남겨진 소년들은 여자들과 같은 형태의 무리를 이루어보려고 머뭇거리며 시도는 해보지만 별로 성과를 보지 못한 채, 적어도 소년 시절 초기는 자기 어머니 곁에 있는 쪽을 기꺼이 택한다.

남비콰라족의 아이들은 놀이를 모른다. 때때로 짚을 말거나 엮어서 장난감을 만들어 노는 일도 있지만, 서로 돌아가면서 다투거나 골려주는 것 이외에는 아는 놀이가 없으며, 어른들의 생활을 그대로 모방하며 지낼 뿐이다. 여자애들은 길쌈을 배우고, 얼쩡거리고, 웃고 다니다가 잠이 들고, 남자애들은 느지막이(여덟 살이나 열 살이 되어야) 작은 활을 갖고 활 쏘는 법을 배우기 시작하며 남자들이 할 일을 익히게 된다. 그러나 남자애나 여자애나 가릴 것 없이 남비콰라족 생활의 근본적이며 때로는 비극적이기도 한 문제, 즉 식량문제와 어른들이 그들에게 기대하는 활동적인 역할에 대해서 모두 일찌감치 의식을 한다. 그래서 그들은 먹을 것을 따거나 주우러 나가는 일에 매우 적극적으로 협력을 한다. 양식이 모자라는 시기가 되면, 자기가 먹을 몫을 찾아 숙영지 주위를 배회하는 그들의 모습을 보게 되는 것은 드문 일이 아니다. 나무뿌리를 파내고, 잎 떨어진 커다란 나뭇가지를 손에 들고 발끝으로 풀숲을 걸어 다니며 메뚜기를 잡으려는 모습들이 눈에 띈다. 여자애들은 자기 부족의 경제생활에서 어떤 부분이 여성이 하도록 주어진 일인지를 알기 때문에 자기도 그만한 가치가 있음을 나타내고 싶어서 애쓴다.

언젠가 나는 자기 어머니가 여동생을 데리고 다닐 때 쓰는 어깨띠에다가 젖먹이 강아지를 넣고 다정스럽게 다니는 여자애 하나를 만났다. "너 강아지를 예뻐하니?" 하고 내가 물었더니, 그 아이는 엄숙하게 대답을 했다. "내가 크면 멧돼지도 잡고 원숭이도 잡을 거야. 우리 강아지가 짖기만 하면 뭐든지 다 때려눕힐 거야!"

그런데 그 여자애의 말 중에는 문법적으로 잘못된 것이 하나 있어 자기 아버지가 웃으며 지적을 해주었다. '내가 크면'이란 뜻은 여성형을 써서 '틸론다제'라 해야 할 것을, 그녀는 남성형을 써서 '이온다제'라고 했던 것이다. 이런 잘못은 매우 흥미롭다. 왜냐하면 그 여자애는 여성에게 고유한 경제활동을 남자들의 특권으로 되어 있는 활동의 수준까지 끌어올려보고 싶은 여성적인 원망(願望)을 보여주고 있기 때문이다. 그 아이가 쓴 용어의 정확한 의미가 '곤봉이나 막대기(여기서는 땅 파는 막대기를 가리킴)로 박살을 내어 죽인다'는 뜻이고 보면, 그녀는 무의식중에 여성들의 채집작업(작은 동물을 사로잡는 것에 한하는)을 활과 화살이 사용되는 남성들의 사냥과 동일시하고 싶어 하는 듯 보인다.

그들의 사촌관계가 서로를 남편과 아내로 부르도록 정해져 있는 어린이들 사이에서는 특수한 관계를 형성한다. 때때로 그들은 마치 진짜 부부처럼 행동하기 때문에, 저녁때면 가족들이 모여 있는 불 앞을 떠나 깜부기불 몇 개를 야영지 한구석으로 들고 가서 자기들의 불을 따로 피우기도 한다. 불을 피우고 나면 자리를 잡고 앉아 그들의 능력범위 내에서 윗사람들과 똑같은 감정 토로에 열중한다. 그러면 어른들은 이 광경을 즐거운 시선으로 바라다보고는 한다.

아이들 이야기를 하면서, 그들과 밀접한 관계를 지니고 살며 또 아이들과 마찬가지로 취급되기도 하는 가축에 대해 한마디도 하지 않고 지나칠 수는 없을 것 같다. 가축들이 식사에도 참가를 하며, 사람과 똑같은 관심이나 애정 —이 잡아주는 것·놀이·회화·애무받는 것 등에 골고루 낀다—을 누리기 때문이다. 남비콰라족에게는 여러 가지 동물이 있다. 우선 론돈 탐험대가 그들의 지역에 들여왔던 것으로부터 내려온 후손들인 개·수탉·암탉들이 있으며, 원숭이·앵무새, 그 밖에도 갖가지 종류의 새들이 있고, 때에 따라서는 돼지와 산고양이 또는 곰까지도 있다. 그중에서도 오직 개만이 여자들 곁에서 막대기로 사냥을 할 때 쓸모 있는 역할을 하는 듯하다. 그나마 사냥때도 남자들은 활로 사냥하기 때문에 개를 절대로 데리고 다니지 않는다. 그 밖의 다른 동물들은 단순히 애완을 목적으로 기른다. 동물들을 먹는 법이 없으며, 달걀도 먹지 않는다. 게다가 암탉들도 알을 숲속에다가 낳는다. 그러나 만일 순화(馴化)를 시킨 후에 죽는 어린 새가 있으면, 그때는 지체없이 먹어 치우기도 한다.

이동을 할 때는 걸을 수 있는 짐승을 제외하고는 가축 전부를 다른 짐보따리와 함께 싣고 간다. 원숭이들은 여자들 머리에 매달려서는 데리고 가주는 그 여자의 목둘레를 꼬리로 감아, 살아 있는 우아한 모자를 씌운 것처럼 하고 가는 모습도 볼 수 있다. 앵무새와 닭들은 등채롱 꼭대기에 걸터앉으며, 그 밖의 다른 동물들은 양팔에 안겨서 간다. 동물들 그 어느 것도 푸짐하게 얻어먹지는 못하지만, 식량이 모자라는 시기일지라도 그들 몫은 반드시 주어진다. 그 대가로 동물들은 이 집단을 위해 심심풀이와 기분전환의 계기가 되어준다.

이번에는 어른들에게로 초점을 돌려보자. 남비콰라족 남녀들의 사랑에 관한 태도는 다음과 같은 그들의 간결한 표현으로 요약될 수 있다. '타민디제 몬다제'란 말이 그것인데, 고상하지는 못하지만 문자 그대로 옮기면 '사랑하는 것은 즐겁다'라는 뜻이 된다. 나는 이미 그들의 일상생활부터가 에로틱한 분위기에 젖어 있음을 기술한 바 있다. 성에 관련된 문제가 그들 원주민들에게 최고의 흥미와 호기심을 불러일으키는 일이며, 그런 주제로 이야기하는 것에 열중을 하고, 숙영지에서 오가는 대화도 그런 이야기를 빗대어 암시하는 걸로 가득 차 있다.

보통 성행위는 밤에 하는데, 때로 숙영지의 모닥불 곁에서 그대로 하는 경우도 있지만, 주로 100여 미터 떨어진 근처 숲속으로 짝을 지어 가는 일이 흔하다. 이들이 떠나는 것은 즉시 발각되며, 그 즐거움을 확산해주는 것이 되니, 사람들은 그 모습을 보고 한마디씩 던지고 농담을 하며, 어린아이들조차 흥분 ─ 아이들도 내용을 잘 안다 ─을 함께 나눈다. 때로는 남자들, 젊은 여자들 그리고 아이들 몇이 떼를 지어 그 두 남녀를 쫓아가서는 숨어서 나뭇가지 사이로 그 행위를 소상히 보며 서로 쑥덕거리고 웃음을 참기도 한다. 주인공들은 이런 짓이 전혀 마음에 들지 않지만 숙영지에 돌아가면 그들을 기다릴 짓궂은 말과 희롱을 견디어내야만 하듯이, 이것도 체념하고 받아들이는 편이 낫다. 이들 첫 번째 짝을 본받아, 두 번째 그룹이 덤불 속 외딴곳을 찾아 숨어버리는 일도 생긴다.

하지만 그런 행위를 하는 기회는 그리 흔하지 않다. 그 까닭은 그런 행위를 금지하고 있다는 이유만으로는 설명될 수 없을 것 같다. 아마도 진정한 원인은 원주민들의 기질에 있는 듯하다. 사랑하는 두 사람이 매우 기꺼이, 그리고 공공연히 그리고 대담하게 몰두하는 사랑의 유희 중에도 발기가 되는 것을 한 번도 본 적이 없다. 그들이 추구하는 쾌락은 육체적인 것보다는 유희적·감정적인 데 있는 듯하다. 아마도 이러한 이유 때문에 중앙 브라질 원주민들이 거의 보편적으로 사용하고 있는 성기 가리개를 이 남비콰라족은 쓰지 않는 듯하다. 사실 이러한 액세서리의 역할은 발기를 예방하는 것이라기보다는 그것을 착용한 남자의 마음이 평정한 상태에 있다는 것을 강조하기 위한 것인 듯하다. 완전히 벌거벗고 사는 사람들은 우리들이 이른바 '수치'라고 부르는 감정을 모른다. 그들은 그 경계를 다른 곳으로 옮겨다놓은 사람들이다. 멜라네시아의 몇몇 지역에서와 마찬가지로 브라질 인디언들에게서 수치라는 것은 육체의 노출이 크냐 작냐에 문제가 있는 것이 아니라, 오히려 마음이 평정한가 아니면 흥분된 상태에 있는가 하는 데 따른 것이다.

그렇지만 이러한 미묘함이 우리와 인디언들 사이에 그 어느 편의 책임도 아닌 오해를 초래할 수도 있었다. 그래서 예쁜 아가씨 한둘이 벌레처럼 벌거벗은 몸으로 모래에서 뒹굴며, 바로 내 발치에서 웃어가며 몸을 꿈틀거리는 광경을 보며, 무관심하게 있기란 참 힘든 일이었다. 목욕을 하러 강에 갔다가 대여섯 명의—젊은 여자도 있고, 나이 든 여자도 있었다—여자들이 오로지 그들이 좋아하는 비누를 내게서 빼앗아갈 생각으로 습격을 해와서 당황한 적도 종종 있었다. 이러한 자유분방한 태도는 일상생활의 모든 측면에까지 미쳐 있었다.

원주민 여자가 우루쿠 염료를 몸에 칠한 후 내 그물침대에 와서 낮잠을 자고 가는 바람에, 빨갛게 물이 든 침대를 참고 써야 했던 적도 여러 번 있었다. 또 자료를 수집하느라고 원주민들에 둘러싸여 땅바닥에 앉은 채 일을 하고 있을 때면, 웬 손이 내 와이셔츠 자락을 잡아당기는 걸 느낄 때도 있었다. 알고 보면 어떤 여자가 그들이 코를 풀 때 보통 쓰는 핀셋처럼 생긴, 둘로 접힌 작은 나뭇가지를 주우러 가는 대신에 내 와이셔츠 자락에다 푸는 게 훨씬 간단하다고 생각하고 하는 짓이었다.

남비콰라족에서 남녀의 서로 다른 성에 대한 태도를 잘 이해하기 위해서는 그들 사회에서 부부의 기본적 성격을 분명히 알아두어야 할 필요가 있다. 그들에게 부부란 가장 뛰어난 경제적·심리적 생활 단위이다. 끊임없이 형성되었다, 분해되었다 하는 그 유랑의 무리 가운데서 부부란 안정된 실체(적어도 원칙적으로는)로서 느껴지는 것이다. 그리고 그 무리를 이루는 구성원들의 존속을 보장해줄 수 있는 것 또한 바로 이 부부뿐이다.

남비콰라족은 이중경제 속에서 생활해나간다. 한편으로는 사냥과 소규모 경작으로 이루어지는 경제, 그리고 다른 한편은 채집으로 이루어지는 경제이다. 그중 첫 번째 경제는 남성에 의해, 두 번째 경제는 여성에 의해 유지가 된다. 남자들이 활과 화살로 무장을 하고 하루 온종일 사냥을 하러 나가거나 우계 동안에는 밭을 일구며 일하는 한편, 여자들은 땅을 파헤칠 막대기를 들고서 아이들과 함께 초원을 가로질러 떠돌아다니면서, 그들이 가는 길에서 볼 수 있는 것 중 식량이 될 수 있는 것이면 모두 다─나무나 풀의 열매·장과(漿果)·뿌리·덩이줄기·온갖 종류의 작은 짐승 등─줍고, 뽑으며, 때려잡고, 사로잡고, 붙잡는다.

하루가 끝날 무렵이면 부부는 다시 모닥불 옆에서 얼굴을 마주한다. 마니오크가 익을 때라든가, 전에 따둔 것이 남아 있을 동안에는 남자는 그 뿌리를 운반해오고, 여자는 그것을 갈아서 둥글납작한 빵을 만들기 위해 짓누른다. 그리고 사냥이 잘되었을 때라면 그 사냥물을 여러 조각으로 내어 한 가족이 사용하는 불의 뜨거운 재 밑에다 재빨리 굽는다. 그러나 1년 중 7개월 동안은 마니오크가 귀하다. 사냥도 운에 좌우된다. 그 불모의 모래땅에서는 변변치 못한 사냥거리들마저 반사막성 황야의 거대한 공간 때문에 드문드문 멀리 떨어져 있는 샘가의 목초 속과 나무그늘을 거의 떠나지 않기 때문이다. 그래서 이때는 온 가족의 생존이 여자들이 모아오는 식량에 매달리게 된다.

나는 소꿉장난 같은 극소량의 지독한 식사에 자주 참가했다. 남비콰라족에게서는 1년의 반 동안은 이런 식사가 굶어 죽지 않기 위한 유일한 방편이었다. 남자가 묵묵히 피로에 지쳐 숙영지로 돌아와 한쪽 구석에다 써보지도 못하고 들고 온 활과 화살들을 던져놓을 때, 여자의 채롱에서는 측은한 마음을 일으키게 하는 수집품들이 쏟아져 나온다. 부리티 야자나무의 오렌지색 열매 몇 개, 커다란 독거미 두 마리, 도마뱀 몇 마리와 그 작은 알 몇 개, 박쥐 한 마리, 바카이우바 또는 우아과수 야자수의 조그마한 열매들, 그리고 메뚜기 한줌이 채롱 속에 있는 것이다. 과육이 있는 열매는 물이 가득한 호리병박 속에 넣고 손으로 으깨며, 단단한 껍질이 있는 열매는 돌멩이로 깨고, 짐승과 유충들은 뒤죽박죽 섞어서 재 속에다 파묻는다. 이렇게 만든 식사를 즐겁게들 먹어 치우는데, 백인 한 사람의 배고픔도 진정해주기에 충분치 못할 양으로도 여기서는 한 가족을 먹인다.

남비콰라족은 '아름다움'과 '젊은이'라는 말을 한 단어로써 표현하며, '추함'과 '늙은이'라는 말 또한 한 단어로써 표현한다. 그러므로 그들의 심미적 판단은 본질적으로 인간의 가치, 특히 성적인 가치에 기초를 두는 것이라 볼 수 있다. 그러나 남녀 간에 나타나는 관심은 복잡한 성질의 것이다. 남자들은 여자들을 전체적으로 그들 자신과 약간 다르다고 판단을 내린다. 그래서 그들은 여자를 경우에 따라 탐욕스럽게 바라보기도 하고, 찬미의 대상으로 보기도 하며 또는 상냥하게 다루기도 한다. 그러므로 앞에서 말한 용어의 혼동은 그 자체가 여성에 대한 존경을 의미한다.

그러나 남녀의 노동 분담에서 여성에게 주요한 역할(가족의 생계가 크게 보면 여성들의 식량 채집에 의존하니까)이 주어진다고는 해도, 그 역할은 인간활동에서 좀 차원이 낮은 쪽에 속한다. 이상적인 생활은 농경생산이나 수렵을 모델로 하는 것이다. 그래서 많은 마니오크와 막대한 양의 사냥거리를 얻게 되는 것, 이것은 좀처럼 실현되지 않는 일이면서도 끊임없이 품어오는 꿈이다. 한편 위험을 무릅쓰고 식량을 모아오는 것은 나날의 고생거리로 여겨지며, 사실 또 그렇기도 하다. 남비콰라족에 옛날부터 전해 내려오는 말에는 아이들과 여자들이 모아오는 것이란 뜻으로 '메뚜기를 먹는다'라는 표현을 쓰는데, 이 표현은 프랑스어에서 '미친 암소고기를 먹는다'(궁핍한 생활을 하다)는 말에 상당한다. 이처럼 여자를 사랑스럽고 귀한 재산으로 여기긴 하지만, 최고의 재산으로 보지는 않는다.

남자들 사이에서는 동정 어린 호의를 지니고서 여자에 관해 이야기하고, 또 그녀들에게 말을 걸 때는 약간 장난기 섞인 너그러움을 갖고 대하는 것이 보통이다. 남자들의 입에서 자주 나오는 말이 "어린아이들은 몰라. 하지만 나는 알지. 그러나 여자들은 몰라" 하는 것이며, 그때마다 여자들의 모임과 그들의 농담, 그들의 이야깃거리에 관해 정다우면서도 야유하는 어조로 언급한다. 그러나 이것은 다만 남자들의 사회적인 태도일 뿐이다. 남자들이 숙영지의 모닥불 옆에 자기 아내와 단둘이 있게 될 때면, 그녀의 불평에 귀를 기울이고 그녀의 요구를 명심하며, 또 숱한 일에 그녀의 도움을 청한다. 남자의 허풍이 서로를 위해 바치는 근본적인 가치를 의식하고 있는 두 사람의 짝 앞에서는 사라진다.

남자의 여자에 대한 태도의 이러한 모호성 또는 양면성은 역시 반대감정이 양립하는 여자들의 언행과 꼭 일치한다. 여자들은 스스로를 하나의 집단으로 생각하며, 그것을 여러 형태로 표현하고자 한다. 우리는 여자들이 남자들과 같은 방식으로 말하지는 않는다는 사실을 이미 보아왔다. 이 점은 특히 아직 어린아이가 없는 젊은 부인이나 첩들에게서 뚜렷한 사실이다. 어머니가 된 여자나 나이가 든 부인들은 이 차이점을(그들 역시 때에 따라 자기 집에서 목격하면서도) 훨씬 덜 강조한다. 게다가 젊은 여자들은 사춘기 소년·소녀들과 어린이들의 사회를 좋아하여, 그들과 함께 놀며 즐긴다. 그리고 남아메리카의 몇몇 인디언의 특유한 그 인간적인 방법으로써 동물을 보살피는 것도 바로 여자들이다. 이 모든 것이 집단 내부에서 여자들 주위에, 어린아이같이 순진하면서도 즐겁고 또 동시에 기교가 깃들어 있고 도발적이기도 한, 하나의 독특한 분위기를 조성하도록 만든다. 그리하여 남자들은 사냥이나 농사일에서 돌아오면, 이 분위기에 함께 끼어든다.

그러나 여자들이 그녀들에게 특별히 귀속되어 있는 일들 중 어느 하나에 직면하게 되었을 때, 그녀들에게서는 하나의 매우 다른 태도가 나타난다. 조용한 숙영지에서 등을 맞대고 둥그렇게 둘러앉아, 익숙한 솜씨로 참을성 있게 공예품 만드는 일을 완수해낸다. 이동여행을 할 동안에 남편은 활과 한두 개 화살, 나무로 만든 창, 또는 땅을 파헤칠 막대기를 들고서, 짐승들이 도망치지 않도록 돌보거나 열매가 달린 나무를 만나게 될까 살피며 앞장서 가면, 여자들은 용감하게 온 가족의 식량과 재산, 화살 묶음이 담겨 있는 무거운 채롱을 지고 간다. 그래서 그때가 되면 이마에 채롱띠를 동여매고, 등에는 거꾸로 매달린 종 모양을 한 좁다란 채롱을 메고서, 독특한 걸음걸이 — 넓적다리 사이를 좁히고 무릎을 모으며, 발목 사이 간격을 넓혀 발을 안쪽으로 향하게 한 후, 바깥쪽으로 중심(重心)을 주고는 허리를 활발히 움직이며 가는, 용감하면서 기운차고 즐거운 걸음걸이 — 로 몇 킬로미터씩 걸어가는 여인들을 보게 된다.

심리적 태도와 경제적 기능 간의 이러한 대조는 철학적이고 종교적인 면에서도 또한 나타난다. 남비콰라족에게서 남자와 여자 간의 관계는 그들의 생존이 그 주위에서 조직되는 두 개의 극 사이를 왔다 갔다 하는 것이다. 그 양극이란 오두막집을 짓고 농사일을 하는 남성의 두 가지 활동에 기반을 둔 경작기의 정착생활과 생활의 유지가 주로 여자들의 채집활동으로 보장되는 유랑의 시기를 이르는 것인데, 한 극은 안전과 풍부한 식량을 대표하고, 다른 극은 모험과 궁핍을 대표한다. 이 두 가지, 겨울과 여름의 생활형태에 대해 남비콰라족은 완전히 다른 방법으로 반응을 일으킨다. 그들은 겨울생활에 관해서는 인간조건에 대한 의식적인 인종(忍從)과 동일한 행위의 단조로운 반복을 수락하는 데에서 나오는 우울함을 지니고 이야기하는 한편, 여름생활은 어떤 발견에 대한 꿈으로 부푼 듯 열띤 어조로 흥분하여 묘사한다.

그러나 그들의 형이상학적 관념은 이러한 관계를 전도시킨다. 죽은 뒤에 남자들의 영혼은 표범으로 화신(化身)하지만, 여자와 어린아이들의 영혼은 대기 속으로 휩쓸려가 영원히 흩어진다는 것이다. 이러한 구별은 농사짓는 계절의 초기에 행해지는 가장 신성한 의식으로부터 여자들을 제외한다는 사실이 잘 설명하고 있다. 그 의식은 봉헌물로 길러진 대나무로 플라지올레투를 만들어, 여자들이 알아차리지 못하게 거처에서 충분히 먼 곳에서 남자들이 불도록 되어 있다.

그 의식을 치를 시기로 적합한 때는 아니었으나, 나는 그 피리 소리를 몹시 들어보고 싶었고, 또 견본 몇 개도 얻어 갖고 싶었다. 나의 간청에 못 이긴 일단의 남자들이 먼길을 떠났다. 굵은 대나무는 멀리 떨어진 숲속에서만 자라고 있었다. 그로부터 3, 4일 후 여행에서 돌아온 사람들이 한밤중에 나를 깨웠다. 그들은 여자들이 잠들기를 기다리고 있었다. 그들은 나를 100여 미터 떨어진 곳으로 데려가더니 덤불 속으로 숨어 들어가 플라지올레토를 만들었으며, 이윽고 불기 시작했다. 네 명의 연주자가 같은 음조를 부는 것이었는데, 악기들이 완전하게 같은 음을 내지 못했기 때문에 화음이 혼란스러운 느낌을 주었다. 그 선율은 내 귀에 익어 있던 남비콰라 노래들—그 음폭과 음정이 프랑스 시골의 롱드 춤(윤무곡)을 연상시켰던—과 달랐으며, 또 밀초로 두 조각의 호리병박을 붙인 다음 구멍 세 개를 뚫어서 콧소리를 내게 만든 오카리나의 날카로운 소리와도 다른 것이었다.

한편 몇 가지 음으로 제한이 되어 있는 플라지올레토로 연주되는 그 곡조들이 반음계와 리듬의 변화로 이채로웠는데, (스트라빈스키의 무용 모음곡인)「봄의 제전」의 몇 악절, 특히 '조상의 의식'이라는 표제가 붙은 부분에서의 목관악기 변조와 놀랄 만한 유사성을 지닌 듯이 내게는 보였다. 여자가 우리 틈에 모험삼아 뛰어들어서는 절대로 안 되었다. 조심성이 없거나 경망스러워서 그런 짓을 했다가는 때려 죽이게 되어 있었다. 보로로족에게서처럼 여성적인 요소 위에는 형이상학적인 진정한 저주가 감돌고 있었다. 그러나 보로로족과는 반대로, 남비콰라족 여자들은(남비콰라족에서도 역시 계보는 모계를 따라 전해지는 듯 보이긴 했으나) 법률적으로 특권이 부여된 지위를 누리지도 않는다. 그와 같이 조직화가 약한 사회에서는 그러한 경향이 은연중에 암시되는 것이며, 그 총합은 오히려 산만하고 선명치 못한 행동에서부터 일어나는 것이다.

남자들은 마치 자기 아내를 애무할 때와 같은 부드러운 태도로, 오두막집과 항상 지고 다녀야 하는 채롱으로 상징되는 시기 —— 매일같이 생존 유지에 도움이 되는 것이라면 어떤 먹기 어려운 것이라도 열심히 파내고, 줍고, 사로잡아야 하는 시기, 근본적으로 남자들이 여자들에 의지해서 살아가는 시기, 강풍에 산산히 흩어져버린 여자들의 영혼밖에는 아무도 없는 비와 추위에 그대로 몸을 내맡겨 살아가야 하는 시기 —— 의 생활 이야기를 한다. 한편 정착생활(그 고래(古來)의 특수한 성격은 그들이 재배하는 작물들의 독특한 종자들로 증명된다)에 대해서 그들은 완전히 별개의 관념을 지니고 있다. 그러나 죽은 뒤 다른 육체에 깃들인 남자들의 영혼과 겨울을 사는 견고한 집, 그리고 먼젓번 경작자의 죽음이 잊힌 뒤에라도 삶과 생산을 끊임없이 계속할 경작지의 영속성과 마찬가지의 불멸성을 무한히 이어질 농경활동이 정착생활에 부여하는 것이다.

친절히 지내다가도 갑작스럽게 적대적인 행위를 하는 남비콰라족이 보여주는 극도로 불안정한 성질도 이와 같은 방법으로 해석해야만 할 것인가? 그들에게 접근을 해봤던 몇 안 되는 관찰자가 모두 이러한 성질에 당황했다. 우티아리티에 있던 무리들은 바로 그보다 5년 전에 선교사들을 죽였던 자들이다. 내게 그 이야기를 해준 남자들은 그 습격에 관해 즐겁다는 듯이 설명을 했으며, 누가 가장 결정적인 타격을 가했던가 하는 것을 영예로 알고, 서로 자기가 했노라고 언쟁을 벌이기까지 했다. 사실 나는 그들을 탓할 수가 없었다. 나는 많은 선교사를 알고 있었고, 또 그들 중 여러 사람이 이루어놓은 인간적이고도 과학적인 가치가 있는 업적을 존경하는 사람이다.

그러나 1930년경 중부 마투그로수로 침투하고자 했던, 아메리카의 프로테스탄트 선교단들은 특이한 부류에 속하는 사람들이었다. 그 선교단의 구성원들은 네브래스카주나 다코타주의 농가 출신으로서 젊은 시절을 문자 그대로의 지옥과 또 지옥의 끓는 기름솥을 믿으며 자라난 사람들이었다. 그들 중 어떤 사람들은 남들이 보험계약을 하듯이 선교사가 된 사람들이기도 했다. 그래서 일단 그들의 영혼은 구제받았다고 안심을 하고 나면, 구원을 받기 위해 더 이상 아무것도 할 일이 없다고 생각하고 있었다. 따라서 그들의 직무를 수행할 때 불쾌하기 짝이 없을 만큼 냉혹하고 비인간적으로 행동했다.

그 학살의 발단이 되었던 사건은 어떻게 일어날 수 있었던가? 그것에 대해서는 하마터면 큰일날 뻔한, 내가 저지른 어떤 실수 덕분으로 나 스스로 그것을 알 기회를 가졌다. 남비콰라족은 독물학(毒物學)에 관해 지식을 갖고 있는 사람들이다. 그들은 화살촉에 바를 독을 만들어낼 때 '스트리크노스'(馬錢)라는 식물의 뿌리를 덮고 있는 붉은 껍질을 삶은 후, 그 용액이 풀처럼 될 때까지 증발을 시켜서 독을 얻어낸다. 그들은 또 다른 식물성 독들도 사용하는데, 그런 독들은 분말 형태로 만들어서 깃털이나 대나무 속에 난 관에다 넣은 후 목면 또는 나무껍질로 만든 실로 감싸서 각자의 몸에 지니고 다닌다.

이런 독물들은 상거래상의 문제 또는 애정문제로 복수를 할 때 사용되는데, 거기에 관해서는 후에 다시 기술하기로 한다.

그런데 원주민들이 이렇게 공공연하게 준비하는—좀더 북쪽 지방에서 화살촉에 묻힐 독을 만들 때 수반되는, 주술적인 복잡한 배려들 중 어느 것도 취하지 않고—과학적인 성질을 지닌 독물 이외에, 남비콰라족은 신비로운 성질을 지닌 또 다른 독들도 가지고 있다. 앞에서 말한 진짜 독들을 넣어두는 것과 동일한 관 속에다, 그들은 줄기 가운데 부분이 부풀어오른 인도 목화나무과의 한 나무에서 스며나오는 송진 조각을 모아둔다. 그리고 이 조각들 중 하나를 적에게 던짐으로써 상대방의 육체를 그 나무와 흡사한 상태로 만들 수 있게 된다고, 즉 그 송진 조각의 희생자는 몸이 부풀어올라서 죽고 말 것이라고 믿는다. 진짜 독이건 또는 주술적인 물질이건 통틀어서 남비콰라족은 한 가지 용어, 즉 '난데'라는 말로써 지칭한다. 그러므로 이 말은 우리가 독이라는 말에 부여하는 좁은 의미를 넘어서는 것이다. 그 말에는 모든 종류의 위협적인 행위와 아울러, 그러한 행위에 사용될 수 있는 모든 산물과 도구들의 함축된 의미를 지니고 있다.

지금까지의 설명들은 다음과 같은 글을 이해하기 위하여 필요한 것이었다. 나는 내 짐 속에다가 비단종이로 만들어 갖가지 빛깔을 칠한 커다란 풍선 몇 개를 가져갔는데, 그것은 브라질에서 세례 요한 축일 때, 밑바닥에 작은 횃불을 매닮으로써 그 풍선에 더운 공기가 가득 차게 해서는 수백 개씩 띄워 보내는 것이었다. 그런데 어느 날 저녁, 공교롭게도 그 풍선 띄우는 광경을 원주민들에게 보여줄까 하는 생각이 떠올랐다. 땅바닥에서 불이 붙은 첫 번째 풍선을 보고는 폭소를 터뜨리며 즐거워들 했는데, 그때까지는 어떤 일이 생길지 그들이 몰랐던 것 같다. 반대로 두 번째 풍선은 지나치게 성공적이어서 급속히 공중으로 날아 너무나 높이 올라갔기 때문에, 그 불꽃이 별들과 뒤섞여 오랫동안 우리들 머리 위에서 떠돌다가 사라졌다.

그러나 그동안에 처음의 즐거움은 사라지고 다른 감정들이 관객을 사로잡고 있었다. 남자들은 적의에 차서 주의 깊은 시선으로 바라다보고 있었고, 여자들은 아예 머리를 양팔로 싸안고는 서로서로 몸을 바싹 붙여 웅크리고들 있었다. '난데'라는 말이 끈질기게 들려오고 있었다. 그다음 날 아침 남자들의 대표가 내 곁으로 오더니, '난데가 있지 않을까' 보기 위해서 내 풍선 꾸러미를 조사하겠다고 요구해 왔다. 조사는 철저하게 이루어졌다. 게다가 남비콰라족의 뚜렷하게 실증적인 정신 덕분에(방금 내가 말했던 바에도 불구하고), 불길 위에 늘어뜨린 종잇조각들의 도움을 빌려서 뜨거운 공기가 상승력을 갖게 된다는 설명을 해야 했는데, 이해는 안 되는 것 같았지만 어쨌든 그 설명이 받아들여지기는 했다. 어떤 사건을 변명해야 할 때면 늘 그렇듯이, 그들은 모든 핑계를 여자에게로 돌리며, 그녀들은 "아무 것도 모른다" "겁을 먹는다", 그리고 숱한 재앙을 두려워하고 있다고 했다.

나는 과신을 하지는 않았다. 사태는 아주 나쁜 결과를 초래할 수도 있었기 때문이다. 그러나 이 사건과 또 뒤에 이야기하려는 다른 사건들이 남비콰라족과 오랫동안 생활하면서 얻은 우정에서 아무것도 앗아간 것은 없다. 그래서 최근에 어떤 외국인 동료가 쓴 글을 읽어보고 나는 깜짝 놀랐는데, 그는 내가 우티아리티에서 그가 방문하기 10년 전에 함께 지냈던 바로 그 남비콰라족 원주민 무리들을 만나보고 온 후, 거기에 관한 글을 써냈던 것이다. 그 사람이 1949년에 그곳에 갔을 때는 두 선교단, 즉 내가 말한 바 있는 그 제수이트와 아메리카 프로테스탄트 선교단이 자리를 잡고 있었다는 것이다. 그 원주민 무리는 18명밖에 남아 있지 않았다고 하며, 거기에 관하여 그 저자는 다음과 같이 표현하고 있다.

내가 마투그로수에서 보았던 모든 인디언 가운데서, 이 남비콰라 무리들이 가장 비참한 듯했다. 여덟 명의 남자 가운데 한 사람은 매독에 걸렸고, 한 사람은 허리가 곪아서 고약한 냄새를 풍겼으며, 한 사람은 발에 상처를 입고 있었고, 또 한 사람은 비늘이 생기는 피부병에 걸려 온몸에 퍼져 있었으며, 귀머거리에 벙어리까지 겹친 사람도 한 명 있었다. 그러나 여자들과 어린아이들은 건강한 듯이 보였다. 그들은 해먹을 사용하지 않고 땅바닥에서 그대로 자기 때문에 항상 온몸이 흙으로 뒤덮여 있다. 추운 밤이면 그들은 불을 흐트리고 따뜻한 재 속에서 잠을 잔다. 옷을 입는 경우는 선교사들이 그들에게 의복을 주면서 입으라고 요구할 때뿐이다. 그들은 목욕하기를 싫어해서 피부와 머리털은 먼지와 재로 칠을 한 것 같고, 또 그들 몸에는 썩은 고기와 생선 쪼가리까지 들러붙어서 그 냄새가 시큼한 땀냄새와 섞여 옆에 다가가는 사람에게 혐오감을 불러일으킨다. 그들은 또 장내 기생충에 감염된 듯했는데, 배가 팽팽하게 되어 있는데다가 끊임없이 가스가 차 있었기 때문이다. 좁은 방에 빽빽이 들어찬 그 원주민들과 함께 일을 해야 할 때가 있었는데, 그때 나는 환기를 하기 위해 몇 번씩이나 일을 중단하지 않으면 안 되었다…….

남비콰라족은 퉁명스럽고, 무례하며, 거칠기마저 하다. 내가 줄리우를 그의 캠프로 찾아가면 그는 불가에 누워 있다가 내가 오는 것을 보고는 등을 돌려버리며, 나하고 말을 하고 싶지 않다고 하는 때도 자주 있었다. 선교사들이 내게 말해주기를, 남비콰라인은 여러 번 어떤 물건을 달라고 요구하다가 만일 거절당하는 경우가 생기면, 그 물건을 빼앗아가려고 애를 쓴다고 했다. 그래서 인디언들이 들어오는 것을 막기 위하여 때때로 나뭇잎으로 칸막이를 만들어 문으로 쓴 적도 있으나, 만일 어느 남비콰라인이 안으로 들어오고 싶어지면, 통로를 만들기 위해 그 칸막이에 구멍을 내곤 한다는 것이다…….

남비콰라족에게서 그들의 깊은 증오와 불신 그리고 절망의 감정을 알려면, 오랫동안 머무를 필요도 없다. 그리고 그들의 그와 같은 감정들은, 관찰자를 동정이 완전히 배제될 수 없는 우울한 상태로 몰아넣는다(K. 오베르크, 『브라질, 북부 마투그로수의 인디언 부족들』, 84~85쪽, 스미스소니언연구소, 사회인류학협회, 1953 참조 — 지은이).

백인들이 들여왔던 질병으로 이미 남비콰라족이 많이 죽어 있었으나, 론돈 탐험대의 항상 인간적인 시도 이후로는 아무도 그 질병들을 가라앉힐 노력을 하지 않던 시기에 그들을 알게 되었던 나로서는 이 비통한 글을 잊어버리고만 싶다. 오직 내가 어느 날 밤 손전등 불 밑에서 휘갈겨 써놓았던 노트 한 페이지에서 연상시켜주는 남비콰라족의 모습만을 내 기억 속에 간직해두고 싶다.

어둠이 깃들인 초원에서 숙영지의 모닥불이 불타오르고 있다. 엄습해온 추위를 막아줄 유일한 보호자인 모닥불 주위에서, 바람과 비가 두려워 급작스럽게 옆에다 야자수와 나뭇가지로 만들어 꽂아놓은 허술한 병풍을 뒤로하고, 그들의 지상의 모든 부를 이루고 있는 빈약한 물건들로 가득 찬 등채롱을 옆에 둔 채, 그들과 마찬가지로 적대적이고 겁많은 다른 무리들의 방문을 받는 땅인 그 땅바닥에 그대로 누워서 꼭 껴안고 있는 부부들, 이때 그들은 서로를 나날의 어려움과 때때로 남비콰라인의 영혼을 뒤덮는 몽상적인 서글픔으로부터 구원해주며, 위로해주고 또 지주가 되어줄 유일한 사람으로 믿는다.

황야에서 처음으로 이 인디언들과 함께 야영을 하게 되는 방문자는 너무도 완전하게 빈털터리인 이 인간들의 광경을 보고는 괴로움과 동정에 사로잡히게 되는 것이며, 이들이 마치 어떤 극심한 대변동에 의해 절대적인 대지의 흙에 짓밟히게 되어, 가물가물 꺼져가는 불 옆에서 벌거벗은 채 떨고 있는 양 느끼는 것이다. 그리하여 방문자는 불빛에 따스하게 비추이는 것이 드러나 보이는, 어느 손, 어느 팔, 그리고 몸통과 부딪칠세라 덤불숲 속으로 어림잡아 길을 돌아간다. 그러나 이 비참한 모습에도 속삭임과 웃음소리로 생기가 돌기도 한다. 부부들은 어떤 잃어버린 결합을 그리는 향수에 잠긴 듯이 포옹을 하며, 남들이 지나가더라도 중단을 하는 법이 없다. 그들 모두에게서 무한한 친절, 깊은 무관심, 그리고 소박하면서도 매력적인 동물적 만족감을 보게 되며, 이러한 갖가지 감정이 모인 곳에서 인간적인 애정의 가장 감동적이며 가장 진실된 표현 같은 무엇을 느낀다.

28 문자의 교훈

　나는 간접적으로라도 남비콰라 인구의 대략적인 수효를 알고자 했다. 1915년에 론돈은 그들의 인구가 2만 명에 이른다고 추산했으나 아마도 그것은 과장된 것이었던 듯하다. 그러나 내가 갔던 당시에는 그 무리들이 수백 명의 구성원으로 이루어져 있을 뿐이었으며, 전신선 지역에서 수집할 수 있었던 모든 정보는 급격한 인구의 감소를 암시하는 것들뿐이었다. 그보다 30년 전에 '사바네' 집단이라고 알려진 분파의 인구는 1천 명이 넘었다. 그런데 그 집단이 1928년에 캄푸스 노부스 전신국을 방문했을 때는 남자 127명과 거기 딸린 여자들과 어린아이들이 있었을 뿐이라고 조사되어 있다. 그리고 1929년 11월에는 그 집단이 '에스피루'(재채기)라고 불리는 지역에서 야영을 하고 있을 때 인플루엔자가 유행했다. 그 병이 폐부종(肺浮腫)의 일종으로 진전되는 바람에 48시간 안에 토착민 300명이 죽고 말았다. 그래서 병든 자와 죽은 자들을 뒤로한 채 모두 뿔뿔이 흩어지고 말았다.

　그리하여 한때는 1처 명으로 알려져 있던 사바네 무리 중 1938년에는 남자 19명만이 아내와 아이들을 거느리고 살아남아 있었다. 이러한 격감된 숫자를 설명하기 위해서는 그 인플루엔자 이외에 그보다 몇 년 전, 사바네 무리들이 동쪽에 이웃해 있던 몇 부족들과 전쟁을 치렀다는 사실도 덧붙여두어야 할 것이다. 또 트레스 부리티스에서 얼마 떨어지지 않은 곳에 자리 잡았던 어느 큰 집단은 1927년에 발생한 인플루엔자로 6, 7명의 생존자만 남겨둔 채 없어져버렸고, 1938년에는 그나마 세 명밖에 살아 있지 않았다. 그리고 한때 큰 집단들 중 하나였던 '타룬데' 무리는 1936년에 남자 12명에 여자와 아이들이 남아 있었고 1939년에는 이 12명 중에서 오직 4명만이 생존하고 있었다.

그러면 내가 도착했을 당시는 어떠했던가? 틀림없이 고작 2천 명 남짓되는 원주민들이 그 지역 주변에 흩어져 있었을 것이다. 나는 체계적인 계산을 기대할 수가 없었다. 왜냐하면 어떤 집단들은 항상 적의를 지니고 있었으며, 또 유랑시기에는 모든 무리가 움직이고 있었기 때문이다. 그러나 나는 우티아리티에서 사귄 친구들을 설득하여 그들과 친척관계거나 아니면 결연을 맺고 있는 다른 무리들과 모임이 있는 시기에, 그들의 마을로 나를 데려가달라고 떼를 썼다. 그렇게 되면 나는 그 집회의 실제 규모를 측정하고, 앞서 관찰되었던 규모와 상관해 비교해볼 수 있을 것이었기 때문이다. 그러나 우티아리티 무리의 우두머리는 망설이고 있었다. 그는 손님들인 우리를 믿을 수가 없었던 것이며, 만약에 우리 동료들이나 내가 1935년에 전신선의 노무자 7명이 학살된 이래로 백인이라고는 들어간 적이 없는 그 지역에서 사라지기라도 하는 날에는 그곳에 머물고 있던 일시적인 평화마저 오랫동안 위태롭게 될지도 모를 일이었기 때문이다.

마침내 그는 우리 일행의 수를 줄인다는 조건으로 허락을 했다. 그래서 선물을 실어갈 황소 네 마리만 데리고 가기로 되었다. 그뿐만 아니라 여느 때 다니는 길은 포기해야만 했는데, 수풀이 빽빽이 우거진 계곡 안쪽에 난 길로는 짐승들이 지나갈 수 없을 것이기 때문이었다. 그때그때 상황에 따라 즉흥적으로 생기는 길을 따라서 고원지대를 거쳐 가기로 되었다.

그 당시에 그렇게도 위험을 무릅쓰고 감행한 그 여행이 이제 와서 생각하니 기괴한 하나의 에피소드처럼 여겨진다. 우리가 '주루에나'를 떠나자마자 나의 브라질인 동료는 남비콰라족의 여자들과 어린아이들이 보이지 않는다는 사실을 알아차렸다. 남자들만 활과 화살로 무장을 한 채 우리 곁을 걷고 있었다. 여행에 관한 문헌 속에서 보면, 그러한 상황은 습격이 임박했다는 표시가 된다. 따라서 우리는 착잡한 감정에 사로잡혀, 때때로 우리들의 스미스 웨슨식(式) 연발 권총(우리 대원들은 이것을 '세미트 베슈톤'이라고 발음했다)과 카빈 소총이 제자리에 있는지 확인을 해보고는 했다. 그러나 이러한 공포감은 헛된 것이었음이 드러났다. 한나절쯤 되었을 때 우리는 그 무리의 나머지 사람들을 다시 만났던 것이다. 용의주도한 그들의 우두머리는 채롱을 지고 어린아이들을 데려가느라 걸음이 늦어질 여자들보다는 우리의 노새들이 훨씬 빨리 갈 것이라는 것을 짐작하고 그 전날 밤에 여자와 아이들을 출발시켜놓았던 것이다.

그러나 또 얼마 지나지 않자, 이번에는 인디언들이 길을 잃고 말았다. 새로운 길을 뚫고 간다는 것이 그들이 생각했던 것만큼 간단한 일은 아니었기 때문이다. 저녁 무렵이 되자, 덤불숲 속에서 일단 정지를 해야만 되었다. 사냥거리가 있을 걸로 알았기 때문에 원주민들은 우리의 소총만 믿고 아무것도 가져오지를 않았는데, 우리가 가진 것이라고는 모두 같이 나눠 먹기는 불가능한 비상식량밖에 없었다. 샘물가 모서리에서 풀을 뜯어먹고 있던 사슴떼는 우리가 다가가자 도망을 쳐버리고 없었다. 다음 날 아침에 그들은 자기네 우두머리에게 노골적으로 불만스러운 눈치를 보이고 있었는데, 그와 내가 궁리해낸 일이라서 그에게 책임이 있다고 믿었던 때문이었다. 그래서 사냥을 하거나 무엇을 채집하러 갈 생각은 않고, 모두 나무그늘 밑에 드러누워 있기로 결정을 하고는 우두머리 혼자 그 문제의 해결책을 찾아보라고 내버려두고들 있었다. 그러자 우두머리는 자기 아내들 중 하나를 데리고 사라져버리더니, 저녁때가 되자 두 사람은 하루 온종일 잡은 메뚜기가 무겁도록 가득 찬 채롱들을 지고 돌아왔다. 메뚜기 파이는 그다지 좋은 음식이 못 되는 것이었지만, 모두들 맛있게 먹고는 기분들을 돌렸다. 그리하여 다음 날 다시 길을 떠나게 되었다.

마침내 우리는 그들이 모이는 장소에 다다랐다. 그곳은 냇물이 흐르는 위로 불쑥 튀어나와 있는 모래투성이 구릉지대였으며, 냇가를 둘러싸고 있는 나무들 사이에는 원주민들의 경작지가 자리 잡고 있었다. 각각의 무리들이 간헐적으로 도착하고 있었다. 저녁 무렵이 되자 그곳에는 17가구를 이루고 있는 75명이 모여들어 숙영지의 처소보다 약간 견고한 듯한 13군데 보호처로 나뉘어 들었다. 내게 설명을 해주기를, 비가 오게 되면 그 모든 사람이 몇 달 동안은 견딜 수 있게 지어진 둥그런 오두막집 다섯 채에 나눠 들어간다고 했다. 그들 중 몇 사람은 백인을 한 번도 본 적이 없는 것 같았으며, 그들의 무뚝뚝한 접대와 우리를 데리고 간 사람의 두드러져 보이는 신경과민으로 미루어보아, 아마도 우리들 문제로 그 우두머리는 다른 사람들에게 약간의 강요를 했던 성싶었다. 그래서 우리들은 마음을 놓을 수가 없었으며, 인디언들 역시 마찬가지인 것 같았다. 따라서 그 밤을 어색하게 지내야 할 형편이었고, 또 그곳에는 나무가 없었기에 우리는 남비콰라족처럼 그대로 맨땅바닥에 쓰러져 누워야 했다. 누구도 잠을 자지 않았으며, 밤에는 모두들 점잖게 서로서로 감시를 하며 지내게 되었다.

그러한 모험을 계속한다는 것은 현명치 못할 것 같았다. 나는 우리를 데려간 우두머리에게 더 이상 지체하지 말고 교환에 착수하자고 주장을 했다. 그런데 그때 나를 주춤하게 만드는 뜻밖의 일이 일어났다. 남비콰라족이 글씨를 쓸 줄 모른다는 것은 어렴풋이 알려져 있는 일이다. 게다가 그들은 호리병박에다 몇 가지 점선이나 갈짓자 꼴을 그려놓은 것을 제외하고는 그림 또한 그릴 줄 모른다. 카두베오족에게 했듯이 나는 연필과 종이를 나누어줘봤으나 처음에는 그것을 전혀 건드리지 않았다. 그러던 어느 날, 그들 모두가 그 종이에다 물결치는 듯한 가로선을 그리느라 열중해 있는 장면을 보게 되었다. 도대체 그들은 무엇을 하고자 했던가? 나는 명백한 사실 앞에 굴복해야 했다. 그들은 글을 쓰고 있었다. 더 정확히 말한다면, 그들이 갖게 된 연필을 나와 같은 용도에 쓰고자 애썼던 것이며, 그때까지 그림을 그려서 그들의 기분을 전환해주려 한 적도 없었으므로, 글씨 흉내만이 그들이 생각해낼 수 있는 유일한 길이기도 했던 것이다.

대부분의 사람들이 그 정도에서 노력을 멈추고 말았다. 그러나 그들의 우두머리는 더 멀리 앞일을 내다보고 있었다. 물론 그 우두머리 혼자만이 문자(文字)의 기능을 이해했던 것이다. 그래서 그는 내게 메모지 한 철(綴)을 달라고 했으며, 우리들은 함께할 일이 있을 때면 똑같이 메모지를 갖추고는 했다. 그는 내가 자기에게 묻는 정보사항을 말로써 대답하는 것이 아니라, 종이쪽지에 구불구불한 선 몇 개를 그려서, 마치 내가 자기의 답을 읽을 수나 있는 듯이 내게 종이를 내밀었다. 그 역시 반쯤은 스스로 연출해내는 우스꽝스러운 일에 속아 넘어가고 있었다. 매번 그의 손이 어떤 선 하나를 끝내고 나면 마치 그 선 속에서 의미가 솟아 나오기라도 하는 듯이 그는 그 선을 걱정스럽게 살펴보고는 했는데, 그의 얼굴에는 그때마다 환멸감이 나타나고는 했다. 그러나 그는 그 점을 시인하려 들지 않았기에, 우리 사이에는 암암리에 묵계가 이루어져 그의 난필에 어떤 의미가 담겨 있는 듯, 내가 그것을 판독하는 시늉을 하고 나면 그 즉시 구두설명이 뒤따랐고 따라서 나는 필요한 보충설명을 해달라고 요구하지 않아도 되었다.

그런데 그곳에 가서 모든 사람이 모이자마자 그는 채롱에서 비틀린 선이 가득 그려진 종이 한 장을 꺼내더니 그것을 읽는 체했다. 그러면서 어색하게 머뭇거리며, 내가 그들이 주는 물건의 대가로 줄 것들, 예를 들어 활과 화살을 대신해서 줄 벌목용 칼이라든가, 목걸이 대신에 줄 진주 따위 물건의 목록을 주워섬겼는데, 이런 희극이 장장 두 시간 동안이나 이어졌다. 그는 무엇을 바라고 그같이 행동했던가? 잘못 생각했던 것일 수도 있지만, 그렇게 보기보다는 오히려 자기 동료들을 깜짝 놀라게 하고, 그 거래가 자기의 중개로 이루어지고 있으며, 또 그는 백인들과 결연을 맺어 마음을 같이하고 있다고 동료들을 설득시키기 위함이라 보아야 옳을 듯했다. 우리는 서둘러 떠나려고 했는데, 가장 위험한 순간이야말로 우리가 가져갔던 경탄할 만한 물건들이 다른 사람 손으로 다 넘어가는 때라고 여겼기 때문이다. 그래서 나는 그 일을 더 깊이 파고들려 하지 않고, 계속 인디언들의 안내를 받아가며 귀로에 오르기로 했다.

내가 체류에도 실패하고 또 방금 나도 모르는 사이에 속임수의 미끼가 되어버렸다는 사실이 나를 몹시 불쾌하게 만들었다. 그런데 엎친 데 덮친 격으로 나의 노새마저 아구창에 걸려 입을 앓느라고 고통을 참지 못하며, 가다가는 갑자기 멈추곤 했다. 그 통에 나와 노새가 실랑이를 하다 보니 모르는 사이에 숲속에 나 혼자 남아서 길을 잃게 되었다.

어떻게 해야 옳을까? 책에 쓰여 있듯이 총을 쏘아서 본대(本隊)에 알리는 것이다. 나는 노새에서 내려서 총을 한 방 쏘았다. 아무런 대답이 없었다. 다시 두 번째 총을 쏘자 이때는 응답이 있는 듯했다. 그래서 세 번째 총을 쏘았더니 노새는 놀라서 재빨리 뛰어가다가 멀찌막이 가서 멈추었다.

정신을 가다듬고 나는 무기와 사진기구들을 몸에서 벗겨 어느 나무 밑둥치에 가지런히 놓고, 그 위치를 점찍어놓았다. 그러고는 노새를 잡으러 뛰어갔더니, 편안한 자세로 서 있었다. 그러나 내가 다가갈 때까지는 가만히 있다가 고삐를 잡았다고 생각한 순간에 내빼버리고는 하여, 그런 엎치락뒤치락을 몇 번씩 하다가는 나를 질질 끌고갔다. 그래서 나는 안간힘을 다해 껑충 뛰어올라, 두 손으로 노새의 꼬리를 꽉 잡았다. 평소에 쓰지 않던 방법에 놀란 노새는 도망치기를 단념한 듯했다. 그리하여 다시 안장에 올라타고 내 물건을 되찾으러 갔다. 그러나 나와 노새가 하도 빙빙 돌며 법석을 치고 난 후인지라 어느 곳에 두었는지 찾을 길이 없었다.

이 일로 용기가 다소 꺾이기는 했으나, 아무튼 다시 일행에 합류하도록 애를 써야만 했다. 그러나 나나 노새나 우리 일행이 어디로 지나갔는지 알 수가 없었다. 때로는 노새가 거칠게 콧김을 내뿜으며 가는 길로 가보기도 했고, 또 때로는 노새가 가는 대로 고삐를 놓고 내버려두기도 해봤는데, 그러면 노새는 맴만 돌고는 했다. 해는 지평선 위로 내려가고 있었으나 나는 이제 지닌 무기도 없었기 때문에 언제라도 화살세례의 집중표적이 되기를 기다리는 판국이었다.

아마도 내가 그 적의에 찬 지역에 들어갔던 최초의 백인은 아니었겠지만, 그 앞서 왔던 사람들이 돌아온 적이 없으며, 또 나는 제쳐놓고서라도 먹음직한 음식물이라고는 별로 없는 인디언들에게 내 노새는 꽤 탐나는 먹이가 될 수 있었다. 이런 어두운 생각 속에 휘말리며 나는 해가 지기를 기다렸다가 덤불을 모아 불을 피울 작정을 했는데, 그것은 내게 성냥이 남아 있었기 때문이었다. 결단을 막 내려 불을 피우려 할 찰나에 소리가 들렸다. 남비콰라 사람 둘이서 내가 없어진 것을 알고는 곧장 길을 되짚어 한낮부터 나를 찾아 나섰던 것이다. 그리고 내 장비를 찾아주는 것은 그들에게는 어린아이 장난처럼 쉬운 일이었다. 나는 그들의 안내를 받아서 나를 기다리는 일행에게로 밤에 돌아올 수가 있었다.

이 우스꽝스러운 사건으로 시달렸던 탓에 나는 잠을 제대로 못 잤는데, 그 물건을 교환하던 장면을 연상하며 불면증을 잊으려 했다. 드디어 남비콰라족에게도 글씨는 그 모습을 나타내기 시작한 셈이다. 그러나 흔히들 상상하듯이, 힘든 수련을 거친 것은 전혀 아니었다. 그 문자의 기호는 제것이 되었지만, 그 실제는 낯선 채로 남아 있다. 그리고 지적인 목적보다도 사회적인 목적으로서 나타난 것이다. 왜냐하면 무엇을 알거나 이해하거나 새겨두기 위해서가 아니라, 아랫사람들을 희생시켜서 한 개인, 또는 한 기능의 권위와 특권을 고양하기 위한 목적으로 나타났기 때문이다. 아직도 석기 시대 속에서 살고 있는 한 미개인이 인간 상호 간의 이해를 위한 위대한 도구의 용도를 이해하지 못했던 탓으로, 다른 목적에 사용할 수 있었다.

아무튼 수천 년에 걸쳐, 아니 오늘날까지도 세계의 꽤 많은 부분의 대다수 성원이 전혀 글을 쓸 수 없는 사회들 안에서는 문자가 하나의 제도로서 존재하고 있다. 내가 머무른 적이 있는 동부 파키스탄의 치타공 언덕에 있는 촌락들은 문맹자들로 이루어져 있었다. 그러나 각 촌락에는 서기가 하나씩 있어 개인들과 집단을 위한 기능을 완수해 가고 있었다. 그들은 모두 문자가 무엇인지 알고 있고, 또 필요하다면 이용할 수도 있으나, 말로 외부와 교류하는 그들에게는 문자가 낯설기만 한 것이다. 그런데 이 서기가 관리이거나 또는 어느 집단의 고용인인 경우는 드물다. 그의 지식이 실제적으로 능력을 수반하는 것이므로, 흔히 같은 한 사람이 동시에 서기와 고리대금업자 역할을 한다. 이것은 그가 자기 고리대금업을 하기 위하여 읽고 쓸 필요가 있어서뿐만 아니라, 그렇게 두 가지 직함을 갖고 있음으로써 다른 사람들에게 '군림하는 자'가 될 수도 있기 때문이다.

글자란 기묘한 것이다. 글자의 출현은 인간들의 생활조건에 심오한 변화를 초래할 수 있었고, 또 이러한 변형들은 특히 그 성격이 지적인 것처럼 여겨지는 것 같다. 일단 사람들이 글쓰는 방법을 알게 되면, 그들은 하나의 커다란 지식체계를 굉장히 축적할 수 있다. 말하자면 문자란 일종의 인위적인 기억 형태로 간주될 수 있다. 그리고 이 인위적인 기억의 발달과 함께 현재와 미래를 조직하는 더 큰 능력이 생기게 된다. 사람들이 흔히 문명과 야만을 구별하는 모든 기준 가운데서 문자라는 척도가 가장 보존할 만한 가치가 있다. 어떤 사람들은 글을 쓰고, 어떤 사람들은 글을 쓰지 않는다. 글을 쓰는 집단은 하나의 지식체계를 축적하고, 그 지식체계는 집단으로 하여금 그 자체에 부여된 목적을 향하여 훨씬 빨리 움직여나가도록 도와준다. 글을 쓰지 않는 집단은 개인들의 기억이 결코 확대될 수 없는 한계 속에 구속되어, 그 집단의 기원에 대하여 명확한 지식도 지니지 못하고 또 그 집단의 미래상에 대한 논리적인 관념도 갖지 못한 채, 매일매일 움직이는 어떤 역사의 죄수로서 남게 된다.

그러나 우리가 문자나 진화의 과정에서 그것이 한 역할에 대해 알고 있는 사실은 결코 이 같은 개념을 정당화하는 것이라고 말할 수는 없다. 인류 역사상 가장 창조적인 시기의 하나는 농업과 야생동물의 가축화 및 기타의 기술을 발생시킨 신석기 시대의 도래가 있었던 시기다. 이 시점에 도달하기 위해서 수천 년 동안 인간의 작은 집단은 관찰하고 실험하고, 자기들의 고찰 결과를 전달할 필요가 있었다. 이 웅대한 시도는, 그것이 성공한 것으로 보아서 명백하듯이, 정확하게, 그리고 중단됨이 없이 추진되어온 것이지만, 이 당시에는 문자라는 것은 아직 알려지지 않은 상태였다. 문자가 기원전 4000년 내지

3000년대에 출현했다 하더라도, 그것은 신석기 혁명의 오랜 노력의 (그리고 아마도 간접적인) 결실이라고 보아야 할 것이며, 문자가 신석기 혁명의 필요조건은 아니었다.

문자는 어떤 위대한 개혁과 연관이 있는 것일까? 기술이 관련되는 한 오직 건축만이 문제시될 수 있다. 그러나 이집트인이나 수메르인의 건축이 아메리카가 발견될 무렵에 아직 문자를 모르던 아메리카의 어떤 원주민들의 건축보다 더 나은 것은 결코 아니다. 반대로 문자의 발명과 현대 과학의 출생 사이에서 서구세계는 약 5천 년간을 보내었다. 이 기간에 서구세계의 모든 지식은 꾸준히 증가해왔다기보다는 증감을 겪어왔다. 흔히 그리스나 로마의 시민생활과 18세기 유럽의 부유한 계급의 생활 사이에는 커다란 차이점이 없다고 언급되어왔다. 신석기 시대에서 인간들은 문자로부터 어떤 도움도 받음이 없이 무한한 진전을 이루었다. 그리고 문자가 서구세계의 문명들을 오랜 정체로부터 구원해주지도 않았다. 만약 문자가 존재하지 않았다면 19세기와 20세기의 과학의 확대는 결코 발생할 수 없었을 것이다. 그러나 이 조건이 아무리 필수적인 것이라 할지라도 그 자체로는 과학의 확대를 설명해줄 수 없다.

만약 우리가 문자의 출현과 문명의 어떤 다른 특징들을 관련하고자 한다면, 우리는 다른 곳에서 그 관련성을 찾아야만 한다. 여기서 항상 수반되는 한 가지 현상은 도시와 제국의 형성이다. 이 형성에 의해서 상당수의 개인이 하나의 정치체계 속에 통합되고, 이 개인들이 계급과 위계 가운데로 배분되었다. 어쨌든 이 같은 현상이 문자가 처음으로 등장했을 순간에 이집트로부터 중국에 걸쳐서까지 발견되는 발달이다. 이 현상은 인간을 계몽하기보다는 오히려 인간에 대한 약탈을 조장하는 듯하다. 이 약탈은 노동자를 수천 명씩이나 모아서 그들의 체력이 닿는 데까지 강제로 일을 시킬 수 있었다. 이 점과 관련하여, 우리가 알고 있는 건축의 시작이 이 같은 약탈에 의존했음을 인식해야만 한다. 만약 나의 가설이 정확하다면, 커뮤니케이션의 한 수단으로서 문자의 원초적 기능은 다른 인간들을 쉽게 예속화한다. 과학이나 예술 분야에서 정신의 만족이라는 관점과 함께, 공정한 목적에 문자를 사용하는 것은 문자의 발명의 이차적인 결과이며, 단지 그것은 원초적 기능을 강화하고 정당화하며 또는 은폐하는 방식에 불과할 수도 있다.

그러나 이 법칙에는 예외들이 존재한다. 고대 아프리카에는 신민 수만 명이 하나의 단일법칙을 인정한 제국들도 있었다. 콜럼버스 발견 이전의 아메리카에서는 잉카 제국도 수백만의 신민을 거느리고 있었다. 그러나 아프리카와 아메리카에서의 이 같은 시도들은 특히 불안정한 것이었다. 예컨대 우리는 잉카 제국이 12세기경에 설립된 것을 알고 있다. 그러므로 3세기 후에 피사로(Francisco Pizarro, 1478~1541: 잉카 제국을 붕괴시킨 에스파냐의 장군 - 옮긴이)의 군대가 그처럼 쉽게 잉카 제국을 정복할 수 있었던 것도 그로부터 잉카 제국이 한창 와해 중일 때였기 때문이다. 고대 아프리카의 역사에 관해서 우리가 알고 있는 약간의 지식으로부터 우리는 이와 유사한 상황을 예측할 수 있다. 대규모 정치집단이 몇십 년의 기간 안에 나타났다가는 사라져버린 것 같다. 그러므로 이 사례들은 우리의 가설들을 반박하는 대신에 확고하게 만드는 것 같다.

문자는 인간의 지식을 공고하게 만들지는 않았고, 하나의 영속적인 지배체계의 확립에 불가결한 존재가 되어왔던 것 같다. 이 문제를 우리들의 시대에 좀더 가까운 시기로 가져와보자. 19세기 유럽에서 의무교육을 확대하려는 노력은 군복무의 연장 및 프롤레타리아의 조직화와 함께 발생되었다. 가끔 중앙의 권위에 의해서 개별적인 시민들에게 강제적으로 실행되었던 증가된 권력과 이 문맹에 대한 투쟁을 구분할 수가 없다. 왜냐하면 "법에 대한 무지가 불법을 인정하지는 않는다"라는 주의(主義)는 오직 모든 사람이 정부가 법령으로써 공포하는 것을 읽을 수 있는 경우에만 가능할 것이기 때문이다.

한두 세기 전에는 우리들 자신이 부닥쳤던 이 같은 문제에 직면하고 있는 신생국가들과 문자를 통하여 마음대로 사고하거나 자신의 교양을 높일 수 있는 훈련이 덜 되어 있는 서민층의 반발로 안정이 위협받을까 두려워하는 부유한 국제사회 간의 공모로, 이제 그 문제는 국가적인 문제를 넘어서 국제적인 문제로 화했다. 그런데 이러한 국가들에 먼저 도서(圖書)의 자유가 제공된다면, 이 국가들은 활자의 매우 계획적인 오도(誤導)의 영향에 위험스럽게 빠져버릴 것이다. 이 점에서는 이미 주사위가 던져진 것은 분명하다.

그러나 나의 남비콰라족 부락에서는 사람들이 그처럼 쉽사리 빠져들지는 않았다. 내가 방문하고 난 뒤에 그 지도자는 대부분의 사람들로부터 즉각 신임을 상실해버렸다. 우두머리가 교화된 사람처럼 행세하려고 하자 그와 사이가 벌어졌던 사람들은 문자가 그들 가운데 처음으로 소개되었을 때, 막연하게나마 문자와 배신이 한꺼번에 자기네 사회로 들어오는 것을 느꼈음이 틀림없다. 그리하여 이들은 일시적인 중지(衆智)를 얻기 위하여 깊은 덤불 속에서 피난처를 구했다.

그러나 나는 그 리더의 천재성을 찬양하지 않을 수 없었다. 왜냐하면 그는 문자가 다른 사람들에 대한 그의 지배력을 배가할 수 있다는 점을 즉각 예측했으며, 그리하여 말하자면 이때까지는 작용방법을 모르던 한 제도의 기저를 파악했기 때문이다. 이 에피소드는 또한 나의 관심을 남비콰라족의 다른 측면, 즉 개인과 집단 간의 정치적 관계로 돌리게 했다. 나는 이 관계를 즉각 좀더 직접적으로 면밀하게 조사할 수 있었다.

화농성 안염이 원주민 사이에 발생했을 때도 우리들은 여전히 우티아리티에 있었다. 임균(淋菌)에 기인하는 이 병은 곧 모든 사람에게로 퍼졌다. 이 병에 걸리면 심한 고통을 겪은 뒤에 영원히 장님이 되어버릴 위험성이 있었다. 며칠 동안에 몇 사람이 병신이 되고 말았다. 원주민들은 어떤 종류의 나무껍질을 담근 물로써 그들의 눈을 치료했다. 그들은 이 물을 깔때기 모양으로 만든 잎을 이용하여 눈 속에 떨어뜨렸다. 이 질병은 우리들 자신의 집단에게도 퍼졌다. 내 아내가 맨 먼저 이 병에 전염되었다. 그녀는 우리들이 행한 예전의 모든 여행에 참가했으며, 물질문화의 연구에 충분한 역할을 수행했다. 그러나 이제는 매우 중태였으므로 집으로 보내지 않을 수 없었다. 우리들 짐꾼 대부분도 이 병에 걸렸으며, 나의 브라질인 동료도 앓기 시작했다.

오래지 않아 더 이상 전진하는 것이 불가능해졌다. 나는 우리 일행의 주력을 휴식하도록 명령하고, 의사를 남겨두어 치료하도록 했다. 나는 두 남자와 몇 마리 짐승을 끌고, 근처에 원주민들이 많이 있다고 하는 캄푸스 노부스의 전신국으로 갔다. 그곳에서 나는 보름 간이나 자연으로 되돌아가서, 과수원의 거의 익을까 말까 한 과일들을 따면서 시간을 쓸모없이 보냈다. 쓴맛이 나며 돌멩이같이 딱딱한 껍질을 한 번석류(蕃石榴)는 그것의 향기에 대한 나의 기대를 어긋나게 했고, 앵무새같이 선명한 색채를 띤 카주(caju)의 열매는 스펀지 같은 껍질 속에 수렴제(收斂劑)를 감춘 과육을 지녀서 주스 같은 미묘한 맛을 내었다. 그리고 식사할 거리를 구하려면 새벽에 일어나서 숙영지로부터 몇백 미터 떨어진 숲으로 사냥을 가기만 하면 되는데, 염주비둘기들이 틀림없이 잡혔기 때문이다. 캄푸스 노부스에서 또한 나는 내가 선물을 가지고 왔다는 소식을 듣고 북쪽에서 온 두 무리를 만났다.

이 두 무리는 나에 대한 것과 마찬가지로 서로 사이가 좋지 않았다. 처음부터 그들은 나의 선물들을 달라고 간청하기보다는 강요했다. 처음 며칠 동안에는 한 무리만 먼저 와 있었는데 거기에 우티아리티 무리 중에서 나보다 앞질러 출발했던 원주민 하나가 끼어 있었다. 그런데 그가 먼저 온 무리에 속한 어떤 젊은 여자에게 지나친 관심을 보여주었던 것일까? 나는 그가 그랬다고 믿는다. 거의 첫출발부터 이방인들과 그들의 방문객 사이의 관계는 나빴다. 그래서 그는 더 친절한 환영을 받기 위해서 우리 캠프에 습관적으로 방문했다. 그는 나와 함께 식사도 했다. 이 사실이 알려졌다. 어느 날 그가 사냥을 나가고 없을 때, 원주민 대표 네 명이 나를 방문했다. 그들은 위협적인 어조로 나에게 그의 음식에 독을 넣으라고 말했다. 그러면 이들은 내가 필요로 했던 모든 물건 — 예컨대 회색가루가 꽉 들어 있고, 무명으로 감싼 작은 튜브 4개 — 을 주겠다고 했다.

나는 몹시 곤혹스러웠다. 만약 내가 즉각적으로 그들의 요구를 거절한다면 모든 무리가 나를 적대시할 것이므로, 나는 그들의 악의를 고려하여 최선을 다해서 조심스럽게 거절하려고 했다. 그래서 나는 실제보다도 그들의 언어를 더 많이 알지 못하는 것처럼 행동하기로 결심했다. 그들은 전혀 이해하지 못하는 듯한 내 모습을 보고서는, 내가 감추고 있는 자는 매우 악한 놈이니 한시라도 빨리 그를 없애버려야 한다고 계속하여 되풀이했다. 결국 그들은 매우 불만스러운 표정을 나타내며 되돌아갔다. 나는 나의 방문객에게 방금 일어났던 사건을 가르쳐주었더니 그는 즉시 달아나버렸다. 몇 달 뒤에 내가 이 지역을 다시 방문하게 되었을 때야 나는 비로소 다시 그를 볼 수 있었다.

다행히도 다음 날 두 번째 무리가 도착하자, 새로 온 무리에게로 그들의 적개심이 쏠렸다. 회합은 이들 각각의 무리들 여행의 최종지

점이며 또 중립지역이기도 했던 나의 캠프에서 이루어졌다. 따라서 나는 좌석의 상좌를 차지했고, 각 무리의 남자들이 그들의 자리에 앉았다. 이들 각각의 우두머리들이 예전에는 결코 들어본 기억이 없는 푸념하는 듯한 콧소리로써, 주로 독백으로 이루어진 긴 이야기를 번갈아가며 했다. "우리는 몹시 화가 나 있다" "너희들은 우리의 적이다"라고 해대다가 얼마 후엔 또 "우리는 전혀 화가 안 난다. 우리는 너의 형제며, 친구들이다! 우리는 서로 이해할 수 있다"라는 등등의 말이 오갔다. 일단 이 같은 항의와 도전의 교환이 끝나자 내 캠프 근처에 하나의 공동 캠프가 설치되었다. 춤을 추고, 노래를 부르면서 각각의 집단은 자신의 공헌을 격하하고, 적의 공헌을 찬미했다. 예컨대 "타마인데족은 노래를 아주 잘 부른다. 우리 노래는 아주 형편없다." 그러다가도 다시 싸움이 시작되었고, 곧 감정들이 고조되었다. 밤이 시작되자마자 노래와 말다툼이 섞인 소음이 지독한 소동을 일으켰으나, 내게는 이 떠들썩함이 아무런 의미를 지니지 못했다. 위협적인 몸짓들을 볼 수 있었고, 실제 한두 사람이 서로 주먹다짐을 시작해서 서로를 떼어놓아야만 했다.

모든 경우에서 위협의 표시는 성기들을 가리키는 몸짓으로써 구성되어 있었다. 남비콰라족은 적의를 나타낼 때는 두 손으로 성기를 잡고 그것을 적에게 겨냥했다. 이것은 상대편 적에게 그의 국부 바로 위에 있는, 허리띠 앞에 달려 있는 '부리티'의 짚으로 된 술을 떼어버리는 공격을 가하겠다는 사전 표시이다. 국부는 짚으로 가리어져 있었는데, 싸움의 핵심은 상대방의 몸에서 짚을 떼어버리는 것이었다. 이것은 전적으로 하나의 상징적인 행위이다. 왜냐하면 인디언 부족들의 남성의 성기 가리개는 워낙 빈약한 것이어서, 별로 그 부분을 가리거나 보존해주는 역할도 제대로 못했기 때문이다. 승리의 다른 표시는 적의 화살과 활을 빼앗아 멀리 떨어진 곳에 갖다두는 것이었다. 이 같은 경우에는 원주민들은 마치 격노한 상태에 있는 것처럼 극도로 흥분했다.

이런 개별적인 싸움은 때에 따라서는 전반전(全般戰)으로까지 악화하는 경우도 있다. 그러나 이번 경우에는 새벽녘이 되자 조용해졌다. 매우 기진맥진한 상태에서 몸짓을 하면서 적대자들은 상대방을 서로 세밀하게 관찰하고 귀고리, 무명으로 된 팔찌, 또는 깃털 장신구들을 이것저것 손가락질하면서 재빠른 소리로 계속 중얼거렸다. "날 줘……달라니까……이것을 봐……얼마나 예쁜가!" 이런 말에 대해 소유자는 이렇게 대답한다. "아니, 아니야……이건 보기 흉하고, 오래돼서 낡았어……."

이 화해적인 검사(상대방의 장신구에 대한)로써 이들의 싸움은 끝을 맺게 된다. 이렇게 해서 두 집단 사이에는 다른 종류의 관계인 상업적 교환을 발생시킨다. 남비콰라족의 물질문화는 매우 조잡한 것이지만 각 무리의 제조품들을 외부 무리에서는 높이 평가하고 있었다. 동쪽의 무리들은 도기와 구슬들이 부족하고, 북쪽의 무리들은 남쪽의 무리들이 매우 예쁜 목걸이를 만든다고 생각한다. 그러므로 일단 평화적인 관계가 확립되고 나면, 두 집단의 회합은 상호 교환할 수 있는 모든 증여물을 내놓게 되는데, 그것은 요컨대 싸움터가 시장으로 바뀌는 것이었다.

그러나 이 교환은 거의 감지할 수 없게 이루어진다. 싸움이 있은 그다음 날 아침이 되면 모든 사람은 그들의 정상적인 일에 각각 종사한다. 그리고 증여자와 수령자가 진행되고 있는 교환에 대해 아무런 명확한 암시도 하지 않는 가운데 대상 품목들의 소유자가 바뀐다. 여기에서 교환되는 물품들은 실타래와 무명천, 밀랍이나 송진 덩어리, '우루쿠'의 반죽·조개껍데기·귀고리·팔찌·목걸이·담배·구슬(씨앗으로 만든)·깃털, 화살촉을 만들 수 있는 대나무 조각, 야자나무의 섬유질 뭉치, 고슴도치의 가시, 도기와 그 조각, 호리병박 등이었다. 이 신비스러운 거래는 반나절가량 계속되었으며, 거래가 끝나면 그 두 집단은 서로 떨어져 각기 자기의 길을 떠난다.

이렇게 해서 남비콰라족은 상대방의 공정성을 믿고 거래한다. 그들에게는 어떤 대상에 값을 매긴다거나, 가격을 흥정한다거나, 값을 깎는다거나, 갖기를 고집한다거나, 외상으로 산다거나 하는 따위의 개념은 전혀 생소한 것이었다. 언젠가 나는 한 원주민에게, 근처의 집단에게 나의 메시지를 전달해주면 그 보답으로 숲속에서 쓰는 칼 한 자루를 주겠다고 했다. 그가 일을 마치고 돌아왔을 때, 나는 즉시 칼을 그에게 주지 않았다. 왜냐하면 나는 그가 내게로 와서 칼을 달라고 할 것으로 추측했기 때문이다. 그러나 내가 추측한 것 같은 일이 전혀 생기지 않았다. 그리고 다음 날 나는 어떤 곳에서도 그를 발견할 수 없었다. 그의 친구들이 그가 격노하여 떠나버렸다고 말했다. 나는 그를 다시는 볼 수 없었다. 나는 그 선물을 다른 원주민에게 위탁해야만 했다. 이 같은 사실을 고려해보더라도 어떤 교환을 끝냈을 때, 한쪽 또는 다른 쪽이 종종 교환의 결과에 불만을 느낀다는 사실은 당연한 것이다.

그리고 몇 주일이나 몇 달이 경과함에 따라서 교환자는 자기가 받은 선물들을 계속하여 평가해보고 또 그가 준 선물들과 받은 선물들을 비교해보고서는, 점점 더 쓰라린 기분에 젖어든다. 가끔 이 쓰라린 감정이 공격으로 변하기도 한다. 많은 전쟁이 이 같은 이유에서 발생되기도 했다. 물론 전쟁을 발생시키는 데는 다른 까닭들도 있다. 살인이나 약탈은 반드시 보복을 했으나, 어떤 무리가 구성원 한 사람에게 가해진 피해에 대해서 언제나 집단적인 보복 조치를 취하는 것 같지는 않았다. 그러나 특히 문제의 무리가 자신이 강한 위치에 있다고 느낄 경우에는, 무리들 사이의 증오감은 격화되어 이 같은 종류의 이유를 그대로 핑계삼아 받아들인다. 이런 경우의 계획은, 어느 전사(戰士)가 소개를 하게 되는데, 두 무리가 대면할 때 하는 연설과 똑같은 어조와 말투로 불평을 늘어놓게 된다. "이봐, 이리로 와! 자 어서! 나는 몹시 화가 났어! 정말로 화가 굉장히 났단 말이야! 화살을! 큰 화살을!"

이 경우를 위해 특별히 옷을 차려입고는—붉은 줄무늬가 있는 부리티 짚으로 만든 술과 표범가죽 투구를 걸쳤다—남자들이 우두머리의 뒤에 모여들어 춤을 춘다. 틀림없이 어떤 점술 의식이 거행되는 모양이다. 족장 또는 주술사는 덤불숲의 한구석에 화살을 감춘다. 다음 날 남자들은 그 화살을 찾는다. 만약 그것이 피로 얼룩져 있으면 전쟁이 선언되며, 만약 그렇지 않으면 전쟁은 취소되었다. 이런 식으로 시작되는 많은 원정은 몇 킬로미터를 행진하고서는 끝난다. 그 전투집단은 전쟁에 대한 열광과 흥분을 상실해버리고는 집으로 되돌아왔다.

그러나 때때로 그 원정은 끝장으로까지 치닫게 되어 피를 보고야 말기도 한다. 남비콰라족은 우선 매복의 조건을 이루기 위해 분산된 후 새벽에 공격한다. 공격신호는 사람들마다 그의 목에 메고 다니는 호루라기로 이 사람에서 저 사람으로 전달된다. 무명으로 꼭 동여매어진 두 개의 대나무 튜브로 만들어진 이 호루라기는 귀뚜라미 울음소리 같은 소리를 내었다(이 소리 때문에 그들은 이 호루라기에 귀뚜라미와 동일한 명칭을 부여했던 것이 틀림없다). 전쟁용 화살들은 평화 시에는 좀더 큰 짐승들을 사냥하기 위해 사용된다. 이 화살의 끝은 톱니처럼 깎였다. 사냥을 할 때 통상 사용되는 쿠라레 독을 바른 화살은 전쟁 시에는 결코 사용되지 않았다. 왜냐하면 그 화살로 상처를 입은 사람은 독이 혈관 속으로 퍼져 나가기 전에 그 화살을 뽑아낼 것이기 때문이다.

29 남자 · 여자 · 족장

고원지대의 가장 높은 지점에 있는 캄푸스 노부스의 너머로 빌례나(Vilhena) 전신국이 있었다. 1938년에 그곳은 좌우로 수백 미터나 되는 하나의 기다란 개간지의 중앙에 위치하는 몇 개의 오두막들로 이루어져 있었다. 이 개간지는 그 전신선의 설립자들이 언젠가는 마투그로수의 시카고가 세워질 것이라고 희망하던 지점이었다. 나는 그곳이 현재는 군용비행장이 된 것으로 알고 있지만, 내가 여행했을 당시에는 그곳 주민들이라고는 단지 두 가족뿐이었다. 그들은 지난 8년 동안 식량보급이 끊어져서, 앞에서도 언급했듯이 작은 사슴떼를 아껴가며 잡아먹으면서 겨우겨우 목숨을 유지하고 있었다.

그곳에서 나는 새로운 두 무리를 만났다. 첫 번째 무리는 인원수가 모두 18명이었고, 그들의 방언은 내가 알고 있던 것과 전혀 다른 것은 아니었다. 두 번째 무리에는 건장하게 생긴 사람들이 34명 있었고, 내가 결국 분간해내지 못하고 만 어느 알려지지 않은 언어를 사용하고 있었다. 이 무리들은 각각 족장 한 사람이 통솔하고 있었다. 첫 번째 무리에서 족장의 기능은 순수하게 세속적인 것으로 여겨졌다. 그러나 두 번째 무리의 족장은 나에게는 일종의 주술사처럼 보였다. 숫자가 적은 첫 번째 무리는 타룬데라고 불렸고, 숫자가 많은 두 번째 무리는 사바네라고 불렸다.

언어를 제외한다면, 그들을 서로 구별할 것이 아무것도 없었다. 그 원주민들은 서로 동일한 외모와 문화를 지니고 있었다. 이 사실은 이미 캄푸스 노부스의 경우와 마찬가지였으나, 빌레나에서는 이 두 집단은 서로 적의를 표시하는 대신에 완전하게 조화를 이룬 가운데 생활하고 있었다. 그들은 캠프파이어를 각기 떨어져 피웠으나, 함께 여행을 했고, 또 인접하여 캠프를 쳤다. 따라서 이 원주민들이 서로 다른 언어를 사용했고, 족장들은 각각의 집단에서 통역자 역할을 할 수 있는 한두 사람의 중개로 서로 의사를 소통할 수 있었지만 그들은 매우 밀접하게 결속되어 있는 듯했다.

그들의 이와 같은 결합은 최근에 이뤄진 것이 틀림없다. 내가 앞에서 설명했듯이, 1907년과 1930년 사이에 백인들의 도래와 함께 시작되었다고 할 수 있는 전염병들이 많은 원주민의 생명을 빼앗아갔다. 이 결과로 어떤 무리들은 그 숫자가 너무 감소되어 독립적인 생활을 영위할 수 없게 되었다. 캄푸스 노부스에서 나는 남비콰라족 사회의 내면적인 대립들을 조사했으며, 그 조직을 해체하는 힘들이 작용하는 것을 주시했다. 이와는 대조적으로 빌레나에서는 재건을 시도하는 모습에 직면했다. 왜냐하면 이 재건이 그 숙영하고 있던 두 집단의 원주민 무리의 의식적 목표라는 것이 분명히 눈에 띄었기 때문이다.

한 무리의 성인 남자들은 다른 무리의 여자들을 '자매'라고 불렀으며, 반대로 이 여자들은 남자들을 '형제'라고 불렀다. 남자들의 경우에서는 그들은 다른 무리의 남자들을 민족학자들이 말하는 '교차형'(交叉型)의 사촌을 의미하는 언어들로써 표현했다. 이 같은 것은 우리들이 '처남·매부'의 관계로 규정하는 것에 상응한다. 남비콰라족의 결혼법칙을 고려해본다면, 이와 같은 호칭을 사용한다는 사실은 한 무리의 모든 어린아이는 잠재적으로 다른 무리의 어린아이들의 남편이거나 아내라는 것(이 잠재적 배우자의 위치는 상대방의 경우에서도 적용된다)을 의미한다. 그러므로 이 두 무리의 다음 세대가 성인이 될 무렵에는 이 두 무리는 완전하게 융합되어버릴 것이다.

그러나 이 웅대한 계획에는 또한 장애물이 존재한다. 타룬데족의 적인 제3의 무리가 이 부근을 배회하고 있었다. 이 무리들의 모닥불이 때때로 우리들의 캠프에서도 발견되었는데, 이와 같은 경우에는 타룬데족은 어떤 비상사태에 준비하는 것 같았다. 나는 타룬데족의 방언은 어느 정도까지 이해할 수 있었으나 사바네족의 방언은 전혀 이해하지 못했기 때문에 타룬데족에게 친근감을 더 많이 느꼈던 것 같다. 내가 의사를 통할 수 있는 수단을 지니지 못한 사바네족 또한 나와의 관계를 어느 정도 불신하고 있었다. 그러므로 그들의 관점을 표현할 수 있는 처지가 아닌 것이다. 어떤 경우에라도 타룬데족은 자기들과 결합하고 있는 사바네족의 동기들이 전적으로 저의를 지니지 않은 것은 아니라는 점을 확신하고 있었다. 타룬데족은 제3의 집단을 두려워했는데, 이들을 더욱 두렵게 만드는 것은 사바네족이 돌연히 그 제3의 집단에게 투항해버릴 수도 있는 가능성이었다.

어떤 이상스러운 사건으로 타룬데족의 두려움이 근거 있는 것임이 밝혀졌다. 어느 날 남자들이 사냥을 하러 나갔는데, 사바네 족장이 올 시간이 되어도 돌아오지 않았다. 밤이 되고 저녁 9시나 10시경이 되자 그 숙영지에는 놀라움이 충만했고, 특히 돌아오지 않는 족장의 집에서는 두 아내와 어린아이들이 그들의 남편이며 아버지인 그가 죽지나 않았을까 하고 모여앉아 눈물을 흘리고 있었다. 이 순간에 나는 몇몇 원주민과 함께 이 근처의 지역을 한 바퀴 둘러보기로 결심했다. 우리가 200미터쯤 나아갔을 때 우리는 땅바닥에 웅크리고 앉아서 어둠 속에서 떨고 있는 그 족장을 발견했다. 그는 목걸이·팔찌·귀고리, 그리고 허리띠를 빼앗겨 거의 벌거벗은 채였다. 내가 지니고 있던 손전등의 불빛에 의해 우리는 그의 비통한 표정과 수척한 안색을 볼 수 있었다. 우리는 그가 숙영지로 되돌아갈 수 있도록 도와주었다. 숙영지에 돌아와서 그는 의기소침한 가운데 말없이 앉아 있었다.

결국 그는 불안에 떨던 사람들의 강요에 못 이겨 침묵을 깨뜨리고 이야기를 하고 말았다. 그는 남비콰라족이 '아몬'이라고 부르는 천둥에 끌려갔다고 말했다. ('아몬'은 우기를 예고하는 폭풍으로, 실제로 그날 낮에도 폭풍이 있었다). 그 벼락이 그를 공중으로 날려보내 숙영지로부터 25킬로미터 떨어진 지점에 그를 떨어뜨려놓았다. 그래서 그의 모든 장식물은 흩어져버렸고, 그는 우리가 그를 발견한 지점까지 되돌아왔다는 것이다. 그의 이야기를 듣는 동안에 사람들은 모두 하나둘씩 잠들기 시작했고, 다음 날 아침이 되자 그 족장은 다시 원기를 회복했는데, 그가 잃어버렸다던 장식물들도 되찾아놓고 있었다. 아무도 이 사실에 놀라지 않았고 또 그 족장도 이것을 설명하려 하지 않았다.

그러나 며칠이 지나고 나서부터는 족장의 이러한 이야기에 대해 전혀 다른 해석들이 타룬데족 사이에 퍼져 나가기 시작했다. 그들은 사바네 족장이 그와 같은 엄청난 모험을 하는 중에 근처에서 캠프를 치고 있던 다른 원주민들과 협상을 했을 것이라고 이야기했다. 이 같은 낌새들은 결코 공개적으로 표출되지는 않았으며, 그 사건에 대한 공식적인 해석이 여전히 공식적인 신뢰를 제공했다. 그러나 타룬데 족장은 개인적으로 자기의 불안들을 털어놓았다. 이 두 집단은 곧 이동을 했으므로 나는 이 사건의 결말을 알지 못했다.

이 사건은 내 이전의 관찰들과 더불어 나로 하여금 남비콰라족 무리들의 성격과, 족장이 이 무리들 내부에 부여하는 정치적 영향력을 고찰해보게 했다. 남비콰라족 무리들의 사회구조는 매우 취약하며 또 가장 단기적인 것이었다. 만약 족장이 너무 과대한 요구를 하거나, 자신에게 배당되는 아내의 몫을 너무 많이 요구하거나, 또는 건기 중에 무리들에게 식량획득 문제를 충분히 해결하지 못한다면, 즉각적으로 불만이 나타나게 된다. 한 사람 한 사람씩 또는 한 가족 전체가 그 집단을 이탈하여 평판이 더 좋은 무리들에 합류한다. 이 다른 무리들은 사냥이나 식량을 채집하는 좀더 나은 새로운 장소를 발견할 수 있었기 때문에 더욱 풍부한 식량들을 지닐 수 있었다. 또는 이 무리는 근처의 다른 집단과 유리한 교역을 함으로써 장식품과 도구들을 많이 축적할 수 있었거나, 원정에 승리한 결과로 더 강대한 무리가 된 것이었다.

어느 날 족장은 자신이 일상생활의 곤란을 헤쳐 나가거나, 외부인들이 자기 무리의 여자들을 빼앗으려는 기도를 막기에는 자기가 너무나 작은 집단의 우두머리라는 사실을 깨닫게 되었다. 그래서 그는 지휘권을 포기하고, 몇몇 그의 추종자와 함께 다른 집단에 합류했다. 이 모든 사실로부터 남비콰라족의 사회구조가 본질적으로 유동적이라는 점이 뚜렷해질 것이다. 무리들은 형성과 해체를 끊임없이 반복하여 인원이 증대되거나 완전히 소멸되어버리기도 한다. 몇 개월만 지나면 무리들의 구성 인원이나 일반적인 특성들이 전혀 알아볼 수 없을 만큼 변해버린다. 무리들 간의 갈등과 내부적인 정치적 책동이 이 같은 변화들에 리듬을 부여하며, 또 개인과 집단의 성쇠(盛衰)는 가끔 우리를 어리둥절하게 만드는 가운데 이루어진다.

그렇다면 무엇 때문에 남비콰라족은 자신들을 무리로 분리하여 생활하는 것일까? 경제적인 견지에서 이야기한다면, 이 지역에는 천연자원이 극도로 빈곤했고, 또 유동(遊動)의 기간(건기)에는 한 사람의 식량을 공급하기 위해서도 광대한 지역이 필요했기 때문에 이들이 몇 사람의 집단을 이루고 분산하여 살아가는 것이 절대적으로 필요하다. 따라서 중요한 문제는 '왜'가 아니라 '어떻게' 이들이 분산되고 있는가 하는 점이다.

초기 단계에서는 각 무리들의 핵을 이루는 소집단의 인정된 우두머리가 몇 명 존재한다. 그가 이끄는 무리의 중요성과 이 유동 기간 중에 그 무리의 특성이 어느 정도 지속되는가 하는 점은 족장 한 사람 한 사람이 자기 위치를 강화하고, 그 지역에서 그의 추종자들을 존속하게 하는 그의 능력에 달려 있다. 족장의 정치력이 공동체의 필요에서 생겨난 것은 아닌 듯하다. 오히려 이 소규모 공동체는 그것의 특징들——형태·규모·기원——을 그 집단이 생성되기 전에 이미 존재했던 잠재적 족장들로부터 이끌어낸다.

나는 이와 같은 족장 두 사람을 잘 알고 있었다. 한 사람은 와클레토수(Wakletoçu)라고 불리던 무리를 거느린 우티아리티의 족장이었고, 다른 한 사람은 타룬데의 족장이었다. 우티아리티의 족장은 매우 명민하고 자신의 책임을 잘 알고 있었으며, 활동적이고 또 꾀가 많은 사람이었다. 그는 어떤 새로운 사태의 결과를 예측했으며, 필요할 때는 모래 위에 지형도를 그리면서 나에게 적합한 길을 설명하기도 했다. 우리가 그의 마을에 도착했을 때, 우리는 그가 미리 사람을 보내어 우리의 짐승들을 매어둘 말뚝들을 세워놓은 것을 발견할 수조차 있었다.

한 사람은 나에게 매우 소중한 정보 제공자로서 그는 나의 문제들을 이해하고, 곤란들을 해결하고, 또 나의 일에 진정한 관심을 지니고 있었다는 점에서 나에게는 매우 귀중한 존재였다. 그러나 그는 족장으로서 그의 직무를 수행해야 했기 때문에 매우 바빴다. 예컨대 그는 여러 날 동안 함께 사냥을 나가야 했고, 정찰을 해야 했고, 열매나 씨앗이 열리는 나무들의 상태를 살펴보아야 했다. 그뿐만 아니라 그의 아내들이 여러 종류의 색정적인 즐거움의 가장 손쉬운 파트너로서 그를 계속적으로 유인했다.

일반적으로 그의 활동방식은 남비콰라족 사이에서는 예외적인 것으로 계획을 실행하는 데 논리성과 연속성을 표시하고 있었다. 대체로 남비콰라족은 마음이 변하기 쉬운 변덕스러운 기질을 지니고 있었다. 그의 생활조건은 불안정했고 또 그의 수단들은 비웃을 수도 있는 것이었지만, 그는 커다란 조직력을 지녔고 그의 집단에 대해 전적인 책임을 떠맡고 있었다. 비록 그는 얼마간의 투기적인 요소도 지니기는 했어도 한 사람의 매우 유능한 지도자였다.

타룬데 족장도 위에서 언급한 그의 동료와 마찬가지로 서른 살쯤 되었다. 그는 매우 다른 방식을 사용했지만 그도 또한 매우 총명한 사람이었다. 와클레토수 족장은 지식이 풍부하고 꾀가 많은 한 사람의 지도자로서 인상을 심어주었다. 그는 항상 마음속으로는 어떤 가능한 정치적 책략에 몰두해 있었다. 그러나 타룬데 족장은 활동적인 사람은 아니었고, 명상가로서 매력적이고 시적인 기질과 예민한 감수성을 지니고 있었다. 그는 자기 집단이 쇠퇴해지고 있음을 알고 있었으며, 이런 까닭으로 해서 그의 이야기는 때때로 우울한 음조를 띠었다. 그는 그의 집단이 남비콰라족의 전통들을 유지하기에 충분할 만큼 규모가 커서 인원이 몇백 명이나 되었고, 또 각각의 성원들이 그들의 전통적인 행사들에 충실히 참가했던 시절을 이야기하면서, "나도 한때는 그랬지. 그러나 이제는 끝장이 나버렸어……"라고 말하고는 했다.

내가 그들의 풍습에 호기심을 느꼈듯이, 그도 우리들의 풍습과 내가 관찰했던 다른 부족들의 습속에 흥미를 느끼고 있었다. 그와 함께 일을 하게 된다면, 민족학자의 작업은 결코 일방적으로 치우치지는 않을 것이다. 그는 이 작업을 하나의 정보교환으로서 생각하고, 내가 그에게 이야기할 수 있었던 모든 내용에 관해 즐겁게 경청했다. 실제로 종종 그는 내가 가까이 있었거나 또는 멀리 떨어져 있던 부족들을 관찰하면서 그려두었던 무기나 깃털장식물, 그리고 머리장식의 그림들을 달라고 하여 조심스럽게 간직했다. 그는 이 그림들이 그의 집단의 물질적·지적 능력을 높이는 데 도움을 줄 것이라고 희망했던가? 비록 그의 환상적 기질들이 이것들을 실행할 수는 없게 했을지라도 그것은 가능한 일이었을 것이다. 그러나 어느 날 내가 '판의 피리'(길이가 서로 다른 관을 배열해놓은 원시적인 취주악기의 일종-옮긴이)의 분포범위를 알기 위해서 그 악기에 관해 물어보았을 때, 전혀 그것을 본 적이 없었던 그는 그것의 그림을 나에게 한 장 그려달라고 해서는 후일에 나의 그림을 기초로 하여 조잡하기는 해도 사용할 만한 피리 하나를 직접 만들어주었다.

이들 두 족장에게서 뚜렷이 나타나는 예외적인 자질들은 그들이 족장으로 위임되었을 때의 조건과 관계가 있었다.

남비콰라족에서는 정치적 권력은 세습적인 것이 아니다. 족장이 연로해져서 병이 들거나 또는 더 이상 무거운 임무를 부담할 수 없다고 느낄 때는 그 자신이 후계자를 선택한다. "저 남자를 족장으로 삼겠다"라고 말한다. 하지만 이 독재권은 실질적인 것이라기보다는 피상적인 것이다. 우리는 족장의 권위가 매우 약한 것을 다음에 검토하게 될 것이다. 다른 경우에서도 마찬가지지만 이 문제에서 최종 결정은 먼저 공중의 여론을 살펴본 다음에, 족장이 대중들에게서 가장 호감을 받고 있는 사람을 최종적으로 후계자로 지명하는 것이었다.

그러나 새로운 족장의 선정이 그 집단의 요구나 기호에 의해서 전적으로 명령되는 것은 아니다. 새로운 족장으로 지명된 사람은 기꺼이 그 직책을 떠맡을 것 같지만, 완강하게 거부하는 일도 종종 있다.

"천만에. 나는 족장이 되기 싫소!" 이 같은 경우에는 두 번째 선정을 해야만 한다. 사실 권력에 대한 열렬한 경쟁이 없었고, 내가 알고 있던 족장들은 족장의 높은 위치를 과시하여 이야기하기보다는 그들이 지고 있는 무거운 부담들과 여러 가지 책임에 대하여 불평을 털어놓았다. 그렇다면 실제적으로 족장의 특권은 무엇이며, 또 그의 의무란 어떠한 것인가?

1560년경 몽테뉴(Montaigne, 1533~92: 프랑스의 사상가이자 작가-옮긴이)는 어떤 항해자가 데리고 돌아온 브라질 원주민 세 명을 루앙(Rouen: 프랑스 북부 센마리팀주의 주도. 파리의 외항으로 이 나라 유수의 무역항이다-옮긴이)에서 만났을 때 그들 중 한 사람에게 족장(몽테뉴는 '왕'이라고 말했다)의 특권이 무엇이냐고 물었다. 그 자신이 족장이었던 그 원주민은 다음과 같이 말했다. "족장은 전쟁을 할 때 선두에 서서 싸우는 사람이다." 몽테뉴는 이 이야기를 그의『수상록』의 유명한 한 장(제1권 제31장의 식인종에 대하여)에서 기술하면서, 그 원주민의 자신만만한 정의에 놀라움을 나타냈다.

내가 그로부터 거의 4세기 후에도 동일한 대답을 들었다는 사실은 나로서는 커다란 놀라움과 존경심을 느끼지 않을 수 없는 문제였다. 문명화된 국가들의 정치철학에는 동일한 일관성이 지속되지 않는다. 매우 놀랄 만한 사실이기는 하지만, 이 같은 생각은 남비콰라족의 언어에서 족장을 나타내는 말인 '우일리칸데'(Uilikandé: '통일하는 사람' 또는 '결속시키는 사람'이라는 의미를 지니고 있다) 속에서도 나타난다. 그리고 이 말은 족장의 태도가, 내가 이미 강조했던 현상을 느끼고 있었음을 나타내준다. 다시 말해서 족장이란 어떤 기존의 집단이 느끼던 하나의 특권적 권위에 대한 필요성의 결과라기보다는 오히려 하나의 집단으로써 집단 자체를 형성하려는 집단의 욕구로부터 발생되는 것이라고 원주민들이 의식하고 있었음을 암시해준다.

개인적인 위세와 신뢰감을 촉진해주는 자질이 남비콰라족 사회에서 권력의 기반을 이룬다. 이 두 요소야말로 건기의 모험적인 유동생활을 지도할 사람에게는 필수적이기 때문이다. 6개월 또는 7개월 동안 족장은 그의 집단의 지도에 대해서 전적인 책임을 지게 된다. 유랑생활의 출발을 편성하고, 그 여정을 선정하며, 어느 곳에서 얼마만큼 숙영할 것인지를 명령하는 사람이 바로 족장이다. 그는 유랑의 세부 사항들—예컨대 사냥·고기잡이·채집—을 결정하며, 또 이웃의 집단들과의 관계를 처리한다. 한 무리의 족장이 동시에 부락(나는 이것을 우기 중의 반영구적인 거주지로 한정시켜 의미한다)의 족장인 경우에는 그의 의무는 더욱 확대된다. 그는 정주생활에 필요한 시기와 장소를 결정해야 한다. 그는 경작지를 살펴보고, 경작할 작물을 선택해야 한다. 더 일반적으로는 그는 그의 무리들로 하여금 계절의 변동에 적응시키고, 또 거기에 따른 활동을 지휘한다.

이 같은 많은 직무에 관련되고 있다는 점에서, 족장은 명확하게 규정된 권한이나 공적으로 인정된 권위에서 그의 기반을 구할 수는 없다는 점을 우선 말해두어야만 하겠다. 동의가 권력의 근원을 이루며, 또한 동의가 족장의 지위에 정당성을 부여한다. 한두 불평분자가 비난받아야 할 행동(물론 원주민들의 관점으로부터)을 하거나 악의를 표명한다면, 족장의 모든 계획이 어긋나버리고 공동체의 행복이 위협받게 될 것이다. 족장은 다른 성원들 모두가 자신이 지니고 있는 것과 같은 생각을 할 때만이 불만족스러운 요소들을 제거할 수 있다. 그리고 그의 현명함이란 전권을 장악한 군주가 지닌 현명함이라기보다는 불확실한 다수의 동의를 유지하려고 하는 정치가의 수완이라고 하겠다. 물론 이 사실이 족장으로 하여금 그의 집단을 충분하게 결합하게 하지는 않는다. 그의 무리들은 유랑생활 중에 그 집단이 실질적으로 고립된 생활을 할지 모르나, 다른 이웃 집단들이 그 부근에 존재한다는 점은 결코 잊어버리지 않는다. 따라서 족장은 다른 집단의 족장보다도 더 훌륭하게 지도를 해야 할 뿐만 아니라, 그렇게 되도록 노력해야 한다. 그리고 그의 집단도 그가 다른 족장들보다도 더욱 훌륭하게 지도할 것을 기대하고 있다.

족장은 어떻게 그의 의무를 완수해나가는가? 그의 권력이 지닌 무기 가운데서 가장 주요한 수단은 관대함이다. 대부분의 미개민족들 사이에서, 특히 아메리카 대륙에서는 관대함이 권력의 본질적인 속성이다. 그것은 재산에 대한 개념이 단지 조잡한 물건들 몇 개로 구성되고 있는 원초적인 문화에서조차 어떤 역할을 나타내고 있다. 비록 족장은 물질적으로 어떤 특별한 지위를 부여받는 것 같지는 않다. 그는 아무리 자질구레한 것들일지라도 빈곤이 닥칠 경우에는 상당한 가치를 지닐 수 있는 식량·도구·무기·장신구 따위의 여분의 양을 그의 통제하에 두어야 한다. 개인이거나 가족이거나 또는 전체로서 하나의 무리가 어떤 것을 욕구하거나 필요로 할 때 그 호소의 대상이 되는 사람이 바로 족장이다. 그러므로 관대함이란 새로운 족장에게 기대되는 가장 중요한 속성이라 하겠다. 그것은 거의 계속적으로 두드리게 되는 하나의 음표와 같은 것이다. 그것에서 나타나는 소리―그것이 화음이 되든 또는 불협화음을 이루든지 간에―의 성격으로부터 족장과 그의 무리가 이루는 동의의 범위를 판단할 수 있다. 그의 추종자들이 이 모든 것을 최대한으로 이용한다는 사실은 의심할 여지가 없었다.

족장들은 가장 적합한 나의 정보 제공자들이었다. 나는 그들의 어려운 처지를 알고 있었으므로 기꺼이 그들에게 풍부한 증여물을 주었다. 그렇지만 내가 그들에게 준 선물들은 하루나 이틀 이상 그들이 손에 있지를 않았다. 내가 어떤 무리들과 몇 주간을 함께 지내고 헤어질 때가 되면, 주민들은 내가 주었던 도끼·칼·진주 따위를 소유하고 있고는 했다. 이와는 대조적으로 일반적으로 족장은 물질적인 면에서는 내가 도착했을 때와 마찬가지로 빈곤한 상태에 있었다. 보통 사람들보다도 배당량이 훨씬 많았던 그의 몫들은 모두 그로부터 떨어져 나갔던 것이다. 이 같은 현상은 때때로 족장을 일종의 절망상태에 빠지게 했다. 이와 같은 상황에서 거절한다고 말할 수 있는 족장이라면 근대의 의회민주주의 국가에서 신임투표를 요구할 수 있는 수상과 같은 사람이다. "이제는 더 이상 나누어줄 것이 없다! 나는 오랫동안 아낌없이 나누어주었다. 다른 사람이 이 자리를 차지해 다오!"라고 말할 수 있는 족장이 있다면 ── 만약 그가 중대한 위기를 초래하려고 하는 것이 아닌 경우에는 ── 그는 권력을 정말 확신하고 있는 것이 틀림없다.

재간이란 관대성을 표시하는 지적 형식이다. 훌륭한 족장은 그의 솔선수범하는 능력과 기술을 증명한다. 화살의 독을 준비하는 사람은 족장이다. 마찬가지로 족장은 남비콰라족의 유희에 사용되는 야생의 고무로 된 공도 만든다. 또한 그는 무리들이 단조로운 일상생활을 잊어버릴 수 있도록 노래도 잘하고 춤도 잘 출줄 아는 쾌활성을 지녀야만 한다. 이와 같은 기능들은 자연히 샤머니즘(주술)과 연관을 갖게 되고, 또 실제로 몇몇 족장은 치료사와 주술사 역할을 겸하고 있기도 하다. 그러나 남비콰라족에서는 신비주의가 생활의 주조를 이루는 것이 못 되므로, 이 같은 주술의 재능이란 족장의 지휘력에 부차적인 성격을 지닐 뿐이다. 세속적인 권력과 종교적인 권력이 두 사람에게 각각 분리되어 있는 것이 더 공통적인 현상이다. 이 점에서 남비콰라족은 북서쪽의 이웃 부족인 투피 카와이브족(Tupi-Kawahib)과는 다르다. 투피 카와이브족에서는 족장이 예언적인 꿈이나 환상, 그리고 망아(忘我)의 상태와 인격의 분열에 몰두하는 샤면(주술사) 역할까지도 동시에 행하고 있다.

그러나 더 실제적인 방면에 활용되고 있긴 하지만, 남비콰라족 족장의 기민성과 재치는 역시 놀랄 만하다. 족장은 그의 무리와 이웃의 무리들이 빈번하게 다니는 지역에 관해서 상세한 지식을 지녀야만 한다. 이처럼 여러 사항에 대해서 정통한 지식을 지니고 있기 때문에 그는 우호적이거나 또는 적대관계에 있는 이웃의 무리들이 어떻게 이동해나갈 것인가에 대해 대략적인 계획을 세울 수 있어야 한다. 족장은 정찰을 하거나 답사를 하면서 끊임없이 나돌아다닐 필요가 있을 때는, 그의 무리들을 이끌기보다는 그 무리의 주위를 신속하게 돌아다니는 것처럼 보인다.

실권을 소유하고 있지는 않으나, 만약 실권이 주어진다면 협조할 준비가 되어 있는 몇몇 사람을 제외하고는, 그 무리의 수동성은 지도자의 적극적 행동과는 기묘한 대조를 이루고 있다. 지도자에게 어떤 유리한 지위가 양도된다면, 그 지도자가 무리의 이익과 안전을 완전하게 지켜줄 것이라고 기대하고 있는 듯했다.

이와 같은 태도는 내가 이미 이야기했던 사건에 잘 나타나 있었다. 그 사건이란 여행 중에 우리가 길을 잃어버려 충분한 식량을 지니지 못했을 때, 원주민들은 사냥을 하러 밖에 나가지 않고 땅바닥에 누워 있었고, 족장과 그의 아내들이 그들이 할 수 있는 최선의 방법으로 그 상황을 해결해주도록 내버려두었던 것을 말한다.

나는 족장의 아내들에 관해서는 여러 번 언급한 바 있다. 족장의 실질적인 특권은 그 무리들 가운데서 일부다처가라는 것이다. 이 사실은 그의 직책의 무거운 부담에 대해서 정신적이며 감정적인 위로인 동시에 그에게 중임을 맡기는 수단이기도 하다. 극소수의 예외를 제외하고는 족장과 주술사(이 같은 역할이 두 사람에게 분담되어 있을 경우)는 한 사람 이상의 아내를 가질 수 있는 유일한 사람이다. 그러나 이 일부다처제는 좀 특수한 형식의 것이다. 그것은 엄밀한 의미에서 복혼(複婚)이 아니고, 오히려 여러 종류의 관계가 부가되어 있는 일부일처혼이라 하겠다. 첫 번째 아내는 아이들을 돌보고, 요리를 하며 밖에 나가서 야생의 식량을 채집하는 따위의 여성에게 일반적으로 부여된 일을 수행한다는 점에서, 일부일처에서 아내의 정상적인 역할을 완수한다.

첫 번째 결혼 이외의 결합은 비록 결혼으로써 한정되기는 해도 다른 종류의 것이다. 우선 두 번째 결합의 대상이 되는 아내들은 더 젊은 세대에 속하며, 첫 번째 아내는 이 여자들을 '딸'이나 '질녀'라고 부른다. 이 여자들은 성별에 따른 분업의 원칙을 따르지 않고, 남자의 일이거나 여자의 일이거나 그들이 하고 싶은 일을 한다. 숙영지에서 이 여자들은 집안일이란 것은 그들이 할 가치가 없는 것이라고 경멸하면서 빈둥거리며 지낸다. 그리하여 첫 번째 아내가 집의 일상적인 일을 하느라고 분주히 돌아다니는 동안, 그녀들은 또래들과 장난을 치거나 남편과 애정을 나눈다. 그러나 족장이 사냥이나 정찰을 하러 가거나 남성으로서 어떤 용무를 보러 갈 때는 두 번째 아내들은 그를 따라가며, 그에게 정신적·육체적 지원을 제공한다. 이 두 번째 아내들은 생김새가 어린아이 같으며, 그 집단의 가장 예쁘고 가장 건강한 소녀들 가운데서 선택되었기 때문에, 그들은 족장의 아내라기보다는 사실 정부와 같은 존재였다. 그리고 족장은 첫 번째 결혼의 부부관계와는 전혀 대조적으로 색정적인 친밀한 관계 속에서 그녀들과 함께 생활한다.

남자와 여자는 일반적으로 함께 목욕을 하지 않는다. 그러나 때때로 족장은 두 번째 아내들과 함께 강에서 목욕을 한다. 이 같은 경우에는 그들은 서로 물을 튕기며, 온갖 농담을 지껄이며, 갖은 소동을 피운다. 저녁때가 되면 족장은 그녀들과 장난을 친다. 때로 그 장난은 매우 선정적인 것으로 둘, 셋 또는 네 명이 모랫바닥 위에서 서로 껴안은 채 뒹구는 것이었다. 어떤 경우엔 그들은 더 어린아이 같은 짓을 한다. 예를 들면 와클레토수 족장과 연하의 두 아내는 세잎 클로버 모양으로 땅에 누워서는 공중으로 발을 치켜올려 일제히 발바닥을 함께 맞부딪치는 장난을 하기도 했다.

그러므로 이 같은 형태의 일부다처혼은 하나의 정상적인 일부일처혼에 복수적인 사랑의 우애 형태가 곁들여진 것이라 하겠다. 이것은 또한 족장의 지휘권의 상징이며, 심리적·경제적 과정에서 어떤 기능적 가치를 지니고 있다. 일반적으로 아내들은 서로 화합하며 생활한다. 비록 첫 번째 아내라는 처지가 고맙게 여겨지지 않을지라도, 첫 번째 아내는 남편과 두 번째 아내들이 즐기며 때로는 그녀가 보고 들을 수 있는 거리 내에서 선정적 행위의 극치에까지 도달하는 동안에도, 어쨌든 부지런히 일하면서 아무런 쓰라린 기분을 나타내지 않으려는 듯하다. 첫 번째 아내와 두 번째 아내들 간의 이와 같은 배역이 절대적으로 불변적인 것은 아니다. 비록 드물기는 하지만, 어떤 경우에는 첫 번째 아내가 그러한 유희에 참여하기도 하며, 가족생활의 더 밝은 부분에 어울리기도 한다. 첫 번째 아내가 이 같은 유희에 드물게 참여한다는 사실은 연하의 아내들에게 위엄을 보여주고 어느 정도까지는 그녀들이 복종하도록 하는 것이었다.

이 같은 제도는 그 무리의 집단생활에 중대한 영향을 미치고 있다. 정상적 결혼적령기로부터 많은 젊은 소녀들을 빼앗아냄으로써 족장은 적령기의 젊은 남자의 수와 이에 필요한 소녀의 수 사이에 불균형을 초래한다. 대부분의 청년들은 이 같은 상황으로 희생이 되고 있다. 왜냐하면 이들은 몇 년 동안을 독신으로 지내든지 또는 과부나 나이가 많은 여자들과 결혼할 수밖에 없기 때문이다

그러나 남비콰라족은 이 문제를 다른 방법으로 해결하고 있다. '타

민디제 키안디제', 즉 '거짓사랑'이라고 말하는 동성연애를 한다. 이 같은 관계들은 젊은 남자들 가운데서 흔히 이루어지는데 정상적인 관계의 경우에서보다도 더욱 공공연하게 행해진다. 이 관계의 파트너들은 그들이 여자 파트너와 사랑할 때 행동하듯이 덤불 속으로 가지 않고, 근처의 사람들도 즐길 수 있도록 숙영지의 모닥불 부근에서 치른다. 이 사건에 대해서는 한두 마디 농담이 던져질 뿐 심각하게 생각되지는 않는다. 이 같은 관계의 행위들이 완전한 만족의 경지에까지 도달하는지 아니면 대부분의 남비콰라족 부부에서처럼 열렬한 사랑의 애무가 수반되는 순수한 감정적 만족에만 그쳐버리는 것인지는 알 수가 없다.

동성애적 관계는 서로가 교차사촌의 관계에 있는 소년들 사이에서만 허락되고 있다. 이 같은 관계에 있는 소년들이란 말하자면 한 소년이 다른 소년의 자매와 결혼하도록 되어 있기 때문에 그 여자의 남자 형제를 하나의 잠정적인 대리물로서 데려온 것이라 하겠다. 내가 원주민에게 이 같은 종류의 관계에 대하여 묻게 되면, 그들은 언제나 다음과 같은 대답을 했다. "서로 사랑하는 사람들은 사촌(또는 처남·매부)의 관계에 있다." 완전히 성인이 되었을 경우에도 처남·매부는 여전히 자유롭게 그들의 관계를 지속한다. 결혼을 하여 모두 어린아이들의 아버지가 된 두서너 명의 남자가 저녁때가 되면 상대방의 허리에 팔을 감고 걸어 다니는 광경을 종종 볼 수 있다.

이와 같은 임시변통책을 낳게 하는 일부다처의 특권은 분명히 그 집단 전체가 족장에게 중요한 권리를 제공한 것이다. 족장에게는 이 사실이 어떤 의미를 지니는 것일까? 가장 예쁜 어린 소녀들을 선택할 수 있다는 사실이 그에게는 커다란 만족을 제공한다. 그러나 이 만족감은 앞에서 언급한 이유들을 고려해보면 육체적 만족이라기보다는 정서적 만족이라 하겠다. 그러나 결국 일부다처혼과 그것에 부수되는 특성은 족장이 그의 책무를 완수하도록 집단이 족장에게 부여한 수단이라고 하겠다. 만약 족장이 혼자 있게 된다면, 그는 다른 사람들보다도 더 많은 어려움을 겪게 될 것이다. 족장의 두 번째 아내들은 그녀들이 지닌 특별한 지위에 의해서, 여성 일반의 예속적인 생활로부터 해방되어 족장을 도와주고 위로해줄 수 있다. 이 여자들은 족장의 권력에 대한 보상인 동시에 그 권력의 도구이다. 그러나 우리는 원주민의 처지에서 볼 때, 그 보상이 족장의 노고에 적절한 것이라고 말할 수 있을까? 여기에 대한 대답을 얻기 위해서는 우리는 이 문제를 좀더 넓은 시점에서 검토해야 하며, 만약 남비콰라족 무리가 하나의 원초적인 사회구조로 간주될 수 있다면, 이 문제가 권력의 기원과 기능에 대하여 우리에게 가르치고자 하는 바가 무엇인지를 파악해야만 한다.

우선 남비콰라족에게서 나타나는 사실들 역시 오래된 사회학적 이론에 위배되는 것이다. 최근의 정신분석가들에 의해서 일시적으로 부활되고 있는 이 이론에 따르면, 미개사회의 족장은 그 원형을 한 가족의 가장인 '아버지'에서 찾아볼 수 있는 것이라 한다. 따라서 이 가설에 따르면 국가의 원초적인 형태는 가족에서 출발하여 발전해온 것이라고 했다. 이 이론과 달리, 우리는 가장 원시적인 형태의 권력 기저에서 생물학의 현상과 관련하여 전혀 새로운 다른 요소를 도입하는 어떤 결정적인 국면들을 식별해내었다. 이 결정적인 국면은 동의를 부여받을 때만 존재한다. 그리고 이 동의는 권력의 기원이 되는 동시에 그 권력을 제한하는 것이기도 하다. 표면적으로는 일방적인 관계들──예컨대 장로정치·전제정치 또는 어떤 다른 형태의 정체에 존재하는 것들──이, 그 사회구조가 이미 복잡한 것이기는 해도 사회조직의 형태에서는 내가 지금 기술하는 사회조직들만큼 단순한 집단들 사이에서 발생될 수도 있다. 이와 같은 경우에서는 정치적 관계들은 한편으로는 족장의 능력과 권위에, 그리고 다른 편으로는 집단의 규모·응집력·자발적 합의 사이의 일종의 조정으로 환원할 수 있다. 이 모든 요인은 서로서로 영향을 미친다.

이 점에서 나는 현대의 민족학이 18세기 철학자들이 제출했던 명제들을 얼마나 강력하게 지지하고 있는지를 보여줄 수 있었으면 좋겠다. 물론 루소의 도식은 족장과 그의 동료들 사이에 통용되던 '유사계약적(類似契約的) 관계'와는 다르다. 루소는 전체의지를 위하여 개인들이 자신에게 고유한 자율성을 방기한다는 전혀 다른 현상을 고찰하고 있었다. 그러나 루소와 그의 동시대인들은 그들의 논적(論敵) ─ 특히 흄 ─ 이 '계약'과 '동의'는 사회생활의 기본적 자료들이며 이것들이 없이는 어떤 형태의 정치조직도 이루어지지 않는다고 주장했을 때, 계약과 동의라는 개념 속에 포함되어 있는 문화의 태도와 요소들이란 이차적인 형성물이 아니라는 사실을 깨달음으로써 심오한 사회학적 직관을 보여주고 있었다.

이 모든 사실의 결과로써 권력의 심리학적 기초가 '동의'라는 것은 명백해진다. 그러나 일상생활에서 동의는 족장과 그의 동료들에 의해서 전개되는 급부와 반대급부의 작용 가운데서 나타난다. 권력의 또 다른 기본적인 속성은 상호교환(réciprocité: 호혜성)의 관념이다. 족장은 권력을 소유하지만 관대해야 한다. 그는 책무를 지니고 있지만 또한 여러 아내를 가질 수 있다. 족장과 집단 사이에는 급부와 특권, 편익과 의무가 끊임없이 갱신되면서 균형을 이루고 있다.

그러나 결혼에서는 그 이상의 무엇인가가 일어나고 있다. 족장에게 일부다처의 특권을 용인함으로써 그 집단은 일부일처제로 보증되는 개인적인 안전의 요소들을, 그 집단이 권위로부터 기대하는 집단적 안전과 교환했다. 남자들은 각각 다른 남자들로부터 아내를 얻으나, 족장은 그 집단으로부터 아내를 몇 명 얻는다. 이에 대한 보답으로 족장은 그 집단이 위험에 처하거나 그를 필요로 할 경우에 그 집단을 보증해준다. 그리고 이 보증은 그가 두 번째로 결혼한 아내의 형제나 아버지에게 제공되는 것이 아니며, 또 족장의 일부다처의 권리로 독신으로 지내야만 하는 남자들에게 제공되는 것도 아니다. 그것은 하나의 전체로서 그 집단에게 제공된다. 왜냐하면 족장의 개인적인 특권에 대해서 일반적인 법칙을 정지시켜준 것이 바로 이 하나의 전체로서 집단이기 때문이다. 이와 같은 고찰들은 일부다처혼의 이론적 연구에 유익한 점을 제공해줄 것이다. 그러나 이와 같은 고찰들은 무엇보다도 우리로 하여금 베버리지 계획(영국의 경제학자 William Beveridge(1879~1963)가 수립한 사회보장제도의 계획 - 옮긴이) 또는 기타의 국가적인 사회보장제도를 논의하는 가운데 재인식되었던 '하나의 사회보장체계로서의 국가'에 대한 개념이 순수하게 근대에 와서 발전된 개념이 아니라는 점을 상기해준다. 그것은 사회적·정치적 조직의 기본적인 속성으로 되돌아간 것일 뿐이다.

이 같은 사실은 권력이 관련되는 한에서는 집단의 입장인 것이다. 그렇다면 족장 자신이 자기 직무에 대해서 취하는 태도는 어떠한가? 어떤 동기들로 그는 항상 즐겁지만은 아니한 그 직책을 받아들였는가? 남비콰라족의 족장은 그가 맡은 직책은 어려운 역할이며, 그것을 적절히 유지하기 위해서는 최선을 다해야만 한다는 점을 알고 있다. 더욱이 만약 그가 그의 개인적 지위를 계속적으로 개선하지 못한다면, 그는 몇 달이나 몇 년에 걸쳐 이룩했던 것을 쉽사리 잃어버릴 위험성이 있다. 이런 까닭으로 해서 많은 남자가 권력의 위치를 회피한다. 그렇지만 왜 어떤 남자들은 그 위치를 받아들이고 또 그것을 계획적으로 얻고자 하는가? 여기에 대한 심리적인 동기들을 파악한다는 것은 결코 쉽지가 않고, 또 문제의 대상이 되는 문화가 우리들 자신의 문화와 다를 경우에는 더욱 불가능하게 된다.

그러나 일부다처의 특권이 성적·정서적·사회적인 과정에서 아무리 매력적인 것이라 할지라도, 그 자체로는 충분한 것이 되지 못한다고 말할 수 있다. 일부다처혼은 권력의 기술적인 조건들 중 하나이다. 개인적인 만족이 문제되는 한 그것은 오직 하나의 부차적인 의미만을 지닐 뿐이고, 전혀 의미를 지니지 않을 수도 있다. 왜냐하면 남비콰라족 족장들의 정신적·심리적인 특징을 상기하여 그들의 인격이 순간적으로 변화하는 미묘함(이 미묘함들은 과학적으로는 분석될 수 없다. 그러나 교우관계의 실험이나 인간의 커뮤니케이션의 직감이 문제시될 경우에는 이 미묘함들도 커다란 가치를 지니게 된다)을 파악해보려고 했을 때, 나는 다음과 같은 결론에 도달하지 않을 수 없었기 때문이다. 족장들이 존재한다는 모든 인간집단에는 자기의 동료들과는 달리 중요성 자체를 사랑하고, 그것을 책임지는 데서 즐거움을 느끼며, 그의 동료들이 회피하는 공적 생활의 부담 자체에서 충분한 보상을 발견하는 사람들이 있기 때문이라 하겠다.

확실히 이 같은 개인적인 차이들은 어느 정도까지는 한 문화와 다른 문화가 서로 다른 방식 가운데서 전개시키고 있다. 그러나 이런 차이점들이 남비콰라족과 같이 일반적으로 경쟁의식이 극렬하지 못한 사회에서 존재한다는 것은, 이 개인적인 차이들의 기원이 전적으로 사회적인 것은 아니라는 점을 시사해준다. 차라리 그것들은 모든 사회가 어디에선가 자신의 기반을 구축할 수 있는 인간 심리상의 미가공(未加工) 재료의 일부라고 하겠다. 인간들은 모두가 비슷한 것이 아니다. 그리고 사회학자들이 모든 강력한 전통에 의해서 파괴된 것으로 묘사한 미개사회에서조차도 이 개인적인 차이들은 우리들 자신의 '개인주의 사회'와 마찬가지로 정확하게 주목을 받았고 또 매우 적절하게 이용되고 있었다.

형태는 다르더라도 라이프니츠(Leibnitz, 1646~1716: 독일의 수학자이며 철학자-옮긴이)가 아메리카의 야만인에 대해 논한 '기적'이 바로 거기에 나타나 있다. 옛날 항해자들이 기록한 야만인의 풍속은 라이프니츠에게 '정치철학상의 가설을 절대로 증명이라고 착각해서는 안 된다'는 교훈을 주었다. 나로서는 루소가 말한 '원초(原初) 시대의 거의 감지할 수 없는 진보'(『인간 불평등 기원론』의 제2부 참조-옮긴이)를 찾아서 지구의 끝까지 갔던 것이다. 보로로족과 카두베오족의 지나치게 복잡한 법칙들의 베일 뒤에서, 나는 다시 한번 루소의 말을 인용하면 "더 이상 존재하지 않으며, 어쩌면 존재한 일조차 없고, 아마도 결코 존재하지 않을 것이지만, 우리의 현재상태를 적절히 판단하기 위해서는 우리가 그 정확한 개념을 알고 있는 것이 필요한"(『인간 불평등 기원론』의 서문 참조-옮긴이) 어떤 상태를 찾으려고 애썼던 것이다.

나는 루소보다도 운이 좋게, 거의 종말에 직면한 하나의 사회 속에서 그와 같은 상태를 발견할 수 있었다고 생각했다. 그러나 이 사회가 (루소가 마음속에 지니고 있던 사회의) 어떤 흔적을 나타내주는 것인지, 아닌지를 자문한다면 그것은 쓸데없는 짓일 것이다. 전통적인 것이든 혹은 타락해버린 것이든지 간에 그 사회는 나로 하여금 상상할 수 있는 모든 사회적·정치적 조직의 형태 가운데서 가장 빈약한 조직의 하나와 접할 수 있게 했다. 나는 원초적인 조직 속에서 그 사회를 유지했거나 또는 그러한 조건에까지 그 사회를 이끌고 갔음 직한 그 사회의 고유한 역사를 탐구할 필요는 없었다. 다만 내 눈앞에서 전개되고 있었던 사회학적 실험을 관찰하는 것만으로 충분했다.

그러나 그 실험은 나를 회피하는 것이었다. 나는 가장 단순한 표현으로 환원되어 있는 사회를 찾아다녔다. 그런데 바로 남비콰라족의 사회가 내가 그 사회에서 오직 인간만을 발견할 수 있었을 정도로 단순화된 상태에 있었다.

제8부
투피 카와이브족

30 카누를 타고

내가 쿠이아바를 떠난 것이 6월이었는데, 지금은 9월로 접어들었다. 그러므로 석 달 전부터 고원지대를 떠돌고 있는 셈이다. 짐승들이 휴식을 취하는 동안에는 인디언들과 함께 야영을 했으며, 내가 벌여놓고 있는 작업의 의의에 대해 나 스스로 반문해가면서 여행길에 들른 여러 곳을 마음속으로 정리해보기도 했다. 한편 노새들의 발작적인 걸음걸이 때문에 나는 멍도 많이 들어야 했고, 나중에는 거기에 익숙해져서, 어찌 생각하면 그 흠집들이 내 몸의 일부분이 되어버려서 아침에 멍든 곳이 안 보이면 무언지 허전한 느낌마저 들 지경이되어버렸다. 지루함으로 말미암아 모험도 귀찮아졌다. 벌써 몇 주일째, 늘 변함없이 준엄한 사바나가 내 눈앞에 펼쳐져 있다. 그것은 너무도 건조해서 살아 있는 식물마저도 여기저기 흩어져 있는 숙영지자취에 남은 마른풀과 거의 분간이 안 될 정도다. 모든 것을 태워 석회로 만들어버리기 위한 일제돌격의 당연한 귀결인 양, 덤불에 지른불로 까맣게 그슬린 흔적만이 남아 있다.

우리는 우티아리티에서 주루에나로 갔고, 그곳에서 다시 주이나, 캄푸스 노부스, 그리고 빌레나로 갔다. 그리하여 지금은 고원 바로 밑에 위치하는 마지막 전신국들인 트레스 부리티스와 바랑 데 멜가수를 향하여 나아가는 참이었다. 거의 매번 숙영지마다 우리는 한두 마리 소를 잃곤 했는데, 갈증과 피로 또는 에르바두, 즉 독풀로 인한 중독 때문이었다. 또 어느 강을 건널 때는 다 썩어 문드러진 다리 위로 지나다가 소 몇 마리가 짐을 얹은 채 그대로 물속으로 떨어져버리는 바람에 탐험에서 얻은 소중한 물건들을 건져내느라고 죽도록 고생한 적도 있었다. 그러나 그와 같은 사고는 그래도 드물었고, 매일같이 똑같은 행위, 즉 캠프를 설치한 후 해먹을 매달고 모기장을 치는 일, 짐과 길마를 흰개미를 피해서 두는 일과 짐승들을 돌보는 일, 그리고 다음 날 아침이면 그와 반대의 순서로 다시 떠날 채비를 하는 일이 항상 반복되었다. 그러다가 어느 날 어떤 원주민 무리와 뜻밖에 만나기라도 하게 되면, 또 다른 판에 박은 일이 다시 시작되니, 그것은 그들의 인구를 조사하고, 그 집단 각 무리의 명칭·친족관계의 용어·혈통·재산목록 등을 알아보는 일이다. 그래서 나는 마치 탈주를 조사하는 관리가 되어가는 느낌조차 든다.

다섯 달 전부터 비가 내리지 않았으니 사냥거리도 눈에 띄지 않았다. 그러므로 피골이 상접한 앵무새 한 마리라도 쏘아 맞히거나, '투피남비스'라는 이름의 큰 도마뱀을 사로잡아 우리가 가진 쌀에 넣고 끓인다거나, 또는 도마뱀의 딱딱한 껍질에다가 땅거북이나 까맣고 기름기 있는 살이 붙은 아르마딜로를 구워 먹을 수 있는 날은 그래도 재수가 좋은 편이었고, 보통 때는 '샤르케'라는 말린 고기를 먹는 것으로 만족해야만 했다. 몇 달 전 쿠이아바의 어느 정육점에서 준비를 해온 것이었는데, 그 두툼한 조각마다 벌레가 우글거려서 매일 아침 햇볕에 내다 말리고 정성껏 닦아냈지만, 그다음 날 아침에 보면 도로 마찬가지가 되어 있곤 했다. 그런데 한 번은 누군가가 멧돼지 한 마리를 잡았다. 그러자 그 피가 흐르는 고깃덩어리가 포도주보다도 더 우리를 취하게 만드는 것 같았다. 한 사람이 한 파운드는 실히 될 만큼씩 먹어댔고, 그때 나는 비로소 숱한 여행자가 미개인들의 거친 생활의 증거로서 인용하곤 하는 이른바 미개인들의 '폭식'(暴食)이라는 것을 이해할 수 있었다. 배가 고플 때의 허기증이란 것이 어떤 것이며, 그것을 가라앉혔을 때에 얻는 것이 단순한 만복감에 그치지 않고 그 이상의 것, 바로 행복이라는 사실을 알기 위해서는 그들 미개인들이 사는 방식대로, 그리고 그들이 먹는 대로 일단 똑같이 행동해 보는 것으로써 충분했다.

점차로 풍경이 바뀌어가고 있었다. 고원지대의 중심부를 이루는 결정질(結晶質) 또는 침적성(沈積性)의 늙은 대지를 대신하여 점토질 땅이 나타나고 있었다. 사바나 지역에 잇달아 밤나무(프랑스에서 자라는 것과 같은 품종이 아니라, 브라질 밤나무인 *Bertholletia excelsa*)와 향기를 퍼뜨리는 키 큰 코파이바나무의 건조한 숲지대가 시작되고 있었다. 투명하도록 맑게 흐르던 시냇물은 노랗고 썩은 냄새가 나는 흙탕물로 바뀌어가고 있다. 도처에서 침식작용으로 파먹혀 들어간 언덕이 무너진 것들을 볼 수 있으며, 그 밑으로는 '사페잘'(키 큰 목초)과 '부리티잘'(야자수)들로 가득한 늪이 형성되고 있다. 그 무너진 언덕 비탈에서 노새들은 야생 파인애플밭을 가로지르며 짓밟고 다니는데, 오렌지 빛깔의 노란색을 띤 작은 열매인 그 야생 파인애플의 과육 속에는 크고 까만 씨들이 가득 박혀 있고, 그 맛은 재배종 파인애플 맛과 가장 잘 자란 나무딸기 맛의 중간쯤이라 할 수 있다.

땅속으로부터 지나간 몇 달 동안 잊고 있던 냄새, 초콜릿맛이 도는 따끈한 탕약 냄새가 스며 올라오는데, 그것은 다름 아닌 열대식물이 풍기는 냄새, 그리고 유기물이 부패하며 내는 냄새이다. 그 냄새를 맡자, 갑작스럽게 어떻게 그 땅이 코코아를 낳게 할 수 있는지 이해가 가게 된다. 마치 (남프랑스의) 프로방스 고지대에서, 때때로 반쯤 시들어버린 라벤더(꿀풀과 식물)밭에서 나는 향기가 바로 같은 땅에서 송로버섯을 생산해낼 수 있음을 알게 해주듯 말이다. 지면에 마지막으로 경사가 진 곳을 따라가면, 바랑 데 멜가수 전신국 위로 수직의 가파른 경사를 이루고 있는 어느 초원의 가장자리로 이어진다. 그곳에서부터 마샤두강의 계곡이 까마득히 아마존 숲속으로 뻗어가며, 아마존 삼림은 1,500킬로미터 떨어진 곳에 있는 베네수엘라 국경까지 거침없이 곧장 이어진다.

바랑 데 멜가수에는 나팔처럼 기운찬 소리를 내며 우는 자쿠새의 울음소리가 메아리치는 축축한 숲으로 둘러싸여 초록빛 풀들이 무성하게 난 초원들이 있었다. 그래서 두 시간만 그 초원에서 돌아다니면, 양팔 가득히 사냥거리를 안고 캠프로 돌아오기에 충분했다. 우리는 일종의 음식물 광란증에 사로잡힌 셈이 되어, 꼬박 사흘 동안 요리를 하고 먹는 일밖에 하지 않았다. 앞으로는 먹을 것 걱정은 할 필요가 없을 것 같았다. 그동안 아껴오던 설탕과 알코올의 재고가 차츰 바닥을 보이기 시작했다. 한편 우리는 아마존식 요리를 이것저것 시식해보기도 했다. 특히 브라질 호두라는 '토카리'는 그 과육을 갈아서 소스를 치면, 그 희고 기름진 크림이 소스에 맛을 더해주었다. 여기 내 노트에서 간추린 미식학 실습의 명세를 보인다.

― 벌새(포르투갈말로는 베이자 플로르(꽃에 입맞춤하는 새)라 부른다)를 꼬챙이에 꿰어 굽고, 위스키를 발라 그을린 것.

― 석쇠에 구운 악어 꼬리.

― 앵무새를 구워 위스키를 발라 그을린 것.

― 아사이 야자수의 열매를 설탕에 절인데다가 자쿠새를 구운 것을 넣은 스튜.

― 무툼(야생 칠면조의 일종)과 야자수의 싹에다가 토카리 소스와 후추를 뿌려 만든 스튜.

──캐러멜을 발라 구운 자쿠새.

이렇게 폭음폭식을 하고 필요한 만큼의 목욕──우리는 장화·철모와 함께 우리의 전체 복장 노릇을 해주는 작업복을 벗는 것조차 못한 채로 며칠씩 지낸 적도 자주 있었기 때문이다──을 하고 난 뒤, 나는 나머지 여행에 대한 계획을 세우기로 마음먹었다. 앞으로는 '피카다'(무성한 수풀 속의 나무들을 대강대강 베어 쳐서 만든 길)보다 강을 따라가는 것이 더 나을 것 같았다. 게다가 출발 때 데려온 서른한 마리 소 중에서 남은 것은 17마리뿐이었고, 그들의 상태도 평평하여 가기 쉬운 길에서조차 따라오기 힘들 판이었기 때문이다. 우리는 세 그룹으로 나누기로 했다. 우리들 가운데 우두머리와 몇 사람은 가장 가까운 곳에 있는 고무채집자들의 집결지를 향해 육로로 가서, 말들과 노새 중 일부를 팔아보고자 했다. 그 밖의 사람들은 소들과 함께 바랑 데 멜가수에 그대로 남아, '카핌 고르두라'라는 기름진 목초가 자라는 목장에서 소들이 기력을 회복할 여유를 갖게 내버려두기로 했다.

그들의 늙은 요리사 티부르시우는 모든 사람으로부터 사랑을 받고 있으니까 그들을 잘 통솔해줄 것이다. 그는 꽤 강하게 아프리카 사람의 피를 받은 혼혈인이었는데, 남들이 그를 말할 때 '빛깔로 보면 흑인이지만, 자질로 보면 백인'이라고들 했다. 그러한 말로 미루어보면, 브라질의 농부들이 인종에 대한 편견에서 벗어나지 못했음을 알 수 있다. 아마존에서는 백인 소녀가 흑인 남자로부터 구애를 받으면 서슴지 않고 이렇게 소리를 지른다. "아니, 내 창자 속에 '우루부'(독수리)가 살러 올 정도로, 내가 그렇게 하얗게 썩은 고기란 말야?" 그녀는 강물 위로 표류하는 죽은 악어가 있으면, 검은 날개를 가진 독수리기 그 송장 위를 머릴 동안 따라 날면서 그것을 머는 광경에 이숙해져 있기 때문에, 그 모습을 연상하고 있다.

소들이 나으면 그 그룹은 우티아리티까지 되돌아갈 계획을 세웠고, 그 일은 별로 힘이 안 들 것으로 생각되었다. 왜냐하면 짐승들은 싣고 갈 짐이 없어 자유로울 것이며, 비가 내릴 때가 임박했으므로, 그렇게 되면 사막은 초원으로 변모할 것이었기 때문이다. 끝으로 탐험 연구원과 나머지 사람들이 짐을 맡아 카누에 실어 사람들이 사는 지역까지 보내고, 그곳에서 우리는 흩어지기로 했다. 나 자신은 마데이라강을 거쳐 볼리비아로 들어가서 비행기로 그 나라를 횡단한 후, 브라질로 다시 들어올 때는 코룸바를 거쳐 그곳에서부터 쿠이아바로 가기로 작정했다. 그러면 12월경에는 우티아리티에 닿아 나의 코미티바―나의 동료들과 짐승들―와 다시 만나고, 탐험을 결말지을 수 있는 것이었다.

멜가수 전신국장은 우리에게 두 척의 '갈리오테'―널빤지로 만든 가볍고 작은 배―와 노 젓는 사람 몇을 빌려준다. 노새들이여, 안녕! 이제는 마샤두강 줄기를 따라 그대로 흘러내려가기만 하면 된다. 몇 달째 건조한 날씨를 겪은 우리들은 첫날밤을 지낼 때, 우리의 그물침대에 덮개를 씌우는 것을 잊고 예사로이 강둑에 있는 나무들 사이에 그대로 매달아놓고 잠이 들었다. 그런데 한밤중에 난데없이 전속력으로 달리는 말발굽 소리같이 요란스럽게, 심한 비바람이 몰아치기 시작했다. 우리가 채 잠을 깨기도 전에 벌써 그물침대는 목욕탕 꼴이 되어버렸다. 그 폭우 속에서 방수포를 치는 것이 사실 불가능했으나, 어쨌든 비를 좀 가리기 위해 가능한 한 어림잡아 덮개를 펼쳐놓았다. 잠을 잔다는 것은 생각할 계제가 못 되었다. 왜냐하면 물 속에 웅크리고 앉아 머리 위로 천막을 쳐들고서는, 물이 자꾸 고이는 주름잡힌 곳을 끊임없이 쳐다보고 있다가 물이 스며들지 않게 쏟아버리고는 해야 했기 때문이다. 시간을 때우기 위해 모두들 한마디씩 이야기를 했는데, 그중 에미디우가 한 이야기를 나는 기억하고 있다.

　　　　＊　　＊　　＊

에미디우의 이야기

　어떤 홀아비 하나가 이미 성년에 이른 아들 하나를 데리고 살았다. 어느 날 그는 아들을 불러놓고, 지금이야말로 결혼하기에 꼭 좋은 시기라고 이야기를 했다. "그러면 결혼을 하기 위해서 어떻게 해야 할까요?" 하고 아들이 물었다. "그야 아주 간단하지" 하며 아버지는 "너는 이웃집들을 찾아다니면서 처녀들 마음에 들도록 노력하기만 하면 되는 거란다"라고 대답을 해줬다. "하지만 저는 어떻게 해야 처녀들 마음에 드는지를 모르는걸요." "아, 그러면 기타를 치고 명랑하게 행동하고, 웃으며 노래를 하려무나!"

　아들은 그대로 실천에 옮겼는데, 하필이면 때마침 자기 아버지가 방금 세상을 뜬 어느 아가씨 앞에서 그렇게 했다. 그러니 그러한 태도가 당치 않게 여겨졌으며, 돌팔매질을 당하며 쫓겨오게 되었다. 아들은 아버지 곁으로 돌아와 불평을 했다. 그래서 아버지는 그러한 경우에 취해야 할 태도를 아들에게 일러주었다. 아들은 다시 이웃집으로 갔는데, 마침 돼지를 잡고 있었다. 그러나 방금 들은 가르침에 충실하느라고 아들은 흐느꼈다. "이 무슨 슬픈 일입니까! 그 돼지가 얼마나 착했는데요! 우리가 그것을 그토록 사랑했는데! 아마 더 나은 것은 다시는 못 찾아보게 될 겁니다!" 화가 난 그 이웃 사람들은 그를 쫓아냈다. 아들은 다시 이 새로운 실패를 아버지에게 이야기하고서, 그럴 경우에 적합한 언행에 대한 지시를 또 받았다. 세 번째로 찾아갔을 때, 그 이웃집에서는 정원에 있는 쐐기들을 잡아내느라고 한창 바빴다. 여전히 가르침을 또 하나 늦게 받은지라, 이 젊은이는 탄성을 질렀다. "어쩌면 놀랍게두 이렇게 풍부한가요! 이것들이 댁의 땅에서 번창하기를 바랍니다. 영원히 댁에서 모자라는 일이 없어야요!" 그는 또 내쫓겼다.

이 세 번째의 실수가 저질러진 후에 아버지는 아들에게 오두막집 한 채를 지으라고 분부를 내렸다. 아들은 필요한 나무를 베러 숲으로 갔다. 그런데 밤이면 늑대로 둔갑해서 돌아다니는 요술쟁이가 밤에 그곳을 지나다가 그 장소가 마음에 들어 자기 집을 그곳에 짓기로 하고 일을 시작했다. 다음 날 아침, 아들은 작업장에 와서 일이 꽤 진척되어 있음을 발견했다. 그는 만족하여 '아, 신께서 나를 도와주시는구나!' 하고 생각을 했다. 이리하여 그 둘은 힘을 합하여 집을 짓게 되었으니, 청년은 낮 동안에, 그리고 늑대는 밤 동안에 일을 했다. 마침내 오두막이 다 지어졌다.

낙성식을 거행하려고 청년은 노루 한 마리를, 늑대는 죽은 사람 한 명을 각기 식탁에 올리기로 마음을 먹었다. 그리하여 낮 동안에 한편에서는 노루를 가져오고, 밤을 이용하여 한편에서는 송장을 옮겨왔다. 그다음 날 아버지가 잔치에 참석하러 와 보니, 식탁 위에는 구운 고기 대신 시체 하나가 눈에 띄는 것이었다. "내 아들아, 너는 확실히 아무데도 쓸모가 없겠구나……."

다음 날도 비는 계속 내렸으므로 우리는 배에서 계속 물을 퍼내면서 피멘타부에누 전신국에 도착했다. 이 전신국은 바로 그 이름을 따오게 된 강과 마샤두강의 합류지점에 자리 잡고 있다. 그곳에는 20여 명이 소속되어 있었다. 내륙지방의 백인 몇 명과 아울러 각기 다른 혈통을 지닌 인디언들—구아포레 계곡의 카비시아나·마샤두강의 투피 카와이브—이 전선을 유지하는 일에 종사하고 있었는데, 그들이 내게 중요한 정보들을 제공해주었다. 그 중요한 정보들 중 일부는 아직도 원시적인 상태로 남아 있는 투피 카와이브족에 관한 것으로, 오래전에 나온 보고서들에 따르면 이미 완전히 사라져버린 부족으로 믿고들 있었던 것인데, 여기 관해서는 뒤에 다시 언급할 것이다. 그리고 그 밖의 다른 정보들은 피멘타부에누강을 따라 카누를 타고 며칠 가면 되는 곳에 살고 있다는 아직 알려져 있지 않은 어느 부족에 관련된 것들이었다. 나는 즉각적으로 그러한 정보들을 확인해볼 계획을 꾸몄으나, 어떤 방법으로 한단 말인가?

그런데 유리한 상황이 전개되었다. 바이아라고 불리는 흑인 한 사람이 이 전신국에 잠시 들렀던 것이다. 그는 약간 모험기를 지닌 행상인으로서, 해마다 놀랄 만한 여행을 한 번씩 해내는 사람이었다. 그는 우선 강가의 집산지에서 물건들을 구하기 위해서 마데이라까지 내려갔다가, 카누를 타고 마샤두로 거슬러 올라와서는, 이틀 동안 피멘타부에누강을 타고 내려간다는 것이다. 그리고 그곳에서부터 그가 알고 있는 길을 따라 숲속을 가로질러 사흘 동안 카누와 물건들을 끌고 가면, 구아포레의 한 작은 지류에까지 닿게 되며, 그가 도달한 지역에서는 달리 구할 방도가 없는 물건이라면 그만큼 더 엄청난 값을 불러가며 가져간 물건들을 손쉽게 팔아넘길 수 있다는 것이다. 바이아는 만약에 내가 돈보다는 물건으로 그에게 대가를 지불하겠다는 조건을 건다면, 자기의 관례적인 여정을 넘어서는 곳까지라도 피멘타부에누강을 따라 거슬러 올라갈 준비가 되어 있다고 말해왔다. 바이아 쪽으로 보면 괜찮은 거래였다. 아마존의 도매물가가 내가 상파울루에서 구입한 물건 가격보다 더 비쌌기 때문이다. 아무튼 나는 빨간색 플란넬 천 몇 필을 그에게 넘겨주기로 했는데, 그 옷감들은 빌레나에서부터 내가 지겹게 여기던 것이었다. 그때 남비콰라족에게 그것을 주고, 그다음 날 보니 그들은 발끝부터 머리끝까지 그 빨간 플란넬을 뒤집어쓰고 있었는데, 사람뿐만이 아니라 개·원숭이, 그리고 길들인 멧돼지까지 그 모양을 하고 있었다. 그러다 한 시간쯤 지나자, 그런 장난도 재미가 없어졌는지 플란넬 헝겊 조각이 덤불숲

속에 온통 널려 있었고, 그 누구도 거기에 관심을 쏟지 않는 것을 보았다.

전신국으로부터 빌린 카누 두 척, 노 저을 사람 네 명, 그리고 우리측 두 사람으로 한 팀이 이루어졌다. 이리하여 즉흥적인 모험을 떠날 채비를 갖추게 되었다.

민족학자에게 어느 미개사회에 침투하는 최초의 백인이 된다는 사실보다 더 흥분을 일으키는 일은 있을 수 없다. 이미 1938년에만 해도 이러한 최고의 보상을 획득할 수 있는 곳은 이 지구상의 다만 몇 군데에 지나지 않게 되어서, 다섯 손가락으로 꼽을 수 있을 만큼 아주 드물어진 상태였다. 그때 이후로 그러한 가능성은 더욱더 줄어들었다. 그러므로 나는 예전의 여행자들이 겪은 경험을 다시 체험해야 했으며, 또 그 체험을 통해 현대 사상의 결정적인 순간, 즉 스스로를 완벽하고 완성된 것으로 믿고 있는 한 사회가 위대한 발견들 덕분에 갑자기 어떤 기별을 받게 된 순간과 직면하기도 했다. 그 사회가 받은 기별이란 그들은 유일한 존재가 못 되며 오직 좀더 광대한 어느 집합체의 일부일 따름이고, 스스로를 알기 위해서는 여러 세기에 걸쳐 잊혔던 한 작은 부분이 오직 나만을 위해 그 처음이자 마지막이 될 반사광을 비춰줄 거울에다가, 알아보기 힘들 만큼 변해버린 자신의 모습을 비춰보아야만 할 것이라는 통지였다.

이 열광이 20세기에 들어와서도 여전히 통용되는 것일까? 그 피멘타부에누의 인디언들이 거의 알려지지 않은 채 있다는 것이 분명할지라도, 나는 그들에게서 400년 전 브라질 땅에 발을 내디뎠던 저 위대한 발견자들인 레리·슈타덴·트베가 깊이 느꼈던 것과 같은 충격은 기대할 수가 없었다. 그들이 최초의 관찰자로서 고찰했던 문명들이 우리의 문명과 다른 방향으로 발전했던 것이기는 하지만, 그래도 역시 그들의 본성과 양립될 수 있는 완전무결의 극치상태에 상처를 입혔을 것만은 사실일 것이기 때문이다.

우리가 오늘날에 와서 연구할 수 있는 사회는—4세기 전의 문명과 비교한다는 것이 허망할 것이기는 하겠지만—허약한 잔재와 그 훼손된 형태에 지나지 않은 것이다. 그 사회들은 서구사회로부터 엄청나게 멀리 떨어져 있고, 그 사회와 서구사회(내가 관련된 사건들의 관련성을 재구성하게 되었을 때 이 사회들이 내게는 아주 경탄할 만한 원천이었다) 간의 모든 중개물이 매우 기묘하기는 하지만, 이 사회들은 서구문명의 발전으로 부서져버리고 말았다. 아주 순수하고 또 매우 큰 인류의 한 집단으로서 그 사회들에는 이와 같은 서구문명의 발전이 하나의 기괴하고 이해하기 힘든 천재지변으로서 작용했다. 우리 서구인들은 이와 같은 발전이 옛 원주민 사회의 원천만큼이나 진실하고, 소멸되지 않는 성격을 지닌 제2의 모습을 이 원주민 사회에 만들어주었다는 사실을 기억해야만 할 것이다.

그 탐험가들은 가버리고 없어도, 여행의 조건만은 여전히 그대로 남아 있었다. 그 절망적인 기분을 안겨주던 기마(騎馬)여행을 하며 고원지대를 횡단하고 난 참이라, 나는 경치 좋은 강줄기를 따라 항해하는 기쁨을 실컷 즐길 수 있었다. 지도 위에도 그 강을 따라가는 물길은 표시되어 있지 않지만, 구석구석 어느 한군데도 내게는 소중한 이야기들로 가득 찬 추억을 일깨워주지 않는 곳이 없었다.

나는 우선 3년 전에 상로렌수에서 겪었던 물에서의 경험을 되살려야 했다. 예를 들면, 나무의 몸통을 잘라서 만들었거나 널빤지를 모아 붙여서 만들었고, 그 형태와 크기에 따라 몬타리아, 카노아, 우바 또는 이가리테라고 불리는 카누들의 각기 다른 모양과 그 각각의 장점을 알고 있어야 했다. 또 나무의 갈라진 틈으로 스며들어오는 물속에 몇 시간씩 쭈그리고 앉아서 작은 호리병박으로 끊임없이 물을 퍼내야 하는 것에도 다시 익숙해져야만 했다. 그리고 몸이 뻣뻣해져서,

움직여야만 할 때라도 아주 느릿느릿하게, 또 극도로 신중하게 조금씩 움직여야지 그렇지 않으면 그 조그만 배가 뒤집힐 위험을 안고 있다는 사실도 명심해야 했다. "물은 머리카락을 갖고 있지 않다"라고 인디언들도 말하듯이, 정말 뱃전에서 떨어져버리는 날에는 매달릴 데가 없기 때문이다. 또한 크나큰 인내심도 내게는 필요한 것이다. 왜냐하면 무슨 사고가 생기면 그때마다 그토록 꼼꼼하게 차곡차곡 실었던 저장품과 생활필수품을 모두 끄집어내려서, 카누와 함께 바위투성이 강둑까지 옮겨가야 하고, 다시 몇백 미터쯤 나아가다가는 또 그 작업을 새로 시작해야만 할 경우도 있기 때문이다.

이런 사고에도 여러 가지 종류가 있으니, 세쿠(강바닥에 물이 말라버린 것), 카쇼에이라(급류), 살투(폭포) 등이 그것이다. 경우마다 노 젓는 사람들은 금방 이름을 붙이고는 했다. 풍경에 따라서는 카스타냘(밤나무숲), 팔마스(야자)라는 이름을 붙였으며, 사냥과 관계되는 경우에는 베아두(수사슴), 케이샤다(멧돼지), 아라라(앵무새의 일종) 따위의 명칭이 붙었으며, 또 여행자의 더 개인적인 입장을 암시하기 위한 이름으로는 크리미노자(죄인), 엔크렌카(궁지에 몰린 것을 표현하는 말로서 번역이 어려운 명사이다), 아페르타다 오라(조여진 시간, 불안스럽다는 의미로 쓰인 것임), 바모스 베르(두고 봅시다) 따위가 있었다.

그러므로 출발 시에는 별다른 새로운 일이 없었다. 우리는 노 젓는 사람들로 하여금 늘 하던 대로의 리듬에 맞춰 가도록 내버려두었다. 처음에는 짧게 노질을 한다. 플룹, 플룹, 플룹……. 그다음 배가 제대로 물길에 들어서서 앞으로 나아갈 때면, 노질을 한 번 할 때마다 그 전후로 뱃전을 딱딱 두드리며 간다. 트라-플룹 트라, 트라-플룹 트라……. 마지막으로 원거리를 가는 여행의 리듬은 또 달라진다. 이때는 노질 두 번 중에 한 번만 노를 물속으로 잠기게 하고, 한 번은 수면을 가볍게 어루만지듯 할 뿐 물속으로 넣지 않는다. 그러나 이때도 여전히 뱃전을 뒤따라 한 번 치며, 이어서 새로운 동작이 계속된다. 트라-플룹 트라 쉬 트라, 트라-플룹 트라 쉬 트라……. 이리하여 노들은 푸른색이 칠해진 면과 오렌지색이 칠해진 면을 교대로 번갈아가며 내보이곤 하는데, 하도 가볍게 물 위를 스쳐 미끄러져서 마치 강을 건너가는 앵무새들의 금빛 배와 하늘빛 등이 선회할 때마다 햇빛에 반사되는 것만 같았다.

대기는 이미 건계 때 지녔던 것 같은 투명성은 잃어버리고 있었다. 새벽이면 강으로부터 서서히 올라오는 두꺼운 장밋빛 이끼 같은 아침 안개 속에 모든 것이 뒤섞여버리고는 했다. 이미 날씨는 꽤 더워져 있었으나, 간접적인 열기가 조금씩 그 모습을 드러내었다. 확산되어 있는 온기에 지나지 않던 것이 따가운 햇살이 되어 얼굴이나 손등에 내리쬐게 되면, 왜 땀이 흐르는지 알 것 같아졌다. 안개의 장밋빛은 그 색조가 짙어져갔으며, 푸른빛 작은 섬들이 그 모습을 나타내기 시작했다. 안개는 더욱 짙어지는 듯이 보이나, 실은 스스로를 녹여가고 있을 때였다.

물길을 거슬러 올라가기는 벅찬 일이었으므로 노질하는 사람들에게는 휴식이 필요했다. 그래서 아침나절은 낚시질을 하며 보냈는데, 야생의 장과(漿果)를 미끼로 매단 조잡스러운 낚싯대로 아마존식 '부이야베스'(생선 수프)인 '페이샤다'를 만드는 데 필요한 생선을 숱하게 낚아 올리곤 했다. 갈비를 먹을 때 손으로 잡듯이, 얇게 저며 조각을 내어서 등뼈를 붙잡고 먹는 노란 빛깔의 기름진 생선인 파쿠, 은빛이 감돌고 살은 빨간 '피라칸주바', 주홍빛이 나는 도미, 바닷가재처럼 딱딱한 껍질을 뒤집어쓰고 있으나 빛깔은 까만 '카스쿠두', 얼룩덜룩하게 빈점이 있는 '피이피리', 그 밖에 '만디' '피이비' '쿠림바타' '자투아라마' '마트린샹' 등……. 그러나 독이 있는 가오리와 전기를 일으키는 물고기 '푸라케'를 조심해야 했다. 푸라케는 미끼가 없어도 낚아낼 수 있으나, 방전(放電)을 하면 노새 한 마리를 쓰러뜨릴 정도로 강했다. 또 뱃사람들 말에 따르면 그보다 더한 일도 있으니, 경솔하게 강에서 소변을 보고 있다가는 오줌줄기를 따라 올라가 방광 속으로 기어들어가는 아주 작은 물고기의 피해를 받을 염려도 있다는 것이었다……

때로는 숲이 강둑 쪽으로 이루어놓은 거대한 초록 곰팡이 층을 가로지르며, 갖가지 이름이 붙은 원숭이떼가 별안간 몰려드는 광경을 엿볼 수도 있었다. 큰 소리로 울어대는 '구아리바', 사지가 거미같이 생긴 '코아타', '못(釘)이 달린 원숭이'라고도 불리는 '카푸친', 그리고 동이 트기 한 시간쯤 전에 소리쳐 숲을 깨워놓는 '조그조그'(이 원숭이는 편도 같은 커다란 눈에 사람같이 거동을 하고, 부드럽게 부풀어오른 외투를 입은 모습이라 마치 몽골의 어느 왕자님 같다)가 보였고, 그 밖에도 여러 작은 원숭이 족속이 있었다. 우리가 '명주원숭이'라 부르는 '사구인', 짙은 색 젤라틴 같은 눈을 가진 '밤(夜)원숭이'라 불리는 '마카쿠 다 노이테', '향기의 원숭이'인 '마카쿠 데 셰이루', '태양의 목구멍'인 '고고 데 솔' 등등 펄펄 뛰며 노는 그 원숭이 무리 중 한 마리를 사냥거리로 삼으려면 총알 한 방이면 충분했다. 구워놓으면 손을 오므리고 있는 어린아이의 미라같이 보였으며, 스튜를 만들어서 먹으면 거위맛과 같았다.

오후 3시경, 천둥이 치며 하늘이 어두워진다. 비가 거대한 수직의 빗장을 지르며 하늘 반쪽을 가려버렸다. 저 비가 우리한테까지 오려나? 그 검은 빗장은 줄무늬를 이루었다가, 다시 그 줄무늬 가닥을 풀어헤치고, 맞은편에서는 희미한 빛줄기가 나타나 처음에는 금빛, 그다음에는 다시 엷은 하늘빛을 띤다. 오직 지평선 한가운데만 여전히 빗속에 잠겨 있다. 그러나 구름이 녹아 흩어지자, 비 내리던 면적도 오른쪽으로, 왼쪽으로 차차 줄어들다가 자취를 감춘다. 이제 남은 것은 푸르고 흰 바탕에 포개 놓인, 검푸른 덩어리들이 섞여 이루어진 하늘뿐이다. 다음번 비바람이 몰아쳐 오기 전에, 숲이 그다지 빽빽하지 않아 보이는 곳의 강둑으로 배를 바싹 대어놓아야 할 순간이 온 것이다. 우리는 '파캉' 또는 '테르사두'라 부르는 벌목용 칼을 휘둘러 급히 숲 한구석을 다듬어놓는다.

그렇게 해서 걸리적거릴 것이 없이 해놓은 다음에는 나무들을 자세히 살펴본다. 혹시 나무들 중에 '파우 데 노바투'(풋내기 나무)가 섞여 있나 보기 위해서다. 그러한 이름이 붙은 연유는, 만약에 어느 순진한 사람이 멋모르고 그 나무에다가 자기 해먹을 매달았다가는 붉은 개미떼의 습격을 받을 것이기 때문이다. 그 밖에 마늘 냄새가 나는 '파우 달류', 또는 그 이름만 들어도 이해할 수 있는 '카넬라 메르다'(똥 나무) 따위가 있지 않나도 보아두어야 한다. 혹시 운이 좋으면 만나게 되는 나무들이 몇 있는데, 우선 '소베이라'라는 나무는 그 줄기에 둥근 홈을 깊이 파면, 몇 분 동안에 암소 한 마리에서 짜놓은 것보다도 더 많은 양의 크림기가 돌고 거품이 이는 우유를 쏟아놓는다. 그러나 생으로 그냥 마시면 입에다 슬그머니 얇은 고무막을 쳐놓기도 한다. 또 '아라사'라는 나무의 보랏빛 열매는 크기가 버찌만한 것인데, 테레빈맛이 나는데다가 신맛이 약간 감도는 것이라 이것을 짓이겨서 넣은 물은 마치 탄산수 같아진다. '인가'라는 나무에는 콩깍지 같은 것이 매달려 있는데, 그것을 까면 고운 솜털 같으며 달콤한 맛이 나는 것이 가득 차 있다. '바쿠리'는 마치 천국의 과수원에서 훔쳐온 것 같은 배(梨)다. 그리고 '아사이'라는 것은 숲속에서 나는 것 중 가장 황홀한 맛을 주는데, 끓여서 금방 마시면 나무딸기 냄새가 풍기는 짙은 시럽 같으나, 하룻밤을 새워두면 잉거시 생과일의 맛이 그대로 감돌면서도 새콤한 치즈로 변하게 된다.

한편에서 요리를 하느라 분주하면, 다른 한편에서는 나뭇잎을 엮어 야자수 가지로 지붕을 이은 덮개 밑에다 해먹을 매달게 된다. 모닥불 주위에 빙 둘러앉아 이야기를 나누는 시간이 온다. 이야기가 모두 유령과 귀신에 대한 것들이다. 밤에 늑대로 둔갑해서 돌아다니는 '로비스 오멘', 머리가 없는 말(馬), 또는 머리가 해골로 되어 있는 늙은 여자 등에 관한 이야기들이다. 우리 일행 중에는 여전히 옛날에 '가림페이루'(다이아몬드를 찾아다니는 사람)였던 한 늙은이가 있었다. 그는 아직도 하루하루를 횡재의 꿈을 버리지 않고 살던 저 비참했던 시절의 생활에 대한 향수를 못 잊고 있다. "어느 날 나는 글을 쓰고(조약돌을 고르고 있었다는 의미) 있었지요. 그러다가 사금 씻는 통에 작은 쌀알 하나가 흘러가는 것을 봤는데, 그것이 정말 등불같이 빛나는 것이었어요. '케 코자 보니타!'('거 정말 예쁘군'이라는 말. 표준 발음인 '코이자 보니타'(coisa bonita)를 이곳의 지역 발음으로 표기했다-지은이). 나는 이 세상에서 '코자 마이스 보니타'(좀더 예쁜 것)가 있을 수 있는지 믿을 수가 없어요. 그걸 쳐다보고 있자니까 마치 몸에 전류가 흐르는 것 같았지요!" 이런저런 대화가 시작된다. "로자 리우와 라란잘 사이에 언덕이 하나 있는데, 거기에는 번쩍거리는 돌멩이가 한 개 있지요. 몇 킬로미터씩 떨어진 곳에서도 보이는데, 특히 밤에 잘 보인답니다. —그러면 아마 수정이겠지요? —아니죠. 수정은 밤에는 반짝거리지 않아요. 다이아몬드만 그렇지요. —그런데 아무도 그걸 찾으러 가는 사람이 없단 말예요? —아, 그런 다이아몬드는 벌써 오래전부터 그것이 발견될 시각과 또 그걸 갖게 될 사람의 이름이 정해져 있는 거지요!"

잠이 오지 않는 사람들은 멧돼지나 '카피바라' 또는 맥의 발자취를 보아두었던 강가로 나가 때로는 새벽녘까지 매복을 하기도 한다. 그들은 —헛된 노력이지마는— '바투케'(헛소동) 사냥을 한다. 굵은 막대기로 일정한 간격을 두고 땅바닥을 쿵, 쿵…… 두드린다. 그러면 짐승들은 이것을 열매들이 떨어지는 소리로 알아듣고 다가온다는 것인데, 처음에는 멧돼지, 그다음 번에는 표범 식으로 항상 그 오는 순서가 일정하다는 것이다.

흔히는 밤 동안을 위해 불을 지피는 일로 그치는 때가 많다. 낮에 일어났던 말썽에 관해 이야기를 나누고 마테차를 빙 돌려 차례로 마시고 나면, 각자에게 남은 것이라고는 자기 해먹으로 기어들어가 자는 일밖에는 없다. 가느다란 막대기와 끈들을 복잡하게 엮은 것으로 팽팽히 잡아당겨놓은, 누에고치 같고 연(鳶) 같기도 한 모기장 속으로 외따로 떨어져 일단 안쪽에 자리를 잡고 나면, 모기장 밑자락을 끌어올려 어느 쪽 자락도 땅바닥에 끌리지 않도록 유의를 해야 한다. 그러고는 끌어올린 모기장 자락을 주머니 모양으로 묶어서, 항상 손이 미치는 자리에 놓아두는 무거운 연발권총을 그 위에 얹어 고정해둔다. 머지않아 비가 내리기 시작한다.

31 로빈슨

나흘 동안 우리는 강을 거슬러 올라갔다. 급류인 곳이 너무 많아서 하루 동안에 짐을 내리고 옮겼다가 또다시 싣기를 다섯 번씩이나 되풀이해야 한 적도 있었다. 물은 몇 갈래로 강줄기를 나눠놓은 바위층 사이로 흘러가고 있었다. 한가운데 놓인 암초에는 온몸에 달린 가지들과 함께 물결치는 대로 흘러가던 나무 몇 그루, 흙 그리고 숱한 풀포기가 걸려 있었다. 그러다가 즉흥적으로 생긴 작은 섬들 위에서 그 식물들은 아주 쉽사리 생명을 되찾을 수 있었기에, 지난번 범람이 남겨놓은 혼란상태에도 아무런 영향을 받지 않을 수 있었다. 나무들은 사방으로 뻗으며 자라고 있었으며, 꽃들은 폭포를 가로지르며 활짝 피어 있었다. 과연 강은 그 경탄할 만한 정원에 물을 대어주기 위해 일하는 것인지, 아니면 땅과 물 사이에 지금까지 있어왔던 경계를 허물고서 수직으로뿐만 아니라 온 공간으로 접하게 된 듯싶은 그 초목과 칡들을 증식해 스스로를 메우려는 것인지 알 수가 없이 되어 있었다. 여기가 강이고 저기가 강둑이라고 갈라 말하기도 힘들게 되어 있었고, 오지 흐르는 물속에서 항상 그 신선함을 유지하고 있는 꽃다발이 얽혀, 의기양양하게 늘어가는 흙과 함께 있을 뿐이었다.

그러한 두 요소 사이의 우애는 살아 있는 존재들한테까지도 확대
되어 있었다. 원주민 부족들은 생계를 유지해나가기 위하여 막대한
넓이의 토지를 필요로 한다. 그러나 이곳에서는 동물들이 풍부하게
넘쳐나는 것으로 미루어, 수세기 전부터 인간에게 자연의 질서를 무
너뜨릴 힘이 없었음을 알 수 있었다. 나무들은 나뭇잎들보다는 오히
려 원숭이들로 가볍게 흔들려서, 마치 살아 있는 열매들이 나뭇가지
에서 춤을 추는 듯했다. 수면과 같은 평면에 놓인 바위들 쪽으로 손만
뻗치면, 충분히 호박(琥珀)이나 산호 같은 부리를 가진 커다란 '무툼'
의 검은 깃털이나 조회장석(曹灰長石)처럼 푸른빛 물결무늬가 진 '자
카민'을 살짝 만져볼 수 있었다. 그 새들은 우리가 다가가도 도망을
치지 않았다. 물에 젖은 칡들과 나뭇잎이 가득 뜬 급류 사이에서 떠도
는 살아 있는 보석 같은 그들의 모습은, 내 어리둥절한 눈앞에다 브뢰
겔(Brueghel) 일가(16, 7세기에 걸쳐 활동한 플랑드르의 화가 집안—옮
긴이)의 아틀리에에서 그려낸 그림들을 연상케 해주었다. 그 그림들
속에서 아직 생물계의 우주가 그 분열을 끝마치지 않았던 시대를 묘
사하여 초목과 짐승, 그리고 인간 사이의 정답고 친밀한 모습으로 유
명해진 '천국'을 보는 것 같았기 때문이다.

닷새째 되던 날 오후, 강가에 길쭉한 카누 한 척이 매여 있는 것을
보고 목적지에 도착했음을 알 수 있었다. 나무가 듬성듬성 있는 작은
숲이 우리의 야영터로서는 적격이었다. 인디언 부락은 1킬로미터 안
쪽으로 들어간 곳에 있었다. 달걀 모양으로 생긴 개간지에 자리 잡은
그 부락의 터는 가장 긴 쪽이 100여 미터가량 되는 크기로서, 반구형
의 공동 오막살이집 세 채가 자리 잡고 있었으며, 오막살이집들 위로
중심을 알리는 푯말이 돛대처럼 길게 솟아올라 있었다. 본채를 이루
는 오막살이집 두 채는 달걀형의 폭이 넓은 부분 쪽에서, 다진 땅 위
에 만들어놓은 무도장을 둘러싸며 서로 마주 보고 서 있었다. 세 번

째 오두막집은 개간지의 뾰족한 끝쪽에 있었는데, 부락터를 가로지르는 오솔길을 통해 가운데 마당과 이어지고 있었다.

그곳 인구는 25명이었는데 그 밖에 열두 살가량 되어 보이는 남자아이 하나가 더 있었다. 소년은 그들과 다른 언어를 쓰고 있었으나 그 부족 내의 다른 아이들과 똑같이 취급을 받고 있었으며, 짐작건대 전쟁포로인 것으로 여겨졌다. 남녀의 의복이 남비콰라족과 마찬가지로 보잘것없었는데, 다만 남자들이 모두 보로로족들처럼 원뿔꼴로 생긴 성기 가리개를 하고, 또 성기 위쪽에다 짚으로 된 술 장식을 애용한다는 점(물론 남비콰라족도 알고 있는 것이지만, 이들에게서는 그러한 장식이 훨씬 더 보편화되어 있었다)에서 차이가 났다. 모든 남자나 여자들은 입술에다 송진을 딱딱하게 굳혀 호박빛깔이 나게 만든 장식들을 걸고 있었으며, 둥근 판이나 반짝이는 진주모, 또는 반질반질하게 윤을 낸 흠 없는 조개껍데기 따위를 끼워 만든 목걸이들을 지니고 있었다. 또 손목·이두근·장딴지 그리고 발목은 무명으로 된 작은 띠로 꼭 졸라매놓고 살았다. 또한 여자들은 코의 가운데 막을 꿰뚫어 구멍을 내놓고 있었는데, 빳빳한 섬유에다 흰색과 검은색의 둥근 판을 번갈아가며 촘촘하게 꿰어서 만든 작은 막대기를 꿰어 넣기 위함이었다.

육체적인 외모는 남비콰라족과 딴판이었다. 몸집이 땅딸막하고 다리도 짤막했는데, 피부는 굉장히 맑았다. 그 맑은 피부가 약간 몽골인종 같은 얼굴 모습과 어울려서, 몇몇 원주민을 코카서스인처럼 보이게 했다. 이 원주민들은 꽤나 꼼꼼하게 자기의 털을 뽑아내고 있었다. 속눈썹은 손으로 뽑아내지만, 눈썹은 뽑기 며칠 전부터 그 자리에다 밀랍을 발라 굳어지게 두었다가 함께 떼어내는 방법을 썼다. 머리카락은 앞쪽에서 자르는데(더 정확히 말한다면 태워버리는 것이다), 가장자리를 둥글게 만들어 이마가 훤히 드러나게 했다. 관자놀이에 머리카락이 하나도 안 남게 해놓은 모습은 내가 다른 어느 곳에서도 보지 못했던 식이었다. 가느다랗게 실을 꼬아 만든 올가미 속으로 머리카락을 끌어넣은 다음에 올가미의 한쪽 실끝을 머리카락을 뽑아주기로 된 사람이 입에 물고서 한손으로는 벌어져 있는 올가미를 꼭 누르고, 다른 한손으로 남은 쪽 실을 잡아당긴다. 그렇게 되면 그 가느다란 끈의 양쪽 실오라기가 더욱 바짝 말려 올라가면서 머리카락을 죄어 뽑아낸다.

스스로를 '문데'라는 이름으로 지칭하던 그 원주민들은 민족지학에 관한 문헌 속에서는 전혀 언급된 적이 없었다. 그들이 하는 말은 경쾌한 기분을 느끼게 했다. 단어들마다 zip·zep·pep·zet·tap·kat라는 강세음절로 끝을 맺으면서, 마치 심벌즈 치는 소리처럼 그들의 말을 두드러지게 하고 있었다. 이 언어는 지금은 소멸해버린 싱구(Xingu)강 하류 지역의 방언들이나 문데족이 사는 곳에서 아주 가까운 곳에 그 근원을 두고 있는, 구아포레 우안(右岸)의 지류에서 최근에 수집된 바 있는 다른 방언들과도 유사성을 보여주고 있다.

내가 아는 바로는 내가 문데족을 방문한 이후 선교활동을 하던 한 부인을 제외하고는 어느 누구도 그들을 다시 본 적이 없다. 그 부인은 1950년이 되기 직전, 문데족 세 가족이 피신해서 살던 구아포레 상류에서 몇 사람을 만났다. 나는 그들과 있을 때 매우 즐거운 한 주일을 보냈는데, 왜냐하면 주인들이 손님들이 왔다고 해서 더 예의를 차리거나 조바심을 치거나 하지 않고, 평상시대로 꾸밈없이 대해주었기 때문이다. 그들은 나로 하여금 옥수수·마니오크·고구마·땅콩·담배·호리병박 그리고 갖가지 종류의 잠두콩과 강낭콩이 자라고 있는 그들의 채마밭을 경탄의 눈으로 바라보도록 했다. 왜냐하면 그들은 개간을 할 때 그들이 즐겨 먹는 희고 통통한 애벌레들이 자라는 야자수 뿌리를 만나게 되면 상하지 않게 조심하기 때문에 기묘한 가금사육장이 형성되는 법인데, 이것은 곧 농경과 사육이 뒤섞여 공존하는 밭을 가꾸고 있는 것이었기 때문이다.

둥근 오막살이집들 안에는 문틈을 스며드느라 얼룩덜룩 반점이 진 햇빛들이 흩어져 새어들고 있었다. 그 집들은 공들여 지어진 것으로서, 그 내부는 둥글게 원을 그리며 꽂혀 있는 장대들로 반구형을 이루고 있었다. 장대들은 비스듬히 서서 버팀벽 역할을 하는 몇 개의 말뚝 꼭대기를 향해 휘어져 있었기 때문이며, 그 기둥들 사이에는 매듭이 진 명주로 만든 그물침대(해먹)들이 10여 개 매달려 있었다. 모든 장대는 4미터가량 되는 높이에서 함께 모여, 지붕을 관통하는 중앙의 말뚝에 붙잡아 매어져 있었다. 야자수 가지의 작은 잎들을 한쪽 방향으로 꺾어 접은 후 기와를 이듯 겹쳐놓아 만든 둥근 천장을 버텨주고 있는 뼈대에는, 나뭇가지로 된 수평의 원들이 끼워져 있었다. 그중 가장 큰 집의 지름이 12미터였다. 네 가구가 그 안에 살고 있었는데, 각기 두 받침벽 사이의 공간을 자기네 몫으로 하여 이용했다. 그와 같이 나누면 모두 여섯 칸이 되는 셈이었으나, 앞뒤쪽의 문을 마주하고 있는 두 칸은 사람들이 드나드는 데 쓰도록 비워두고 살았다.

나는 거기서 원주민들이 사용하는 작은 나무벤치들 중 하나에 앉아 하루 해를 보내곤 했다. 그 나무벤치들은 반으로 가른 야자수의 속을 파내고, 판판한 면을 밑으로 가게 놓아 만든 것이었다. 우리는 도기로 된 접시 모양의 그릇에다 볶아낸 옥수수를 먹었고, 또 옥수수로 만든 '치차'—이것은 맥주와 수프의 중간쯤 되는 음료이다—를 호리병박에 넣어서 마시기도 했다. 그들의 호리병박은 안쪽에는 탄소질의 유약을 칠하여 까맣게 하고, 바깥쪽에는 선·갈지자꼴·원 그리ㄱ 다각형을 불규칙적으로 깊이 파거나 또는 불에 달군 쇠꼬챙이로 그려 넣어서 장식을 해놓은 것들이었다.

그들의 언어도 몰랐고, 또 통역을 해주는 사람도 없었지만, 그들의 사고와 그들의 토착사회에서의 몇 가지 면모를 꿰뚫어보기 위해 시도를 해볼 수는 있었다. 집단의 구성, 친척관계와 그 명칭, 신체 각 부분의 명칭을 알 수 있었고, 내가 항상 지니고 다니던 색채 비교표를 이용하여 색채에 쓰는 어휘들도 알아냈다. 친족관계에 사용하는 용어, 그리고 신체 부분·색채·형태(예를 들어 호리병박에 새겨진 것)들을 나타내는 말들은, 흔히 그것들을 어휘와 문법 사이의 도중에 놓는다는 공통적인 특성을 지니고 있다. 즉 각각의 무리는 하나의 체계를 형성하며 그 속에서 표현되는 관계를 분리하거나 또는 뒤섞는, 서로 다른 언어들이 택하는 방법은 오직 이런 점에서 보면, 어느어느 사회의 명확한 성격을 끌어내고자 하는 때라면, 상당한 수의 가설을 허용한다는 것이다.

그러나 그토록 강한 열정 속에서 시작되었던 그 모험이 내게 공허한 느낌을 남겨주고 있었다.

나는 원시적인 상태의 끝까지 가보고자 원했다. 분명히 그러한 나의 소망은, 나보다 앞서서 어떤 백인도 본 적이 없으며, 또 그 누구도 다시는 못 보게 될 그 상냥한 원주민들로 인하여 이루어졌던 것이 아닌가? 열광적인 답파를 하며 돌아다닌 끝에, 드디어 나는 '나의' 원시인들과 마주치게 되었다. 그러나 슬프게도……그들은 너무도 지나치게 미개했다. 그들의 존재가 겨우 여행의 마지막 순간에 가서야 내게 밝혀졌기 때문에, 그들을 정확히 알기 위해서 필요한 만큼의 시간을 할애할 여유가 이미 내게는 없었다. 내가 처분해가던 한정된 물자와 나와 내 동료들이 처해 있던 육체적인 쇠약—비를 맞은 뒤에 생기기 시작한 열병은 점점 악화되는 판이었다—은, 몇 달은 걸릴 조사 대신에 짧은 며칠 간의 임간(林間)학교 생활만을 허락해줄 수밖에 없었다. 그들 원주민은 내게 자기네 풍습과 신앙을 가르쳐줄 채비가 되어 있었으나, 나는 그들의 말을 모르고 있었다. 그들은 거울 속에 들여다보이는 한 폭의 그림만큼이나 내 곁에 가까이 있었건만, 나는 그들을 만져볼 수만 있었지 이해할 수는 없었다.

나는 동시에 상과 벌을 받고 있었던 셈이다. 인간이란 항상 똑같을 수 없으며, 어떤 사람들은 그들의 피부 빛깔과 그 풍속이 우리를 놀라게 하기 때문에 좀더 우리의 흥미와 관심을 받을 만하다고 믿었던 것은 바로 나의 잘못이며, 또 내 직업의 허물이 아니었겠는가? 내가 방금 이러한 사람들을 알아내었고, 따라서 그들은 그 야릇함을 벗어버리게 될 것이고, 나는 물론 그 동네에서 머물러 있을 수 있었다고 치자. 아니면, 지금 이 상황처럼 그들은 그 기이함을 그대로 간직하고 있으나, 그것이 무엇인지 파악조차 할 수 없기 때문에 내게 아무런 소용이 못 된다고 쳐보자. 그렇다면 이 두 개의 극단적인 것 중에서 우리가 사는 데 대한 변명을 제공해줄 수 있는 모호한 경우들이란 어떤 것이겠는가? 결국 우리의 독자들에게서 생겨나는 불안에 가장 속아넘어가기 쉬운 자는 누구이겠는가? 우리의 관찰은, 우리가 독자들로 하여금 이해하기 쉽게 만들어주고자 한다면 충분히 밀고 나가야 하는 것이지만, 그것으로는 파악하는 사람들이 문제되고 있는 풍습을 당연한 것으로 여기는 사람들과 매우 유사하기 때문에, 도중에서 가로막아야만 하는 것이다. 그렇다면 우리의 자만심에 대한 핑계를 제공하는 그러한 잔재들을 녹여버릴 수 있기 전까지는 만족할 수 있는 아무런 권리도 갖지 못하는 것이, 우리들 속에서 자라는 독자들인가, 아니면 바로 우리들 자신인 것일까?

인간이 말하기를 거부한다면 이 땅으로 하여금 대신 말하게 하자. 나를 이 강을 따라오도록 유혹했던 이상한 매력 이전에, 자신의 순결을 간직헤을 수 있었던 비밀을 마침내 네게 답히고 털어놓을 수 있도록 하라. 모든 것이기도 하면서 또 아무것도 아닌 이 어렴풋한 겉

모습 뒤의 어느 곳에, 그 순결의 비밀은 누워 있는 것일까? 나는 몇 몇 광경을 뽑아내어 그것들을 분리해본다. 이 나무인가? 또는 이 꽃일까? 이 나무, 이 꽃은 다른 어느 곳에서도 있을 수 있는 것들이다. 내게 크나큰 기쁨을 주고서, 이제 그 각 부분을 하나하나 살펴보려고 하자마자 몰래 사라져버리는 이 전체라는 것이 또한 환상이란 말인가? 내가 만약 그것을 현실로 인정해야 한다면, 적어도 그 모든 것에 다 정통하고, 세세한 부분까지 접하고 싶다. 나는 거대한 풍경에서 눈을 돌리고, 시야를 좁혀 이 점토질의 강변과 한 줌의 풀포기를 바라다본다. 내가 다시 시야를 넓혀서 볼 때, 매일같이 가장 알짜배기 야만인들에게 밟히고는 있지마는 프라이데이(로빈슨 크루소의 충실한 하인 이름–옮긴이)의 발자취는 없는 이 한 뼘 땅뙈기 주위에서, (파리의 교외에 있는) 뫼동 숲을 보지 못하리라는 증거는 전혀 없는 것이다.

강줄기를 따라 내려오는 것은 굉장히 빨랐다. 문데족의 매력에 아직도 정신이 팔려 있던 우리의 노 젓는 사람들은, 물건을 가져오는 일은 등한시했다. 그들은 급류에 닥칠 때마다, 뱃머리를 거품을 내며 소용돌이치는 물길 쪽으로 돌리곤 했다. 몇 초 동안 우리는 멈춰 있는 듯하다가 거세게 흔들리고는 했으며, 그동안 경치는 쏜살같이 바뀌어가고는 했다. 갑자기 모든 것이 조용해졌다. 우리는 무사히 급류를 넘어 흐르지 않고 괴어 있는 물 위에 도달해 있었으며, 그때야 우리는 비로소 어질어질 현기증이 나는 것을 느낄 수 있었다.

우리는 이틀 걸려서 피멘타부에누에 다다랐으며 거기서 나는 새로운 계획을 세웠는데, 이것은 몇 가지 설명을 덧붙여야 이해될 수 있을 것이다. 1915년, 탐험 끝 무렵에 이르렀을 때 론돈은 투피어를 쓰는 미개인 집단 몇 개를 발견해냈으며, 그들 가운데 세 집단과 접촉하는 데 성공했다. 나머지 집단은 완강하게 적의를 나타냈기 때문에 불가능했다. 그 집단들 중 가장 규모가 큰 것이 마샤두강 상류, 즉 마샤두강 왼쪽 둑을 따라 걸어서 이틀이 걸리는 곳인 '이가라페 두 레이탕'(젖먹이 돼지의 시냇물)이라 불리는 이차(二次) 지류변에 자리 잡고 있었다. 이들은 '타콰티프'(대나무란 뜻)의 무리 또는 일당이었다. 이 일당이라는 표현이 적합한 것인지는 확실치 않다. 투피 카와이브족의 무리들은 보통 마을 하나만으로 구성되어 있고, 사냥터도 한곳을 정해 그 경계를 아주 조심스럽게 지키며, 이웃하는 무리들과의 사이에 엄격한 규율을 정해놓느니보다는 동맹을 맺자는 생각에서 외혼제를 행하고 있었기 때문이다. 타콰티프 사람들을 '아바이타라'라는 우두머리가 이끌고 있었다.

강의 같은 편 북쪽에는 '피차라'라는 우두머리 이름밖에는 알려져 있는 것이 없는 무리가 또 하나 살고 있었다. 한편 남쪽으로 타무리파 강변에는 그 우두머리의 이름을 '카만드자라'라고 하는 이포티와트(침의 일종) 무리가 있었으며, 타무리파강과 '카코알'의 이가라페강 사이에는 '자보티페트'(거북 사람들) 무리와 '마이라'라는 우두머리가 있었다. 또 마샤두강 왼쪽 기슭 무키강 계곡에는 '파라나와트'(강 사람들)라는 무리가 있었으며 지금까지도 여전히 살고 있지만, 그들과 접촉을 시도하려고 하면 화살로 응수를 하고 있다. 좀더 남쪽으로 내려온 곳인 '이가라페 데 이타피시' 강변에도 또 하나의 밝혀지지 않은 무리가 있었다. 어쨌든 이러한 것들이 론돈의 탐험 당시부터 그 지역에서 자리 잡고 살았던 고무 채취자들로부터 1938년에 내가 수집할 수 있었던 정보들이다. 론돈은 투피 카와이브족에 관한 그의 보고서에서 단편적인 정보밖에는 제시하지 않았다.

피멘타부에누 전신국에서 개화된 투피 카와이브족들과 이야기를 나눔으로써 20여 개가량의 무리 이름을 알아낼 수 있었다. 한편 민족학자이기도 한 석학 쿠르트 니무엔다주의 조사 덕분에, 그 부족의 지나간 역사를 조금 밝혀볼 수가 있었다. 카와이브라는 말은 옛날 투피 부족 중 하나인 카바이바의 이름을 연상시킨다. 카바이바는 18세기 와 19세기의 문헌에서 자주 인용되었는데, 그 당시에는 타파조스강 의 상류와 중류에 그 거처를 국한하고 있었던 사람들이다. 아마도 이 카바이바는 또 다른 투피 부족인 문두루쿠 때문에 차차 타파조스강 유역에서 쫓겨났던 것으로 보이며, 서쪽을 향해 옮겨가는 도중 몇 개 무리로 흩어져서, 그중 마샤두강 하류의 파린틴틴족과 더 남쪽의 투 피 카와이브족만이 알려진 것으로 짐작된다. 그러므로 이 인디언들 이 아마존강 중류와 하류에 있던 거대한 투피 인구의 마지막 후예일 가능성이 높다.

이들 아마존 유역의 투피 부족은 해안가의 부족들과 관련이 있었 으며, 이 해안가 부족들은 그들의 전성기 때에 16세기와 17세기의 여 행자들에게 알려졌던 것이고, 그 여행 이야기가 바로 오늘날의 민족 학적 연구의 도화선 역할을 했다. 왜냐하면 르네상스의 정치와 도덕 철학이 프랑스혁명으로까지 이어지는 길에 접어든 것도, 이들의 무 의식적인 영향을 받은 때문이었다. 아직 아무의 손도 닿지 않은 채 로 있는 투피족의 어느 마을에 최초로 침투해 들어간다는 것, 그것은 400년이라는 세월을 사이에 두고 레리, 슈타덴, 소아레스 데 소자(브 라질에 오래 산 포르투갈인으로『1587년의 브라질』이라는 책을 쓴 사람 −옮긴이), 트베와 만나는 것이며, 『수상록』속의 식인종이라는 항목 에서, (프랑스 북부의 도시) 루앙에서 만났던 투피족 인디언들과 나눈 대화에 관해 명상하던 몽테뉴하고도 만나보게 되는 셈이다. 이 얼마 나 큰 유혹인가!

론돈이 투피 카와이브족들과 접촉을 하고 있을 때, 타콰티프들은 야망이 크고 정력적인 지도자의 충동을 받으며 다른 몇몇 무리에게 로 그들의 패권을 뻗쳐가는 중이었다. 고원지대의 거의 사막 같은 고독 속에서 몇 달을 보내고 난 후, 론돈의 동료들은 아바이타라의 백성들이 축축한 숲이나 '이가포'(홍수가 일어나기 쉬운 강둑)에 몇 킬로미터(세르탕에서는 말을 할 때 과장법을 잘 쓴다)에 걸쳐 일구어놓기 시작한 밭들을 보고는 깜짝 놀랐다. 그리고 그 밭들 덕분에 아바이타라의 부하들은, 그때까지 식량부족으로 위협을 받던 탐험가들을 어렵지 않게 먹여줄 수 있었다.

그들과 만난 지 2년 후에 론돈은 타콰티프 무리로 하여금 그들의 마을을 마샤두강 오른쪽 기슭, 축도 백만분의 1인 세계지도에 나와 있는 상 페드루강(남위 11도 5분, 서경 62도 3분) 하구를 마주하고 있으며, 지금도 알데이아 두스 인디우스(인디언들의 마을)라고 불리는 장소로 옮기도록 설득했다. 그렇게 하는 것이 감독과 물자보급을 좀 더 용이하게 했으며, 또한 인디언들을 카누 조종자로 쓰기에도 편리하게 해줬다. 그곳 강가에서는 급류와 폭포 그리고 물길이 좁은 곳이 많아 군데군데 가로막히는 일이 많았는데, 인디언들은 나무껍데기로 만든 그들의 가볍고 작은 배로 능숙하게 강물을 헤쳐 나갈 수 있었기 때문이다.

그 새로운 마을은 이미 사라지고 없었지만, 그곳에 관한 묘사는 아직도 그려낼 수가 있었다. 론돈이 숲속에 있던 마을로 그들을 방문했을 때 기술했던 것과 마찬가지로, 오막살이집은 직사각형이며 벽이 없고, 땅에 파묻은 나무줄기들이 두 면으로 된 야자수 지붕을 받쳐주고 있었다. 오막살이집(4미터에서 6미터가량이었다) 20여 채는 지름이 20미터 되는 원 안에 자리 잡고 있었으며, 그 한가운데에는 큰 집 두 채(18미터와 14미터)가 있었는데, 한 채는 아바이타라와 그의 아내들 그리고 어린애들이 썼으며, 다른 한 채는 결혼한 그의 막내아들이 썼다는 것이다. 독신으로 있던 위의 두 아들은 주위에 늘어선 오막살이에서 나머지 주민들과 마찬가지로 살았으며, 또 다른 독신자들과 마찬가지로 우두머리네 집에서 식사를 하고 지냈다. 그리고 중앙의 두 채의 집과 주변의 오막살이집들 사이의 빈터에다가 닭 몇 마리를 풀어놓고 길렀다.

16세기의 여행자들이 묘사했던 투피족의 광대한 거주지로부터도 멀리 옮겨갔던 것이지만, 주민이 500~600명 있던 아바이타라 시대의 마을에서부터 오늘날의 마을까지는 더욱 그 거리가 엄청나다. 1925년에 아바이타라는 암살되었다. 마샤두 고지대의 이 통치자의 죽음은, 이미 1916년에서 1920년 사이에 유행했던 인플루엔자로 말미암아 남자 25명, 여자 22명 그리고 어린애 12명이라는 인구로 축소되어 있던 마을에다가 격동의 시기를 열어놓으려 하고 있었다. 바로 그해 1925년에 네 사람이 복수의 죽음(그중 하나는 아바이타라를 죽인 자였다)을 당했는데, 대부분이 사랑문제 때문이었다. 얼마 안 지나서 남은 자들은 마을을 버리고 상류 쪽으로 카누를 타고 가서 이틀이 소요되는 곳, 즉 피멘타부에누 전신국이 있는 곳으로 갈 작정을 했다. 1938년에 이르렀을 때, 그들의 수는 전부해서 남자 5명, 여자 1명, 그리고 어린 소녀 하나밖에 안 남아 있었으며, 투박한 포르투갈어를 쓰고 있었는데, 아마도 그곳의 신(新)브라질계 주민과 뒤섞인 듯싶었다. 그러므로 마샤두강 왼쪽 기슭 무키 계곡 안에 자리 잡은 완강한 파라나와트 무리를 예외로 한다면, 적어도 마샤두강 오른쪽 기슭에 관계되는 한 이미 투피 카와이브족의 역사는 종결된 것이라고 볼 수밖에 없었다.

그러나 1938년 10월 피멘타부에누에 도착했을 때, 나는 그보다 3년 전에 투피 카와이브족의 알 수 없는 어느 무리가 강가에 나타났다는 사실을 알게 되었다. 또 그들은 2년 후에 다시 보였으며, 아바이타라의 마지막으로 살아 남아 있던 아들(그는 자기 아버지와 똑같은 이름을 갖고 있었으며, 이 이야기 속에서 앞으로 아바이타라라고 지칭하기로 한다)로서 피멘타부에누에 정착하고 있던 자가 그들의 마을로 찾아갔다는 것이다. 그 마을은 마샤두강 우안(右岸)에서 이틀을 걸어가야 하는 곳에 위치했고, 그곳으로 통하는 오솔길조차 나 있지 않은 숲속에 외따로 떨어져 있었다. 그는 이 작은 무리의 우두머리를 설득해서 자기네 사람들과 함께 다음 해에 다시 방문해도 좋다는 허락을 받아냈는데, 그다음 해라는 것이 바로 우리가 막 피멘타부에누에 도착했을 무렵이었다.

이 약속은 전신국에 살던 원주민들에게는 크나큰 중요성을 지닌 것이었다. 왜냐하면 여자가 부족해서(다섯 명의 남자에 대해 성인 여자는 한 명뿐이었으니까) 고통을 받고 있던지라, 그 미지의 마을에는 여자가 넘쳐나고 있는 것 같더라는 젊은 아바이타라의 보고에 특히 관심을 기울일 수밖에 없었기 때문이다. 아바이타라 역시 몇 해 전부터 홀아비로 지내고 있었던 까닭에 그 동족의 미개인들과 우애 있는 관계를 세워놓게 되면, 그 자신에게도 신부가 생길 수 있으리라고 기대하고 있었다. 이러한 상황 속에서 쉽지는 않은 일이었으나(그는 이러한 모험이 혹시 나쁜 결과를 가져오지 않으려나 두려워하고 있었다), 그를 설득해서 약속 날짜를 앞당겨 나를 안내하여 가주기로 결정을 보았다.

그 투피 카와이브족에게 가기 위해서 우리가 숲으로 침투할 수 있는 지점은 피멘타부에누 전신국에서부터 하류를 향해 사흘 동안 카누를 저어가야 하는 곳, 즉 '이가라페 두 포르키뉴' 하구에 있었다. 그곳은 마샤두강으로 흘러들어가는 가느다란 시냇물이었다. 그 시냇물에서 멀지 않은 곳에서 우리는 자연적으로 생긴 작은 빈터를 한 군데 찾아냈는데, 그곳은 강둑이 몇 미터 위로 높이 이루어진 곳이라 강물이 넘쳐 오를 염려도 없는 안전한 거리였다. 우리는 그곳에서 우리의 짐을 내려놓았는데, 원주민들에게 선사할 물건을 담은 상자 몇 개와 말린 고기·강낭콩·쌀 등의 식료품이었다. 우리는 여느 때보다 약간 더 안정성 있게 캠프를 쳤는데, 우리가 돌아갈 때까지 버티도록 해야 했기 때문이다. 이러한 작업을 하고 여행계획을 짜는 데 하루가 다 소요되었다.

상황이 꽤나 복잡했다. 이미 앞에서 이야기했던 바와 같이, 나는 우리 탐험대의 일부와 이미 헤어져 있었다. 그런데다가 운수사납게도 탐험대의 의사인 장 벨라르가 말라리아 열병에 걸려서 우리를 앞세워 보낸 채 고무 채취자들의 자그마한 집합소에 처져서 쉬게 되었다. 그가 묵고 있는 곳에서 우리가 있는 곳까지는 하류 쪽으로 올 때도 카누로 사흘을 오는 거리였으니, 그 힘든 강을 거슬러 올라갈 때는 그보다 두 배 또는 세 배의 시간이 소요되어야 하는 것이었다. 그래서 우리의 인원은 나의 브라질인 동료 루이스 데 카스트루 파리아, 아바이타라와 나, 그리고 그 밖의 다섯 사람으로 줄어들게 되었는데, 그중 두 명은 캠프를 지키게 하고, 세 사람은 우리를 따라 숲으로 가게 할 참이었다.

이와 같이 인원이 제한되어 있어 각자 자기의 무기와 탄약 이외에 해먹·모기장 그리고 이불까지 가져가야 했기 때문에, 약간의 커피와 말린 고기 그리고 '파리냐 다구아'(물의 가루라는 뜻) 이외에 다른 식량을 지고 간다는 것은 도저히 불가능했다. 파리냐 다구아라는 것은 강물(여기에서 그 명칭이 나왔다)에 담가 발효시킨 마니오크에서 만들어지는 것이다. 발효된 후 그 모양이 조약돌처럼 작고 딱딱하지만 적당히 녹이면 버터맛을 내게 된다. 그 나머지 식량으로는 우리는 이 지역에 풍부한 토카리 ─ 브라질 호두 ─ 를 믿는 것이다. 이 토카리나무에서 단 한 개의 '오리수'(고슴도치라는 뜻. 그 껍데기가 둥글면서 아주 단단하기 때문에 땅바닥에서 20~30미터 되는 높은 가지에서 떨어지면 사람을 죽게 할 수도 있다-옮긴이)만 따내어 두 발 사이에다 끼워놓고 '테르사두'(도끼)로 솜씨 좋게 일격을 가해 부수뜨려놓으면, 젖 같은 즙이 나는 파르스름한 과육이 든 삼각형의 커다란 호두가 30개 내지 40개씩이나 몫으로 돌아가게 되어, 몇 사람에게 한 끼의 식사를 제공해준다.

날이 밝기도 전에 출발을 했다. 처음에는 거의 벌거벗은 지대, 충적세(沖積世)의 땅속으로 차츰차츰 빠져 들어가고 있는 고원지대의 암석이 아직도 노출되어 있는 곳인 '라게이루'를 가로질러 갔으며, 다음에는 뾰족하고 키가 큰 풀들이 우거진 들판인 사페잘을 지났다. 그리하여 두 시간을 간 끝에 우리는 숲으로 들어갔다.

32 숲에서

어린 시절부터 바다는 내게 어떤 혼합된 감정을 불러일으켜왔다. 해안선과 그것을 확장해주는 썰물로 인간과 영역 다툼을 벌이면서 주기적으로 물러서는 그 가장자리 장식은 인간의 기도에 대한 도전이며 자체 속에 감추고 있는 뜻밖의 세계며 인간을 기쁘게 해주는 관찰과 발견으로 상상력에 대해 해주는 약속 등으로 나를 매혹한다. 콰트로첸토(15세기 이탈리아의 예술운동 – 옮긴이)의 어떤 대가들보다도 더 내 마음에 드는 벤베누토 첼리니(Benvenuto Cellini, 1500~71: 미켈란젤로의 제자로 르네상스 후기의 피렌체파에 속하며 많은 조각작품과 문학작품을 남겼다 – 옮긴이)처럼 나도 바닷물이 버려두고 간 모래톱 위를 거닐고 싶으며, 가파른 해변가에서 물결이 요구하는 길을 따라 구멍 뚫린 조약돌, 물에 씻겨 닳아서 모양이 변한 조개껍데기 또는 무서운 괴물을 그려놓은 해초 뿌리들을 주우러 가고 싶고, 내가 주운 그 잔해들을 모두 모아 박물관을 꾸미고도 싶다. 나의 박물관은 잠시 동안은 걸작품들만을 모아다놓은 다른 박물관들에 비해 아무 손색이 없을 것이다. 걸작품이라는 것도 알고 보면 정신의 밖이 아니라 안에 자리 잡게 하려 드는 이상, 자연이 만족스럽게 여기는 작업과 기본적으로는 다를 것이 없는 작업에서 생겨나는 법이다.

그러나 나는 선원도 아니고 어부도 아니기 때문에, 나의 우주를 절반 또는 그 이상으로 훔치는 이 바다에 침해당하는 느낌을 갖는다. 그의 거대한 출현은 엄격한 의미에서 본다면, 풍경을 흔히 바꾸기까지 하면서 해안 이쪽까지도 영향을 미치기 때문이다. 내게는 바다가 우리 눈앞에 크나큰 공간과 보조색채들을 제공함으로써 육지의 일상적인 다양성을 격파하는 듯이 보인다. 그러나 그것은 진부함과 짓누르는 단조로움에 대한 대가에 지나지 않는 것이며, 어떤 숨겨진 유역도 나의 상상을 풍부하게 해줄 수 있는 놀라움을 따로 지니고 있지 못하다.

게다가 내가 바다에서 찾아볼 수 있는 매력들도 오늘날에 와서는 우리에게 거부되어 있다. 두꺼운 껍질을 가진 어느 늙어가는 동물이, 자기 몸 둘레에 물도 스며들지 못할 딱딱한 껍데기를 만들어 씌워 표피가 숨을 쉴 수도 없이 만들어놓음으로써 더욱 자신의 노화증세를 재촉하는 것처럼, 대부분의 유럽국가들이 바닷가를 별장·호텔·카지노로 꽉 막히도록 내버려두고 있다. 해안이 예전처럼 대양의 인적 드문 곳에서 기대되는 모습의 윤곽을 갖기는커녕, 사람들이 주기적으로 자유를 습격하기 위하여 자기네의 모든 힘을 동원하는 전선으로 되어가고 있다. 그러나 그 자유의 가치는 우리 스스로가 그것을 빼앗아가게 묵인하는 상황으로 부인되고 있다. 바다가 우리에게 천년 전부터의 출렁거림에서 얻은 산물을 내어주던 곳이며, 자연이 숱한 사람들에게 짓밟히면서도 항상 선두계급으로 분류되던 긴 회랑이었던 바닷가, 그곳이 이제는 쓰레기를 처분하고 진열하는 곳으로밖에는 거의 쓰이지 않게 되어버리고 말았다.

그래서 나는 바다보다 산을 좋아한다. 그리고 몇 해 동안에 이러한 기호가 나만이 독점하고 싶은 사랑의 형태를 띠게까지 되었다. 나와 이러한 편애를 같이하는 사람들을 증오했는데, 내가 그토록 큰 가치를 부여하는 산의 고독을 그들이 위협하기 때문이었다. 또한 산을 지나친 피로와 가로막힌 지평선으로나 연상하기 때문에, 산이 내게서 불러일으키는 것과 같은 감동을 맛볼 수 없는 다른 사람들을 경멸하기도 했다. 사회 전체가 산의 우월성을 솔직히 인정하고, 또 나의 산에 대한 독점적인 소유를 승인해주기를 바랐던 것이다. 또 덧붙여 말하고 싶은 것은 내가 그러한 열렬한 사랑을 높은 산에다가 쏟았던 것이 아니라는 사실이다. 높은 산도 즐거움을 주는 것만은 부인할 수 없는 사실이지만, 다만 그 즐거움의 성격이 모호하다는 점에서 나를 실망시켰다. 오르는 데 필요한 노력으로 볼 때는 지나치게 육체적이고 생리적이기도 하다. 하지만 주의력이 극히 전문적인 지식이 요구되는 노력에 사로잡혀서, 자연의 한가운데 있으면서 역학이나 기하학에 속하는 종류의 배려에 신경을 쓰지 않을 수 없도록 강요당한다는 점에서 볼 때는 너무 형식적이며 거의 추상적이기까지 하기 때문이다.

그러기 때문에 나는 경사가 완만한 산, 특히 1,400미터에서 2,200미터 높이 사이의 지대를 좋아했다. 더 높은 곳에서 볼 수 있는 경치를 즐기지 못할 만큼 너무 낮은 것도 아닌, 표고(標高)가 중용을 얻고 있는 이 지대에서는, 자연이 더 저항적이고 더 강렬한 삶을 강요하는 동시에 산의 경작지화를 저지해주고 있다. 이 고지대에서는 산은 (저지대의) 산골의 토지만큼이나 인간의 손이 미치지 못한 경치나, 인간이 처음 토지를 이용하기 시작했을 때는 아마 이랬으리라고 —— 아마 잘못 —— 상상하게 마련인 경치를 그대로 유지하고 있다.

바다가 내게 어떤 묽어진 풍경을 보여주는 것이라면, 산은 어떤 농축된 세계로서 내게 나타난다고 말할 수 있다. 정말 진정한 의미에서 산은 농축되어 있는 것이니, 똑같은 면적에 대해 산에서는 꺾이고 주름져 있는 땅이 더 많은 표면적을 끌어모을 수 있기 때문이다. 좀 더 밀도 짙은 우주의 약속들 역시 좀더 오랫동안 지켜진다. 이 우주에 계속되는 불안정한 기후와 고도·위치·토양의 성격에 따른 차이는, 계절 간에서와 마찬가지로 사면(斜面)과 수평면 사이의 뚜렷한 대조를 용이하게 만든다. 나는 다른 많은 사람처럼 어느 좁다란 계곡에서 묵는다고 해서 의기소침해진 적은 없었다. 하도 좁은 골짜기라 양쪽의 비탈이 아주 가깝게 마주하게 되어서 마치 벽과 같이 보이고, 하늘도 한 조각밖에는 보이지 않는 곳이라 태양도 몇 시간이면 지나가버리는 곳에서, 나는 의기소침해지기는커녕 오히려 그와 정반대 기분을 맛보았다. 내게는 그 서 있는 풍경이 살아 있는 것처럼 느껴졌다.

자신의 생각을 넣지 않은 채 멀리서 그 세세한 부분을 포착할 수 있는 그림처럼, 내 생각을 수동적으로 따르는 대신에 그 풍경은 나로 하여금 함께 일종의 대화를 나누도록 이끌어서, 그와 나는 우리들의 가장 소중한 것을 나누게 되었다. 내가 그 풍경을 답파하기 위하여 소비했던 육체적 노력은 내가 그에게 양보했던 그 무엇이었으며, 그것을 통해 그의 존재는 내 눈앞에 나타날 수 있게 되었다. 반역적이며 동시에 도전적이고, 항상 내게 자신의 반쪽 부분은 다른 반쪽 부분의 상승과 하강을 동반하는 보조적 관점에 따라 새롭게 하기 위하여 숨겨두면서도, 산의 풍경은 일종의 춤 속에서 나에게 협력을 했다. 나는 그 춤 가운데서 그 춤에 생기를 불어넣어주었던 위대한 진실들을 매우 확고하게 파악하기 위하여 좀더 자유스럽게 이끌어갈 수 있었다.

오늘에 이르러 내가 변했다는 느낌은 들지 않으나, 산에 대한 그 사랑은 모래밭 위에서 뒷걸음질쳐 가는 파도처럼 나에게서 떨어져 나가고 있다는 사실을 인정하지 않을 수 없다. 내 생각은 여전히 그대로 있으나, 나를 떠나는 것은 바로 산이다. 항상 같은 즐거움들이 내게는 점차 무감각하게 느껴졌는데, 그 즐거움들을 너무도 오랫동안, 그리고 너무도 강렬하게 추구해왔기 때문이다. 자주 밟아온 그 길에서는 놀라운 것조차도 친숙한 것으로 변했으니, 그 놀라움이란 산을 오를 때 고사리덤불이나 바위틈에 있는 것이 아니라 내 추억의 망령 속에 있다. 이와 같은 추억들은 이중으로 그들의 매력을 상실한다. 우선 이 매력들에 오랫동안 습관이 듦으로써 그것들로부터 모든 새로움이 사라져버리기 때문이고, 특히 반복이 될 때마다 조금씩 생기를 잃어가는 즐거움이란 오직 세월이 지남에 따라 더욱더 커다란 노력을 대가로 해서만 획득될 수 있기 때문이다.

나는 점차 늙어가지만, 내가 나이를 먹어가고 있다는 유일한 증거는 나의 계획과 시도의 날카로운 면이 점차로 무디어가고 있다는 사실뿐이다. 나는 아직도 내 계획들을 되풀이할 수 있다. 그러나 그 계획들을 완수했을 때 그들이 그토록 자주, 그리고 그토록 충실하게 내게 마련해주던 만족감을 내게 가져다주는 것이 이제는 더 이상 내게 달려 있는 것이 아니다.

이제는 나를 유혹하는 것이 숲이다. 나는 숲에서, 산에서 느꼈던 것과 마찬가지의 매력을 발견하는데, 그것들은 더 평온하고 상냥한 모습을 띠고 있다. 중앙 브라질의 사막 같은 사바나를 하도 돌아다녔기 때문에 나는 옛날 사람들로부터 사랑받던 자연, 즉 어린 풀포기·꽃, 그리고 총림(叢林)의 습기찬 신선함이 있는 그 투박한 자연의 가치를 알 수 있었다. 그때 이후로 내게는 돌투성이의 세벤에 대해 전과 같은 완강한 사랑을 지니는 것이 불가능해졌다. 나는 또 우리 세대의 프로방스 지방에 대한 열광은, 우리가 만들어낸 후 다시 우리가 그 희생자가 되어버린 어떤 속임수였다는 것도 깨달았다 발견에 관한 흥미 ──지극한 기쁨이지만, 이것 또한 문명이 우리에게서 박탈해갔다—때문에 우리는 새로운 것을 위해 그 새로운 것을 증명해줄 수 있는 사물을 희생시켰다. 그래서 그러한 면의 자연은 다른 것들로 호기심을 만족시키는 것이 허용되던 동안에는 소홀히 다루어졌다. 가장 우아한 자연을 빼앗기고 나서 우리는 아직도 우리 마음대로 할 수 있는 것으로 남아 있는 자연의 수준까지도 야망을 줄여야 했으며, 무미건조하고 사나운 것을 찬송해야만 했으니, 그것이 그때 이후로 우리에게 제공된 유일한 모습이었기 때문이다.

그러나 그 강요된 걸음 속에서, 우리는 숲을 잊어버리고 있었다. 우리들의 도시들만큼이나 밀도 높게 숲에는 다른 존재들—높은 산봉우리나 햇볕 잘 드는 소택지보다 나은 사회 속에서 조직된 이 존재들은, 어떻게 우리들을 따로 떼어놓을 수 있는지를 알고 있었다—이가득 들어차 있었던 것이니, 우리가 밟고 지나가면 곧 그 길은 새로운 나무와 풀들로 금방 뒤덮여버리고는 했다. 숲속으로 침투하기는 힘든 경우가 많은데, 숲도 그 안에 들어오는 사람에게 양보를 요구하는 것이니, 그것은 곧 더 거친 방법으로 산이 그 보행자들에게 강요하는 것과 같다. 급히 닫혀버리는 숲의 지평선은 거대한 산맥의 지평선보다는 넓지 못하지만 하나의 축소된 우주를 가두어넣는 것이며, 그 우주는 사막의 도망자만큼이나 완전하게 고립되어버리는 것이다.

풀과 꽃·버섯 그리고 곤충들의 세계가 그곳에서는 독립적인 생활을 자유롭게 이끌어가고 있으며, 이 세계를 통과할 수 있는 것은 오직 우리의 인내와 겸손에 달려 있다. 외부세계를 없애버리는 데는 수십 미터나 뻗은 숲으로 충분하다. 한 세계가 다른 세계—시각으로 보아서는 덜 좋을지 모르나, 영혼과 더 가까운 감각인 청각과 후각은 이득을 보는 세계—에 자리를 내어주게 되는 것이다. 사라져버린 것으로 믿고들 있던 소중한 재산인 침묵과 신선함 그리고 평화가 되살아나게 된다. 바다가 이제는 우리에게 거절하는 것, 그리고 산은 너무도 비싸게 그 대가를 치르라고 요구하는 것, 그것을 우리는 식물 세계와의 친교로 얻을 수 있다.

그러한 것이 내게 납득되기 위해서는, 숲의 보편적인 모습이 드러나도록 우선 숲이 내게 가장 독기 어린 형태를 보여줄 필요가 있었다. 왜냐하면 내가 투피 카와이브족을 만나러 들어가던 숲과 우리가 유럽에서 알던 숲 사이에는, 적절히 표현할 말을 찾아내기 힘들 정도로 크나큰 거리가 있기 때문이다.

바깥쪽에서 볼 때는 아마존의 숲이 응고된 물거품 더미이며, 초록색 융기가 수직으로 쌓인 것처럼 보인다. 마치 어떤 뜻밖의 재난으로 강기슭이 모든 곳으로 동시에 밀려와 휩쓸고 지나간 듯이 보인다. 그러나 얇은 막을 터뜨리고 안으로 들어가보면 모든 것이 바뀌어버린다. 안에서 보면 그 혼란스러운 더미가 기념비적인 우주로 변하는 것이다. 숲은 이미 지상의 혼란이 아니라, 어떻게 보면 우리의 지구와 마찬가지로 풍요한 새로운 행성의 세계가 들어서서 지구와 자리바꿈을 한 것 같은 느낌을 준다.

일단 서로 가까이 접근해 있는 평면들에 눈이 익숙해지고 처음에 받게 되는 짓눌리는 듯한 느낌만 극복하고 나면, 한 복잡한 체계가 그 모습을 드러내게 된다. 고도가 갑자기 바뀌고 간헐적으로 광맥이 교차하는데도 똑같은 구조를 재현하는 겹겹이 쌓인 층들을 볼 수 있다. 우선 사람의 키 높이에서 성장을 멈추는 초목들의 꼭대기. 그 위에는 나무들의 창백한 줄기와 칡들이 모든 식물로부터 해방된 자유로운 공간을 잠시 동안 즐기고 있다. 조금 더 위를 보면, 그 줄기들은 소관목의 잎들이나 야생 바나나나무 파코바의 진홍색 꽃에 파묻혀 사라진다. 줄기들은 한순간 그 거품 속에서 솟구쳐 오르는 듯하지만, 또다시 야자수 잎들 속으로 빠져버린다. 좀더 높은 지점, 수평으로 뻗은 최초의 가지들이 몸을 드러내는 곳에 이르면, 줄기들은 그 속에서 헤어 나온다. 그 가지들에 잎은 붙어 있지 않으나, 마치 배들이 선구(船具)를 과적(過積)한 것처럼 착생(着生)식물 — 난초와 아나나스 — 들이 넘쳐나게 달라붙어 있다. 그리고 마지막으로 거의 보이지도 않는 높은 곳에서, 이 우주는 거대한 둥근 지붕으로 닫히게 된다. 그 지붕은 초록색 잎으로 이루어질 때도 있지만, 잎이 아닐 때는 흰색 · 노란색 · 오렌지색 · 자주색 또는 붉은 보라색의 꽃들로 뒤덮이게 된다. 유럽인 구경꾼은 그곳에서 자기네 나라의 봄에 느낄 수 있는 신선함을 맛보고 감탄에 빠져든다. 그러나 너무도 그 정도가 어울리지 않는 것이라, 가을의 불타오르는 듯한 그 장엄한 개화(開花)가 유일한 비교 대상으로서 그에게 떠오른다.

이 공중에 있는 층들에게, 바로 여행자의 발 밑에 있는 또 다른 층들이 호응하고 있다. 그러므로 우리가 땅 위를 직접 걷고 있다고 생각하면 오산이다. 땅은 초목의 뿌리 · 새싹들 · 잡초덤불 그리고 이끼가 뒤엉켜 있는 밑에 감추어져 있기 때문이다. 또 걸음을 한 번 잘못 딛기만 하면, 때로 몹시 당황하게 만드는 정도의 깊은 웅덩이로 빠져들 위험도 있다. 나는 그런데다가 루신다까지 붙어 다니는 바람에 앞으로 나아가기가 더욱 힘들었다.

루신다는 작은 암컷 원숭이로, 그 특징인 불거진 배 때문에 보통 바리구두(불룩배)라고 불리는데, 무엇을 휘어감아 잡는 힘이 있는 긴 꼬리를 가진데다가 피부는 연한 자줏빛이고 털은 흰빛인, 라고트릭스(Lagothryx)속(屬)의 원숭이였다. 나는 그 원숭이가 생후 몇 주밖에 되지 않았을 때, 어떤 남비콰라족의 여인으로부터 그것을 얻었다. 그 여인은 어미를 잃은 새끼 원숭이를 불쌍히 여겨 머리장식에 동여맨 채 밤낮으로 데리고 다녔다. 아마 그 작은 짐승에게는 그 여인의 머리장식이 자기 어미의 털이 덮인 등뼈처럼 느껴졌을 것이다(어미

원숭이들은 새끼를 등에 업고 다닌다). 나는 그 원숭이에게 몇 숟가락의 농축우유를 먹여 키웠고, 밤에는 한두 방울의 위스키를 먹이면 그놈은 세상 모르고 조용히 잠들고는 하여, 나는 자유롭게 움직일 수가 있었다. 그러나 낮 동안에는 나는 기껏해야 이놈과 타협할 수밖에 없었는데, 그 타협이란 이놈이 내 머리 위에 올라가지 않는 대신에 나의 왼쪽 장화 위에 머무르게 하는 것이었다. 그래서 이놈은 바로 나의 발가락 윗부분에 네 발을 웅크린 채 아침부터 저녁나절까지 줄곧 매달려 있고는 했다.

내가 말을 타고 있을 경우에는 이 같은 짓이 용이했고, 또 보트를 타고 갈 경우에도 별다른 지장은 없었으나, 도보로 행군할 때는 사정이 전혀 달라졌다. 왜냐하면 가시에 찔리거나 움푹 팬 땅바닥을 지나치거나, 낮은 나뭇가지에 스칠 때마다 놈이 비명을 지르고는 했기 때문이다. 이놈을 나의 팔이나 어깨, 심지어는 머리에까지 올려놓으려고 아무리 노력해도 놈은 말을 듣지 않고, 오직 왼쪽 장화 위에만 붙어 있으려고 했다. 나의 왼쪽 장화가 이놈에게는 숲속에 있을 경우에는 유일한 피난처와 보호지점이었다. 놈은 이 숲속에서 태어난 짐승이었지만, 한두 달 동안 인간들과 함께 사는 가운데 마치 세련된 문명을 몸에 익히기라도 한 것처럼 숲을 아주 낯설어했다. 그래서 나는 왼발을 절뚝거리면서, 또 발을 헛디뎠을 때마다 질러대는 비명에 귀가 시달리면서 아바이타라의 등을 놓칠세라 눈으로 쫓으며 길을 가고는 했다. 아바이타라는 잽싼 걸음으로 앞으로 나아갔는데, 무성한 나무숲 속을 헤치고 들어갈 때는 일순간 나는 그가 사라져버린 것이 아닌가 하고 생각하기도 했다. 그는 덤불과 칡 사이를 뚫고 길을 만들면서, 오른쪽이나 왼쪽으로 돌진해나가면서 숲속 깊이 통하는 길을 찾아내었지만, 항상 우리들보다 훨씬 앞질러갔다.

나는 피로를 잊어버리기 위하여 마음을 편히 가지려 했다. 그래서 우리들의 행군 리듬에 맞추어 내 머릿속에 짤막한 시들을 지어서 매 시간 그것을 읊어보고는 했다. 그리하여 마침내 그 시구들은, 너무 오랫동안 입 속에 씹어서 맛도 다 가셔버렸지만 그래도 친근감이 생겨서 삼켜버리지도 뱉어버리지도 못하고 계속 우물거리는 어떤 음식물처럼 되고 말았다. 그 숲속의 수족관과 같은 환경은 다음과 같은 4행시를 짓게 했다.

두족류(頭足類) 숲속의
호놀룰루의 배 모양
갉아먹힌 장밋빛 바위엔
진흙으로 빚은 커다란 조개껍데기

또는 나는 이 시와 대조를 이루기 위해서 파리의 어떤 교외지역에 대한 음침한 풍경을 생각해내었다.

풀돗자리의 먼지를 털었다.
포도(鋪道)는 비눗물에 젖어 반짝인다.
가로 위에 선 나무들은
내팽개쳐진 커다란 빗자루들

그리고 다음으로는, 그 형식에서는 적절한 것이지만 내게는 결코 완결된 것으로 느껴지지 않는 마지막 시구들이 있다. 오늘날까지도 이 시구는 내가 긴 산책을 할 때는 내 마음에 고통을 주고는 한다.

아마존, 사랑하는 아마존이여
오른쪽 젖가슴을 갖지 못한 그대여

그대 우리에게 갖가지 모험담을 들려주건만
그대의 길들은 너무도 좁아라

아침이 거의 끝날 무렵 우리들은 커다란 덤불숲 주위를 지나가던 중 반대편 방향에서 오고 있는 두 원주민과 서로 마주치게 되었다. 그 두 사람 가운데서 좀더 나이가 든 사람은 마흔 살쯤으로 보였고, 다 찢어진 잠옷을 걸쳤으며, 머리카락이 어깨까지 내려와 있었다. 다른 한 사람은 머리를 짧게 깎았고, 성기를 가리는 짚으로 된 작은 덮개를 제외하고는 몸에 걸친 것이라고는 아무것도 없었다. 그의 등에는 초록색의 야자나무 잎으로 만든 통 속에 몸이 단단하게 동여매어진 커다란 독수리가 한 마리 있었다. 그 독수리는 흰색과 회색의 줄무늬가 있는 깃털과 노란색의 억센 부리와 꽁무니에 달린 멋진 깃털에도 불구하고 마치 병아리 새끼처럼 슬픈 듯한 모습을 나타내고 있었다. 그 두 원주민은 각각 활과 화살들을 들고 있었다.

이들과 아바이타라가 주고받은 대화에서 우리는 이들이 우리가 목표하는 부락의 족장과 그의 심복부하라는 것을 알게 되었다. 이들은 이 숲속 어딘가에서 돌아다니고 있을 다른 부락민들에 앞서 길을 나서서, 1년 전에 그들이 약속했던 방문을 위해 피멘타부에누를 찾아갈 목적으로 마샤두로 떠나는 중이었다. 그리고 그 독수리는 그들을 맞을 주인들에게 줄 선물이었다. 이 모든 사실은 우리들의 계획에는 전혀 도움이 되지 못했다. 왜냐하면 우리들은 이 원주민들을 그들 자신의 부락에서 직접 보고자 했기 때문이다. 우리가 그들의 포르키뉴 숙영지에 도착하면 아주 많은 선물을 주겠다고 약속한 다음에야, 그들은 매우 싫어하면서도 우리들과 함께 부락으로 되돌아가겠디고 헸디. 이처럼 약속이 이루어지고 니서 우리들 모두는 강 옆으로 난 길을 따라서 출발했다. 우리들이 이 모든 사실에 서로 동의를 하고 난 뒤, 그 독수리는 시냇물 부근에 의식을 치르지 않은 채 내버려 졌다. 그 독수리는 그곳에서 곧 아사해버리든가 아니면 산 채로 개미 들의 밥이 될 것은 필연적인 사실이었다. 그 이후로 보름 동안 '그 독 수리가 죽었다'는 짤막한 사망 확인을 제외하고는 그 독수리에 대해 서 아무런 언급도 없었다. 그 두 카와이브족은 그들의 가족들에게 우 리의 도착을 알리기 위해서 숲속으로 사라졌고 우리들은 여정을 계 속했다.

그 독수리에게 생긴 사건이 나로 하여금 생각에 잠기게 했다. 몇몇 예전의 여행자들은 투피족이 원숭이 고기를 먹이로 하여 독수리를 사육하고, 주기적으로 독수리의 깃털을 뽑는다고 전했다. 론돈은 이 사실을 투피 카와이브족 가운데서 발견했고, 다른 목격자들은 싱구 족과 아라구아야족 가운데서 관찰했다. 그러므로 투피 카와이브족 의 어떤 집단이 이 관습을 아직도 유지하고 있으며, 만약 이 원주민 들이 좋은 일을 위해 부락을 떠나 문명세계와 운명을 함께하기로 결 심한다면(나는 처음에는 의심했지만, 후일에는 확신하게 되었다), 그들 이 가장 귀중한 재산으로 간주하는 독수리를 선물로 가지고 가게 될 것이라는 사실은 놀라운 것이 아니었다. 그러나 이 같은 사실은 왜 이들이 그 독수리를 그토록 불쌍하게 포기하는 결심을 하게 했는가 를 전혀 납득할 수 없게 만드는 것이다. 그렇지만 남아메리카에서건 또는 다른 곳에서건, 식민지 개척의 역사는 전통적 가치와 생활양식 을 이처럼 급속하게 포기하거나 단념하게 하는 특징을 지니고 있다. 이 같은 과정에서 몇몇 요소의 상실은 즉각적으로 다른 모든 요소도 격하되도록 만든다. 아마도 나는 그때 이 같은 현상의 전형적인 실례 를 목격했던 것이라고 생각된다.

우리들은 숲속에서 얻을 수 있었던—예컨대 토카리 열매 몇 개, 야생 코코아나무의 신맛이 나고 거품이 많은 흰 과육을 지닌 열매,

파마나무의 열매, 숲의 카주나무의 열매와 씨앗——열매와 함께 구운 고기 몇 점, 그리고 소금기를 빼지 않은 샤르케로 간단한 요기를 했다. 밤새도록 우리의 해먹 위에 쳐진 차양 위로 비가 내렸다. 한낮이 되면 정적에 휩싸이는 숲속에 새벽녘에는 원숭이와 앵무새의 울음소리가 이쪽 끝에서 저쪽 끝까지 울려 퍼졌다. 다시금 우리는 행진을 계속했는데, 몇 미터만 코스로부터 떨어져도 전혀 길을 되찾을 수 없는 거리에 위치하여, 소리를 질러도 들리지 않게 될지도 모른다는 점을 의식하면서 앞사람 뒤를 바짝 붙어서 뒤따라갔다. 왜냐하면 이 숲속의 가장 놀라운 특징 중 하나가 공기보다 더 밀도 높은 어떤 요소 속으로 숲이 잠겨버리는 듯했기 때문이다. 이 숲속으로 통과되는 빛이라고는 푸르스름하게 약해진 것뿐이며, 소리도 제대로 전달되지 않는 것이다. 아마도 이 같은 조건의 결과로서 이 숲속에 내리덮인 놀라운 정적은, 만약 여행객이 길을 잃어버리지 않으려고 애는 쓰면서도 그가 아직도 말을 하고 싶어 한다면 그에게 그 침묵을 전염시켜 버릴 것이다. 여행객의 정신적 상황이란 신체적 상태와 결합되어 거의 견딜 수 없는 어떤 압박감을 느끼게 된다.

때때로 우리의 안내인은 우리 눈으로는 식별할 수 없는 그의 행로 주위에 몸을 구부리고는 어떤 나뭇가지 하나의 끝을 능숙하게 들어올리고는, 대나무 막대기의 날카로운 끝을 우리에게 보여주고는 했다. 그런데 이 뾰족한 대나무는 이곳을 지나가게 되는 적들의 발을 찌르기 위해 땅속에 비스듬히 파묻혀 있었다. 이 뾰족한 대나무들을 투피 카와이브족은 민이라고 불렀는데, 그들은 이것을 부락의 주변 지역에다가 외적이 침입하는 것을 막기 위해서 사용했다. 예전의 투피족들은 지금 것보다 더 큰 대나무를 사용했다.

오후에야 우리들은 어떤 '카스타냘'(밤나무 숲)에 도달했다. 그 주위에서 (이 숲속을 체계적으로 개발하던) 원주민들은 그 밤나무에서 떨어지는 열매들을 더 손쉽게 수집할 수 있도록 하나의 작은 개간지를 만들고 있었다. 모든 마을 사람이 이곳에서 숙영을 하고 있었다. 남자들은 얼마 전에 우리가 만났던 족장의 심복부하처럼 성기 덮개를 제외하고는 아무것도 걸치지 않았으며, 여자들도 허리 부근에만 직조된 무명의 속옷을 걸치고 있을 뿐이었다. 원래는 이 속옷은 우루쿠로 붉게 염색되었으나, 사용함에 따라 적갈색으로 퇴색했다.

사람들이라고는 모두 합쳐 여자 여섯 명과 남자 일곱 명이었는데, 남자 중 한 사람은 청년이었고 작은 소녀 세 명은 나이가 각각 한 살, 두 살, 세 살쯤 되어 보였다. 아바이타라의 부락이 사라진 이후로 적어도 13년 동안이나 외부세계와의 아무런 접촉도 없이 유지되어온 이 작은 집단을 누가 상상이라도 할 수 있었겠는가? 이들 가운데서 두 사람은 하반신이 마비되어 있었다. 젊은 처녀는 지팡이 두 개로 몸을 유지하고 있었으며, 젊은 남자는 다리가 없는 앉은뱅이처럼 땅바닥 위를 질질 끌고 다녔다. 그의 양 무릎은 살점이라고는 거의 없는 다리 위로 불쑥 솟아 있었는데, 안쪽 부분이 부풀어올라 있었으며, 혈장증(血漿症: 혈액의 액상 성분에 함유된 여러 가지 단백질 및 무기염류가 출혈할 때 응고하여 염증을 일으키는 것─옮긴이)에 걸린 것처럼 보였다. 왼발의 발가락은 마비되었으나 오른쪽 발가락은 아직도 움직일 수 있었다. 그러나 이 두 다리 장애자도 뚜렷한 곤란을 느낌이 없이 숲속의 먼 거리를 돌아다닐 수 있는 것 같았다. 그것은 소아마비였을까? 아니면 무슨 다른 바이러스에 감염된 것이었을까?

인간이 직면해야만 하는 모든 것 중 가장 적대적인 자연 가운데서 자기 자신들의 방식으로 살아가도록 버림받은 이 불행한 남녀를 보았을 때, 나는 16세기에 트베가 방문했던 투피족에 대한 찬탄이 실린 페이지를 회상해보면서 가슴 아파했다. 그는 말하기를 "(투피족은) 우리들과 마찬가지의 인간이지만, 아직까지 그들은 문둥병·중풍·

혼수상태·연성하감(軟性下疳), 또는 눈에 띄는 다른 신체적인 질병들에 결코 감염되지 않은 사람들이다"라고 했다. 그러나 트베는 자기와 자기의 동료들이 이 질병들을 투피족에게 전염시키는 선구자 노릇을 했다는 사실은 까맣게 몰랐던 것이다.

33 귀뚜라미 마을

해질 무렵이 되어서 우리는 마을에 도착했다. 마을은 한 줄기 급류가 흐르는 계곡 위로 돌출해 있는 어떤 인공의 공지(空地)에 있었다. 그 급류는——후에 가서 이가라페 두 레이탕(Igarapé do Leitão)강이라는 것을 알았지만——마샤두강 우안의 지류로서, 무키(Muqui)강과의 합류점에서 수 킬로미터 하류에서 마샤두강으로 흘러들어가고 있다.

마을은 급류와 평행으로 일직선상에 있는, 거의 사각 모양을 한 집 네 채로 구성되어 있다. 그중 큰 두 채는 기둥과 기둥 사이에 면사 끈을 이어서 늘어뜨린 해먹을 보아서 알 수 있듯이, 주거로 사용되고 있었다. 나머지 두 채는 (그중 한 채는 큰 두 채 사이에 끼어 있었다) 오랫동안 사람이 들어 살지 않아서 헛간이나 피신처 같은 모습을 띠고 있었다. 겉만 보아서는 이 집들은 이 지역 브라질인의 주거와 다를 바가 없었다. 하지만 실제로는 구조가 다르며, 이중 경사로 된 야자수 잎의 높은 지붕을 고이고 있는 기둥의 평면 배치는 지붕 평면의 내부에 그보다 작게 배치되어 있어서 그 결과 건물은 시각형 버섯 모양을 하고 있다. 그렇지만 이 구조는 지붕으로 직접 접합되지 않은 채 수직으로 서 있는 모조 벽 때문에 겉으로 나타나지는 않는다. 이들 울타리—아닌 게 아니라 이들은 사실 울타리였으니까—는 야자나무 줄기를 세로 방향으로 쪼개어서 둥근 쪽을 바깥쪽으로 하여 묶어서 지면에 이어 세운 것이다.

주건물—두 헛간 사이에 있는—의 경우, 줄기는 오각형의 총안(銃眼) 모양이 새겨지게 팠으며, 외벽은 우루쿠와 수지(樹脂)를 사용해서 빨강과 검정 두 색으로 약식으로 그린 그림들로 덮여 있다. 그림은 원주민의 설명에 따르면, 정해진 순번에 따라서 먼저 사람, 다음에 여자, 그리고 큰 수리, 아이들, 총안 모양을 한 물건, 두꺼비, 개, 이름을 알 수 없는 네발짐승, 지그재그형의 두 띠 무늬, 물고기 두 마리, 네발짐승 두 마리, 표범, 그리고 끝으로 사각형과 초승달 모양과 반원형으로 구성한 대칭형 도형 등을 나타내고 있다.

이들 집은 인근에 살고 있는 원주민 종족들의 주거와 전혀 닮은 데가 없다. 하지만 이들 집이 어떤 전통적 형식을 재현하고 있을 가능성은 있다. 론돈이 처음으로 투피 카와이브족에 대해 기술했을 때도 이미 그들의 집은 방형(方形)이거

그림 37 오두막집 벽에 그려진 그림의 일부.

나 구형이었고 이중경사 지붕을 갖고 있었다. 그뿐만 아니라 버섯구조는 신브라질식 건축 기술의 어떤 형식과도 일치하지 않는다. 게다가 높은 지붕구조를 가진 이런 집들은 콜럼버스 이전 아메리카의 몇몇 문명에 속하는 갖가지 고고학 자료에서도 입증이 돼 있는 것이기도 하다.

투피 카와이브족의 다른 또 하나의 독자성은 그들과 친연(親緣) 관계에 있는 파린틴틴족과 마찬가지로 그들은 담배를 경작도 소비도 하지 않는다는 것이다. 한 번은 우리가 짐꾸러미에서 (꼬아서 노끈처럼 만든) 노끈 담배를 끄집어내는 것을 본 마을의 족장이 혐오감을 담뿍 담은 어투로 '이아네아피트'(이건 쓰레기군요!……) 하고 외치던 것을 들은 적이 있다. 론던 위원회의 보고서는, 접촉의 초기 시절에는 원주민들이 목전에서 담배를 피우는 사람들이 있으면 매우 신경질적인 반응을 보이면서 여송연이든 권연이든 빼앗아버린다고까지 지적하고 있다.

그러나 파린틴틴족과는 달리 투피 카와이브족은 담배를 지칭하는 말로 '타바크'(tabak)라는 낱말을 갖고 있다. 이것은 우리들이 쓰는 프랑스말과 같은 말로, 아마도 서인도 제도 원주민의 옛말에서 온 카리브어에 그 뿌리를 두고 있을 것이다. 또한 같은 낱말이 있는 구아포레강 유역의 방언들 가운데서 중계 역할을 한 단어를 발견할 수 있을지도 모른다. 이와 같은 추측의 근거는, 이들 방언 그 자체도 에스파냐어에서 그 말을 차용했을 (포르투갈어에서는 '푸무'(fumo)라고 하니까) 가능성도 있고, 구아포레강 유역의 문화가 오랜 전통의 서인도 제도·기아나 문명이 남서진하는 데 최선두 기지였을——많은 지표가 이것을 시사하고 있다——가능성도 있기 때문이다. 서인도 제노·기아나 문명은 싱구깅 하류의 계곡에도 통과한 흔적을 남거놓았을는지 모른다.

그림 38 앞 그림의 또 다른 부분.

　여기서 덧붙여서 말해야 할 것은 남비콰라족은 궐련을 상습적으로 피우는 데 반해서, 다른 투피 카와이브의 이웃 종족들인 켑키리와트족(Kepkiriwat)이나 문데족은 흡입관으로 담배를 태운다는 사실이다. 이러고 보면 브라질의 한가운데에 담배를 피우지 않는 일군의 종족이 존재한다는 것은 수수께끼가 아닐 수 없다. 특히 옛 투피족이 대단한 담배 애용자들이었다는 사실을 생각해볼 때 이 일은 더욱 이상스럽게 여겨진다.

　담배가 없었기 때문에 우리는 16세기 여행가들이 카우앵─투피 카와이브족은 '카우이'라고 한다─이라고 불렀던 것으로 마을의 환영을 받을 참이었다. 카우앵이라는 것은 옥수수─원주민들은 마을 주변의 숲을 개척해서 불로 태운 자리에 몇 가지 종류를 재배하고 있었다─로 빚은 치차(chicha)술을 마시는 연회를 말한다. 옛 문헌을 보면 이 술을 빚는 데 사용된 높이가 성인 남자의 키만큼이나 되는 가마솥 이야기며, 발효를 촉진하기 위해 많은 양의 침을 솥에다 뱉어야 했던 부족의 처녀들의 역할 이야기에 대한 기록이 나온다. 투피 카와이브족의 솥이 너무 작아서였을까, 아니면 그 마을에 처녀들이 따로 없어서 그랬을까? 아무튼 그들은 세 소녀만 불러와서 찧어 빻은 옥수수가루에 물을 부어 끓이고 달인 반죽 안에다 침을 뱉어 넣게 했다. 영양분이 많은데다 청량감마저 깃들인 이 맛있는 음료는 그날 저녁으로 모조리 바닥이 나버려 미처 제대로 발효되지도 않았다.

밭에 나가 보고 알게 된 일이지만, 이들은 전에 독수리를 키우던 커다란 나무 우리—아직도 그 안에는 (먹다 남은) 뼈다귀가 흩어져 있었다— 주변에 땅콩, 강낭콩, 여러 종류의 고추, 마, 감자, 마니오크, 옥수수 등을 가꾸고 있었다. 원주민은 이러한 식료 자원을 보충하기 위해 야생 식물을 채집하기도 했다. 예컨대 그들은 숲에서 자생하는 벼과의 한 식물을 이용하고 있었는데, 여러 포기를 줄기 꼭대기에서 묶어놓고 벼알이 떨어지면 아래에 작은 더미를 이루며 소복이 쌓이도록 하고 있었다. 그리고 그 낟알들을 토기 팬 위에다 놓고 팝콘처럼 튀기는 것이었는데, 그 맛도 팝콘 비슷했다.

뒤섞기, 끓이기, 그리고 여자들이 반조각 난 호리병박 국자를 갖고 하는 휘젓기 등 복잡한 과정을 거치며 주연 자리가 준비되는 동안에 나는 그날의 마지막 몇 시간을 이용해서 여기 원주민들을 관찰했다.

무명 포대말고도 여자들은 손목과 복사뼈 둘레에 가느다란 띠를 조여 매고 있었고, 맥의 이빨이나 사슴의 뼛조각으로 만든 목걸이를 하고 있었다. 얼굴은 제니파(genipa)의 검푸른 즙으로 문신을 하고 있었다. 볼에는 귓불에서 입술가로 굵은 사선이 그어져 있고 입술에는 가는 수직선이 네 갈래 그어져 있다. 그리고 턱에는 네 가닥의 횡선이 평행을 이루고 있는데, 각 횡선은 하부에 장식무늬가 있다. 머리는 대체로 짧은데, 이빨이 성긴 빗을 쓰거나, 아니면 가느다란 나뭇개비를 무명실로 엮어 짠 좀더 섬세한 기구를 쓰거나 해서 자주 빗는 편이다.

남자들이 몸에 걸치고 있는 옷이라고는 앞에서도 언급한 바 있는 원추꼴의 음경집뿐이었다. 마침 한 원주민이 그것을 하나 만들고 있었다. 파코바(pacova)나무의 신선한 잎사귀의 양측을 중앙의 잎맥으로부터 뜯어내고 딱딱한 바깥쪽의 테두리도 제거하고 나서 세로로 한 번 접는다. 그런 다음 그 두 조각(각각 폭이 약 7센티미터, 길이가 약 30센티미터)을, 한쪽이 다른 쪽 안에 들어가고 접은 부분이 직각으로 교차하도록 해서 포갠다. 그러면 잎 양쪽의 각 측면에서는 잎사귀 두 장의 두께가 되고, 두 조각이 서로 교차하는 정점에서는 네 겹이 된 삼각자 모양이 만들어진다. 그 정점을 다시 대각선으로 접고 나서 돌출한 두 부분을 베어버리고 나면, 만드는 이의 손에는 여덟 겹 잎으로 된 조그마한 이등변 삼각형밖에 남지 않게 된다. 이 삼각형을 엄지손가락을 앞에서 뒤쪽으로 밀어 넣어 둥글게 만들고, 아랫쪽 두 모서리는 베어서 떼어내고, 변(邊)의 가장자리를 나무 바늘과 식물성의 실로 꿰매면 이제 다 만든 것이다. 남은 일은 그것을 끼우는 것이다—(완성된) 음경집이 떨어지지 않도록 집의 터진 부분으로 해서 (음경의) 포피를 당기면서, 그리고 집의 거죽을 팽팽히 펴서 일으켜 세운 음경이 구부러지지 않도록 조심하면서…… 남자는 누구나 이 액세서리를 착용하고 있으며, 만일 어쩌다 그것을 잃어버리게 되면 서둘러서 자기의 포피 끝을 잡아당겨 차고 다니는 가는 허리띠 밑에 끼워놓는다.

집은 거의 텅 비어 있다. 눈에 띄는 것은 무명실로 짠 해먹, 토기 솥 몇 개, 옥수수나 마니오크 빻은 것을 불에 말리기 위한 냄비, 호리병박 용기, 나무 절구와 공이, 가시를 박은 마니오크용 목제 강판, 광주리 채, 설치류 이빨로 만든 끌, 물레가락, 1.7미터가량 크기의 활 등이다. 화살은 여러 종류가 있었는데 대로 만든 촉이 달린 것으로는 창 끝과 같은 촉이 달린 사냥용과 톱니 같은 촉이 달린 전쟁용도 있었 다. 그리고 또 고기잡이용 촉이 여러 갈래 난 것도 있었다. 또한 몇 가 지 악기도 있었다─관(管)이 열세 개인 판(Pan)의 피리, 그리고 구 멍 네 개의 플라지올레트.

밤이 되자 족장은 격식을 차려서 옥수수술과 굵은 강낭콩과 고추 로 만든 스튜를 갖고 왔는데, 그 스튜는 지독하게 매웠다. (하지만 이 요리는 소금도 고추도 모를뿐더러, 음식을 먹기 전에 요리에 물을 뿌려 식혀야만 하는 섬세한 미각을 가지고 있는 남비콰라족과 함께 6개월을 살아보고 난 후에 가서는 좋은 건강식으로 둔갑하고 말았다.) 호리병 하 나에는 원주민들의 소금인 갈색을 띤 물이 들어 있었는데, 그것이 너 무 써서 우리가 먹는 것을 구경만 하고 있던 족장도 우리를 안심시키 기 위해서 그것을 우리가 보는 앞에서 시음해 보이겠다고 나섰을 정 도로 독물로 오해받을 소지가 있는 물이었다. 이 양념은 토아리 브란 쿠(toari branco)라는 나무의 재로 만드는 것이었다. 검소한 식사였는 데도 그것을 대접하는 그들의 엄숙한 태도는, 옛날 투피족의 족장들 은 어떤 손님이든 향응할 의무가 있었다는, 어떤 여행가의 말을 생각 나게 했다.

더욱 인상적이었던 일로서, 헛간들 가운데 하나에서 하룻밤을 지 낸 다음 날 나는 내 혁대가 귀뚜라미에게 갉아먹힌 것을 발견했다. 카인강족, 카두베오족, 보로로족, 파레시족, 남비콰라족, 문데족 등 내가 그때까지 함께 지낸 일이 있는 어떤 부족과의 생활에서도 귀뚜 라미는 나타난 일도 피해를 끼친 일도 없었다. 그런데 (이상하게도) 바로 이 투피족과의 생활에서 나는 400년 전에 나보다 먼저 이브 데 브뢰(Yves d'Evreux, 1570년경~1630년경: 프랑스의 카푸친회 소속 수 도사로 아마존강 하구의 마라냥(Maranhão) 섬을 답사한 후 견문록을 발간했다-옮긴이)와 장 드 레리(Jean de Léry)가 겪었던 바로 그 재난을 겪어야 할 운명이었다. 내친걸음에 이 곤충에 대해 기술을 하자면,……우리나라의 귀뚜라미보다 크지 않으며 밤에도 이처럼 모닥불 옆으로 떼를 지어 기어 나오며, 눈에 띄는 것은 무엇이든지 갉아먹는다. 하지만 특히 주목을 끄는 것은 피혁 제품인 목도리며 신발 따위를 덮쳐서 그 표면을 모조리 갉아먹는 바람에 그 물건의 주인들이 아침에 일어나보면 그 물건들의 표면이 온통 하얗게 껍질이 벗겨져 있는 것을 발견하게 된다(이 인용부 안의 부분은 앞에서 언급한 여행가들의 기록을 인용한 것으로 16세기의 고어로 되어 있다-옮긴이).

귀뚜라미는 (흰개미나 또는 다른 파괴적인 곤충과는 달라서) 가죽 표면의 얇은 막을 갉아먹는 것만으로 만족하기 때문에 내가 내 혁대를 다시 보았을 때는 그야말로 온통 하얗게 껍질이 벗겨진 상태였다. 그러고 보면 나의 혁대는 어떤 한 곤충의 종류와 인간의 한 집단, 그 둘 사이만의 수세기 역사를 지닌 기이한 유대관계를 증명해주는 증거품이다.

아침에 해가 뜨자마자 우리 일행 중 일꾼 한 사람이 숲 언저리를 날고 있던 염주비둘기를 사냥하러 숲으로 떠났다. 얼마 후 총성이 한 발 들렸지만 아무도 신경을 쓰지 않았다. 그러나 잠시 후 원주민 한 사람이 창백한 얼굴로 몹시 흥분해서 달려왔다. 그는 우리에게 무엇인가 설명하려 들었지만 통역을 맡은 아바이타라가 가까이에 없었다. 이때 숲 쪽에서 고함 소리가 들려오더니 그 일꾼이 밭을 가로질러 뛰어오는 것이 보였다. 그는 왼손으로 오른쪽 팔을 떠받치고 있었는데 그 오른쪽 팔끝은 피투성이가 되어 늘어져 있었다. 그가 총대 위에 몸을 기대고 있는 동안에 총탄이 발사된 것이었다. 루이스와 나는 어떻게 해야 할지 숙의했다. 손가락 셋이 거의 떨어져 나갈 지경이었고, 손바닥은 온통 부러져 있었다. 손목을 절단하지 않을 수가 없을 것 같았다. 그러나 우리는 이 동료의 팔을 절단해서 그를 불구자로 만들어버릴 용기가 나지 않았다.

그 사람을 우리는 그의 아우와 함께 쿠이아바 근처의 어떤 마을에서 채용했는데, 그 젊은 나이를 보아서도 우리는 특별한 책임감을 느끼고 있었고, 또 그의 충실성이며 농부다운 기지는 우리로 하여금 그에게 특별한 애정을 느끼게 하고 있는 터였다. 그가 맡은 일이 짐바리 짐승을 돌보는 일이고 보면, 나귀나 소의 등에 짐을 싣는 데 숙달된 솜씨가 요구되는 이상, 그로서는 손의 절단은 치명적일 수밖에 없었다. 불안스럽지 않은 것은 아니었지만, 우리는 손가락을 대강대강 맞추고는 있는 아무것이나 가지고 붕대를 해주고 돌아가기로 결정했다. 숙소에 도착하면 곧 루이스가 부상자를 우리 의사가 있는 우루파로 데려가기로 했고, 또 만일 원주민들이 이 계획에 찬성해준다면, 나는 그들과 함께 남아서 강가에서 야영을 하면서 배가 2주일 후에 (배는 강을 내려가는 데 사흘, 올라오는 데는 대략 일주일이 걸렸다) 나를 데리러 오는 것을 기다리기로 했다. 이 돌발사고로 겁을 먹고, 그것이 우리들의 우호관계에 금이 가게 하는 것이 아닌가 하고 두려워하는 것처럼 보이던 원주민들은 우리의 제안을 모두 받아들였다. 그리고 원주민들이 출발 준비를 하는 동안 우리는 그들보다 먼저 숲으로 돌아갔다.

그 여행은 악몽과 같은 분위기 속에서 이루어졌다. 여행의 추억이라고 남은 것도 별로 없다. 부상자는 걸어가는 동안 내내 헛소리를 중얼댔고, 또 몹시 들떠 있어서 걸음걸이가 너무 빨라 우리가 도저히 따라갈 수 없을 정도였다. 그는 안내인보다 앞에 서서, 한 번 지나오기만 하면 이내 닫혀버리는 것같이 보이는 그 (어려운 코스의) 길목에서도 조금도 미끗거리지 않고 앞장서 나갔다. 밤에는 수면제를 먹여 겨우 그를 잠재울 수 있었다. 다행히도 그는 약물에 대한 습관성이 전혀 없어서 약효는 충분히 발휘되었다. 다음 날 오후 우리가 숙소에 도착하고 보니 그의 손은 구더기가 득실대고 있었는데, 그것이 그의 견딜 수 없는 고통의 원인이었다. 그러나 사흘 후 그가 의사의 손으로 넘겨졌을 때는, 살이 부패해가는 동안 구더기가 그것을 먹었기 때문에 상처는 괴저(壞疽)를 면할 수 있게 돼 있었다.

이제 절단은 불필요하게 됐고, 장시간에 걸친 일련의 소규모 외과 수술을 근 한 달 동안이나 계속하면서 벨라르는 생체해부학자로서, 또 곤충학자로서 솜씨를 발휘한 끝에 에미디우(Emydio)에게 마침내 제법 쓸 만한 손을 돌려주었다. 12월에 마데이라강에 도착하자, 나는 아직도 회복기에 있는 그를 조금이라도 피로를 덜어주기 위해서 쿠이아바까지 비행기로 태워다주었다. 1월달에 본대(本隊)와 합류하기 위해서 이 지방으로 돌아와서 그의 양친을 만났을 때 나는 그들이 나에 대해서 몹시 분개하고 있다는 것을 알았다. 그것은 황야의 생활에서 흔히 있을 수 있는 단순한 우발적 사건이었던 그 부상 때문은 물론 아니었고, 하늘 한가운데에 자기 아들을 놓아두는 그런 야만적인 행위 때문이었다. ─하늘 한가운데 사람을 둔다는 것, 그것은 그들에게는 악마적인 상황이라고 여겨졌고 또 그들로서는 상상조차 할 수 없는 일이었다.

34 자픾새의 소극

　나의 새 가족은 다음과 같이 구성되어 있었다. 먼저 마을의 족장인 타페라이(Taperahi)와 그의 네 아내로, 제일 연장자인 마루아바이(Maruabai), 그녀의 전남편과의 사이에 태어난 딸 쿠냐친(Kunhatsin), 타콰메(Takwame), 그리고 젊은 중풍 환자인 이아노파모쿠(Ianopamoko)가 있었다. 이 일부다처의 가정에는 자식이 다섯 있었다. 각각 열일곱 살과 열다섯 살로 보이는 남자아이 카미니(Kamini)와 페레자(Pwereza), 그리고 아직 어린 세 여자아이 파에라이(Paerai), 토페케아(Topekea), 쿠페카이(Kupekahi).

　족장의 보좌역인 포티엔(Potien)은 스무 살쯤으로 보였고, 마루아바이가 전남편과의 사이에서 얻은 아들이었다. 이 밖에도 노파 위라카루(Wirakaru)와 그녀의 두 젊은 아들 타콰리(Takwari)와 카라무아(Karamua)가 있었는데, 전자는 독신이고 후자는 페냐나(Penhana)라는 이제 겨우 파과기를 지난 어린 조카딸과 결혼해 있었다. 그리고 또 이들과 사촌 간인 신체불구자 왈레라(Walera)가 있었다.

　남비콰라와는 반대로 투피 카와이브족은 자기들의 이름을 감추려 들지 않았다. 게다가 이름에는, 투피족에 들렀던 16세기 여행가들이 기록한 바 있듯이, 각각 뜻이 있었다. 레리(Léry)는 다음과 같이 쓰고 있다. 우리가 개나 가축에게 이름을 지어주듯이, 이들은 사람에게 자기들이 알고 있는 사물 이름을 닥치는 대로 붙여준다. 예컨대 네발짐승인 '사리고이', 암탉 '아리그난', 브라질산 나무의 일종인 '아라부텐', 키가 큰 풀의 이름인 '핀두' 등등.

원주민이 나에게 자기들 이름의 뜻을 설명해준 모든 경우가 다 그와 같았다. 타페라이라는 이름은 흰색과 검은색 깃털을 가진 새 이름인 것 같았다. 쿠냐친은 백인 여자라는 뜻이거나, 아니면 밝은 피부를 가진 여자라는 뜻인 듯했다. 타콰메와 타콰리는 대(竹)의 일종인 '타콰라'(Takwara)에서 유래하는 말일 것 같다. 포티엔은 담수어인 새우를 가리키는 말인 듯하다. 위라카루는 인체의 기생충(포르투갈어로는 비슈 데 페(bicho de pé: '발 구더기'라는 뜻―옮긴이)라고 한다)이고, 카라무아는 어떤 식물 이름이고, 왈레라도 대나무의 일종이었다.

16세기 또 한 사람의 여행자인 슈타덴(Staden)은 말하기를, 여자는 보통 새나 물고기나 과일 이름을 붙인다고 했다. 그는 또 덧붙이기를, 남편이 포로 한 사람을 죽일 때마다 남편도 그 아내도 새 이름을 갖게 된다고 했다. 내 동료들도 이 관습을 따르고 있었다. 그래서 카라무아는 '자나쿠'라고도 불리고 있었는데, '그 사람은 벌써 남자 한 사람을 죽였으니까' 하고 누군가 내게 설명해주었다.

여기 원주민은 또 어린애가 사춘기로 접어들 때와 성인이 될 때에도 이름을 다시 하나 붙여준다. 그래서 사람마다 이름을 두세 개 또는 넷까지도 갖고 있는 셈인데, 그들은 서슴지 않고 내게 그 이름들을 대어준다. 그 이름들은 모두 흥미진진하다. 왜냐하면 같은 혈통끼리는 자기네 씨족과 관계가 있는 동시에 같은 어원에서 형성되는 몇 가지 합성어를 즐겨 사용하기 때문이다. 내가 조사한 마을의 주민들은 대부분이 '미알라트'(mialat, 멧돼지 집안) 씨족에 속했는데, 이 씨족은 '파라나와트'(Paranawat, 강의 집안) 씨족, '타콰티프'(Takwatip, 대의 집안) 씨족 및 다른 몇몇 씨족과의 통혼으로 형성된 집안이었다. 그런데 이 마지막에 든 씨족의 성원은 모두 이 식물(대)을 시조로 삼는 이름으로, 자기들 이름을 정하고 있다. 타콰메, 타콰리, 왈레라(굵은 대의 일종), 토페이(Topehi, 같은 과 식물의 열매), 카라무아(역시 식물의 일종이지만 어떤 식물인지는 밝혀지지 않았음) 등.

이 인디언들의 사회조직의 가장 놀라운 특징은 족장이 그 집단의 여성에 대해 행사할 수 있는 거의 독점적이라 할 수 있는 권리이다. 파과기를 지난 여섯 여자 중 넷이 족장의 아내였다. 남은 둘 가운데 하나, 즉 페냐나는 누이여서 결혼할 수 없는 관계이고, 또 한 사람인 위라카루는 노파여서 아무의 관심도 끌 수 없다는 것을 고려한다면, 타페라이는 실질적으로 자기가 아내로 삼을 수 있는 모든 여자를 다 손에 넣은 셈이었다. 그의 가정에서는 주된 일은 쿠냐친의 몫이었는데, 그녀는 불구인 이아노파모쿠를 제외하면, 제일 젊고 또한 대단한 미인—이 점에서는 원주민들과 민족학자의 의견이 일치했다—이었다. 서열상으로도 마루아바이는 처지고, 그녀의 딸이 위였다.

주처(主妻)는 다른 아내들보다 더 직접적으로 남편을 돕고 있는 듯했다. 다른 아내들은 부엌일, 어린애 돌보기 같은 가정일을 맡아서 한다. 어린애 키우기는 공동양육제여서 아내를 가릴 것 없이 아무의 젖이나 물리기 때문에 나는 아기의 생모가 누구인지 확실히 가려낼 수가 없었다. 반면에 주처는 남편이 어디를 가면 따라나서고, 내방자 접대에서 남편을 돕고, 선물을 받으면 그것을 간수하고, 전 가족을 다스린다. 이러한 (여자의) 처지는 내가 남비콰라족에게서 관찰한 것과는 정반대였다. 남비콰라족의 경우에는 가정의 모든 일을 다스리는 것은 주처의 일이고, 젊은 소실들은 남편의 활동과 밀접한 연관을 맺고 있었다.

족장이 집단 내의 여자들에 대해서 갖고 있는 특권은, 첫째로는 족장이 남다른 자질을 지니고 있다는 생각에 근거를 두고 있다. 그는 만사에서 다스리기 힘든 격한 기질을 갖고 있는 것으로 인정되고 있다. 그는 흔히 몽환(夢幻) 상태에 빠지곤 하는데, 그럴 때는 그가 살인 행위를 하지 (나중에 그런 예를 한 가지 들겠다) 못하게 그를 제어할 필요가 있을 때도 종종 있다. 그에게는 예언자적 능력이나 또 다른 재능도 있다. 또한 그의 성욕은 보통 사람의 수준을 훨씬 넘기 때문에 그것을 만족시키기 위해서는 많은 아내가 필요하다. 여기 원주민과 함께 기거한 2주일 동안에 나는 종종 족장 타페라이의 이상스러운 행동—그의 다른 동료들의 행동에 비해서—에 놀라곤 했다. 그는 마치 방랑벽에 걸린 환자처럼 보인다. 적어도 하루에 세 번 그는 자기의 해먹과 비를 피하기 위한 야자나무 잎사귀를 이동시키는데, 그때마다 아내들과 보좌인 포티엔과 애들이 따라나선다. 아침마다 그는 아내들과 애들을 데리고 숲속으로 사라지는데, 그것은 성교를 위한 것이라고 원주민들은 말해주었다. 반시간 내지 한 시간 후면 그들이 돌아오는 것을 볼 수 있는데, 그들은 곧 또 다른 이동을 준비한다.

둘째로는 족장이 많은 아내를 거느릴 수 있는 특권은, 자기의 동료나 방문객들에게 자기 아내를 빌려주는 행위로 해서 어느 정도는 완화된다고 할 수 있다. 포티엔은 단순한 보좌가 아니다. 그는 족장의 가족생활에 참여하고 있으며, 그로부터 나날의 양식도 공급받고 있다. 또 필요할 때는 어린애도 보아주며, 기타 다른 혜택도 받고 있다. 외래의 손님들에 대해 말하자면, 모든 16세기 저자가 이들에 대해 투피남바의 족장들이 베푼 후한 대접을 상세히 설명하고 있다. 이 환대의 의무는, 내가 이 마을에 도착했을 때부터 아바이타라를 위해 실행에 옮겨졌다. 아바이타라는 마침 임신 중이었던 이아노파모쿠를 대여받아, 내가 떠날 때까지 해먹을 함께 썼으며, 그녀에게서 음식도 제공받았다.

아바이타라가 털어놓은 바에 따르면, 이런 후대도 이해타산이 없는 것은 아니었다. 타페라이는 아바이타라에게 당시 여덟 살쯤이었던 그의 어린 딸 토페이와 교환으로 이아노파모쿠를 아주 주겠다고 제안해놓고 있는 터였다. '카리지라엔 탈레쿠 에이 니포카'(족장은 내 딸을 아내로 삼고 싶어 하고 있다). 아바이타라는 그렇게 마음이 내키지는 않았다. 이아노파모쿠는 불구의 몸이라서 반려자 역할을 할 수가 없었기 때문이었다. 냇가에 가서 물을 길어 오는 일조차 제대로 못한다는 것이었다. 게다가 그에게는 육체적으로 결함이 있는 어른과 건강하고 전도가 희망적인 소녀와의 교환은 불공평하다고 느껴졌다. 아바이타라에게는 다른 욕심이 있었다. 그는 토페이를 주는 대신 두 살 난 어린 쿠페카이를 받고 싶었다. 그의 주장에 따르면, 쿠페카이는 타콰메의 딸이니까 자기처럼 타콰티프 씨족 사람이므로, 그녀에 대해서는 모계(母系)의 숙부로서 특권을 행사할 수 있는 처지에 있다는 것이다. 그의 이 계획에 의거하면, 타콰메마저도 피멘타부에 누 전신국 마을의 다른 원주민 누군가에게 보내져야 한다는 것이다. 이렇게 하면 혼인상의 형평이 부분적으로 회복되는 셈이다. 왜냐하면 타콰리는 어린 쿠페카이와 약혼이 되어 있었으므로 일단 이 모든 거래가 끝나게 되면, 타페라이는 아내 넷 중에서 둘을 잃게 되지만 토페이로 인해 세 번째를 새로 맞게 되는 셈이기 때문이다.

이들의 논의 결과가 어떻게 되었는지 나는 모른다. 그러나 2주일간 그들과 함께 지내는 동안, 이 논의는 당사자들 사이에 긴장상태를 초래하여 때로는 정세가 매우 험악해지기도 했다. 아바이타라는 비록 자신은 서른 살 내지 서른다섯 살이었지만, 두 살밖에 안 되는 자기의 약혼자가 자기 마음속에서는 벌써 아내처럼 느껴져서 그녀를 몹시 아끼고 있었다. 그는 그녀에게 자질구레한 선물도 하고, 그녀가 냇가에서 뛰놀고 있을 때는, 그녀의 야무지게 생긴 작은 몸매를 찬미하는 데 여념이 없었으며 나에게도 그녀를 찬미하게 했다. 고것 참! 10년이나 12년 후엔 대단한 미인이 될걸!이라고 하면서. 그는 아내 없는 홀아비로 지내고 있었지만, 이 오랜 기다림도 그에게는 문제가 되지 않았다. 그는 그동안 대리 아내 역할을 해줄 이아노파모쿠에게 기대를 걸고 있었다. 이 어린 소녀가 그의 가슴에 불러일으키는 부드러운 애정 속에는 미래를 향해 펼쳐지는 에로틱한 몽상이며, 어린 것에 대한 책임감에서 오는 부성애며, 느지막이 어린 누이동생을 얻은 큰오빠에게서 볼 수 있는 애정 어린 동료애가 뒤범벅이 되어 있었다.

여성 분배에서 불공평을 완화하는 또 한 가지 방편으로서 아우가 형수를 상속받는 수혼제(嫂婚制)가 적용되고 있다. 아바이타라가 죽은 자기의 형수와 결혼하게 된 것도 이 방식을 따른 것이었다. 자기가 원하는 바는 아니었지만 아버지 명령을 거역할 수도 없었고, 게다가 늘상 끈질기게 자기 주위를 맴도는 형수의 애절한 소망을 뿌리칠 수도 없었다. 이 수혼제와 동시에 투피 카와이브족은 형제끼리의 일처다부제도 실행하고 있는데, 어린 소녀 페냐나의 경우가 바로 그 예이다.

아주 마른 체구에다 겨우 파과기에 들어선 페냐나는 남편인 카라무아와 자기의 시아주버니뻘인 타콰리와 왈레라 사이에서 공유되고 있었다. 그런데 왈레라는 나머지 둘에게서 볼 때는 단순히 유별적(類別的) 형제(민족지학 용어로서 같은 부모에게서 태어난 형제인 기술적 형제 이외의 모든 형제 관계. 예를 들면 사촌, 팔촌, 동서 등 - 옮긴이)에 불과하다. 그는 아내를 형제에게 빌려준다. 형제 사이에는 질투심이 없으니까. 보통 시아주버니와 계수 간에는 서로 피하지는 않을 망정 좀 어려워하는 것이 예사이다. 아내를 빌려주었을 때는, 아내와 그 시형제 사이에 어떤 친근성을 엿볼 수 있기 때문에 곧 알 수가 있다. 함께 수다도 떨고 웃기도 하며, 시형제 측에서 음식을 제공한다. 타콰리가 페냐나를 빌려온 어느 날, 그는 내 옆에서 점심을 먹었다. 식사를 시작할 때, 그는 동생인 카라무아에게 페냐나도 함께 먹게 좀 찾아와달라고 했다. 페냐나는 이미 남편과 중식을 먹은 후였기 때문에 배는 고프지 않았다. 그래도 그녀는 와서 한입 뜨고는 곧 가버렸다. 마찬가지로 아바이타라도 내가 있던 오두막집에서 나가 식사를 이아노파모쿠한테로 갖고 가서 그녀와 함께 먹었다.

따라서 결혼과 관련해서 족장이 갖는 특권이 야기하는 문제를 해결해주는 것은, 투피 카와이브족에서는 일부다처제와 일처다부제의 일종의 결합이라고 할 수 있다. 남비콰라족과 헤어지고 불과 수주일 후에, 지리적으로 매우 근접한 두 집단이 같은 문제에 대해서 얼마나 서로 다른 해답을 얻을 수 있는지를 직접 확인한 것은 정말 놀라운 일이다. 왜냐하면 남비콰라족에서도 역시, 이미 말한 바와 같이 족장이 일부다처의 특권을 누림으로써 젊은 남자들의 수와 그들이 아내로 삼을 수 있는 여자의 수 사이에 불균형이 마찬가지로 발생하기 때문이다. 그러나 남비콰라족은 투피 카와이브족처럼 일처다부제의 도움을 받는 대신 젊은이들이 동성애를 하는 것을 허용하고 있다. 투피 카와이브족이 그런 행위를 못된 짓이라고 혹평을 하는 것으로 봐서, 그들은 틀림없이 그런 짓을 금기로 알고 있는 모양이다. 그러나 그들의 선조에 대해서 레리가 장난스럽게 지적하고 있듯이, 그들은 싸울 때 때때로 서로를 '티비르'(Tyvire)——투피 카와이브족도 거의 비슷하게 '테우쿠루와'(teukuruwa)라고 한다——, 즉 '비역쟁이'라며 욕을 한다. 이로써 비무어 보건내——어디까지나 이것은 내 추측에 지나지 않지만——이 혐오스러운 죄악이 그들 사이에서 행해지고 있

는 모양이다

투피 카와이브족에서는 족장제는 복잡한 조직으로 이루어져 있는데, 우리들이 있었던 마을은 단지 상징적인 의미에서만 그 조직에 가담되어 있었다. 그것은, 위엄을 잃지 않은 제왕으로서의 체면을 유지하기 위해 한 사람의 충복으로 하여금 단순한 시종으로서만 자기를 따르도록 하는, 저 몰락한 작은 궁정의 처지와 조금은 비슷했다. 타페라이 곁의 포티엔은 그런 시종처럼 보였다. 주인을 섬기는 그의 열성이며 주인에게 그가 보여주는 존경심이며, 또 다른 한편으로 집단의 다른 성원이 그에게 표하는 공경심을 볼 때, 때로는 타페라이가 아직도 지난날의 아바이타라처럼 수천 명의 백성이며 부하를 휘하에 두고 있는 자가 아닌가 하고 착각을 할 정도다. 그 당시 궁정에는 적어도 네 계급이 있었다. 족장, 경호원, 소관(小官), 그리고 종자(從者). 족장은 생살권을 갖고 있었다. 16세기처럼 처형(處刑) 방식으로는 익사형(溺死刑)이 보통이었는데, 집행관은 소관이었다. 하지만 족장은 자기 부하를 돌보는 일도 한다. 그는 또 외부인들과의 담판도 직접 맡아서 하는데, 그가 그런 일에 꽤 빈틈없는 솜씨를 발휘한다는 것을 나는 직접 확인할 기회를 가지게 되었다.

나는 밥을 짓는 데 사용하는 큰 냄비 하나를 갖고 있었다. 어느 날 아침에 타페라이가 통역으로 아바이타라를 대동하고 내게 와서, 그 냄비를 달라고 했다. 그 대신에 그는 앞으로 내가 그들과 함께 있는 동안 내내 치차 옥수수술을 실컷 마실 수 있게 해주겠다고 했다. 나는 그 취사 용구가 우리에게는 없어서는 안 될 물건이라는 것을 그에게 이해시키려고 애를 썼다. 그러나 나는 아바이타라가 통역을 하는 동안, 마치 내 대답이 자기 마음에 꼭 들기라도 한 것처럼 그의 얼굴에서 환한 미소가 떠나지 않는 것을 보고 깜짝 놀랐다. 아니나 다를까 아바이타라가 내가 그의 청을 거절하는 이유를 통역하고 나자, 타페라이는 여전히 미소를 멈추지 않은 채 조금도 어려워하는 기색 없이 내 냄비를 집어들고는 자기 소지품 주머니 안에 넣어버리는 것이었다. 나는 승낙하지 않을 수 없었다.

그 후 타페라이는 약속을 어기지 않고, 일주일 동안 줄곧 옥수수와 토카리를 섞은 최고의 술을 내게 공급해주었다. 세 꼬마의 침샘이 혹 사당하는 것이 마음에 조금 걸리기는 했지만, 나는 그 술을 욕심껏 마셨다. 이 일화는 이브 데브뢰(Yves d'Evreux)의 다음 구절을 생각나게 했다. "만일 원주민의 한 사람이 자기 동료가 소유하고 있는 어떤 물건을 갖고 싶은 생각이 생기면, 그는 솔직하게 자기 생각을 그에게 말한다. 그 물건은 소유주가 매우 아끼는 물건이어야 하며, 만일 그가 그 물건을 아낌없이 내놓는다면 그것을 요구한 자는 그것을 내놓은 자가 원하는 때는 언제든지 그것을 내놓은 자가 좋아하는 물건을 무엇이든지 대신 주어야 한다."

투피 카와이브족은 자기들 족장의 역할에 대해서 남비콰라족과는 상당히 다른 견해를 갖고 있다. 그 까닭을 설명해달라는 질문을 받으면 그들은 이렇게 말한다. "족장님은 언제나 원기왕성하시잖아요." 타페라이가 어떤 상황에서도 보여주는 저 남다른 정력이 다른 어떤 것보다도 이 말을 더 잘 설명해주고 있다. 하지만 이것은 단순히 개인의 능력만을 통해서 설명될 수 있는 것이 아니다. 왜냐하면 남비콰라에서 행해지는 바와는 반대로, 투피 카와이브족의 족장의 지위는 남계(男系) 세습이기 때문이다. 페레자는 자기 부친의 후계자가 될 것이다. 하지만 페레자는 자기와 동기간인 카미니보다 더 젊게 보였다.

이 밖에도 나는 연하자가 연장자보다 우위에 설 수 있다는 것을 시사하는 자료를 수집해놓은 것이 있다. 과거에는 족장이 수행해야 할 임무 중 하나가 축제행사를 조직하는 것이었는데, 족장은 그 축제의 주인 또는 소유자라고 불렸다. 남자 여자 할 것 없이 모두 온몸을 물감(특히 토기를 칠할 때 쓰는, 그 이름이 무엇인지 알 수 없는 어떤 식물의 잎에서 채취하는 자색즙)으로 물들이고는, 노래와 음악을 수반하는 춤을 추었다. 반주는 대형 클라리넷 네다섯으로 행해졌다. 그것은 120센티미터의 길이로 끊은 대의 상단에, 측면에서 간단히 도려내서 만든, 혀가 붙은 다른 조그마한 대의 관(管)을 섬유질 헝겊뭉치를 써서 메워 넣은 악기였다. '축제의 주인'은 남자들에게 플루트 연주자를 어깨 위에 올리는 곡예를 하도록 명한다. 이것은 경기인데, 보로로족의 마리두(mariddo) 들기나 제족(Gé)의 통나무 나르기 경기를 연상케 했다.

참가자들이 쥐, 원숭이, 다람쥐 같은 작은 동물을 모아서 불에 구운 후에 끈으로 꿰어 목에다 걸고 다닐 수 있게 하는 데 소요되는 시간을 충분히 가질 수 있도록 하기 위해서, 초대는 미리 띄운다. 바퀴 굴리기 경기에서는 마을 전체가 연상자조와 연하자조의 두 조로 나뉜다. 양쪽의 조는 원형 광장의 서쪽 끝에 모여서 진을 치는 한편, 각 조에 속하는 두 굴리기 선수가 각각 북쪽과 남쪽에 자리 잡는다. 이들은 통나무를 가로로 썰어서 만든 속이 찬 바퀴를 굴려서 서로 상대방 쪽으로 보낸다. 이 과녁이 (광장의 서쪽에 자리 잡은 양쪽 조의) 사수들 앞을 지나갈 때, 각 사수는 활로 그 과녁을 맞히려 한다. 명중될 때마다 이긴 쪽이 상대방에게서 화살 하나를 빼앗는다. 이 경기는 북아메리카에 놀라울 정도로 닮은 것이 있다.

마지막에는 인형을 과녁으로 세워놓고 쏘게 한다. 그런데 이것은 약간의 위험이 따른다. 왜냐하면 받침대 구실을 하는 말뚝을 맞힌 자는 주술에 연유하는 어떤 파멸적인 운명을 피할 수가 없게 되기 때문이다. 이것은 짚으로 만든 인형이나 원숭이를 본뜬 인형 대신에 인간 모양을 한 나무인형을 감히 만들려는 자의 경우에도 마찬가지다.

일찍이 유럽을 매혹한 바 있는 한 문화의 단편들을 수집하느라 보낸 세월은 이와 같이 해서 흘러갔다. 이 문화는 내가 떠날 때, 마샤두 강 상류의 우안에서 어쩌면 그 모습을 영영 감추려 하고 있었다. 왜냐하면 1938년 11월 7일, 우루파에서 돌아온 배 위에 내가 몸을 싣는 바로 같은 시각에 원주민들은 동료들 및 아바이타라의 가족과 합류하기 위해 피멘타부에누를 향해 출발했기 때문이다.

그러나 죽음을 앞둔 한 문화가 그 안타까운 자산처분을 막 끝내려 하던 무렵에, 어떤 뜻하지 않은 일이 나를 기다리고 있었다. 그것은 어둠이 깔리기 시작해서 각자가 죽어가는 야영 모닥불의 그 희미한 불빛을 이용해서 취침 준비를 하고 있을 때의 일이었다. 족장 타페라이는 이미 자기 해먹에 누워 있었다. 그는 거의 자기의 것이라고는 생각할 수 없는, 희미하고 멈칫거리는 목소리로 노래를 부르기 시작했다. 즉시 두 남자(왈레라와 카미니)가 달려와서 그의 발목에 쭈그리고 앉았다. 그와 동시에 흥분의 전율이 이 작은 집단을 뚫고 지나갔다. 왈레라가 몇 번 소리 질러 그를 불렀다. 족장의 노래는 또렷해졌고 목소리에는 더욱 힘이 붙었다.

그러자 문득 나는 무슨 일이 벌어지고 있는지를 깨달았다. 타페라이는 어떤 희곡, 좀더 정확하게 말하자면 노래와 대사가 섞인 어떤 오페레타를 연기하는 중이었다. 그는 혼자서 열두어 인물의 역할을 하고 있었다. 그런데도 각 인물의 역할은 특별한 어조로 제각기 확실히 구별이 잘되고 있었다. 날카로운 목소리, 가성(假聲), 목구멍 소리, 저음, 그리고 본격적인 라이트모티프라고도 할 만한 악상에 의해서도 역할의 구별은 잘되고 있었다. 선율은 그레고리오 성가와 놀랄 만큼 닮은 것 같았다. 전번에는 남비콰라족의 피리가 「봄의 제전」을 나에게 상기해준 바 있거니와, 이번에 여기서는 이국적 맛을 풍기는 「결혼」(역시 스트라빈스키가 작곡한 오페라—옮긴이)을 듣고 있는 것 같은 느낌이었다.

아바이타라가 하도 그 상연(上演)에 넋을 빼앗기고 있어서, 그에게서 설명을 받아내기가 쉽지 않았지만 결국 나는 그의 도움으로 그 주제에 대한 개략적인 개념을 파악할 수가 있었다. 그것은 '자픰'이라는 이름을 가진 새(깃털이 흑색과 황색인 꾀꼬리의 일종으로, 그 억양을 수반한 울음소리는 사람의 목소리 같은 착각을 일으키게 한다)가 주인공으로 나오는 어떤 소극(笑劇)으로서, 상대역으로 나오는 동물로는 거북·재규어·매·개미핥기·맥·도마뱀 등이 있고, 물체로는 막대기·절굿공이·활 등이 있으며, 게다가 마이라(Maira)라는 유령 및 기타 정령(精靈)들도 나온다. 각 역할은 그 본성을 너무나도 잘 나타내고 있었기 때문에 나는 혼자서도 금방 그것을 식별해낼 수 있었다.

이야기는 자픰의 모험을 둘러싸고 전개되어가는데, 자픰은 처음에는 다른 동물들에 쫓겨 궁지에 몰리지만, 여러 가지 수단으로 그들을 따돌려서 결국에는 그들을 이겨내고 만다는 줄거리다. 상연은 이틀 밤에 걸쳐 되풀이(혹은 계속?)되었는데, 한 번에 약 네 시간 계속했다. 때에 따라서 타페라이는 영감에 사로잡힌 것처럼, 쉴 줄 모르고 지껄여대고 또 노래했다. 그러면 사방에서 폭소가 터졌다. 또 때로는 탈진한 사람 모양으로 목소리에서 힘이 빠지고, 한 주제를 시작했다가 그것을 끝맺지 못한 채 또 다른 여러 주제 사이를 오갔다. 그럴 때는 한 사람 또는 두 사람이 함께 나서서 그를 도왔다. 이들은 주역에게 숨돌릴 틈을 주기 위해서 멈춘 곳을 여러 번 되풀이해주거나 또는 그에게 어떤 악상을 다시 제기해주거나 또는 아예 한 역할을 대신 맡아주거나—이 경우에는 잠시 동안이지만 두 사람이 하는 진짜 극중의 대화 같았다—했다. 이렇게 해서 생기를 되찾은 타페라이는 이야기를 다시 전개해나갈 수 있게 되었다.

밤이 깊어갈수록 사람들은 이 시적(詩的) 창조가 의식의 상실을 수반하고 있으며, 또 배우는 극중 인물에게 완전히 저 자신을 빼앗기고 있는 상태라는 것을 깨닫게 된다. 그의 갖가지 목소리는 그의 것이 아니게 느껴지는데다 목소리마다 너무 특징적이어서, 그것들이 모두 같은 한 사람의 것이라고 믿기가 어려워진다. 두 번째 상연이 끝날 무렵에 타페라이는 노래를 계속 부르면서 갑자기 해먹에서 일어나서 정신 나간 사람 모양으로 그 자리에서 왔다 갔다 하기 시작했다. 그러고는 술을 갖고 오라고 외쳤다. 그는 '씌었던'(정령에 홀렸던) 것이다. 돌연 그는 단도를 집어들고 자기의 주처인 쿠냐친을 덥쳤다. 쿠냐친은 간신히 빠져나와 숲으로 몸을 피했고, 그동안 남자들이 타페라이를 제압해서 해먹으로 돌아가게 했다. 그는 곧 잠들어버렸다. 다음 날은 모든 것이 평상시와 같았다.

35 아마조니아

　기관선 운행의 기점인 우루파(Urupa)에 당도해서 다시 내 일행과
합류했다. 그들이 들어 있는 집은 칸막이를 쳐서 방을 여럿 만들어놓
은 널찍한 초가집으로 말뚝 기초 위에 세워져 있었다. 우리는 특별히
할 일도 없고 해서 그저 남은 장비를 원주민에게 팔아넘기거나 또는
닭, 달걀, 우유 — 왜냐하면 그곳에는 젖소도 몇 마리 있었으니까 —
따위와 교환하거나 하면서 한가로운 나날을 보내며 체력 회복이나
하고 있었다. 그러면서 또 한편 비로 강물이 불어서 우기에 운항하는
첫 배가 그곳까지 올라오기를 기다렸다. 아마 3주일가량은 기다려야
할 것 같았다.
　매일 아침 우리는 예비용으로 비축하고 있던 초콜릿을 우유에 넣
어서 녹이는 일을 하며, 벨라르가 에미디우의 손에서 부서진 골편(骨
片)을 긁어내고 다시 정형을 하는 작업을 바라보면서 조반 시간을 보
냈다. 이 광경에는 어딘지 역겨우면서도 매혹적인 데가 있었다. 그것
은 내 머리 안에서 여러 가지 형상과 여러 가지 위협으로 가득한 숲
의 광경과 결합했다. 나는 내 왼손을 모델로 해서, 칡처럼 꼬이고 엽
힌 몸뚱이에서 내민 여러 개 손으로 이루어지는 풍경들을 그리기 시

작했다. 이런 그림을 한 다스나 그린 후에야─이 그림들의 거의 모두가 전시에 분실되었는데, 지금은 독일의 어느 광 속에 잊혀 있는 것일까?─나는 마음이 후련해져서 다시 사물과 사람들의 관찰로 되돌아왔다.

우루파에서 마데이라강까지 이르는 지역에서는 전신국의 주재소가 고무 채취업자들의 작은 부락과 합체되어 있어서, 강변을 따라서 흩어져 사는 사람들에게는 그런대로 생활의 근거지가 되고 있다. 이들 전신국 마을은 고원지대의 그것에 비하면 그래도 나은 편이고, 이곳의 생활방식도 이제는 조금씩 악몽에서 벗어나는 중이다. 적어도 악몽의 종류가 다양화하고 있고, 지역의 산물에 따라서 그 성격도 많이 조절되고 있다. 이곳에는 '열대의 미지근한 장밋빛 눈'이라고 할 수 있는 수박을 재배하는 채소밭이 보인다. 그리고 가족들에게 '일요일의 로스트 치킨'에 해당하는 요리를 제공해줄 거북 사육장도 있다. 축제일에는 닭요리가 '갈리냐 엠 몰류 파르두'(브라운 소스 치킨)의 형태로 모습을 나타내기도 하고, 이어서 '볼루 포드레'(직역을 하면 썩은 과자)나 '샤 데 부루'(나귀의 탕, 즉 우유 친 옥수수)나 '바바 데 모사'(아가씨의 침, 시큼한 흰 치즈에 벌꿀을 친 것)도 나온다. 독이 있는 마니오크의 즙에 고추를 섞어 여러 주 동안 발효시키면, 거기서 아주 진하고 부드러운 소스를 얻을 수 있다. 한마디로 이곳은 풍요의 땅이다─아키 소 팔타 오 케 낭 템, 즉 여기는 없는 것 빼놓고는 무엇이든 다 있다.

이들 모든 요리는 '굉장한 진미'라고 할 수 있겠다. 아마존 지방의 말은 과장하기를 좋아하니까 말이다. 일반적으로 약이나 디저트는 '지독하게' 좋거나 나쁘고, 폭포는 '현기증을 일으킬 정도'이고, 사냥에서 잡은 불치는 '괴물'이고, (사람들이 어쩌다 겪게 되는 어려운) 형편은 '나락에 떨어진' 신세이다. 일상생활의 대화는 말의 재미있는 시골식 변형의 견본을 보여준다. 예를 들어 음운의 순서가 뒤바뀌는 경우, '프레시자'(precisa)를 '페르시자'(percisa: 정확한)라고 하고, '페르페이타멘테'(perfeitamente)를 '프레페이타멘테'(prefeitamente: 완전히)라고 하고, '티부르시우'(Tiburcio)를 '트리부시우'(Tribucio: 인명)라고 한다. 또한 일상대화에서는 항상 긴 침묵이 수반되게 마련인데, 그런 침묵은 '심, 세뇨르!'(그렇고 말고요!)라든가 '디스파라테!'(말도 안 돼!)와 같은 감탄사를 점잖게 내뱉을 경우에 한해서만 깨어질 뿐이다. 이들 감탄사는 (아마존의) 숲과 같은, 모든 종류의 착잡하고 흐리멍텅한 생각을 감추고 있는 것이다.

드물기는 하지만, 레가탕(regatão)이라든가 마스카테(mascate)라고 불리는 행상인 ─ 대부분 카누를 타고 여행하는 시리아인이거나 레바논인이다 ─ 이 여러 주일 동안의 여행 끝에, 모두 다 한결같이 습기에 젖어 못 쓰게 된 의약품이며 신문잡지를 갖고 올 때가 있다. 고무 채취인의 어느 오두막집에 버려져 있던 한 신문에서 나는, 4개월 늦게 뮌헨 협정(1938년 9월, 독일에 의한 체코슬로바키아의 수데텐 지방의 점령을 인정한 협정-옮긴이)과 (프랑스의) 동원령을 알았다.

숲에 사는 사람들이 초원에 사는 사람들보다는 상상력이 더 풍부한 삶을 사는 것 같다. 이들 중 시상(詩想)이 풍부한 어떤 가정에서는 아버지와 어머니가 각각 산도발(Sandoval), 마리아(Maria)라는 이름을 갖고 있어서, 그 구성 음절들의 몇 가지 결합방식을 토대로 해서 자녀의 이름을 짓고 있다. 그래서 딸들에게는 각각 발마(Valma), 발마리아(Valmaria), 발마리자(Valmarisa), 아들들에게는 산도마르(Sandomar), 마리발(Marival), 그리고 손자들에게는 발도마르(Valdomar), 발키마르(Valkimar)와 같은 식으로.

현학적(衒學的)인 사람들도 있어서 이들은 사기 아들 이름을 뉴턴이나 아리스토텔레스라고 지어주고, 아마존 지방에 아주 널리 보급되어 있는 '귀한 팅크' '동방(東方) 강심제' '고르도나 특효약' '브리스톨 환약' '영국 물' '천국(天國) 방향제' 등과 같은 이름이 붙은 약을 시용(試用)하는 데 열중한다. 황산소다를 먹어야 할 때에 이염수화 키니네를 먹고 목숨을 잃을 정도에까지 이른 것은 아니지만, 아무튼 이들은 약을 과용한 나머지 무반응증에 걸려서 치통 한 가지를 고치는 데도 아스피린 한 병을 전부 한번에 먹어야 할 정도가 되어버린다. 사실 마샤두강 하류에 있는 조그마한 창고에서는 배로 상류 쪽으로 두 종류의 상품, 즉 묘지에 쓰는 목책과 관장기밖에는 보내지 않는 듯이 보였는데, 이것은 상징적이었다.

이 '현학적' 의술 이외에도 이곳에는 하나 더 다른 의술이 있는데, 그것은 '레스과르두'(금기)와 '오라상'(기도)으로 이루어지는 민간요법이다. 여자가 임신 중인 동안에는 무엇을 먹어도 괜찮다. 산후의 첫 일주일 간은 암탉과 자고새 고기를 먹을 수 있다. 산후 40일째까지는 위의 두 가지 이외에 노루와 몇 가지 생선 — 파쿠, 피아바, 사르디냐(이들 생선은 모두 아마존 지방의 담수어이다 - 옮긴이) — 을 먹어도 된다. 산후 41일째부터는 성행위가 허용되고, 먹을 수 있는 식단에 멧돼지와 이른바 '흰 생선'에 속하는 생선들이 추가된다. 그리고 1년 동안 내내 다음 음식은 먹어서는 안 된다. 맥 고기, 물 거북, 빨강 노루, 무툼(mutum), '가죽 생선'이라고 불리는 자투아라마(Jatuarama)와 쿠리마타(curimata). 이 정보를 제공해준 사람은 다음과 같은 추가적인 설명을 해주었다. "이건, 세상이 생겨난 때부터 내려오는 하느님의 율법이 내린 명령이지요. 여자는 40일이 지나야 깨끗해지지요. 만일 이대로 지키지 않다가는 불행한 일이 생기지요. 월경이 있은 후에는 여자는 더러워요. 그러니 그 여자와 교섭하는 남자도 더러워지지요. 그게 하느님이 여자를 위해 만든 율법이거든요." 그리고 끝으로 그는 이 말을 덧붙였다. "여자란 정말 복잡한 물건이

지요!"

　아래에 소개하는 것은 요술의 세계에서 그리 멀리 떨어져 있지 않은 '오라상 두 사푸 세쿠', 즉 '말린 두꺼비의 기도'이다. 이것은 행상들이 팔고 다니는 책『성 키프리아누스의 서(書)』안에 나온다. 먼저 '쿠루루'라든가 '사푸 레이테이루'라고 불리는 큰 두꺼비 한 마리를 구해서 그것을 어느 금요일을 택해서 목까지 파묻고 나서 잉걸불을 주어 몽땅 삼키게 한다. 일주일이 경과한 후에 가보면 그것은 사라지고 없을 것이다. 하지만 그 자리에는 각기 색깔이 다른 세 가지가 달린 나무가 한 포기 돋아나 있을 것이다. 흰 가지는 사랑, 붉은 가지는 절망, 검은 가지는 상(喪)을 나타낸다. 이 기도의 이름은 두꺼비가 독수리조차도 먹기를 꺼릴 정도로 메말라버린다는 데 연유한다. 제사를 지내는 사람은 자기가 원하는 가지를 집어들고 아무도 모르는 곳에 그것을 감추어놓는다. '에 코자 무이타 오쿨타'(e cousa muita occulta: 아직도 신비로운 일은 얼마든지 있다). 이 기도는 두꺼비를 묻을 때 외운다.

　나는 너를 이곳 땅 밑 1피트에 묻노라.
　나는 너를 가능한 한 내 발 밑에 잡아두겠노라.
　너는 모든 위험에서 나를 구해줄지어다.
　나는 내 소임을 다했을 때만 너를 풀어주리라.
　성 아마루가 내 가호자를 돌봐주리라.
　바다의 파도가 내 구제자가 될 것이며,
　땅의 먼지는 내 휴식처가 되리라.
　나를 지켜주는 천사들이여, 언제나 내 곁을 떠나지 말아다오.
　그러면 악마도 나를 잡을 힘을 잃으리라.
　시각이 정확히 정오가 될 때,

그대는 이 기도를 들으리라.

성 아마루여! 그대와 잔인한 동물들의 최고의 주님들이

나의 가호자 마리테라가 될지어다.(?)

아멘.

이 밖에도 '오라상 다 파바'(Oração da fava: 누에콩의 기도문)와 '오라상 두 모르세구'(Oração do morcego: 박쥐의 기도문)도 있다.

소형 기관선이 항행할 수 있는 강의 인근에는—이곳에는 마나우스(Manaus: 브라질 아마존주의 주도-옮긴이)로 대표되는 문명이 그 4분의 3이 사라지고만 과거 문명의 잔해로만 남아 있는 것이 아니라, 적어도 일생에 두서너 번은 접촉할 수 있는 현실로서 잔존하고 있다—괴벽스러운 사람들과 발명가들이 살고 있다. 그 일례로서 어떤 전신국장은 자기와 아내와 두 아이들을 위해서 혼자서 숲 한가운데에 광대한 경작지를 개척하여 많은 축음기와 브랜디를 생산했는데, 운명은 그를 끈질기게 괴롭힌다. 그의 말이 매일 밤 흡혈 박쥐에게 습격을 받고 있었다. 그는 자기 말을 위하여 천막용 천을 갖고 갑옷을 만들어주었다. 그랬더니 말은 나뭇가지에다 문질러서 그것을 찢어버렸다. 그래서 말의 전신에다 고춧가루를 발라보기도 하고 황산동을 발라보기도 했지만, 그 흡혈 박쥐는 '무엇이든 날개로 닦아' 없애버리고는 그 가엾은 동물의 피를 계속 빠는 것이었다.

효과가 있는 유일한 방책은 멧돼지의 가죽을 벗겨서 네 장의 모피를 만든 후, 그것을 꿰매어 말에 입혀서 말을 멧돼지로 변장하는 것이었다. 결코 끝이 날 줄 모르는 그의 무한한 상상력은 그에게 좌절감을 잊게 하는 데도 도움이 되었다.—그는 (필요한 물품 조달을 위해) 마나우스로 자주 왕래하지 않을 수 없었고, 그때마다 의사에게서, 그리고 또 호텔에서 돈의 지출을 막을 수 없었는데다가, 애들마저 상점에서 점원의 감언이설에 넘어가 물건을 닥치는 대로 사는 바람에 결국 그의 모든 저축이 탕진되어버리는 것이었다.

이들 아마존 지역에서 별난 착상과 또 한편 절망에 사로잡혀 살던 가련한 사람들의 이야기를 좀더 상세히 쓸 수 있었으면 좋으련만……. 론돈과 그의 동료들처럼, 미탐험 지역의 지도 위에 실증주의 달력(실증주의자 오귀스트 콩트가 만년에 창시한 실증교에 기초해서 만든 달력으로 당시 브라질에서 유행되었다–옮긴이)에서 따온 이름들을 갖고 여기저기 여러 군데 표지를 달아놓고는, 인디언들의 공격에 대해서는 항전하느니보다 차라리 그들 중 일부가 참살당하기를 택했던 영웅 또는 성인들. 자기들 이외는 아무도 잘 모르는 어떤 부족들과의 신비로운 만남을 위해 깊은 숲속으로 달려가서 그들에게서 보잘것없는 물건을 빼앗으려다 활에 맞아 죽은 모험가들. 아무도 오지 않는 천애의 계곡에 자기만의 단명의 제국을 창건한 몽상가들. 아무도 없는 외진 곳에서 옛날 같으면 부왕(副王: 포르투갈과 에스파냐 식민지의 최고 행정관–옮긴이)의 지위를 하사받을 만한 어려운 일을 해내는 기인들. 또한 자기들보다 강한 자들이 유지하고 있는 저 도취의 희생자들――그들의 기묘한 말로는, 마샤두강변의 문데족과 투피카와이브족이 살고 있는 숲 주변에서, 모험자들이 역력히 보여주고 있다.

다음에 싣는 글은 어느 날 아마존 지방의 신문(이것은 이 지방의 교회가 발행하는 신문이다–옮긴이)에서 발췌한 서투르지만 그런대로 훌륭한 모습을 담고 있는 이야기이다.

『복음 신문』 발췌 기사(1938년)
1920년에 고무값이 하락해서 기업주(라이문두 페레이라 브라질 대령)가 세린가(파라고무나무(숲)–옮긴이)를 포기하는 바람에 이 숲은 그 후 이곳 이가라페 상 토메강의 언저리에서 거의 처녀림과 같은 상태로 버림받게 되었다. 그 후 세월이 흘렀다. 내가 브라질 대령의 소유지를 떠난 후에도 나의 젊은이로서 기백은 이 풍요로운 숲의 지울 수 없는 추억을 간직하고 있었다. 나는 고무 가격의 급락으로 빠져들었던 허탈 상태에서 빠져나오는 중이었다. 그때 베르톨레티아 에슈셀사 상사에서 훈련을 받아 일에 익숙해 있었던 나에게, 문득 상 토메에서 늘 보아오던 밤나무숲 생각이 떠올랐다. 벨렘 두 파라(Belem-do-Para)의 그랜드 호텔에서 어느 날 나는 옛날의 주인 브라질 대령과 마주쳤다. 그는 아직도 옛날 부유했던 시절의 모습을 그대로 지니고 있었다. 나는 대령에게 '그의' 밤숲에 가서 일을 해도 좋으냐고 물었다. 그는 흔쾌히 허락해주었다. 그러고는 이렇게 말했다. "그건 모두 내팽개쳐진 거야. 너무 멀기도 하고. 그리고 거긴 이제 도망쳐 나오지 못한 놈들이나 남아 있을 뿐일 거야. 모두 어떻게 살고 있는지 모르겠어. 아무튼 내가 알 바 아니지. 자네가 가도 좋고말고."

나는 얼마간의 돈을 긁어 모으고, J. 아도니아스, 아델리누 G. 바스토스, 곤살베스 페레이라 주식회사 등의 상사에 '아비아상'(본래의 뜻은 '비행'(飛行)임 - 옮긴이. 외상 상품, 즉 대출을 이렇게들 부르고 있다)을 신청하고, 아마존 리버 회사의 정기선(定期船)의 표를 사서 타파조스(Tapajoz)를 향해 출발했다. 이타이투바(Itaituba)에서 우리 일행 ─ 루피누 몬테 팔마, 멜렌티누 텔레스 데 멘돈사와 나 ─ 은 합류했다. 우리는 각기 50명씩의 남자들을 대동했다. 우리는 서로 힘을 합치기로 했고, 그리고 그것은 성공이었다. 우리는 얼마 후에 이가라페 상 토메강 하구에 도착했다. 그곳에서 우리는 버림받아 비참한 꼴이 되어버린 인간의 무리를 목격했다 ─ 멍청해진 노인네들, 걸칠 것이 없어 반라 상태인 여자들, 수족의 마디마디가 경직된 겁을 먹은 듯한 아이들.

임시 숙소가 완성되고 모든 것이 준비되자 나는 모든 종업원과 그 전 가족을 모이게 해서 그들에게 말했다. "여기 각자에 대한 보이아(貌)가 있다. 탄약과 소금과 밀가루다. 내 방 안에는 시계도 달력도 없다. 일은 우리의 못 박힌 손의 윤곽을 분간할 수 있을 때부터 시작해서, 하느님이 선사한 밤이 되면 휴식을 취한다. 이에 동의하지 않는 사람은 먹을 것을 제공받지 못할 것이다. 그런 사람들은 야자 열매의 죽과 아나자 야자의 싹에서 만든 소금(이 야자의 싹을 삶아서 쓰고 짠 찌꺼기를 걷어낸 것)만으로 만족할 수밖에 없을 것이다. 식량은 60일분이 있다. 이 시간을 활용해야 한다. 이 귀중한 시간 중 단 한 시간도 잃어서는 안 된다." 나의 동업자들도 내 본을 따랐다. 그 결과 우리는 60일 후에는 (130리터들이의 큰 통으로) 1,420통의 밤을 거둘 수 있었다. 우리는 카누에 짐을 싣고, 노를 저을 사람들을 구해서 이타이투바까지 내려갔다.

나는 루피누 몬테 팔마와 일행 중 나머지 사람들과 함께 기관선 산텔무호를 타려고 뒤처져 있었다. 배는 2주일이나 우리를 기다리게 한 후에야 도착했다. 피멘탈(Pimental)의 항구에 도착해서, 우리는 밤과 나머지 모든 사람과 함께 가이올라(증기선) 세르타네주호에 올라탔다. 그리고 벨렘(Belem)에 가서 밤을 헥토리터당 47밀레이스(2달러 30센트)로 팔았다. 불행히도 이 여행 중 네 사람이 죽었다. 우리는 그 후에는 한 번도 거기로 되돌아가지는 않았다. 그러나 내가 갖고 있는 자료에 따르면, 1936년~37년에는 밤의 시세가 최고가에 달했을 때가 헥토리터당 220밀레이스를 호가하는 실정이고 보면, 지하에 묻혀 있어서 그 소득의 확실성이 영원한 미지수인 다이아몬드와 비교할 때, 밤 사업이 우리에게 보장해주는 이이은 정말 얼마나 큰 것인지 모른다고 느껴진다. 쿠이아바의 친구 여러분!

마투그로수주에 있는 파라의 밤을 어떻게 했으면 좋을 것인지에 대해 위와 같이 말씀드리는 바입니다.

이들은 그래도 그만한 돈을 벌었으니—150명 내지 170명이 60일 동안에 3,500달러에 해당하는 돈을 벌었다—다행이지만, 내가 이번 여행의 마지막 기간에 목격한 고무 채취자들의 고통에 대해서는 과연 우리는 어떻게 생각해야 옳은 것일까?

36 세린가나무의 숲

　수액을 추출하는 주된 두 가지 나무인 '에베아'와 '카스틸로아'는
이 지방 말로는 '세린가'와 '카우샤'라고 한다. 그리고 이들 두 가지
중에서는 세린가가 더 소중하다. 세린가는 강변에서만 자라는데 이
강변이라는 것이 경계가 명확하지 않은 영역이어서 정부의 애매한
허가 정책으로, 그 소유주가 아니라 파트롱(기업주)에게 (그 개발) 권
리가 양도된다. 이 세린가나무 숲의 파트롱은 식량 및 기타 잡다한
하물의 창고를 관리하되, 독립적인 자격으로 관리하거나 또는 더 일
반적으로는 사업가 혹은 하천의 주류나 지류의 항행권을 독점하고
있는 작은 운송회사의 대리점으로서 관리하고 있다.

　고무 채취인은 우선 여러 가지 의미에서 '단골'이라고 할 수 있는
데, 사실 그는 '자기가 살고 있는 지역 상점의 단골 손님'이라는 뜻을
가지고 있는 '프레게스'(freguêz)로 처신하고 있다. 프레게스는 모든
물품을 그 상점에서 외상— '아비아상'이라고 부르는데, 실은 그 본
래의 뜻인 '비행'(飛行)과는 아무런 관계도 없다— 으로 구입한 후,
자기의 수화물 전부를 미리 외상으로 구입한 작업용 장비 및 흰 계절
분 양식의 대금과 상쇄하여 (부족하면) 부채로 처리하는 대신에 '콜

로카상'(collocação)이라고 불리는 터를 양도받게 되어 있다. 이 터는 '에스트라다스'(estradas)라고 하는 고리 모양의 몇 갈래 통로를 말하는데, 통로의 끝은 강 언덕 위에 세워진 오두막집이고, 다른 쪽은 마테이루(mateiro: 숲지기 - 옮긴이)나 아주단테(ajudante: 보조(원) - 옮긴이)라고 불리는 파트롱의 또 다른 고용원들이 미리 표지를 붙여놓은, 숲속의 나무즙을 생산하는 주된 수목들하고 통하고 있다.

매일 아침 이른 새벽에 (어두울 때 일하는 것이 좋다고들 생각하고 있으니까) 세린게이루(seringueiro: 고무 채취인 - 옮긴이)는 파카(faca)라고 불리는 구부러진 칼과 코론가(coronga)라고 불리는 광부 모양으로 모자에 매다는 등불을 준비하고 자기의 통로를 따라나선다. 그는 세린가나무에 '깃발 모양으로 새기기' 또는 '물고기 뼈 모양으로 새기기'라고 불리는 정교한 기법을 써서 새긴다. 왜냐하면 잘못 새겨진 나무는 수액을 내지 않게 되거나 아주 말라버릴 우려가 있기 때문이다.

오전 10시쯤에는 150에서 180본의 나무에 새김 작업이 끝난다. 점심을 먹고 나서 세린게이루는 자기 통로로 다시 되돌아가서 나무줄기에 매어놓은 함석통에 아침부터 흘러내린 수액을 거둔다. 그리고 그 통의 내용물을 손으로 만든 고무액을 먹인 거친 무명 헝겊 부대 안에다 비운다. 집으로 돌아와서 오후 5시쯤에는 제3단계의 작업이 시작된다. 그것은 성형(成形) 중인 고무 공을 '비육하는 작업'으로서, 불 위에 옆으로 매달아놓은 막대기에 감겨 있는 고무 덩어리에 고무 유액(乳液)을 서서히 입혀주는 일이다. 연기가 유액을 엷은 층으로 응고해가면, 그것을 막대기를 천천히 회전시키면서 평평하게 고른다.

지방에 따라서 차이가 있지만 30에서 70킬로그램까지의 표준 무게에 달하게 되면, 고무 덩어리는 완성된 것으로 간주된다. 세린가나무가 피폐해 있으면 덩어리 하나를 만드는 데 수주일씩 걸린다. 이렇게 만들어진 덩어리—수액의 질과 제조기술에 따라서 종류는 다양하다—를 하천가에다 놓아두게 되면 매년 파트롱이 와서 수거하게 된다. 파트롱은 그것을 자기 창고에서 '펠레스 데 보라샤'(peles de boracha: 고무 가죽) 형태로 압축한 후, 다시 뗏목으로 짜서 마나우스나 벨렘까지 흘려 보낸다. 그리고 도중에 폭포를 넘을 때마다 뗏목이 풀어져서 산산이 흩어지면, 폭포수 아래서 참을성 있게 그것을 몇 번이고 다시 엮어매야만 한다.

그러므로 복잡해질 때가 많은 이런 상황을 단순화하기 위해서 세린게이루는 파트롱에 귀속하고, 파트롱은 주요 항로를 장악하고 있는 수운회사에 귀속하게끔 제도가 바뀐 것이다. 이 제도는 아시아 농장의 고무가 브라질에서 채취되는 고무와 경합하게 된 1910년부터 발생한 시세폭락에 연유한다. 빈곤한 사람들을 위한다는 점을 빼놓고는 고무 채취사업이 흥미를 잃었는데도 세린가 숲지대에서는 상품들이 시장 가격의 거의 4배로 팔리고 있어서, 하천 운송사업은 그만큼 더 벌이가 되고 있었다. 유력 운송업자들은 고무에서 손을 떼고, 현재의 체제를 위험부담 없이 유지해나갈 수 있는 화물만을 취급하기로 하고 있었다. 그 까닭은 운송업자가 운임 인상을 결정하는 문제에서나 손님에게 상품 공급을 거절하는 문제에서나 파트롱을 마음대로 할 수 있었기 때문이다. 왜냐하면 창고가 비어버린 파트롱은 손님을 잃게 되고, 그렇게 되면 손님은 외상도 갚지 않고 사라지거나, 아니면 그 자리에서 굶어서 죽거나 하게 되기 때문이다.

파트롱은 운송업자의 손아귀에 들어 있고, 손님은 파트롱의 수중에 있다. 1938년에 고무값은 대호황 말기 가격의 50분의 1 이했다. 지난 세계대전 동안에 일시적인 시세 상승이 있기는 했어도 현재 상황이 호전되었다고는 할 수 없다. 마샤두강 연안에서 한 남자가 채취하는 양은 해에 따라 200에서 1,200킬로까지 변동이 있다. 아무리 잘 보아주어도 이 수입을 가지고서는 1938년 당시에는 생계 유지에 필요불가결한 쌀, 흑강낭콩, 말린 고기, 소금, 총탄, 석유, 면포 등 필수품의 약 반밖에는 살 수가 없었다. 부족분은 한편으로는 사냥으로, 또 다른 한편으로는 빚으로 충당하게 되는데, 입주하기 전부터 이미 시작된 이 부채는 죽을 때까지 불어나가는 것이 보통이다.

1938년 현재 어떤 4인 가족의 1개월분 가계를 여기에 옮겨 싣는 것은 불필요한 일이 아닐 것이다. 원한다면 쌀의 킬로그램당 가격의 변동에 따라 시가 환산을 해볼 수 있을 것이다.

	단가 (밀레이스)	합계 (밀레이스)
요리용 기름 4킬로그램	10,500	42
설탕 5킬로그램	4,500	22,500
커피 3킬로그램	5	15
석유 1리터	5	5
비누 4개	3	12
소금 3킬로그램(불치 절이기용)	3	9
탄환 20발(44구경)	1,200	24
담배 4파운드	8,500	34
담배말이 종이 5철	1,200	6
성냥 5갑	0.500	5
후춧가루 100그램(절이기용)	3	3
마늘 2뿌리	1,500	3
연유 4캔(유아용)	5	20
쌀 5킬로그램	3,500	17,500

마니오크가루 30리터	2,500	75
샤르케(말린 고기) 6킬로그램	8	48
합계		341

1년간의 가계로 볼 때는 이 밖에도 1938년의 가격으로, 30에서 120밀레이스 하던 면포 한 단, 한 켤레 40에서 60밀레이스 하던 구두, 50에서 60밀레이스 하던 모자, 바늘, 단추, 실, 그리고 소비량이 매우 큰 의약품 등도 추가해야 한다. 참고로 키니네나 아스피린 1정 — 가족마다 매일 1정씩은 필요했다 — 은 1밀레이스였다. 또 참고해야 할 것은, 이 당시는 마샤두강 유역에서 1년 중 제일 수확이 좋은 시절의 한 계절 동안 — 고무 채취는 4월에서 9월에 걸쳐 행해진다. 강우기에는 숲을 지나다닐 수 없다 — 에 벌어들일 수 있는 금액은 2,400밀레이스 — 피나(fina: 상등품 - 옮긴이)는 1936년에 마나우스에서 킬로그램당 4밀레이스로 팔렸는데 그중 반은 생산자가 챙겼다 — 였다. 따라서 세린게이루에게 딸린 어린 것들이 없어서 불치와 계절 노동이 없는 시기에 직접 재배해서 만드는 마니오크가루만을 먹고산다 하더라도, 그의 최소한의 식비가 벌써 이 예외적인 수입을 몽땅 삼켜 먹어버리는 셈이다.

그것이 자기 때문이건 아니건 그것과는 상관없이, 파트롱은 늘 파산의 공포 속에서 떨며 산다. 만일 자기 단골이 선불조로 빌려준 것을 갚지 않고 사라지면 파산은 코앞에 닥친 것이다. 그래서 파트롱이 데리고 있는 감독이 무장을 하고 강 위에서 감시를 한다. 투피 카와이브족과 헤어진 지 며칠도 안 되었을 때, 강에서 우연히 있었던 해후는 내 추억 속에 세린가 숲 자체에 대한 이미지로 남을 것이다.

다음은 1938년 12월 3일자의 내 여행 수첩에서 베낀 구절이다.

"10시쯤, 찌푸린 날씨에 무덥다. 우리들의 카누는 야윈 남자 한 사람과 그 아내—곱슬머리의 뚱뚱한 혼혈녀—와 열 살쯤의 어린이가 탄 몬타리아(montaria: 일종의 카누—옮긴이)와 마주친다. 그들은 몹시 지쳐 있었고 여자는 눈물을 흘리면서 이야기를 끝냈다. 그들은 마샤디뉴(Machadinho)강으로의 6일간의 탐색여행에서 돌아오는 길이었다. 카쇼에이라(폭포)가 열한 군데나 있었고, 그중 하나인 자부루에서는 바라상 포르 테라(배를 육로에서 운반하기)를 해야만 했다. 그들은 단골의 한 사람을 찾으러 간 것이었는데, 그 단골은 선불 채무를 진 후 '상품이 너무 비싸서 계산을 치를 엄두가 나지 않는다'라고 쓴 쪽지를 남기고는, 카누에 자기 소지품을 싣고 아내와 도망을 쳤다. 콤파드레(compadre: 대부(代父)—옮긴이)인 가에타누의 고용인들이 자기들의 책임이라고 몹시 당황해서, 그를 잡아 파트롱에게 넘겨주려고 그의 추적길에 나섰단다. 그들은 라이플총을 휴대하고 갔다는 것이다."

라이플총이란 사냥이나 또는 경우에 따라서는 그 밖의 용도로도 사용하는 카빈총—보통 구경 44의 윈체스터 총—을 두고 하는 말이다.

그로부터 몇 주일 후에 나는 마샤두강과 마데이라강 합류점에 있는 칼라마 주식회사의 상점 입구에 다음과 같은 게시문이 붙어 있는 것을 보았다.

특별 고급품
참기름, 버터, 우유
파트롱의 특별 지시가 있는 경우에 한해
외상 판매합니다.
그렇지 않을 경우에는 즉시불로

현금 또는 등가의 현물과 교환으로
판매합니다.

그 바로 아래에는 다음 게시가 붙어 있었다.

반들반들한 머리카락
유색인에게도 좋습니다
머리카락이 아무리 짧고 곱슬곱슬해도,
신제품 알리잔테를 쓰시면
머리가 매끈해집니다.
유색인이라도 계속해서 바르시면
머리카락이 매끈매끈해집니다.
판매처: 마나우스 우루과이아나 가의 '큰병집'

　사실 질병과 가난에 익숙해져버린 이곳 주민에게는 세린가숲의 생활이 내내 우울한 것만은 아니다. 고무값이 치솟아서 고무 채취인들이 강의 합류점에 판잣집 살롱――도박판이 벌어지던 소란스러운 놀잇집으로, 이곳에서 고무 채취인들은 하룻밤 사이에 수년 간 모은 돈을 잃어버리고는 그다음 날부터는 마음 약한 파트롱에게 선불을 애걸해서 재출발을 하곤 한다――을 지어놓고 즐기던 일은 아마도 먼 옛날이야기가 되었나 보다. 나는 아직도 '바티칸'이라는 지난날의 영광을 상기시키는 이름으로 잘 알려진, 그런 폐옥을 하나 알고 있다. 일요일이면 사람들은 줄무늬가 있는 비단 파자마를 입고, 중절모를 쓰고, 반질반질 닦은 구두를 신고, 거장(巨匠)이 독주하듯이 권총의 명수가 구경이 각가 다른 여러 권총을 갖고 총소리로 여러 가지 곡을 연주하는 것을 구경하러 나가곤 했다.

그러나 지금은 세린가숲에서는 아무도 사치스러운 파자마를 살 수가 없다. 하지만 고무 채취인들과 일시적으로 동거생활을 하는 젊은 여자들이 이곳에 아직도 어떤 알 수 없는 매력을 유지하고 있다. 이 동거생활을 이곳에서는 '카자르 나 이그레자 베르데'(파란 교회에서 결혼한다)고 부르고 있다. 이 '물레라다'라고 불리는 여자들은 이따금 각자가 5밀레이스의 돈을 내거나, 아니면 커피와 설탕을 내거나, 그렇지 않으면 다른 사람들 집보다 약간 넓은 자기 집을 개방하거나, 또는 밤새 기름과 램프를 대거나 해서 무도회를 연다. 그녀들은 살갗이 들여다보이는 얇은 옷을 입고 짙은 화장을 하고 머리손질까지 한 차림으로 무도회장으로 와서는 입구에서 집주인들의 손에 키스를 한다.

그녀들의 얼굴 화장은 곱게 보이기 위해서라기보다는 건강하게 보이기 위해서이다. 그녀들은 루즈와 분으로 매독이나 결핵이나 말라리아를 감추려는 것이다. 그날 밤말고는 연중 내내 몸에는 누더기를 걸친데다 머리는 헝클어진 자기 '남자'하고 세린게이루(고무 채취인)의 바라캉(판잣집)에서 함께 살고 있는 주제에, 그날 저녁만은 말쑥히 단장하고 하이힐을 신고 오두막집에서 나선다. 게다가 무도회의 옷차림으로 진흙탕 숲길을 2, 3킬로미터나 걸어야 했을 터이니, 정말 안타까운 일이다. 그리고 또 그날도 종일토록 비가 내린 것으로 봐서, 아마도 몸단장을 하기 위해서는 밤에 비를 맞으면서 더러운 '이가라페'(개천)에서 몸을 씻고 옷을 입어야 했을 것이다. 이 덧없는 문명의 겉치레와 출구에서 기다리는 소름끼치는 현실과의 대조는 정말 기막힌 일이 아닐 수 없다.

서투르게 재단된 야회복은 인디언 특유의 몸매를 돋을새김으로 보여준다. 높고, 거의 겨드랑이 밑에 자리 잡은 젖가슴은 불룩한 배를 팽팽하게 감싸고 있는 천에 눌려 있다. 윤곽선이 아름다운 작은 팔과 가느다란 다리. 손목 팔목도 가늘고 예쁘장하다. 흰 린네르 바지에다 큰 구두, 파자마 저고리를 착용한 남자가 자기 파트너를 데리러 온다. 이미 말한 것처럼 이 여자들은 결혼한 상태에서 살고 있는 것은 아니다. 단지 '콤파녜이라'(동반자, 파트너)라는 신분일 뿐이므로, 때에 따라서는 아마지아다(남자에게 고용이 되어서 살림을 맡아서 해주는 여자)의 상태에 있을 수도 있고, 또 때로는 데조쿠파다(고용이 안되어서 몸이 비어 있는 여자)의 상태에 있을 수도 있다. 남자는 여자의 손을 잡고, 소리를 내며 타고 있는 '파롤'(석유 램프)의 조명을 받으면서 '바바수'(야자나무의 일종 -옮긴이)의 짚으로 만든 '팔란케'(무도장 -옮긴이)의 한가운데로 들어선다. 그러고는 쉬고 있는 남자가 '카라카샤'(몽상자)를 흔들면서 잡아주는 박자에서, 강박자일 때 들어서려고 잠시 멈칫하다가 뛰어든다. 그리고 춤을 추기 시작한다. 하나 둘-셋, 하나 둘-셋……. 구두가 말뚝 위에 세워진 마룻바닥을 문지르는 바람에 마루판이 울리는 소리가 난다.

이곳 사람들이 추는 춤은 옛날 스텝이다. 특히 같은 후렴만을 무한히 되풀이하는 '데스페이테라'가 그렇다. 이 후렴과 후렴 사이에 아코디온─비올랑(손톱으로 켜는 6현의 악기 -옮긴이)과 카바키뉴(현이 넷인 악기 -옮긴이)가 가세할 때도 있다─이 잠시 휴식을 취하는 동안에 모든 신사가 차례차례로 은연중에 조롱 아니면 사랑을 함축한 이행시를 숙녀들에게 즉흥적으로 읊을 수 있도록 하는 기회가 주어진다. 이에 대해서 숙녀들은 또 숙녀들대로 같은 이행시로 응답을 해주어야 하는데, 그녀들이 '콤 베르고냐'해서(부끄러워서) 당황하는 바람에 그것은 그리 쉽지 않다. 어떤 이는 얼굴을 붉힌 채 아무 대답도 못하는가 하면, 또 어떤 이는 마치 학교에서 복습해온 것을 암송하듯이 빠른 목소리로 무슨 뜻인지 알 수 없는 말을 한꺼번에 외어버리기도 한다. 다음은 우르파에서 어느 날 밤에 우리를 겨냥해서

(어떤 남자가 자기 파트너에게) 즉흥적으로 만든 이행시였다.

의사님, 교수님, 박물관 나리 세 분 중에서
마음에 드는 분은 어느 분인고.

다행히도 이 즉흥시를 접한 가련한 파트너는 아무 대답도 하지 못
하고 말았다.

무도회가 며칠 간 계속되는 경우에는 여자들은 저녁마다 야회복을
바꾸어 입는다.

남비콰라족은 나를 석기 시대로 돌아가게 했고 투피 카와이브족은
나를 16세기로 데려다주었다. 하지만 이곳에서는 나는─서인도 제
도의 작은 항구나 (브라질의) 해안지방에 가도 아마 누구나 같은 생
각을 하게 될 것 같다─18세기에 있는 것 같은 느낌이 들었다. 나는
이제 대륙을 하나 횡단한 셈이다. 나는 (내가 접하고 있는) 시대가 옛
적으로부터 현대로 이행하고 있다는 이 사실에서부터 우선 내 여행
의 끝이 임박했다는 것을 느끼게 되었다.

제9부
귀로

37 신이 된 아우구스투스

이번 여행의 숙박지 중에서 제일 비참한 곳은 캄푸스 노부스 (Campos-Novos)였다. 전염병으로 80킬로미터 후방에서 발이 묶여버린 동료들과 헤어진 나는 전신국 마을의 언저리에서 기다릴 수밖에 없었다. 한데 이곳에서는 열두어 명가량의 사람이 말라리아, 라이슈마니아 기생충병, 십이지장충병 따위 때문에, 그리고 무엇보다도 특히 굶주림 때문에 빈사상태에 있었다. 빨래를 시키려고 내가 채용한 파레시족 여자는 일을 시작하기 전에 비누를 달라고만 하는 것이 아니라 밥도 달라고 했다. 그녀의 변명인즉, 밥을 먹지 않고는 도저히 빨래를 할 힘이 없다는 것이었다. 그것은 거짓이 아니었다. 이 사람들은 살아갈 능력을 이미 잃고 있었다. 생존을 위한 투쟁을 하기에는 너무 약하고 너무 병들어버린 이들은, 활동도 욕구도 되도록 줄임으로써 육체의 소모를 최소화하는 동시에 자기들의 참담함을 덜 의식하게 해줄 수 있는 일종의 허탈상태에 빠져들기를 자청하고 있었다.

그렇지 않아도 의기소침한 이런 분위기에다가 설상가상으로, 이곳 인디언들은 또 그들 나름대로 불 난 집에 부채질을 하고 있었다. 캄푸스 노부스에서 맞부딪친 바 있는 서로 적대관계에 있는 두 패거리가 언제 완력 싸움을 벌이게 될지 모르는 불안한 관계를 유지하면서, 내게 대해서도 저희들 상호 간의 관계에 못지않은 나쁜 감정을 쌓아가고 있었다. 나는 경계 태세를 늦출 수가 없었고, 따라서 민족지학의 일은 사실상 불가능했다. 보통 때도 현지조사란 시련의 연속이라고 할 수 있다. 날이 밝자 일어나서 최후의 한 사람까지 인디언들이 잠들어버릴 때까지 눈을 떠 있어야 하고, 때로는 그들이 잠에서 깨어나는 것을 감시해야 한다. 그들과 함께 있을 때도 그들의 시선을 끌지 않도록 조심을 해야 한다. 모든 것을 보고, 모든 것을 기억하고, 모든 것을 노트해야 하며, 굴욕적인 실수를 저지를 각오가 되어 있어야 하며, 코흘리개 어린애에게 정보를 구걸해야 하며, 그들이 기분 좋을 때나 경계심 없이 마음이 풀려 있을 때를 이용할 줄 알아야 한다.

하지만 또 때로는 부족 사람들의 전체적 분위기가 급변했을 경우 여러 날 동안 계속해서 모든 궁금증을 억제하고 근신상태에서 살 줄도 알아야 한다. 이와 같은 딱한 일을 수행하려고 조사자들은 제 몸과 마음을 썩인다. 그러고 보면 조사자는, 얼마 안 있으면 종족 전체가 뿌리째 사라져버리고 말 50~60명의 사람과 함께 지내도 좋다는 묵인을 얻어냈다는 겨우 그런 결과 하나를 얻어내기 위해서 자기의 정든 고향이며 친구들이며 습관을 버리고, 이렇게 많은 경비와 노력을 치르고 건강까지도 위태롭게 만들어버린 셈이란 말인가! 이들이 하는 주된 일이라고는 이를 잡거나 잠을 자거나 하는 것밖에 없는데도 조사자의 일의 성패 여부는 이들의 변덕에 달려 있다.

이곳 캄푸스 노부스의 경우처럼, 원주민의 기분이 노골적으로 좋지 못할 때는 사태는 악화된다. 인디언들은 심지어 자기들의 모습을 보이기조차 꺼린다. 예고도 없이 여러 날 동안 사냥하러 나가거나 식량 채취를 위해 모습을 감추어버린다. 그럴 때는 별수 없이 그토록 힘들여 획득한 선린관계를 다시 회복하기를 희망하면서, 그저 기다릴 수밖에 없다. 제자리걸음을 하거나, 우왕좌왕하거나, 아니면 옛날의 노트를 끄집어내어 다시 읽어보거나, 베끼거나, 해석을 해보거나, 또는 이야말로 정말 이 직업의 희화라고 할 수 있는 일이지만, 난로와 난로 사이의 거리를 재본다거나, 사람이 들어 살고 있지 않은 오두막의 건축에 쓰인 나뭇가지를 하나하나 자세히 검사해본다거나 하는, 세밀하지만 무의미한 일을 해보거나 하면서…….

이럴 때는 으레 이런 자문을 하게 된다. 나는 무엇을 하러 여기 왔는가? 무슨 기대를 걸고? 무슨 목적으로? 도대체 정확하게 말해서 민족학 조사란 게 무엇이란 말인가? 연구실과 실험실이 자택에서 수천 킬로미터 떨어진 곳에 있다는 차이점은 있다고 하더라도, 이것이 도대체 다른 직업에서와 같은 정상적인 직업의 수행이라고 할 수 있단 말인가? 아니면 내가 태어나서 자라난 생활 체제를 비판하고 재고한 나머지, 내가 극단적인 직업 선택을 한 결과란 말인가? 내가 프랑스를 떠난 지도 5년이 다 되어가고 있었다. 나는 대학의 교수직을 버렸다. 그동안에 더 현명한 내 동기생들은 대학에서 승진을 거듭하고 있었다. 나 자신도 과거에 한 번 그랬지만, 정치 쪽으로 관심을 기울인 친구들은 벌써 의원이 되어 있고, 곧 장관이 될 것이다. 그런데 나는 어떠냐면 인간 폐물들을 쫓아다니느라고 지구의 외진 곳만 찾아다니고 있다.

도대체 누가, 또 무엇이 나로 하여금 내 인생의 정상적인 진로를 폭파하게 만들었단 말인가? 혹시 그것은 장차 내게 유리하게 작용하게끔 되어 있는 어떤 이점을 덧붙여서, 다시 나를 본래의 인생 궤도로 되돌아오게 하려는, 나 자신이 꾸민 하나의 술책 내지 교묘한 우회로가 아니있을까? 그것도 아니라면, 내가 취한 결정이 내가 소속하고 있는 사회집단과 나의 공존 불가능성을 예고하고 있었단 말인가? 그래서 그 결과로 나는 기어코 그 사회와 점점 더 격리된 상태에 서밖에 살지 못하게 운명지어져 있었단 말인가? 이상한 역설이지만 나의 모험생활은 어떤 새로운 세계를 내 앞에 전개해주지는 않고, 오히려 이전의 세계를 내 마음속에 소생해주었고, 반면에 내가 찾아나섰던 세계는 점점 내게서 멀어져가는 것이었다. 내가 정복하려고 나섰던 인간들이며 풍경들은 내가 그것들을 손에 넣는 순간부터 내가 처음에 기대했던 의의를 상실해가는 것이었다. 그러고는 내 눈앞에 출현하자 나를 실망시켜버리는 이들 영상은, 과거에 내가 머릿속에 담아놓았던 다른 영상과 자리바꿈을 해버리는 것이다—그것도, 나를 에워싼 현실과 연결이 돼 있는 동안은 내가 거의 무시하다시피한 영상과 말이다.

일찍이 사람들의 시선이 전혀 닿은 적이 없는 여러 지역을 탐색하면서, 수천 년이라는 시간의 흐름을 거슬러 올라갈 수 있게 해주는 (나보다 먼저 원주민이 치른) 대가(원주민이 아직도 '궁핍한' 원시생활을 계속해주기 때문에 나는 수천 년 전의 역사를 탐사할 수 있으니, 대가는 원주민이 일단 먼저 치른 셈이다-옮긴이)라고 생각해야 할 궁핍 속에서 원주민과 함께 생활을 해봤을 때도 나는 거기서 내가 찾고 있던 민족이나 풍경은 볼 수가 없었다. 내가 대신 본 것은 내가 자청해서 떠나버린 프랑스의 아른아른한 시골풍경이나, 아니면 인생에 대해서 부여하던 의미를 부정하는 위험을 무릅쓰면서까지 내가 스스로 포기했던—내 자신이 원해서 포기한 것이 아니냐고 나 자신에게 여러 번씩이나 다그쳐야만 했다—한 문명의 가장 전통적인 표현이라고 할 수 있는 음악과 시의 단편이었다.

수주일 동안 이 서부 마투그로수 고원에서 내 머리를 떠나지 않았던 것은 나를 둘러싸고 있었던 영영 다시 보지 못할지도 모르는 주변의 현실이 아니라, 내 어설픈 기억력 때문에 한결 빛이 바래어버린 진부한 「쇼팽 연습곡 제3번, 작품 10」의 선율이었다. 그 선율은 내 마음의 고민을 조롱이라도 하듯이 내가 버리고 떠난 모든 것을 잘 요약해주는 것 같았다.

특별히 좋아하는 것도 아니었는데, 왜 하필이면 쇼팽이었을까. 바그너를 숭배하게끔 교육받아온 내가 드뷔시를 알게 된 것은 극히 최근의 일로서, 내가 「혼례」의 두 번째인가 세 번째 연주(스트라빈스키의 「혼례」는 1923년에 파리에서 초연된 작품으로, 당시 15세였던 저자는 그 두 번째나 세 번째 연주를 들은 듯하다-옮긴이)를 듣고 스트라빈스키 안에서 중부 브라질의 사바나(대초원)보다도 내게는 더 현실적이고 더 실질적이라고 느껴지는 새로운 세계를 계시받고서 그때까지의 내 음악세계가 완전히 붕괴돼버리는 것을 경험한 일이 있는, 그 뒤의 일이었다. 그러나 내가 프랑스를 떠났을 당시에는, 내게 필요했던 정신적 양식을 제공해준 것은 「펠레아스」(1902년에 파리에서 초연한 드뷔시 작곡의 오페라 「펠레아스와 멜리장드」-옮긴이)였다. 그런데도 왜 쇼팽이, 그것도 그의 작품 중에서도 제일 평범한 것이 이 황야에서 내 마음을 잡아버렸을까? 내가 당연히 해야 하는 관찰 작업에 몰두하는 것보다는 이 문제를 푸는 데 더 열중하고 있었던 나는, 쇼팽에서 드뷔시로 옮겨가는 진보가 만일 반대방향으로 이루어진다면 진보는 더욱 확대될 것이 아니겠느냐고 자문하기도 해봤다.

나로 하여금 드뷔시를 좋아하게 만든 그 환희를 당시 나는 쇼팽 안에서도 느꼈으나, 좀 모호하고 불확실한 형태로 느꼈던 모양이다. 그 느낌이 하도 흐려서 처음에는 나는 그것을 깨닫지 못하고 있다가 나중에는 한꺼번에 폭발하는 기쁨을 억제하지 못했다. 나는 이중으로 진보한 셈이었다. 왜냐하면 드뷔시 이전의 이 작곡가의 작품을 깊이 이해하게 됨으로써 그 작품 속에서, 드뷔시를 먼저 알지 못한 사람은 맛보지 못할 아름다움을 찾아낼 수 있었으니까 말이다. 나는 쇼팽을 몹시 좋아하되, 그를 좋아하는 나머지 음악 애호의 발전이 그에게서만 멈추어버리는 사람들처럼(이런 사람들은 결국 그를 제대로 좋아한다고 할 수는 없는 것이지만), 그런 방식으로는 좋아하지 않는다. 게다가 나는 내 마음속에 어떤 감흥을 불러일으키는 데 완전한 형태의 자극까지는 필요하지가 않았다. 어떤 형태의 신호나 암시나 전조만 있으면 그것으로 충분했다.

길고 긴 여행이 계속되는 동안 내내, 같은 한 구절의 선율이 내 머릿속에서 계속 연주되었고 나는 거기서 해방될 수가 없었다. 그것은 들으면 들을수록 늘 새로운 매력을 느끼게 했다. 그것은 처음에는 무기력하게 시작되었다가 점차 마치 그 끝을 감추기라도 하려는 듯이, 그 선율의 실을 비비 꼬아서 마구 얽히고설키게 하는 것 같았다. 마침내는 그 얽힘을 풀 수 없을 정도가 되어 그 혼란에서 어떻게 헤어나와야 할지 불안스러워지는 것이었다. 그러다가는 갑자기 어떤 하나의 선율이 나타나서 모든 것을 해결해주었다. 그 선율은 그에 앞서 있었던 이 선율을 부르기 위한, 그리고 또 이 선율을 가능하게 만든, 위험스러운 준비단계의 곡보다 더욱더 대담스러워 보였다. 그 선율을 듣고 보면 바로 앞의 전개가 갖고 있는 새로운 뜻을, 즉 그런 전개를 추구해온 것이 결코 우연한 것이 아니고, 이 예기치 않은 해결을 위한 준비 과정이었다는 것을 이해할 수 있게 되었다. 나는 이런 생각이 들었다. '그러고 보면 여행이라는 것이 이런 것인가 보다. 나를 둘러싸고 있는 이 황야를 탐사하는 것이 아니라, 오히려 내 마음속의 황야를 탐색하는 것이로구나.'

짓누르는 더위에 눌려서 지쳐버린 만물이 잠들어버린 듯한 어느 날 오후, 나는 답답한 공기를 더욱 숨쉬기 어렵게 만드는 촘촘한 모기장—그런대로 '악마'(그곳에서는 모기를 이렇게 부르고 있었다)들에게서는 보호된 상태에서—안의 해먹에 몸을 쭈그리고 누워 있었는데, 그때 문득 나는 나를 괴롭히고 있는 여러 가지 문제가 희곡의 재료가 될 수 있을 것이라는 생각이 들었다. 내 머리에는 희곡이 벌써 완성되어 있었던 것처럼 그 내용이 선명하게 떠올랐다. 마침 인디언들이 다 어디론지 사라지고 없었던 때여서 나는 아침부터 저녁까지 엿새 동안을 계속 낱말과 스케치와 계보 등으로 가득 메워진 종이쪽들의 뒷면에다 마구 써나갔다. 그러고 난 후에는 일에 몰두하던 나에게서 영감은 영영 사라져버리고 다시는 되돌아오지 않았다. 마구 갈겨썼던 이때의 글을 지금 다시 읽어보아도 그렇게 된 것을 조금도 후회할 것이 못 된다고 여겨진다.

내 희곡은 제목이 「아우구스투스 신으로 받들어지다」였는데, 「시나」(Cinna: 1642년에 발표된 코르네유의 희곡-옮긴이)의 신판이라고 할 만한 것이었다. 등장인물로는 어린 시절의 친구였던 두 남자가 나오는데, 이들은 서로 방향이 다른 인생 항로의 중대한 고비에서 다시 만나게 된다. 이들 중 문명을 역행하는 선택을 했다고 스스로 생각하던 남자는, 자기가 문명으로 복귀하기 위한 복잡한 수단을 사용한 데 불과하며, 또한 선택을 하지 않을 수 없었을 때의 그 어려운 양자택일의 가치와 의미를 스스로 무효화해버리는 행동을 취한 데 불과한 것이라는 것을 나중에 와서야 깨닫게 된다. 또 한 사람은 사회생활과 그것의 영예를 위해서만 태어난 것 같은 사람으로, 자기가 하는 모든 노력이 궁극적으로는 허무로 귀착해버리고 말게끔 되어 있는 하나의 종말점을 향하는 것이라는 것을 깨닫게 된다. 이들 둘은 서로 상대방을 멸망시키려고 노력하면서, 죽음을 대가로 해서라도 각기 자기의 과거의 의미를 살리려고 안간힘을 쓴다.

희곡은, 원로원이 제국(帝國)보다 더 높은 영광을 아우구스투스에게 바치기 위해 그를 신으로 받들기로 결의하고, 아우구스투스를 현세에 인간으로 살아 있는 상태에서 신들의 서열에 추가하는 준비를 하는 장면으로 시작된다. 궁전의 뜰에서 두 호위병이 이 행사 이야기로 토론을 벌이면서 자기들의 처지에서 볼 때 장차 이 일이 어떤 결과를 낳을 것인지 짐작들을 해보고 있다. 호위의 일이 앞으로 불가능해지는 것이 아닐까? 자기를 벌레로 변신시킬 수도 있고, 자기 몸을 아주 안 보이게 만들 수도 있고 누구든 마음대로 마비시킬 특권도 갖고 있는 신을 어떻게 경호할 수 있을 것인가? 파업이라도 해볼까? 아무튼 보수만은 올려 받아야 한다…….

이때 호위대장이 나타나서 그들의 생각이 잘못임을 일깨워준다. 호위의 사명은 본래 모시는 분에게서 자기를 분리해서 생각해서는 안 되는 법이다. 그 궁극적 목적이 무엇이든 그에 개의치 않고, 호위를 맡은 자는 주인의 몸과 이해에 자기를 동화해야만 한다. 주인의 영광이 곧 자기의 영광인 것이다. 국가 원수가 신격화되면 그 호위도 신이 되는 것이다. 그러니까 국가 원수에게 불가능이 없어지듯 그 호위에게도 불가능한 일은 없어지는 것이다. 호위로서 참된 모습이 실현되면 호위란 결국 탐정들의 말 모양으로, '무엇이든 다 볼 수 있고, 무엇이든 다 들을 수 있으되 아무에게도 의심받지 않는 몸'이 되는 것이다.

무대는 원로원에서 나온 인물들로 가득 차고, 그들은 방금 폐회한 회의에 대한 이야기를 나눈다. 다음에 펼쳐지는 여러 장면에서는 이 인간의 신격화를 보는 견해가 사람들에 따라 몹시 다르다는 것을 보여준다. 중요한 이익을 대표하는 자들은 돈벌이의 새로운 기회를 노리고 있다. 마침내 음모와 함정으로부터 해방된 아우구스투스는 제왕답게 오직 자기의 권력을 보장받는 일에만 관심을 갖고 있을 뿐이다. 아내 리비아에게는, 신격화는 새로운 영광의 길을 의미한다. "남편은 신으로 받들 만한 충분한 업적을 쌓았어요." 다시 말해서 아카데미 프랑세즈(프랑스 한림원. 학문 업적이 대단한 사람만이 뽑히는 한

림원 회원은 프랑스에서는 '불사신'이라는 칭호로 불린다-옮긴이)라는 말이다. 아우구스투스의 누이동생이며 시나에게 푹 빠져 있는 카밀라는 10년간의 모험생활 끝에 시나가 돌아왔다는 말을 오빠에게 알린다. 그녀는 아우구스투스가 시나를 만나볼 것을 원하는데, 그 까닭인즉 언제나 변덕스럽고 시인 기질인 시나의 인품이, 돌이킬 수 없이 권력 측으로 기울어 있는 오빠의 마음을 붙잡을 수 있을 것이라고 믿기 때문이다.

리비아는 그것에 반대한다. 시나가 지금까지 아우구스투스의 경력에 보태어준 것이라고는 무질서의 씨밖에는 없어요. 그 사람은 무모한 미치광이로 야만인들과 함께 어울려야만 기뻐하지요. 아우구스투스는 이 의견 쪽으로 이끌린다. 그러나 승려들이며 화가들이며 시인들의 연이은 내방(來訪)으로 아우구스투스의 마음은 흔들리기 시작한다. 이들은 모두 아우구스투스의 신격화를 인간 세상으로부터 그를 내쫓는 것이라는 견해를 갖고 있다. 승려들은 신과 사람 사이를 중개하는 일은 자기들이 당연히 맡아서 해야 할 일이기 때문에, 그의 신격화로 말미암아 지금까지 그가 쥐고 있던 세속의 권리가 자기들의 수중에 떨어질 것이라 기대하고 있었다. 예술가들은 아우구스투스가 인간의 상태에서 관념적 상태로 바뀌기를 바라고 있었다.

황제 내외는 자기들을 등신대(等身大)보다 더 크게, 그리고 더 미화된 모습으로 대리석 초상으로 이들이 빚어주리라 은근히 바라던 터에, 예술가들은 오히려 자기들을 가지각양의 소용돌이나 다면체 모양으로 표현하겠노라고 제안하는 바람에 황제는 몹시 불쾌해했다. 레다, 에우로페, 알크메네, 다나에(모두 그리스 신화에 나오는 여자들로 제우스 신의 애인들-옮긴이) 같은 몸가짐이 헤픈 여자들이 나와서 장소에 어울리지 않는 엉뚱한 진언들을 늘어놓는 바람에 혼란은 더욱 가중했다. 그녀들은 자기들이 신과 가진 교재의 경험을 아우구스투스가 마땅히 활용해야 한다고 주장했다.

혼자가 된 아우구스투스는 독수리 한 마리와 대면한다. 이 독수리는 신의 상징으로 으레 등장하는 동물도 아니고, 거칠고, 만지면 촉감이 따뜻하되 곁에 있으면 냄새가 나는 동물에 불과하다. 하지만 이 동물이 바로 다름 아닌 주피터(제우스)의 독수리요, 가니메데스가 헛되이 분전한 피비린내 나는 싸움 끝에 이 젊은이를 구출해낸 바로 그 독수리이다. 미심쩍은 듯한 표정을 하고 있는 아우구스투스에게 독수리는 타이른다. 현재 인간인 당신을 괴롭히고 있는 그 혐오감을 더 이상 느끼지 않게 해주는 것이 바로 앞으로 곧 있을 신격화랍니다. 당신이 신이 된 것을 알게 되는 것은 자기 몸에서 빛이 난다는 것을 느끼거나 기적을 행할 능력이 생겼다는 것을 깨달음으로써가 아니라, 야생의 짐승들이 가까이 다가와도 불쾌하게 느껴지지도 않고, 그 온몸을 덮고 있는 악취나 분뇨에도 예사로워질 때랍니다. 모든 시체, 부패물, 분비물이 다 아무렇지도 않게 느껴질 때랍니다. 신이 되고 나면, 나비들이 당신 목덜미에 앉아서 교미를 하게 될 것이며, 어떤 땅바닥도 당신이 잠을 자는 데 지장이 없게 될 것이며, 지금처럼 가시가 돋치고 벌레와 세균들이 들끓는 땅바닥도 당신 눈에는 더 이상 보이지 않게 될 것이랍니다.

제2막에서는, 독수리의 말을 듣고 자연과 사회의 관계라는 문제에 눈을 뜬 아우구스투스가 시나와 만나려고 결심을 한다. 시나는 예전에 사회보다는 자연을 택한 바 있지만, 그것은 아우구스투스를 제국 쪽으로 향하게 한 것과는 반대의 선택이었다. 시나는 몹시 낙심해 있었다. 10년간의 모험생활 동안 그는, 자기가 원한다고 말 한마디만 해주었어도 자기에게 시집왔을 죽마고우의 누이동생인 카밀라 생각밖에는 하지 않았다. 아우구스투스도 기꺼이 카밀라를 자기에게 보냈을 것이다. 하지만 사회생활의 규정을 준수해서 그녀를 얻는 것은 시나에게는 불가능한 일이었다. 그 규정에 따르는 것이 아니라 그것을 어겨서 그는 그녀를 손에 넣어야만 했다. 그런 연유로 해서 그는 결국에 가서는 사회가 자기에게 내주게 되어 있었던 카밀라와의 결혼 승낙을 사회에서 강탈할 수 있게 해주는, 저 이단적인 괴이한 마력을 추구하기에 나섰던 것이다.

이제 그는 놀랄 만한 마력을 몸에 지니고 돌아왔다. 사교계의 속물들이 다투어 만찬에 초대하려고 하는 탐험가가 되어 돌아온 것이다. 하지만 그 자신만은 이렇게 비싼 대가를 치르고 얻어낸 영광이 실은 한 가지 거짓에 기초한다는 것을 잘 알고 있었다. 남들이 내가 체험한 것으로 믿고 있는 모든 것은 다 사실이 아닌 것이다. 도대체 여행이라는 것이 하나의 사기에 불과하다. 여행의 그림자밖에 볼 수 없는 자들에게는 모든 것이 사실인 양 보일 수밖에 없는 법이다. 아우구스투스에게 약속된 운명에 질투를 느낀 신나는 아우구스투스의 제국보다 더 광대한 제국이 손에 넣고 싶어졌다. "인간의 아무리 좋은 두뇌를 갖고서도, 설사 플라톤 같은 두뇌의 소지자라 할지라도 이 세상에 존재하는 모든 꽃이며 잎사귀를 죄다 알 수는 없는 법이지만, 나는 알아 치우겠다고 나 자신에게 다짐했단다. 그리고 또 쾌적한 집에 들어 살고 양식이 가득 찬 곳간을 끼고 사는 자네들은 아무도 상상조차 못할 공포, 추위, 배고픔, 탈진의 느낌을 나는 내 몸으로 직접 체험해보겠노라고 다짐했지. 나는 도마뱀도 뱀도 메뚜기도 먹었단다. 자네 같으면 생각만 해도 구역질이 날 이런 음식에 나는 초심자가 으레 느끼는 흥분을 갖고 다가섰지. 나는 지금 이 세계와 나를 새로운 유대로 맺으려고 하고 있다는 걸 확신하고 있었으니깐 말일세."

그러나 시나는 그런 노력을 시도한 후에도 얻은 것은 아무것도 없었나. 그는 이렇게 말했다. "나는 모든 것을 잃었나. 가장 인간적인 것마저 내게는 비인간적인 것이 되어버리고 말았다. 한없이 이어지는 공허한 나날을 채우기 위해서 나는 아이스킬로스와 소포클레스의 시구절을 되뇌이곤 했단다. 그중 어떤 구절들은 머릿속에 어떻게나 깊이 새겨졌던지, 지금은 극장에 가도 그런 구절의 아름다움을 느낄 수가 없게 되고 말았지. 무대에서 낭송되는 시구들의 하나하나가 다 먼지투성이의 시골길, 더위에 타서 말라 죽은 풀, 모래 때문에 빨개진 눈을 생각나게 할 뿐이니 말일세."

제2막의 끝 장면에 가면 아우구스투스, 시나, 그리고 카밀라를 사로잡고 있는 모순들이 무엇인지가 뚜렷해진다. 카밀라는 자기의 탐험가를 여전히 숭배하고 있어서 탐험가가 자기 이야기의 기만성을 그녀에게 깨우쳐주려고 애를 쓰지만 뜻대로 되지 않는다. 시나는 말한다. "내가 겪은 사실이 모두 하나같이 다 공허하고 무의미하다는 것을 이해시키려 애써본대도 아무 소용이 없을걸세. 이야기가 탐험보고의 형태를 취하기만 하면 듣는 사람들은 그저 막무가내로 현혹되어서 꿈꾸는 기분이 되어버리니까 말일세. 하지만 실은 별것 아니지 뭔가. 대지(大地)도 이곳의 대지와 조금도 다를 바 없고, 풀잎도 여기 목장의 풀잎과 다를 게 없단 말일세."

이런 시나의 태도에 대해서 카밀라는 반발한다. 왜냐하면 자기 애인의 눈으로 볼 때는 그녀 자신도 그를 괴롭히는, 만사에 대한 흥미 상실 증세의 희생자라는 것을 너무나 잘 알기 때문에. 시나가 카밀라에게 애착을 느끼는 것도 한 사람의 인간으로서가 아니라, 그와 사회의 사이에 앞으로 존재할 수 있는 유일한 유대의 상징으로서이다. 한편 아우구스투스는 시나에게서 독수리의 말을 인지하고 소스라친다. 그러나 그는 이미 들어선 길에서 뒷걸음질 쳐 되돌아올 결심을 하지 못한다. 그의 신격화에는 너무나도 큰 정치적 타산이 깔려 있다. 더욱이 그는 활동가에게는 보상과 휴식을 동시에 발견할 수 있는 절대적 종점은 존재하지 않는다는 생각을 인정할 수가 없다.

제3막은 위기를 품은 분위기 속에서 시작된다. (신격화) 의식이 있기 전날, 로마 전체가 신의 기운으로 뒤덮여 있다. 궁전은 균열이 생기고 식물과 동물이 발호한다. 무슨 천재지변으로 파괴되어버린 듯이 도시 전체가 자연의 상태로 복구되고 만다. 카밀라는 시나와 관계를 끊어버리는데, 이 절교가 시나에게는 이미 자기 자신도 짐작하고 있었던 자기 실패의 최종의 증거로 여겨진다. 시나의 원한은 아우구스투스한테로 옮아간다. 지금의 그에게는 자연의 방종이 인간 사회가 갖다주는 더 밀도 높은 기쁨에 비해서 아무리 공허하게 여겨져도, 시나는 자연의 맛을 아는 유일한 사람으로 남고 싶다. "그건 별것 아니다. 나도 그건 알고 있다. 하지만 그 별것 아닌 것이 내게는 소중하다. 왜냐하면 내가 그걸 택했으니까." 아우구스투스가 자연과 사회 양자를 함께 합쳐서 가질 수 있다는 생각, 그것도 사회의 보상으로서 자연을 얻는 것이지 한쪽을 포기하는 대가로 그것을 얻는 것이 아니라는 생각을 하게 되자 시나는 참을 수가 없게 된다. 시나는 양자택일이 불가피하다는 것을 입증하기 위해 아우구스투스를 암살하기로 마음먹는다.

바로 그때, 아우구스투스가 시나를 불러 도와달라고 부탁한다. 이미 자기의 의지로도 어찌할 수 없게 된 사건의 진행 과정을, 자기 지위를 더럽히지 않고 바꾸려면 어떻게 해야 할까? 흥분한 가운데 토론을 벌이던 중 갑자기 한 가지 해결책이 떠올랐다. 그렇다. 그가 실제로 계획을 세운 바 있듯이, 시나가 황제를 암살하는 것이다. 그렇게 하면 각자가 꿈꾸어온 대로 불사(不死)성을 얻을 수 있게 될 것이다. 아우구스투스는 서적이나 초상이나 사원을 통해서 얻는 공적(公的)인 불사성을, 그리고 시나는 살왕자(殺王者)라는 검은 불사성을 얻을 수 있을 것이다. 그렇게 함으로써 시나는 사회에 항거하기를 계속하면서도 사회에 복귀하게 될 것이다.

마지막 몇 장면을 다 쓰지 못하고 말았기 때문에, 이 모든 일이 어떤 결말을 지으면서 끝을 맺었는지 지금은 알 수가 없다. 아마도 카밀라가 본의 아니게도 사건의 결말을 내지 않았나 생각된다. 원래의 사랑으로 다시 마음이 되돌아선 카밀라는 애당초 오빠의 상황판단이 옳지 못했고, 또 시나가 독수리보다 나은 신의 사자라고 오빠를 설득한다. 그때 이후 아우구스투스에게 어떤 정치적 해결책이 떠오른다. 만일 자기가 시나를 속일 수가 있으면 신들도 동시에 속아 넘어갈 것이다. 본래 둘 사이의 약속으로는 자기(아우구스투스)가 경호 없이 친구의 검에 무방비로 몸을 내놓기로 되어 있었지만, 그는 경호원 수를 배가한다. 그러면 시나는 자기한테 접근조차 못할 것이다. 두 사람 각각이 걸어온 과거의 인생을 확인이라도 하듯이 아우구스투스는 결국 자기 최후의 계획에 성공을 거두게 되어 신이 될 것이다. 하지만 인간들 사이에서의 신이 될 것이다. 그리고 시나를 용서할 것이다. 시나로서는 패배를 하나 더 추가하는 셈이 될 것이다.

38 럼주 한잔

앞에서 말한 이야기에 대해서 단 한 가지 변명을 해야겠는데, 그것은 나의 이야기가 오랫동안의 비정상적인 생활방식으로 여행자가 빠져들게 될 무질서한 정신상태를 나타내고 있다는 점이다. 그러나 민족학자가 그의 선택의 환경에 내재하는 모순들로부터 어떻게 벗어날 수 있을까. 민족학자는 한 사회를 바로 눈앞에 갖고 있으며, 그것을 언제든지 면밀히 조사할 수 있는 위치에 놓여 있다. 그것은 다름 아닌 자신이 소속하고 있는 사회다. 그런데 왜 그는 이 사회를 경멸하며, 이것으로부터 가장 멀리 떨어져 있고, 가장 상이한 사회들에 대해서 그의 동향인들에게는 의도적으로 삼갔던 인내와 헌신을 바치려고 결심하는 것일까?

민족학자가 그 자신이 소속한 사회집단에 대해서는 중립적인 입장을 취하기가 극히 어렵다는 점은 우연한 일이 아니다. 만약 그가 한 사람의 선교사이거나 행정관리라고 한다면 그는 어떤 질서와 자신을 완전히 동일화할 수 있을 것이며, 그의 온 정력을 그 질서의 발전을 위해 쏟았을 것이라고 추측할 수 있다. 그리고 그의 전문석인 활동이 과학적이거나 좀더 높은 학문적 수준에서 이루어질 때는, 그의 과거에서의 객관적 요소들이 그가 자신이 출생한 사회에 어울리지 않거나 또는 잘못 어울리고 있음을 증명해줄 수 있을 것 같다. 실제로 그는 아래의 두 가지 이유 가운데서 어느 한 가지 이유 때문에 민족학자가 된 것이다. 그는 민족학자가 되는 까닭이 한 집단의 성원으로서 자신과 사회를 조건부로 받아들이는 것을 조화시키는 하나의 실용적인 방법을 찾기 위해서거나 또는 단순하게 다른 사회를 연구하는 데 큰 이점을 주는, 자기 사회에서 초탈한 객관적 태도를 찾기 위해서이다.

그러나 만일 그가 정직하다면, 그에 대해서 하나의 의문이 생긴다. 이국적인 사회에 그가 부여하는 가치 ―사회가 이국적이면 이국적일수록 그 가치는 크다― 는 그 자체로서는 근거가 없다. 그것은 그의 생활환경의 관습이 그의 마음속에 불러일으키는 경멸 혹은 때에 따라서는 반감에서 생겨나는 가치에 불과하니까 말이다. 민족학자는 모국에서는 전통적 관례에 대한 하나의 분명한 반대자이거나 천성적인 파괴자일 수도 있다. 그러나 그 자신의 사회와는 다른 종류의 사회에 초점을 두는 즉시로 그는 가장 보수적인 관례들조차 존경하게 된다. 이것은 단순한 변덕이 아니다. 왜냐하면 나는 동조주의자이기도 했던 민족학자들을 알고 있기 때문이다. 그들의 동조주의는 그들 자신의 사회를 그들이 조사하는 사회에 동화시키는 데서 파생하는 동조적 태도이다. 그들이 충성심을 바치는 것은 자기들의 연구대상으로 있는 사회이다. 그리고 그들이 자신의 사회에 대한 시초의 반항으로 돌아가는 것은 그들이, 다른 모든 사회가 그렇게 취급해주기를 바라는 것처럼 자신의 사회를 취급함으로써 다른 사회에 대해 어떤 부가적인 양보를 하기 때문이다. 여기에서 생기는 곤경은 회피할 수 없다.

민족학자가 자신의 집단의 규범들에 집착할 경우, 다른 집단의 규범들은 언제나 불찬성의 요소가 포함되어 있는 덧없는 호기심만을 그에게 불러일으킬 수 있다. 또 그가 자신의 연구대상들에 전적으로 몰두할 경우에는 그는 결코 완전하게 객관적인 태도를 지닐 수 없게 된다. 왜냐하면 자신을 모든 사회에 몰두시킬 경우에 그는 그 사회들 중 어느 하나의 사회를 의식적이건 무의식적이건 간에 거부하지 않을 수 없다. 다시 말하자면 그의 직업의 특권적 지위를 의문시하는 사람들을 비난하는 죄를 그가 저지르게 된다.

나는 이 책의 앞에서 언급했듯이, 서인도 제도에서 발이 묶여 있는 동안에 처음으로 이 같은 점에 대해서 진지하게 고민하기 시작했다. 마르티니크에서 나는 18세기 이후로 그 제조방식이나 시설들이 전혀 변화되지 않은 채 반쯤 방치되어 있는 어떤 시골의 럼주 주조장을 보게 되었다. 푸에르토리코에서는 이와 대조적으로 사탕수수를 거의 독점하고 있던 회사의 공장에서 흰 에나멜이 칠해진 탱크들과 크롬으로 도금된 물꼭지들이 번쩍이는 광경을 목격했다. 그러나 오래된 나무통들이 침전물에 막혀 있던 마르티니크의 그 낡은 주조장의 럼주가 오히려 맛이 부드럽고 향기가 좋았다. 푸에르토리코의 럼주는 불쾌감을 주는 저질의 것이었다.

마르티니크의 럼주의 미묘한 맛은 고전적인 주조방법의, 그냥 내버려둔 불순물 때문에 생긴 것일까? 나 나름대로 생각해본다면 이 같은 대비는 문명의 역설을 설명해주고 있는 것 같다. 우리는 그 럼주의 미묘한 맛을 내게 하는 마술이 어떤 불순물들의 존재에서 생겨남을 알고 있다. 그러나 우리는 그 럼주에 매력을 부여하는 이 같은 요소들을 말끔히 치워버리려는 충동을 억제할 수가 없다. 우리는 두 가지 점에서 정당하다고 할 수 있다. 그러나 바로 이 정당성이 우리의 잘못이다. 왜냐하면 제주량을 증가시키고 제조비를 절감시키려는 점에서는 우리가 잘못된 것이 없다. 그리고 우리가 최선을 다해서 제거하려고 하는 결점들 가운데서 어떤 것을 소중히 여기는 점에서도 잘못이 없다. 요컨대 사회는 그것에서 가장 좋은 향기를 제공하는 것들을 스스로 완전히 파괴해버리려고 하는 것이다.

이 같은 모순은 우리 자신의 사회와는 다른 사회들에 대해서는 그처럼 직접적으로 적용되는 것 같지는 않다. 왜냐하면 우리는 우리 자신의 사회의 진화에 관여되어 있기 때문에 어느 정도까지는 피고석에 있다. 우리의 상황은 우리로 하여금 어떤 목적들에 대해, 어떤 과정의 활동들을 취하도록 강요하고 있다. 그리고 우리에게는 이 같은 강제를 방지할 수 있는 아무런 방책도 없다. 그러나 다른 사회가 조사 대상이 된다면 모든 것은 변해버린다. 전에 우리가 제기했던 의문으로부터 생긴 객관성의 문제는 이제 그 물음에 대한 우리의 객관성이다. 우리가 진보에서의 변형들을 이룩한 대리인의 역할을 취했던 곳에서 우리는 단순한 방관자들이 되어버린다. 그리하여 우리에게 하나의 도덕적 불안으로 나타났던 과거와 미래의 균형은 이제는 심미적 명상과 공정한 숙고에 대한 하나의 변명이 될 수 있는 상황을 우리가 평가할 수 있게 되는 것이다.

문제를 이런 식으로 생각해내려는 과정에서 나는 그 모순이 어디에 존재하는가를 밝혀내게 되었다. 나는 그 모순이 어디에서 시작했고 또 우리가 그것을 어떻게 절충해내는지를 밝히려고 했다. 그러나 확실히 나는 그 모순에 종지부를 찍지는 못했다. 그러므로 우리는 그 모순이 우리와 함께 영원히 존재하는 것이라고 결론지어야만 하는 것인가? 사람들은 때로는 그렇게 말해왔고, 또 이런 점으로 볼 때 우리의 작업이 전혀 무의미한 것이라고 추론하기도 했다. 그들은 우리의 직업은 우리 자신의 것과는 전혀 다른 사회와 문화를 좋아하는 데서 표현되고 있다고 말했다. 실제로 그것은 우리들로 하여금 어떤 하나를 희생하고 다른 하나를 과대평가하게 만들었다. 이것은 확실히 하나의 기본적인 비일관성을 가리키는 것인가? 만약 우리의 판단이 우리로 하여금 조사를 시작하도록 촉구했던 사회의 가치들에 두고 있지 않다면, 어떻게 이 사회들이 중요한 것이었다고 공표할 수가 있었을까? 우리들 자신이 어떤 회피할 수 없는 규범의 산물들인 것이다. 그리고 만약 우리가 한 형태의 사회를 다른 형태의 사회와 관련지어서 평가할 수 있다고 주장한다면 우리는 우리의 사회가 다른 모든 사회보다 더 우월하다는 것을 부끄러워하며 망설이는 태도로 주장하고 있는 것이 된다.

이 훌륭한 대변자들의 주장 뒤에는 단지 저주스러운 말장난이 있을 뿐이다. 다시 말해서 그들은 신비화(그들은 자주 이 방법을 사용한다)가 신비주의(그들은 우리가 여기에 빠져 있다고 전혀 부당하게 우리를 비난한다)의 정반대인 것처럼 꾸미는 것이다. 고고학과 인류학의 조사를 통해서, 어떤 문명들—이들 가운데서 어떤 것은 이제는 사라져버렸고, 어떤 것은 아직도 남아 있다—은 우리들이 아직까지 고심하는 문제들을 가장 훌륭하게 해결하는 방법을 알고 있었음을 밝혀주고 있다. 한 가지 실례만 들어보자. 우리가 에스키모족의 관습과 생활방식이 기반을 두고 있는 심리적·생리적 원칙들을 발견한 것은 얼마 전의 일이다. 만약 그들이 이러한 조건들 속에서 생존해올 수 있었다면, 그것은 오랜 적응이나 하나의 예외적인 신체구조 때문인 것이 아니라 우리가 최근까지 거의 모르고 있던 과학적 원리들을 발견했기 때문이다. 이것은 실제로 사실이었기 때문에 에스키모족의 관습을 개선했다고 주장했던 탐험가들의 허위성을 또한 폭로했다. 결과로 나타난 것은 그 탐험가들이 희망했던 것과는 정반대의 것이었다. 에스키모족은 자기들의 조건에 대한 완전한 해결책을 이미 얻고 있었다. 이 점을 확신하기 위해서 우리가 필요로 했던 것은 이 해결책에서 내재하는 이론을 파악하는 것이었다.

어려움은 거기에 있는 것이 아니다. 만약 비교가 우리들 자신의 객관성과 대등한 객관성에 그들이 성공적으로 도달할 수 있는가 하는 점에 의존하는 것이라면, 어떤 사회집단들은 우리들 자신의 집단보다 더 우월한 것으로 판단되어야만 한다. 그러나 이와 동시에 우리는 그 우월성을 판단하는 권리를 지니기 때문에 우리들 자신의 것과 일치하지 않는 다른 모든 객관성을 경멸할 수 있는 권리도 지닌다. 우리는 우리들 자신의 사회와 그 사회의 관습·규범·특권의 위치를 암암리에 주장하고 있다. 왜냐하면 다른 사회집단으로부터 오게 된 관찰자는 동등한 사례들에 대해서 상이한 의견을 갖게 될 것이기 때문이다. 사실이 이와 같은 것이라면 어떻게 우리는 우리의 연구가 학문의 서열에 포함될 수 있다고 주장할 수 있겠는가? 만약 우리가 객관적인 위치로 되돌아간다면, 우리는 이 같은 종류의 모든 판단을 억제해야만 한다.

우리는 인간사회에 열려 있는 여러 가지 가능성 가운데서 어떤 선택을 각 사회는 할 수 있으되, 그와 같은 선택은 상호 간에 비교될 수 있는 성질의 것이 아니라는 사실을 인정해야 할 것이다. 그들은 서로 동등한 가치를 가진 것이기 때문이다. 그러나 거기에는 하나의 새로운 문제가 발생한다. 왜냐하면 만약 첫 번째 경우에서 우리가 우리들 자신의 것이 아닌 어떤 것을 맹목적으로 거부하는 형태로서 반계몽주의에 의해서 위협받고 있다면, 거기에는 하나의 양자택일적 위험성이 또한 존재하는 것이다. 그것은 낯선 문화와 직면하게 되면 그 문화의 모든 것을 거부하게 만드는 절충주의의 위험성이다. 비록 그 사회가 그것을 특징짓고 있는 빈곤이나 잔인성 또는 부정에 대해서 투쟁한다 할지라도 우리는 판결을 내려서는 안 된다. 그러나 이 같은 악습들은 우리들 자신 가운데서도 또한 존재하는 것이므로 만약 그것들이 다른 곳에서 나타났을 때 우리가 아무런 항의도 하지 않는다면, 우리는 우리 사회의 악습들과 싸울 수 있는 권리를 어떻게 지닐 수 있겠는가?

따라서 자기 자신의 사회에서는 비판자이고 다른 사회에서는 동조주의자인 민족학자는 하나의 모순적인 위치에 있다 하겠다. 그러나 이 모순 속에는 더욱 회피하기 어려운 모순이 존재한다. 만약 그가 그 자신의 사회체계의 개선에 이바지하려고 원한다면, 그는 어느 사회에 가든지 그가 그 자신의 사회에서 통탄하는 것들과 유사한 조건들을 경멸하지 않을 수 없다. 그러나 그렇게 한다면 그는 객관적이고도 공정한 입장을 잃고 마는 셈이다. 반대로 모든 사회를 두루 알고자 하는 이는 아무 사회도 비평하려 들지 않는 법이므로, 도덕적 책임감이나 과학적 엄정성이 명령하는 바에 따라 초연한 태도를 취하지 않을 수 없는 그로서는, 자신의 사회를 비평할 수가 없게 된다. 자신의 나라에서 활동하는 사람은 외부 세계를 이해할 수 있는 기회를 잃어버리는 법이다. 반면에 모든 것을 알고자 하는 이는 사회 개선을 포기할 수밖에 없다.

만약 이 모순이 극복될 수 없는 것이라면, 민족학자가 자기 앞에 주어진 양자택일에 대해 주저한다는 것은 잘못된 것이다. 자기가 민족학자이고, 그렇게 되기를 스스로 택한 것이라면 그는 자기 직업에 부수되는 금기 조건을 받아들여야만 한다. 그는 선택했기 때문에 그의 선택의 결과도 함께 받아들여야만 한다. 그의 자리는 다른 사람들과 함께 놓여 있으며, 그의 역할은 그들을 이해하는 일이다. 그는 결코 그들의 이름을 내걸고 활동할 수는 없다. 왜냐하면 그렇게 한다는 것은 자신과 그들을 동일시하는 것과 같은 결과를 의미하기 때문이다. 또한 그는 다른 사회에서도 볼 수 있는 가치로서 자기 사회에도 있는 가치들에 대해서 이떤 파당적 입장을 취하지 않도록 자신의 사회에서는 활동을 하지 않도록 해야만 한다. 그러한 입장은 그의 판단을 편견에 빠지게 할 것이다. 그렇게 하면 그가 맨 처음에 취한 선택만이 남아 있게 될 것이고, 또 그 선택을 정당화하려는 어떤 시도도 감행하지 않을 것이다. 그것은 하나의 순수하고 동기가 없는 행동이기 때문이다. 설사 어떤 동기에 기인하는 경우가 있다고 하더라도 그것은 우리들 각각의 성격이나 경험에서 오는 외적 동기에 불과할 것이다.

다행스럽게도 우리는 아직까지 그 같은 상태에까지 도달하지는 않았다. 우리는 심연의 가장자리에 있고, 또 우리는 그 속을 들여다보기는 했으나 아직까지는 밖으로 나올 수 있는 길을 찾을 수 있다. 만약 우리가 판단을 내릴 때 지나치게 극단적인 태도를 취하지 않으며, 또 곤경을 기꺼이 두 단계로 전개한다면 우리는 밖으로 빠져나올 수가 있다.

완전한 사회란 없다. 각 사회는 그것이 주장하는 규범들과 양립할 수 없는 어떤 불순물을 그 자체 내에 선천적으로 지니고 있다. 이 불순물은 구체적으로는 숱한 양의 잔인·부정, 그리고 무감각으로서 표현된다. 우리는 이 같은 요소들을 어떻게 평가해야만 하는 것일까? 민족학적 조사가 여기에 대한 대답을 제공할 수 있다. 왜냐하면 어떤 적은 수의 사회를 비교하면 서로서로가 매우 다른 것처럼 보이게 되지만, 조사의 영역이 확대되어나감에 따라서 이 차이점들은 점점 감소된다. 그리하여 마침내는 어떤 인간사회도 철저하게 선하지는 않다는 점이 명백해질 것이다. 그러나 어떤 인간사회나 근본적으로 악한 것도 아니다. 모든 사회는 겉으로 보아서, 어떤 일정한 수효의 불공정한 대접을 받는 일부 구성원들까지 포함한 모든 성원에게 어떤 이점을 제공한다. 그런데 이 사회층이란 사회생활에서의 어떤 타성으로 말미암아 사회의 모든 조직적 노력에 장애물이 되는 구성원이라고 볼 수 있다.

이 말은 여러 민족의 '야만적인' 습관을 알게 됨으로써 즐거움을 느끼는 습관적인 여행 서적의 독자들을 놀라게 해줄 것이다. 그러나 사실들이 정확하게 해석되고 좀더 높은 차원에서 재정립되기만 한다면, 이 같은 피상적인 반응들은 즉시 제자리를 찾게 될 것이다. 야만인의 모든 관례 가운데서 우리들이 가장 끔찍하게 혐오하는 식인 풍습을 예로 들어보자. 우리는 다른 고기가 모자라기 때문에 서로를 잡아먹는 경우—폴리네시아의 어떤 지역에서는 이런 사례가 있었다—는 제외해야만 한다. 도덕적으로 말한다면 어떤 사회도 굶주림으로부터 나오는 요구에 대해서는 어찌할 수 없다. 최근에 우리가 나치의 학살수용소에서 보았듯이, 사람들은 아사할 지경이 되면 문자 그대로 무엇이든지 먹게 된다.

우리는 식인풍습의 긍정적인 형태—그 기원이 신비적·주술적 또는 종교적인 것들이 여기에 포함될 것이다—들을 고찰해볼 필요가 있다. 조상의 신체의 일부분이나 적의 시체의 살점들을 먹음으로써 식인종은 죽은 자의 덕을 획득하려 하거나 또는 그 힘들을 중화하고자 한다. 이러한 의식은 종종 매우 비밀스럽게 거행되며, 그들이 먹고자 하는 그 음식물을 다른 음식물과 섞거나 또는 빻아 가루로 만든, 유기물 약간을 합해 먹는다. 그리고 식인풍습의 요소가 좀더 공개적으로 인정되었을 때일지라도 도덕적인 근거에서 그러한 습관을 저주한다는 사실은, 시체의 물질적인 파괴에 의해서 위태로워질 어떤 육체적 부활이나 또는 영혼과 육체의 연결과 여기에 따르는 이원론의 확신을 의미하는 것이라는 점을 인정해야만 한다. 이러한 확신들은 의식적인 식인풍습의 의미로 시행되는 것에 나타나는 것과 동일한 성격을 지닌다. 그러므로 우리는 어느 편이 더 나은 것이라고 말할 수 있는 아무런 징당한 이유도 지니고 있지 못하다. 그뿐만 아니라 우리가 식인종을 비난하는 이유인 죽음의 신성함에 대한 무시의 정도는, 우리가 해부학 실습을 용인하고 있는 사실보다 더 크지도 더 작지도 않다.

그러나 우리는 무엇보다도, 만약 어떤 다른 사회의 관찰자가 조사하게 된다면, 우리들 자신의 어떤 관계들이 그에게는 우리가 비문명적이라고 간주하는 식인풍습과 유사한 종류로 간주될 것이라는 점을 유의해야만 한다. 여기에서 나는 우리들의 재판과 형벌의 습관들에 대해 생각해보고 싶다. 만약 우리가 외부로부터 이것들을 관찰한다면, 우리는 두 개의 상반되는 사회형을 구별해보고 싶어질 것이다. 식인풍습을 실행하는 사회에서는 어떤 무서운 힘을 지니고 있는 사람들을 중화하거나 또는 그들을 자기네에게 유리하도록 변모시키는 유일한 방법은 그들을 자기네의 육체 속으로 빨아들이는 것이라고 믿는다.

한편 우리들 사회 같은 두 번째 유형의 사회는, 이른바 앙트로포에미아(anthropémie: 특수 인간을 토해버리는, 즉 축출 또는 배제해버리는 일. 그리스어의 émein(토하다)으로부터 나왔음-옮긴이)를 채택하는 사회이다. 동일한 문제에 직면하여 그들은 정반대 해결을 선택했다. 그들은 이 끔찍한 존재들을 일정 기간 또는 영원히 고립시킴으로써 그들을 사회로부터 추방한다. 이 존재들은 이 특별한 목적을 위해 고안된 시설들 가운데서 인간성과의 모든 접촉을 거부당한다. 우리가 미개적이라고 부르는 대부분의 사회에서 이 같은 관습은 극심한 공포를 일으킬 것이다. 그들이 오직 우리와는 대칭적인 관습들을 지니고 있다는 이유만으로 우리가 그들을 야만적이라고 간주하듯이 우리들 자신도 그들에게는 야만적으로 보이게 될 것이다.

우리들에게는 잔인하게 보이는 사회들도 다른 관점에서 검토할 때는 인간적이며, 자애로운 마음을 지니고 있음을 알게 될 것이다. 북아메리카 평원지대의 인디언을 예로 들어보자. 그들은 이중적으로

의미가 있다. 첫째로, 그들 중 어떤 부족은 하나의 온당한 형태의 식인풍습을 실행하고 있었으며, 둘째로 그들은 하나의 조직화된 경찰력을 지니고 있던 미개민족들 중 몇 안 되는 부족이었기 때문이다. 그들의 경찰력 또한 판결을 내렸지만, 그것은 죄에 따른 형벌이 사회적 유대와의 단절이라는 형태를 취할 수 있다고는 결코 상상할 수조차 없었다. 그 부족의 법률을 위반한 인디언은 모든 그의 소유물—텐트와 말—의 파괴라는 선고를 받는다. 그러나 이 선고와 동시에 경찰은 그 인디언에 대해 빚을 지게 되며, 그 인디언이 당한 고통의 피해에 대해 보상해줄 것을 요구받는다. 여기에 대한 손해배상은 그 범죄자가 다시 한번 집단에 대해 빚을 지게 만들어, 그는 일련의 증여물들을 제공함으로써 경찰을 포함한 전 공동체가 그가 살아나가는 것을 도와줄 것이라는 점을 인식해야만 한다. 이 같은 교환은 증여물과 대증여물을 통하여 범죄와 그것에 대한 징벌에 의해서 생긴 처음의 무질서가 완전히 완화되어 질서가 되찾아질 때까지 계속되었다.

이 같은 관습들은 우리들 자신의 관습들보다 더 인간적일 뿐만 아니라, 비록 우리가 이 문제를 현대 심리학의 측면에서 공식화한다고 할지라도 더욱 조리가 있다. 형벌의 개념 속에 함축되어 있는 죄인의 '유아화'(幼兒化) 대신에 그가 어떤 종류의 보상을 할 기회를 제공하는 것을 인정하는 것이 논리적인 것 같다. 만약 이것이 실천되지 않는다면 맨 처음의 조치는 효력을 상실해버리고, 처음에 희망했던 것과는 정반대 결과들을 초래할 수 있다. 이 같은 관계에서 생각한다면, 우리들이 시행하는 것처럼 죄인을 어린아이와 성인으로서 동시에 취급하는 것은 불합리의 극치라 하겠다. 우리는 죄인들에게 형벌을 내림으로써 그를 어린애로 취급하며, 모든 사후적인 위로를 거절하는 점에서 그를 성인으로서 취급하는 것이다. 다만 우리가 동료 인간들을 잡아먹는 대신에 그들을 신체적·도덕적으로 절단한다는 단순한 이유 때문에 우리들이 하나의 '위대한 정신적 진전'을 이루었다고 믿는 것은 우스꽝스러운 짓이 아닐 수 없다.

만약 이런 종류의 분석들이 성실하고도 조직적인 방법으로 실시된다면, 두 가지 결과를 얻게 된다. 첫째는 이 분석들은 우리로 하여금 우리들 자신의 것과는 동떨어진 생활방식과 관습들에 대해서 편견 없고, 분별 있는 관점을 지닐 수 있도록 격려해준다. 둘째로 그것들은 우리가 다른 관습들을 전혀 모르거나 또는 편견을 지닌 채 오직 부분적으로만 알고 있을 경우에 생기는, 우리들 자신의 관습들의 정당성이나 자연스러움을 우리가 당연한 것으로 간주하지 않게 한다. 민족학적 분석은 다른 사회들의 권위를 고양하고, 우리들 자신의 사회 권위를 감소시키려는 경향이 있다. 이 점에서는 민족학의 활동은 모순적이다. 그러나 나는 우리가 깊이 숙고해본다면 이 모순이 실제적이라기보다는 피상적인 것임을 알 수 있으리라 생각한다.

흔히 서구사회에서만 민족지학자를 배출해왔다고들 하며, 또 이 점에서 서구사회의 위대성이 존재한다고들 해왔다. 그것은 민족학자들이 자기가 소속하는 서구사회가 존재하지 않는 한 자기들도 역시 존재할 수가 없는 것이기 때문에, 자기네들로 하여금 그 사회 앞에 고개를 수그리도록 만드는 유일한 서구사회의 장점은 바로 자기네들이 존재하기 때문이라고 믿는 까닭이고, 또한 그와 같은 장점 이외의 어떤 다른 장점도 그들이 자기네 사회에서 인정하려 들지 않는 까닭이다. 그러나 반대의 논박이 또한 입증될 수 있다. 만약 서구가 민족학자들을 만들어내었다면, 그것은 서구가 양심의 가책을 몹시 받았기 때문에 자신의 이미지를 다른 사회의 이미지와 비교해보지 않을 수 없었기 때문이다. 그리고 서구는 민족학자들로 하여금 이와 같은 결점들이 어떻게 존재하게 되었는가를 설명하게 하여, 서구를 돕기를 희망했던 것이다. 그러나 우리들 자신의 사회를 현존하는 또는 과거의 다른 모든 사회와 비교함으로써 우리들 자신의 사회의 기반을 붕괴시킬 수도 있다는 점이 사실이라 하더라도, 다른 사회도 언젠가는 마찬가지의 동일한 숙명을 맞이하게 될 것이다.

내가 방금 이야기했던 일반적 평균은 우리들 자신도 틀림없이 포함되어 있는 몇몇 사회학적 도깨비들을 표출해준다. 그런데 이것은 결코 우연한 사건이 아니다. 왜냐하면 우리는 일등상을 탈 만한 가치가 있는 그 슬픈 경쟁 속에 끼어들어봤던 적도 없고, 또 지금 끼어 있지도 않기에 민족지학은 전혀 우리들 사이에서 나타날 것도 아니었고, 또 우리는 그 필요성조차 느끼지 않았을 것이었다. 만약 민족학이 우리의 문명에 대해 초연한 입장을 취할 수 없거나 또는 그 문명의 죄악에 대해 책임이 없다고 공표하지 못한다면, 그 이유는 우리가 민족지학을 그 자신을 되찾으려는 하나의 시도로서 간주하지 않으면 민족지학의 존재 자체가 이해할 수 없는 것이기 때문이다.

비록 우리와 다른 사회들이 분명히 그 숫자가 매우 적고 또 우리가 진보의 사닥다리를 (그 사회에) 내리게 됨에 따라 더욱 적어지겠지만, 다른 사회들도 우리와 동일한 원죄를 공유하고 있다. 나로서는 이에 관해서 단 한 가지 예, 즉 아메리카 문화의 큰 약점이라고 할 수 있는 아스텍족의 예를 들지 않을 수 없다. 피와 고문에 대한 그들의 광적인 집착은 그들만의 것이 아닌 전 인류의 보편적 특성이기는 하지만, 비교적 관점에서 볼 때는 비록 그러한 특성이 죽음에 대한 공포감을 완화할 필요성에 기인한다 할지라도, 그 정도가 좀 지나치다고 할 수 있겠다. 그와 같은 그들의 집착은 우리들 사회에서도 마찬가지로 존재한다. 따라서 그들만이 그 같은 부정을 저지르는 유일한 부족은 아닐지 모르나, 우리들이 다른 점에서 그럴 수도 있듯이 그들은 그 점에서 정도를 지나친 것만은 사실이다.

그러나 자신이 부과한 이 자책감은 공간상이나 시간상으로 한정된 어떤 특정 사회에 우리가 최우수상을 준다는 것을 의미하지는 않는다. 그렇게 한다면 그것은 정말 편파적인 일이 되고 말 것이다. 왜냐하면 만약 우리가 그 상을 받는 사회의 구성원이라면, 오늘날 우리들이 소속되어 있는 사회를 우리가 저주하듯이, 우리는 그 사회가 견딜 수 없는 것임을 깨닫고 그것을 저주하게 될 것이라는 점을 알지 못하고 말 것이기 때문이다. 그렇다면 그것은 민족학이 모든 형태의 사회질서를 경멸하고, 사회질서의 확립에 의해서 오히려 타락되기만 하는 '자연의 조건'을 찬미하는 경향이 있음을 말하는 것일까?

디드로(Diderot, 1713~84: 프랑스의 철학자이자 작가. 달랑베르와 함께『백과전서』를 편찬함 – 옮긴이)는 "사물을 정돈하려는 자를 믿지 말라"라고 말했다. 그에게는 우리 인간의 역사가 다음과 같이 요약될 수 있었다. "아득한 옛날에는 자연적 인간이 있었다. 후일 그 자연적 인간 가운데 하나의 인위적 인간이 소개되었다. 이 두 인간들 사이에 전쟁이 일어났는데 계속 그 싸움이 격화되어 마침내는 생명의 종말이 오고 말았다." 이 개념은 불합리하다. 인간을 이야기하는 사람은 누구나 언어를 이야기한다. 그리고 언어를 이야기하는 사람은 누구나 사회를 이야기한다. 부갱빌이 방문했던 폴리네시아족은 우리들 자신의 사회생활과 똑같은 생활을 영위하고 있었다(디드로가 그의 이론을 제창한 것은 부갱빌의 여행에 대한 부록 속에서였다). 이 사실을 의문시하는 사람은 누구든지 민족학적 분석이 우리들을 이끌어가는 방향과는 반대편으로 움직이는 사람이다.

이러한 문제들을 마음속으로 조사함에 따라 나는 루소의 해답이 이 문제들에 대한 유일한 해답이라는 것을 확신하게 되었다. 오늘날 루소는 많은 비난을 받고 있다. 왜냐하면 루소의 업적들이 거의 제대로 알려지지 않았기 때문이다. 그래서 루소는 특히 그가 자연상태를 찬미했다는 불합리한 비난에 직면하고 있다(이 점은 디드로의 잘못이었지 결코 루소의 잘못은 아니다). 루소가 말했던 것은 정반대 내용이었다. 그리고 루소는 우리들로 하여금 그의 반대자들이 우리들을 이끌었던 모순들을 제거하는 방법을 알려준 유일한 사람이다. 루소는 모든 철학자 가운데서 민족학자에 가장 가까웠던 사람이다. 분명히 그는 결코 먼 지역을 여행해보지도 않았다. 그러나 그의 문헌조사는 그 당시 것으로는 완벽한 것이었다.

볼테르와 달리 루소는 농민의 관습들과 인간사고에 대한 그의 예리한 관심으로 그의 지식을 생생하게 표현했다. 루소는 우리들의 주인이요, 형제이다. 그럼에도 그에 대한 우리의 망은은 너무나도 크다. 루소의 위대한 추억의 가치를 손상시키지 않는다면, 이 책의 모든 페이지는 루소에게 헌정될 수 있다. 민족학자의 위치라는 개념 속에 고유한 모순을 우리가 회피할 수 있는 유일한 방법이 있다. 그 방법이란 『불평등기원론』에 따라 남겨진 폐허로부터 『에밀』이 그 비밀을 시사하고 있는 『사회계약론』의 풍요한 설계로 루소를 진전했던 지적 절차를 우리들 자신을 위해 재정립함으로써 회피할 수 있다. 우리가 모든 기존 질서를 파괴하고 난 후에도, 그것 대신으로 하나의 새로운 질서를 수립할 수 있게 하는 원칙들을 어떻게 발견할 수 있는지를 밝혀주었던 사람이 바로 루소이다.

루소는 자연적 인간을 미화하는 잘못을 저지른 디드로와 같은 오류를 결코 범하지 않았다. 루소는 자연상태와 사회상태를 혼동하는 위험은 저지르지 않았다. 사회상태가 인간에게는 고유한 것이지만, 그것은 그 자체와 함께 악을 지니고 오는 것이므로, 이 악을 그 자체가 사회상태에 고유한 것인지 아닌지 하는 것이 해결되어야 할 문제점이란 것을 루소는 알고 있었다. 우리는 사회질서가 초래한 악습들의 부정의 증거를 넘어서서 인간사회의 확고한 기반을 발견해야만 한다.

민족학이 이 같은 조사에 이바지하는 데는 두 가지 방법이 있다. 민족학은 그 기반이 우리들 자신의 문명 속에서는 발견될 수 없다는 것을 밝혀준다. 우리가 연구할 수 있는 모든 사회 가운데서 우리들 자신의 사회는 그 기반으로부터 가장 멀리 떨어져 있다. 한편 우리들로 하여금 대부분의 인간사회들에 공통되는 특성들을 구별할 수 있게 함으로써 민족학은 우리가 하나의 모델을 구성하는 것을 도와준다. 어떤 사회도 이 모델에 정확하게 일치하지는 않으나, 이 모델은 우리의 연구방향을 엄격하게 규정해준다. 루소는 실험적인 목적을 위하여 그 모델에 가장 가까운 이미지를 지니고 있는 시대는 이른바 신석기 시대였다고 생각했다. 나는 그가 이렇게 생각한 것이 옳았다고 말하고 싶다.

신석기 시대에서는 인간들은 그의 안전에 필수적인 대부분의 발명품들을 이미 만들어내었다. 우리는 왜 문자가 여기에서 배제될 수 있는지를 고찰해보았다. 문자란 하나의 겹날을 지닌 무기라고 말하는 것은 미개주의의 징후가 아니다. 오늘날의 인공두뇌학자들은 이 사실을 재발견했다. 신석기 시대 동안에는 인간들은 추위와 배고픔에서 벗어나 있었다. 그리고 인간들은 생각할 여유도 지니고 있었다. 하기는 인간은 질병만은 대비책을 제대로 세우지 못하는 것만은 사실이다. 그러나 인간이 위생관념에서 진보를 꾀한다는 것이 도리어 다른 여러 가지 부작용을 야기하는지는 단언할 수가 없는 일이다. 예컨대 질병의 예방은 도리어 그 부작용으로 대기근이라든가 대살육전이라든가, 또는 인구의 팽창을 막아야 할 필요성 ─ 의술이 발전하지 못한 옛날에는 전염병이 인구 팽창을 막는 데 크게 기여한 바 있었고, 그것은 인구조절을 하는 방편으로서는 앞의 두 가지보다 결코 더 무서운 것이 아니었다 ─ 같은 것을 낳게 할 수도 있다.

그 신화적 심상(心像)을 소유했던 시대에서는 인간은 오늘날의 사람들보다 더 자유스럽지는 못했다. 그러나 인간을 노예로 만들었던 것은 바로 인간 자신이었다. 자연에 대해 다만 매우 제한된 통제력만을 지니고 있었으므로, 인간은 꿈(이상)이라는 완충장치에 의해서 어느 정도 자신을 보호하기도 하고 해방시키기도 했다. 이 같은 꿈들이 차차 지식의 형태로 바뀌어감에 따라서 인간의 힘은 증대했다. 그러나 자연계와의 투쟁에서 이김으로써 얻은, 우리가 그렇게도 자랑스럽게 여기는 인간의 힘이란 기실 인류와 물질계의 점차적인 융합에 대한 주관적 의식 이외의 아무것도 아니다. 그 물질계에서의 거대한 톱니바퀴는 이제 인류에 대해서 무서운 이방인으로서 작용하는 것이 아니고, 인간의 사고의 개입으로 말미암아 인간이 그 대행자 역할을 맡게 된, 고요한 세계의 식민주(植民主)로서 작용할 뿐이다.

만약 인간성이 미개상태의 태만과 우리들의 자부심에 따라 가속되고 있는 추구활동 사이의 중간지역을 고수하는 것이라면, 우리의 행복에 더 좋을 것이라고 루소가 주장한 것은 틀림없이 옳은 생각이었다. 루소는 그 중간상태가 인간에게는 가장 좋은 것이라고 말했다. 그리고 오직 사건들의 어떤 불길한 전환만이 우리로 하여금 그 상태를 떠나게 할 수 있다는 것이었다. 그 사건들의 전환은 기계문명의 발달 가운데서 발견되었다. 기계문명은 첫째로는 독특하다는 점에서, 둘째로는 때늦은 것이었다는 점에서 이중적으로 예외적인 현상이었다. 그러나 루소가 말한 그 중간상태는 결코 하나의 미개적인 조건이 아니라는 사실이 아직도 명백하게 나타난다. 그것은 어느 정도의 진보를 전제하며 또 용인한다. 그리고 이 발달의 시점에서 거의 언제나 발견되었던 '야만인들의 사례가 인류는 영원히 그 중간상태에 머무르도록 계획되어 있다는 것을 확신시키는 듯하더라도, 지금까지 기술된 어떤 사회라도 그 중간상태의 특권적인 이미지에 일치하지는 않는다.'

이 야만인들에 대한 연구가 자연의 어떤 이상적 상태를 제시하지는 않는다. 또 그 연구는 우리들로 하여금 숲속에 깊이 숨겨진 하나의 완전한 사회를 인식하게 만드는 것도 아니다. 그 연구는 우리가 현실에서 관찰할 수 있는 어떤 사회와는 일치하지 않는, 어느 사회에 관한 하나의 이론적 모델을 구성하는 데 우리를 도와준다. 그 연구는 인간의 현재상태에서 원초적인 것과 인위적인 것이 무엇인가를 우리가 설명할 수 있도록 한다. 또한 그 연구는 이미 존재하지 않으며, 결코 존재하지도 않았을 것이고, 앞으로도 결코 존재하지 않을 하나의 상태를 우리가 자세하게 파악할 수 있도록 도와준다.

그러나 만약 우리가 우리의 현 상황을 정확히 판단하려고 한다면, 우리는 위에서 말한 그 상태에 대해 정확한 개념을 지녀야만 한다. 나는 남비콰라족 가운데서 이루어졌던 내 관찰의 중요성을 나타내기 위하여, 이미 그 같은 상태를 인용했다. 왜냐하면 자신의 시대보다도 훨씬 앞섰던 루소의 생각은 이론사회학과 그가 필요성을 인식하고 있던 현지조사나 실험실조사를 서로 분리하지 않기 때문이다. 자연적 인간이 사회보다 앞선 것도 아니며, 또 자연적 인간이 사회의 밖에 있는 것도 아니다. 우리의 과제는 사회상태와의 관련 속에서 자연적 인간을 재발견하는 것이다. 왜냐하면 사회상태의 밖에서는 우리의 인간조건을 상상할 수 없기 때문이다. 그러므로 민족학자는 우리가 자연적 인간을 이해하는 데 필요한 실험들의 계획을 작성해야만 한다. 그리고 그는 이 실험들을 사회 자체 내에서 실시하는 최선의 방법을 결정해야만 한다.

그러나 이 모델은—여기에 루소의 해결책이 있다—영원하며 보편적인 것이다. 다른 사회들이 우리들 자신의 사회보다 더 낫지 않을 수도 있다. 비록 우리가 그렇게 믿을지라도 우리는 그것을 증명할 방도가 없다. 그러나 다른 사회들이 우리들 자신의 사회보다 더 낫다고 하는 것을 알게 됨으로써 우리는 우리들 자신의 사회로부터 소원해질 수가 있다. 이 사실은 우리의 사회가 절대적으로 악하다거나 또는 다른 사회가 악하지 않다는 것을 의미하는 것은 아니다. 차라리 우리의 사회는 우리가 뛰어넘어야 하는 유일한 사회라는 점을 나타낼 뿐이다. 이렇게 함으로써 우리는 우리 과업의 두 번째 국면을 시도할 위치에 놓이게 된다. 이 과업 속에서 우리는 어느 하나의 특정한 사회로부터 추출한 요소들에 집착하지 않고, 여러 요소를 이용함으로써 우리들 자신의 관습들을 개량하는 데 응용될 수 있는 사회생활의 원리들을 구별해낸다. 우리들 자신의 사회와 관련하여 우리는 내가 방금 언급한 것과는 정반대가 되는 어떤 특권적 위치에 있다. 왜냐하면 우리들 자신의 사회는 우리가 변형할 수 있으나 파괴할 수는 없는 유일한 사회이다. 그뿐만 아니라 우리가 도입해야만 하는 변화들은 그 사회의 내부로부터 나온다.

우리가 영감을 얻을 수 있는 그 모델을 시간과 공간을 초월하여 설정한다는 것에는 분명히 어떤 위험성 —진보라는 현실을 과소평가하게 되는 위험성—이 존재한다. 요컨대 우리의 주장은 사람들이 언제, 어느 곳에서나 동일한 과업을 수행했고, 동일한 목적을 부과했으며, 오직 그 변천 도중에 방법만이 변했다는 것이다. 나는 이 같은 태도가 전혀 나를 혼란시키지 않는다는 점을 고백해야만 하겠다. 사실이란 역사와 민족지학에 의해서 우리에게 시사되는 것이므로 이 같은 태도는 사실들에 가장 밀접해 있는 듯하다. 특히 이 같은 태도가 내게는 가장 풍요한 것으로 보인다. 진보에 대한 열광자들은 그들이 주시하는 좁은 지역의 양면에 우리 인간들이 축적해왔던 무한한 풍요에 대해서는 거의 아는 바가 없다. 과거에 이루어진 것을 과소평가함으로써 그들은 앞으로 우리가 완수해야 할 모든 것을 헐뜯는 셈이 된다.

지금까지 우리들 인간이 살기 좋은 사회를 만든다는 단 한 가지의 일에만 몰두해온 것이 사실이라면, 아득한 옛 선조들의 사회개혁을 위한 용기는 현재의 우리들에게도 의당 있을 것이다. 승부는 아직 끝나지 않았다. 우리는 언제든 다시 시작할 수 있다. 시도했다가 실패한 것은 다시 새로이 시작될 수 있다. '맹목적인 미신이 우리들 앞뒤에다가 자리 잡게 했던 황금 시대는 바로 우리들 속에 있다.' 인류의 박애정신이란 가장 빈곤한 부족사회에서 우리 자신의 모습을 재확인하고, 또 우리 사회가 겪은 수많은 경험에다가 덧붙여서 이 빈곤한 부족사회의 경험을 교훈으로 소화할 수가 있을 때 비로소 그 진정한 뜻을 알 수 있게 된다. 그 교훈은 예전의 신선함을 지니고 우리에게 나타날 수도 있다. 왜냐하면 우리는 인간이 과거 수천 년 동안에 걸쳐서 이룩해놓은 것이라고는 반복의 역사밖에 없음을 잘 아는 이상, 수없이 되풀이되는 인간의 모든 종류의 사색에 구애됨이 없이 '시작'이라는 것이 얼마나 중요한 의의를 갖는 것인지를 언제나 반성의 출발점으로 삼는 그런 고귀한 생각을 가질 수 있을 것이기 때문이다.

　하나의 인간이라는 사실은 우리들 각각이 하나의 계급, 하나의 사회, 하나의 나라, 하나의 대륙, 그리고 하나의 문명의 구성원이라는 것을 의미한다. 또한 우리들 유럽인으로서는 신세계의 중심부를 탐험하는 일이란, 무엇보다도 우선 이 세계가 우리의 것이 아니었던만큼 그것을 파괴한 죄과는 우리가 덮어써야 한다는 것을 의미한다. 또 한편으로는 그와 같은 신세계가 앞으로 또다시 우리 앞에 나타날 기회는 아주 없을 것이라는 것도 가르쳐준다. 이러한 사실을 깨닫게 되는 이상 우리는 우리 자신으로 되돌아와서, 애초에 우리 세계가 신세계에 대해서 가질 수 있는 여러 임무 중에서 어느 한 가지를 택할 기회를 가졌으면서도 그것을 잃어버리고 만 그 시절, 그 위치에 우리들 자신을 다시 놓을 수 있기를 바라는 것이다.

39 탁실라 유적

카슈미르 산악지대의 기슭에 위치한 라왈핀디(Rawalpindi)와 페샤와르(Peshawar) 사이에 철로로부터 수 킬로미터 떨어진 곳에 탁실라의 유적(파키스탄 북서부에 있는 고대 인도의 도시로 현재는 발굴된 유적지로만 남아 있다-옮긴이)이 있다. 내가 그곳으로 가기 위해 철도를 이용한 것이 뜻하지 않은 조그마한 사건의 계기가 되었다. 내가 탄 그 객차의 유일한 일등 객실은 침대가 넷에 좌석이 여섯 있는 구형으로, 가축 운반용인지 객실인지, 또 차창에 덧씌운 격자 방책으로 봐서는 감옥인지 분간하기 어려운 것이었다. 남편, 아내, 두 아이로 구성된 이슬람교도 한 가족이 거기 타고 있었다. 그 부인은 푸르다(purdah: 인도에서 기혼의 여성이 자기 남편 이외의 남성과는 격리되어야 하는 풍속을 말한다-옮긴이) 상태에 있었다. 침대 위에 쭈그리고 앉아 부르카를 뒤집어쓴 그녀는 고집스럽게 내게 등을 돌려 격리상태를 유지하려고 애를 쓰기는 했으나 아무래도 한 객실 안에 함께 있는 것이 너무 거북스러워서 가족은 나뉘지 않을 수가 없었다. 그래서 아내와 아이들은 부인 전용칸으로 옮겨 가버리고 '남편만은 예약석에 앉아서 계속 나를 노려보았다.

한동안 내 마음이 불편해진 것은 사실이었지만 그래도 이 우발 사건은 그런대로 이해하고 넘어갈 수 있었다. 그러나 도착 후 거기서 타고 갈 교통편을 기다리는 동안 역의 대합실에서 목격한 광경은 몹시 불쾌했다. 그 대합실은 사방이 밤색 판자 벽으로 둘러싸인 홀로 연결되어 있었는데 그 판자 벽을 따라서 구멍이 뚫린 의자가 스무 개가량, 마치 장(腸)학회의 모임을 준비라도 하듯이 줄지어 놓여 있었다.

　마부와 등을 맞대고 앉아서 흔들릴 때마다 밖으로 몸이 내던져질 것 같은, 개리라고 불리는 마차 택시 한 대가 먼지투성이 길을 달려서 나를 고고학 유적지까지 태워주었다. 중도의 길 양쪽에는 유칼립투스, 타마리스나무, 뽕나무, 후추나무 사이로 낮은 흙벽 집들이 서 있었다. 레몬 과수원과 오렌지 과수원들이 야생 올리브나무가 산재한 푸르스름한 돌산의 기슭에 펼쳐져 있었다. 우리 마차는 흰색, 분홍색, 엷은 보라색 등 부드러운 빛깔의 옷을 입고 갈레트(원판형의 케이크-옮긴이) 모양의 터번(이슬람교도들이 머리에 두르는 두건-옮긴이)을 머리에 두른 농부를 여러 명 지나쳤다. 마침내 나는 박물관을 에워싸고 있는 사무실 건물에 도착했다. 이 발굴된 유적지를 견학하는 동안 나는 잠시 거기서 머물기로 합의가 되어 있었다. 그러나 나의 도착을 알리기 위해 하루 전에 라호르(Lahore)에서 '공무·긴급'으로 쳤던 전보가 펀자브(Punjab)주를 덮친 홍수로 5일 후에야 겨우 박물관장의 손에 닿았기 때문에 결국 나는 예고없이 도착한 셈이었다.

　옛날에는 '탁샤실라'(Takshasila: 석공들의 도시)라는 산스크리트의 이름을 갖고 있었던 탁실라의 유적은 이중의 권곡(圈谷) 안에 있다. 이 권곡은 깊이가 10여 킬로미터이며, 하로(Haro)강과 탐라 날라(Tamra Nala)강——옛날 사람들은 티베리오 포타모스강이라고 했다—이 합류하여 생긴 골짜기들로 이루어져 있다. 두 골짜기와 그 것들을 갈라놓고 있는 언덕에는 1,000 내지 1,200년 동안—즉 기원 전 6세기에 현재 발굴된 최고(最古)의 마을이 처음으로 생겨났을 때 부터 기원 500년과 600년 사이에 쿠샨 왕국과 굽타 왕국에 침입한 백 인계 훈족이 불교의 승원을 파괴할 때까지—계속 사람이 살고 있었 다. 골짜기를 거슬러 올라가는 것은 역사의 흐름을 따라 내려오는 셈 이 된다. 가운데 언덕의 아래에 있는 비르 마운드(Bhir Mound)는 가 장 오래된 유적이다. 몇 킬로미터 상류에는 파르티아인 시대에 영화 의 절정을 누린 시르카프(Sirkap) 도시가 있고, 그 도시를 빠져나오자 마자 잔디알(Jandial)의 조로아스터 사원이 있는데, 이곳은 티안의 아 폴로니오스(1세기경 소아시아 티안의 철인으로 『피타고라스의 일생』 이라는 책을 썼다 - 옮긴이)가 방문한 곳이다. 좀더 저쪽에 있는 것은 시르수크(Sirsuk)의 쿠샨 왕조의 도시 유적으로, 그것을 둘러싸고 있 는 고원에는 점토의 초상들이 아로새겨진 모라 모라두, 자울리안, 다 르마라지카 등의 불교 사리탑과 승원들이 있다. 이 초상들은 본래 생 점토로 빚은 것들이었는데, 훈족들의 방화에 의한 화재로 우연히 구 운 점토가 되어 전해 내려오고 있다.

기원전 5세기경에 그곳에는 마을이 하나 있었다가 후에 그것이 아 케메네스 제국에 병합되어 학예의 중심지가 되었다. 알렉산드로스 는 기원전 326년 줌나(Jumna)로 진군하던 도중에 수주일 간 오늘날 비르 마운드의 유적이 있는 바로 그곳에서 멈추었다. 1세기가 지난 후에 마우리아 제국의 제왕들이 탁실라에 군림했는데, 이 제국의 아 소카 왕—그는 최대의 불탑을 세웠다—은 불교의 전파를 도왔다. 231년에 그가 죽자 마우리아 제국도 함께 무너졌고, 박트리아의 그 리스인 왕들이 그 자리에 대신 들어섰다. 기원전 80년성에는 그곳에 스키타이인들이 정착하게 되었는데 그들은 그 땅을 이번에는 파르티아인들에게 넘겨주었다. 파르티아인은 기원 30년경에 탁실라에서 두라 유로포스까지 제국을 확대했다. 아폴로니오스가 방문했다는 것도 역사가들은 이 시기라고 보고 있다.

그러나 이미 2세기 전부터 쿠샨 왕국의 주민들은 이동을 시작하고 있었고 기원전 170년경에는 중국 북서부를 떠나서 박트리아 지방, 옥수스 지방, 카불, 그리고 마침내 인도 북부에까지 도달해서 그곳을 기원 60년경에 점거하여, 한동안 파르티아인들과 경계를 접하기까지 했다. 쿠샨 왕조는 3세기에 들어서자 얼마 안 가서 곧 쇠퇴해서 200년 후에는 훈족의 공격으로 소멸해버리고 만다. 7세기에 중국의 순례자 현장 삼장(玄奘三藏)이 탁실라를 방문했을 때는 이미 지난날 영화의 흔적밖에는 볼 수 없었다.

시르카프 폐허는 지면과 거의 같은 높이로 사각형의 평면을 그리고 있고 도로는 일직선으로 뻗어 있다. 그 중앙에 있는 한 기념 건조물이 탁실라에 충분한 가치를 부여하고 있다. 그것은 쌍머리 독수리라고 불리는 제단으로서 그 대좌(臺座) 위에는 얕은 돋을새김이 있는 문 세 개가 자리하고 있다. 하나는 그레코로만양식의 삼각형 박공이 있고, 또 하나는 벵골풍의 종 모양을 하고 있고, 세 번째 것은 바르후트(Bharhut)의 현관문에서 볼 수 있는 고대 불교양식을 충실히 따르고 있다. 그러나 탁실라를 수세기 동안 구세계의 세 가지 최대의 정신적 전통——헬레니즘 문화, 힌두 문화, 불교 문화——이 공존해온 곳이라고만 생각한다면, 그것은 탁실라를 잘 모르는 사람의 평이라고 해야 할 것이다. 왜냐하면 조로아스터교의 페르시아도 거기에 있었고, 또 저 중앙아시아의 초원문명도 파르티아인과 스키타이인의 손으로 여기서 그리스의 영향과 접합이 되어서 일찍이 세공사의 손으로 만들어낼 수 있었던 가장 아름다운 보석들을 만들어냈기 때문이다.

그 후 이 혼합된 문화가 그 세력을 완전히 잃기 전에 이슬람이 침입을 해서 이곳에서 지금까지 정착해버렸다. 기독교의 영향만을 제외하고 구세계의 문명이 받아왔던 모든 영향이 이곳에 모여 있는 것이다. 아득히 머나먼 곳에서 시발된 원천의 물들이 이젠 혼합된 물이 되어버렸다. 이 폐허에 대한 명상에 젖어 있는 유럽인인 나에게도, 잊힌 전통의 문화가 살아서 숨쉬는 것같이 느껴졌다. 구세계의 인간으로서는 자기에게 자기의 축소된 소우주를 잘 보여주는 이 유적지 이상으로, 역사와의 유대를 유지하면서 자신의 근원을 돌아볼 수 있는 장소가 달리 어디에 또 있으랴!

어느 날 저녁 나는 굴착한 흙으로 쌓아올린 언덕이 경계선을 이루고 있는 비르 마운드의 경내(境內)를 거닐고 있었다. 이젠 기초밖에 남지 않은 이 초라한 마을의 집터는 내가 걷고 있는, 기하학적 형태를 한 길바닥의 높이보다 더 높지 않을 정도였다. 나에게는 이 마을의 평면도를 아주 높고 아주 먼 곳에서 내려다보는 것 같은 느낌이 들었다. 초목이 전무한 상태이기 때문에 더욱 그렇게 느껴졌지만, 그런 환상은 역사의 깊이까지도 한층 더 깊게 느끼게 하는 것이기도 했다. 여기 이 집들에는 아마 알렉산드로스를 따라온 그리스의 조각가들, 간다라(인도 북서부, 파키스탄 북부, 아프가니스탄 동부에 걸친 지역의 옛 이름. 이 지방은 그리스 문화가 불교 문화에 영향을 미친 곳으로 알려져 있다-옮긴이)의 예술을 만들기도 하고 고대 불교도들로 하여금 자기들의 신의 모습을 상상해내는 대담성을 불어넣어주기도 한 조각가들이 살았으리라.

갑자기 발목에 반짝이는 것이 있어 나는 발길을 멈추었다. 그것은 최근의 비로 흙이 씻겨 나가서 모습을 드러낸 조그마한 은화로서 그리스어로 구세주인 왕 메난드로스(메난드로스 왕은 기원전 2세기에 이 지방을 다스린 그리스 왕으로 불교에 귀의했다-옮긴이)라고 새겨져 있었다. 지중해 세계와 인도를 연결하려는 시도가, 그것도 만일 영속적인 방식으로 이루어졌더라면 오늘날의 서양세계는 과연 어떻게 되어 있을까? 기독교와 이슬람교는 과연 존재하고 있을까? 이때 특히 나를 괴롭히고 있는 것은 이슬람교의 존재였다. 이곳 방문에 앞선 마지막 수개월 간을 내가 이슬람교도의 사회에서 지냈기 때문은 아니다. 그리스·불교 예술의 위대한 기념물과 대면해본 이곳에서 나의 눈과 정신은 델리, 아그라(Agra), 라호르에서 내가 그전의 수주 간을 소비해서 방문한 바 있는 무굴(Moghal: 16세기에 인도를 침략한 몽골족을 이르는 말-옮긴이) 궁전의 추억으로 가득 차 있었기 때문이다. 동양의 역사와 문학에 어두운 나에게는 (그들의 언어도 모르면서 미개 민족을 찾아갔을 때와 마찬가지로) 이들 작품은 위압적으로 여겨졌고, 또 내 연구심의 관심을 끌 수 있는 유일한 두드러진 특성으로 비추어졌기 때문이다.

열대에서의 곰팡이 과잉 번식 현상이 그대로 인간의 차원으로 옮겨진 데 불과한 것같이 여겨지는 콜카타의 인구 과잉에서 오는 비참한 모습이나 더러운 서민가(街)를 보고 난 후에 나는 델리에서는 '역사'의 조용하고 말쑥함을 발견할 수 있으리라고 기대했다. 델리에 가기 전부터 나는 카르카손이나 스뮈르(프랑스 남부에 있는 카르카손과 중동부에 있는 스뮈르는 둘 다 갈로 로만 시대의 유적이 많은 프랑스의 옛 도시이다-옮긴이)에서처럼, 달빛 아래서 몽상에 젖기 위해서 고성의 성채 안에 있는 낡은 호텔에 틀어박혀 있는 자신을 그려보았다. 신시가와 고시가 중 하나를 택해야 했을 때도 나는 서슴지 않고 고시가지의 어떤 여관을 닥치는 대로 지정했다. 무성한 초목들의 틈 사이로 간혹 폐허가 비치는 고대의 싸움터인지, 아니면 내버려진 토목공사장인지 잘 분간이 가지 않는, 틀이 제대로 잡히지 않은 풍경 가운데를 30킬로미터나 택시로 실려 왔을 때 나의 놀라움은 이루 말할 수가 없었다. 그리고 마침내 이른바 '고시가'라고 하는 곳에 우리가 도착했을 때, 나의 환멸감은 한층 더 증폭되었다. 다른 모든 곳이 다 그랬듯이 그곳도 영국군의 주둔지에 불과했다.

그다음 날부터 며칠 간을 거기서 보내는 동안 나는 델리가 유럽의 도시같이 좁은 공간에 자기의 과거가 밀집되어 있는 것이 아니라, 양탄자 위에 던져놓은 주사위들처럼 유적들이 여기저기 흩어져 있는 황야 같은 것이라는 것을 겨우 깨달을 수가 있었다. 옛날 이곳의 지배자들은 모두 집권시에 자기 자신의 새 도시를 건설하기 위해 전(前) 도시를 버리고 그것을 무너뜨려 건자재로 거두어 썼다. 하나가 아니라 열두 개나 열세 개의 델리가 서로 수 킬로씩의 간격을 두고 평원에 산재했다. 여기저기 눈에 띄는 퇴적물이나 기념건조물이나 분묘 같은 것을 보면 그것을 쉽게 짐작할 수가 있다. 벌써부터 이슬람은 우리의 역사관에도 위배되고, 또 그 자신의 내부적으로도 모순되는, 역사를 대하는 태도로 적잖이 나를 당황하게 했다. 즉 그들에게서는 하나의 전통을 세워보겠다는 욕심은 항상 그전의 것을 몽땅 깨뜨려버리겠다는 충동을 수반하고 있다. 군주 한 사람 한 사람이 모두 불멸(의 전통)을 창조하기 위해서 지속(持續)을 절단하고 있다.

이런 까닭으로 나는 착한 여행자가 되어서, 하나하나가 다 황무지에 세워진 것 같은 기념건조물들을 구경하기 위해서 열심히 그 어마어마한 거리를 편력했다.

'빨간 성채'는 르네상스의 자취(예컨대 피에트라 두라(pietra dura: 피렌체에서 발달한 모자이크로, 갖가지 색깔의 돌을 끼워 맞추는 세공법 - 옮긴이)의 모자이크 같은 것)와 초창기의 루이 15세 양식(18세기 전반의 프랑스에서 발달한 건축이나 실내장식의 양식. 곡선과 덩굴무늬가 많이 쓰였다 - 옮긴이) ─ 이곳에 와보면 이것도 무굴의 영향에서 태어났으리라고 믿어진다 ─ 을 함께 지닌 차라리 궁전에 가까운 것이다. 소재가 호화롭고 장식이 세련되어 있는데도 불구하고 내 마음은 흡족하지 못했다. 그 모든 것에는 건축적이라고 할 만한 것이 전혀 없어서 궁전이라고 보기가 어려운 느낌을 주었다. 그것은 차라리 그것마저도 이상적으로 꾸며진 한갓 야영소에 불과하다고 할 수 있는 어떤 정원에 세워놓은, 딱딱한 자재로 조립한 텐트의 집단이라고 할 만한 것이었다.

모든 상상력이 다 직물 공예에서 비롯된 것같이 여겨진다. 대리석의 천개(天蓋)는 커튼의 주름을 상기시키고, '잘리'(틈새를 많이 두고 짜는 돌의 세공―옮긴이)는 바로 ―비유해서 말하는 것이 아니라― '돌의 레이스'다. 대리석 옥좌는 휘장으로 덮인 목제(木製)의 분해식 옥좌의 복제판이다. 그것은 목제 옥좌와 마찬가지로 알현실로는 어울리지 않는다. 후마윤(16세기 몽골 황제의 한 사람으로 델리에 있는 그의 분묘는 북부 인도에 있는 회교 건축물 중 가장 아름답기로 이름이 나 있다-옮긴이)의 분묘마저도 탐방자에게 고풍스럽기는 하나 무언지 중요한 요소가 한 가지 빠진 데서 오는 불안감을 느끼게 한다. 전체적으로 봐서도 아름답고 부분적으로 봐도 정교하기는 하지만, 전체와 부분 간의 유기적인 연관성을 포착할 수가 없다.

대(大)이슬람 사원 ―잠마 마스지드― 은 17세기에 건조된 것으로서, 색채와 구조의 두 가지 관점에서 모두 서양 탐방자의 구미를 한결 더 만족시켜준다. 그것은 하나의 전체를 형성하게끔 구상되었고 또 의도된 것이었다고 거의 인정하고 싶은 기분이 된다. 그곳에서는 400프랑을 받고, 가장 오래된 코란 여러 권과 장미꽃잎을 가득 채운 유리상자의 바닥에 작은 원추형의 밀랍으로 고정해놓은 마호메트의 턱수염 한 가닥과 마호메트의 샌달을 보여주었다. 신도 한 사람이 좀더 자세히 살피려고 가까이 다가서려 하자 가엾게도 직원이 그를 심하게 물리쳤다. 그 사람은 400프랑을 내지 않았다는 말인가? 아니면 이들 유품이 일개의 신도가 배관할 수 있기에는 너무도 그 영력(靈力)이 강렬하다는 말인가?

이 문명의 매력에 도취하고 싶은 사람은 아그라로 가야 한다. 왜냐하면 그곳의 타지 마할(Taj Mahal) 영묘(靈廟)와 그 그림엽서에 알맞은 모습의 매력에 대해서 모르는 것이 없게 될 것이기 때문이다. 장밋빛 사암(砂巖)으로 만든 영묘의 오른쪽에 있는 사원에서 밀월을 보낼 수 있는 특권을 부여받고 있는 영국인 신혼부부들의 행렬을 보고 비웃을 수도 있을 것이고, 또 별빛 아래서 반짝이면서 줌나 강물에 비친 타지(Taj)의 추억을 죽을 때까지 잊지 못하고 아쉬워하는──이 역시 영국인──독신 노처녀들을 우습게 여길 수도 있을 것이다. 그것은 인도의 1900년 때의 측면이다.

그러나 깊이 생각을 해보면 이런 인도의 측면이 단순한 역사의 우연이라든가 정복에서 오는 것이 아니고, 그보다 더 깊은 친연(親緣) 관계에 그 근거를 두고 있다는 것을 깨달을 수가 있다. 틀림없이 인도는 1900년을 전후해서 유럽화되어 그 흔적을 어휘와 빅토리아 조(朝)식의 습속──사탕을 로전지(마름모꼴)라고 하고, 구멍 뚫린 의자(변기)를 코모드(장롱)라고 하는 따위──에 남기고 있다. 그러나 반대로 1900년이라는 해는 서양 세계에서도 '인도 시대'였다는 것을 이곳에 있으면 납득할 수가 있다──부자들의 호사 취미, 가난에 대한 무관심, 맥빠지게 하는 과잉장식에 대한 기호, 관능에의 탐닉, 꽃과 향수에 대한 애착심, 그리고 끝을 뾰족하게 세운 수염이나 귀고리, 기타 값싼 패물에 이르기까지……

콜카타에서 은으로 너절하게 도금한 초상이며 이탈리아인이 대리석으로 서투르게 새긴 초상들로 가득한 정원 안에 어떤 억만장자가 19세기에 세운 유명한 자이나교의 사원을 구성했을 때, 겨울 모자이크를 상감(象嵌)한데다 도처에 향을 피워놓은 이 흰 대리석 건물 안에서 나는 우리의 조부모들이 유년 시절에 고급 유곽(遊廓)에 대해서 품었을 것 같은 가장 야심적인 이미지를 눈앞에서 보고 있는 느낌이 들었다. 그러나 이런 생각을 하면서 내가 유곽과 닮은 사원을 지었다고 해서 인도를 비난하는 것은 아니다. 오히려 우리의 문명에서는 자유를 확인하고 관능의 한계를 탐구할 수 있는 장소를 유곽 이외에서는 발견하지 못한 우리 자신을 나무란 것이었다. 나는 인도인 가운데서, 우리와는 다른 풍토에서 우리와 다른 여러 문명과 접촉하면서 진화해온 인도·유럽어족의 이들 동포에게서 돌려받은 우리 자신의 이국취미의 영상을 보고 있었다. 하지만 이 다른 여러 문명이 내부에 감추고 있는 유혹도 우리 문명의 유혹과 너무 비슷한 것이어서 어느 시기에 가면—1900년이라는 시기가 그랬듯이—우리에게서도 기어코 표면으로 드러나고 마는 법이다.

아그라같이 다른 문명이 그림자를 짙게 드리우고 있는 곳도 아마 찾아보기 힘들 것이다. 중세 페르시아의 그림자, 학예가 발전한 아라비아의 그림자가 많은 사람이 인습적이라고 판단하는 형태로 거기에는 드리워져 있다. 그것도 사실이지만, 조금이라도 아직 영혼에 활력을 갖고 있는 방문자라면 누구나 타지의 외곽을 넘어서기가 무섭게 공간과 세월을 뛰어넘어서 손쉽게 천일야화의 세계로 들어갈 수 있게 될 때의 놀라움과 감동을 이겨낼 수는 없을 것이다. 하지만 아마도 방문객이 백색과 베이지색과 황색 빛깔을 한 진주요 보석이요 보물인 이트마두드 다울라를 보게 될 때와, 자귀나무과 식물의 연한 녹색이 흙의 빛깔 속에 녹아버린 듯한 모래 벌판—이곳은 해가 지면 녹색 앵무새들, 터키옥(玉) 같은 청록색을 한 언치새들, 공작새들의 무거운 비상(飛翔) 소리, 나무 아래 모여 앉아서 깽깽대는 원숭이들 따위로 활기를 띠게 된다—의 끝에 있는 원숭이, 앵무새, 영양떼들만이 놀고 있는 악바르(1542~1605: 무굴의 제3대 황제로 후마윤의 아들. 영토를 확대했으며 학문을 장려했고, 특히 힌두교·기독교·이슬람교를 통합한 새 종교를 창설했다―옮긴이)의 장밋빛 분묘를 구경하게 될 때는 그 놀라움과 감동이 한층 더할 것이다.

그러나 '붉은 성채' 궁전이나 라호르에 있는 자한기르(1569~1627: 무굴의 제4대 황제. 악바르의 아들―옮긴이)의 분묘처럼 타지도 역시 대리석으로 모방한 구축물이다. 벽걸이 천을 치기 위한 기둥들이 지금도 남아 있다. 라호르에서는 모자이크로 벽걸이 천의 흉내까지 내고 있다. 층계는 구조물로 구성되어 있다기보다는 그저 되풀이되어 있을 뿐이다. 조형미술에 대해서 이슬람교도들이 현재 갖고 있는 경멸의 유래를 짐작게 해주는 이 빈약성의 깊은 원인은 과연 무엇일까?

라호르 대학에서 나는 이슬람교도와 결혼해서 미술과의 학과장을 맡고 있는 한 영국 부인과 마주쳤다. 여자들만이 그녀의 강의를 들을 수 있었다. 그리고 조각 교육은 금지되어 있었고, 음악은 숨어서밖에는 하지 못하고 있었으며, 미술은 장식용의 기술로만 가르치고 있었다. 인도와 파키스탄의 분리가 종교상의 분계선에 따라서 행해졌기 때문에 준엄성과 결벽성이 필요 이상으로 강조되었다. 그래서 여기 사람들의 말대로 '예술은 지하로 잠적해'버렸다. 그것은 단순히 이슬람에 충실하게 하기 위해서만은 아니고, 나아가서는 아마도 인도를 거부하게 만들고자 하는 의도가 깔려 있는 듯하다. 우상을 파괴하는 것은 아브라함을 소생시키는 일이다――하지만 전혀 새로운 정치적·국민적 의미를 가미해서――. 예술을 짓밟는 것은 인도와의 결별을 의미한다.

왜냐하면 우상숭배――신이 자기의 초상 속에 인격적으로 존재하고 있다는, 이 말의 정확한 의미에서――는 예나 지금이나 여전히 인도에는 건재하니까 말이다. 그것은 콜카타의 외곽에 서 있는 저 철근

콘크리트의 대사원 ─ 이것은 새로운 교의(敎義)를 위해 봉건된 사원으로, 맨발에다 머리는 삭발을 하고 노란 승복을 입은 이곳의 승려들은 성전 주위에 세워진 아주 현대적인 사무실에서 타이프라이터를 앞에다 놓고 내방객을 접대하는데, 내가 갔을 때는 마침 이들은 최근의 캘리포니아 순회 포교에서 얻은 수익 처리에 몰두하고 있었다 ─을 보아도 알 수 있는 일이고, 또 서민가(街)에 있는 칼리 가트 (Kali Ghat) 신전을 봐도 알 수 있는 일이다. 칼리 가트는 17세기의 사원이라고 사무적인 안내 승려들이 내게 일러주었지마는, 실은 19세기 말의 도자기 타일이 발라져 있었다.

그 시각에는 성당은 닫혀 있지만 만일 다른 날 아침에 다시 오면, 그때 지적해주는 정확한 지점에서부터 비스듬히 열린 문틈을 통해서 기둥 사이로 여신(女神)을 볼 수 있을 것이란다. 이곳도 역시 갠지스 강변의 크리슈나 대신전과 마찬가지로, 신전은 제일(祭日)이 아니면 접견할 수 없는 신의 집이다. 평상적인 예배 행사래야 성당의 회랑에 와서 잠을 자고는 신의 성복(聖僕)들로부터 주인 마님(신)의 기분에 관한 소문이나 듣고 갈 정도다. 따라서 나는 젯밥을 나누어주는 시간을 기다리는 거지떼들이 득실대는 그 주변의 골목길을 거닐어 보는 것으로 만족할 수밖에 없었다.

신전의 이런 젯날 행사 뒤의 사람들의 북적거림을 틈타는 행상들이 우선 눈에 들어왔다. 그들은 신들의 모습이 그려진 색채 석고상을 팔고 다녔다. 그리고 신이 나타났음을 보여주는 좀더 직접적인 증거물들도 여기저기서 볼 수 있었다. 인도 보리수나무의 덩굴 몸통에 기대어 세워놓은 저 빨간 삼지창과 돌은 시바(힌두 바라문 다신교에서의 신의 이름. 뒤에 나오는 락슈미·라마크리슈나·크리슈나도 마찬가지이다-옮긴이)를 상징한다. 저 새빨갛게 칠해진 제단은 락슈미를 의미하고, 조약돌과 헝겊조각과 같은 무수히 많은 제물이 가지에 매달려 있는 나무는 석녀를 고쳐주는 라마크리슈나를 상징하며, 또 저 꽃으로 뒤덮인 제단 밑에서는 사랑의 신 크리슈나가 뜬눈으로 밤을 세우고 있다.

이러한 싸구려 상품이기는 해도 믿을 수 없을 정도로 생기 있는 종교예술에 대해서 이슬람교도들이 내세우는 것은 자기네들의 유일한 관허(官許) 화가인, 라지푸트파의 세밀화에 영향을 받은 영국의 수채화가 채그타이(Chagtai)이다. 이슬람 예술은 그 전성기를 지나기가 무섭게 왜 그처럼 완전히 붕괴해버렸을까? 그것은 과도적 과정도 없이 단번에 궁전에서부터 시장 바닥으로 떨어져버렸다. 그것은 (현실을 베끼는) 그림을 배척한 데서 온 결과가 아니었을까? 예술가는 현실과의 접촉을 빼앗긴 나머지, 이제는 소생할 길도 없어졌고 또 풍요롭게 만들 수도 없어져버린 핏기가 전혀 없는 묵은 전통에 안주하는 것이다. 그 전통은 오직 황금으로만 지탱되고 있을 뿐이어서 황금이 없으면 몰락할 수밖에 없다.

라호르에서 나를 안내해준 한 학자는 성채를 장식하고 있는 시크교파(Sikh: 15, 6세기에 카스트 제도를 반대하면서 들고일어난 종파-옮긴이)의 프레스코화를 몹시 경멸하고 있었다. "너무 야하고, 빛깔에 통일성이 없고 또 너무 어지러워요." 확실히 그것은 별이 총총한 하늘 모양으로 반짝거리는 시슈 마할(Shish Mahal) 궁전의 환상적인 거울 천장과는 너무나도 동떨어져 있다. 하지만 그것은 현대의 인도를 이슬람과 비교해볼 때 그렇게 느낄 때가 많듯이, 저속하면서도 멋이 있고 대중적이면서도 우아한 데가 있다.

성채만을 예외로 한다면, 이슬람교도는 인도에 사원과 분묘밖에는 짓지 않았다. 그러나 성채는 거처로 사용될 수 있는 데 반해서, 분묘나 사원은 사람이 들어 사는 곳이 아니다. 이런 점에서도 역시 이슬람은 고독을 생각하기가 어려운 종교라는 것을 느끼게 된다. 이슬람으로서는 삶이란 무엇보다도 먼저 공동사회를 의미한다. 따라서 죽은 자도 언제나 하나의 공동사회 — 단 참가자가 없는 공동사회 — 의 틀 안에 자리를 잡는다.

영묘(靈廟)의 호화스러움이나 그 광대한 규모와 그 안에 들어 있는 묘석의 빈약한 모습은 놀라운 대조를 이룬다. 묘가 너무 작아서 그 안에 든 죽은 자가 갑갑해할 것 같을 정도다. 그렇다면 통행인을 위해서밖에는 쓸모가 없는, 묘를 둘러싸고 있는 이 회랑들은 도대체 무슨 소용이란 말인가? 유럽에서는 묘는 거기 누워 있는 자의 크기에 알맞게 만들어져 있다. 그리고 영묘 같은 것은 보기 드물고, 묘를 호화롭게 꾸미거나 거기 누워 있는 자가 편안하게 쉴 수 있게 정교한 예술적 기교를 사용하는 것도 그 묘 자체에 대해서 행한다.

이슬람 세계에서는 분묘는 사자(死者)를 위하는 것이 못 되는 호화로운 기념관과 사자가 그 속에 갇혀 있는 듯이 느껴지는 빈약한 거처(이것 자체가 밖에서도 보이는 빈 묘와 보이지 않는 묘의 이중 구조가 되어 있다)의 둘로 나누어진다. '저승에서의 휴식' 문제는 이중으로 모순적인 한 가지 해결책이 제시된다. 한편으로는 지나칠 정도이면서도 실효가 없는 쾌적성이 있고, 또 다른 한편으로는 실질적인 불편성이 있으되 전자가 후자를 보상하고 있다. 귀중석으로 만든 궁전, 장미 물의 샘, 금박 조각들로 뒤덮인 요리, 찧어서 가루로 만든 진주를 뒤섞은 담배 — 이런 것들은 모두 습속의 미개성이나 도덕적·종교적 사고 속에 어려 있는 완고성을 가려주는 역할을 하고 있다 — 등에서 볼 수 있는 희유(稀有)한 세련성의 결합, 이것이야말로 회교 문명의 상징이 아닐까?

미학적 측면에서는 이슬람의 엄격주의는 관능적 향락을 전면적으로 금하지는 않고, 향료·레이스·자수·정원 같은 완화된 형태로 제한하는 데 만족하고 있다. 도덕적 측면에서도 마찬가지로, 강제적 성격을 띠고 있는 것이 분명한 개종의 원칙에도 불구하고 관용이 베풀어지고 있는 모순에 부딪히게 된다. 사실 이슬람교도가 아닌 사람과의 접촉은 그들을 고민에 빠뜨린다. 그들의 시골풍 생활양식은 자기들의 생활양식보다 더 자유롭고 더 유연성이 있을 뿐만 아니라 곁에서 보기만 해도 자기들의 것을 변질시킬 우려가 있는 다른 생활양식의 위협 속에서 겨우 연명하고 있다.

이러한 관용은 관용이라기보다는 어쩌면 이슬람교도에게는 관용을 실행할 수 있다는 그 자체가 끊임없는 극기(克己)의 증거라고 말하는 것이 옳을는지도 모를 일이다. 예언자 마호메트는 관용을 권함으로써 이슬람교도들을, 계시(啓示)의 보편타당성과 복수 종교 신봉의 용인이라는 두 가지 모순에서 생기는 영속적인 위험상태에 놓여 있게끔 만들어버렸다. 여기에는 파블로프가 말하는 의미에서의 역설적 상황(서로 상반되는 두 가지 조건 자극에 의해서 갈등이 생긴 상태-옮긴이)이 있어서, 그것이 한편으로는 불안을 낳고, 또 다른 한편으로는 자기 만족 — 왜냐하면 이슬람의 은총 덕으로 교도는 이러한 갈등을 극복할 수 있는 힘이 있다고 믿고 있기 때문에 — 의 근원이 되고 있다. 그러나 이런 논리도 다 허사다. 그 까닭은 어느 날 어떤 인도 철학자가 내게 말한 것처럼, 이슬람교도들은 자유, 평등, 관용과 같은 위대한 원리의 보편적 가치를 설법하는 데서 허영심을 만족시키고 있기 때문이다. 그뿐만 아니라 그들은 동시에 자기들만이 이러한 대원리를 실행할 수 있는 것이라고 단정함으로써 자기들이 갖기를 열망하는 신용을 도리어 떨어뜨리고 있다.

어느 날 나는 카라치에서 대학 및 종교계의 회교 지도급 인사들과 자리를 함께한 적이 있다. 그들이 자기들 체제의 우월성을 자랑하는 것을 들으면서 나는 그들이 집요하게 꼭 한 가지 같은 논거 — 자기들 체제의 간명함 — 로 계속 되돌아오는 것을 보고 놀라지 않을 수 없었다. 상속에 관한 이슬람의 법제는 힌두의 그것보다 우월하단다. 왜냐하면 이슬람의 그것은 더 간단하니까. 전통적으로 금지되어 있는 이자가 붙는 대차를 회피하려면 금전 예치자와 수탁자 간에 협동 계약을 맺기만 하면 된단다. 그렇게 하면 이자는 전자의, 후자의 사업에 대한 가입료가 되어 소멸해버린다는 것이다. 농지개혁에 대해서 말하자면, 경작 가능한 토지가 충분히 분할될 때까지 그것의 상속에는 이슬람 법이 적용된다. 그다음에 가서는—그 법은 교의에서 정해진 것은 아니기 때문에—토지가 지나치게 세분되는 것을 막기 위해서 이번에는 그 법의 적용을 중지해버리면 된다는 것이다. 즉 '얼마든지 수단과 방법은 있다'는 것이다.

그러고 보면 이슬람의 모든 제도는 신도들의 머릿속에 해결하기 어려운 문젯거리들이 많이 쌓이게 내버려두었다가 후에 가서 그들에게 아주 간단한 해결책을 제시해주는 식의 방법인 것 같다. 한쪽 손으로 그들을 밀어붙여놓고는 다른 손으로 심연(深淵) 직전에서 그들을 구해내는 것이다. 당신이 싸움터에 있는 동안 아내와 딸들의 정조가 걱정스럽다고요? 그처럼 간단한 문제가 어디 있어요? 얼굴을 베일로 가려서 집 안에 가두어놓아요. 이런 식으로 해서 마침내 정형외과에서 사용하는 기구 모양으로, 현대식의 부르카(회교도 여자들이 입는 머리부터 발끝까지를 덮는 겉옷-옮긴이)가 고안되기에 이른 것이다. 이것은 복잡한 재단법으로 만드는 것으로서, 밖을 내다볼 수 있게 장식끈이 붙은 창구멍이 있고, 똑딱단추와 끈이 달려 있으며, 가능한 한 완전히 몸을 싸 감출 수 있도록 만들기는 하여도 무거운 천으로 되어 있어서 인체의 윤곽을 그리면서 몸에 착 달라붙는 그런 겉옷이다.

그러나 이렇게 한다고 해도 단지 근심의 테두리가 그 장소를 옮긴 데 불과하다고 할 수밖에 없다. 왜냐하면 그렇게 하면 이번에는 당신부인의 옷을 스치기만 해도 당신의 명예가 더럽혀질 것이고 그로써 당신은 더 고민하게 될 것이기 때문이다. 젊은 이슬람교도와 기탄없는 대화를 나누어보면 다음 두 가지 사실을 알게 된다. 첫째로는 그들이 결혼 전의 순결 문제와 결혼 후의 정조 문제로 늘 불안에 휩싸여 있다는 것이고, 둘째로는 푸르다(purdah), 즉 여성 격리의 풍속이 어떤 의미에서는 사랑의 밀통에 장애물이 되기도 하겠지마는, 또 다른 면에서는 여성들만이 그 사정에 정통한 여성들만의 세계를 여성들에게 만들어줌으로써 밀통을 돕게 된다는 것이다. 젊을 때는 하렘(회교국에서 여자들만이 거처하는 방−옮긴이)의 침입자인 이슬람교도의 남자는 일단 결혼을 하고 나면 당연히 자기 하렘의 감시자가 되고 마는 것이다.

인도의 이슬람교도들이나 힌두교도들은 손가락으로 식사를 한다. 힌두교도는 품위 있고 능숙하게 차파티 — 땅속에 묻어서 3분의 1까지 잉걸불을 채운 독의 내벽에 붙이기만 하면 곧 구워지는 넓적한 크레이프 과자 — 한 조각에다 음식을 집어서 먹는다. 이슬람교도들은 손가락 식사법에 도통한 사람들이다. 고기를 뜯어먹기 위해 뼈를 손으로 잡는 사람은 없다. 식사에 사용할 수 있는 한쪽 손(오른손임. 왼손은 몸의 위생적 세정(洗淨)에 쓰이므로 부정한 손이라 여기고 있다)만으로 고기를 이겨서 뜯어낸다. 그리고 음료를 마시고 싶을 때는 기름투성이가 된 손으로 컵을 잡는다. 식사법으로서 다른 식사법보다 나쁘다고 할 수도 없지마는 서양인의 시각으로는 몹시 버릇없게만 보이는 이런 식사법을 보고 있노라면, 고대부터 내려오는 유풍이라고는 할 수 없는 이 관습이 얼마나 심각하게, 예언자(마호메트)가 바라는 '나이프로 식사하는 다른 민족처럼 해서는 안 된다'는 개혁정신에 영향을 받았는지 자문하지 않을 수 없게 된다.

이러한 개혁정신은 다름 아닌 저 체계적인 소아화(小兒化)를 바라는 마음—아마 무의식적인 소원이겠지만—이나 식후의 청정의례 (淸淨儀禮) 때 볼 수 있는 저 잡거(雜居) 행위—모두 같은 대야에서 손을 씻고 양치질을 하고 트림을 하고 침을 뱉는 등 같은 공통의 노출증과 결부되어 생기는 부정(不淨)에 대한 같은 공포감에 모두가 함께 참여한다—에 의해서 공동체에 동성애를 강요하고자 하는 배려하고도 맥을 같이하는 것이라 할 수 있다. 자기와 남의 구별을 없애려는 의지는 반드시 집단 속에서는 자기를 구별하고 싶은 욕구를 수반하는 법이다. 그것은 다음과 같은 푸르다 제도에서도 볼 수 있다. "그대들의 아내에게 베일을 씌워야 하느니라. 딴 여자들과 식별이 될 수 있도록 하기 위해서."

　이슬람교도들의 형제애는 문화적·종교적 기반 위에 서 있다. 그것은 어떠한 경제적·사회적 성격도 띠고 있지 않다. 모두가 같은 신을 모시고 있으므로 선량한 이슬람교도란 자기의 후카(물담뱃대. 연기가 물속을 통과하면서 식는 장치가 된 흡연 기구. 회교국에서 널리 사용됨 -옮긴이)를 청소부하고라도 나누어 사용할 수 있는 자다. 사실 거지도 내 형제이니까 말이다. 그것은 특히, 우리 상호 간을 격리해놓고 있는 이 불평등에 대해서 우리는 둘 다 의좋게 그것에 승복(承服)하고 있다는 의미에서 그렇다고 할 수 있다. 이런 사실에서부터 사회학적으로 매우 주목할 만한 저 두 종족의 유형이 생겨난 것이다. 즉 독일을 몹시 좋아하는 회교도와 회교화한 독일인. 만일에 경비대가 종교적인 성격을 띨 수 있다면 이슬람이야말로 가장 이상적인 종교가 될 수 있을 것이다—규칙을 엄격하게 준수하는 점에서나(매일 다섯 번씩 기도를 올려야 하며, 또 그때마다 쉰 번씩 무릎을 꿇어야 한다), 세부에 걸친 점검 및 청결을 지키기 위한 조치(의례적인 세정 행사)에서나, 또 정신적 생활에서건 생리 기능의 수행에서건 금녀(禁女)의 환경을 만들어 남성끼리만 격의없이 어울려 살 수 있다는 점에서나.

　이 불안에 쫓기는 사람들은 행동하는 사람들이기도 하다. 양립할 수 없는 감정으로 괴로워지면, 그들은 자기들이 품고 있는 열등감을 옛날부터 사람들이 아랍 정신과 결부해온 전통적인 승화의 방법 — 질투, 자존심, 영웅주의 — 을 써서 치유한다. 그러나 이 자기네끼리만 한데 어울려 살고 싶은 심정, 이 만성적인 고향상실증(우르두어(Urdu: 이는 주로 인도 이슬람교도 간에 쓰이는 말이다 - 옮긴이)라는 말의 본래 뜻이 마침 '야영'이었다니 재미있다)과 결부된 지역주의 근성은 바로 파키스탄의 국가 형성의 근원을 이루는 것으로, 종교적 신앙에 기반을 둔 공동체나 역사적 전통으로는 매우 불완전하게밖에는 설명될 수 없다. 파키스탄은 오늘날에도 엄연한 사회적 사실로서 다음과 같이 설명되어야 할 것이다. 즉 이것은 이슬람교도들이 자기네끼리 함께 살기 위해서 — 그들은 이슬람교도들끼리만 함께 살아야 마음이 편하니까 — 수백만의 사람들에게 철회가 불가능한 단 한 가지 선택과, 자기들의 토지며, 때에 따라서는 자기들의 재산이며 자기들의 육친이며 직업이며 미래의 계획이며 조상의 토지며 그 묘지까지 포기할 것을 강요한, 하나의 집합적 의식의 드라마였다고.

　계시의 증거 위에 기반을 두는 것이 아니라, 외부와 유대를 맺는 능력의 결핍 위에 구축된 대종교. 불교가 만물에 대한 자비를, 그리고 기독교가 대화의 욕구를 표방하는 데 대해서, 이슬람의 불관용(不寬容)은 불관용을 유죄시하는 그들 자신들끼리의 세계에서는 자각되지 않는 형태를 취하게 된다. 왜냐하면 설령 언제나 거친 방법으로 남에게 자기들의 진리를 받아들일 것을 강요하지는 않는다 하더라도 그들은 — 사실 이 점이 더 문제다 — 남이 '남'인 채로 그대로 자기들과 함께 공존하는 것을 견뎌내지 못하기 때문이다. 그늘로서는 의혹이나 굴욕으로부터 자신을 방어할 수 있는 유일한 수단은 딴 신앙 내지 딴 처세법의 증인인 그 '남'을 '소멸'시키는 데 있다. 이슬람의 형제애는 비신도 배척행위의 환위명제(換位命題)이다(비신도를 배척하는 행위가 곧 형제애라는 말-옮긴이). 그러나 이 배척행위는 겉으로 드러낼 수 없는 성질의 것이다. 왜냐하면 공개적으로 그런 행위를 한다는 것은 사실상 이슬람교도 자신이 비신도의 실존을 인정하는 셈이 될 것이기 때문이다.

40 챠웅(불교 사원) 방문

이슬람의 근방에만 가도 느끼게 되는 이 불편한 마음이 어디서 오는 것인지 나는 너무도 잘 알고 있다. 이슬람 안에서 나는 내 고향 세계를 재발견하기 때문이다. 이슬람, 그것은 동양의 서양이다. 좀더 정확히 말해서 오늘날 프랑스 사상을 위협하는 위험을 헤아리기 위해서 나는 이슬람과 대면할 필요가 있었다. 이슬람이 우리의 모습을 보여줄 뿐 아니라, 프랑스가 얼마나 이슬람화해가고 있는지를 내게 확인해준 이슬람이 얼마나 원망스러운지 모르겠다. 우리 세계에서와 마찬가지로 회교도 세계에서 나는 같은 서적 편중적인 태도며, 같은 공상적 이상주의적인 사고법이며, 또 문제를 종이 위에서 풀기만 하면 그것으로 그 문제에서 금방 해방이 된다고 여기는 완고한 생각 등을 확인할 수가 있다.

우리는 양쪽 세계에서 다 마찬가지로, 법적이고 형식주의적인 합리론을 내세워 세계와 사회에 대한 영상—어떤 어려운 문제도 한 가지 교활한 논리로 판결을 할 수 있는 그런 사회의 영상—을 우리 마음대로 만들어내곤 한다. 그러고는 세계가 이미 우리가 말하는 것 같은 것들로써 구성되어 있는 것이 아니라는 것은 이해를 못한다.

이슬람이 그 당시 사회에서 일어난 모든 문제를 유효적절하게 해결해나갈 수 있었던, 지금으로부터 7세기 전에는 현실이었던 사회에 대한 명상에만 매달려 있는 것과 마찬가지로, 우리도 또한 역사와 협력할 줄 알던 시대이긴 했어도——그것도 아주 짧은 기간만. 이 서양의 마호메트라고 할 수 있는 나폴레옹은 마호메트가 성공한 일에서는 실패하고 말았으니까——이미 1세기 반 전에 끝을 맺어버린 한 시대에 잡힌 틀을 벗어나서는 사고를 할 수 없게 되어버렸다. 이슬람의 세계와 마찬가지로 대혁명을 성취한 프랑스는 회개한 혁명가들이 따르게 마련인 길, 즉 일찍이 자기들이 바꾸어보겠다고 생각했던 사물의 질서를 회구지정(懷舊之情)으로 도로 유지하는 길을 걸어야 하는 운명에 처해버린 것이다.

우리는 또한 우리의 종속하에 놓여 있는 민족과 문화에 대한 관계에서도 이슬람이 그 피보호 민족이나 여타의 세계에 대해서 고민하고 있는 것과 꼭 같은 모순에 사로잡혀 있다. 우리들은 우리 자신들의 번영을 보증하는 데는 큰 효과가 있었던 갖가지 원칙이 다른 사람들에게는 전혀 존경의 대상이 되지 못하는 나머지, 마침내 그들이 그런 원칙들의 활용을 포기하기에 이른다는 것을 깨닫지 못하고 있다. 놀랍게도 우리는 그와 같은 원리들을 먼저 생각해내 준 데 대해서 그들을 크게 고맙게 여겨야 마땅하다고 생각하고 있다.

마찬가지로 근동(近東)에서 관용의 고안자였던 이슬람은 비회교도가 자기 신앙을 버리고 다른 모든 신앙을 존중한다는, 다른 신앙에 대해서 압도적인 우월성을 갖고 있는 이슬람의 신앙을 택하지 않는 것을 용서 못하는 것이다. 우리의 경우, 모순점은 우리가 상대해야 하는 (우리에게 종속하고 있는) 민족들의 대다수가 이슬람교도인데다가(물론 이것은 국제적 관계에서 볼 때의 이야기지만,) 우리 쌍방 모두에 문화적 활력소가 되고 있는 획일주의적 정신이 서로 간을 대립시키지 않기에는 너무나도 공통적인 특징을 많이 갖고 있다는 사실에서 오는 것이다. 국제적 관계에서라고 하는 것은, 이런 대립이 이해가 상반되는 두 유산계급 간에 생기는 일이기 때문이다.

정치적 억압과 경제적 착취는 그 변명거리를 희생자들에게서 찾아낼 권리는 없다. 그러나 인구 4,500만인 프랑스가 인구 2,500만인, 그것도 대부분이 문맹인(다른 몇 가지 고찰과 마찬가지로 이것은 시대착오적인 고찰이다. 다만 이 책이 1954~55년에 쓰였다는 것을 잊지 말아 주었으면 한다-지은이) 회교도들을 동등한 권리를 보장하면서 받아들인다 하더라도, 그것은 미국이 앵글로 색슨 세계의 보잘것없는 소지방으로 남게 되는 것을 면할 수 있게 해준 정책보다 더 대담한 정책이라고 할 수는 없을 것이다. 뉴잉글랜드의 시민이 1세기 전에 유럽의 가장 후진적 지방의 가장 불우한 사회계층 출신의 이민을 허용함으로써 그 이민의 물결 속에 자기들이 매몰당하게끔 만드는 결정을 했을 때, 그들은 우리가 현재 그 결과가 두려워서 못하고 있는 것과 같은 정도의 중대한 결과를 놓고 도박을 한 셈이었고 또 그 도박에서 이긴 것이었다.

우리는 결코 그런 모험을 할 수 없다는 말인가? 후진하는 두 힘이 서로 합친다고 해서 그 방향이 바뀔 수 있을까? 만일에 우리가 우리의 과오를 그것과 비슷한 또 다른 과오로써 보강해감으로써 구세계의 유산을, 구세계의 서쪽 절반이 그 무대이기도 그 행동자이기도 했던 과거 10 내지 15세기간의 정신적 빈곤화의 역사로 체념적으로 간과해버린다면, 우리는 우리 자신을 구제할 수 있기는커녕 오히려 과거의 불행을 되풀이하는 결과가 되지는 않을까? 이곳 탁실라의, 그리스의 영향을 받아 여기저기에 많은 조상(彫像)이 세워진 불교 사원에서 나는, 일찍이 우리의 구세계가 통합될 수도 있었던 가냘픈 희망을 엿볼 수 있었다. 이 당시만 하더라도 분열은 완전한 것이 아니었다. 그래서 전혀 다른 운명 ─즉 이슬람이 나타나 동서양 사이에 방책을 세움으로써 막아버린 운명 ─도 가능했을 것이다. 이슬람이 없었던들 구세계는 서양과 동양에 뿌리를 내리고 있는 공통의 토양을 잃어버리지는 않았을 것이다.

아마도 이슬람과 불교는 제각기 다른 방법으로 이러한 동양의 기반에 대항했을 것이며 다른 한편으로는 자기들 상호 간에도 대항해 왔던 모양이다. 그러나 이 양자 간의 관계를 이해하기 위해서 이슬람교와 불교를, 그들 상호 간이 접촉을 시작한 시점에 그들이 취하고 있었던 형태를 기준으로 해서 비교를 해서는 안 될 것이다. 왜냐하면 전자는 당시에 5세기의 존속 역사를 가지고 있었던 반면에 후자는 이미 20세기 가까이나 경과하고 있었기 때문이다. 이런 차이가 있음에도 ─(양자의 비교를 하기 위해서는) 각각 그 전성기의 모습을 고려해야 할 것이다 ─불교의 전성기는 초기의 기념건축물을 보나 옛날보다는 덜 화려해진 현대의 작품을 보나, 한결같이 신선한 입김을 느끼게 한다.

내 추억에서는 미얀마 국경의 시골 절과 기원전 2세기 바르후트(Bharhut)의 석주(石柱) ─이것의 분산된 파편들을 콜카타와 델리에서 찾아볼 수 있다 ─가 결코 서로 분리될 수가 없다. 그리스의 영향이 아직 미치지 않은 시대 및 장소에서 만들어진 이들 석주는, 나에게 감동의 첫 동기가 되었다. 그것은 유럽인의 눈에는 시간과 공간을 초월하고 있는 것같이 보였다. 그것은 마치 그것을 새긴 사람들이 시간을 소멸해버리는 기계를 갖고 있어서, 자기들의 작품 안에 3천 년의 예술사를 응집하고, 이집트와 르네상스와의 중간에 위치하면서도 자기들이 알 까닭이 없는 시대에 시작해서 그 당시에는 아직 시작조차 하지 않은 또 다른 어떤 시대의 종말기에 가서 완성된, 모든 발전을 '한순간' 안에 포용하는 데 성공하기라도 한 것 같은 것이었다.

만일 영원한 예술이라는 것이 존재한다면 그것은 바로 이것일 것이다. 그것은 5천 년 전의 것이라고도, 또 어제 만든 것이라고도 할 수 있을 것이다. 그것은 피라미드에 속한다고도, 우리가 들어 살고 있는 집에 속한다고도 할 수 있다. 표면이 야들야들한 핑크색 돌에 새겨놓은 사람의 모습이 금방이라도 튀어나와 우리들 사이에 끼어들 것만 같다. 다른 어떤 입상(立像)도 이보다 더 깊은 평안함과 친근감을 느끼게 하지는 못할 것이다. 거기에는 또 순결하게 음란스러운 여자들의 모습과 '연인인 어머니'와 '수녀인 딸'의 대립 — 둘 다 비불교적 인도의 '연인인 수녀'와 대립한다 — 에 만족스러워하는 모성적 관능도 잘 그려져 있다. 성(性)의 갈등을 초월한 것같이 보이는 그 평온한 '여자다움'은 반은 기식자, 반은 수인(囚人) 신세인 절의 중들 — 삭발 때문에 여승과 구별이 안 되므로 이들은 말하자면 제3의 성을 형성한다고 할 수 있다 — 도 또한 그들 나름대로 보여주고 있다.

설령 불교가 이슬람교처럼 갖가지 원시신앙의 탈선행위들을 억제한다고 하더라도 그것은 모태로의 복귀 약속이 내포하고 있는 통합에 대한 보장을 해줌으로써이다. 이런 방책을 사용함으로써 불교는 에로티시즘을 광란과 오뇌로부터 해방한 후에 재차 포용하는 것이다. 반대로 이슬람교는 남성 지향에 따라 발전했다. 여성을 감금함으로써 어머니의 품으로 돌아오는 길을 막아버렸다. 남성은 여성의 세계를 하나의 유폐된 세계로 만들어버렸다. 이 방법으로 아마 이슬람도 평온을 얻을 수 있다고 생각하는 모양이다. 다만 이슬람은 몇 가지 배제 — 사회생활로부터 여성의 배제, 정신적 공동체로부터 비신도의 배제 — 를 담보로 해서 그것을 손에 넣었다. 이에 반해서 불교는 그 평온을 하나의 융합, 즉 여성과의 융합, 인류와의 융합으로시, 그리고 신격(神格)의 무성적(無性的)인 표상 속에서 포착하려 한다.

성현(붓다를 말함 - 옮긴이)과 예언자(마호메트 - 옮긴이)보다 더 현저한 대조는 상상하기 어렵다. 둘 다 신이 아니다. 그리고 그것이 그들의 유일한 공통점이다. 그 밖의 모든 점에서 그들은 서로 대립하고 있다. 전자는 순결하고 후자는 아내를 넷 거느리며 힘이 넘친다. 전자는 남녀 양성 겸유자이고 후자는 수염을 기르고 있다. 전자는 평화를 애호하고 후자는 호전적이다. 전자는 모범적 인격자요 후자는 구세주이다. 또한 양자 사이에는 1,200년이라는 세월이 가로놓여 있다.

그리고 좀더 늦게 태어났더라면 양자의 종합을 시도할 수 있었을지도 모르는 기독교가 너무 때이르게, 두 극한적 상황이 빚어내는 결과의 절충으로서가 아니라 한쪽에서 다른 쪽으로 옮아가는 이행과정으로서, 즉 내재적 논리와 지리와 역사로 말미암아 향후 이슬람교의 방향으로 발전해가게끔 운명지어진 일련의 사항들 중 중간항으로서 출현했다는 것은 서양 의식(意識)의 불행이었다. 왜냐하면 이슬람교는—이슬람교도들은 이 점에서만은 우쭐해 있다—종교 사상으로서 가장 진화한—그렇다고 해서 꼭 가장 우수하다고는 말할 수 없는—형태를 보여주고 있기 때문이다. 그러나 바로 이런 이유 때문에 도리어 그것은 삼자 중에서 가장 불안스러운 종교라고까지 말해도 좋을 것이라고 나는 생각한다.

인간은 사자(死者)로부터 받는 학대, 저승에서 받을 악독한 처우, 주술에서 오는 불안감 등에서 해방되기 위해서 세 가지 커다란 종교적 시도를 했다. 대략 반세기의 간격을 두고 인간은 불교, 그리스도교, 그리고 이슬람교를 연이어 고안해내었다. 그런데 각 단계가 그전의 것에 비해서 진보를 이룩하기는커녕 오히려 후퇴를 보이고 있다는 것은 놀라운 일이다. 불교에서는 내세가 없다. 불교에서는 모든 것이 삶의 근원적 비판으로 환원된다. 인간은 그 비판의 능력을 영원토록 간직할 수 있는 것이 아니로되, 일단 비판을 이룰 수만 있으면

(삶의 진리를 깨달으면) 성현(불타)이 사물과 인간의 의미에 대한 거부로의 길을 열어준다는 것이다. 그것은 우주를 무(無)로 보며 종교로서의 그 자체도 또한 부정하는 하나의 수련이다.

이에 대해서 새삼 공포에 사로잡힌 그리스도교는 내세를 다시 설정하고 동시에 그 희망, 위협, 그리고 최후의 심판도 새로 다듬었다. 따라서 이슬람교에 남겨진 것이라고는 현세를 내세로 이어주는 길밖에는 없었다. 그래서 현세는 정신세계(종교세계)와 합병돼버렸다. 사회질서는 초자연 질서의 위광으로 몸단장을 하고 정치는 신학이 되어버렸다. 결국은 미신조차도 생명력을 불어넣어줄 수 없었던 귀신이나 유령이 차지하던 자리에 이미 너무도 현실적 인물이 돼버린 지도자들을 앉힌 셈이 돼버렸다. 그뿐만 아니라 이 지도자들에게 내세의 전매특권까지 부여함으로써 그렇잖아도 벌써부터 견뎌내기 어려운 현세의 짐 무게에다 다시 내세의 짐 무게까지를 추가한 결과가 되어버렸다.

이 예(例)는 항상 근원으로 거슬러 올라가는 것을 원칙으로 삼는 민족학자의 야심을 정당화해준다. 인간은 처음이 아니면 진실로 위대한 것을 창조할 수가 없는 법이다. 어떤 분야에서거나 최초에 채택하는 방법만이 전적으로 옳은 것이다. 뒤이어 쓰는 방법은 주저와 후회를 수반하며, 이미 거쳐온 영역을 조금씩 복구해가는 데만 주력하는 법이다. 뉴욕 다음에 내가 방문한 피렌체는 처음부터 나를 놀라게 하지는 않았다. 건축과 조형미술 안에서 나는 15세기의 월가(Wall Street)를 보는 느낌이었다. 르네상스 이전의 화가들을 르네상스의 거장들과, 그리고 시에나(Siena)의 화가들을 피렌체의 화가들과 비교해보고 나는 디락의 인상을 받았다. 도대체 후자들은 하지 말았어야 할 모든 것말고는 한 것이 무엇이란 말인가? 그럼에도 그들은 역시 칭찬을 할 만하다. 창시(創始)와 불가분의 관계에 있는 '위대함'은 확실한 보장을 받는 것이기 때문에, '새롭기'만 하면 심지어 과오까지도 우리를 그 아름다움으로 압도하고 만다.

지금 나는 이슬람교 너머에 있는 인도에 대해 명상하고 있다. 나의 고찰 대상은 붓다의 인도, 마호메트 이전의 인도이다. 하지만 마호메트가—내가 유럽인이니까 그러는 것이겠지만—마치 동양과 서양이 한데 어울려서 서로 손에 손을 잡고 추고 있는 윤무(輪舞)에 뛰어들어 잡은 손들을 풀어 헤쳐버리는 거친 방해자처럼 나타나, 우리 유럽인의 생각과 그것과 매우 흡사한 (인도의) 교리 사이에 끼어들어 온다. 나 자신도 하마터면 자기를 기독교이며 서양인이라고 칭하고는 두 세계의 경계를 자기들의 동쪽에다 긋는 저 이슬람교도들과 꼭 같은 과오를 범할 뻔했다.

사실 이 두 세계 간의 거리는 두 세계 중 어느 하나와 이슬람교도들의 시대착오 사이의 거리보다 더 가까운 것이다. 이성의 진화는 역사의 진화에 역행하는가 보다. 이슬람은 더 문명화한 세계를 양단했다. 이슬람에게 현재로 여겨지는 것은 이미 지나간 시대에 속하는 것이며 따라서 이슬람은 1천년간의 오차 속에서 살고 있는 셈이다. 이슬람은 한 가지 혁명적인 사업을 성취할 수는 있었지만, 그것이 후진적인 일부의 인류에게 적용되었기 때문에 현실의 씨를 뿌림으로써 잠재력을 죽인 결과가 되었다. 다시 말해서 이슬람은 계획한 바와는 반대되는 것을 얻는 진보 형태를 취한 셈이다.

서양은 자신의 분열의 근원으로 거슬러 올라가볼 필요가 있다. 따지고 보면 이슬람이 우리를 이슬람화한 것은, 이슬람이 불교와 기독교 사이에 끼어듦으로써 서양이 십자군에 말려들어 이슬람에 대항하려고, 따라서 그것과 닮으려고 했을 때의 일이다. 만일 이슬람이 존재하지 않았더라면 서양은 기독교와 불교와의 완만한 상호 삼투 작용으로 더욱 기독교적이 됐을 것이다. 서양이 여성으로 남을 수 있는 기회를 상실한 것도 바로 이때였다.

이와 같은 관점에서 볼 때 무굴 예술의 양의성(兩義性)은 더 잘 이해할 수가 있다. 그것이 일으키는 감동에는 건축적인 것은 하나도 없다. 그것은 시와 음악의 영역에 속한다. 그러나 방금 본 것과 같은 이유로 해서 이슬람 예술은 몽환(夢幻)예술로만 남았어야 하는 것이 아니었을까? 타지 마할에 대해서 사람들은 '대리석의 꿈'이라고 평하고 있다. 이 베데커(Baedecker: 독일의 유명한 여행 안내서 출판사-옮긴이) 안내서의 표현은 매우 깊은 어떤 진실을 감추고 있다. 무굴인은 자기들의 예술을 꿈꾸었으며, 또 문자 그대로 '꿈의 궁전'을 창조한 것이다. 그들은 건조한 것이 아니라 꿈을 그대로 베껴 옮긴 것이다. 그 결과 이들 기념 건조물은 그 서정성에서나, 트럼프놀이 카드나 조개껍데기로 만든 성과 같은 가운데가 빈 모양으로 말미암아 보는 이들로 하여금 동요케 만드는 것이다. 대지에 묵직하게 고정된 궁전이라기보다는 차라리 그 드물고 견고한 재료 덕분으로 존재에 도달하려고 헛되이 애쓰는 모형 같은 것이라고 하는 것이 나을 것이다.

인도의 사원에서는 우상이 신을 표방한다. 신은 사원에 거처하며 신이 그 안에 현존한다는 사실이 사원을 귀중하고 외경스럽게 만드는 것이며, 여러 가지 경건스러운 조치, 예컨대 신과 접견하는 날을 제외한 다른 날에는 문을 걸쇠로 채워놓는 조치 등도 납득이 가는 일이다.

이와 같은 사고법에 대한 이슬람교와 불교의 반응은 서로 다르다. 전자는 우상을 배척하고 파괴한다. 이슬람교의 사원인 모스크는 텅비어 있고 단지 신도 단체만이 그것에 생기를 채운다. 후자는 화상(畵像)으로 우상을 대치시키되 그 수를 얼마든지 마음대로 늘리기도 한다. 왜냐하면 화상 하나하나가 다 신을 뜻하는 것이 아니고 다만 신을 환기할 뿐이며, 수가 많다는 사실 자체가 상상을 돕기 때문이다. 힌두교의 성소(聖所)가 하나의 우상을 갖추고 있는 데 반해서, 모스크는 사람들을 제외하고는 텅 비어 있으며, 불교의 사원은 수많은 초상을 내장하고 있다. 입상(立像)과 제단(祭壇)과 탑이 인공재배되는 버섯처럼 즐비해 있어서 걸어 다니기조차 쉽지 않은 그리스불교 중심지는 대량으로 제조된 모두가 비슷비슷하게 생긴 소형 조상(彫像)들이 줄지어 서 있는 저 미얀마 국경의 검소한 챠웅(불교 사원)을 예고해주고 있다.

1950년 9월, 나는 치타공 구릉지대에 있는 어느 모그 촌락에 있었다. 며칠 동안 나는 매일 아침마다 승려들을 위한 음식을 가지고 사원으로 가는 여자들을 관찰했다. 시에스타 중에는 기도를 중단시키는 징 치는 소리와 미얀마어의 알파벳을 조용하게 읊조리는 어린아이들의 소리에도 귀를 기울여 보았다. 챠웅은 티베트의 화가들이 원경(遠景)으로서 즐겨 그렸던 것과 같은 나무가 무성한 작은 언덕 꼭대기 부락의 가장자리에 자리 잡고 있었다. 챠웅 아래쪽에는 '제디', 즉 탑이 있었다. 가난한 부락에 있기에 그 탑은 대나무로 둘러싼 사각형의 울타리 안에 흙으로 만들어놓은 7층의 둥근 건축물에 지나지 않았다. 그 탑에 올라가기 전에 우리는 신발을 벗었고, 진흙의 습기찬 표면이 발바닥에 매우 상쾌한 촉감을 주었다.

이곳저곳의 가파른 비탈에는 그 전날 마을 사람들이 뽑아놓은 파인애플나무들이 있었다. 왜냐하면 일반 신도들은 그들의 필요한 것을 돌보아주는 승려들이 직접 과일을 재배한다는 것은 당치 않다고 느꼈기 때문이다. 그 작은 언덕의 꼭대기 부분은 짚으로 만든 헛간들로 삼면이 둘러싸인 하나의 아주 작은 광장처럼 보였다. 그 헛간 아래에는 여러 빛깔의 종이들이 걸려 있는, 대나무로 만들어진 커다란 물건들이 있었다. 이 연처럼 생긴 물건들은 그 지역 행사 때 행렬에 사용하기 위해 만들어진 것이었다. 사원은 네 번째 면에 있었는데, 마을의 오두막들처럼 말뚝들을 박은 위에 지어놓은 것이었다. 그것은 마을의 집들보다 규모가 크고, 또 본채가 정사각형으로 생기고, 초가지붕이 덮여 있다는 점에서만 마을의 집들과 구별되었다.

진흙 위로 계속 기어올라오고 난 뒤라서 그런지, 의식에 따른 목욕도 매우 당연하게 여겨졌고 종교적 의미는 없는 것 같았다. 우리는 사원 안으로 들어갔다. 그 속에는 빛이라고는 중앙이 오목한 새장 모양의 등 꼭대기로부터 흘러나왔을 뿐이었고, 바로 그 등 위에는 돗자리나 넝마 조각으로 장식된 제단이 있었으며, 벽의 이엉 사이로 빛이 희미하게 스며들고 있었다. 그 제단의 주위에는 50개쯤 되는 놋쇠로 만든 상들이 있었고, 그 옆에는 바라 한 개가 걸려 있었다. 벽에는 한두 개의 착색석판(着色石版)으로 인쇄한 경건한 그림 몇 장과 사슴의 두개골이 걸려 있었다.

마룻바닥은 굵은 대를 세로로 켜서 엮은 것이었는데 그것은 사람들이 맨발로 계속 지나다닌 까닭에 반들반들해져서, 일종의 카펫보다도 부드러운 촉감을 주었다. 그곳은 또 조용한 헛간 같은 분위기를 지니고 있었으며, 건초냄새가 났다. 그 단순하고 넓은 방은 내버려진 어떤 건초창고였는지도 모른다. 침상에 깔린 짚으로 된 매트 곁에 서 있던 두 승려가 보여주었던 예의바른 태도, 제식에 필요한 모든 장식물을 조립하거나 제조하는 데 쏟던 감동적인 헌신과 주의(注意), 이 모든 것이 나로 하여금 과거 어느 때보다도 하나의 장소에 대한 어떤 개념을 정확하게 지닐 수 있도록 해주었다.

나의 동료가 "너는 내가 하는 것처럼 할 필요는 없어"라고 내게 말했다. 왜냐하면 그는 이전에도 이미 네 번씩이나 절을 한 적이 있었기 때문이다. 그의 의견을 존중해서 나는 움직이지 않은 채 가만히 서 있었다. 이것은 자신감에서라기보다는 분별심에서였다. 그는 내가 그의 신앙에 동의하지 않음을 알고 있었다. 그리고 만약 내가 의식적 행위들이 하나의 전통에 불과할 뿐이라고 생각하는 것을 그로 하여금 믿게 만든다면, 내가 이 의식적 행위들을 악용하는 것이 되지나 않을까 두려워했던 것이다. 그러나 이번만큼은 내가 그가 하듯이 절을 했다 해도 어떤 당혹감도 느끼지 않았을 것이다. 참배의 형식과 자신 사이를 방해하는 오해란 아무것도 없었다. 그것은 우상에 절을 한다거나 사물의 어떤 가상적인 초자연적 질서를 숭배한다든가 하는 문제가 아니라, 한 사람의 사상가에 의해서 또는 그의 전설을 창조했던 하나의 사회에 의해서 2,500년 전에 형성되었던 결정적인 명상들에 다만 존경심을 표현하는 것일 뿐이다. 나의 문명은 이 같은 명상들을 확신함으로써만이 그것들에게 도움이 될 수 있었다.

결국 내가 경청했던 대가들로부터, 그 사상을 읽어보았던 철학자들로부터, 조사해보았던 사회들로부터, 그리고 서구가 그토록 자랑스러워하는 과학으로부터 나는 무엇을 배워왔던가? 내가 배웠던 것은 만약 그것들의 끝과 끝을 연결해본다면, 현자(賢者)의 나무 아래에서 그 현자의 명상들을 재구성하는 한두 개의 단편적인 교훈에 불과하다. 우리가 이해하기 위해서 노력하게 되면 우리는 우리가 애착을 지닌 대상을 파괴하고, 그 대상을 전혀 성질이 다른 대상과 대치시킨다. 그 다른 대상 또한 파괴되어버리고, 우리로 하여금 세 번째 대상을 필요로 하게 만든다. 이와 같은 과정을 거쳐서 우리는 그 유일한 영속적 실재에 도달하게 되며, 이 실재 가운데서는 '의미'와 '의미의 부재' 간의 모든 구별이 사라져버리고 마는 것이었다. 그리고 우리가 처음에 출발한 것은 이 실존으로부터이다. 사람들이 이 같은 진실들을 발견하고, 공식화한 이후로 이제 2,500년이나 흘렀다. 그때 이후로 우리는 새로운 것이라고는 아무것도 발견하지 못했다. 하나의 출구인 듯한 것을 우리가 조사하게 되었을 때마다, 우리는 우리가 애써 벗어나려고 했던 결론들의 또 다른 증거를 발견하는 것이다.

물론 나는 너무 성급하게 도달된 체념상태의 위험성도 또한 알고 있다. 무지(無知)에 관한 이 위대한 종교(佛敎)는 이해에 대한 우리의 무능력에 근거를 두고 있지는 않다. 오히려 이 종교는 우리의 선천적 재능들을 인정하며, '존재'(存在)와 '지'(知)를 상호 배제함으로써 진실을 발견하게 되는 지점에까지 우리를 고양해준다. 그리고 더욱 대담스럽게도 이 종교는 다른 곳에서는 오직 마르크스주의만이 실천했던 어떤 것을 성취했다. 이 종교는 형이상학의 문제와 인간행위의 문제를 조화시켰다. 따라서 불교의 분파는 우리가 대승과 소승 간의 근본적 차이점이 어떤 한 개인의 구원을 하나의 전체로서 인간성의 구원에 의존하는 것이라고 믿느냐 또는 믿지 않느냐 하는 사회학적 수준에서 나타났다.

그러나 불교도들이 도덕성이라는 문제에 부여했던 역사적 해결방식은 하나의 냉정한 양자택일에 도달했다. 인간은 내가 방금 언급했던 문제에 대해 긍정함으로써 절로 들어가든지 또는 다르게 생각하여 어떤 고결한 이기주의를 실천하면서 조용하게 살 수도 있다.

하지만 부정·빈곤 그리고 재난이 존재하고 있다. 이것들이 내재한다는 사실에 의해서 어떤 중간적인 해결책이 제공된다. 우리는 홀로 존재하는 것이 아니며, 따라서 우리가 다른 인간들에 대해 전혀 무관심해하거나 또는 모든 인류에 대해 우리들 스스로가 죄를 짓고 있다고 인정하는 것은 우리들 마음대로 할 수 있는 일이 아니다. 불교는 이 점에서 완전하게 일관성을 지니고 있으며, 이와 동시에 밖으로부터의 호소에 응답할 수 있다. 아마도 불교는 이 세계의 여러 부분에서 언쇄의 고리가 빠져 있는 것을 발견했을 것이다. 왜냐하면 만약 계몽에 이르는 변증법적 과정에서 최종 순간이 가치 있는 것이라면, 이 순간에 선행하거나 또는 가까운 모든 순간들 또한 가치가 있는 것이기 때문이다.

의미에 대한 그 절대적 부정은 하나의 더 적은 의미로부터 더 큰 의미로 나아가는 일련의 단계들 가운데서 맨 마지막의 것이다. 이 마지막 단계는 그 앞에 있었던 모든 단계를 필요로 하며, 이와 동시에 그 단계들을 정당화해준다. 그 각각의 단계는 그 자체의 방법이나 수준에서 하나의 진실에 상응하고 있다. 인간을 그의 첫 번째 사슬로부터 해방시키는 마르크스주의의 비판과 그 해방을 완결하는 불교도의 비판 사이에는 아무런 대립이나 모순이 존재하지 않는다. 마르크스주의자는 인간조건의 명확한 중요성은 그가 생각 중인 대상을 확대하려고 하는 순간에 사라져버릴 것이라고 가르치고 있다.

마르크스주의와 불교는 동일한 과업을 서로 다른 수준에서 각각 수행하고 있다. 이 두 극단 간의 상호 관계는 동양으로부터 서양으로 흐르는 사고의 확고한 운동에 의해서, 지난 2천 년에 걸쳐 우리 인류가 이룩하여온 모든 지식상의 진전에 의해서 보증되고 있다. 우리가 인간관계에 대한 진실을 우리의 마음속에서 명확하게 간직하려고 할 때 신념과 미신들이 용해되어버리는 것처럼, 도덕성은 역사에 양보되고, 유동적인 형태들은 확고한 구성물에 양보되고, 창조는 무에 양보되고 만다. 우리는 맨 처음에 시작했던 운동의 대칭을 발견하기 위해서는 그 운동 자체를 되돌려놓아야만 한다. 그 운동의 부분들은 그 각각이 다른 부분들의 위에 포개어진 것이며, 우리들이 이미 통과했던 단계들은 없어지지 않고 오히려 그 뒤에 나타난 단계에 의해서 확실하게 되는 것이다.

인간은 그의 무대를 옮겨감에 따라서 과거에 그가 소유했던 모든 위치와 미래에 그가 소유하게 될 모든 위치를 함께 가져간다. 그는 동시에 어느 곳에서도 존재하며, 또 전진해나가는 활동 속에서 과거에 취해진 모든 단계를 매순간 요약하는 하나의 군중이기도 하다. 왜냐하면 우리는 몇 개의 세계 가운데서 살기 때문이다. 그리고 이 각각의 세계는 그 속에 있는 세계보다는 더욱 진실하지만, 그것을 둘러싸고 있는 세계에 대해서는 가짜인 것이다. 이 세계들 중에서 어떤 것은 활동 가운데서 이해될 수 있으나, 다른 어떤 세계들은 우리가 그것들을 우리의 사고 속에 지니고 있기 때문에 존재한다. 그러나 이 세계들의 공존에서 생기는 명백한 모순은, 우리들이 우리에게 좀더 가까운 세계에 대해서는 의미를 부여하고 좀더 떨어진 세계에 대해서는 의미를 제공하지 않도록 강요받고 있다는 사실에 의해서 해결되고 있다. 진실은 오히려 의미의 점진적인 확대 가운데 존재하는 것이다. 그러나 그 확대는 밖에서부터 안으로 작용하는 것이고, 또 폭발점에까지 밀고 나아가는 것이다.

그러므로 한 사람의 민족학자로서 나는 하나의 전체로서 인간성에 적합하고, 그 자체 내에 존재 이유를 지니고 있는 모순으로 고민하던 사람은 이미 아니다. 내가 그 두 극단을 분리했을 때만이 그 모순이 지속되었다. 만약 행동을 지도하는 그 사고가 무의미를 발견하게 된다면 그 행동의 사용은 무엇을 위한 것인가? 그러나 그 발견은 즉각적으로 이루어질 수는 없다. 그 발견을 생각해야만 하나, 나는 그것을 갑자기 모두 한꺼번에 생각할 수는 없다. 거기에는 보살들의 경우에서처럼 열두 단계가 있을 수도 있다. 그러나 그 단계가 더 많거나 더 적든지 간에 그것은 오직 하나의 단일한 전체로서 존재한다. 만약 내가 그 단계들의 끝에 도달하려고 한다면, 나는 나에게 무언가를 요구하는 각각의 상황을 계속적으로 겪어나가도록 요청받게 될 것이다.

나는 지식의 혜택을 받고 있듯이 인류에게서도 혜택을 받고 있다. 역사, 정치학, 사회적·경제적 세계, 물리적 세계, 심지어는 하늘까지, 이 모든 것이 동심원을 이루며 나를 둘러싸고 있다. 그리고 만약 내가 내 존재의 어떤 부분들을 이들 각각에게 양보한다면 나는 사고에 의해서 이 동심원들로부터 겨우 벗어날 수 있다. 물속으로 떨어지면서 물의 표면에 파문을 만드는 조약돌처럼, 나는 물의 깊이를 측량하려 한다면 물속으로 뛰어들어야만 한다.

세계는 인간 없이 시작되었고, 또 인간 없이 끝날 것이다. 내가 일생을 바쳐서 목록을 작성하고, 또 이해하려고 노력하게 될 제도나 풍습 또는 관습들은 만약 이것들이 인간성으로 하여금 그것의 운명지어진 역할을 수행하도록 허용하지 않는다면, 전혀 무의미해지고 마는 어떤 창조적 과정에서의 일시적인 개화이다. 그러나 그 역할은 우리 인간에게 어떤 독립적인 위치를 배당하지는 않는다. 또한 비록 인간 자신이 저주받을지라도 그의 헛된 노력들은 하나의 보편적인 몰락과정을 저지하는 방향으로 진행될 것이다.

인간성의 운명적인 역할과는 전혀 달리, 인간의 역할은 다른 어떤 것보다도 더욱 완전한 점에까지 도달해 있는 하나의 기계와 같다. 이 기계의 활동은 처음의 질서를 급히 해체하여, 어떤 강력하게 조직된 물질을 점점 커지다가 언젠가는 명확해지게 되는 타성의 조건으로 빠뜨리게 한다. 숨을 쉬는 방법과 살아나가는 방법을 처음으로 배웠던 시대로부터 불을 발견한 시대를 거쳐서, 오늘날의 원자 및 원자핵반응에 필요한 설계를 발명해내기까지 인간은—자손을 낳는 경우만을 제외하고는—수백만 개 구조를 즐겨 분해하여, 그 요소들을 재결합할 수 있는 상태에까지 이르게 한다. 물론 인간은 도시도 세웠고 땅도 경작했다. 그러나 만약 우리가 이 같은 활동들을 면밀하게 조사해본다면, 우리는 이 활동들 또한 타성을 생기게 하는 기계들이며, 이 기계들의 활동 범위와 속도는 그 속에 함축되어 있는 조직의 총계보다 엄청나게 크다는 점을 발견하게 될 것이다.

인간정신의 창조라는 점에 대해 이야기한다면, 그 창조란 정신과의 관계에서만이 의미를 지니고, 정신이 존재하지 않게 되면 즉시 무로 빠져버린다. 그러므로 하나의 전체로서의 문명은 매우 복잡하게 된 하나의 메커니즘으로서 표현될 수 있다. 비록 그 메커니즘을 존속이라는 우리 우주의 최대의 희망으로서 간주해보고 싶지만, 그것의 진실한 기능은 물리학자들이 말하는 '엔트로피'——말하자면 타성, 무력증——를 만들어내는 것이다. 주고받는 모든 대화나 인쇄된 각행(各行)은 두 사람의 대화자 사이에 하나의 커뮤니케이션을 확립하며, 두 개의 상이한 면에서 이미 존재했고, 또 그렇기 때문에 좀더 큰 조직도를 지니게 되었던 것을 평준화한다. 최고도로 전개된 형태 속에서 이 해체의 과정을 연구하는 학문의 이름은 '인류학'(anthropologie)이라기보다는 '엔트로폴로지'(entropologie: 엔트로피의 학문)라고 써야 할 것이다.

그러나 나는 존재한다. 그렇지만 결코 하나의 개인으로서 존재하는 것은 아니다. 왜냐하면 이 점에서 나는 머릿속에 밀집되어 있는 수백만 개의 신경세포로 이루어진 사회와 그 사회에 하나의 로봇으로서 봉사하는 나의 내체(內體) 간의 투쟁에 끊임없이 관여하는 존재에 지나지 않기 때문이다. 심리학도, 형이상학도, 예술도 내게 하나의 피난처를 제공해줄 수는 없다. 이와 같은 것들은 미래의 언젠가 태어날 새로운 종류의 사회학을 역시 내부로부터 받아들여야 할 신화들인 것이며, 이 새로운 사회학은 그 신화들에 대해 예전의 사회학처럼 관대하지는 않을 것이다.

자아라는 것은 타기해야 할 것일 뿐만 아니라, '우리'와 '무' 사이에서 발붙일 곳이 없다. 그리고 결국에 가서 내가 택하는 것이 바로 이 '우리'라면 비록 그것이 외견상 문제로 끝나는 것이라 할지라도 그것은 내가 자멸——선택의 조건을 없애주게 될 행위인——하지 않는 한, 나에게는 내 외견과 무 사이에서 한 가지 선택만이 가능하다는 것이다. 그래서 바로 이 선택에 의해 내가 거리낌없이 나의 인간 조건을 받아들이기 위해서는, 나는 오직 선택만 하면 되는 것이다. 이와 같이 그 무익함이, 그 대상의 무익함에 대등하는 지적 자만심으로부터 나를 해방시키면서, 이러한 자만심들을 이와 같은 선택의 방법이 항상 거부되는 대중의 해방에서 비롯되는 객관적인 요구에 종속시키는 것도 또한 나는 인정한다.

개인이 집단 속에서 혼자 존재하는 것이 아니고, 또 각 사회가 여러 사회들 가운데서 혼자 존재하는 것이 아닌 것처럼, 인간도 우주 속에서 혼자 존재하는 것이 아니다. 인간문화의 무지개가 우리의 열광으로 팬 허공 속으로 빠져들기를 멈추었을 때, 즉 우리가 여기 있고 또 세계가 존재하는 한 접근할 수 없는 곳으로 우리를 연결하는 그 가느다란 아치는 우리 앞에 그대로 머무를 것이다. 그 아치는 우리의 노예상태의 길과는 반대되는 길을 가르쳐주고 있을 것이며, 우리가 그 길을 따라갈 수 없을지라도 단지 그 길을 숙고하는 것만으로써도 우리는 우리가 부여받을 수 있는 유일한 은총에 도달하게 될 것이다. 말하자면 그 은총은 하나의 정지를 요구하는데, 그 정지란 필연성의 텅 빈 벽에 뚫려 있는 것과 같은 틈을 하나씩하나씩 인간이 메워 나가도록 촉진해주며, 또 인간 자신의 감옥의 문을 세차게 닫아버림으로써 그의 성취를 완수하도록 촉진하는 충동을 억제해주는 것이다.

이 은총이란 모든 사회가 그것의 신념·정치체계·문명의 수준에 관계없이 동경하는 은총이다. 그리고 이 은총은 어떤 경우에서도 여가·오락·자유 그리고 심신의 평화를 나타내준다. 생활 자체도 이 기회에 의존하고 있으며, 동시에 인간은 이 인생에서의 중요한 기회에 의해서 화해하기 어려운 과정들로부터 초연해질 수 있다. 야만인들이여 안녕! 그리고 여행이여 안녕! 그러나 그 대신 인간성이 그것의 꿀벌처럼 부지런한 노동을 방해하는 것도 견디어낼 수 있는 짧은 동안에, 사고의 이쪽과 사회의 저쪽에서 존재했고, 지금도 존재하는 인간의 본질을 파악해보자. 이 본질은 인간의 어떤 작품보다도 더욱 아름다운 하나의 광물을 관조하는 가운데서나 또는 우리의 책들 속에서보다도 더욱 미묘하게 전개되는──하나의 백합꽃 속에 감도는──향기 가운데서나 또는 때때로 어떤 무의식적인 이해를 통하여 우리가 한 마리 고양이와도 나누어 가질 수 있는 인내심, 평온함, 그리고 상호 관용이 가득 찬 눈길 가운데서 우리에게 하사될 수도 있는 것이다.

1954년 10월 12일부터
1955년 3월 5일까지 집필하다.

레비스트로스의 연보

1908년(1세)   2월 28일, 벨기에의 브뤼셀에서 태어남. 인상파 화가였던 아버지 레몽과 어머니 엠마는 모두 프랑스 국적의 유대인임. 생후 2개월이 되어 다시 파리로 돌아감.

1914년(6세)   제1차 세계대전으로 파리에서 베르사유로 옮겨 그곳에서 초등교육을 받음.

1921년(13세)   대전 후 파리로 돌아와 고등학교에 입학. 이 시절에 벨기에인 사회주의자를 알게 되어 그로부터 마르크스주의에 처음으로 접하게 됨. 그리하여 마르크스의 저작들을 탐독함. 소년 시절부터 이국정취가 깃들인 물품들을 수집하거나 야산에 나가 화석을 채집하거나 혹은 동식물이나 화석을 관찰하는 습관을 계속 지니게 됨. 특히 지리학에 관한 관심은 그의 학문에 막대한 영향을 끼쳤음.

1927년(19세)   고등학교를 졸업하고 파리 대학 법학부와 문학부에 입학하여, 1930년에는 법학사와 철학사 학위를 받음. 재학 중에는 심리학자 조르주 뒤마의 강의를 듣고, 임상심리학·정신분석학에 흥미를 느낌. 또한 루소의 저작들도 탐독했으나, 아직까지 인류학이나 민족학에 특별한 관심을 지니지는 않아 후일에 그에게 커다란 이론적 영향을 미쳤던 마르셀 모스의 강의도 청강하지 않았음.

합격하기 어려운 철학교수 자격시험에 1회의 응시로서 최연소자로 합격함. 세 사람이 한 조가 되는 교육실습에서 메를로-퐁티와 같은 조가 되어 그와 친교를 맺음.

1932년(24세) 병역을 마치고 난 다음, 프랑스 남부의 고등학교에서 철학을 가르침.

1933년(25세) 프랑스 북동부의 고등학교에서 철학을 가르치면서 로버트 로위의 『미개사회』를 우연히 읽게 되어, 강한 감명을 받고 인류학·민족학에 관심을 갖게 됨.

1935년(27세) 셀레스탱 부글레의 소개로 신설된 브라질 상파울로 대학의 사회학 교수에 부임. 대학의 휴가를 이용하여 3, 4개월 간 카두베오족과 보로로족의 사회를 방문·조사함.

1936년(28세) 「보로로족의 사회조직에 대한 연구」, 「문명화된 야만인 가운데서」 등의 논문들을 발표함.

1938년(30세) 대학을 떠나 1년간 남비콰라족, 투피 카와이브족 등 브라질 북서부의 원주민 사회를 조사함.

1939년(31세) 프랑스로 귀국. 제2차 세계대전이 시작되어 영국군의 통역장교로 근무.

1941년(33세) 유대계이므로 마르세유에서 배편으로 프랑스를 탈출하여 푸에르토리코를 거쳐 미국으로 감. 미국의 인류학자 로버트 로위의 알선으로 뉴욕의 신사회조사연구원에서 문화인류학을 연구.

1942년(34세) 미국으로 망명해온 러시아 태생의 유대인 언어학자 야콥슨과 알게 되어, 그로부터 언어학, 특히 구조언어학의 방법에 흥미를 갖게 됨.

1944년(36세) 파리 해방 후 프랑스 정부의 요청으로 일시 귀국.

1945년(37세) 문화의 구조적 분석의 방법론에 관한 최초의 노작인 『언어학과 인류학에서의 구조적 분석』을 야콥슨과 공동으로 발표함.

1946년(38세) 주미 프랑스 대사관의 문화고문으로 다시 미국으로 건너감.

1948년(40세) 프랑스로 귀국하여 인류학 박물관의 부(副)관장이 됨. 파리 대학에서 문학박사 학위를 받음.

1949년(41세) 박사학위를 받은 논문 『친족의 기본구조』가 출판되어 프랑스

학계와 사상계에 커다란 반향을 일으켰고 '폴 베리오상'을 수상함.

1950년(42세) 유네스코의 문화사절로서 동파키스탄과 인도를 약 4개월간 여행함. 이 내용은 『슬픈 열대』에 단편적으로 기록됨.

파리 대학 고등연구원의 종교부문의 연구지도 교수가 되어 「무문자(無文字) 민족종교의 비교 연구」라는 주제의 세미나를 담당함. 그를 위하여 고등연구원 부속의 사회인류학 연구실이 창설.

논문 「언어와 사회법칙의 분석」 「파키스탄의 사회과학」을 발표함.

『슬픈 열대』가 출판되어 독서계의 화제가 됨. 조르주 큐르비치와 로당송 등이 레비스트로스에 대해 비판을 제기함.

논문 「양분제(兩分制)는 존재하는가」 「구조와 변증법」을 발표함.

1958년(50세) 논문 「사회 조직에 있어서 양분제와 종교적 표상」을 발표함. 이때까지 발표했던 15개 논문을 보완하고 비판에 대한 대답을 첨가하여 『구조인류학』이란 표제로 출판하여, 민족학에서 구조주의 방법론을 체계적으로 설명함.

1959년(51세) 콜레주 드 프랑스의 정교수에 취임하여 사회인류학 강좌를 창설함. 『대영백과사전』에서 마르셀 모스의 「통과의례」의 항목을 집필함.

1961년(53세) 인류학 종합잡지 『인간』을 여러 사람과 함께 창간함.

1962년(54세) 『오늘날의 토테미즘』 『야생의 사고』가 출판되어 사상계에 커다란 물의를 불러일으킴.

1963년(55세) 논문 「문학적 불연속과 경제적·사회적 발전」을 발표.

1964년(56세) 『신화학』 제1부 「날것과 요리된 것」을 출판함.

1965년(57세) 『신화학』 제2부 「꿀에서 재로」를 완성하여 그 집필에 많은 협력을 했던 부인 모니크에게 헌정. 『아르크』지가 레비스트로스 특집호를 펴냄.

1966년(58세) 미국의 스미스소니언연구소에서 열린 '스미스슨 탄생 2백년제'

에 참석하여 인류학자로서 최고의 영예인 바이킹 메달을 받음.

1968년(60세) 『신화학』 제3부 「식사법의 기원」이 출판됨.

1971년(63세) 『신화학』 제4부 「벌거벗은 인간」이 출판되어 신화학의 전 체계가 완성됨. 프랑스의 학자로서는 최고 영예인 아카데미 프랑세즈의 회원이 됨.

1973년(65세) 『구조인류학Ⅱ』를 출판함.

1976년(68세) 논문 「밴쿠버의 살리쉬족에서의 통과의례」를 발표. 「자유에 관한 성찰」을 *La Nouvelle Revue des deux Mondes*, 11월호에 발표함.

1977년(69세) 논문 「뉴욕의 그 후(後)와 예시(豫示)」를 국립 조르주 퐁피두 예술문화센터의 *Paris-New York*지에 발표함.

1978년(70세) 미국 존스홉킨스 대학 창립 200주년 기념강연과 함께 명예박사 학위를 받음.

논문 「신화와 의미」를 토론토 대학 출판부에 발표.

논문 「쌍생아 출생의 해부학적 예시: 기호의 체계」를 G. 디테를렌 교수 기념논문집에 발표.

1979년(71세) 멕시코 국립대학의 초청으로 12일간 체류. 명예박사학위를 받았으며 여러 차례의 강연과 발굴 중인 고고학적 현장을 방문했다.

논문 「마거릿 미드」를 『정보』지 28호에 발표.

「일본에서의 구조·신화·노동」을 도쿄의 미쓰즈 출판사에서 출판.

캐나다 퀘벡의 라발 대학에 초청되어 명예박사학위를 받고 여러 세미나에 참석함.

『아메리카에 있어서 피타고라스』를 아카데미 프레스에서 출판 (R.H. Cook 편집).

세 번의 여행을 통해 새로워진 마음으로 「가면의 길」 증보개정판을 플롱사에서 출판.

「레비스트로스의 답사」(아카데미 프랑세즈에서 행한 M. 뒤메질의 회원수락 연설문)를 갈리마르에서 출판.

1980년(72세) 「인류학적 인식에 비추어본 인간조건」을 윤리·정치연구소의

『문화와 커뮤니케이션』지 24호에 발표.

일본 오사카시의 '산토리' 기금이 마련한 '일본을 말한다' 국제 학술대회에서 10일간 체류하며 여러 차례 강연함.

「인디언의 가문(家紋)」을 『예술의 인식』지 338호에 발표.

1981년(73세) 정신문화연구원 초청으로 한국 방문. 『레비스트로스의 인류학: 사회조직과 신화학』, 한국정신문화연구원 사회연구실 편.

1984년(76세) 『멀리서 보는 눈』출판(플롱사).

『주어진 말』(*La Parole donné*, 플롱사) 출판.

1985년(77세) 『질투심 많은 여 도공』출판(플롱사).

이후 강의는 하지 않고 프랑세즈 아카데미 회원으로만 있다.

참고문헌

1. *Handbook of South American Indians* ed. by J. Steward, Smithsonian Institution, Washington, D.C., 7 vol. 1946~1959.

2. P. Gaffarel, *Histoire du Brésil français au XVIᵉ siècle*, Paris, 1878.

3. J. de Léry, *Histoire d'un voyage fait en la terre du Brésil*, n. éd.(par P. Gaffarel), Paris, 1880, 2 vol.

4. A. Thevet, *le Brésil et les Brésiliens*, in: Les classiques de la colonisation, 2; choix de textes et notes par Suzanne Lussagnet, Paris, 1953.

5. Y. d'Évreux, *Voyage dans le Nord du Brésil fait durant les années 1613~14*, Leipzig et Paris, 1864.

6. L.A. de Bougainville, *Voyage autour du monde*, Paris, 1771.

7. P. Monbeig, *Pionniers et planteurs de São Paulo*, Paris, 1952.

8. J. Sanchez Labrador, *El Paraguay Catolico*, 3 vol. Buenos-Aires, 1910~17.

9. G. Boggiani, *Viaggi d'un artista nell' America Meridionale*, Rome, 1895.

10. D. Ribeiro, *A arte dos indios Kadiueu*, Rio de Janeiro, 1950.

11. K. von den Steinen, *Durch Zentral-Brasilien*, Leipzig, 1886.

———, *Unter den Naturvölkern Zentral-Brasiliens*, Berlin, 1894.

12. A. Colbacchini, *I Bororos orientali*, Turin, 1925.

13. C. Lévi-Strauss, Contribution à l'étude de l'organisation sociale des Indiens Bororo, *Journal de la Société des Américanistes*, vol. 28, 1936.

14. C. Nimuendaju, *The Apinayé Anthropological Series*, Catholic University of America, n° 8, 1939.

―――, *The Serenté*, Los Angeles, 1942.

15. E. Roquette-Pinto, *Rondonia*, Rio de Janeiro, 1912.

16. C.M. da Silva Rondon, *Lectures delivered by*······, Publications of the Rondon Commission, n° 43, Rio de Janeiro, 1916.

17. Th. Roosevelt, *Through the Brazilian Wilderness*, New York, 1914.

18. C. Lévi-Strauss, *la Vie familiale et sociale des Indiens Nambikwara*, Société des Américanistes, Paris, 1948.

19. K. Oberg, *Indian Tribes of Northern Mato Grosso, Brazil*, Smithsonian Institution, Institute of Social Anthropology, Publ., n° 15, Washington, D.C., 1953.

20. C. Lévi-Strauss, Le syncrétisme religieux d'un village mogh du territoire de Chittagong (Pakistan), *Revue de l'Histoire des religions*, 1952.

21. Julio C. Tello, *Wira Kocha, Inca*, vol. 1, 1923. Discovery of the Chavin culture in Peru, *American Antiquity*, vol. 9, 1943.

옮긴이의 말

레비스트로스가 1955년에 발간한 『슬픈 열대』는 40여 년이 흐른 오늘날에 와서도 해마다 중판을 거듭하며 세계 여러 나라의 언어로 번역되어 읽히면서 이제 20세기의 고전으로 확고히 자리를 굳힌 기록문학의 대저(大著)입니다.

이 책은 지구상에서 원시적인 사회 가운데 하나라고 할 수 있는 중부 브라질의 원주민 부족들과 함께 어울려 살면서 그들의 생활을 관찰한 한 민족학자의 수기요 기행문집이라 할 수 있습니다.

그러나 조금만 읽어나가도 곧 아실 테지만, 이 책은 한 여행가의 단순한 여행기가 아니라, 어쩌면 '여행이란 무엇인가'라는 질문에 답을 주기 위한 '여행론'을 다룬 책이라 해도 크게 틀리지 않을 것입니다. 물론 그렇다고 해서 이 책이, 여느 여행기처럼 눈에 띄는 아름다운 자연경관이나 놀랍고 새로운 사건·사실들을 기재하고 있지 않다는 말은 아닙니다. 기행문이 갖는 모든 요소를 갖추고도 쉴 새 없이 자아를 탐구하는 지적 자서전의 면모도 뒤섞어가는, 이른바 철학적 기행문의 성격을 띠고 있다고 할 수 있습니다.

이런 의미에서 원서의 커버스토리에서는 이 책을 "16세기에서

19세기까지 불문학에서 자주 볼 수 있었던 '철학적 기행문'의 전통으로의 복고(復古)"라고들 말하고 있습니다. 아무튼 저자는 이 책에서, 여행이란 무엇보다도 '자아 탐구'를 위한 것이라는 사실을 잘 보여주고 있습니다.

옮긴이가 삼성출판사의 의뢰로 이 책을 처음으로 번역해서 출판한 지도 어언 20여 년이 흘렀습니다. 금번에 한길사에서 정식으로 프랑스의 플롱 출판사와 저자 레비스트로스의 승낙을 얻어서 이 책을 '한길그레이트북스'에 편입시키겠다는 뜻을 전해와, 옮긴이는 차제에 다음과 같은 대가필(大加筆)을 감행함으로써 조금이라도 더 저자의 본래 취의(趣意)를 살리는 동시에 독자들의 욕구를 충족하려 노력하여 이 책이 새로운 면모를 갖추게 되었습니다.

첫째로, 그 당시 제반 사정이 여의치 못해 누락시킨 9개 장(제14, 15, 16, 33, 34, 35, 36, 37, 39장)을 추가 번역하고 1개 장(제40장)을 보충 번역함으로써 이 책이 명실공히 완역본이 되도록 했습니다. 이 추가 부분은 독자 여러분으로 하여금 저자의 구인도 및 파키스탄(현재의 방글라데시)의 고적 답사를 통해 기독교·불교·회교 문화 간의 명쾌한 비교 비평을 맛보게 해줄 것입니다.

둘째로, 과거 본인의 역본을 재독하면서 문의(文意)가 모호한 데를 죄다 골라서 새로운 역문으로 대체함으로써 이 책을 좀더 쉽고 즐겁게 읽을 수 있도록 했습니다.

셋째로, 이 책에 무수히 인용되는 외국어의 발음 표기를 대부분 고쳐서 독자들이 자신 있게 재인용하도록 수정·통일했습니다. 이 외국어 표기, 특히 고유명사 표기 방식에서 유의한 점은, 모든 브라질어(즉 브라질에서 사용되는)와 포르투갈어 표기를 영어나 불어식이 아닌 브라질어 발음으로 고친 점입니다.

끝으로 이 번역 작업에서 대본으로 사용한 원서는 플롱 출판사

(Librairie Plon)의 1996년판이었음을 밝혀둡니다.

1998년 여름
박옥줄

찾아보기

지은이 클로드 레비스트로스

클로드 레비스트로스(Claude Lévi-strauss)는 1908년 벨기에의 브뤼셀에서
태어나 생후 2개월 때 파리로 갔다. 파리대학 법학부와 문학부에 입학해
1930년 법학사와 철학사 학위를 받았다. 재학 중에는 조르주 뒤마의 강의를
듣고 임상심리학·정신분석학 등에 흥미를 가졌고, 루소의 저작들도 탐독했으나
이때까지는 인류학이나 민족학에 아직 관심을 두지 않아 마르셀 모스의 강의도
청강하지 못했다. 합격하기 어려운 철학교수 자격시험에 최연소자로 붙었으며,
세 사람이 한 조가 되는 교육실습에서 메를로퐁티와 같은 조가 되어 그와 친교를
맺었다. 1933년에 우연히 로버트 로위의 「미개사유」를 읽게 되어 강한 감명을 받고
인류학·민족학에 관심을 갖게 되었다. 이후 대학교수로 있으면서 카두베오족과
보로로족을 방문·조사해 「보로로족의 사회조직에 대한 연구」
「문명화된 야만인 가운데서」 등의 논문을 발표했다. 또 대학을 떠나 1년간
남비콰라족, 투피 카와히브족 등의 원주민 사회를 조사하기도 했다.
1941년에는 미국으로 가 뉴욕의 신사회조사연구원에서 문화인류학을 연구했고,
미국으로 망명해온 러시아 태생의 언어학자 야콥슨과 알게 되어 언어학에
흥미를 갖게 되었다. 야콥슨과 공동으로 「언어학과 인류학에서의 구조적 분석」을
발표했다. 이후 프랑스로 귀국해 파리대학에서 박사학위를 받았는데, 박사학위 논문이
『친족의 기본구조』라는 책으로 출판되자 프랑스 학계와 사상계에 커다란 반향을
일으켰다. 그밖에도 『슬픈 열대』『구조인류학』『오늘날의 토테미즘』『야생의 사고』
『신화학』(1: 날것과 익힌 것, 2: 꿀에서 재까지, 3: 식사예절의 기원, 4: 벌거벗은 인간)
등 굵직한 저술들을 내놓아 사상계에 화제를 불러일으켰다. 1959년부터 1982년까지
콜레주 드 프랑스에서 사회인류학 학과장을 지냈고, 1973년 아카데미프랑세즈의
회원이 됐다. 2009년 10월 30일 프랑스 파리에서 사망했다.

옮긴이 박옥줄

옮긴이 박옥줄(朴玉茁)은 서울대학교 문리대 불문학과를 졸업하고
프랑스 파리대학에서 수학했다.
한국외국어대학교 교수를 거쳐 1994년 2월까지 서울대학교 사범대학
교수로 재직했다. 서울대학교 명예교수로 있다.
저서로『현대 불문법』이 있고, 역서로는 루소의『민약론』을 비롯해
『도둑일기』『춘희』『이면과 표면』등이 있다.

HANGIL GREAT BOOKS |
SPECIAL COLLECTION

슬픈 열대

지은이 클로드 레비스트로스
옮긴이 박옥줄
펴낸이 김언호

펴낸곳 (주)도서출판 한길사
등록 1976년 12월 24일 제74호
주소 10881 경기도 파주시 광인사길 37
홈페이지 www.hangilsa.co.kr
전자우편 hangilsa@hangilsa.co.kr
전화 031-955-2000~3 **팩스** 031-955-2005

부사장 박관순 **총괄이사** 김서영 **관리이사** 곽명호
영업이사 이경호 **경영이사** 김관영 **편집주간** 백은숙
편집 박희진 노유연 최현경 이한민 김영길
마케팅 정아린 **관리** 이주환 문주상 이희문 원선아 이진아
디자인 창포 031-955-2097
CTP출력 블루엔 **인쇄** 오색프린팅 **제책** 경일제책사

제1판 제 1 쇄 1998년 9월 30일
제1판 제30쇄 2022년 9월 30일
특별판 제 1 쇄 2022년 11월 30일

값 33,000원

ISBN 978-89-356-7795-5 94080
ISBN 978-89-356-7793-1 (세트)